ISBN 978-0-259-22395-5
PIBN 10681958

1 MONTH OF
FREE
READING

at

www.ForgottenBooks.com

By purchasing this book you are eligible for one month membership to ForgottenBooks.com, giving you unlimited access to our entire collection of over 700,000 titles via our web site and mobile apps.

To claim your free month visit: www.forgottenbooks.com/free681958

English
Français
Deutsche
Italiano
Español
Português

www.forgottenbooks.com

Mythology Photography **Fiction**
Fishing Christianity **Art** Cooking
Essays Buddhism Freemasonry
Medicine **Biology** Music **Ancient
Egypt** Evolution Carpentry Physics
Dance Geology **Mathematics** Fitness
Shakespeare **Folklore** Yoga Marketing
Confidence Immortality Biographies
Poetry **Psychology** Witchcraft
Electronics Chemistry History **Law**
Accounting **Philosophy** Anthropology
Alchemy Drama Quantum Mechanics
Atheism Sexual Health **Ancient History**
Entrepreneurship Languages Sport
Paleontology Needlework Islam
Metaphysics Investment Archaeology
Parenting Statistics Criminology
Motivational

ARCHIV

FÜR DAS

STUDIUM DER NEUEREN SPRACHEN

UND LITTERATUREN.

HERAUSGEGEBEN

VON

LUDWIG HERRIG.

XXXVI. JAHRGANG, 67. BAND.

BRAUNSCHWEIG,

DRUCK UND VERLAG VON GEORGE WESTERMANN.

1882.

PE
Z
AE
Bd

26900 6.

Inhalts-Verzeichnis des LXVII. Bandes.

Abhandlungen.

Beurteilungen und kurze Anzeigen.

Programmenschau.

Miscellen.

Bibliographischer Anzeiger.

Shakespeare's Lustspiele
des charakteristischen Stiles von 1598—1601.

Von

Dr. B. T. Sträter.

Einige Leser meiner früher in dieser Zeitschrift veröffentlichten Abhandlungen über die Perioden in Shakespeare's dichterischer Entwickelung und über die bedeutendsten Histories
aus der englischen Geschichte haben mich gefragt, was ich
denn eigentlich unter der Bezeichnung „c h a r a k t e r i s t i s c h e r
S t i l" wolle verstanden wissen. Ich schicke deshalb der nachfolgenden Darstellung der berühmtesten Lustspiele der mittleren
Zeit oder der dritten Periode des Dichters einige allgemeine
Bemerkungen voraus über den dichterischen Stil Shakespeare's
überhaupt.

Es versteht sich von selbst, dafs wir dabei zunächst an
den s p r a c h l i c h e n A u s d r u c k im einzelnen denken. Was
uns in demselben zuerst auffallend entgegentritt, das ist der
merkwürdige Unterschied all seiner Bilder, Metaphern und
Gleichnisse vom k l a s s i s c h e n Stile. — Friedrich Theodor
Vischer sagt darüber: „Sie gemahnen uns, wie wenn man mit
dem unruhigen blutrothen Fackellichte in eine Tropfsteinhöhle
hineinleuchtet; wogegen die Vergleichungen der Griechen und
solcher Dichter, wie Ariost und Goethe, wie eine Sonne ruhig
aufgehen und in durchaus einfachen Zügen den Gegenstand in
scharfer Deutlichkeit des Umrisses aufzeigen." — So wird bei
Sophokles die Hülfe eine „heiterblickende" Göttin genannt.

Bei Pindar hat das entstehende Lied ein „fernleuchtendes"
Antlitz. Und wenn Goethe im Mignon-Liede sagt:

> Kennst du das Haus? Auf Säulen ruht sein Dach,
> Es glänzt der Saal, es schimmert das Gemach —

so steht solch ein Bild des italischen Hauses plötzlich derartig
architektonisch-plastisch vor uns, als ob irgend ein dämonischer
Zauberer es im Augenblicke vor unserer Phantasie aufgebaut
hätte. Aber Shakespeare dichtet ganz anders, wenigstens in
seinen späteren Stücken, von Richard III. an etwa — nur in
Venus und Adonis, in den ersten Sonetten, in der Lucrezia, im
Perikles, im Titus Andronicus und in der Komödie der Irrungen
kommen Beispiele des klassischen Stiles vor. Von Richard III.
an aber dichtet er nicht mehr so einfach, nicht so plastisch
schön, auch nicht mehr so italienisch-manierirt, wie in der zweiten Periode (1589—94), sondern realistisch-objektiv in der Sache,
im Thema, und malerisch-bunt in der Art der Ausführung, wie
ein Rembrandt, Teniers und Gerhard Dow später in der holländischen Schule gemalt haben, nur noch weit gewaltiger, be-
deutender, grofsartiger im kühnen Wurf seiner kolossalen historischen Gemälde. Er verfährt dabei ganz eigenthümlich: die
grofsen Grundzüge entnimmt er mit einem kühnen Griff seinem
Chronisten Holinshed, aber im Detail der Ausführung zeigt er
einen mikroskopisch energischen Blick für das Kleinste
und Feinste in einem Bilde, dafs es uns zuerst oft Mühe kostet,
ihm in dieses Detail einer durchaus malerischen Anschauung
hinein zu folgen, bis uns dann plötzlich das komplizirte Bild
in all seinen Einzelzügen vor Augen steht und nun freilich
staunende Verwunderung über das seltsam Schöne in ihm hervorruft. Ich erinnere hierbei an alle die bereits in den früheren
Abhandlungen besonders hervorgehobenen Stellen, namentlich
an die Prologe und Chorusreden in Heinrich V. und an die
komischen Prosa-Scenen in Heinrich IV. In den Stücken der
vierten Periode (1601—8), in den grofsen Tragödien Hamlet,
Julius Cäsar, Othello, Lear und Macbeth, erhebt sich der
Dichter zur höchsten Potenz seiner künstlerischen Virtuosität
in diesem charakteristischen Stile: wie Shakespeare überhaupt etwas anzuschauen versteht, wie er das eigenthümlich
Bewegte und Stimmungsreiche in einem Bilde zu malen und

mitzutheilen und bis in die kleinsten Züge hinein deutlich hervorzuheben weifs, dafür will ich nur die berühmte Stelle aus
dem König Lear citiren (Akt IV, Sc. 6). Edgar beschreibt
seinem alten blinden Vater Gloster die Höhe, von der dieser
sich hinabstürzen will:

> Kommt, Herr, hier ist der Ort! Steht still! — Wie graunvoll
> Und schwindelnd ist's, so tief hinabzuschaun! —
> Die Krähn und Dohlen, die die Mitt' umflattern,
> Sehn kaum wie Käfer aus! — Halbwegs hinab
> Hängt einer, Fenchel sammelnd — schrecklich Handwerk!
> Mich dünkt, er scheint nicht gröfser, als sein Kopf.
> Die Fischer, die am Strande gehn entlang,
> Sind Mäusen gleich — das hohe Schiff am Anker
> Verjüngt zu seinem Boot! das Boot zum Tönnchen,
> Beinah zu klein dem Blick! Die dumpfe Brandung,
> Die murmelnd auf zahllosen Kieseln tobt,
> Schallt nicht bis hier. — Ich will nicht mehr hinabsehn,
> Dafs nicht mein Hirn sich dreht, mein wirrer Blick
> Mich taumelnd stürzt hinab! — —

Ein Bild, als ob es mit der Lupe gemalt wäre — so klein
und fein sind die Details ausgeführt! — In den weiter entwickelten Gleichnissen, wie jeder grofse Dichter sie in den
Momenten der höchsten inneren Erregtheit anwendet, weifs
Shakespeare den poetischen Ausdruck eines stürmisch bewegten
Gefühls mit unübertrefflicher Meisterschaft zu erreichen: er
reiht Zug an Zug und häuft Schlag auf Schlag, bis er unsere
miterregte Phantasie in den Sturm von Empfindungen mit hinein gezwungen hat, der durch die Brust seiner Helden zieht.
So sagt Macbeth vor der Ermordung seines Königs Duncan,
noch zweifelnd, ob er die schändliche That an seinem Lehns-
herrn, der zugleich sein Gast ist, wagen soll:

> Sein Wirth sollt' seinem Mörder wehren,
> Nicht selbst das Messer tragen! — Und dann auch
> Trug dieser Duncan seine Macht so sanft
> Und war so rein in seinem grofsen Amt,
> Dafs seine Tugenden wie Gottes Engel
> Posaunenzüngig werden Rache schreien
> Dem tiefen Höllengreuel dieses Mords! — Und Mitleid,
> Ein nacktes, neugebornes, hülflos Kind,
> Auf Sturmwind reitend — und die Cherubim
> Auf unsichtbaren luft'gen Rennern werden

> Die Schreckensthat in jedes Auge blasen,
> Bis Thränenfluth den Wind ertränkt. — —

Was für ein wild bewegtes Bild ist das! Im klassischen
Stile wäre das gar nicht möglich! Shakespeare häuft hier absichtlich eine Masse von Einzelzügen zusammen, um in uns die
Vorstellung der wilden Jagd in stürmisch dahinjagenden Ge-
witterwolken hervorzurufen und damit die furchtbare Aufregung
zu bezeichnen oder vielmehr höchst stimmungsvoll zu schildern,
welche die mit Windesschnelle sich verbreitende Nachricht der
Unthat hervorrufen muſs. Wie tief poetisch ist hier das Bild
des nackten Säuglings im Sturmwind, welches die Cherubim
wie eine gespenstische Geistererscheinung, wie den Genius
des Mitleids selber gleichsam sich vorausgesandt haben, zur
Andeutung dessen, was sie mit den Posaunentönen des letzten
Gerichtes verkünden werden.

Es sind das alles tief geschöpfte Stimmungsbilder,
wie sie der klassische Stil allerdings in solcher Ausführung
nicht kennt. Aber einem Helden wie Macbeth, dem der Dichter ein so gereizt-nervöses Wesen und eine so gefährliche Ro-
mantik der Phantasie geliehen hat — einem Charakter, der
überhaupt als ein Musterbeispiel ersten Ranges in diesem Stile
gelten kann, so wühlt sein nie ganz verstummendes Gewissen
in ihm! — einem solchen Charakter durfte der Dichter wohl
ein derartig verwickeltes Stimmungsbild auf die Lippen legen,
in jenem Momente höchster Spannung, da er kurz vor der
entscheidenden That mit einemmal eine entsetzliche Zukunft
überblickt.

Ein besonders berühmtes Beispiel eines solchen weiter ausgeführten Bildes in einer kleinen Erzählung ist der Bericht der
Königin über Ophelia's Tod im Hamlet (Akt IV, Scene 7):

Königin.

> Ein Leiden tritt dem andern auf die Fersen,
> So schleunig folgen sie!
> Laertes, Eure Schwester ist ertrunken.

Laertes.

> Ertrunken, sagt Ihr? — Wo? —

Königin.

Es neigt ein Weidenbaum sich übern Bach
Und zeigt im klaren Strom sein graues Laub,
Mit welchem sie phantastisch Kränze wand
Von Hahnfufs, Nesseln, Mafslieb, Kuckucksblumen.
Dort, als sie aufklomm, um ihr Laubgewinde
An den gesenkten Ästen aufzuhängen,
Zerbrach ein falscher Zweig: und nieder fielen
Die rankenden Trophäen und sie selbst
Ins weinende Gewässer. Ihre Kleider
Verbreiteten sich weit und trugen sie
Sirenengleich ein Weilchen noch empor,
Indes sie Stellen alter Weisen sang,
Als ob sie nicht die eigne Noth begriffe —
Wie ein Geschöpf, geboren und begabt
Für dieses Element! — Doch lange währt' 's nicht,
Bis ihre Kleider, die sich schwer getrunken,
Das arme Kind von ihren Melodien
Hinunterzogen in den feuchten Tod. *

---

* Die Stelle ist auch im englischen Texte zu charakteristisch für das,
was wir hier im Auge haben, als dafs wir sie nicht auch im Original anführen sollten, zumal dieselbe der philologischen Textkritik wieder eine
willkommene Gelegenheit darbietet zur Bethätigung ihrer Akribie:

> Queen. There is a willow grows aslant a brook
> That shows his hoar leaves in the glassy stream:
> Therewith fantastic garlands did she make
> Of crow-flowers, nettles, daisies, and long purples
> That liberal shepherds give a grosser name,
> But our cold maids do dead men's fingers call them
> There, on the pendant boughs her coronet weeds
> Clambering to hang, an envious sliver broke,
> When down her weedy trophies and herself
> Fall in the weeping brook. Her clothes spread wide,
> And, mermaid-like, awhile they bore her up:
> Which time she chanted snatches of old tunes,
> As one incapable of her own distress,
> Or like a creature native and indued
> Unto that element! — But long it could not be,
> Till that her garments, heavy with their drink,
> Pull'd the poor wretch from her melodious lay
> To muddy death.

Statt des Wortes aslant (Fol. = quer) haben die Quartos „ascaunt"
(= querüber), was jedenfalls das Bild noch deutlicher machen würde; doch
ist der Sinn im ganzen nicht sehr verschieden. Dagegen ist die gewählte
Lesart der Quartos „make", statt des come der Folio-Editionen, entschieden
vorzuziehen, da der Blumenkranz, um festen Halt zu bekommen, einen solchen Weidenzweig zum Kreise gewunden als Kern haben mufs, an welchem
die Blumen mit ihren Stengeln befestigt werden. Aus den Blumen allein
läfst sich weder ein Kranz noch eine Guirlande herstellen. Gleich darauf

Wir erinnern nur noch kurz an einige andere Stellen, welche in höchst anschaulichen Bildern ebenfalls äufserst prägnant den charakteristischen Stil repräsentiren: „Die Luft, der ungebundene Wüstling, schweigt" (Heinrich V.) — „der alte Glöckner Zeit, der kahle Küster".

> Der Krieg sträubt wild den zornigen Kamm empor
> Und fletscht dem Frieden in die milden Augen!

Dagegen:

> Der Friede schlummert in des Landes Wiege,
> Tritt mädchenblafs, mit sanften blauen Augen
> Unter die Menschen.

Und im Macbeth II, 1:

> Der dürre Mord, geweckt von seiner Schildwacht,
> Dem Wolf, der das Signal ihm heult, fährt auf
> Und schreitet hin nach seinem Ziel gespenstisch! —

Wir können uns nach unserem heutigen Geschmack kaum vorstellen, wie ein Voltaire solche durchaus künstlerische Personifikationen allgemeiner Begriffe früher für geschmacklos halten konnte: der akademisch-abgeblafste Klassizismus konnte der originalen Energie einer solchen völlig neuen Dichterphantasie nicht mehr folgen, die Metapher leuchtete ihm nicht ein, das „tertium comparationis", der Vergleichungspunkt, die Pointe wurde ihm nicht klar.* Vollends aber die weitere Entfaltung solch einer charakteristischen Kunstthätigkeit, wie sie in Shakespeare's dramatischen Charakteren und in Shakespeare's Komposition so meisterhaft zu Tage tritt, dieser komplizirt-germanische Gothenbau originaler Kunstwerke mufste dem manierirt-französischen Geschmack des 17. und der ersten Hälfte des 18. Jahrhunderts nur seltsam und fremdartig, nicht klas-

---

folgt die deutliche Bezeichnung: „her coronet weeds", nicht übel von Schlegel übersetzt: „ihr Laubgewinde", da weeds eben ein anderes Gewächs als Blumen bezeichnet, oft sogar den Blumen ausdrücklich als ihr Gegensatz (Zweige, Unkraut, Schlingpflanzen etc.) gegenübergestellt wird. (Vgl. die unter „weed" angeführten Stellen in Al Schmidt's Shakespeare-Lexikon.)
Für die Darstellerin der Ophelia ist die Stelle nach der älteren Lesart der Quartos insofern wichtig, als sie bei ihrem Auftreten vorher nicht etwa festlich bekränzt erscheinen mufs: vielmehr hat sie die Blumen gesammelt in ihren Händen oder im Schofs ihres Kleides und verteilt einzelne davon, um aus den übrigen dann Kränze zu winden.
* Vgl. die entsprechenden Paragraphen in Fr. Vischer's Ästhetik, dessen feines Urtheil in dieser Hinsicht durchaus mafsgebend erscheint.

sisch-schön erscheinen. Wir denken heutzutage ganz anders
darüber: wenn ein Hamlet Abgründe von Reflexionen auf-
deckt, um der brutalen That sich möglichst lange zu entziehen,
weil sie ihm nach seinem ganzen hoch geistigen Wesen und
feinen Naturell peinlich und unangenehm ist, so bemühen sich
jetzt die gröfsten Philosophen und die kunstsinnigsten Gelehrten, ein solches Räthsel einer machtvollen Dichterphantasie zu
lösen und uns verständlich zu machen. Ein Romeo ist durchaus kein sentimentaler deutscher Jüngling, der zum erstenmal

> Der Liebe holde Flamme leuchten sieht —

eine Julia durchaus keine schwärmende deutsche Unschuld,
sondern eine feurige Italienerin, die zur Liebe, wie zum Altar
eilt, um das höchste Fest des Lebens jubelnd mit ganzer Seele
in unendlicher Hingebung zu feiern. Richard III. ist eine gefährliche Bestie, ein blutiger Eber im Purpurgewande, nicht
nur häfslich an sich, sondern geradezu scheufslich in seiner
mörderischen Brutalität, aber ein Dämon, der uns die Blut-
lachen und Höllengründe des langen Bürgerkrieges der beiden
Rosen in ein einziges Schauergemälde konzentrirt zeigt und
welcher uns in seiner heroischen Wildheit, wie in seinem tragischen Untergange eine Welt geschichtlichen Lebens enthüllt,
wie sie nie gewaltiger ist gezeichnet worden! Wie ein Moses
des Michel Angelo — in so kolossalen Linien und grofsen
Formen stehen all diese Helden Shakespeare's vor uns! Macbeth — Lear — Othello — Brutus im Càsar — Coriolan!
Was für Gestalten sind das! Wie grofs in ihrer ersten Intention, wie bedeutend in der rücksichtslosen Energie ihres
heroischen Vorgehens, wie reich mit einzelnen Zügen ausgestattet, die ihre Individualität völlig porträtartig gestalten, und
wie erschütternd in ihrem tragischen Untergange erscheinen sie
alle! In Richard II. vollends und in Heinrich IV. hat der
Dichter eine solche Fülle dort von tragischen, hier von humoristischen Motiven auf zwei Charaktere zusammengehäuft, dafs
kaum eine andere Gestalt der dramatischen Litteratur mit ihnen
kann verglichen werden. Zumal, wenn wir in Heinrich V. verfolgen, wie der Charakter des genialen Prinzen sich weiter entwickelt, wie aus dem geistreichen Taugenichts, dem liederlichen

Schlingel, dem genialen Kneipgenossen Falstaff's der Held von Azincourt emporsteigt, die schönste Erscheinung, die je einen grofsen Thron geziert hat! —

Und nun sehe man einmal genauer darauf hin, wie die dramatische Entwickelung eines solchen Charakters zugleich den scenischen Aufbau des Stückes bestimmt: und man wird uns zugeben, dafs hier Schlaglichter auf die geniale Komposition des grofsen Dichters fallen, welche zu einer förmlichen Schule der dramatischen Kunst für die jüngere Generation werden können. In Heinrich IV. beherrscht diese Entwickelung des jungen Prinzen derartig die einzelnen Akte, dafs er in jedem, wie wir deutlich gezeigt haben, zuerst in seinen Scherzen mit Falstaff, dann im Vergleich mit Percy, endlich auch im Verhältnifs zu seinem gestrengen Herrn Vater dem Zuschauer vorgeführt wird. Im dritten Akte erweitert sich dies alles dann zum Ausbruch des Krieges gegen Percy und die mit ihm Verschworenen: und da ist denn die ernste Ermahnung des Vaters an den Sohn an ihrem richtigen Platze. Der vierte Akt zeigt die Empörer selbst in ihrer gefährlichen Lage; Falstaff, in seinem selbstbewufsten Humor sein „Futter für Pulver" herbeiführend, bietet einen köstlichen Kontrast dazu dar. Und im fünften Akte platzen denn all diese Gegensätze und Kontraste derartig aufeinander, dafs Prinz Heinz den Percy erschlägt, Falstaff den todten Helden aufpackt und mit ihm davongeht, als ob er die Heldenthat vollbracht habe, und zuletzt von den Empörern nur der tapfere Schotte Douglas, aus besonderer Gnade, mit dem Leben davonkommt. Man wird uns zugeben, dafs nur der charakteristische Stil ein grofses Heldenleben in so köstlicher Humoristik zu zeichnen versteht.

Und das wird nun ernster fortgeführt in Heinrich V.: zuerst die Vorbereitung des Krieges durch Erörterung der Rechtsfrage und die Entdeckung der Verschwörung in den beiden ersten Akten, abschliefsend mit den gegenseitigen Botschaften nach England und nach Frankreich — eine reich ausgeführte Exposition der gesamten Sachlage, in welcher der Charakter des jungen Königs völlig umgewandelt erscheint. Falstaff's Tod ist die Signatur der veränderten Lage. Im dritten Akte steigt die Verwickelung zu ihrem Höhepunkte auf durch die Lan-

dung in Frankreich, die Belagerung von Harfleur und das Gegen-
einanderrücken der beiden Heere bis zum Schlachtfelde von
Azincourt; aber auch hier sind eine ganze Reihe kleiner humoristischer Scenen eingeschoben, wie sie der klassische Stil nicht
gestatten würde: man denke nur an das Englisch-Lernen der
französischen Prinzessin und die komischen Provinzialismen in
der Sprache der Iren und Schotten.   Der vierte Akt bringt
bereits die Lösung in der Katastrophe von Azincourt,
der fünfte den Friedensschluſs durch die Vermählung
Heinrich's mit Katharina — alles das verbunden zu einem
groſsen heroischen Nationalgedichte durch die köstlichsten Prologe und Epiloge, welche unseren jungen Dichtern zeigen können,
wie ein dramatisches Genie selbst die breitesten epischen Geschichten in ein wirksames Drama zu konzentriren vermag.
Das ist es, was wir unter Shakespeare's Komposition
verstehen: es ist die eigenthümliche Verarbeitung alles ihm vorliegenden geschichtlichen oder novellistischen Materials in eine
nach Akten und Scenen konsequent sich entfaltende Handlung,
mit reicher Ausführung origineller Nebenfiguren und seltsamer
Detailzüge in einer mannigfach geschmückten, höchst originellen
Sprache, die das Bild des Ganzen im Einzelnen unendlich belebt.
Wie verwickelt solche Kompositionen des charakteristischen
Stiles sich in einzelnen Dichtungen gestalten können, dafür
wollen wir nur noch einmal hier auf die Fabel des Lear hinweisen.* Und nun wird es Zeit, daſs wir unsere hoffentlich

---

* Friedr. Vischer sagt in seiner Ästhetik (§ 500, pag. 46 des III.
Theiles: „Kunstlehre" — wir führen die Stelle an, da das Buch vielleicht
nicht Jedem zur Hand ist):
    „Im ersten Akte des Königs Lear treten bereits die beiden Grup-
pen auf, welche den Grundgedanken in verschiedenen Farben, Tönen,
Melodien aussprechen. Er enthält fünf Scenen, von welchen vier der
Familie Lear's gewidmet sind, eine der Familie Gloster's. Von den zwei
ersten Scenen stellt die erste groſse Scene das Thema auf, wie es sich in
der Familie Lear's, die zweite, wie es sich im Hause Gloster's darstellt.
Nun aber, da die Begebenheit im letzteren Hause nur die im Sinne des
Ton-Kontrastes verstärkende und begleitende Stimme und Melodie darstellt,
schreitet das Schicksal Lear's in den weiteren drei Scenen für sich fort;
das Schicksal Gloster's verschwindet zunächst und ist überhaupt mit der Begebenheit im Hause Lear's noch nicht verknüpft. Gloster's Thorheit ist noch
nicht vollendet, Lear's Thorheit ist es; und da der Undank der Kinder nur
ganz die unmittelbare Kehrseite ihrer Verwöhnung und der Leichtgläubig-
keit gegen ihre Schmeichelei ist, so tritt auch bereits das ausgesäete Unheil ein: Lear wird von Goneril miſshandelt, das Ungewitter ist schon aus-

jetzt für unser Thema sich interessirenden Leser zu den **Lustspielen des charakteristischen Stiles** hinführen, nachdem wir lange genug bei den furchtbarsten Tragödien und den
weitläufigsten Historien verweilt haben. Diese Lustspiele sind
weniger ergreifend, sie erschüttern uns nicht so tief; aber sie
sind amüsanter.

William Shakespeare's in reifster Zeit gegen das Ende des
16. Jahrhunderts geschriebene Lustspiele sind im ganzen weit
weniger allgemein bekannt, als die grofsen Tragödien. Und
dennoch enthalten sie eine solche Fülle dichterischer Schönheit,
dafs die besten unter ihnen den Trauerspielen an unvergänglichem künstlerischen Werthe mindestens gleichstehen. Es
sind vor allem **vier** Stücke, die jedes für sich einer besonderen
Darstellung und kritischen Beurtheilung werth sind: „Ende gut,
alles gut" — „Wie es Euch gefällt" — „Viel Lärmen um
nichts" — und endlich das beste von allen: „Heiliger Drei-
königs-Abend" oder „Was Ihr wollt". Die aufserdem noch
ungefähr in dieselbe Zeit fallenden Komödien, die „lustigen
Weiber von Windsor" und „Mafs für Mafs" (dieses letztere
erst **nach** 1601 geschrieben) sind theils weniger bedeutend, theils
rufen sie eine solche Menge kritischer Fragen und Bedenken
wach, dafs sie jedenfalls eine besondere Abhandlung für sich
allein in Anspruch zu nehmen hätten. Wir beschränken uns
also vorläufig auf die vier zuerst genannten Stücke: jedes einzelne mufs besonders besprochen werden. — —

I. Ende gut, alles gut.

„All's well that ends well" — oder: „Love's Labour's
wonne" — ein viel versprechender Titel, der schon andeutet,
wie interessant das Stück uns bei näherer Betrachtung werden
mufs. Ein äufserst schwieriges Thema ist mit grofser Meisterschaft durchgeführt: es handelt sich um die Darstellung einer

---

gebrochen, die Lichtpunkte, die Töne des Trostes scheinen und klingen
zwischen das ausbrechende Chaos in der Treue Kent's und des Narren, in
der Hoffnung auf Cordelia. Im zweiten Akte rückt nun aber zuerst die
zweite Gruppe, Stimme, Tonmasse, Melodie vor, der gröfsere Theil der
ersten Scene ist ihr gewidmet: Gloster's Thorheit ist reif, er verstöfst den
guten Sohn, das Schicksal seines Hauses rückt in gemessenen Schritten dem
Schicksale des königlichen nach. Unter vier Scenen ist je eine jenem, eine
diesem gewidmet" etc. (pag. 47).

Liebe, die unter den gröfsten Hindernissen ihr Ziel zu erreichen weifs. Da der liebenden und bereits mit ihrem Gatten
vermählten H e l e n a nichts anderes übrig bleibt, so scheut sie
nicht vor dem Wagnifs zurück, heimlich und unerkannt im
Dunkel der Nacht an die Stelle einer anderen Geliebten zu
treten, um mit ihrem sie fliehenden Gatten wirklich vereinigt
zu werden. Um eine so seltsame Situation zu erklären, beginnt
das Stück mit dem Abschiede des jungen Grafen Bertram —
Beltram in der Novelle genannt — von seiner Mutter, der
Gräfin von Roussillon, und ihrer Pflegetochter, der Tochter des
verstorbenen Arztes Gerhard von Narbonne — in Boccaccio's
Novelle Giletta genannt, von Shakespeare aber Helena: Bertram
zieht an den Hof des Königs von Frankreich nach Paris; ein
Vasall des Königs, Lafeu, begleitet ihn und erzählt der Gräfin
von der unheilbaren Krankheit des Herrschers. In dem Monolog der einsam zurückbleibenden Helena enthüllt sich schon
ihre ganze leidenschaftliche Neigung für den Sohn ihrer Gebieterin, obwohl sie sich zunächst keine Hoffnung darauf macht,
ihn jemals besitzen zu können:

> Gleichviel ja wär's,
> Liebt' ich am Himmel einen hellen Stern
> Und wünscht' ihn zum Gemahl: er steht so hoch!
> An seinem hellen Glanz und lichten Strahl
> Darf ich mich freun, in seiner Sphäre nie.
> So straft sich selbst der Ehrgeiz meiner Liebe:
> Die Hindin, die den Löwen wünscht zum Gatten,
> Mufs liebend sterben. O der süfsen Qual,
> Ihn stündlich anzusehn! Ich safs und malte
> Die hohen Brau'n, sein Falkenaug', die Locken
> In meines Herzens Tafel — allzu offen
> Für jeden Zug des süfsen Angesichts!
> Nun ist er fort, und mein abgöttisch Lieben
> Bewahrt und heiligt seine Spur. — —

Und unübertrefflich zart ist das Geständnifs vom Dichter
behandelt, welches die schüchterne Jungfrau der Mutter in der
dritten Scene auf deren wiederholtes Drängen ablegt. Wie
diese ihr gegenüber das Wort „Mutter" gebraucht, obwohl sie
nur ihre Adoptiv- und Pflegetochter ist, da erschrickt sie, erröthet und erblafst abwechselnd und giebt in so deutlichen

Zeichen ihre unbegrenzte Neigung für den jungen Grafen zu
erkennen, dafs die Gräfin gerührt ihr alle Unterstützung zu
gewähren verspricht, um das erwünschte Ziel der Vermählung
zu erreichen. „Sprich die Wahrheit!" fordert die Gräfin; und
Helena erwidert zunächst nur ausweichend: „Verzeiht mir,
gnädige Frau!" Und wie sie als sorgsame Mutter nun weiter
in sie dringt: „Sag', liebst Du meinen Sohn?" — da antwortet
sie mit einer köstlich naiven Wendung:

> „Liebt Ihr ihn etwa nicht?"

Und dann kommt die ganze herrliche Leidenschaft dieses tapferen Mädchens wie eine gewaltige Flamme zum Ausbruch,
eine Naturgewalt der Liebe darstellend, wie sie so mächtig nur
in den tiefsten Charakteren erscheint:

> Ja, ich gestehe,
> Hier auf den Knien, vor Euch und vor dem Himmel,
> Dafs mehr als Ihr und nächst dem hohen Himmel
> Ich liebe Euren Sohn! — —
> Arm zwar, doch ehrlich waren meine Eltern:
> So auch ist meine Liebe! Seid nicht böse:
> Denn meine Liebe thut ihm keinen Schaden.
> Ich will ihm nicht anmafsend werbend folgen,
> Nicht ihn besitzen, eh ich ihn verdiene . . .
> Ich weifs, vergebens lieb' ich, hoffnungslos!
> Und dennoch schöpf ich in dies hohle Sieb
> Die Fluthen meiner grenzenlosen Neigung.
> Dem Indier gleich, der fromm zur Sonne betet,
> Sieht auch mein irrend Aug' zu dem Gestirn
> Empor, das auf den gläubigen Beter still
> Herniederschaut und nichts von seiner Andacht
> Geweihter Gluth zu wissen scheint!

Solche feurige Beredsamkeit der reinsten Liebe gewinnt
die Gräfin, dafs sie dem klugen Mädchen, die ihres Vaters
ärztliche Kunst von ihm gelernt und geerbt hat, Mittel und Ge-
leite verspricht, dafs sie nach Paris an den Hof reisen, dort
den kranken König heilen und von ihm sich den Mann ihrer
Wahl zur Belohnung erbitten kann.

Diese Exposition ist der Inhalt des ersten Aktes. Aber
auch hier hat der Dichter in seinem Bestreben, Alles möglichst
anschaulich vorzuführen und möglichst charakteristisch zu zeich-

nen, nicht nur in der zweiten Scene den Hof des Königs und
die Ankunft des Bertram dort dargestellt, sondern auch in den
Reden des Hausnarren und in der Unterhaltung des Parolles
mit der Helena eine Menge eigenthümlicher humoristischer Züge
hinzugefügt, die in der Novelle keineswegs sich finden. Der
Charakter der Helena, wie ihn der Dichter hier entwickelt, ist
überhaupt der Schlüssel zum Verständnifs der Komödie. Ein
deutscher Dichter würde diesen Charakter gewifs so idealistisch
gehalten haben, wie er nach den soeben angeführten Stellen
zunächst angelegt erscheint: Schiller hätte ihn ins Sentimentale, Goethe ins Naive weitergeführt; aber Shakespeare's weibliche Charaktere bleiben selten so einfach naiv und werden
niemals sentimental, der Ausdruck des Zarten, Anmuthigen, echt
Weiblichen sinkt bei ihm niemals zum Weichlichen und Süfs-
lichen herab, sondern er behält stets etwas eigenthümlich P i k a n -
t e s und E n e r g i s c h e s, weil ein in seinem innersten Kerne
durchaus gesunder, in Muth und Thatkraft straff gespannter
weiblicher Charakter dahintersteckt. Diese Gesundheit, Energie,
ja Derbheit eines in sich tüchtigen Weibes nimmt dann bei
ihm gewöhnlich die Sprache und Färbung des spezifisch englischen Humors an: es ist, als pulsire in solch einem zarten
und dennoch so energischen weiblichen Wesen ein überreiches,
vollsaftiges Leben, als schwelle es in ihm von verborgenen
Quellen, die in jedem Augenblicke üppig hervorbrechen möchten. Alle Geisteskräfte der reich entwickelten und tief ihrer
selbst gewissen Individualität betheiligen sich daher wetteifernd
an dem Spiele der Offenbarung ihres Seelenlebens: und da
kommt denn in Scherzen und Witzen, in Anspielungen und
Zweideutigkeiten, aber zugleich auch in der entschiedenen selbstbewufsten Abweisung ungehöriger Zumuthungen ein Ausdruck
höchst origineller Weiblichkeit zum Vorschein, wie er dem
deutschen klassischen Ideal allerdings sehr fern liegt. Solche
Rosalinden und Beatricen und solch eine Helena auch wollen
vor allem in dieser ihrer charakteristischen Eigenthümlichkeit
begriffen sein, weil darauf eben ihre Stellung in der Komödie
und die humoristische Färbung ihres Charakters beruht. Ein
Mädchen, der ein solches Wagnifs gelingen sollte, mufste überhaupt r e a l i s t i s c h e r gezeichnet werden, als es der ideale Stil

gestatten würde. Und so erklärt sich denn die kostbare Unterhaltung mit dem Parolles gleich in der ersten Scene, die übrigens im englischen Texte wenigstens von durchschlagender
komischer Wirkung ist. Der lose Schelm und neckische Witz-
bold, der in dem tapferen Mädchen neben und in all ihrer flammenden Leidenschaft ebenfalls sein Wesen treibt, kommt hier
in einer höchst ergötzlichen Weise zum Vorschein. Wir wollen
deshalb einmal versuchen, in etwas freierer Übersetzung den
Eindruck wiederzugeben, den uns die Scene im englischen
Originale gemacht hat:

Parolles. Gott grüfs Euch, schöne Königin!

Helena. Und Euch, mein Monarch!

Parolles. Monarch? — Nein!

Helena. Königin? — Auch nein!

Parolles. Ihr denkt wohl nach über die Annehmlichkeiten
des jungfräulichen Lebens?

Helena. Ja wohl! Und da Ihr so etwas von einem Soldaten
an Euch habt, so beantwortet mir doch eine Frage: Ein Mann ist der
Jungfrau Feind, ihr gefährlichster Feind; wie verbarrikadiren wir uns
also wohl am besten gegen ihn?

Parolles. Lafst ihn nicht herein! („Keep him out!")

Helena. Aber er greift an, und unsere Jungfräulichkeit ist
schwach gegen ihn, so tapfer sie sich auch vertheidigt. Geht uns ein
Mittel an zu wirklich kriegerischem Widerstande!

Parolles. Es giebt keins! Die Männer, vor Euch nieder-
knieend, werden Euch belagern, unterminiren, in die Luft sprengen.

Helena. Der Himmel bewahre unsere armen Jungfrauen vor
Minirern und Luftsprengern! — Giebt es denn gar keine Kriegsmittel,
dafs auch einmal umgekehrt die Jungfrauen die Männer könnten fliegen
lassen?

Parolles. Lafst mich nachdenken! Wenn ich mir vorstelle,
dafs nur ein kleines „e" braucht eingeschoben zu werden, um aus einer
„Jungfrau" sogleich eine „junge Frau" zu machen, so scheint mir das
Wagniss höchst bedenklich zu sein. Denn wenn Ihr selbst eine Bresche
eröffnet, indem Ihr, die Belagerten, den Belagerer wollt auffliegen
lassen, so habt Ihr ja selbst dem Feinde Eure Festung erschlossen.
Aber in dem Gemeinwesen der Mutter Natur ist es überhaupt eine
schlechte Politik, die Jungfräulichkeit ewig bewahren zu wollen: Verlust derselben ist rationelle Wirthschaft und Vermehrung des National-
vermögens; denn noch nie ward eine Jungfrau geboren, ohne dafs eine
Jungfräulichkeit vorher erobert worden war. Ihr seid gemacht aus

solchem Stoffe, dafs immer neue Jungfrauen daraus können geformt
werden. Einmal angelegt, bringt die Jungfräulichkeit zehnfache Zinsen; legt man sie aber nicht an, so gehen Kapital und Zinsen verloren. Sie ist ein zu frostiger Gefährte: also — weg damit!

Helena. Ich will sie doch noch ein wenig bewahren, und
sollte ich darüber auch als Mädchen sterben.

Parolles. Das ist gegen die Ordnung der Natur: es läfst sich
durchaus nicht vertheidigen. Es hiefse ja die eigene Mutter anklagen,
wenn man die Partei der Jungfrau nehmen wollte, und das wäre doch
offenbare Empörung gegen das Naturrecht. ... Dies ewige Jungfrauenthum brütet ja nur Grillen aus, wie alter Käse seine Maden, es zehrt
sich ab bis auf die Rinde und stirbt endlich, indem es das eigene In-
nere allein zur Nahrung nimmt. Zudem ist das Jungfrauenthum wun-
derlich, mürrisch, stolz, müfsig und unthätig, aus lauter Eitelkeit und
Selbstliebe zusammengesetzt, der verpöntesten Sünde im ganzen Kanon
der zehn Gebote. Behaltet's nicht: ihr könnt dabei nur verlieren!
Fort damit und auf Zinsen angelegt: im Laufe eines Jahres habt Ihr
zwei für eins, was doch ganz hübsche Zinsen sind, ohne dafs das
Kapital deshalb abnimmt. Also noch einmal — weg damit!

Helena. Was aber thun, um es recht nach eigenem Wohlgefallen anzulegen? („to lose it to her own liking"?)

Parolles. Nun, lafst sehen! — Je nun, 's ist eigentlich
schlimm, dafs man den lieben soll, der eigentlich immer der Jungfräulichkeit gefährlichster Feind ist, sie also durchaus nicht liebt! Aber
sie ist nun einmal eine Waare, die durch Liegenbleiben allen Glanz verliert; um so weniger werth, je länger sie aufbewahrt wird: also fort
damit, so lange sie noch zu verkaufen ist! Nutzt die Zeit der Nachfrage. Denn wie eine welke Hofdame, trägt das Altjungfernthum zuletzt eine altmodische Haube und ein Hofkleid, dem niemand mehr
den Hof macht — wie die Agraffe am Hut und den Zahnstocher, die
kein Mensch mehr zeigt, weil sie völlig veraltet sind. ... Euer Alt-
jungferthum sieht gerade aus, wie eine von unseren welken fränkischen
Birnen: schlechtes Ansehen, runzelige Haut, trockener Geschmack
ohne Saft und Kraft — früher war sie besser — jetzt ist's nur eine
welke Birne mehr — was wollt Ihr noch damit?*

---

* „Your date is better in your pie and your porridge than in your
cheek: and your virginity, your old virginity, is like one of our french
withered pears — it looks ill, it eats drily; marry, it is a withered pear —
it was formerly better, marry, yet, 't is a withered pear. Will you anything with it?
      Hel. Not my virginity yet! — —
There shall your master have a thousands loves,
A mother and a mistress and a friend etc. etc.

Diesen ganzen Schlufs der Rede des Parolles hat Schlegel's Übersetzung
ausgelassen.

Helena. Mit meiner Jungfräulichkeit ist's noch nicht so weit gekommen. Da soll Euer Herr tausendfacher Liebe sich erfreuen. —

Dem Parolles gegenüber verhüllt in solchen Scherzen das kühne Mädchen ihr tiefes Gefühl für Bertram und sagt zuletzt nur: „Ich wünsche ihm alles Gute und bedauere nur, dafs meine Segenswünsche nicht in verkörperter Gestalt ihn. begleiten können." —

Im zweiten Akte erfolgt die Heilung des Königs und die erbetene Vermählung mit Bertram, zum Lohne für die Kunst, die Helena von ihrem Vater geerbt hat. Dieser aber schickt die junge Frau sogleich zu seiner Mutter nach Roussillon zurück, versagt ihr selbst den Abschiedskufs und zieht seinerseits in Kriegsdienste zu dem damals noch regierenden Herzoge von Florenz. „Die Lage der Helena ist jetzt die peinlichste und unwürdigste, in welcher eine edle weibliche Natur sich befinden kann: arm und niedrig im bürgerlichen Stande. geboren, liebt sie einen Mann, der ihr allerdings weit überlegen ist an Rang und Reichthum. Er erwidert ihre Liebe mit Gleichgültigkeit, er weist ihre Hand zuerst mit Verachtung zurück. Und als der König ihn zwingt, sie gegen seine Neigung zur Frau zu nehmen, da verläfst er sie schmählich am Tage ·der Hochzeit selbst und macht seine Rückkehr zu‐ihren Armen abhängig von Bedingungen, die scheinbar unmöglich sind. Alle diese Umstände und Verhältnisse, von denen das edle, tapfere, mit aller Kunst und Wissenschaft ausgerüstete Mädchen umgehen erscheint, verstofsen gegen unser Gefühl und verletzen unsere Empfindung: und dennoch weifs der Dichter die reine Schönheit und tiefe Leidenschaftlichkeit ihres Charakters über alles triumphiren zn lassen."*

Im dritten Akte erfahren wir die Bedingung, welche der unzärtliche Gatte seiner schönen jungen Gemahlin gestellt hat. In Roussillon erhält Helena, der Mutter jetzt ihre Noth und

---

* Vgl. Mrs. Jameson: „Shakespeare's female characters." 1840. Das reizende kleine Buch wird uns noch öfter gute Dienste leisten. Es ist mit einem durchaus kongenialen Verständnifs des Spezifischen und Charakteristischen in der eigenthümlichen Schönheit weiblicher Charaktere geschrieben. So verständnifsinnig konnte nur eine Frau Shakespeare's weibliche Ideale behandeln.

ihren Jammer wehklagend mittheilend, einen Brief vom Grafen folgenden Inhaltes:

„Wenn Du den Ring an meinem Finger erlangen und mir ein Kind von Deinem Schofse geboren zeigen kannst, zu dem ich Vater bin, dann sollst Du mich Gemahl nennen. Aber dieses ‚Dann‘ ist für mich ein ‚Niemals‘. Und so lange ich kein Weib habe, will ich nichts in Frankreich haben!"

Vergebens sucht die Gräfin die Klagende zu trösten: sie findet keine Ruhe, bis sie in der Tracht eines Pilgers dem jungen Grafen nachgereist und in Florenz mit der Mutter der schönen Diana, um welche Bertram sich bewirbt, einen Plan verabredet hat, der den Forderungen des Briefes Genüge zu leisten im stande ist.

Dieser dritte Akt, abwechselnd in Italien und in Roussillon spielend, ist ganz novellistisch komponirt und könnte deshalb wohl auf eine frühere Entstehung des ersten Entwurfes hindeuten, etwa zur Zeit der „beiden Veroneser" und der „Verlorenen Liebesmüh".* Doch ist die Sprache in den am besten gelungenen Scenen bedeutend reifer und entwickelter: interessante Ereignisse folgen sich rasch, hübsch vorgetragen, lebendig erzählt; nur die Reime und Sonette erinnern auffallend an die Zeit, wo „Romeo und Julia" im Werden war. In den Charakteren selbst ist aber nicht solch eine dramatische Bewegung, wie z. B. im dritten Akte des Othello: äufsere Ereignisse allein bilden den Fortgang der Handlung. Dieser Unterschied allein verweist das Stück jedenfalls in das Jahrzehnt vor dem Othello, der letzten Ausführung nach also in die dritte Periode (1595—1601), der Vollendung nach wohl in die Zeit kurz vor 1598.

Auch die lose Verbindung der humoristischen Scenen (mit Parolles und dem Narren) mit der Haupthandlung läfst das Stück jedenfalls als das älteste unter den vier zu besprechenden erscheinen. — —

Der vierte Akt, zum gröfsten Theil ausgefüllt mit solchen

---

* Der Titel „Love's Labour's wonne" ist der ältere Titel dieser Komödie gewesen, mit welchem die „Gewonnene Liebesmühe" sich unmittelbar an die „Verlorene Liebesmühe" wird angeschlossen haben. Unter diesem Titel ist sie bekanntlich bei Meres 1598 erwähnt.

nebensächlichen Späfsen und Scherzen, enthält in einer nur
kurzen, aber meisterhaft konzipirten Andeutung die Ausführung
des Planes, den Helena und Diana zusammen entworfen haben.
Die schöne Scene zwischen Bertram und Diana bereitet alles
vor: streng und keusch, wie die jungfräuliche Göttin, deren
Namen sie trägt, hat sie, bereits instruirt von Helena, den
drängenden Liebhaber bisher nicht erhören wollen. Auf alle
seine Schwüre erwidert sie nur, dafs Schwüre Worte seien, zu
leicht vergessen von den Männern, sobald der Zweck derselben
erreicht sei. Sie bittet um stärkere Beweise seiner Liebe: er
soll ihr seinen R i n g geben — die erste Bedingung der Versöhnung mit Helena! Und als Bertram dies zuerst verweigert,
da derselbe ein heiliges Juwel und altes Erbstück des gräflichen
Hauses sei, da antwortet D i a n a :

> Auch meine Ehre ist ein solch Juwel,
> Die Keuschheit auch ein Erbstück unsres Hauses,
> Von manchem Vorfahr heilig überliefert.
> Es wär' die gröfste Schmach der Welt für mich,
> Sie zu verlieren. Eure eigene Weisheit
> Bringt so den Kämpfer E h r e mir zur Seite,
> Um Euren eitlen Angriff abzuschlagen.

Darauf giebt er ihr den Ring. Und zum Scheine verspricht sie nun, ihn um Mitternacht in ihr Schlafgemach einzulassen: aber nur e i n e Stunde dürfe er bleiben, kein Wort
sprechen und nur einen anderen Ring annehmen, den sie selbst
zum Zeichen künftiger Wiedererkennung ihm an den Finger
stecken werde. Dies alles ist so verabredet mit Helena, der
wahren Geliebten und Gattin, die nun an ihrer Stelle den
spröden Gatten sich wirklich gewinnen will.

An der vorletzten 4. Scene des IV. Aktes, in welcher
Helena sich zur Abreise bereit erklärt, sehen wir bereits, dafs
im Hause der Witwe Capulet alles sich so erfüllt hat, wie es
ist vorbereitet worden. Wir ersuchen die Leser darum, diese
wundervolle Scene im Originaltexte selbst einmal nachlesen zu
wollen: „Was er weise verschweigt, zeigt mir den Meister
des Stils!"*

* „But, O, strange men! That can such sweet use make of what they
hate!" etc. ...

Während wir uns also die Gatten bereits glücklich vereinigt denken, zeigt uns die fünfte und letzte Scene dieses
Aktes noch einmal das Schloſs Roussillon: Helena hat die
Nachricht verbreiten lassen, daſs sie gestorben sei — die Gräfin
und der gute alte Lafeu klagen und trauern um ihren Tod
und preisen abwechselnd ihren Werth. Da wir aber wissen,
daſs sie, statt gestorben zu sein, vielmehr soeben den Gipfel
ihres ersehnten ehelichen Glückes erreicht hat, so ist der
Humor des Hausnarren der Gräfin hier durchaus am Platze.
Die tiefe Verehrung, in der Helena bei allen steht, kommt hier
noch einmal, kurz vor der glücklichen Lösung, zu einem sehr
hübschen Ausdruck:

Lafeu. Es war ein gutes Mädchen — wir können tausendmal
Salat pflücken, ehe wir wieder solch ein Kraut treffen.

Narr. Ja, wahrhaftig, sie war das Tausendschönchen im Salat
oder vielmehr der echte Ehrenpreis.

Gräfin. Sie war das tugendhafteste Mädchen, mit deren
Schöpfung die Natur sich jemals Ehre erwarb. Wäre sie aus meinem
Blute und kostete mir die tiefsten Seufzer einer Mutter, meine Liebe
zu ihr könnte nicht tiefer gewurzelt sein.

Der Akt schlieſst mit der Rückkehr des jungen Grafen,
der soeben noch in Florenz war — eine zu rasche Reise in
demselben Akte, so daſs bei einer heutigen Aufführung auf
unseren Theatern denn doch eine Abänderung hier eintreten
müſste. — —

Der fünfte Akt spielt zunächst in Marseille, wohin Diana
und ihre Mutter die Helena begleitet haben, um ihr zu Zeugen
für das Geschehene beim Könige zu dienen. Der König aber
ist schon von dort nach Roussillon abgereist. Helena übergiebt
also ihre Petition einem Edelmann zur Besórgung und reist
dann ebenfalls zum Schlosse der Gräfin Mutter.

Dort schlieſsen dann die beiden (2. u. 3.) folgenden Scenen
das Stück in der nun schon zu erwartenden Weise. Parolles
wird durch Lafeu wieder zu Gnaden angenommen, nachdem
er sich im Kriege „als Trommelhans" so schlecht bewährt hat.
Die Mutter aber hat den Plan gefaſst, den vermeintlichen
jungen Witwer Bertram mit der Tochter des Lafeu zu vermählen und bittet den König um seine Zustimmung. Da er-

kennt dieser an Bertram's Hand den Ring, den er selbst der
Helena gegeben hat. So sehr dieser nun auch betheuert, dafs
er denselben nicht von ihr erhalten, der König bleibt bei seiner
Meinung und läfst zuletzt sogar den jungen Grafen gefangen
nehmen als schuldig an dem Tode der Helena. Gleich darauf
bringt jener Edelmann die Petition, in welcher Diana Capulet
Anspruch macht auf den Gatten, der ihr vermählt zu sein
glauben mufs. Mit der Diana aber erscheint endlich Helena
selbst: und so wird alles offenbar. Bertram, der Graf von
Roussillon, erkennt erst jetzt die ganze Tugend, Schönheit und
Liebenswürdigkeit seiner Gemahlin, bittet sie um Verzeihung
und verspricht, sie von nun an ewig lieb und werth zu halten.
Auch Diana darf sich jetzt einen Mann nach ihrem Geschmack
auswählen. Der Komödienton wird aber zuletzt bei diesem
„Ende gut, alles gut" noch einmal sehr energisch und mit
höchst glücklichem Schlufs-Effekt angeschlagen, indem Lafeu
sagt:

> Meine Augen riechen Zwiebeln, ich werde gleich weinen. Lieber
> Trommelhans, leih mir dein Schnupftuch! So — ich danke dir: du
> kannst mich nach Hause begleiten — ich will meinen Spafs mit dir
> haben; aber lafs deine Bücklinge, die sind gar zu kläglich! —

Und der König schliefst mit den Worten:

> Ihr sollt mir's noch von Punkt zu Punkt erklären,
> In Wonn' entzückt, werd ich die Wahrheit hören.
>
> (Zu Diana:)
> Bist du noch Mädchenblume, wähl' dir morgen
> Den Gatten! Für den Brautschatz will ich sorgen.
> Ich merke, dein Bemühn und züchtig Walten
> Hat sie als Frau, als Jungfrau dich erhalten.
> Das Weitre und des Hergangs ganze Kunde
> Erforsch' ich näher zu gelegner Stunde.
> Gut scheint jetzt alles, mög es glücklich enden,
> Und bittres Leid in süfse Lust sich wenden! — —

Der englische Text des seltsamen Stückes, welches
auf unserer Bühne wohl kaum aufführbar erscheinen dürfte,
existirt bekanntlich nur in der höchst inkorrekten Folioausgabe vom Jahre 1623; Quartos sind nicht vorhanden. Die

oft schwierige und dunkle Sprache bietet daher der philologischen Textkritik ganz besondere Schwierigkeiten dar, da ein
Vergleich mit anderen Handschriften oder ältesten Drucken
vielmehr ausgeschlossen ist. Die späteren Folios enthalten
einzelne Korrekturen. Die feineren Konjekturen beginnen
erst mit Rowes Ausgabe vom Jahre 1709 und treten dann
besonders reichlich in der Ausgabe von Theobald hervor
(1733).

Erst ein Schriftsteller der zweiten Hälfte des 18. Jahrhunderts, Farmer mit Namen, hat in seinem „Essay on the
Learning of Shakespeare" im Jahre 1767 die Vermuthung aufgestellt, dafs das von Meres 1598 erwähnte Lustspiel „L. L.
wonne" mit dem unserigen identisch sei. Das gilt seitdem als
wahrscheinlich.

Malone glaubte trotzdem, der Sprache wegen das Stück
erst in das Jahr 1606 setzen zu müssen.

Coleridge unterschied in seinen 1814 gehaltenen Vorlesungen („Lectures") deutlich zwei verschiedene Stile, den
ersten als Repräsentanten des früheren bei Meres sich findenden Titels „Love's Labour's won", der auch im Epilog noch
einmal angedeutet ist in den Worten:

All is well ended, if this suit be won!

Und diese erste Grundlage des Stückes, zu welcher wir namentlich die komischen Intermezzos rechnen, in welchen Parolles
seine Rolle mitspielt, verweist die Komödie entschieden in die
Zeit zwischen Love's Labour's Lost und Romeo and Juliet,
also 1591—92. Es ist viel „Chaff" darunter, ganz in der
Art, wie Furnivall solche Spreu schon in Love's Labour's Lost
getadelt hat. Aber die feinere Ausführung der Rolle der Helena zeigt einen zweiten anderen Stil, der sehr wohl aus der
Zeit von 1595—98 herrühren könnte: und es ist nicht unwahrscheinlich, dafs diese Ergänzungen des schwierigen Themas
vom Dichter bei wiederholter Aufführung allmählich hinzugefügt
sind und dafs sie erst den neuen Titel veranlafst haben. Die
bereits hervorgehobene 4. Scene des IV. Aktes scheint mir in
dieser Hinsicht noch besonders beachtenswerth zu sein: schon

die zahlreichen Hendekasyllaben — 14 in 36 Versen — und
die wiederholten Enjambements oder Run-on-Lines, 10 in 36
— deuten diese oder sogar noch eine spätere Zeit an. Die
leise Andeutung, die in dieser Scene das nicht dramatisch Vor-
geführte errathen läfst, zeigt zudem das poetische Gefühl des
Dichters und sein technisches Geschick in seiner reifsten Schönheit. Und am Ende dieser Scene wird der neue Titel zum
erstenmal deutlich ausgesprochen und zugleich in seinem Sinne
erklärt:

> All's well that ends well: still the fine 's the crown!
> Whate'er the course, the end is the renown."

Delius erklärt diese Stelle wieder ganz vortrefflich mit einer
dreimaligen Wiedergabe des lateinischen Spruches:

> Finis coronat Opus!

Da das interessante Stück also eine ganze Reihe noch
nicht völlig erledigter Fragen darbietet, so wird es den Studirenden vielleicht nicht unwillkommen sein, wenn ich hier eine
kurze Erklärung gebe über die Principien der höheren
Textkritik, wie sich dieselben mir bei einem eingehenden
Studium Shakespeare's als nothwendig herausgestellt haben.
Der daraus sich ergebende Beweis der grofsen Schwierigkeit
guter Shakespeare-Emendationen wird jüngere Shakespeare-
Forscher Vorsicht zu lehren geeignet erscheinen. Ich be-
ginne deshalb zunächst mit einer fast selbstverständlichen
Warnung:

1) Konjekturen willkürlicher Art sind überhaupt absolut
unzulässig, wenn die ältesten Editionen irgendwie gute und
verständliche Lesarten darbieten.

2) Die Textkritik hat einen total verschiedenen Standpunkt
einzunehmen, wenn aufser den vier Folio-Editionen von
1623, 1632, 1664 und 1685 auch noch ältere Quarto-Aus-
gaben vorliegen. Handschriften existiren bekanntlich nicht
von Shakespeare's Werken.

3) Es sind ferner scharf zu unterscheiden:

a) Diejenigen Stücke, in welchen die älteste oder erste
Quarto den besten Text enthält. Dazu gehören Richard II.

und Heinrich IV., 1, in den Quartausgaben von 1597 und 1598.

b) Diejenigen, in welchen die z w e i t e Q u a r t o den besseren Text enthält, während die erste eine unrechtmäfsige Raubausgabe nach einer nachlässigen Theaternachschrift darstellt. Solche Stücke sind besonders Romeo and Juliet und Hamlet: Die Quartos von 1599 (R. and J.) und 1604 (Hlt.) enthalten den authentischen Text, während die Raubausgaben von 1597 und 1603 eine Korrumpirung der ersten Aufführungen repräsentiren, wie Shakespeare selbst diese Stücke niemals kann geschrieben haben.

c) Diejenigen Stücke, von welchen nur F o l i o - E d i t i o n e n vorliegen, oder doch nur solche Quartos, welche der Folio-Edition ebenso gegenüberstehen, wie dort die erste Quarto der zweiten. Zu den letzteren gehört besonders Heinrich V.

4) Wenn also im ganzen immer eine bestimmte Edition prävalirt als Repräsentantin der ursprünglichen leider verlorenen Handschrift des Dichters, so sind doch darum einzelne Korrekturen aus den weniger werthvollen Quartos nicht ausgeschlossen: denn es ist ja möglich, dafs d a s ´ O h r des früheren Zuhörers sich getäuscht hat gerade an der Stelle, wo d a s A u g e des späteren Setzers sich nicht täuschte, und umgekehrt. Ich erwähne als Beispiel nur die Stelle in Richard III.:

Set down your honourable load! — statt lord.

5) Für diejenigen Stücke, welche nur in der Folio vorliegen — wie unsere Lustspiele: „All's well that ends well", „As you like it" und „What you will" — sind zuerst die K o r r e k t u r e n genau zu prüfen, welche die späteren Folios enthalten.

6) Dann werden für diese besonders auch die K o n j e k - t u r e n zuweilen werthvoll, in welchen die Herausgeber des 18. Jahrhunderts ihre philologische Gelehrsamkeit zu zeigen und ihren kritischen Scharfsinn zu üben versucht haben. Von solchen Editionen sind zu beachten: Rowe 1709 — Pope 1725 — Theobald 1733 und (2. Aufl.) 1740 — Warburton 1747

— Hanmer 1744 — Johnson 1765 — Capell 1768 — Steevens 1773 — Malone 1790 — **Boswell's Malone** 1821. Aus unserem Jahrhundert: Collier (Vorsicht!), Singer, Knight, Halliwell, Dyce, Staunton, die Cambridge-Edition von 1863, **Horace Furness, Elze, Leo** und **Delius.**

Ich werde diese Grundzüge einer wissenschaftlichen Textkritik später in ihrer Anwendung auf einzelne Stücke noch genauer präzisiren.*

---

* Die gesperrt gedruckten Namen sollen die besten Emendatoren und Editoren besonders hervorheben: Theobald ist der vorzüglichste unter den älteren, Boswell's neue Ausgabe des Malone vom Jahre 1821 gilt in England als besonders werthvoll. Über Collier und seine gewagten Korrekturen bedürfte es eines besonderen Artikels. Von den gegenwärtig noch Lebenden ist Delius wohl in Aller Händen; aber sein Text mufs noch einmal genau revidirt werden nach den Varianten, wie sie unter den Amerikanern Horace Furness, unter den Deutschen Karl Elze und Friedrich August Leo theils aus den ältesten Drucken durch Vergleichung herausgearbeitet, theils in durchaus genialer Kombination selbstständig entdeckt und als Vorschläge zur Verbesserung der korrumpirten Stellen dem allgemeinen Urtheile der Shakespeare-Kenner unterbreitet haben. Vgl. darüber die letzten Jahrgänge des Skakespeare-Jahrbuches!

Es wäre zu wünschen, dafs namentlich Leo seine sämmtlichen höchst beachtenswerthen Emendationen einmal zusammengestellt herausgäbe: denn die meisten Studirenden wissen noch gar nicht, wie bedeutend seine besten Konjekturen für uns dastehen. Die geniale Kuhnheit einzelner ist freilich nicht nach Jedermanns Geschmack, und Vorsicht in der definitiven Aufnahme in den Text kann niemals schaden.

Hermann und die Hermannsschlacht,

hauptsächlich in der lyrischen Poesie des deutschen Volkes.

Gustav Hauff.

Unter dem Titel: „Die Hermannsschlacht in der deutschen Litteratur" brachte das Archiv 1880, S. 129 bis 176 und S. 241 bis 332 einen sehr belehrenden und anziehenden Aufsatz von J. E. Riffert. Derselbe faſst hauptsächlich die epische und dramatische Bearbeitung des gewaltigen Stoffs ins Auge, führt aus der lyrischen Poesie der Deutschen nur sehr wenige Data an, zeigt einige Lücken und entspricht der Aufschrift insofern nicht genau, als er sich nicht bloſs mit der sogenannten Hermannsschlacht, sondern mit manchem anderen beschäftigt, was mit jener Schlacht eng zusammenhängt. Ich fasse daher die Aufgabe meines Aufsatzes schon in der Aufschrift weiter, will im Nachfolgenden hauptsächlich die von Riffert und seinem Vorgänger, Wilh. Creizenach, in den preuſsischen Jahrbüchern (36. Band, S. 332—340) sehr unvollständig angeführte lyrische Hermannsdichtung genauer betrachten und auch sonst Nachträge und Ergänzungen zu dem im übrigen trefflichen Aufsatz Rifferts liefern. Es finden sich unter den Hermannsliedern mehrere, die wirklich poetischen Wert haben und jetzt noch auf manchem Turnplatz und bei manchem Gelage gesungen werden, während die epischen und dramatischen Hermannspoesien mit Ausnahme von zweien oder dreien bloſs noch für den Litterator Interesse haben.

„Canitur adhuc barbaras apud gentes!" sagt Tacitus von
Armin. Ob nun hier lyrische oder epische Gesänge zu verstehen sind, wissen wir nicht. Riffert versteht unter den Liedern
von Armin, wie man aus der Anlage und dem Inhalt seiner
Abhandlung sieht, hauptsächlich epische Lieder. Ich setze seine
schönen Worte her: „Die verlornen Lieder von Armin, von
denen nur dürftige Kunde zu uns gelangt, sollte, wenn auch
nicht dem Wortlaute nach, die deutsche Litteratur von nun an
nicht mehr los werden. Wie ein Strom durchzieht ihr Inhalt
die Jahrhunderte, oft lange Strecken unter der Erde fliefsend,
unsichtbar, aber stets von neuem hervorquellend, nie versiegend.
Und nie zu gleichgültiger Zeit. Es sind hochbedeutende Tage,
und wenn nicht bedeutend, so doch Bedeutendes vorbereitend,
in denen sich Männer finden, die das verborgene Gold, das in
jenen Liedern lag, hervorhoben und es zu Formen gestalteten.
Nicht jedes Jahrhundert erinnert sich des Wahrers der deutschen
Nationalität, aber wenn er wieder ans Licht tritt, da wird der
Cherusker ein Vorkämpfer des deutschen Wesens, gegen welchen
Feind es auch sei. Ja man möchte behaupten, dafs mehr als
in den Tagen der Freude, in denen der Not er seinem Volke
ein Hort des Trostes und der Begeisterung geworden, auf
welchen blickend, seine Edlen einer besseren Zukunft entgegenarbeiteten." Dies gilt noch mehr von der lyrischen Hermanns-
poesie der Deutschen. Riffert selbst bemerkt S. 267, dafs in
dem Zeitraum, den die Zahlen 1740 und 1800 (soll wohl 1840
heifsen) begrenzen, eine Fülle von Kunstwerken entstand, reich
nicht nur, weil Epos, Lyrik und Drama miteinander wetteiferten,
das Haupt des germanischen Helden zu bekränzen, sondern
auch fast unerschöpflich, weil man die mannigfachsten Ideen
in diese hineintrug, wie sie die vorhergehenden Jahrhunderte
auch nicht annähernd aufzuweisen hatten. Zur lyrischen Her-
mannspoesie rechne ich nach Rifferts und Creizenachs Vorgang
auch solche Lieder, die den Helden nicht allein, sondern aufser
ihm noch andere deutsche Männer, aufser der Hermannsschlacht
noch andere Schlachten verherrlichen. Wie sehr Klopstocks
vaterländische Lyrik vom Hermannsgeist durchdrungen ist, sieht
man aus der Thatsache, dafs Hermann abgesehen von den
eigentlichen Hermannsliedern noch in verschiedenen anderen

Oden erwähnt wird. In der Ode „Fragen" heifst der Deutsche
Hermanns Sohn; eine siegreiche Schlacht ist Hermanns wert
(ebendaselbst); in „Kaiser Heinrich" heifst Deutschland
„Hermanns Vaterland"; in „Der Nachahmer" wird Hermann
mit Luther zusammengestellt, eine Verbindung, die uns noch
öfter begegnen wird; in „Wir und Sie" lautet der Schlufs:
„Hermanne unsre Fürsten sind, Cherusker unsre Heere sind,
Cherusker kalt und kühn"; d. h. wie Düntzer richtig erklärt
und wie die Worte ursprünglich lauteten: „Wenn unsre Fürsten
Hermanns (Hermanne) sind" u. s. w.; in „Der Hügel und
der Hain" rauscht es durch alle Saiten der Telyn: „Vaterland!
— Wessen Lob singet nach der Wiederhall? Kommt Hermann
dort in den Nächten des Hains?" in „Die Rofstrappe"
weissagt der Barde an der Welle des Bachs von dem Mal,
das Hermann in Winfeld sich einst aus Legionengebein erbaute
und von Bojokal, den Hermann wegen seiner Weigerung, am
Mal mitzubauen, in Fesseln schlug; Hermann ist endlich in
„Teutone" und in „Die deutsche Sprache" durch Winfelds Schlacht Hort und Retter der echten deutschen Sprache.

Man sieht, wie dem Dramatiker und Lyriker Klopstock
sein Held Hermann der Inbegriff alles Deutschtums ist. — Zu
Klopstocks Kreis gehört Friedrich Leopold Stolberg
(Riffert sagt S. 327 sehr unbestimmt: einer der Stolberge), der
in seiner Ode „Der Harz" (1772) Hermann erwähnt. Die
drei hierher gehörenden Strophen lauten (nach Wolffs poetischem
Hausschatz des deutschen Volks, erneuert von Oltrogge,
26. Aufl. S. 354) also:

Dort im wehenden Hain wohnt die Begeisterung,
Felsen jauchzen zurück, wenn sich der Barden Sang
Unter bebenden Wipfeln
Durch das hallende Thal ergofs.

Und dein Hermann vernahm's! Sturm war sein Arm, sein Schwert
Wetterflamme! betäubt stürzten die trotzigen
Römeradler, und Freiheit
Strahlte wieder im Lande Teuts.

Doch des Enkelgeschlechts Enkel verhüllten
Hermanns Namen in Nacht, bis ihn (auch er dein Sohn!)
Klopstocks mächtige Harfe
Sang der horchenden Ewigkeit.

Man sieht daraus, wie Wilh. Creizenach a. a. O. mit Recht
bemerkt, daſs zu jener Zeit viele Klopstock für den ersten
Sänger Hermanns hielten. —

„Aus den Reihen der Stürmer und Dränger," sagt Riffert
S. 300, „ist nichts bekannt, das auf ein näheres Verhältnis zu
Armin schlieſsen lieſse: die Dichter dieser Schule hatten zu
viel mit den Schatten Shakespeares und Fausts zu ringen, um
seiner gedenken zu können; auch floſs ihnen ein guter Tropfen
weltbürgerlichen Blutes in den Adern. Rechnet man die wenigen
gedankenvollen und schönen Strophen Herders ab, der doch
mit ihnen in gewissem Sinne Fühlung hatte, so ist nichts Der-
artiges vorhanden, man müſste denn den kraftgenialischen Ausruf des Räubers Moor (I, 2) hierher rechnen: ‚Ah! daſs der
Geist Hermanns noch in der Asche glimmte!‘ der auch im
Armin ein Ideal der Sehnsucht jener Regellosen zu bezeugen
scheint." In der Anmerkung verweist Riffert zum Beleg des
über Herder Gesagten auf dessen Gedicht: „An den Genius
von Deutschland" (1770), (Zur Litteratur und Kunst 3,
161 ff.) von dem er die erste Strophe mitteilt. In dieser ersten
Strophe schwebte Deutschlands Genius lebendig seinen Söhnen
vor, Hermannen vor und bebte Lustschauer in ihr Ohr; in der
vierten und fünften Strophe werden Theut und Mann und Hermann zusammengestellt, die auf des Todesadlers Schwingen
zum Himmelreich der Väter emporschwebten, auf hellen Wolken
thronen und unserer Lieder hören. Riffert übersieht aber zwei
Gedichte Herders, das ziemlich unbedeutende: „Klopstocks
lyrische Poesie" (vom Jahre 1771), wo Vaterland, Barden-
sprache und Hermanns Barden als ein süſses Wahnbild erscheinen, das den Sänger nicht für den Verlust Cidlis ent-
schaden könne. Viel höher steht die andere, nach Horaz
(Od. I, 12) gedichtete, die edelste Vaterlandsliebe atmende:
„Deutschlands Ehre." Auf Hermann gehen die dritte und
vierte Strophe:

> Sing' ich jenen zuerst, der Roms gewalt'ge
> Strenge Bande zerriſs? O traure, Deutschland!
> Siegen konnte dein Hermann, aber deine
>   Siege nicht sichern.

Neid durchbohrte den Retter seines Volkes;
Den kein Römer bezwang, bezwangen Deutschlands
Fürsten. Trauriges Spiel! — —

(Zur Litteratur und Kunst 3, 169 und 190).

Zu den Stürmern und Drängern, denen Riffert ein sympa-
thisches Verhältnis zu Hermann abspricht, gehört auch der
geniale S c h u b a r t. Wie für alles Hohe und Herrliche, so
hat er sich auch für Hermann und die Hermannsschlacht begeistert. So ruft er in dem Gedicht „D e u t s c h e F r e i h e i t" aus:

Hast du verlassen Germanias Hain,
Wo du unter dem Schilde des Monds
Auf Knochen erschlagener Römer
Deinen Thron ertürmtest?

Wo du mit deinem aufgesäugten Sohne
Hermann Winfelds Schlacht schlugest,
Und die Äser der Freiheitshasser
Den Wölfen vorwarfst zum Frafse?

Wie Schubart sich Hermanns äufsere Erscheinung vor-
stellte, zeigt „D i e E r s c h e i n u n g", wo ein Mädchen vom
künftigen Gatten phantasiert:

Jüngst safs ich, vom Monde beschienen,
Am Bettlein so einsam, so leer;
Da sah ich mit freundlichen Mienen
Den Jüngling, wie Hermann war er.
Es flammte der himmlische Zunder
Der Liebe die Augen herunter,
Hoch, schlank, nicht zu weich, nicht zu wild,
War meines Erwählten Gebild.

Weniger originell ist die Erwähnung Hermanns in den
Gedichten: Palinodie an Bacchus, an die Freiheit, Vaterland,
deutscher Spruch; aber echt schubartisch, wiewohl durchaus
nicht klopstockisierend, ist die Zusammenstellung Hermanns
mit Friedrich dem Grofsen in dem berühmten Hymnus:
„F r i e d r i c h d e r G r o f s e", wo der Dichter ausruft:

Er wog im Verborgenen die Rechte der Fürsten,
Auch hängt' er furchtlos die Wag' ans Schwert.
Da drängten sich Teutoniens Fürsten
In Friedrichs Felsenburg, wo der Riese
Sinnt auf dem eisernen Lager.

Sie boten ihm die Hand und nannten ihn
Den Schützer ihrer grauen Rechte, sprachen:
„Sei unser Führer, Friedrich Hermann!"
Er wollt's, da ward der deutsche Bund.

So sehr ist Schubart vom Hermannsbewufstein durchdrungen, dafs er z. B. im „Leben Klemens' XIV. römischen
Papsts" gleich im Anfang ihn mit den gröfsten Männern der
Geschichte, mit Cäsar, Peter dem Grofsen, die ihren Völkern
einen neuen Schwung gegeben, in einem Atem nennt. Rührend
ist es, wie der unruhige, vielgeplagte Mann seinem Vater die
Geburt seines zweiten Sohnes mit den Worten anzeigt: „Beschert Gott den Hasen, beschert er auch den Waasen — sagt
ein echter Sohn seines Stammvaters Hermann."

Klopstock, Herder und Schubart sind zu gleicher Zeit Bewunderer Hermanns und Luthers. Der gröfste Verehrer Klopstocks, Johann Andreas Cramer (1723—88) hat eine
pindarische Ode: „Hermann" gedichtet, von der Riffert einige
Proben mitteilt. Derselbe Cramer stellt in seiner Ode „Luther"
beide zusammen, erteilt aber die Palme dem Helden, den die
Überschrift des Gedichtes nennt. Er stimmt ein Bardiet auf
den Mann an, dem selbst Hermanns Barden geschwiegen und
den Gesang der Schlacht vergessen hätten. In der fünften
Strophe ruft er aus:

Mehr ist der Wahrheit Kämpfer, als wer Schlösser,
Wer Welten durch sein dürstig Schwert gewinnt.
O Luther, Luther! Hoher Name, gröfser,
Als aller Helden Namen sind,
Als Hermann auch, und der besiegte doch
Die Völkerplager und zerbrach ihr Joch!
Denn er zerbrach des Aberglaubens Ketten.
Schon trugen wir sie, sträubend zwar,
Doch trugen wir sie; keiner war
Noch weis und kühn g'nug, uns zu retten.*

Einer der letzten Ritter aus dem Sagenkreise Klopstocks
des Grofsen ist der fast verschollene F. D. Gräter aus
Schwäbisch-Hall (1768—1830). Vor mir liegt der erste Teil

---

* Ich citiere nach Paul Pressel, Die geistliche Dichtung von Luther bis
Klopstock (5. Band der evangelischen Volksbibliothek, herausgegeben von
D. Klaiber) S. 958.

seiner gesammelten poetischen und prosaischen Schriften, der
die lyrischen Gedichte enthält, vom Jahre 1809. S. 131 liest
man:

Das teutsche Vaterland.

Wo ist das teutsche Vaterland?
Weifst du das, Thor von Frager, nicht?
Wo man die Sprache Hermanns spricht,
Da ist das teutsche Vaterland!

S. 181 steht „Das teutsche Schützenlied“ nach der
Melodie des Kapliedes. Hier wird der Held Armin als Ahnherr
der „teutschen“ Schützen gepriesen.

Wifst ihr, wer Teutschlands Retter war?
Ein Schütz, der Held Armin!
Der schlug beim hellen Morgenroth
Der Römer Legionen todt,
Und wir sind frey durch ihn!

Zwey ganzer tausend Jahre frey,
Und teutsch wie vor durch ihn!
Teuts Sprache reden alle noch!
Drum wer sie redet, spreche: Hoch
Leb' unser Schütz Armin!

Das S. 325 mitgeteilte Bardiet „Chöre der Barden vor der
Hermannsschlacht“ bietet nichts Besonderes.

„Mehr als in den Tagen der Freude ist Hermann in denen
der Not seinem Volke ein Hort des Trostes und der Begeisterung geworden, auf welchen blickend seine Edlen einer besseren
Zukunft entgegenarbeiteten.“ Diese schon einmal angeführten
Worte Rifferts finden durch die Kämpfe der Deutschen gegen
Napoleon eine glänzende Bestätigung. Hier bedaure ich, dafs
Riffert von einem echt deutschen Mann blofs einen seltsamen
Einfall anführt, der seiner wahren Gröfse keinen Abbruch thut,
und dafs er, der doch S. 310 ff. Zeitschriften und Taschen-
bücheraufsätze nennt, die der Erhebung von 1813 vorarbeiteten,
ein Buch mit Stillschweigen übergeht, das immer wieder auf
unsern Helden als Hort deutschen Wesens und Gewähr einer
besseren Zukunft zurückkommt, ich meine Ludwig Jahn und
sein „Deutsches Volkstum“ (1810). Gleich bei der Erörterung der Begriffe Volkstum und Deutschheit S. 19
fragt Jahn unter anderem: Wodurch erlag Vercingetorix samt

seinen Volksgenossen? Wodurch erstand Hermann immer
glorreicher? Weil Vercingetorix und der Gallier Bundesrat sich
nicht über Äduer, Sequaner, Averner und so weiter erhoben,
Hermann aber nicht beim Cherusker stehen blieb, sondern bis
zum Germanen vorschritt, was ein ganzes Volkstum gegen der
Römer Heeresflut in Wehrstand setzte. Leider sieht sich Jahn
S. 115 ff. genötigt, alle Leiden Deutschlands von der L a n d s -
m a n n s c h a f t s s u c h t und V ö l k l e i n e r e i abzuleiten. „Dadurch wurden immer die Deutschen entzweit, einsiedlerisch voneinander geschieden, mit Dünkel erfüllt und die gemeine Sache
ward fast nie allgemein begonnen und vollführt. Was im
grofsen geschah, leisteten begeisterte Heilande, die das gesamte
Volk aus dem alten Sündenwuste mit Schnellkraft fortrissen.
Und so ging das Allgemeine vom Einzelnen aus, wenn deutsche
Invölker aufstanden, sich über Landsmannschaftssucht und
Völkleinerei erhuben und als Vorkämpfer in die Schranken
traten. Als Hermann sich wider die Völkertilger in den Krieg
und die Schlacht wagte, folgte nur ein Teil des Nordwesten
seinem Paniere; Marbod safs mit der Macht des Osten als
Fischer im Trüben still und die batavische Reiterei rötete die
Weser mit Bruderblut. ‚Hatten also die Deutschen (wie ihr
Brauch noch ist) untereinander Krieg, dessen die Römer und
Wahlen wohl lachen mochten.‘ (Ein altes Zeitbuch.) Das
macht die deutsche Geschichte zum grofsen Trauerspiele des
Bürgerkrieges. Von Hermanns Ermordung an verfolgte uns
der Fluch, dafs aus Landsmannschaftssucht und Völkleinerei
die Deutschen dem aufsätzig waren, der nur die Einheit des
Volkes ahnen liefs. So liefsen sie die Brüder im Stich, die
thatbegeistert ein grofses Werk begannen.“ Beim Kapitel von
der L a n d w e h r nennt Jahn neben den Griechen die Altdeutschen als diejenigen, die den Schutzkrieg im grofsen getrieben haben, und schliefst mit den Worten: Nur einen nennt
die Volksgeschichte, der die Eroberer sich gegen ihn zu Tode
kriegen liefs — Hermann, den Unvergleichlichen. Unter den
zu V o l k s f e s t e n passendsten Tagen nennt Jahn in erster
Linie den Tag der Hermannsschlacht (nach Florus 10, 12 zugleich Jahrestag der Schlacht bei Cannæ). Unter den d e u t -
s c h e n N a m e n empfiehlt er Hermann, Karl, Heinrich,

Otto u. s. w., die wie teure Nachbleibsel von Schutzheiligen
gelten sollten. Bei den Büchern, die noch müfsten in
deutscher Sprache geschrieben werden, sagt er aus Anlafs
der deutschen Heldengedichte: „Nur zwei Gegenstände für
deutsche Heldengedichte hat unsere Geschichte aufbewahrt —
den Volksheiland Hermann und den Staatsretter Heinrich. Alle
anderen Thaten sind nicht so grofs, nicht so allgemeinwirkend
oder zu neu und zu gründlich geschichtlich bekannt. In beiden
würde die gesamte deutsche Welt mehr als Ilias und Odyssee
haben. Wer sich aber an diese Gegenstände wagen will, mufs
deutsche Geschichte und Altertümer kennen wie kein Gelehrter
vor ihm, die Sprache in seiner Gewalt haben mit aller ihrer
Kraft, Ursprünglichkeit, Lieblichkeit und Schönheit, und des
Versbaus Meister sein wie Vofs.‘ —‘ Weiter fordert er ein
Denkbuch für Deutsche, bei dessen Abschnitt: Was die
Deutschen für die Menschheit gethan — die Kämpfe gegen
Weltreiche und aufstrebende Alleinherrscher nicht
fehlen dürfen, und hier führt den Reigen: Überwindung Roms
von Hermann und Winfelds Rettungsschlacht 7, 9. — Noch
das Kapitel von der Wichtigkeit des häuslichen Lebens
schliefst er mit der schönen Ode Klopstocks: „Hermann und
Thusnelda." — Doch das höchste und beste Wort Jahns über
Hermann lautet (S. 114): „Ein Volk, das Hermann und Luther
hervorgebracht, darf niemals verzweifeln." Das erinnert an
Fichtes grofses Wort, das er in den Reden an die deutsche
Nation seinem Volke zuruft: Geht ihr unter, so geht Europa
unter. Im übrigen wird in diesen Reden, die zwei Jahre vor
dem Erscheinen von Jahns deutschem Volkstum gehalten wurden,
Hermann nur einmal (S. 125 der Ausgabe von J. H. Fichte
1859) erwähnt, wo Fichte fragt: Hatten sie keinen Sinn für die
Vorzüge römischer Bildung z. B. für die bessere Einrichtung
ihrer Heere, in denen sogar ein Arminius das Kriegshandwerk
zu erlernen nicht verschmähte? — In der That eine solche Begeisterung für Armin habe ich nur noch bei J. G. A. Wirth
in seiner Geschichte der Deutschen (1. Band, zweite Auflage
S. 308—339) gefunden, wo namentlich die vermeintlichen Siege
des Germanicus über Armin in ein neues, eigentümliches Licht
gerückt werden.

Wir gehen zu den Freiheitskriegen und zu den D i c h t e r n
d e r F r e i h e i t s k r i e g e über. Zu diesen zählen wir auch noch
den genialen H e i n r i c h v o n K l e i s t, den Dichter der Hermannsschlacht. Riffert führt eine Probe aus dem Gedicht
„Germania an ihre Kinder" vom Jahre 1809 an, läfst aber die
Hauptstelle, die auf die Teutoburger Schlacht geht, weg; diese
lautet:

> Deutsche, mut'ger Kinder Reigen,
> Die, mit Schmerz und Lust geküfst,
> In den Schofs mir kletternd steigen,
> Die mein Mutterarm umschliefst,
> Meines Busens Schutz und Schirmer,
> Unbesiegtes Marsenblut,
> Enkel der Kohortenstürmer,
> Römerüberwinderbrut!

Die Marsen halfen im Teutoburger Wald die römischen
Legionen und Kohorten überwinden. Im übrigen ist die aus-
drückliche und oftmalige Erwähnung unseres Helden und seiner
gröfsten That noch durchaus kein Beweis echter deutsch-patrio-
tischer Gesinnung. Uhland, der auch seinen Anteil an der
patriotischen Dichtung jener Jahre hat, war gewifs durch und
durch ein deutscher Mann, und doch erwähnt er Hermann
nirgends, weil er überhaupt in seinen Gedichten von der ältesten
Zeit der deutschen Geschichte schweigt. Nur e i n e Stelle klingt
von ferne vielleicht an die Hermannsschlacht an:

> Man sagt wohl von den Katten,
> Sie legten Erzring' an,
> Bis sie gelöst sich hatten
> Mit einem erschlagenen Mann.

Die Katten waren aber Verbündete der Cherusker gegen Varus.
(Vergleiche aufserdem das erste der Sonette auf Karl Gang-
loffs Tod.) Der Barde Gräter hingegen, von dem oben die
Rede war, verdient trotz aller Gesänge von Hermann und der
Hermannsschlacht, von altdeutschen Göttern und Helden den
Namen eines deutschen Mannes nicht, denn er war ein Verehrer Napoleons „des Grofsen" und ein Schmeichler des
würtembergischen Königs Friedrich, der zu den unterthänigsten
und ausdauerndsten Anhängern des korsischen Eroberers ge-

hörte. So darf es uns nicht befremden, daſs Theodor Körner
unseres Helden nirgends gedenkt und nur im sechsten von
Friedrich Rückerts geharnischten Sonetten Hermann
und Thusnelda genannt werden. Wo aber Deutschlands Helden
von den ältesten Zeiten an bis auf die neueste Zeit gefeiert
werden oder wo, wie in Schenkendorfs „Festlied" vom
Jahr 1814, den Freiheitshelden aller Zeiten und Völker ein
Lobgesang ertönt, da darf der Held Hermann nicht fehlen.

> Noch einen Namen nennt man hier,
> Ein heil'ges Losungswort,
> Der scheucht allein schon Feinde fort —
> Der Deutschen Stolz und Zier,
> O Hermann, Hermann werde wach,
> Wir haben's wohl gemeint,
> Die Pleiſse wie der Rodenbach
> Sah fallen Deutschlands Feind.

(Anm.: Rodenbecke im Teutoburger Walde hat den Namen von
dem blutfarbigen Wasser.)

In dem Zimmergesellenlied, einem der Königsberg-
schen Wehrlieder 1813, liest man:

> In dem Teutoburger Wald
> Stehn die Bäume stark und alt,
> Gäben wohl ein schönes Haus;
> Doch uns überläuft ein Graus —
> Der von Hermann spricht,
> Baum, wir fällen dich nicht.

Im „Tedeum nach der Schlacht", der Leipziger
Völkerschlacht, heiſst es:

> Im Himmel ist gar groſse Freud',
> Die Märtyrer im weiſsen Kleid,
> Wer je für Recht und Glauben fiel,
> Der edlen Winfeldskämpfer viel,
> Die Kaiser aus dem Schwabenland.
> Erheben Gottes Wunderhand;
> Wer Otto je und Heinrich hieſs,
> Erfreut sich noch im Paradies.

In der Anmerkung sagt Schenkendorf: Auf dem Winnfeld,
Winnefeld am Teutoburger Walde siegte Hermann. In dieser
Strophe, wie auch im Gedicht „Auf Scharnhorsts Tod"

spricht der Dichter eine eigentümliche romantische Vorstellung
aus. Scharnhorsts Seele wird von Engeln in den Himmel geführt,

> Zu dem alten deutschen Rate,
> Den im ritterlichen Staate
> Ewig Kaiser Karl regiert.

Beachtenswert sind die Worte in dem „Studenten-Kriegs-
lied" vom Jahre 1813:

> Noch kämpft der Leonide,
> Noch schallt die Hermannsschlacht,
> Der Fall der Winkelriede
> Übt wieder seine Macht.
> Was wir gehört, gelesen,
> Tritt wirklich in die Zeit.
> Gewinne jetzt ein Wesen
> Auch du, Gelehrsamkeit —
> Es gilt kein kleines Fechten
> Und keinem Fürstenstreit,
> Es gilt dem Sieg des Rechten
> In alle Ewigkeit.

Was vor mehr als 18 Jahrhunderten geschehen ist, muſs
in eine lebendige Beziehung zur Gegenwart gesetzt, es muſs
eine Verbindungslinie zwischen der Vergangenheit und Gegenwart gezogen werden. Darin liegt der groſse Reiz von
H. v. Kleists Hermannsschlacht und in Prosa von Wirths
obengenannter Darstellung von Hermanns Thaten und Schicksal. Daſs dieser moderne Reiz fehlt, läſst uns bei Klopstocks
und anderer Barden zum Teil erkünstelten Bardieten kalt. Nicht
diese Bardiete, sondern die lyrischen Partien darin erhielten sich
im Herzen des Volkes. So erzählt Arndt in seinem Werk
„Erinnerungen aus meinem äuſseren Leben" S. 182: „Da
sangen (1813) die sechzehn-, siebzehnjährigen Jünglinge beim
Abschied aus den Gymnasien, als sie das Roſstummeln und
die Büchse laden lernen wollten, übersetzte Stücke aus den
Hymnen des Tyrtäus, lyrische Stücke aus der Klopstockschen
Hermannsschlacht her, und Männer und Greise, Väter und
Mütter standen mit gefalteten Händen dabei und beteten still
um Sieg und Segen." Arndt selbst war für Hermann und die

Hermannsschlacht begeistert. Er hat jene in einem eigenen
Lied verherrlicht, dessen Anfang lautet:

> Wodan, Donnerer! sie sanken, die Eroberer,
> Die Tyrannen, durch der schlanken Deutschen Todesspeer.

Die Aufschrift des Gedichtes ist: „H e r m a n n s S i e g e s l i e d."
Im „L i e d a u f S c h a r n h o r s t" singt er:

> Wer ist würdig solche Mär zu tragen?
> Aufgestanden sind die Söhne Teuts,
> Millionen Stimmen klingen,
> Unsrer Schande Ketten sollen springen,
> Auch der Donner klingt's des Streits.
>
> Wer mag Hermann seine Rechte reichen
> Und der Väter Angesichte schaun?
> Wahrlich keine von den bleichen
> Seelen, die vor jedem Sturmwind streichen,
> Die zermalmte schier das Graun.
>
> Nur ein Held mag Heldenbotschaft bringen,
> Darum muſs der Deutschen bester Mann,
> Scharnhorst muſs die Botschaft tragen:
> „Unser Joch das wollen wir zerschlagen
> Und der Rache Tag bricht an."

Im „V a t e r l a n d s l i e d" von 1812, das anfängt: „Der Gott,
der Eisen wachsen ließ, der wollte keine Knechte" lautet die
dritte Strophe:

> O Deutschland, heil'ges Vaterland,
> O deutsche Lieb' und Treue!
> Du hohes Land, du schönes Land,
> Dir schwören wir aufs neue:
> Dem Buben und dem Knecht die Acht!
> Den speisen Krähn und Raben!
> So ziehn wir aus zur Hermannsschlacht
> Und wollen Rache haben.

Das Wort Hermannsschlacht mit seinen zwei Bedeutungen:
1) die Schlacht im Teutoburger Walde, 2) jede deutsche Freiheits-
schlacht überhaupt — fehlt im Grimmschen Wörterbuch. Hermann als Eigenname wird — freilich dem Plan des Wörter-
buches entsprechend — nur ganz allgemein angegeben; hierauf
folgen vier appellative Bedeutungen des Worts. Wenn aber der
Eigenname mit einem Appellativum verbunden wird, so sollte

man erwarten, dafs das zusammengesetzte Wort nicht fehlte.
Ähnliches liefse sich über die so häufigen Zusammensetzungen:
Lutherbibel, Lutherlied, Lutherkirche bemerken, die ebensogut
in ein Wörterbuch der deutschen Sprache gehören, als die
Artikel „Lutherei, Lutherisch, Lutherthum", die das Grimmsche
Wörterbuch bringt. Endlich findet sich in Arndts allbekanntem
„Was ist des Deutschen Vaterland?" in der neunten
Strophe zu den Worten: „Das ist des Deutschen Vaterland,
wo Zorn vertilgt den wälschen Tand" die abweichende Lesart,
die schwerlich von Arndt selbst herrührt: „Wo Varus seinen
Hermann fand." Wie ich aus dem Büchlein: „Liederbuch
für deutsche Turner. 19. Auflage. Herausgegeben vom
Berliner Turnrat. Mit dem Bildnis Jahns. Braunschweig, Wester-
mann 1862" ersehe, ist der Turnvater auch als Freiheits- und
Vaterlandsdichter aufgetreten und hat, wie in Prosa, so auch in
gebundener Rede seinen Lieblingshelden Hermann verherrlicht.
Das Lied: „Der Altvorderen Trinksprüche" schliefst
mit den Worten:

> Im Winfeld sühnt' einst unsre Schmach
> Hort Hermanns Blutvergiefsen;
> Drum soll ihn noch beim Festgelag
> Der letzte Hochklang grüfsen.

„Nach Kretschmann", sagt W. Creizenach a. a. O., „wurden
die Loblieder auf Hermann und die alten Deutschen unzählig,
bis sie in ihren letzten Ausläufern mit dem Turnerenthusiasmus
für Altdeutschland verschmolzen." Hier scheint mir der Ausdruck „unzählig" übertrieben; aber gewifs ist, dafs das deutsche
Volk seinen Befreier nicht vergessen hat und dafs das „adhuc
canitur apud barbaras gentes" bis auf diese Stunde von der
Lyrik unseres Volkes gilt. Wir haben mehrere Lieder, die
blofs Hermann zum Gegenstand haben, z. B. in dem oben genannten Büchlein S. 58 „Hermann":

> Preis dir, Hermann, Volkserretter,
> Der wie Gottes Donnerwetter
> In die Feinde Deutschlands schlug,
> Der die Knechtschaft und die Schande
> Samt der Zwingherrn frecher Bande
> Aus dem deutschen Lande jug.

Preis dir, starker Gotteskrieger!
Preis dir, frommer, edler Sieger!
Unsers Volkes reinster Held!
Deutschlands Freiheit, Deutschlands Einheit,
Alter Sitte Kraft und Reinheit
Riefen dich ins blut'ge Feld.

Was dir teurer, als das Leben,
Hast du freudig hingegeben
Für dein Volk und Vaterland:
Weib und Kindlein lag in Ketten,
Doch, das Vaterland zu retten,
Gabst du auf das liebe Pfand.

Keiner hat wie du gestritten,
Keiner hat wie du gelitten,
Hermann, unsers Volkes Zier!
Immer soll dein Geist uns leiten,
Wie im Leiden, so im Streiten;
Schweb' uns vor, wir folgen dir.
                    Karl Heinrich Hoffmann (von Darmstadt).

Dazu nehme man Nr. 42 das „Hermannslied" von einem
ungenannten Verfasser.

Gleich im ersten Lied von Karl Follen heifsen die Deutschen „Hermanns Geschlecht", in anderen Liedern „Hermanns
Volk, Söhne, Enkel". Die Vergleichung mit Luther kehrt
wieder in Hans Ferdinand Mafsmanns Lied „Turnleben",
wo die dritte Strophe lautet:

O Vaterland, du heilig Land,
An Helden reich von Herz und Hand,
Wo Hermann einst das Eisen schwang
Und Luther für den Glauben rang,
Dir weihn wir unser junges Blut,
Weih uns zu Männern voll Ernst und Mut!

Hermann ist der Schutzgeist des Turnens in der dritten Strophe
des „Turnlieds" von Müller aus Stargard:

Die Turnerkunst erhöht
Mut, Stärk' und Selbstvertraun;
Und frisches Leben weht
Durch sie auf deutschen Gaun,
Jetzt ist mein Volk wert frei zu sein,
Rauscht Hermanns Geist im Eichenhain;
Drum üben wir die Kraft,
Die Sieg und Freiheit schafft.

Der wandernde Turner, der sein Vaterland liebt und kennt,
möchte es mit keinem anderen vertauschen, das Land, wo die
kräftigen Eichen gedeihen.

> Wohl weifs von Paris mancher Freiherr zu sagen,
> Erhebet davon ein gewaltig Geschrei;
> Wir wissen, wo Hermann die Römer geschlagen;
> Vor allen der wandernde Turner ist frei!

singt Heisterbegk im „Vaterlandslied“. Auf eigentümliche Weise wird Hermann von Klett in dem Gedicht „Deutsche
Freiheit“ mit Winkelried zusammengestellt in den Worten:

> Das (die Freiheit) ist der treuen Brüder hohes Ziel,
> Wofür einst Winkelried und Hermann fiel.

Das Lied „Die deutschen Ströme“ hätten wir schon
oben bei Schenkendorf betrachten können, wenn es wirklich diesen
und nicht vielmehr Buchner aus Darmstadt zum Verfasser hätte.
In dem genannten Büchlein wird es Schenkendorf zugeschrieben
mit der Bemerkung, dafs die achte und neunte Strophe, die
von der Weichsel, der Warnow und Persante singen, von
Friedrich Ludwig Jahn seien. Die siebente Strophe lautet:

> So nah dem hochbeglückten Lande, ·
> Wo Zwingherrnblut die Erde trank
> Und nach gelöstem Sklavenbande
> Das Römerjoch zu Boden sank,
> Vernimm, o Weser, unsre Grüfse,
> Sie sollen jubelnd zu dir ziehn,
> Voll Ernst und stiller Würde fliefse
> Du Freiheitsstrom zum Weltmeer hin.

Auch aus Studentenliedern liefse sich mehreres anführen.
So wird in dem Bundeslied „Heil unserm Bunde Heil“ Hermann dreimal erwähnt. Ich setze die letzte Strophe her:

> Bleibt echte Deutsche, singt
> Hermann ein Loblied, trinkt
> Auf Deutschlands Wohl!
> Oft geh der Becher rund,
> Froh thue jeder Mund
> Das Lob des Helden kund!
> Trinkt Deutschlands Wohl!

In dem Trinkliede „Die Hermannsschlacht“ wird der
Sieg der Deutschen über die Römer gar daher abgeleitet, dafs

die Römer Wein, die Deutschen den Gerstensaft tranken. (Der
Anfang des Lieds lautet:

> Auf! singet und trinket
> Den köstlichen Trank! u. s. w.)

Denselben Gedanken spricht das Lied aus:

> Der Gerstensaft, ihr meine lieben Brüder etc.

Hier lautet die zweite Strophe:

> Thuiskons Söhne schon, ihr Brüder, tranken
> Euch dieses Säftlein fein,
> Durch deren Schwert die stolzen Römer sanken,
> Und denkt — die tranken Wein u. s. w.

Der Hölle Gewalten, ruft Zuccarini am Schluſs seines
Bundeslieds aus,

> Der Hölle Gewalten
> Entgegen mit Macht,
> So wollen wirs halten
> In Wetter und Schlacht;
> So wollen wir sitzen
> In traulichem Rund,
> Und Hermann wird schützen
> Des Vaterlands Bund.

Zu dem Ideal eines deutschen Burschen, wie es in dem Lied:
„Der Bursch von echtem Schrot und Korn" aufgestellt wird, gehört auch, wie die elfte Strophe rühmt:

> Wenn er von Hermanns Edelmut
> Und seinen Thaten hört,
> So mahnet ihn sein deutsches Blut:
> Sei du auch Hermanns wert.

Noch führe ich aus dem Gedächtnis die letzte Strophe des
Liedes an:

> Mag alles Wunder von dem Lande singen,
> Wo Mandoline und Guitarre klingen u. s. w.

Diese lautet:

> Was rühmst du denn von einem freien Staate,
> Von deinen alten Römern mir, Kastrate,
> O Zwerg auf Trümmern einer Riesenwelt!
> Der Deutsche, wenn die Eichen ihn umdüstern,
> Hört in den Wipfeln Hermanns Stimme flüstern
> Und seiner Barden Ruf vernimmt ein Held.

Als auffallenden Beleg, wie eng im deutschen und
namentlich im protestantischen Bewufstsein Hermann und Luther
miteinander verwachsen sind, führe ich an, dafs neulich sogar
der Buchhändlerprospekt zu dem Werke: „Der ungefälschte
Luther aus den Urdrucken der königlichen öffentlichen Bibliothek in Stuttgart hergestellt" mit den Worten schliefst: „Un-
vergefslich mag dem deutschen Volke sein Arminius sein, der
es nach kurzem Kampfe von Roms Weltherrschaft befreit hat.
Welche Ehre aber gebührt Luther, der durch nahezu dreifsig-
jährige heifse und ununterbrochene Kämpfe Roms Geistes-
tyrannei zerbrochen hat."

In der That: „Luther und Hermann miteinander verglichen" wäre ein ganz passendes Aufsatzthema für geförderte
Schüler unserer höheren Lehranstalten.

Doch wir haben den geschichtlichen Faden verloren und
müssen ihn wieder aufnehmen. Es kam nach den Befreiungskriegen die trübe Zeit der Reaktion, wo gerade die begeistertsten
Verehrer Hermanns, ein Arndt und Jahn, ihre vielleicht allzu
stürmisch vordringende Vaterlandsliebe bitter büfsen mufsten,
eine Zeit, an die jeder echte Deutsche nur mit Schmerz und
Scham denkt. Aber auch in jener düstern Zeit richteten sich
die Besseren im deutschen Volk an Hermanns Bild auf. So
A. L. Follen in dem Lied, das anfängt: Vaterlandssöhne,
traute Genossen u. s. w. Die erste Frage der ersten
Strophe lautet:

> Liebst du den Hermann? liebst du den Retter?
> Liebst du die Schützen von Schweiz und Tirol,
> Hofer und Tell und das feurige Wetter,
> Luther den Pfaffenelias du wohl?
> Und ihn, der noch im Kranz der Dörner
> Scheidend hold in die Harfe sang?
> Auf dann stieg er im Jubel der Hörner;
> Aber den Eichen erzählte vom Körner
> Nordlands brausender Orgelklang,
> Sturmgesang,
> Stolz lockender Klang.

> Kennst du die einsam glühende Rose?
> Ach, vor der Freiheit Frühlingsgekose
> Brach dich der Volksschmach herbstlicher Wind,
> Treue Luise, Thusneldas Kind!

Doch eh des Grabgesangs Töne verhallen,
Sprengen die Geister der Ahnen das Grab.
Ha, wie die Hermannsdrommeten erschallen,
Schwinget das Volk den gebietenden Stab.
O holde, goldne Wonnetage
Funkensprühender Begeisterung!
Wild in dem Pulverdampf schwankte die Wage,
Jubel erscholl, da verstummte die Klage,
Sternan loderte Freiheitsbrand!
Ach, er schwand,
O Vaterland! -

Die dritte Strophe scheint mir im Kommersbuch der Tübinger
Hochschule, dem ich dieses Gedicht entnehme, nicht treu wiedergegeben. Sie beklagt, dafs die Ahnen wieder im Grab ver-
schlossen seien und die Sonne sich in schwarze Trauer ge-
mummt habe, und schliefst:

Aber in uns noch braust die Jugend,
Braust wie der Rhein durch den grünen Plan;
Drängt euch zusammen; Sturm erwacht!
Steig aus der Nacht,
O Hermannsschlacht!

Nicht drangvoll stürmisch, nicht unklar dahinbrausend,
sondern gemäfsigt und besonnen, klar und begeistert zugleich
spricht ein anderes Lied aus jener Zeit zu uns, das ganz an
Hermanns Geschichte sich anschliefst. Vor mir liegt „Gedichte
von Karl Philipp Conz. Neue Sammlung. Ulm, Stettin 1824";
das Exemplar zeigt auf dem vorderen weifsen Blatte die Worte:
„L. Uhland. Geschenk des Verfassers" und ist Eigentum der
königl. öffentlichen Bibliothek in Stuttgart. Conz, Professor
der altklassischen Philologie in Tübingen (1762—1827), gehört
zu den Dichtern, die ein besseres Los verdient hätten, als
vergessen zu werden. Ich kann mich nicht enthalten, seine
von echt patriotischer und poetischer Begeisterung eingegebene
Ode „An den Rhein" vom Jahre 1819 ganz hierher zu
setzen.

Bist du's, den einst in Ketten hinauf
Mit deinen Brüdern, dem Elb- und dem Weserstrom,
Zum Kapitol trug im Triumph der stolze Cäsar,*

Daſs der gefesselte Deutsche,
Der nebenan den heiligen Steig betrat,
Mit des Unmuts verbissenem Grimm
Mischte der Lache Spott,
Und Thusnelda die hohe
Und der kleine Thumeliko selbst
Des Hohnes kaum sich erwehrten?
Königlich frei, ewiger Grenzgott der Deutschen,
Vor deinen glücklichen Umwohnern,
Vor deiner paradiesischen Flur
Schwebst du daher, ob auch an dir
Die Male der Schmach noch des Römers
Mit den Trümmern gemischt sich heben uralter Bedrückung.

So sah ich jüngst auch dort über dir
Reste der stolzen Tyrannenmacht
Eingegraben den Wänden,
Von rohen Händen geformt eilender roher Kunst,
Siegestrophäen, des Feldes Schutt entgraben:*
Dort eine säugende Wölfin,
Romas Machtbild,
Einen Adler dort mit der Natter im Kampf;
Hier eine Weih im Flug,
Die dem Strom entraubt
Einen schuppigen Bewohner. —
Prahlerische Zeichen des Siegs über dich, Starker!
Und wann wurdest du besiegt?
Wann unterjocht, Germania, vom Römer?
Auch in jenen blutigen Schlachten,** die der Triumphator
Feierte jetzt, als Thusnelda mit dem Sohne,
Vom Verräter Segest verraten an Rom,
Und der Kattenfürst mit Tochter und Weib schmückten den Triumph,
Auch in jenen furchtbaren Schlachten gewann der schon besiegte,
Schon fliehende, Varus' Geschick schon fürchtende Römer nur eine:
— Und konnt'·er verfolgen seinen Sieg?
Ja Germanicus, der entronnene nicht — Cäcina war der Sieger!
Damals, hätte damals die alte Furie Deutschlands,
Der Neid nicht schon die Fürsten geteilt,
Daſs Hermanns weiser Rat für die Waldschlacht
Muſst' erliegen dem vermessenen
Der Lager-Erstürmung,
Aufgestiegen wäre den Römern der dritte Tag noch blutiger,
Verhängnisvoller, schrecklicher, als die Tage bei Winifeld;

* Im Städtchen Rehmagen, am Fuſse des Apollinarisbergs unfern Bonn.
** Tac. Annal. I, 57 ff. Vell. Pat. II, 193. Strabo VII. Flor. IV.

Und das bleiche Nachtgebild Varus,
Wie es dort dem Feldherrn erschien,
Hätte trotz der sträubenden Hand
Mit den vier Legionen
Cäcina niedergezogen in die gierenden Sümpfe.

Heiliger Rhein!
Tief und klar wie der Väter Sinn und Wort,
Kräftig, wie unsrer Väter Schwert!
Bleibe du den Enkeln treu!
Bleiben dir die Enkel treu!
Ja wie in Tagen des Drangs
Asiens Völker vordem,
Dafs sie nicht flöhen vor ihnen,
Weg nicht ihnen rafften ihres Schutzes Huld,
Unter Flehgebet, unter heifser Gelübde Beschwörungen
Mit Ketten banden ihre Götter an das Säulgestell; —
Seliger, alter Flufsgott.
So lafs auch uns dich binden;
Aber mit anderen Fesseln,
Als Germanicus gebunden dein Bild
Führte zur Schau dem hohnklatschenden Römer,
— Mit Fesseln der Eintracht, der Treu und Lieb'
Und der besonnenen Stärke! —
Wenn Deutschlands Fürsten und Völker diese schmücken,
Wenn die Erinnys Eifersucht nicht wirft
Den Brand in nachbarlich verwandte Staaten,
Vereinter Sinn des Rechten und Wahren
Unter des Gesetzes Schirm
Herzen und Häuser bekräftiget,
Dann werden von vergangenen Zeiten gewarnt,
Ferneren und nahen gewarnt,
Späteren wir nicht werden zur Warnung!

Aus diesem Gedicht tönt uns zwar keine Klage über die poli-
tischen Zustände Deutschlands entgegen, aber ebenso wenig
herrscht darin eine freudige, durch die wenige Jahre vorher
gelieferten Schlachten bei Leipzig und Waterloo gehobene
Stimmung. Das Schweigen des Dichters von diesen letzten
Siegen des Germanentums über den Romanismus ist beredt.
Ernst und besorgt, treu mahnend und warnend blickt der
Dichter in die Zukunft. Nur darüber möchte Arndts Geist mit
dem Verfasser rechten, dafs er wie Schiller den Rhein als
Deutschlands Grenze betrachtet.

Um so wehmutsvoller und elegischer ist ein anderes Gedicht gehalten, das indessen mit einem hoffnungsvollen, wahrhaft prophetischen Blick in die Zukunft schliefst, ein Gedicht,
dem ich, obgleich es nur in einer einzigen Strophe unseren
Helden feiere, vor allen Hermannsliedern und Hermannsschlachten
den dichterischen, patriotischen und politischen Preis zuerkenne;
es ist „Hohenstaufen" von Paul Pfizer, findet sich im
Anhang zu seinem berühmten Werk „Briefwechsel zweier
Deutschen 1831" und ist in verschiedene Lieder- und Kommers-
bücher übergegangen.

> Meiner Heimat Berge dunkeln
> Flutend in der Wälder Grün
> Und gleich Heldenaugen funkeln
> Sterne, die darüber glühn.
> Dämmernd Licht umfliefst die Wipfel,
> Wo das hehre Schweigen thront:
> Hohenstaufens schlanken Gipfel
> Krönt ein Geisterfürst der Mond.
>
> Hohenstaufen, sel'ge Sterne!
> Beide Friedrich, Konradin!
> Schaut ihr aus verhüllter Ferne
> Jetzt nach eurer Wiege hin?
> Schweb' heraus aus ihrer Wolke
> Liederfrühling, Waffenklang!
> Über dem verwaisten Volke
> Tönt erweckender Gesang.
>
> Kühner Rotbart! nicht gestorben
> Bist ja du, du schlummerst nur,
> Wo um Heil das Schwert geworben,
> Suchend des Erlösers Spur;
> Aber in der Zauberhöhle
> Hält dich harter Schlaf gebannt;
> Wann erwachst du Heldenseele,
> Fliegst, ein Sturm, verjüngt durchs Land?
>
> Kaiser Karl, von dem sie sagen,
> Dafs noch oft dein Banner rauscht,
> Wenn du fliegst im Wolkenwagen
> Und dein Volk dem Siegsruf lauscht,
> Wo bist du? — den Ruf zum Siege
> Freilich hört kein Deutscher mehr
> Und der Glaube ward zur Lüge,
> Harrt umsonst der Wiederkehr.

Und du heiligster der Schatten,
Hermann, der als Opfer fiel,
Deutschlands sterbendes Ermatten
Treibt dich's nicht vom blut'gen Pfühl?
Sagt man doch, Erschlagne kehren
Wieder, bis ihr Geist versöhnt.
Kannst du ruhen, statt zu wehren,
Wo man deinen Schatten höhnt?

Doch die Helden sind geschieden,
Die Vergangenheit ist tot!
Seele, von des Grabes Frieden
Wende dich zum Morgenrot,
Gleich dem Aar, der einst entflogen
Staufens Nachbar und im Flug
Zollerns Ruhm bis an die Wogen
Des entlegnen Ostmeers trug.

Adler Friederichs des Großen!
Gleich der Sonne decke du
Die Verlaßnen, Heimatlosen
Mit der goldnen Schwinge zu!
Und mit mächt'gem Flügelschlage
Triff die Eulen, Rab' und Weih!
Stets empor zum neuen Tage,
Sonnenauge kühn und frei.

Pfizer geht nicht, wie Herder und andere, von Armin aus,
sondern kommt zuletzt bei ihm an. Er will nicht altertümelnd
oder mittelalterlich gesinnt die Vergangenheit aus ihren Gräbern
erwecken; er wendet sich mit klarem Bewußtsein der neueren
Zeit zu und erkennt Friedrichs des Großen und des preußischen
Staates Beruf, zu vollenden was Armin begonnen hatte, Deutschlands politischer Hort und Einheitspunkt zu werden und in
mächtigem Vorwärtsstreben eine bessere Zukunft vorzubereiten.

Ob in der Kriegslyrik von 1870 und 1871 Hermann zu
seinem Rechte gekommen ist, mögen andere beurteilen. An
Armin knüpft sich keine Sage, wie an die mittelalterlichen
Hohenstaufen; Pfizer hat in der oben angeführten Strophe
höchst originell den Punkt namhaft gemacht, wo bei ihm die
Mythenbildung hätte ansetzen können. Es ist daher nicht zu
verwundern, daß namentlich seit Friedrich Rückerts Lied vom
alten Barbarossa Armin in der patriotischen Phantasie der

Deutschen nicht völlig verdrängt, aber doch ziemlich zurück-
gedrängt wurde. Barbarossa und Barbablanka gab eine tref-
fende Parallele. Wenn jedoch in der Wacht am Rhein die
Heldenväter vom Himmel auf den deutschen Krieger nieder-
schauen, so ist hier zu allererst an Hermann zu denken.

Von neueren Dichtern nenne ich aufser den von W. Creizenach und Riffert genannten nur Viktor Scheffel, der in
dem Gedicht: „Die Teutoburger Schlacht" die weltge-
schichtliche Begebenheit im Tone der „Fliegenden Blätter" mit
wohlfeilem Humor behandelt hat; die Verbindung des Alter-
tümlichen mit modernen Ausdrücken und Vorstellungen soll
witzig sein. Der Schlufs, auf den man in der Regel das Beste
aufspart, ist das Schlechteste des Gedichts. Man mag ihn in
„Gaudeamus" selbst nachlesen.

Der historische Roman spielt in der Litteratur der Gegenwart eine Hauptrolle. Das alte Ägypten ist uns von G. Ebers
in mehreren Romanen nahe gerückt worden; ja Fr. Vischer hat
in „Auch Einer" die Keime des modernen Lebens schon in die
Zeit der Pfahlbauten zurückzuverlegen gesucht. Freytags „Ahnen"
lassen sich neben die Ebersschen Romane stellen; aber bis auf
Armins Zeit ist Freytag nicht zurückgegangen. Ich weifs nur
ein Werk, das sich hier, und zwar mit allen Ehren, nennen
läfst; es ist: „Kuning Hartfest. Ein Lebensbild aus der
Geschichte unserer deutschen Ahnen, als sie noch Wuodan und
Duonar opferten. Der deutschen Familie, vornehmlich unserer
Jugend gewidmet von Dr. D. F. Weinland. Mit gegen
60 Textabbildungen und einem Titelbilde von H. Leutemann u. a.
Leipzig, Spamer, 1879." Kuning Hartfest ist der aus Cäsar
wohlbekannte Suebenkönig Ariovist, der nach der Voraussetzung des Buchs um die Zeit der Hermannsschlacht noch lebt,
durch seinen Buring Agilolf die Schlacht gewinnen hilft, bei
der Siegesnachricht von einem Freudenschrei durchschauert
wird und von Todesahnung erfafst, um wie ein Held zu enden,
sich in sein Schwert stürzt und stirbt. Das einunddreifsigste und
letzte Kapitel enthält eine sehr lebendige Schilderung der
Schlacht im Teutoburger Walde. Das Leben und Treiben,
das Denken und Fühlen unserer Ahnen in ihrer Eigenart und

im Gegensatz gegen die Römerwelt wird auf das anschaulichste geschildert. Eine Reihe von Anmerkungen am Schlufs erhöht den Wert des Buches, das namentlich bei der deutschen Jugend Kenntnis des altdeutschen Wesens und Begeisterung für das deutsche Vaterland zu bewirken fähig ist.

Zum Schlusse sei mir erlaubt, einen Abschnitt aus meinem Aufsatz „über die Religion der alten Deutschen" (Deutsche Vierteljahrsschrift 1868, II, 1, 1—49) anzuführen. Ich betrachte hier die Hermannsschlacht als epochemachend für die Umbildung der bisher überwiegend als unpersönliche Naturmächte gedachten germanischen Gottheiten in bewufste Persönlichkeiten. Nach dem Zeugnis der Geschichte ist jede nationale Erhebung mit einem religiösen Aufschwung verbunden. Von vielen Beispielen will ich nur zwei anführen. Durch den siegreichen Kampf gegen die Mauren wurde Spanien so bigott katholisch, wie es in der Geschichte bekannt ist, und in den Befreiungskriegen 1813—15 war die Losung des deutschen Volks: Mit Gott für König und Vaterland. Versetzen wir uns recht lebhaft in die Stimmung des deutschen Volks zur Zeit der Varusschlacht neun Jahre nach Christo. Hier stiefsen die Deutschen mit den Eroberern der Welt zusammen; hier handelte es sich um Sein oder Nichtsein; nur eine tüchtige, geniale Persönlichkeit, wie wir eine solche in Armin erblicken, konnte hier den Ausschlag geben; hier mufsten die bisher noch an die Elemente gebundenen Götter sich von der Natur lösen und der Phantasie des Germanen als selbständige, den Römergöttern ebenbürtige, geniale Persönlichkeiten entgegentreten; nur siegeskräftige und thatenfrohe Persönlichkeiten konnten den Germanen helfen. Im Sturm und Ungewitter sah der Deutsche seinen Wodan selbst voransausen; er hörte das gellende Gelächter des Gottes über die gelungene Kriegslist der Deutschen; eine echte Wodanswut erfafste ihn und half ihm die Feinde zerschmettern. Gut ist diese Stimmung ausgedrückt in einem Arndtschen Gedicht, dessen Schlufs lautet:

> Wein' nun alle deine Götter,
> August, um dich her;
> In dem Hain der Eichenblätter
> Wodan herrschet mehr.

Diese Zeit mag auch die Geburtszeit der deutschen Heldensage
gewesen sein, so sehr diese nachher ausgeschmückt und erweitert wurde; scheint doch nach neueren Forschungen Armin,
der Sieger über die Römer, der durch die Tücke seiner Volksgenossen und zwar seiner Verwandten erschlagen wurde, das
Urbild des Helden Siegfried zu sein, der die Zwerge bekämpfte
und in der Blüte seiner Kraft durch Meuchelmord fiel.

Die Prüfung dieser Ansichten muſs ich anderen überlassen.
So viel ist gewiſs, daſs auch in der trübsten Zeit uns Ludwig
Jahns Wort trösten muſs: „Ein Volk, das Hermann und Luther
hervorgebracht, darf niemals verzweifeln.“

L'Arbre des Batailles par Honnouré Bonet.

Bruchstücke aus einer altfranzösischen Handschrift.

Mitgeteilt

von

Adolf Krefsner.

Habent sua fata libelli. Diese Worte kommen einem unwill-
kürlich in den Sinn, wenn man Honoré Bonets Arbre des
Batailles in die Hand nimmt, jenes im Mittelalter so gelesene
Werk,* von dem zwar noch mehr denn zwanzig Handschriften
in Paris sich befinden, das auch mehrfach gedruckt worden ist,
von dem aber in Deutschland kein Exemplar zu existieren
scheint (die beiden grofsen Bibliotheken in Berlin und Dresden
besitzen es nicht), und das keine der gangbaren französischen Litteraturgeschichten nennt. Durch französische Emigranten wurde
im Anfange des vorigen Jahrhunderts eine Handschrift des Werkes nach Frankfurt a. d. Oder verschleppt, woselbst sie in der
Westermannschen (Gymnasial-)Bibliothek aufbewahrt wird. Sie
ist in schöner Schrift des XV. Jahrhunderts auf wohlerhaltenes Pergament geschrieben; die Überschriften sind rot, die Initialen der
einzelnen Kapitel blau oder rot gemalt; sie besteht aus 94 Blättern, mit je 33—34 Zeilen auf der Seite, doch sind im Anfange mehrere ausgerissen und das 72. ausgeschnitten. Gleich im Beginn

---

* So wird es in dem berühmten katalonischen Romane Tirante el Blanco
(um 1490 verfafst) mehrfach als beliebte Lektüre erwähnt (cf. Dunlop, Geschichte der Prosadichtungen, übersetzt von F. Liebrecht, 1851, p. 170). —
Daher wohl auch Eberts unrichtige Meinung, das Werk sei ein zur Tafel-
runde gehöriger Roman.

finden sich auch einige recht hübsche Miniaturen. Nachdem ich
im Jahre 1876 Näheres über das Manuskript festgestellt hatte,
beschrieb es Herr Prorektor Schwarze genauer im Oster-
programm 1877 des Friedrichs-Gymnasiums zu Frankfurt a. d.
Oder (Die alten Drucke und Handschriften der Bibliothek des
Königl. Friedrichs-Gymnasiums) und teilte auch den Anfang
als Schriftprobe mit. Ich habe darauf dasselbe noch einmal
studiert, und wenn auch manche Abschnitte langweilig und für
uns ohne Interesse sind, so finden sich doch auch wieder andere,
welche mir wegen ihres Inhalts einer Mitteilung würdig scheinen,
zumal das Werk in Deutschland, wie eben gesagt, nicht bekannt
ist und es eine hübsche Probe der bei den Altfranzosen nur
wenig bearbeiteten heraldischen Litteratur giebt.

Von bibliographischen Hilfsbüchern finde ich unser Werk
zuerst erwähnt in *Méthode pour étudier l'histoire, avec un
catalogue des principaux historiens et des remarques sur la
bonté de leurs ouvrages, et sur le choix des meilleures éditions.
Par l'Abbé Lenglet du Fresnoy*, Paris 1729, vol. IV, p. 425. —
L'Arbre des Batailles où sont traitées diverses questions héroï-
ques sur le droit des armes, sur les combats et duels, sur la
noblesse etc. Composé du tems de Charles V, roi de France,
p. Honoré Bonnor, Prieur de Salon. In-fol. Paris 1681
(? wohl 1481) — in 4°, Lyon 1481, Paris 1495, 1510, 1515. —
Ce traité curieux a été composé par l'ordre du roi Charles V
pour l'instruction du Dauphin, son fils. Il est presque tout
copié du Traité des Armes de Bartole.*

Darauf erwähnt es *Sallier* in *Histoire de l'Académie Royale
des Inscriptions et Belles-Lettres.* Paris 1753, vol. XVIII,
p. 368—371. — Er handelt von einer seltsamen Verwechselung
in der Ausgabe des Buchdruckers Nérard 1493; anstatt Charles VI
druckt nämlich derselbe Charles VIII; doch: „les manuscrits
(de l'ouvrage de Honoré Bonnet) ne varient point sur la date,
et c'est toujours à Charles VI que l'époque en est fixée con-
stamment."

---

* Bartole, berühmter Rechtsgelehrter, geb. 1313 zu Sasso-Ferrato in
Umbrien, lehrte unter ungeheurem Andrang in Pisa und Perugia, woselbst
er 1356 starb. Er hat zu allen Teilen des römischen Rechtes Kommentare
geliefert und eine grofse Anzahl von Traktaten geschrieben. (Biographie
Universelle. Bruxelles 1843—47, T. II sub Bartole.)

In *Eberts Bibliographischem Lexikon* vol. I, p. 82, Nr. 910 und 911 werden zwei Ausgaben, Lyon 1481, Paris 1493, des Werkes von Honorat Bonnor angeführt.

Am vollständigsten nennt die Ausgaben das *Manuel du Libraire et de l'Amateur de Livres, par Jacques-Charles Brunet* 1860 (5. édition) vol. I, p. 378. 1) Folio, 175 Blätter, s. l. a. Wahrscheinlich von der Lyoner Firma Buyer 1480 gedruckt. 2) Kleinfolio, 123 Blätter, Lyon 1481. 3) Folio, 155 Blätter mit Holzschnitten, Paris 1493. 4) Folio, 92 Blätter, Paris 1493. 5) Quart, 110 Blätter, Paris 1505. 6) Quart, s. a., Lyon. — Brunet schreibt den Namen des Verfassers Honoré de Bonnor.

Endlich berichtet über das Buch *Grässe, Allgemeine Litterärgeschichte* II, 2. Abteilung, p. 722, der zwei Folioausgaben, Lyon 1481, Paris 1483 und mehrere Quartausgaben anführt, Lyon s. a., Paris 1495, 1510, 1515. Er nennt den Verfasser Honoré Bonnor (od. Bonnot), im Register Bonnet.

Über die Lebensverhältnisse des Verfassers des Arbre des Batailles ist fast gar nichts bekannt. (Die Biographie Universelle, Bruxelles 1843—47, T. III, p. 6 sub Bonnor hat nur die kurze Notiz: Bonnor ou Bonnet (Honoré) prieur de Salon au 14ᵉ siècle, composa par l'ordre de Charles V, pour le Dauphin, un ouvrage intitulé l'Arbre des Batailles, Lyon 1481, Paris 1493 in-fol.) Was zuvörderst seinen Namen anbetrifft, so wird er in den oben erwähnten bibliographischen Werken meistenteils Bonnor genannt, nur Sallier und Grässe (im Register) haben den Namen Bonnet. Für letzteren spricht die Autorität Salliers, der die Pariser Handschriften eingesehen hat; unser Manuskript, das Honnouré Bonet aufweist; Karl Bartsch, der in seinem Grundrifs der provenzalischen Litteratur eine provenzalische Übersetzung des Werkes erwähnt und in seiner Chrestomathie Provençale ein Bruchstück daraus mitteilt.* Er wurde geboren und erzogen, wie er in der Einleitung selbst

---

* Schwarze l. c. stellt die Frage auf: Sollte, da der Verfasser ein Provenzale von Geburt war, die Möglichkeit ausgeschlossen sein, dafs die provenzalische Bearbeitung das Original der französischen wäre? — Dagegen spricht 1) die grofse Anzahl französischer Mss., während nur ein provenzalisches bekannt ist; 2) die grofse Anzahl französischer Drucke; 3) es ist nicht anzunehmen, dafs dem Dauphin von Frankreich ein Buch im Patois zur Unterweisung vorgelegt worden ware.

sagt, in der Provence, woselbst er auch den gröfsten Teil seines
Lebens verbracht zu haben scheint; er war Prior von Salon,
(einem Städtchen im Departement Bouches-du-Rhône, Arrondisse-
ment Aix, an der Lyoner Eisenbahn. Der Ort hat jetzt cirka
8000 Einwohner, die starke Seidenindustrie, Wollspinnerei,
Papier- und Ölfabrikation, Obst- und Getreidehandel treiben).

Die Liebe zu seinem Vaterlande, der Provence, ist rühmend
hervorzuheben; mit grofser Betrübnis spricht er von den unglücklichen Verhältnissen desselben, in die es durch seine Zu-
gehörigkeit zum Königreiche Neapel hineingerissen wurde. Wir
sehen uns hier in die Zeit versetzt, wo das Kirchenschisma
zwischen den römischen und französischen Päpsten ausgebrochen
war, wo nach dem Tode der Königin Giovanna I (1382) Neapel
und die Provence an die jüngere Linie des Hauses Anjou gekommen war, und diese sich im Kampfe gegen die durazzische
Partei zu befestigen suchte. (Leo, Geschichte der italienischen
Staaten IV, p. 685 ff.) Mit der Bitte, die dadurch hervor-
gerufenen Wirren zu beseitigen und Ordnung in weltlichen
und geistlichen Dingen wiederherzustellen, wendet sich Bonet
an Charles VI von Frankreich (1380—1422), von dem man
allgemein glaubte, dafs er dazu vom Schicksal berufen wäre.
Diese historischen Thatsachen geben uns einen Anhaltepunkt
für die Abfassungszeit des Arbre des Batailles; man kann als
ungefähres Datum 1390 aufstellen. Was den eigentümlichen
Titel des Buches betrifft, so ist zur Erklärung desselben im
Anfange der Handschrift das Bild eines Baumes gemalt, in
dessen obersten Zweigen Geistliche um die päpstliche Tiara,
darunter Fürsten um eine Krone, unter diesen Ritter um eine
Burg, und endlich Bauern und Soldaten um Beute streiten.
Der Verfasser teilt demnach das Werk in vier Bücher; in dem
ersten behandelt er die Kämpfe in der Kirche, speciell die Geschichte der Päpste; im zweiten die politische Geschichte in
grofsen Umrissen; in den beiden anderen erörtert er Fragen,
die in der Kriegsführung unter Königen, unter Baronen, gegen
die Ungläubigen, in dem Verhalten gegen Feinde und Gefangene
vorkommen können, und besonders wichtige Vorfälle aus der
bezüglichen Gerichtsbarkeit.

Einleitung.*

(fol. 1.) A Saincte Coronne de France, en laquelle au jour d'uy par l'ordennance de Dieu regne le siziesme en celui nom, tres bien ame et par tout le monde redoubte, soit donne los et gloire sur toutes seignouries terriennes.

Tres hault prince, je appelle par mon droit nom Honnoure Bonet, prieur de Sallon, docteur en decret; souvent esmeu, ay eu en volunte de fere aucun livre, premierement a l'onneur de Dieu et de sa doulce mere et de la vostre haute seigneurie.

Mais les raisons pour quoy j'ay entrepris de cecy faire, sont assez bonnes a mon semblant. Tout premierement: car l'estat de saincte eglise est en telle tribulation que se Dieux n'y met aucun bon remede, et vostre seigneurie laquelle est acoustumee d'achever et mettre a fin les fieres aventures de la foy crestienne, je ne voy [ne voie] ne chemin comment en soit bonne ne brefve accordance. La seconde raison si est que je voy toute crestiente si grevee de guerre, de haines, de larrecins et de dissencions que a grant paine peut l'en nommer ung petit pays, soit une conte ou une duchie qui bien soit en paix. La tierce raison si est, car la terre de Prouvence, dont je suys nez et nourriz, est maintenant telle atournee pour le remuement de nouvelle seigneurie et pour les diverses oppinions qui sont entre les nobles et les communites que en grant doleur doit tous homs saiges oïr les mauls que les gens du pays seuffrent pour celluy debat. La quarte raison si est, car pluseurs gloses de grans clers nonneaux qui bien pensoyent entendre les propheties anciennes, jadiz deviserent les mauls presens et si dient, comment ung de la haulte ligne de France doit estre cellui par qui li remedes seront donnez au siecle travaille et mis en grande pestilence. Dont cestes raisons m'ont forcie de faire aucune chouse nouvelle pour ce que voustre jovesce soit enformee de pluseurs entendemens de la saincte escripture, et d'autre part pour ce que vostre volunte soit plus et plus enpencee de faire secours a la saincte foy de Ihesu Crist et faire par telle

---

* Durch eckige Klammern bezeichnen wir Zusätze und Emendationen unsererseits; in runde schliefsen wir Worte ein, die nach unserer Meinung zu streichen sind.

maniere que les propheties qui se tiennet de vostre digne personne escriptes, soyent verifiees par voz bonnes oevres. Si vous
suppli, mon treshault seigneur, que riens que je die en cestui
livre ne veullez mespriser. Car ce que say, prent son fondement sur la saincte escripture, sur les decrez et sur les loys et
sur naturelle philo[so]phie qui n'est autre chouse que raison de
nature. Et si aura nom cestuy livre : L'arbre des batailles.

[M]ays puisque j'ay ·cela fait, me convient il querre la
maniere de laquelle je face mon couraigè. Et si m'est venue
une telle ymaginacion que je face un arbre de dueil au commencement de mon livre, ouquel tout premierement audessus de
l'arbre vouz povez veoir les Regens de saincte eglise en tres
fiere tribulation tant que oncques plus fiere ne fu. Et bien le
sceront ceulx que perfeitement liront cestui livre. Apres povez
veoir la grant dissencion qui est au jour d'uy es roys et es
princes des crestiens. Apres povez veoir la grande angoisse
et dissencion qui est entre les nobles et les communites. Et
sur cest arbre feray je les IIII parties de mon livre, ainsi que
veoir le povez es chouses qui sont apres.*

Aus dem ersten Buche.

(fol. 10.) *Le Ve Angel.* Dont dit histoire de l'appocalice,
comment le Ve angle trompa. Et tantoust monseigneur saint
Jehan vit une estoille du ciel comment fust tombee en terre.
Si lui fut donnee la clef du puy d'abisme et si ouvri le puiz
d'abisme. Si s'en monta la fumee du puiz d'abisme ainsi comme
si fust la fumee d'une grande fournaise, dont fu obscurciz le
soleil et l'air par la fumee du puiz.

L'entendement de la vision. Or nous fault il entendre

---

* Grässe, der am angeführten Orte diese Stelle citiert, scheint eine vielfach abweichende Version vor Augen gehabt zu haben: ce que j'ai mis en
mon livre prent son fondement sur les loix, sur les decrets et sur naturelle
philosophie qui n'est autre chose que raison de nature et aura nom cestuy
livre l'Arbre des Batailles — Si m'est venue une telle imagination que je
vois un arbre de deuil au commencement de mon livre ouquel à son dessus
vous poves veoir les regnes de Ste. Eglise en tres fiere tribulation tant que
oncques telle ne fut. Apres poves veoir la grande discension qui est aujourd'hui et [aux] Roys et aux Princes des ·Porestiens (lies: Crestiens);
apres poves veoir la grande discension qui est entre les nobles et les com-
munes, et sur cet arbre ferai les quatre parties de mon livre.

ceste vision que signifie. Et je vous dy que le Ve angle fut
pape Urbain le Ve en cellui nom, lequel trompa de sa trompe,
quant en sa vie tout le temps qu'il fu pape tint court de Romme
pure et nette a son povoir de toute symonie et si monstra
souvent qu'il mal revouloit a cestui vice, et comment il hayoit
toutes personnes symoniaques. Encores ne trompa il mal de
sa trompe quant il mesmes donnoit les benefices de son propre
mouvement aux dignes personnes et aux bons clers qu'il povoit
savoir per tout le monde. Si faisoient riens a donner les di-
gnites, dons ne comparaiges ne cognoissance de cardinal ne freres
de grans seigneurs, si non que elles fussent demandees pour
personnes dignes. Et si ne trompa mie mal, quant il fist relever
tant sollennelment les chiefs monsire saint Pere et monsire saint
Pol, quant fut a Rome. Si fist relever la glorieuse personne
de saint Elzier, le saint comte Darien et le canoniza pour confesseur. Et si fist faire ceste bonne personne pluseurs belles
egleises et pluseurs beaux ouvraiges a l'onneur de Dieu et de
sainte egleise, et pluseurs os de sains fist il mettre deuement
en or et en argent et honnourer de pierres preciouses. Et tant
bien trompa de sa trompe que touz li mondes, grans et petis,
le honnouroyent et l'amoyent. Et pour sa bonne vie et pour
son bon savoir le redoubtoyent tant que touz les plus hauls
hommes du monde vindrent a luy en sa court, si comme fut
l'empereur d'Allemaigne, le bon roy Jehan de France, li bons
roys de Chippre, li roys de Navarre et pluseurs autres grans
seigneurs, lesquielx seroit longue chouse a raconter.

Mais apres dit la vision comment saint Jehan vit une
estoille, laquelle fut tombee du ciel a terre. Et je vous dy
comment ceste estoille fut Barthelemieu l'arcevesque de Baviere.
Et bien le vous monstreray clerement; car ou ciel de l'eglise li
papes est solail, car il enlumine toute crestiente, s'il est bons
ne clers ne saint comme il doit estre. Mais il ne peut mie
tout le monde gouverner ne par lui seul enluminer. Et pour
ce il a mis ou ciel de l'eglise pluseurs estoilles lesquelx facent
lumiere checune en son lieu, c'est a savoir les evesques, les
arcevesques et les prelaz. Checun d'euls doit faire lumiere a
son peuple. Et pour ce en espicial les prelas sont entendus
per les estoilles. Car la ou ne peut estre le soleil, c'est a dire

li papes, les estoilles, c'est a savoir les prelaz sont lumiere, quant
sont ne de bonne vie et bien luisant. Apres dit la vision, comment
a ceste estoille fut donnee la clef du puiz d'abisme. Or veons
que ce veult dire. Et je vous di, comment la clef du puiz
d'abisme est avarice. Car ainsi comme en avarice est habondance
de touz mauls, aussi du pechie d'avarice viennent touz mauls et
touz pechiez, ainsi comme dit l'escripture. Et en espicial toute'
rappine et toute usurpacion de seignourie non deuement acquise,
si come d'un antipape, liquielx pour l'onneur du siecle conquerir
veult avoir la dignite que pas ne lui appartient. Et ce n'est pas
merveille, se je vous faiz comparacion du pechie d'avarice au puïz
d'abisme. Car ainsi comme le puiz d'abisme jamais ne peut avoir
son compliment ne estre plain, aussi (comme) avaricieux ne peut
avoir assez ne avoir son compliment selon que dit l'escripture. Et
savez vous la condicion de personne avaricieuse? Tenez, ce
dit le decret, que homme aver suppouse que tout li mondes fust
sien, ne luy sembleroit mie estre du grant ne du gros d'un
petit morcel. Tout aussi peut l'en comparer avarice au puiz
d'abisme. Car ceulx qui sont en abisme ont perdu leur liberale
voulente de bien faire. Aussi le pechie d'avarice oste l'arbitre
liberal et la franche voulente a homme aver si comme le decret
nous enseigne. Si fait il consentir selon raison, comment a
ceste estoille, c'est a savoir Berthelemieu liquieulx est tumbe
du ciel de l'eglise, a este donne la clef du puiz d'abisme, c'est
d'avarice.

Aus dem zweiten Buche.

(fol. 22, 1.) Maintenant parle de Sulla ennemy
des Romains. Apres font mention les hystoires d'un qui
s'appelloit Sulla lequel fist pluseurs batailles contre les Romains,
tant que en mains de X. ans moururent de Rome ou de leur
seigneurie IIII. XX. milles personnes et V. C. vaillans homes
de renomee, entre lesquelx avoit IIII. consuls, nobles seigneurs
et poissans en armes. Mas je ne veul mie toutes raconter les
batailles de mot a mot; car trop sont longues. Si tenoit oncores
monseigneur Pompee, le consul vaillant, la guerre es parties
d'orient esquelles il eut en son temps pluseurs forz batailles
avecques XII roys, lesquelx ne gaignerent gueres avec luy

ne avecq sa gent. Car ils estoient saiges en armes, et avec
ce il estoit fort et hardy, et si avoit cuer de lyon, ne pour
riens qu'il veist ne se desconfortoit. Et si avoit tousjours compaigne de bonnes gens, dont il avoit assez confort.

Cy parle de Monseigneur Jully Cesar coment III
provinces le firent leur seigneur. En ceste partie dit
l'ystoire, coment apres la bataille que Mons. Jully Cesar ot
vaincuz III provinces le firent leur seigneur, lesquelles s'appelloyent
en celui temps l'une [Gallie] cysalpine et l'autre Gallie trassalpine
et la tierce Gallie com a teste . . . .* ou l'ystoire d'un bon docteur
qui s'appele Cony. Si furent en celluy temps moult grandes
batailles entre les Francoys et Mons. Jully Cesar. Mais en la
fin les Francoys ne peurent endurer tant de batailles, car tousjours perdoyent leurs homes. Si en furent tant mors d'une part
et d'autre devant que les Francoys feussent mis a neant que ce
ne fut fin ne compte. Et pour ce quant Mons. Jully Cesar ot
vaincu les Francois en celle maniere, il s'en retourna vers la
cite de Rome; mais devant ot il gaste la cite de Trienes, et
s'en retourna des parties de Gallie et fist faire ung pont sur la
riviere de Rine. Et bien saichez que quant il s'en retourna
vers la cite de Rome, ung consul qui s'appelloit Mons. Pompee
traicta qu'il ne feust mie receuz en la ville ne les portes ne luy
feussent ouvertes, dont il fut tant malaise que nul plus. Et si
avoit ycelluy Mons. Pompee grant ost a merveilles, si semble
que grant envie avoit contre Mons. Jully Cesar. Mais quant
Mons. Jully Cesar vit coment c'estoit, que ceulx et que cilz de
Rome ne luy voulorent donner argent pour payer ses soudoyers de leurs gaiges, il s'en alla en un lieu que on appelloit
Arare, ou estoit l'argent comun pour payer les soudoyers des
guerres. (fol. 22, 2.) Et prist Mons. Jully Cezar le lieu par force
d'armes. Et prist tout l'or et l'argent qu'il y trouva. Apres
prist son chemin vers la partie des legions, ou bien fist en
celles parties mans domaiges a une maniere de gens que on
appelloit Alphes. Apres des legions s'en passa en Espaigne
contre les gens qu'on appelloit Pompeyens, et ce fist il pour
despit de Mons. Pompee, le consul de Rome, lequel estoit ses

---

* Offenbare Lücke.

ennemis, dont assez greva ycellui pays tant que on ne le pourroit raconter. Et quant il ot fait une grande partie de sa
voulenté il s'en retourna en Lombardie contre Mons. Pompee.
Mais quant il sceut que Mons. July Cezar vint encontre luy,
il ne s'en fouit mie, mais se mist sur les places, car moult
estoit hardiz. Et si regarda combien il avoit de gent en son
ost, si trouva qu'il avoit de gent tant que plus ne vouloit.
Car tout li mondes ne lui faisoit mie paour, si les ordenna en
IIII. XX. VIII. compaignies que on appelloit en Lombardie
cohors et aujourd'uy on dit batailles. Et quant Mons. Jully
Cesar oy ce dire, ou il estoit, il chevaucha bient et tost la ou
il savoit; si ordena contre ycelles IIII. XX. VIII compaignies
autant de ses gens, car assez en avoit et apres comancent de
venir les ungs contre les autres. Et illec ne chaut dire qu'ilz
firent, car il avoit illuec mechief de corps et de lances et
d'espees moult un sanz avoir mercy. Si dura celle mortelle
bataille grandement, tant que assez en y ot de mors d'une part
et d'autre. Mais en la fin les gens de Mons. Pompee se
misdrent a fouyr, car ilz ne povoient plus porter les grans cops
ne les grans armes que faisoit Mons. Jully Cezar et ses gens.
Si s'en fouy Mons. Pompee es parties d'Egipte. Mais quant
il fut en celluy royaume, le roy d'Egipte voult savoir pour
quoy il estoit illuec venuz, et quant il sceut que il estoit ennemy
de Mons. Jully Cezar, il le fist morir de male mort; car moult
grant voulente avoit de faire plaisir a Mons. Jully Cezar et
d'estre de ses amis. Donc quant Mons. Jully Cezar qui de ce
ne savoit riens oyt ce dire coment Mons. Pompee s'en estoit
fouy vers Egipte, il dist que pour tant ne laisseroit il mie
Pompee, mais le suyvroit tant qu'il le trouveroit; pour quoy il
prinst son chemin vers celle part, si chevaucha tant par ses
journees qu'il vint en Alixandre; si luy fu portee la teste et
l'anel de Mons. Pompee. Mais quant il vit le chief de son
ennemy, il ploura tant tendrement que ce fu pitie de veoir le
plour qu'il fist; car il le tenoit pour moult bon home d'armes.
Apres Mons. Jully Cezar s'en (fol. 23, 1.) vint vers la
cite de Rome, si fu receu a grant honneur; car comune-
ment touz le amoyent, et cilz qui ne l'amoyent, le redoubtoyent come la brebis le loup. Et quant il fu a Rome,

saichez qu'il fut fait consul a grant feste et a grande sollennité.
Si appella quant il fut fait consul toutes gens d'armes, pour
ce que les Pompeyens qui estoyent es parties d'Espaigne fai-
soyent tout quanques ilz povoyent contre la seigneurie de Rome.
Si s'en alla Mons. Jully Cezar celle part ou ilz estoyent; et
bien saichez que devant qu'il se partist du pays, il ot mis a
destruction toute celle nation de gent. Apres s'en retourna a
Rome. Et quant les Romains virent les grans biens de luy et
les grans batailles qu'il avoit vaincuez, ilz l'appellerent prince
de Rome; ne jusques cy je n'ay trouve hystoire sur le gouverne-
ment de Rome qui deist que Mons. Jully Cezar fust empereur,
car de tousjours l'avoyent appelle consul, mais a son retour fut
appelle prince de Rome, si fut en celluy estat l'espace de III
ans apres ce qu'il fut revenu d'Espaigne. Et tenez pour certain
que Jully Cezar ne fut oncques emperiere selon les vrayes
ystoires, et se aucunes hystoires l'appellent empereur, c'estoit
pour les grans biens et pour lés grans vertus moralz qui estoyent
en luy. Car trop fut vaillant seigneur en armes et plein de
toute courtoisie, et bien amez et redoubtez de toute gent, tant
que je ne pouvoye dire les biens que les docteurs dient de
luy. Et si me fait mal le cuer de raconter sa mort, mais faire
le faut pour venir a mon propos. Si devez savoir que quant
il ot gouverne la seigneurie de Rome, trois ans apres qu'il vint
d'Espaigne, aucuns faulx et desloyauls de Rome eurent tant
de grant envie sur luy qu'ilz ne finoyent ne cessoyent de
traicter sa mort. Et par espicial ung qui s'appelloit Brut et un
ancien qui s'appelloit Casse. Dont avint C. jours devant sa
mort que une foudre vint du ciel qui ferit une ymaige qui pour
luy estoit faicte et a sa semblance. Et si estoit pres de Ca-
pitol si emporta des lettres qui estoyent escriptes en son nom
en la pierre de marbre une lettre qui s'appelle C. Apres, la
nuyt devant sa mort vint un vent tant fier en son palaiz qu'il
se releva de son lit, car bien luy estoit avis que le palays deust
cheoir a terre. Mais quant le vent se rappaisa il se retourna
repouser en son lit. Et selon une hystoire la dame, sa feme,
avoit songee sa mort, et pour ce que l'endemain il devoit estre
en conseil secret avecques les senateurs de Rome, la dame, sa
feme, le matin quant il voult aller, luy dist que pour Dieu

(fol. 23, 2.) il n'alast point. au conseil. Mais il ne l'en creut pas. Tout aussi saichez, que le matin quant il voult partir de son palays pour aller au capitoul en conseil, aucune personne qui bien savoit le traison, luy escript unes lettres lesquelles l'adviserent de sa mort. Mais il prinst les lettres et ne les leut pas, ains les emporta en sa main sanz veoir que elles disoyent. Dont fut mal pour luy, car il ne fust mie ale au capitoul; si s'en ala vers le lieu ou estoit le conseil secret. Et bien saichez que au capitoul nulz ne devoit porter coutel ne harnois du monde, dont Mons. Jully Cezar n'en portoit point. Mais li traictres qui sa mort avoyent traictiee avoyent mis en leurs chausses chacun I. clou en guisse de greffres. Et quant Mons. Jully Cezar fut dedens le capitoul, tous les traictres luy courirent sus, et tant de cops luy donnerent de ses clous qu'il fut perciez en cent lieux mortelx. Et si se deffendoit il des mains et des piez que c'estoit merveilles, mais a la fin cheut il mort a la terre. Dont fut domaiges a toute la cite de Rome. Mais quant il fut mors, les Romains le firent mettre en ung moult riche tombel sur une coulombe de mahre en la plus belle place du marche de Rome, si estoit de hault de C. XX piez, si fu appellee et oncores est la coulompne Julienne. Encores devez savoir coment devant ung pou avant la mort de cestui noble home et prince pres de Rome avoit ung boyer qui labouroit les terres; dont ung des beufs si parla disant: Pourquoy me poins tu? et tu faiz mal, car certes en brief temps feront plus de mal et de chetivece contre raison les homes que ne font les bestes. Si ne fu mie peu esbahis ycelluy homs, quant il oyt dire a son heuf. Et ne tarda gueres que Mons. Jully Cezar fut traiz. Pourquoy me semble que fortune fait moult bien quant elle vient et tost met au dessus ung home et tost le retourne a neant. Et pour ce me plaist de mettre en celle part ung tel dit de fortune par maniere de vers :

Coment fortune est variable.

Hector de Troyes n'ot par de chevalier,
Mais en la fin trouva encombrier.
Salomon sceut par science comprendre
Tout le sens qu'on povoit assembler;
Mais fortune luy fist feme reprendre

Et Dieu laisser et du tout oublier.
July Cezar le prince tout vaillant
Si receut mort assez villaynement.
C'est donc fortune qui tout fait avancer,
Et puys fait la roe trebucher.

———

Aus dem dritten Buche.

(fol. 25, 2.) Cy est la tierce partie du livre, en laquelle demande premierement: Se c'est chouse deue d'entrer en champ cloz pour son droit prouver par son corps.

Apres nous faut retourner a l'autre question que je fis en mon commencement de cestui livre, pour quoy ge demande en ceste partie, se c'est bonne chouse ne deue de soy mettre en champ ou de prendre bataille pour son droit prouver. Si vous prouveray que tout premierement que non. Et c'est la premiere raison. Car souvent a este veu jadiz que ycelluy qui avoit bon droit perdoit la bataille. Si dit une decretale une telle hystoire, comment une foiz en la cite d'Espoulet furent deux freres accusez de larroncin. Pourquoy selon l'usaige de celle cite les en convenoit deffendre en champ clos. Et si furent ils vaincuz. Mais apres un pou de temps le lierres fut trouve en la cite qui cellui larrecin avoit fait. Et pour ce les droys que avons ont reprove ceste maniere de bataille. La seconde raison si est: quar quant uns homs vieult par telle maniere prouver son droit, il vieult Dieu tempter et esprouver, se Dieux en celle bataille monstrera justice. Et ce n'est mie deue chouse de tempter Dieu. La tierce raison si est: car les juges en vain seroient pour faire justice, se par celle justice on vouloit son droit prouver. Et si n'est mie bonne la raison de dire: je ne puys prouver ce que je dy si non par mon corps, car nuls ne scet celle chouse fors que moy et celluy que je appelle de bataille.

Ceste raison est assez faible et vez cy pour quoy. Car combien que le juge ne ait povoir de condempner celluy que je accuse, certes il peut bien absoudre et delivrer, puys que ge puis mon dit prouver. Et pour ce selon les (fol. 26, 1.) drois se faut il saigement garder, comment uns homs accuse ung

autre, qu'il ne l'accuse de chouse qu'il ne puisse mettre en
verite. Et se vous voullez dire: donc les mauls qui se font
secretement, ne seroyent mie pugniz? et ge vous dy que non
en cestui monde, car Dieu a retenu la justice a soy mesmes
des mauls secretement commis, Et pour ce dit ung decret
que se touz les peches qui se font estoyent pugnis en cestui-
monde, les jugemenz de Dieu n'auroyent lieu, c'est a dire,
seroyent pour neant. Encores retournant a nostre propos n'est
mie bonne raison de dire: cestui a perdue la bataille, dont il
appert qu'il avoit tort. Et cecy dy ge contre l'oppinion des
Lombars, lesquelx dient de ma dame la Royne de Napples
que vrayement il pert qu'elle avoit tort de maintenir pappe
Clement. Car se elle eust sousteni le vray pappe, ses mariz
Mons. Otte ne sa gent n'eussent mie este desconfis. Si font
les clers encontre luy ung tel argument qui moult peu vault:
que puis qu'il entra en champ batailler maintenant la foy de
cestui pappe en la quelle il fut desconfiz, il semble qu'ils
soustenoyent faulse querelle.

Encores parle plus avant de la question.

Et pour mieulx determiner ceste question, ge dy ainssi
que vrayement selon le droit de l'eglise prouver son droit par
bataille, c'est a dire par gaige champal, c'est chose reprouvee,
especialment qui cela feroit par sa franche voulente. Mais selon
les drois de coustume royal et de seigneurie corporelle telle
bataille est deue ou cas que la chose le requiert de faire. Et
de ceste question fut ung grant debat contre le saint pere
Urban le Ve en celluy nom et le bon roy de France, quant le
roy commanda a Villeneuve d'Avignon que on fist ung champ
clos pour II chevaliers, lesquelx se estoient appellez par devant
luy, si estoit li uns anglois et l'autre francois, et combien que
le pappe voulsist garder les drois des decrez et commandast
que personne du monde sur peine de excommuniment ne feust
a veoir celle bataille, et non pour tant le roy ne s'en retint mie
de faire complir celle bataille, car ne vouloit faire prejudice
aux coustumes royauls. Or nous faut il veoir des autres
questions pour declairier ceste matiere.

Orendroit demande, se c'est possible chouse
naturalment que cestuy monde soit en paix.

Mais en ceste partie me plaist de faire une question assez belle et forte, ce m'est advis. Donc ge demande tout premierement, se c'est possible chouse que cestui monde soit sanz bataille. Et ge vous dy premierement que nennil. Si feray une telle raison selon les phillosopphes. C'est (fol. 26, 2.) impossible chouse que le ciel se repouse, c'est a dire qu'il ne se meuve d'un lieu, car continuelment il se retourne d'orient en occident, et d'occident en orient. Mais li corps terriens se meuvent au mouvement du ciel. Donc appert il que naturalment commoucion vient entre les corps terriens. Item encores plus fort, les corps terriens se gouvernent par les corps celestiaux, selon que dit le philosophe. Mais il est clere chouse que les corps celestiaux font venir es chouses terriennes natures regnans et diverses de condicion. Ainsi comme veoir povez de la lune que quant est plaine, engendre es chouses terriennes force et vertu. Et quant est en decours qu'elle n'est mie plaine, les chouses terriennes sont plus foibles et moins vertueuses. Donc appert vraye oppinion. Item je vous en donray clere exemple. Car selon que dit Aristote, c'est chouse necessere que cestuy bas monde soit joignant aux corps souverains, c'est a dire que les corps terriens prennent leur condicion et leur nature selon la disposicion des estoilles. Mais il est clere chouse que entre les estoilles est nature rebellion et contraire. Car l'une engendre chaut et l'autre froit, l'une amour et l'autre dissencion, l'une luxure et l'autre chastete, l'une sang et l'autre melencolie etc. Donc puis que contradiccion est entre elles, doit elle bien estre [entre] les corps terriens, lesquelx se gouvernent par leurs mouvemens. Et tout par ceste raison vous povez [oir] exemple patent et magnifest. Car il y a pluseurs cites qui du commencement qu'elles furent faictes, s'entreayment de tousjours sanz ce que leur amour soit venue por service ne pour merite que au comencement l'une ait fait l'autre. Et si en trovez d'autres cites et villes qui de leur primier comencement sanz chose que l'une ait fait de mal a l'autre, (et) tousjours sont en hayne. Ainsi comme savoir le povez en deux personnes seulement; en la premiere fois qu'il s'entreverront s'entreaymeront, combien que l'une n'ait riens fait de bien a l'autre. Et deux autres en verrez que tantost qu'elles se verront, auront hayne l'une a

l'autre, suppouse que jamais l'une n'aye veue l'autre. Et toute-
ffoiz si le heira il de mort, ou pour oyr parler de luy l'aymera
de grant amour. Si est ce vraye chouse que se uns homs n'a
jamais veu deux chevaliers lesquielx se combatent, cellui qui
les verra en bataille naturalment sera enclinez de vouloir plus
l'onneur de l'un que de l'autre. Et dont vient cela? Je vous
dy selon l'entendement des philosophes que pour les causes
dessus dictes. Si vous prie que nous veons se ce (fol. 27, 1.)
peut estre chouse veritable. Et tout adez demande: Dont vint
la bataille que Jacob et Esau firent ou ventre de leur mere,
car ceulx qui encores n'estoient nez, firent bataille. Certes je
vouldroye bien savoir et cognoistre les raisons de tant grande
bataille ne quelle chouse fut entre eulx de victoire avoir l'un
contre l'autre. Et si vous dy que nuls homs mortelx ne pourroit bien rendre raison, si non par figure et par ymaginacion.
Mais une nature philosophe diroit que ce fust pour la disposicion que j'ay dicte du ciel et des corps celestes, car nous
veons naturalment que checune chouse cree en cestui monde
prent nature et condicion de resister a la chouse qui lui est
contraire, ainsi comme nous veons de l'eaue, a laquelle est
donnee naturalment condicion de contredire a feu, tout ainsi veons
nous es bestes bruttes comment naturalment l'une est enclinee
d'occire l'autre. Car combien que un chien jamais n'aye veu
loup, a la premiere fois qu'il le verra, lui courra il encontre.
Et aussi le loup contre le chien. Et dont vient cela? Certes je
vous dy que pour la condicion et pour la qualite qui est repugnant
et contraire entre eulx, ainsi comme le froit est de sa condicion
repugnant au chaut et le chaut au froit. Or ge vous demande
depuys que ceste rebellion et desacort vient naturelment entre
les autres creatures, se nature humaine, laquelle est la plus
noble de toutes ne doit bien avoir ceste condicion de contredire
naturelment l'une personne a l'autre, quant en elles sont com-
plecions. Car se ils sont deux seigneurs en un pays, l'un est
d'une complection et l'autre d'autre. Car par aventure l'un ayme
justice, l'autre symonie, l'un ayme marchans, l'autre gens d'armes
et pillarderie, l'un est enclinez en paix, l'autre en guerres, l'un
aime le roy de France, l'autre celluy d'Angleterre. Apres se
ils sont deux en ung houstel, l'un est enclinez a menger

matin et l'autre tart, l'un est enclinez a trop parler et l'autre
a escouter, l'un veult blanc, l'autre rouge. Et aussi ge
vous dy que selon la disposicion du corps humain a peine
en certui monde peut avoir accort. Car dit une decretale que
autant sont de savoirs et de voulentez diverses comme ils sont
de gens. Et pour ce nous disons que Rome en son comaince-
ment ne povoit avoir ensemble deux roys, c'est a savoir Remy
et Remel. Car l'un tua l'autre; mais je ne le dy mie que a
Dieu ne soit possible chouse de faire que par tout feust paix
ne se touz les hommes estoyent bons et saiges. Aussi ne leur
seroit pas chouse impossible (fol. 27, 2.) de demourer en paix.
Car nous disons que li home saiges sera seigneur des estoilles.
Pour ce car selon l'entendement et l'inclination charnelle ou des
planetes il est temptes de fere guerre, et par la vertu de
sagesse il surmontera l'inclination de la char. Toutesfois un
decret dit que des saiges est petit nombre et des fols est grant
quantite. Et pour ce les simples ne scevent estre seigneurs des
planetes ne des influences du ciel, mais souvent pour leur
inclination naturelle et de la char viennent guerres au monde.
Et ja pour tant ge ne dy que aucunes foix ne soit guerres
entre les saiges, et tout pour bonne raison. Car aucunesfoiz
les guerres et les querelles sont encomaincees par personnes
simples ou follement sont entreprinses. Mais cilz qui viennent
apres et si ne scevent les raisons, font bonne guerre. Car
chacun pense avoir bon droit pour ce, car ne scet la raison
pourquoy en son commencement. (?)

Comment est force l'un des principaulx fondemens de bataille.

Si devez savoir comment l'un principal fondement est force.
Mais il y a bien a entendre quelle force nous devons entendre,
et pour tant le dy ge. Car aucuns par le vouloir de Dieu ont
force de corps, mais de l'arme et de la volente l'ont bien petite.
Les autres l'ont de l'arme et de la voulente, mais du corps
sont ils moult faibles et de petit povoir. Aucuns ont l'un et
l'autre comme avoit Sanson, mais il ont aucun empeschement
naturel, pour lequel a faire bataille riens ne valent. Ainsi le
dit Sanson, qui ne veoit goute et si estoit fort de corps. Or
vez cy avenir maintenant a mon propos. Je vous dy comment

force de l'arme premierement est principal fondement. Car
selon que dit la sainte escripture: Personne qui ne soit amye
de Dieu ne sera ja fors en bataille. Et si est vertu de l'arme
avoir bon conseil, savoir bien ordenner ceulx qui bien scevent
faire la bataille. Et toutesfoiz il y a plusieurs qui ne soient
mie fors de corps, mais ils pour leur bon conseil feroyent plus
a gaigner une bataille que ne feroient cils bons combatans. Et
aussi force de l'arme est principal fondement. Mais force de
corps ne se doit mie lesser, car elle mais qu'elle soit avecques
celle de l'arme aussi est fondement de bataille. En autre
maniere ne l'est elle mie, car force sans hardement vault moult
peu. Et se vous voulez dire que aussi peu vault force d'arme
en bataille sans celle du corps, je vous dy que non fait. Car
ce n'est mie peu de chouse de vaincre bataille par patience
sans cop ferit, mais mort soustenir pour la verite. Et d'autre
part ¡Dieux lequel est celluy qui surmonte tout povoir et
(fol. 28, 1.) puissance, mieulx donra victoire a celluy qui est
bien ses amis, combien qu'il soit plus feibles de corps que ne
sera ycelluy qui est fort de corps sans l'amour de Dieu. Si
en avons exemple de David et de Golias, lequel David vainquit
tant villaynement et le tua. Et plusieurs autres exemples en
pourroye bien dire, se je vouloye, mais il seroit longue chouse,
combien que feust a cestui propos de fortesse. Mais il nous
faut encores savoir que veult dire vertu cardinal. Je vous
diray que c'est a dire. Car ce n'est autre chouse si non que
toute la vie humaine en cestuy monde est vertueuse par celle
vertu et touz communement sont pour vivre vertueusement.
Donnez a estude sur celles vertuz. Autrement uns homs ne
peut estre tenuz pour vertueux. Et si sont IIII vertuz cardinaulx qui sont de l'arme, c'est assavoir Justice, Temperance,
Force et Saigesse. Et combien que les III soient grandes
vertuz, je vous pry que vaudroyent elles sans la vertu de fortelesce? Certes, non rien. Car par celle vertu uns homs est
fort a porter toutes tribulations, toutes chouses emprent et pour
celle est perseverant jusques a la fin. Encores vous dy ge que
les cardinaulx de saincte court de Rome ont prins le nom pour
l'entendement de ses IIII vertuz. Car ainsi comme pert en
ses quatre vertuz, [que] toute la vie de l'omme communement

est mise en vertuz, tout ainsi tout le monde doit estre enluminez et gouvernez par les seigneurs cardinaulx. Or nous faut il aller plus avant en ceste matiere.

Apres demande en ceste partie: Comment on peut cognoistre que uns homs a la vertu de fortelesce.

Maintenant nous faut il veoir en ceste partie coment nous cognoistrions que uns homs aye la vertu de fortelesce qui s'appelle fortitudo en latin. Et ge vous dy que pour le premier signe vous trouverez qu'il a tout son plaisir et tout son delit en aller en armes et en guerres justes et deffendre juste cause, querelle et saincte raison. Le second si est: quant uns homs voit le grant mal et le grant mal qui advenir en pourroit de faire telle guerre ou de maintenir telle querelle, mais ja pour ce ne laira son propos ne pour peine ne pour travail ne se doubtera de mettre son corps en service de fortelesce et de justice.

Maintenant demande: Quelle est plus grande vertu ou d'assaillir ses ennemis ou de les attendre.

Maintenant il nous faut savoir quelle est plus grande vertu ou d'assaillir ses ennemis ou de les attendre. Et si n'est mie petite doubte. Car premierement il advise que ses ennemis assaillir soit plus grande vertu. (fol. 28, 2.) Si en avons exemple en l'ancienne loy, ou le peuple ot conseil d'aller contre les enemis de Dieu, si come dit le decret. Dont il est advis en figure de l'ancienne loy que plus vertueuse chouse soit d'assaillir que d'attendre. Encores plus fort selon l'escripture: c'est plus vertueuse chouse de bien donner que de bien prendre. Dont il est meilleur chouse de bien assaillir que de bien attendre. Encores il est plus vertueuse chouse de bien faire que de non riens faire. Mais celluy qui court sus a ses enemis fait euvre vertueuse selon la vertu de fortelesce, et celluy qui attent ne fait riens. Dont il appert bien que assaillir vault mieulx que attendre. Encores une autre raison: telle raison est plus vertueuse laquelle est plus forte a faire et de plus grant difficulte. Mais bien est claire chouse que assaillir est chouse plus forte et plus hardie que n'est d'attendre. Dont est il bien advis qu'elle est plus grande vertuz. Encores plus fort: la chouse qui est de plus de pris et de plus de los est plus vertueuse. Mais c'est vraye chouse que plus est loez ung chevalier pour bien assaillir que pour bien attendre. Donc nous dirons que c'est plus grande vertuz. Mais contre ceste oppiniou est le prince des phillosophes nostre maistre Aristotes, qui dit ainsi: Voulez vous savoir, dit Aristotes, quelle est la vertu de forte- lesce? Ge vous dy, fait il, que bien attendre et parfeitement demorer. Or ge vous pri coment nous veons aucune chouse de ceste question; et si m'est advis, coment en touz cas m'est, ne aussi n'est (la) vertu (d')attendre ne vice fouyr, mais (coment) aucunefoiz attendre, aucunefoiz fouyr, et tout par l'onneur et par vertu. Car se ung chevalier seul vouloit assaillir cent chevaliers, on ne diroit mie que ce fust selon la vertu de forte- lesce, ne se ung chevalier en vouloit attendre cent, on ne diroit mie aussi que ce fust selon la vertu dessus dite ne de harde- ment, mais selon folie et oultracuidance. Et pour ce eu ceste vertu a III chouses: l'une est d'assallir, l'autre est d'attendre, mais entre ses deux est aucune fois fouyr. Si faut il prendre une des oppinions dessus dites, c'est assavoir, laquelle est plus veritable, de dire que assaillir soit plus vertueuse que attendre, ou attendre soit plus vertueuse chouse que assaillir, et ge vous dy que vrayment que bien attendre est plus vertueuse chouse et plus forte et plus difficille que n'est assaillir; car est de plus grande liberation et plus froidement voit les perilz de mort que ne fait celluy qui assault, lequel en son cuer a ja prins ire, par laquelle ne peut cognoistre les perilz. Et ceste oppinion sanz faute est plus vraye que la premiere.

Maintenant demande, par quantes manieres (fol. 29, 1.) est ung chevalier bien hardy.

Mais oncores nous faut il savoir par quantes chouses est un chevalier bien hardy. Et ge vous dy que par plusieurs. Car premierement: ung chevalier sera hardis pour avoir et conquerre la vaine gloire et honneur de cest monde, pour ce seulement qu'il veoit les hardis honnourer et les couars deshon- nourer. Ung autre chevalier sera hardis pour avoir paour de perdre l'onneur et le prouffit de son seigneur ou pour paour d'estre prins, s'il estoit couars. La tierce: pour usaige; car se ung chevalier a grant temps porte le harnois, il seulement que

bien saura l'usaige prendra hardement ad ce que on ne parle
contre luy se il faisoit le contraire. Mais il y a chevaliers
qui est hardis pour son bon harnoys et pour ses bonnes armes,
lesquelles bien scet qu'elles sont de bonne espreuve. Et si y
a autre chevalier qui est hardis pour son bon cheval ouquel il
se fie. Et si y a autre chevalier qui est hardis pour son bon
capitaine lequel scet estre bon, saige et bien fortune. Et si y
a autre chevalier qui est hardiz pour droite fureur et pour droite
colle de yre. Si y a autre chevalier qui est hardiz pour esperance qu'il a en Dieu. Autre en y a qui est hardiz par igno-
rance, car est si simples qu'il ne scet qu'est vertuz de fortelesce, mais fait ainsi come il voit faire au[x] plus avancez.
Autre en y a qui est hardiz pour convoitise de gaigner richesses
et non mie pour autres chouses. Or saichez maintenant coment
en touz ses hardemens n'a vertu, sinon celluy qui est hardiz
de droite cognoissance et droit savoir, et ait voulente entendue
a vertu et a justice, ferme la voulente de soustenir toute chouse
deue et possible pour la vertu de fortelesce. Et ce cy soit dit
de ceste vertu quant a present.

Se uns homs doit plus tost eslire mort que s'en
fouyr de la bataille

Or nous faut il veoir d'une question assez doubteuse, c'est
assavoir, se uns homs doit plus tost eslire mourir que fouyr
s'en de la bataille. Et ge vous preuve tout premierement qu'il
doit eslire de fouyr s'en de la bataille avant que la mort; et
c'est la raison: car celle chouse est mieux de eslire, laquelle
est plus delictable selon que dit le phillosophe. Mais il est
clere chouse que vivre est plus delictable et plus plaisant chouse
que mourir, donc est il mieulx d'eslire avant fouyr que d'attendre
la mort. La seconde raison si est: car la plus terrible chouse
qui soit et la plus fort est la mort. Et si est elle (fol. 29, 2.)
la plus redoubtee. Mais telle chouse n'est pas en plaisir de
nature humaine, donc n'est elle mie desiree. Car election vient
de plaisir et de bon gre. Mais li grans phillosophes Aristotes
tient le contraire, si est sa raison telle; car il dit que pour
chouse du monde uns homs ne doit faire chouse de deshonneur
ne de reprehension. Et toutesfoiz il est clere chouse que fouyr
est chouse villaine et de grant honte. Si me plaist oncores de

dire pluseurs raisons; car nos decrez dient qu'il est mieulx
soustenir touz les mauls du monde que consentir a mal, mais
c'est male chouse de fuyr et de laisser justice. Donc appert
il bien qu'il ne doit mie fuyr. Encores plus fort: car uns homs
entre deux biens doit prendre cellui qui plus vault, mais s'il
meurt, il aura la vie eternelle. Donc est mieulx d'attendre que
garder la vie du corps mortel. Or sur cestui debat ge veil
dire ce qu'il m'en est advis, si vous diray que se ung chevalier
est en bataille avecques les crestiens contre les sarazins et il
est en peril de mort, s'il pense que par son fouyr les crestiens
pourroyent perdre la bataille, il doit mieulx attendre la mort
que fouyr. Et c'est la raison: car il scet bien qu'il mourra
pour la foy et qu'il sera sauve. Mais s'il voit coment par son
demourer les crestiens ne pevent estre reconfortez qu'ilz ne
perdent la bataille, et il se peut bien sauver et s'en aller
de bataille, je dy vraiment qu'il s'en doit aller; mais s'il
voit bien et tout clerement cognoissoit, coment par son
fouyr ne pourroit eschapper, vrayment, il ne devroit mie fouyr.
Car mieulx lui est d'attendre la fortune sur la desfense de soy
et des autres et mourir, se Dieux le veult permettre, avec ses
compaignons que fouyr en cellui cas. Mais ou cas que ung
chevalier soit en bataille entre crestiens pour sa seignourie, je
vous dy ainsi come devant que il doit mourir, se il veult garder
sa fidelite ne son sacrement a son seigneur. Et ainsi le dy ge
d'un chevalier qui seroit aux gaiges du roy ou d'un seigneur;
puys qu'il lui donne sa foy et son sacrement, aussi doit il
mourir pour lui desfendre et son honneur garder. Si maintient
en soy la vertu de fortelesce par laquelle il ne doubte riens
soustenir pour satisfaire a justice.

(Schlufs folgt.)

Dichtungen Gautier's von Coinsy.

I. Die Geburt der Jungfrau Maria.

Nebst der Legende vom Zahne des Jesuskindes zum ersten Mal herausgegeben von

Robert Reinsch.

––––––

Im Jahre 1857 erschien in Paris von dem Abbé Poquet, welcher bereits drei Jahre vorher ein Buch mit dem Titel: „Précis historique et archéologique sur Vic-sur-Aisne suivi du poème de Sainte Léochade par Gauthier de Coinsy“, eine wenig genügende und zu schwerfällig angelegte Ausgabe der Miracles de la Sainte Vierge von dem Dichter, welchem die folgenden Zeilen gewidmet werden sollen. Gautier von Coinsy, dessen Lebenszeit in die Jahre 1177—1236 fällt, ist einer der fruchtbarsten Dichter aus dem Anfange des 13. Jahrhunderts gewesen; denn aufser den Wundern der heiligen Jungfrau und der heiligen Leokadia hat er das Miracle de Théophile, das Miracle de St. Hildephonse, ein Werk De la doutance de la mort, eine poetische Epistel über die Keuschheit der Nonnen, fromme chansons und Mariengebete in Reime gebracht. Aber aufser diesen im Druck bereits vorliegenden Dichtungen hat Gautier auch Gedichte abgefafst, welche er mit dem Namen dit oder conte bezeichnet. Die hier folgende Arbeit, ihre Entstehung einer von Prof. Wülcker in Zarncke's Litt. Centralblatt (Jahrgang 1881, Nr. 29) gegebenen Anregung verdankend, soll in Erfüllung eines Versprechens eine Reihe von Abhandlungen eröffnen, welche bezwecken, vorzugsweise religiöse

Dichtwerke in altfranzösischer Sprache zu untersuchen und unveröffentlichte Texte aus Handschriften bekannt zu machen. Unter den bisher noch nicht im Druck erschienenen und von Poquet übersehenen Gedichten sind zunächst zu nennen die beiden hier im folgenden zum ersten Mal in extenso publicierten, aus der christlichen Sage geflossenen contes von der Geburt der heiligen Jungfrau Maria und von dem heiligen Zahne des Jesusknaben. Doch ist vor allem sicher die Frage zu beantworten: Ist Gautier von Coinsy *Verfasser* des Gedichtes „La nativite Nostre Dame sainte Marie" und der Legendendichtung „Dou beneoit dent que nostre sires mua en s'enfance"? Gelingt es, dem Dichter diese Werke als sein Eigentum zu erweisen, so gehören ihm auch noch die folgenden an: La nativite nostre seigneur Jesu Christ et ses enfances; sodann La genealogie Nostre Dame; ferner L'assumption Nostre Dame und ein sich selbst betitelndes Werk: La vie et les faiz Jesu Crist, worin auf ein früher verfaßtes Gedicht Bezug genommen wird. In einem Aufsatz „Del tumbeor Nostre Dame" in der Zeitschrift für romanische Philologie Band IV, p. 97 hat sich Gröber gegen die Ansicht der Herausgeber der Histoire littéraire de la France Band XIX, p. 857 erklärt* und hat dem Dichter der Miracles N. D. die Gedichte von Maria und Christus abgesprochen, „von dessen Stil sie sich merklich unterscheiden", wie als Grund a. a. O. p. 97 angeführt wird. Ebenda fügt Gröber hinzu, daſs Gautier der Tumbeor N. D., den W. Förster in der Romania II herausgegeben hat, sicher abzusprechen ist, womit sich jeder einverstanden erklären wird. Aber Gröber's obige Behauptung wird durch die folgenden Ausführungen hinfällig, und Gautier von Coinsy bleibt Verfasser der Gedichte von der Geburt Maria's, der Geburt Jesu und seiner Kindheit, des Lebens und der Thaten Jesu, der Himmelfahrt Maria's, der Genealogie Maria's und endlich auch der Legende vom heiligen Zahne, welche Dichtung Gröber vorsichtig

---

* Auch Fr. Godefroy, Dictionnaire de l'ancienne langue française scheint, nach einem Citat der fünf ersten Verse der Nativite N. D. zu urteilen, welche ohne den Namen Gautiers nur mit dem Titel Vie et miracles de la Vierge, Richel. 22928 f° 3ᶜ aufgeführt sind unter Amoier, sich ebenfalls absprechend zu verhalten, da der Name des Dichters nicht beigefügt ist.

als „wohl Gautier de Coinsi gehörig" bezeichnet. Beweis für Gautier's *Autorschaft:* Vom Stoffe ganz abgesehen findet sich die deutlichste Übereinstimmung der gedruckten Dichtungen Gautier's mit La nativite N. D. und Dou beneoit dent in Bezug auf Wortlaut, Reim und syntaktischen Gebrauch. Gautier, als ein schwärmerischer und unermüdlicher Marienverehrer, eröffnet seine Miracles de N. D. mit den Worten:

> A la loenge et a la gloire
> En remembrance et en memoire
> De la roïne et de la dame,
> Cui je commant mon corps et m'ame etc.

Entsprechend beginnt die Nativite N. D.:

> En l'onneur Dieu et en memoire
> De la haute dame de gloire.

Im Prolog zu den Miracles N. D. sagt G.:

> A Saint Maart ou biau livraire
> Truis un biau livre, donc biau traire [l. dont retraire]
> Vourai encor bele matere
> Et biau diz de la bele mere.

Dies stimmt teilweise zu Beneoit Dent V. 1 - 2. Nat. N. D. 730 ist = Mir. de Théophile 1269.

In den Miracles N. D. heifst es V. 35—38:

> Des plus biaus en vorrai mettre
> Tot mot a mot, si com la lettre
> Et l'escripture le tesmoigne,
> La mere Dieu tel sens me doigne.

Ähnlich drückt sich G. in La Nat. N. D. V. 21—22 aus. In der Dichtung De la chastee as nonnains heifst es V. 331: Mais sachiez bien certainement. Vgl. dazu V. 35 der Nat. N. D. Übereinstimmend werden auch Heilige angerufen; so Ben. Dent 158 par saint Romacle = Mir. N. D. 75, oder Miracles de N. D. de Sardenay 581, oder St. Remis in St. Léochade 484 = Mir. de St. Hildeph. 868 = Benoit Dent 462. Ebenso sprechen Ausdrücke wie c'est chose voire (im Reim mit tempoire) in Nat. N. D. 328 : 329 = Dou ben. dent 15 : 16; ferner Nat. N. D. 367 saches de voir oder Nat. N. D. 480 sachiez de voir n'en doutez mie, die in den Miracles N. D. 57 c'en est la voire, 268 n'en doutez mie in Mir. de Théophile 679 sachiez por voir n'en doutez mie öfter wiederkehren, für Gautier; aber auch die Reime: so Miracle de Théophile 13 : 14. livre : livre; 377 : 378:

sainz et saintes = Mir. de St. Hildephonse 763 : 764 = Dou
ben. dent 329 : 330; Mir. de Théophile 1067 : 1068 dame : fame
= Nat. N. D. 49:50. Im Miracle de St. Hildephonse 1065 :
1066 reimt St. Maart : l'aart; derselbe Reim begegnet De la
chastee as nonnains 1—2; weiter St. Léochade 731 : 732 und
De la doutance de la mort 521 : 522; Miracles de N. D. de Soissons 500 : 501. In St. Léochade 127 : 128 . stimmt der Reim
amoier : rimoier zu Nat. N. D. 3 – 4. Im Mir. de St. Hildephonse 858 : 859 reimen Ihesucris : escris; 229 Antecrist : 230
Ihesucrist; in Léochade 215 : 216 Ihesucris : cris; in Mir. de
N. D. de Soissons 477 : 478 fist : Ihesucrist; in Mir. de N. D.
d'Arras 391 : 392 cist : Ihesucrist. In La Nat. N. D. begegnet
V. 83 : 84 escrit : Crit; selten ist ebenda 205 : 206 avarice : ice;
223 : 224 ice : service; 275 : 276 ice : vice; 333 : 334 force : or ce;
649 : 650 garce : par ce; 797 : 798 semence : en ce; 95 : 96 reverence : enfance. Entscheidend in der ganzen Frage ist, dafs
Gautier, welcher Sprachkünsteleien in hohem Grade liebt, auch
in der Nativite N. D. wie in seinen übrigen Werken Wort-
spielereien treibt, von denen sich zahlreiche Beispiele in allen
seinen Werken finden. So sagt Gautier in Bezug auf die Jungfrau Maria in den Miracles N. D.: Poquet p. 522, V. 203—214:

> Dame, qui de mer es estoile,
> Fiche ton vent en nostre voile,
> Qui tost nous maint et tost nous port
> Au grant rivage et au grant port
> De paradis, ou se deportent
> Tuit cil qui ci honneur te portent.
> Nus ne te puet honneur porter,
> Tu ne le faces deporter
> Au roy qui [lies: que] tes ventres porta.
> En toi servir grant deport a:
> Quar du ciel es fenestre et porte,
> Buer fu portez, qui s'i deporte.

Ein anderes Beispiel findet sich in den Miracles de Théophile V. 1—12:

> Pour ceus esbatre et deporter,
> Qui se deportent, emporter
> Honneur cele qui Dieu porta.
> Miracles, ou grant deport a, [Poquet: grand]
> Rimoier vueil par grant deport: [P: grand]
> Car en trouver moult me deport
> De cele, qui fist la portee,
> Qui toute joie a aportee;

En lui loer est mes deporz:
Car c'est la rive et li droiz porz,
Qui touz les douz deporz aporte [P: depors]
Et qui du ciel est pons et porte.

Ein weiteres Beispiel findet sich im Prolog der Miracles
N. D., Poquet p. 384, V. 395—411:

Talent me prent, que de li chant
Et nouviau dit et nouviau chant,
Por vous esbaire et deporter
Et por mon chief reconforter.
Chanter en weil par grant deport:
Car en ses chanz moult me deport.
En ses douz chanz a deport tant,
Que je m'i vois moult deportant.
En li servir qui se deporte,
Du ciel a s'ame euvre la porte,
Que celle, ou tant deporta,
Que touz depors [l.: deporz] IX mois porta,
A la fin touz nous doint porter.
Or entendez par grant deport,
Comment por lui je me deport.

Schon diese drei Beispiele stimmen ganz deutlich überein
mit einem Wortspiele, das sich in La Nativite N. D. V. 829
bis 842 (portee, porter, deport, porte, aporter, portiere) findet.
Aber es findet sich, wie gewöhnlich am Schlufs der Miracles
und meist in den letzten zehn Versen, so hier in La Nativite
N. D. V. 931—944 eine Sprachkünstelei mit den Worten fenir,
finer, definer, afiner, fine, finement, fin, welche auffallend an
Strophe 11 und 12 in der ersten Chanson erinnern, wo es
heifst:

Douce dame, sanz finement
Servir te doit on finement.
Com ors ies afinee.
Les tiens afines com or fin
Et si leur donnes a la fin
Joie qui n'iert finee. —
Celui pri je au definer,
Qui por nous vout en croiz finer,
Qui tout commence et fine,
Qui commencement et fins
Touz nous face a la fin si fins,
Qu'alons la joie fine. Amen.

Vgl. hierzu Miracles N. D. de Soissons: Poquet p. 154,
V. 206—222.

Wer sich noch nicht überzeugt fühlt, mag folgende Beispiele in der Poquetschen Ausgabe Gautier's von Coinsy ver-

gleichen: Aufser Chanson I und II Miracle de Théophile
V. 2076—2090 (Schluss), wo recorder, acorder, misericorde,
descorder, encorder, racorder, cordon, corde, concorde zum Wortspiel verwendet sind; ebenso in den Miracles de Notre-Dame
de Roc-Amadour bei Poquet p. 322, V. 344—357 (Schlufs);
ferner im Miracle de St. Hildephonse V. 1280—1291, wo puis
(Brunnen), puis (kann), espuisier, puisier wie in St. Léochade
865—882 zum Wortspiel dienen; ebenda V. 1327—1350: pareille, s'apareiller, despareillier; membree, ramembree, demembrer,
membrer, membres; in den Mir. de N. D. de Soissons p. 162,
V. 340—350: musars, s'amuser, muser, muse, muserie, musard;
in den Mir. N. D. p. 178, V. 676—694: decoupee, decoupoier,
coupe, descouper, acouper, coupon, couper; in den Mir. N. D.
de Soissons p. 190, V. 499—510 (Schlufs): ardoir, s'aerdre,
ars; in den Mir. N. D. de Laon p. 230, V. 754—766: duire,
conduire, esduiz, conduire; ebenda p. 256, V. 760—770: loer,
Loon, aloer; in den Miracles N. D. d'Arras p. 274, V. 593 bis
604: entier, sentier, sentir, s'assentir, sens, sente; in den Mir.
N. D. d'Avernon p. 280, V. 206—216: encombrer, descombrer,
aumbrer, umbre, umbrer, s'aumbrer; im Miracle de St. Basile
p. 416, V. 759—769 (Schlufs): mont, monter, monde, monder,
seurmonter, amont; in den Mir. N. D. p. 616, V. 471—481
(Schlufs): Eve, deriver, rive, ariver, arriver; ebenda p. 296,
V. 187—198 (Schlufs): s'atourner, retorner, torner, retors, tors,
destourner; in den Mir. N. D. de Chartres p. 300, V. 112—123
(Schlufs): ploie, emploie, ploiez, esploite; in den Mir. N. D. de
Clermont p. 310, V. 315—324 (Schlufs): garder, garde, regarder, regart; in den Mir. N. D. p. 358, V. 169—181 (Schlufs):
marier, Marie, mesmariez, desmariée, Marions. Endlich sei
noch das Wortspiel mit dure, endurer, durement, endurement
in Gautier's Legende vom Judenknaben erwähnt, das bei Poquet p. 286, V. 131—142 und bei Suchier, Bibliotheca Normannica II ed. Wolter p. 84—85, V. 131—142 abgedruckt ist,
wo es auch gleich wie in anderen Spielereien des Dichters den
Schlufs bildet. So ist Gautier's Eigentumsrecht für die genannten Dichtungen sicher erwiesen.

    Es bleibt nun übrig, die *Handschrift*, aus welcher die Dich-
tungen La nativite N. D. und Dou beneoit dent entnommen sind,

sowie den Stoff und die Quellen des Dichters zu besprechen.
Die Pergament-Hs. fr. 25532 der Nationalbibliothek in Paris,
älter fonds de l'église Notre-Dame 195 gehört dem 13. Jahrh.
an und wird mit der älteren Nummer schon von Poquet
p. XXI aufgeführt, der jedoch gegen den Inhalt Bedenken
getragen zu haben scheint. Dieselbe ist insofern von größerer
Wichtigkeit, als sie aus St. Medard bei Soissons stammt, wo
eine berühmte Klosterschule war und wo Gautier längere Zeit
gelebt hat; im Jahre 1233 wurde derselbe zum Klosterprior
der Abtei von St. Medard ernannt. Die Sprache der ziemlich
sorgfältig geschriebenen Hs. steht der des Dichters sehr nahe,
so daß dadurch die Aufgabe erleichtert wurde, den handschrift-
lichen Text auf den Originaltext zurückzuführen. Den hier
möglichst conservativ behandelten Text der Nativite N. D.
enthält diese Hs. auf fol. 227—233, während das Gedicht
Dou beneoit dent fol. 265—269 steht; letzteres Werk ist ein
Unicum dieser Hs., während von der Nativite N. D. noch eine
spätere Hs. des 14. Jahrh., Ms. fr. 22928, älter La Vallière
85 existiert, aus der Gröber, Zeitschrift für romanische Philologie IV. Bd. p. 96 die zwei ersten Zeilen dieses Gedichtes
und Godefroy, Dictionnaire de l'ancienne langue française unter
Amoier die fünf ersten Zeilen mitteilen; bei der Textconstruc-
tion ist diese bei dem Vorhandensein des latein. Originals ent-
behrliche Hs., die doch meist nur fehlerhafte und späte Lesarten bieten würde, zu benutzen nicht möglich gewesen. Das
Gedicht selbst, eine Perle unter den Mariendichtungen Gautier's,
der sich hier wieder als Sprachtechniker zeigt, behandelt die
Abstammung der Jungfrau Maria von Joachim und Anna, ihre
Verheißung und Geburt, ihr Leben im Tempel zu Jerusalem
bis zum 14. Lebensjahre, ihre Vermählung mit Joseph, die
Verheißung des Engels Gabriel und die Geburt Jesu. Dieser
Inhalt ist so gegliedert, daß V. 1—72 die Einleitung, V. 73 bis
931 die Ausführung, V. 932—944 den Schluß bilden. Das
gewandt geschriebene Gedicht macht nicht den Eindruck, daß
es nach einem lateinischen Prosawerke abgefaßt ist. Die
Hauptquelle ist nämlich das apokryphe Evangelium De nativitate Mariæ, welches von dem Prior von Vic-sur-Aisne benutzt
zu sehen auffällig genug erscheint. Der lateinische Text ist

zuletzt aufser von Thilo im Codex Apocryphus Novi Testa-
menti von Constantin von Tischendorf, Evangelia Apocrypha,
I. Auflage, Leipzig 1853, p. 106—114, auch von Mancel &
Trebutien in Wace's Etablissement de la fête de la conception,
Caen 1842, abgedruckt worden. Die wichtigsten Stellen des
Lateinischen, welche zur Aufklärung des französischen Textes
dienen können, sind der Bequemlichkeit halber unten wiederholt
worden, da vielen Romanisten die theologischen Werke nicht leicht
zugänglich sind; dadurch soll auch ein genauer Einblick in die
Werkstätte des Dichters gewährt werden, welchem, soviel ihm
angehört, bis auf das einzelne Wort nachgewiesen werden kann.
Die Art und Weise der *Quellenbenutzung* ist die folgende.
Nach der Einleitung verwebt Gautier in sein Gedicht die Briefe
der Bischöfe Chromatius und Heliodorus an den heil. Hieronymus, deren lateinischer Text zuletzt von Oskar Schade, Liber
de infantia Mariæ et Christi salvatoris, Königsberg 1869, nach
einer Stuttgarter Hs. des 11. Jahrh. p. 9—11 herausgegeben
worden ist. Dieselben entsprechen bei Gautier den V. 73—102,
während V. 103—122 den Brief des Hieronymus an Chromatius
und Heliodorus bilden; auch dieser latein. Text ist zur Vergleichung nach Schade mitgeteilt. V. 123—134 enthalten einen
Zusatz des Dichters. V. 126 und 129 beweisen, dafs Gautier
sein Werk einem Zuhörerkreise vorgelesen hat, wahrscheinlich
in der Kirche am Geburtsfeste Maria's. V. 127 nennt er sein
Werk conte, während er V. 162 von dem dit des Hieronymus,
des angeblichen Verfassers des apokryphen Geburtsevangeliums
spricht. V. 135—145 entsprechen dem Evang. de nat. Mar.
cap. 1 Zeile 1—3. Vgl. unten. V. 145 (von por mieuz fuir an)
bis 156 inklusive sind Zuthat des Dichters. Zusätze des Dichters sind weiter die folgenden Verse:
    161 (von si come dit an) bis 162. 163. V. 164—165
sind frei übersetzt; 166. 168. V. 169—170 entsprechen dem
Latein.: Ita isti deo cari. 171. 173—174. Ebenso V. 175
(Geruch süfser als Pigment). V. 187—214 bilden einen längeren Zusatz. V. 230 weicht G. insofern vom Latein. ab, als
er die Bedeutung der in seiner Vorlage stehenden Worte encaeniorum festivitas nicht wiederzugeben weifs. V. 235 setzt
er für den Namen des Joachim im Tempel zurückweisenden

Bischofs Isachar das geläufigere Ysaac. V. 274—275 stammen
von Gautier, der in V. 284—285 frei übersetzt. Wieder fügt
G. hinzu V. 336—344, 415. In V. 540 setzt G.: fieurs des
virges, in V. 546 qui maint en trinite, in 549 plains d'ire hinzu;
V. 554 ist eine Änderung der Vorlage. 557—560 über die
Sitte des Heiratens stammen von G. 562 ist lat. primores mit
premiers venant übersetzt. 595 ist das Hochheben der Gerten
Zusatz, während 598 das Niederlassen des heil. Geistes in Gestalt einer Taube auf der Spitze der Gerte weggelassen ist.
V. 607—610 und 619 ist ein für die Germanisten interessanter
Zusatz, welcher, wenn auch nicht vollständig übereinstimmend,
sich bei Wernher von Tegernsee und bei Konrad von Fufsesbrunn findet, im Lateinischen jedoch fehlt (vgl. Schade a. a. O.
p. 21, Anmerk. 117), insofern Gautier hier sagt, dafs Joseph
vor seiner Vermählung mit Maria schon verheiratet gewesen, dafs
seine Frau gestorben wäre und dafs er erwachsene Kinder hätte.
Aus welcher Quelle der Dichter diese Notiz geschöpft hat, ist
nicht sicher zu entscheiden; vielleicht war diese Tradition im
Mittelalter allgemeiner im Umlauf.* Weitere Zusätze sind
V. 614, 620, 634, 639—682; 683—702 sind eine Erweiterung
von Gautier. Endlich rühren von ihm noch her V. 720, 728,
730—732, 781, 814, 816, 821—842, 856, 864, 909—910 und
932—944; in V. 907 sind die Worte tout sa creature und in
908 de toute ordure eine Zuthat des Dichters. Das Jahr der
Entstehungszeit der Nativite N. D. ist aus dem Gedicht nicht
genau zu erschliefsen; auch nennt sich der Dichter darin selbst
nicht. Da nun Gautier als Prior von Vic-sur-Aisne im Jahre
1214 sich der Poesie hingab und lateinische Legenden in das
Romanische übersetzte, indem er Texte aus der Bibliothek von
St. Medard bei Soissons zu Grunde legte, so wird man nicht
fehl greifen, wenn man annimmt, dafs um diese Zeit das in
Rede stehende Gedicht verfafst ist; das Gedicht auf die heil.
Leokadia ist 1219 entstanden. Auch aus V. 49 fg., wo man
an die mit dem Dichter in geistigem Freundschaftsverkehre

---

* Die neue Ausgabe der „Kindheit Jesu des Konrad von Fufsesbrunn",
eine Anticipation der von R. Sprenger angekündigten, ist soeben in den
„Quellen und Forschungen" erschienen, konnte jedoch, weil verspätet hier
eingetroffen, nicht mehr berücksichtigt werden. Der Herausgeber, Knochen-
dörfer, scheint die Quellenfrage nur theilweise gelöst zu haben.

stehende Äbtissin von Fontrevaut, eine eifrige Marienverehrerin, oder an eine Gräfin von Soissons denken könnte, ist kein bestimmtes Jahr zu erschliefsen.

In dem anderen, ebenfalls erst in einer Probe bekannten kleineren Gedichte *Dou beneoit dent*, wo sich Gautier ebenfalls nicht nennt und das sich als conte V. 110 ausgiebt, könnte nur V. 1—2 einen Anhalt bieten, die Entstehungszeit dieses Gedichtchens zu bestimmen, indem Gautier, wie öfter in seinen Werken, sagt, dafs er in St. Medard ein Buch fand, dessen Inhalt, ein „sehr ergötzliches Mirakel" vom heiligen Zahne des Herrn, ihn sehr erfreute.* Gautier war also, als er das Gedicht schrieb, nicht mehr in St. Medard selbst, sondern wahrscheinlich in Vic-sur-Aisne. Bei dem geringen Umfange dieses weniger leicht und anmutig geschriebenen Gedichts wird es hier nicht für nötig erachtet, dessen Inhalt näher anzugeben. Bemerkt sei nur, dafs dies nur in der einen Hs. vorhandene Werk insofern auf einige Bedeutung Anspruch machen kann, als das *lateinische Original*, das der Dichter in St. Medard fand, nicht erhalten ist; wenigstens haben Nachforschungen in vier Pariser Bibliotheken, Bibl. Nat., Bibl. de l'Arsenal, Bibl. St. Geneviève und Bibl. de l'Université zu keinem Resultat geführt; vielleicht ist ein anderer so glücklich, das angeblich verlorene Original ausfindig zu machen, welches von einem Papste herrühren soll. Nämlich V. 115—116 beruft sich Gautier auf den Papst Leo IX. als seinen Gewährsmann. In den Schriften von Xaver Hunkler, Leo IX. und seine Zeit, Mainz 1851; in Dom Ceilliers Histoire générale des auteurs sacrés, t. XX, in Fabricius, Bibliotheca latina medii ævi t. IV, p. 765 fg., in der Histoire littéraire de la France t. VII, in Migne's Patrologiæ cursus completus t. 143, p. 457—799; in den zu Köln und Antwerpen herausgegebenen Werken dieses Papstes ist keine Auskunft zu finden und die Pariser Handschriften lat. 1458; 1877 und 3160 A enthalten nur Episteln. An der Wahrhaftigkeit Gautier's ist nicht zu zweifeln, da er seine Quellen oft, wenn auch nicht

---

* Eine ähnliche Legende ist die von der heiligen Thräne, welche einst in Vendôme aufbewahrt wurde. Dieselbe ist mit verwebt in das Gedicht von den drei Marien, welches 1357 von Jean de Venette, einem Karmeliter in Paris, nach dem Lateinischen verfafst wurde und über 30 000 Zeilen enthält.

bestimmt, nennt. St. Medard wird hier öfters als sonst erwähnt; so V. 1, 100, 120, 134, 252, 279, 349; und Soissons wird genannt V. 96, 250, 251, 270.

An zwei Stellen, V. 126, 136 geschieht der Stadt Rheims Erwähnung und V. 462 ruft der Dichter den heiligen Remigius, V. 153 den heiligen Romacle an, während er V. 103 angiebt, dafs er aus dem Lateinischen in die Volkssprache übersetze. Eingeteilt ist das Gedicht so, dafs V. 1—93 die Einleitung, V. 94—494 das Mirakel, 495—498 den Schlufs bilden. Es fehlen in der Hs. V. 164 und 306—307.* Als *Quellen* werden aufgeführt V. 2 un livre, 40 li escriz, 45 l'escripture, 58 escriz = 95; 111 livres, 115—116 Lions IX, 116 livre = 204; 132 la lettre. — Was die Flexion der Eigennamen in beiden Gedichten betrifft, so ist dieselbe in der Hs. ziemlich consequent durchgeführt; so Nativite N. D. 72: Cromaces, Heleodores; 215 Joachins = 269; 580 Ysaïes; 105 Jeroismes; 848 Jesu Criz; dagegen 87 Armenien, Verin, 445 Joachim, 929 Jesu Crit als Nominative. In Dou beneoit dent ist 115 Lions, 462 Remis richtig flectiert. Die lateinischen weiblichen Eigennamen verwandeln hier das a der Endung in e; so Nat. N. D. 215 Anne; 318 Sare für latein. Sara. In anderen Denkmälern wird dies a der Endung beibehalten und teilweise mit einem s versehen; so findet sich bei Jehan de Tuim, Li hystore de Julius Cesar, ed. F. Settegast, Halle 1881, aufser der Form Cleopatra einmal 134, 3 Cleopatras als Nominativ, und bei Guillaume de Normandie ist diese letztere im Artikel über die Schlange prialis vorkommende Form durch den Reim im Bestiaire gesichert (Londoner Egerton Hs.):

> 2571 La reïne Cleopatras,
> Qui tant cremeit de mort le pas [Hs. ke]
> E mist od sei une poignant,
> (Si) morut (al)si com en dormant.

Von seltneren Worten in den beiden Gedichten Gautier's, dessen Werke der Lexikographie viel Ausbeute gewähren, sind etwa folgende zu nennen:

Nat. N. D. 251 brehaing = latein. sterilis; wird vom Mann

---

* Aus V. 306—307 geht hervor, dafs das Auge des Abschreibers nicht sicher liest; denn es hat offenbar dite und d'ire für Reime gehalten, dabei aber zwei Zeilen übersprungen.

ebenso wie von der Frau gebraucht, denn es heifst V. 254: hons brehains, fame brebaingne; 352 brebainz; 327, 372 brehaingne. Ch. Uhlemann in seiner Jenaer Dissertation, Grammatisch-kritische Studien über Wace's La Conception Nostre Dame und St. Nicholas, Bremen 1878, hält dies Wort für eine Erfindung von Wace. Auch das Substantiv dazu findet sich Nat. N. D. 307 brehaingnete = latein. sterilitas. Vgl. Du Cange unter Brana.

Zu amoier finden sich bei Tobler, Aniel p. 35 und bei Godefroy genug Beispiele.

Ben. dent 203 broëte = nfz. brouette, Schub-Erdkarre, zweirädriger Handwagen. Ben. dent 36 berciez = nfz. bercer, wiegen.

Nat. N. D. 211 tine = lat. tina, nfz. Butterfäfschen, Kübel; Gefäfs. B. Roquefort citiert aus Gautier's Leokade 1443 ein Beispiel.

Nat. N. D. 212 galentine: nfz. ˙galantine = vulgärlatein. galatina, kaltes Gericht von gespicktem Fleisch mit Gallerte. Vgl. B. Roquefort, Glossaire de la langue romane, welcher eine andere Stelle aus Gautier beibringt, und Ménagier de Paris ed. Pichon 1846, II, p. 202.

Nat. N. D. 212 luz ist = Hecht; vgl. Du Cange unter Luceus. Roquefort kennt nur „Laute".

Nat. N. D. 30 trufes = Scherz, Lüge, unnütze Worte: Roquefort führt kein Beispiel an. Vgl. Du Cange, Trufa.

Nat. N. D. 389 encouveuse = nfz. désireuse d'amour; von encovir, lat. incupitiare.

N. N. D. 146 puir, lat. putrescere, bei Roquefort ohne Beleg.

Ben. dent 175 esprohoit, von einem lahmen Narren gebraucht, wird von Hippeau und Burguy nur in der Bedeutung „asperger, mouiller" genannt.

Ben. dent 301 esboulie = erschreckt. Du Cange verweist unter esboulissant = nfz. bouillant auf Raynouard II, 271 Esbulir.

Ben. dent 411 cliques fehlt bei Roquefort, Du Cange, Burguy.

B. dent 408 quartiz, hier reflexiv = dem in der Fechtkunst im Nfz. üblichen Ausdruck quarter, durch eine Seitenwendung ausweichen.

Nat. N. D. 373 paraison ist in comparaison emendiert.

Nat. N. D. pertain, wohl wie nfz. perte (de l'âme) = ewige Verdammnis, ist selten und fehlt im Roquefort, Du Cange.

Ben. dent 142 nouier: Vgl. Roquefort. nohier.

Ben. dent 173 vesics, hier bei der Negation uneigentlich gebraucht, wohl = latein. vesica; vgl. nfz. vessie.

Nat. N. D. 426 serve, das seltene Femininum zu serf (servus).

Nat. N. D. 315 seneche, mit nicht ganz klarer Bedeutung synonym mit dire verbunden, kommt auch sonst bei Gautier vor. Vgl. seneke in Benoit's Chronik s. v.

Von den übrigen Dichtungen wird demnächst an dieser Stelle das in gleichem Versmafs geschriebene und erst durch den Anfang und den Schlufs bekannte Gedicht von der Geburt und Kindheit Jesu veröffentlicht werden, welches auf dem Evangelium des Pseudo-Matthäus beruht.

La nativite Nostre Dame sainte Marie.

En l'onneur Dieu et en memoire
De la haute dame de gloire
Me vorrai or ci amoier
Et trover et arimoier
Sa saintisme nativite,   5
Si lairai toute vanite
Et trestoute oiseuse parole:
Car li pensers mainte ame afole
Et torne a pardurable mort.
Ma conscience me remort   10
De ce que tant i ai muse,
Si ai trop de mon tens use,
De quoi por sot je me tesmoing.
Je n'en querrai autre tesmoing,
Por tesmongnier men grant folage;   15
Trop i ai paie le musage.
Or ne li vorrai plus plaier,
Ainçois me vorrai repairier
A Dieu et a sa douce mere,
Qui nos gart touz de mort amere: 20
Car je vorrai en romanz mettre,
Mot a mot, tout selonc la lettre

Sa nativite et en rime;
Mais se toute n'est leonime,
Ne m'en prenez pas a couvent: 25
Car j'i faurrai assez souvent.
Mais se pooie tant ouvrer,
Que je pëusse recouvrer
Le tens, que j'ai mis en escrire
Et en trover trufes et dire,   30
Tant qu'en la dame de concorde
Puisse trover misericorde,
J'aroie fait plus grant gaaingne
Que s'estoie quens de Champaingne.
Mais je sai bien certainement   35
Que je faz trop grant hardement,
Com me melle de rien faire
De celui cui doi tant desplaire
Par mon orgueil, par ma sotie:
C'est de la tresdouce Marie,   40
Qui est mere Dieu et ancele,
Si l'alaita de sa mamele.
Mais je mie parler nen ose:
Car parlers de li est grant chose,
Si grant n'en sai parler ne puis: 45
Car en moi ne truis mie puis,
Ou je si grant sens puisse penre,
Si porroie mult tost m'espenre.
Mais se ce fust d'une autre fame,
Que ce ne fust de nostre dame,   50
Mult plus tost, sachiez, m'enhardisse,

Als Überschrift steht in der Hs. fr. 25532 fol. 227ª: La nativite nostre dame sainte Marie estraite de latin en roumanz.

1 l'enneur. 3 Ms. fr. 22928 hat, wie aus Godefroy, Dict. de l'ancienne langue française unter amoier hervorgeht, amoyer und es fehlt daselbst ci. 9 tourne. Vgl. V. 821. 10 concience. 14 querai. 20 toz. 21 vourai.

26 gi faurai. Vgl. vorrai 3; !7; 18; 21. 29 tans. 38 doit mit Punkt unter t. celui als Fem. kennt Diez, Gramm. II, p. 110. 45 granz.

Que j'aucune chose en deïsse.
Dieus, qu'ai je dit, ou est celi,
Dont on puist dire fors de li?
Nule nen est, sachiez de fi,   55
En sa douceur de tant me fi,
Que je m'i vorrai esprover
En aucun bien de li trover
Et ne mie, c'est or sanz faille,
Que je le sache ne ne vaille.   60
Mais se pooie de li faire
Tel chose qui li pëust plaire,
Tant que pëusse avoir sa grace,
J'aroie faite bone chace.
Por ce li proi au commencier,   65
Que de tant me veille avancier,
Qu'ele m'ensaint com mal apris
Ne ne praingne mes max a pris,
Ou autrement riens que je die
Ne li plairoit, je n'en dout mie.   70
Toutes voies m'enhardirai,
De la nativite dirai.
Cromaces et Heleodores,
Qui furent vesque au tens de lores,
Mandent saluz a saint Jeroisme,   75
Leur chier ami et leur bon proïsme,
Et li prient mult doucement,
Que por Dieu dou ciel, qui ne ment,
Que il d'ebrieu en latin face
Par sa charite, par sa grace   80
La nativite, la lignie
De la douce virge Marie:
Car trove en ont en escrit
Et de l'enfance Jesu Crist
Choses a la foi mult contraires   85
As apocrifes deputaires.
Mais Armenien et Verin,
Preudomme vrai et enterin,
De sainte plain et de bonte
Leur avoient dit et conte   90
Qu'un volume en ebrieu escrit
Avoit trove, qu'avoit escrit
L'evangelistres sainz Matius,
Lequel livre mult ama cius
Et tint en mult grant reverence: 95
Car escrite i estoit l'enfance
De Jesu Crist et de sa mere,
Qui nos gart trestouz de misere.

Briement les paroles ai dites,
Qui en l'epistre sont escrites,   100
Et il leur envoia arriere
Sen escrit en itel maniere.
Heleodores et Cromace,
Vesques par la devine grace,

100 l'espistre sunt escrtes. 103 Heleo-
dore. Bei Schade, welcher den Kodex des
11. Jhd. abgedruckt hat, findet sich die Form
Cromatius und Eliodorus oder Cromacius in
Orthographie des 11. Jhd. Also Gautier kann höchstens eine s. Z. 100 Jahr
alte Hs. benutzt haben und fand in
seiner Vorlage sicher Heliodorus. Der
latein. Text lautet: Dilectissimo fratri Hie-
ronimo presbytero Cromatius et Eliodorus episcopi salutem in domino. Ortum
Marie regine virginum simul et nativitatem atque infantiam domini nostri Jesu
Christi in apocrifis invenimus libris, in
quibus multa contraria nostre fidei con-
siderantes scripta verecunda credimus
universa, ne per occasionem Christi Anti-
christo leticiam traderemus. Ista igitur
nobis considerantibus extiterunt viri dei
Armenius et Virinus qui dicerent sancti-
tatem tuam beatissimi Mathei evangeliste
manu conscriptum volumen hebraicum
invenisse, in quo et virginis matris et
salvatoris nostri infancia esset conscripta.
Et idcirco per ipsum dominum nostrum
Jesum Christum tuam caritatem expe-
tentes quesumus ut eum ex hebreo la-
tinis auribus tradas, non tam ad perci-
pienda ea que sunt Christi insignia quam
hereticorum astutiam excludendam, qui
ut doctrinam malam instruerent, bone
Christi nativitati sua mendacia miscue-
runt, ut per dulcedinem vite mortis
amaritudinem occultarent. Erit ergo
purissime caritatis ut vel tuos rogantes
fratres exaudias vel episcopos exigentes
caritatis debitum, quod idoneum credi-
deris, recipere facias. Bene vale in domino et ora pro nobis. —
Dominis sanctis ac beatissimis Cro-
macio et Heliodoro episcopis Hieronimus
exiguus Christi servus salutem in domino. Qui terram auri consciam fodit,
non illico arripit quicquid fossa profu-
derit lacerata, sed priusquam fulgendum
pondus vibrantis jactus ferri suspendat,
interim vertendis supinandisque cespitibus
immoratur ac spe alitur qui nondum
lucris angetur. Arduum opus injungitur
cum hoc fuerit a vestra mihi beatitudine

53 q̄i ie. 56 de tant me fi umgestellt. 57 espruver. 58 bien nachgestellt;
die richtige Stellung ist durch Zeichen angedeutet. 74 vesques . tans. 75 Vgl.
den Reim in V. 915, 916. Über dies
que vgl. Zs. V, 376. 83 trouve. Vgl.
4, 30, 32, 58, 92, 288, 336. 84 Ihesu
Crit. 91 c'un. 93 maticus mit Punkt
unter e. 97 Ihesu.

Jeroismes bonement salue   105
En Dieu, qui fist et ciel et nue.
Seignors, chose de grant affaire,
Sachiez, me requerez a faire.
Sainz Matius, sachiez vraiement,
Riens nen escrit apertement,   110
Aincois estoit chose celee:
Car se ne fust chose secree,
Il l'eust bien dite et retraite
En l'evangile, qu'il ot faite;
Mais il fist en ebrieu ce livre,   115
Por ce que on le baut et livre
As preudommes et qu'il le baillent
L'uns l'autre, aussi com il defaillent.
Mais por vostre amor, que j'ai cbiere,
Faire vorrai vostre priere   120
Et por les mescreanz plaissier,
Qui le voir vuelent abaissier.
Ainsi sainz Jeroismes parole
As evesques a brief parole

---

imperatum, quod nec ipse sanctus Matheus apostolus et evangelista voluit in aperto conscribi. Si enim non esset secrecius. evangelio utique ipsi quod edidit addidisset. Sed fecit hunc libellum hebraicis literis obsignatum, quem usque adeo edidit, ut hodie manu ipsius liber scriptus, hebraicis literis a viris religiosissimus habeatur, qui eum a suis prioribus per successus temporum susceperunt Hunc autem ipsum librum cum numquam alicui transferendum tradiderint, textum vero ejus aliter aliterque narraverint, sic factum est ut a manichei discipulo nomine Leucio qui etiam apostolorum gesta falso sermone conscripsit, hic liber editus non edificationi, sed destructioni materiem exhibuerit et quod talis probaretur in sinodo, cui merito aures ecclesie non paterent. Cesset jam nunc oblatrancium morsus. Non istum libellum canonicis nos superaddimus scripturis, sed ad detegendam hereseos fallaciam apostoli atque evangeliste scripta transferimus. In quo opere tam jubentis piis obtemperamus episcopis quam impiis hereticis obviamus. Amor ergo Christi est cui satisfacimus credentes quod nos suis orationibus adjuvent, qui ad salvatoris nostri sanctam infanciam per nostram potuerint obedientiam pervenire

109 macieus. 111 ancois. 118 ausi. 120 proiere mit Punkt unter o. 122 welent. 124 esvesques.

Et s'entente mist a rescrire   125
Ce que m'orrez ci apres lire,
Se vos volez oïr men conte,
Si com sainz Jeroismes le conte.
Mais oëz ce que je lirai,
Ou riens ne vaut quanque dirai: 130
Car je ne pris une tostee
Parole, qui n'est escoutee.
Sainz Jeroismes si nos descrit,
Si com on le trueve en escrit,
Que la sainte dame glorieuse,   135
Mere de Dieu, fille et espeuse,
C'est la sainte virge Marie,
Qu'ele fu de roial lignie,
De la maisnie David nee;
Mult estoit bien enparentee.   140
Li lius de sa nativite
Fu en Nazaret, la cite.
En Jerusalem grant tempoire
Fu norrie, c'est or la voire,
Ou temple Dieu, por mieuz fuir   145
Le monde, qui tant doit puir;
Mais peu en voi, qui le refust.
Cele qui, ainz que nee fust,
Estoit saintefiee toute,
En ot grant peour et grant doute.   150
Donc se nos faisions savoir,
Mult grant bien devrions avoir,
Que nostre dame en eut peour,
Qui porta nostre sauveour.
Mais nos i sons si endurci,   155
Plus sommes dur de ce merci.
Joachins fu li nons sen pere,
Et Anne avoit a non sa mere.
De Nazaret en Galilee
Fu ses peres, sa mere ert nee   160
En Bethleem, si come dit

---

127 vus. 128 Jerosmes. 130 dira. 135—145 = Evang. de nat. Mar. cap. 1: Beata et gloriosa semper virgo Maria de stirpe regia et familia David oriunda, in civitate Nazareth nata, Hierosolymis in templo domini nutrita fuit. 136 fehlt in der Hs. Ich vermute: Qui de dieu est mere et espeuse oder Mere de Dieu, fille et espeuse. 141 Zu lius vgl. V. 287 liu, 446 lius und 564 lieus. 143 iherusalem. 146 munde. 147 poi. 150 peeur. Vgl. V. 153, 293, 590 peour; 764 paour. 152 lē. sauoir mit Punkt unter s. 153 qū. 157—161 = Pater ejus Joachim, mater vero Anna dicebatur. Domus paterna ex Galilea et civitate Nazareth, maternum autem genus ex Bethlehem erat. 159 nazarel. glalilee. 161 belleem = 705 Bethleem.

Que j'aucune
Dieus, qu'ai je
Dont on puist
Nule nen est,
En sa douceur
Que je m'i vo
En aucun bien
Et ne mie, c'
Que je le sac
Mais se pooie
Tel chose qui
Tant que pëu
J'aroie faite
Por ce li pro
Que de tant
Qu'ele m'ensa
Ne ne praing
Ou autrement
Ne li plairoit.
Toutes voies
De la nativit
Cromaces et
Qui furent v
Mandent salu
Leur chier a
Et li prient
Que por Dieu
Que il d'ebri
Par sa charit
La nativite,
De la douce
Car trove en
Et de l'enfan
Choses a la
As apocrifes
Mais Armeni
Preudomme
De sainte pla
Leur avoient
Qu'un volume
Avoit trove,
L'evangelistre
Lequel livre
Et tint en m
Car escrite i
De Jesu Crist
Qui nos gart

53 q̄i ie. 5
stellt. 57 espru
die richtige Stell
gedeutet. 74
den Reim in V
que vgl. Zs. V,
4, 30, 32, 58,
Crit. 91 c'un.
unter e. 97 Ih

it	Toute ert plaine et enluminee
nent,	De grace, si tost com iert nee. 410
'	.iii. anz la covenra manoir
	Avec sen pere en sen manoir.
75	Ele donee au Dieu servise,
ra	Ou temple Dieu sera lors mise,
	Sanz plus demourer ne atendre, 415
	Tant qu'ele ara anz, por entendre,
iingne	Demourra iluec a sejour
ignes, 80	Serve Dieu de nuit et de jour.
	Jëuners, oures, c'iert sa cure,
	Si se tenra de toute ordure 420
iras.	Ne connoistra home a ce faire,
s	Mais seule tout sanz essamplaire,
85	Sanz tache, sanz corruption,
tree,	Et sanz d'ome commistion
ivenue	Toute virge .i. fil avera: 425
e	Son seigneur serve engenrera.
reuse,	Ele qui ert de grant renon
euse." 90	Et qui noble iert d'uevre et de non,
ure,	Engenrera de pechie monde
deme e,	Le sauveeur de tout le monde. 430
	En Jerusalem va t'en tost,
,	A porte d'or venras tantost:
95	Car ainsi est ele apelee,
mie,	Por ce qu'ele est faite doree.
tre:	A ensaingnes, quant la seras, 435
stre.	Ten baron iluec troveras,
ertes,	De cui couvoites a savoir,
es 10	S'est en point de sante avoir.
lt chie s	Adonc quant tu verras que fait
	Ces ensaingnes venir a fait, 440

ez,
5

utes.

paraix
cions. 9
æ annu o
aurea…
ibi obvia
le tuæ
licita t…
His di

      409 tout . plainne.   409—412 =
Hæc a nativitate sua statim domini
gratia plena, tribus ablactationis suæ
annis in domo paterna permanebit. 413
dōnee. 413 donee übersetzt mancipata.
416 = usque ad intelligibiles annos.
417 ilec. Vgl. 632. 418—421 = ibi
denique jejuniis et orationibus nocte ac
die deo serviens ab omni immundo se
abstinebit, virum numquam cognoscet.
421 hōme. 422 = sed sola sine
exemplo. 423 = sine macula, sine cor-
ruptione. 423 corrupcion. 424 dōme.
424—430 sine virili commixtione, virgo
… dominum et gratia et
… gene-

Sainz Jeroismes, qui fist ce dit.
Grant paine mirent et grant cure
A mener vie nete et pure,
Tant com en ce monde veschirent 165
Mais por nient pas ne le firent:
Car par leur vie simple et droite,
Large a bien faire a mal estroite
Gaaignerent de Dieu la grace:
Car ele plut devant sa face, 170
Et s'estoit leur vie encor teus,
Repenre nes pot hons morteus
De leur dire ne de leur faire.
A touz plurent et durent plaire
Et fiairier plus douz de piument, 175
Si se demenerent piument,
Si doucement que mieus en bouche
N'est pas plus douz, quant il i touche,
Com les paroles, qu'il disoient
A toutes genz, qui les ooient. 180
En . iii . parties tout sanz doute
Partoient leur sustance toute:
Une part por le temple firent
Et por touz ceus qui i servirent.
As povres fu l'autre partie, 185
L'autre por eus et leur maisnie.
Ainsi partoient leur avoir,
Por la joie sanz fin avoir.
Es cieus lor tresor amasserent,
Quant la vinrent, se le troverent 190
Trestout et assez plus encore.
De tex genz sont mult petit ore:
Je n'en voi onques nul lasser
D'avoir terrien amasser;
Mais por sot encor se tenront, 195
Au repentir trop tart venront.
Peu en voi qui n'i mette cure
De prester le sien a usure,
Mais d'ui a demain en aront
Leur louier, ja mot n'en saront. 200
Prestre, chanoine, clerc, evesque,

Abbe, prieur et arcevesque
Dëussent avoir charite,
Mais il en sont deserite:
Trop sont soumis en avarice. 205
Je sai mult bien le voir d'ice.
Peu sont qui s'en puissent laver:
Trop sont trestuit riche home aver.
C'est mult grant doleur a leur wes;
Plus grant feste font de leur wes 210
Qu'uns povres bons d'une grant tine
Plaine de luz en galentine.
Ceste chose por voir puis dire:
Com li hons enrichit, s'empire.
Joachins et Anne, sa fame, 215
Qui engenrerent nostre dame,
Ainsi ne furent pas sanz faille:
A Dieu paierent bien leur taille,
Vers Dieu se tinrent justement,
Au siecle mult piu durement. 220
.I. seul enfant avoir ne peurent,
.XX. anz furent que nul nen eurent.
S'enfant avoient por ice,
Le vouerent a Dieu service.
Por ceste chose au temple aloient 225
As festes, qui tout l'an estoient.
Mult d'anz ainsi bien dusque .XX.
Se maintinrent tant qu'il avint,
Qu'il aprocha une grant feste:
Ne me faites dou non enqueste. 230
En Jerusalem a ce jour
Vint Joachins sanz lonc sejour.
Avec lui vint maint Giue sage,
Qui estoient de son lignage.
A Ysaac estoit donee 235
L'eveschiez en cele annee.
Quant Joachim connut li vesques
Entre les autres i aleques,
Lui et s'offrende ot en despit,

202 prieus. 204 sunt. 208 houme. sunt.
209 leu. 211 c'uns. 212 plainne. 214
cum . s'en pire. 215—234 = Ita isti
deo cari, hominibus pii, per annos cir-
citer viginti castum domi conjugium sine
liberorum procreatione exercebant. Vo-
verunt tamen, si forte deus donaret eis
sobolem, eam se domini servitio manci-
paturos: cujus rei gratia et templum
domini singulis per annum festis fre-
quentare solebant. II. Factum est autem
ut encaeniorum festivitas appropinquaret,
unde cum nonnullis contribulibus suis
Hierosolymam et Joachim ascendit. 222
Die Zahl ist schwer lesbar. 230 faite.
231 iherusalem. 232 ioachi. 234 li-
nage 235 doune. 237 9nut. 238 Vgl. 281.

162 iheroismes. 163 painne. 163—
180 = Vita eorum simplex et recta
apud dominum, apud homines irrepre-
hensiblis erat et pia. Gautier hat hier
erweitert. 164 nette. Vgl. 363. 166
ment zweisilbig. 169 guaaignerent. 171
lor. Vgl. 76, 90, 173, 187, 451. 174
peurent. 179 cum. 180—186 = Nam omnem substantiam suam trifariam diviserunt:
unam partem templo et templi servitoribus
impendebant: aliam peregrinis et pauperibus
erogabant: tertiam suæ familiæ usibus et
sibi reservabant. 186 par . lor. 187 leur.
188 p. 189 lor. Vgl. 171. 190 li. 192
st'. 197 peu = 207 = 551. Vgl. 147.

Si li a dit sanz lonc respit 240
Et demande, comment il ose
Iluec venir por nule chose:
Qui enfant nul ne pot avoir,
Il ne faisoit mie savoir,
Quant il tenoit ceus compaingnie, 245
Cui Diex ot donee lignie,
Que Diex de ses dons n'avoit cure
Por ce qu'aucune engenrëure
De sen cors ëue n'avoit
N'iert pas dignes, bien le savoit: 250
Car Diex l'eut jugie por brehaing,
Entechiez fu de mal mehaing:
Car l'escripture si ensaingne:
„Hons brehains et fame brehaigne,
Qui oir malle n'engenrera, 255
En Israël maudiz sera."
De ce Joachim acusoit,
Lui et ses dons en refusoit:
„De cele maleïçon cuites
Ne puet estre, por faire fuites, 260
Ne por rien qu'il face en sa vie,
S'il nen est cuites par lignie.
Mais quant il lignie averoit,
Asous et cuites en seroit
Ne la ne piert, se n'est par oir, 265
Mais lors se porra aparoir
Ou temple Dieu devant sa face
A tout s'offrende et si li face."
Joachins de l'oprobre ot honte,
Qui devant touz ainsi li conte. 270
A ses pasteurs va, qui estoient

Es chans, ou leur bestes gardoient,
Ne n'ala pas en sa maison,
Si vos en dirai la raison:
Car il le laissa por ice, 275
Qu'il ne fust noiez de ce vice,
Dont li evesques le chosa.
Por ce raler ne s'en osa
Avec ceus qui avec li vinrent
Et qui compaingnie li tinrent: 280
Car este avoient ileques,
Ou acuse l'avoit li vesques. fol. 229.
Au cuer en ot si grant contraire,
Si fu dolenz ne sot que faire.
Avec ses pasteurs demoura 285
Mult peu de tens, tant com jour a:
En .i. liu a touz seus este.
Lors l'a trove tout apreste
Li angles Dieu, si s'arestoit
Devant lui qui si biaus estoit 290
Et de clarte grant iert si plains,
Que touz resplendissoit li plains.
Grant peour Joachins avoit
De la vision, quant la voit.
Mais li angles le conforta, 295
Si l'apaisa et enorta,
Qu'il n'ait peour de sa venue
Por la vision qu'a vëue:

---

274 v'. 275 le. 279—284 = Cujus opprobrii objectu pudore magno suffusus Joachim ad pastores qui cum pecudibus erant in pascuis suis secessit; neque enim domum repetere voluit, ne forte a contribulibus suis, qui simul aderant et hoc a sacerdote audierant, eodem opprobrii elogio notaretur. 281 ilesques. Vgl 238. 285—316. III Verum cum ibi aliquamdiu esset, quadam die cum esset solus, angelus domini ei cum immenso lumine astitit. Qui cum ad ejus visionem turbaretur, angelus qui ei apparuerat timorem ejus compescuit dicens Noli timere, Joachim, neque in visione mea turberis: ego enim sum angelus domini, missus ab ipso ad te, ut annuntiem tibi preces tuas esse exauditas et eleemosynas tuas ascendisse in conspectu ejus. Videns quippe vidit pudorem tuum et audivit sterilitatis opprobrium nec recte tibi objectum. Peccati namque, non naturæ ultor est deus et ideo cum alicujus uterum claudit, ad hoc facit ut mirabilius denuo aperiat, et non libidinis esse quod nascitur, sed divini muneris cognoscatur. 286 tans. cum jor. 296 ennorta. Vgl. 344. 298 q̄ veue.

235—268 = Ea vero tempestate Isachar ibi pontifex erat. Cumque inter ceteros concives suos etiam Joachim cum oblatione sua videret, despexit eum et munera ejus sprevit, interrogans cur inter fœcundos infœcundus ipse stare præsumeret; dicens munera nequaquam deo digna posse videri, quoniam ipsum prole indignum judicasset, scriptura dicente maledictum omnem esse qui non genuisset masculum vel feminam in Israel. Dicebat ergo prius eum ab hac maledictione sobolis generatione solvendum, et sic demum in conspectu domini cum oblationibus esse venturum. 241 9ment. 242 p'. 242 illec. Vgl. V. 417. 246 dounee. 248 p'. 254 hō. Aus diesem Vers geht hervor, dafs Gautier als lateinische Vorlage einen Codex von der Gattung des von Tischendorf benutzten Ambrosianus vor sich hatte, in welchem masculum vel feminam steht. 265 Ne la ne li ert. Conjectur nötig. 271 ces.

„Angles Dieu sui, qui ça m'envoie,
Por toi annoncier ta grant joie: 300
Car nostre sires a oïes
Tes prieres a ses oïes,
Et les aumosnes, qu'as donees,
Sont devant lui es ciex montees.
Il qui ses amis pas n'eslongne, 305
Si a vëue ta vergongne
D'oprobre de brehaingnete,
Qu'en a seur toi a tort gete.
Venjance prent Diex et droiture
De pechie, non pas de nature. 310
Por ce s'il tient .i. ventre clos,
Quant il a este tant reclos,
Por ce le fait, que quant il uevre,
Que plus merveilleuse en soit l'uevre
Et qu'on n'i die ne seneche 315
Pechie de luxure ne teche.
La premiere en vostre lignage,
Sare, .XX. .iiii. anz d'aage
Ot, avant qu'ele concevoir
Pëust, ce saches tu de voir, 320
Et en la fin .i. enfant a,
Qu'en sa grant veillesce enfanta,
Ysaac, qui de la gent toute
A la beneïçon sanz doute.
Rachel, qui tant fu acceptable 325
A Dieu, a Jacob amiable,
Qui fu brehaingne grant tempoire,
Puis ot Joseph, c'est chose voire,
Qui ne fu pas certainement
Sires d'Egipte seulement, 330
Mais mult grant pueple delivra,
Que mort bien pres fains ne livra.
De Samson, qui a plus de force,
Et plus sainz hon, qui est or ce,
Que Samuel? c'est sanz prover, 335
Nus hon ne les porroit trover,

Et cist .ii. de .ii. meres furent,
Bien pres que oir faillir ne durent
Et toutes voies ces .ii. eurent:
Com Diex le vout, faillir n'i peurent." 340
Ainsi Joachim met en voie.
Li angles, por ce qu'il le croie,
Mieuz dou message, qu'il aporte,
Par essamples croire l'enorte.
Puis dit: „Joachins, biaus amis, 345
Se raisons en ten cuer n'as mis,
Que ne veilles croire mes diz,
As essamples ne met des diz.
Mais croi ne soies pareceus,
Que Diex n'aville mie ceus 350
As delaianz concevemenz
Ne as brehainz enfantemenz,
Mais por estre plus merveilleus
Le fait, de rien n'aville eus.
Por ce ma parole n'aville: 355
Ta fame avera une fille,
Saches de voir n'en doute mie,
Et si l'apeleras Marie,
Et ainsi com tu l'as vouee,
Des s'enfance iert a Dieu sacree: 360
Plaine iert dou saint espir et tainte,
Si tost com sa mere iert ençainte.
Chose qui nete ne sera
Ne bevra ne ne mengera
Ne n'iert entre les genz dou monde, 365
Ainz menra conversion monde
Ou temple, que soupeçonner
N'i puist nul mal ne consonner.
Mult sera bone et sainte et sage,
Quant ele avera aage. 370

---

300 anoncier. Vgl. 379. 303 q̅s do̅nees. 304 sunt. 313 weure. 315 qu'en. 317—335 = Prima enim gentis vestræ Sara mater nonne usque ad octogesimum annum infœcunda fuit? et tamen in ultima senectutis ætate genuit Isaac, cui repromissa erat benedictio omnium gentium. Rachel quoque, tantum domino grata tantumque a sancto Iacobo amata, diu sterilis fuit, et tamen Joseph genuit, non solum dominum Ægypti, sed plurimarum gentium fame periturarum liberatorem. Quis in ducibus vel fortior Sampsone vel sanctior Samuele? et tamen hi ambo steriles matres habuere. 319 quelle Vor concevoir ist 9ceust punctirt. 329 certainnement. 334 ho̅. 335 prouver. Vgl. 57. 336 n'ho̅.

340 co̅. 343 mesage. 345—378 Si ergo ratio verbis meis tibi non persuadet, crede re, dilatos diu conceptus et steriles partus mirabiliores esse solere. Proinde Anna uxor tua pariet tibi filiam, et vocabis nomen ejus Mariam: hæc erit, ut vovistis, ab infantia sua domino consecrata et spiritu sancto replebitur adhuc ex utero matris. Omne immundum neque manducabit neque bibet, neque inter populares forinsecus turbas, sed in templo domini conversatio ejus erit, ne quid de ea sinistrum vel suspicari saltem possit vel dici. Itaque ætate procedente sicut ipsa mirabiliter ex sterili nascetur, ita incomparabiliter virgo generabit altissimi filium qui Jesus vocabitur et secundum nominis etymologiam salvator omnium gentium erit. 346 n'a mis. 355 Poúr. 361 plainne. 362 co̅. Vgl. Münchener Brut. ed. Vollmöller, Anm. 2319 enchaintee. 365 munde. 369 bonne. 370 Hiat.

Aussi com merveilleusement
De brehaingne avra naissement,
Ainsi sanz comparaison ele
Le fil Dieu genrera pucele,
Qui Jesus apelez sera.   375
Selonc son non tout sauvera
Jesus, l'interpretacions
Sauveres et salvacions.

Que t'annoncions ne desdaingnes,
Je t'en donrai bones ensaingnes,   380
Et puis si m'en departirai. •
Or enten, que je te dirai:
„„Voie en Jerusalem t'en iras.
Quant en Jerusalem venras
A la porte d'or apelee,   385
Ta fame Anne i ert encontree,
Qu'au cuer a grant descouvenue
Dou tardement de ta venue
Et s'en est, si cuis, encouveuse,
Quant te verra, mult iert joieuse."" 390
Quant ot ce dit en icele eure,
L'angles s'en part, plus n'i demeure,
Et a Anne s'aparissoit.
„Fame Joachim," ce disoit,
„Anne, ne te douter, amie,   395
Ce que tu voiz, ne cuides mie,
Que ce puisse fantosme estre:
Je sui angles de Dieu celestre.
Cil meesmes, saches por certes,
Qui voz aumosnes ai offertes   400
Devant Dieu, qui les a mult chieres
Et s'a oïes voz prieres,
Et or sui a vos envoiez,
Qu'en doutance vos ne soiez,
Qu'une fille vos naistera,   405
Qui Marie dite sera.
Beneoite sera seur toutes
Les fames, ja de ce ne doutes.

Toute ert plaine et enluminee
De grace, si tost com iert nee.   410
.iii. anz la coveura manoir
Avec sen pere en sen manoir.
Ele donee au Dieu servise,
Ou temple Dieu sera lors mise,
Sanz plus demourer ne atendre,   415
Tant qu'ele ara anz, por entendre,
Demourra iluec a sejour
Serve Dieu de nuit et de jour.
Jëuners, oures, c'iert sa cure,
Si se tenra de toute ordure   420
Ne connoistra home a ce faire,
Mais seule tout sanz essamplaire,
Sanz tache, sanz corruption,
Et sanz d'ome commistion
Toute virge .i. fil avera: 425
Son seigneur serve engenrera.
Ele qui ert de grant renon
Et qui noble iert d'uevre et de non,
Engenrera de pechie monde
Le sauveeur de tout le monde.   430
En Jerusalem va t'en tost,
A porte d'or venras tantost:
Car ainsi est ele apelee,
Por ce qu'ele est faite doree.
A ensaingnes, quant la seras,   435
Ten baron iluec troveras,
De cui couvoites a savoir,
S'est en point de sante avoir.
Adonc quant tu verras que fait
Ces ensaingnes venir a fait,   440

---

371 ausi. 373 sanz par paraison
377 Ihesus = 375. 379 l'annoncins. 379
—392 = Et hoc tibi eorum quæ annuntio
signum erit, cum perveneris ad auream in
Hierosolymis portam, habebis ibi obviam
Annam uxorem tuam, quæ de tuæ re-
gressionis tardatione modo sollicita tunc
in adspectu tuo gaudebit. His dictis
angelus discessit ab eo. ·380 dōrai.
383 iherusalem = 384. 392 et statt ce.
393 s'aparisoit. Vgl. 891. 393—395 =
Ne timeas Anna, neque phantasma esse
putes quod vides. 393—444 = Evang.
de nat. Mariæ cap. IV. Tischendorf,
Evang. apocr. I. Aufl. p. 108—109.
399 meemes. 400—403 = qui preces
et eleemosynas vestras obtuli in conspectu dei. 402 la   405 c'une . naitera.

409 tout . plainne.   409—412 =
Hæc a nativitate sua statim domini
gratia plena, tribus ablactationis suæ
annis in domo paterna permanebit. 413
dōnee. 413 donnee übersetzt mancipata.
416 = usque ad intelligibiles annos.
417 ilec. Vgl. 632. 418—421 = ibi
denique jejuniis et orationibus nocte ac
die deo serviens ab omni immundo se
abstinebit, virum numquam cognoscet.
421 hōme.   422 = sed sola sine
exemplo   423 = sine macula, sine cor-
ruptione. 423 corrupcion. 424 dōme.
424—430 sine virili commixtione, virgo
filium, ancilla dominum et gratia et
nomine et opere salvatorem mundi generabit. 429 munde. 431 iherusalem.
432—435 et cum perveneris ad portam
quæ aurea, pro eo quod deaurata est,
vocatur .... 436 ilec. 437—438 pro
cujus incolumitatis statu sollicita es.
439 q. 439—444 = Cum hæc igitur
ita evenerint, scito quod quæ annuntio
sine dubio complenda erunt.

Por faus ne le veilles tenir.
Ces choses verras avenir,   ˙ fol. 230.
Dont je t'ai fait annoncement
De par Dieu dou ciel, qui ne ment."
Joachins et Anne s'esmurent   445
Maintenant des lius, ou il furent.
Quant li angles l'ot commande,
Par cui Diex leur avoit mande,
En Jerusalem s'en monterent.
Quant la vinrent, si s'encontrerent,   450
Ou li angles dit leur avoit.
Adonques chascuns bien savoit,
Que Dieus leur a done l'ëur
De lignie avoir: tuit sëur
Furent et la fame et li bon;   455
Mult sont lie de la vision
A Dieu en ont graces rendues
Teles com il les ont dëues.
Quant ainsi ont Dieu aoure,
Vont s'en n'i ont plus demoure: 460
La promesse Dieu atendoient
Haitie et certain qu'il l'aroient.

Anne conçut, porte tant a
Comme ele dut, lors enfanta
Une fille ne tarda mie,   465
Que li angles ot annoncie
Marie: ainsi comme il le dit,
L'apelerent sanz contredit,
Et quant .iii. anz eut la pucele,
Qu'ostee fu de la mamele,   470
Ou temple la virge menerent
Et leur offrendes i porterent.
.XV. degre ou temple estoient,
Par ou les genz ou temple aloient;
Selonc .XV. psiaumes de grez   475
I ot on fait .XV. degrez.

Li temples iert en haute terre.
Cil qui voloit l'autel requerre
Hors dou temple, ou on sacrefie,
Sachiez de voir, n'en doutez mie,   480
Au monter et au ravaler
Par degrez couvenoit aler.
Tout maintenant la virge prirent
Et seur l'un des degrez la mirent.
De sa robe l'ont desvestue,   485
Qu'ele avoit par la voie ëue.
Vestue l'ont plus courtement
D'un autre plus net vestement,
Et la virge nostre seigneur
Plus tost qu'autre de li greigneur 490
Touz les degrez sanz point de paine,
Que nus ne la lieve ne maine,
Monta si que qui la vëist
Que tout certainement deist
Ou il pensast en sen courage,   495
Qu'ele fust de parfait aage.
Ainsi com la lois le demande,.
Firent sacrefice et offrende.
Le veu pramis ont bien paie,
Vers Dieu s'en sont bien apaie.   500
Ou temple la virge laissierent
Avec les autres, qui i erent.
Quant tout ont fait et atorne,
A leur ostel sont retorne.
La virge Dieu la virge sainte,   505
En aage et en vertuz mainte,

---

443 anoncement.   445 Igitur juxta
angeli præceptum uterque de loco in quo
erant promoventes ascenderunt Hierusa-
lem.   445 Ioachim   445—468 = Evang.
de nat. Mariæ cap. V. Tischendorf
p. 109.   449 iherusalem   452—458 =
Tunc de mutua sua visione læti et pro-
missæ prolis certitudine securi debitas
domino humilium exaltatori gratias ege-
runt.   453 donne.   455 hom.   456 st'.
462 = hilares et certi.   463 tan.   466
anoncie.   467 ainsis.   469—472 =
Cumque trium annorum circulus volvere-
tur et ablactationis tempus completum
esset, ad templum domini virginem cum
oblationibus adduxerunt.   469—504 =.
Cap. VI: Tischendorf p. 109—110.
473 circa templum ist ungenau wiedergegeben.   474 = ascensionis gradus   475
juxta quindecim graduum psalmos.

477 in monte constitutum.   478 si
quil.   478—482 = altare holocausti
quod forinsecus erat adiri nisi gradibus
non valebat.   480 sachie.   485—488
= Cumque ipsi vestimenta quæ in iti-
nere habuerant exuerent et cultioribus
ex more vestibus se et mundioribus in-
duerent. Also Gautier hat gelesen habuerant und curtioribus.   490 qautre di.
491 painne.   492 n'. mainne   492 =
sine ducentis et levantis manu.   493—
496 = ita ascendit ut perfectæ ætati
in hac duntaxat causa nibil deesse pu-
tares. Die hier im lat. Texte bei Tischendorf p. 110 folgenden drei Zeilen von
Jam bis præmonstrabat hat Gautier
übergangen.   494 certainnement.   497
con.   501—502 sind ungenau wiedergegeben.   504 sunt.   505—512 = Virgo
autem domini cum ætatis processu et
virtutibus proficiebat et juxta psalmistam
pater et mater dereliquerat eam, dominus autem assumpsit eam.   505—606
= Cap VII.

Chascun jour ades profitoit.
Plus croissoit, plus si escotoit.
Selonc le psalmiste dou pere
Laissie fu et de sa mere,   510
Et nostre sires si la prist,
A lui servir mult bien l'aprist.
Entor li li angle hantoient
De jour en jour, qui la gardoient,
Et chascun jour Dieu en la face 515
Veoit, qui l'emplissoit de grace,
Qui de trestouz max la gardoit
Et te touz biens faire s'ardoit.
De trestouz les biens Dieu habunde,
Que nus ne savoit la fecunde.   520
Ainsi .XIIII. anz la pucele
Fu bien ou temple, qu'onques ele
D'ome mortel en nule guise
Ne peut de rien estre reprise.
Mais les bones genz, qui lors furent, 525
Qui sa sainte vie connurent,
Dirent que conversation
Menoit de grant religion.
Li evesques communement
A lors fait .I. denombrement,   530
Que les virges, qui la estoient,
Celes qui cest aage avoient,
Qu'en leur osteus arrier alassent
Et que toutes se mariassent
Selonc la costume et l'usage   535
Et selonc ce qu'aroit d'aage.
Enclin au commandement firent
Trestoutes et si obeïrent.
La seule virge Dieu Marie,
Fleurs des virges, ce nen fist mie, 540
Ainçois respondi le contraire
Et dist que ne pooit faire;

Peres et mere au Dieu service
L'eurent donee et por ice
Qu'ele eut voue virginite   545
A Dieu, qui maint en trinite,
Ne pooit estre, ce disoit,
Maumise par home, qui soit.
Mult fu angoisseus et plains d'ire
Li vesques, si ne seut que dire. 550
Le veu ne vout si peu prisier,
Qu'il cuidast qu'on le puist brisier
Ne vout contre escripture offendre
Dieu, qui nos fait vouer et rendre.
Ne nouvel us faire n'osast   555
A la gent qu'un ne l'en chosast: —
Car il estoit lors en usage,
Chascuns entroit en mariage, —
Dou marier ou dou veu faire
Ne sout conseil de son affaire. 560
Lors commanda tout maintenant,
Qu'a la feste premiers venant
De Jerusalem venu soient
Et des lius, qui voisin estoient,
Li plus viel, que d'eus savoir puisse, 565
Que de tel chose faire estuisse.
Com ce fu fait que venu furent
A la feste, si com il surent,
Il plut a touz qu'on requeist
A Dieu que conseil i meïst.   570
Li vesques a conseil ala
A l'usage, qu'on usa la.
Li autre en oroison se mirent,
Ne demoura gaires qu'oïrent
Cil qui furent en l'oratoire   575

---

507 jor. 509 Am Rande steht rotb unterstrichen: psalmista . quam pater meus et
mater mea dereliquerunt [Hs. dereliq'rūt]
me dominus aut assumpsit me.   513 han-
coient. 515 jor. 515—520 = Quotidie
namque ab angelis frequentabatur, quotidie
divina visione fruebatur, quæ eam a
malis omnibus custodiebat et bonis omnibus redundare faciebat. 516 l'empli-
soit. 520 q'n'. 521—522 = Itaque
ad quartum decimum annum usque per-
venit. Also Gautier verfährt ungenau,
auch in V. 527—528. 522 conques.
523 dōme. 524 peut   525 le . los.
529–530 = Tunc pontifex publice de-
nuntiabat. 530 denŏrement. 536 q'roit.
537 9mandent. In furent ist die erste
Hälfte des u punctirt und auf die andere Hälfte das Zeichen für i (') gesetzt.

544 dōnee. 544—545 = mancipasse
et insuper se ipsam domino virginitatem
vovisse. 548 hōme. 549 = in an-
gustia constitutus animi. 551—556 =
cum neque contra scripturam quæ dicit
Vovete et reddite, votum infringendum
putaret neque morem genti insuetum in-
troducere auderet. 552 en. 556 cun. 558
entiot. 561—566 præcepit ut ad festi-
vitatem quæ imminebat omnes ex Hierosolymis et vicinis loiis primores ad/es-
sent, quorum consilio scire posset quid de
tam dubia re faciendum esset. 563
iherusalem. 564 lieus. Vgl. 141. 567
Cvnce [Quod cum fieret]. 569 com.
572 quē. 573—579 = nec mora, cunctis
audientibus de oraculo et de propitiatorii
loco vox facta est, secundum Esaiæ vati-
cinium requirendum esse, cui virgo illa
commendari et desponsari deberet. 574
q'irent. 575 Vor l'oratoire ist lorison
punctirt.

Une voiz, qui fist bien acroire,
Qu'on demandast a Ysaïe,
A cui la tresdouce Marie
On marist n'a cui on la dongne.
Et Ysaïes nos tesmongne   580
„Que de Gesse de la racine
Naistra virge nete et fine,
Et de la racine venra
Une fleurs, ou repos penra
Li espirs de Dieu proprement,   585
De conseil et d'entendement
Et de force et de sapience
Et de pitie et de science.
Icele fleurs sera emplite
De peour dou saint esperite."   590
Selonc iceste prophecie
Ceus qui furent de la maisnie
David, qui peurent fame avoir,
Commanda on et fist savoir
Que leur verges en haut levassent 595
Et a l'autel les aportassent.
La cui verge fleur germeroit,
Quant aportee l'averoit,
Ce seroit cui commandee
Seroit la virge et espousee. fol. 231. 600
Adonc leur verges apresterent
Et a l'autel tuit les porterent.
Entre les autres eut .i. home,
Joseph, qu'on tint mult a preudome
Et si estoit de la maisnie   605
David et nez de sa lignie.
Fame eut ëue en mariage,
Enfanz eurent de grant aage,
Mais ele estoit ja trespassee,
Au remarier pas ne bee.   610

Leur verges portent a l'autel
Trestuit, mais ne fait pas autel
Joseph, la soie a tost soutraite,
Qu'ou ne la voie, arrier l'a traite,
Qu'il li sambloit que maintenant 615
Fust chose trop desavenant,
Se il i faisoit a fame penre
Cele virge, qui si iert tenre:
Car enfanz out ja parcrëuz,
Bien se tenist a decëuz.   620
Et comme riens n'aparëust
De riens, que la voiz dit ëust,
Qui de par Dieu estoit venue,
Li evesques sanz atendue,
Pour savoir la fin et le chief, 625
Vint a conseil a Dieu de chief,
Et Diex dist qu'avoir la devoit
Cil cui verge pas on ne voit;
Com se pas ne l'ait aportee,
A celui doit estre donee.   630
Joseph, qui aportee avoit
Sa verge, iluec florir la voit,
Se tint aussi com partrahi.
Lors le veïst on esbahi,
Et le coulon vit sus seoir,   635
Qui vint dou ciel lors por veoir.
Chascuns sout sanz mostrer au doit
Que c'est cil qui avoir la doit.
Prenez quel home que vorrez
De quanque trover en porrez,   640
Ja n'en troverez sanz doutance
Nul qui en face refusance
D'une si faite damoisele,
Si sainte, si bone, si·bele.
Je ne voi mais si ancien,   645
Que quant il vient au darrien
De sen aage et au debout,
Que volentiers il ne se bout
Aveques une josne garce,
Si en sont maint honni par ce,   650
Qu'il n'i beent fors a la cure

---

577 en. 579 marist. Beachte diese
Form. 581—590 = Egredietur virga
de radice Jesse, et flos de radice ejus
ascendet, et requiescet super eum spiritus
domini, spiritus sapientiæ et intellectus,
spiritus consilii et fortitudinis, spiritus
scientiæ et pietatis, et replebit eum spiritus timoris domini. 582 naistera.
nette. 593 = nuptui habiles non
conjugatos. 594—596 = virgas suas
allaturos ad altare prædixit. 595 leurs.
597—600 et cujuscunque post alla-
tionem virgula florem germinasset et in
ejus cacumine spiritus domini in specie
columbæ consedisset. Hier Kürzung.
603 hŏme. 603—716 = Cap. VIII.
603—606 = Erat autem inter ceteros
Joseph homo de domo et familia David
grandævus. 604 en . preudŏme Hs.
p'dŏme. Vgl. V. 88 und 117.

612 fet. 613 = solus ipse suam sub-
traxit. 614 en. 620 cūme. 624—626 =
pontifex iterato deum consulendum putavit.
627 q'uoir. 627—638 qui respondit,
solum illum ex his qui designati erant
virgam suam non attulisse cui virginem
desponsare deberet. Proditus itaque est
Joseph. Cum enim virgam suam attu-
lisset et in cacumine ejus columba de
cœlo veniens consedisset, liquido omnibus patuit ei virginem desponsandam fore.
630 donnee. 632 ilec. Vgl. 821. 633
ausi con. 637 tout. 639 hŏme. 649
avesques. Vgl. 920 = 930. 650 hŏni.

D'avoir le delit de luxure;
Por autre chose il ne le font.
C'est merveille, porquoi ne font
Terre souz eus desqu'en abisme. 655
Li diables nen a pas disme,
En cors les a trestouz entiers.
.I. n'en lairoit pas volentiers
Dieu, se il avoir le vouloit.
Sachiez, se Diex ne li toloit, 660
Tuit iroient la voie droite
Au diable, qui les couvoite.
Mais Diex, qui est si fins amis,
A sauvete mainz en a mis,
Qui par luxure perdu fussent, 665
Se Dieu si douz trove n'eussent.
Je voi que si haut est montee
Luxure en haut la montee,
Peu sont n'en soient entechie
De ceste ordure de pechie. 670
Se Diex ne fust misericors,
Perdu fussent l'ame et li cors
De chascun, qui ainsi se maine;
Chascuns i met travail et paine.
Aussi comme aor i parra, 675
Mais cil mult chier le comparra.
Qui ce fait, bien l'en faz certain,
Getez sera tout en pertain,
En enfer, en la grant ardure,
Qui touz jours art et touz jours dure, 680
S'ainçois ne fait a Dieu acorde,
Que la morz l'aerde ne morde.
Joseph ainsi pas ne faisoit:
Entre les autres se taisoit,
Por ce que il si vieuz estoit; 685
A lui marier contrestoit,
Non pas que ne fust bone et nete,
Mais por ce que trop iert jonete
La tresdouce virge Marie,
Por ce ne la vouloit il mie. 690
Mult doutoit durement mespenre
En ce qu'on la li faisoit penre,
Et veez com grant loiaute,
Ja soit ce qu'ele eust grant biaute,
Si grant qu'avoir ne peut greigneur: 695
Car mere fu nostre seigneur,
Si l'enfanta virge et pucele,
Dont estoit ele, sachiez, bele
Et se n'en voloit pas avoir
Dit ja ne la trahir a voir. 700
Tant ont fait de ça et de la,
Que toutes voies prise l'a.

Quant on eut fait le mariage
Et les noces selonc l'usage,
Puis en Bethleem, la cite, 705
S'en va Joseph en s'erite.
Et cele en estoit la raison:
Car disposer vout sa maison
Et bien parcurer ses affaires,
Qui sont as noces necessaires. 710
Et la virge Dieu chies sen pere
S'en est alee et chies sa mere,
Et .VII. virges l'acompaingnoient,
Qui tout de son aage estoient
Et avec li furent norries, 715
Que li prestres les eut baillies.
Ou premier tens de sa venue,
Qu'en Galilee fu venue,
Gabriel Diex li envoia,
De quoi eue grant joie a, 720
Por annoncier que concevroit
Le fil Dieu et mere seroit.
La maniere et l'ordenement
Li deïst dou concevement.
Adonques a li s'en venoit. 725
Tout l'ostel, ou ele menoit
A empli de mult grant lumiere:
Car biax estoit de grant maniere
Dont la salue avenamment,
Se l'escripture ne m'en ment. 730
Mais bien sai, l'escripture est voire,
Se l'en doit on de legier croire.
Dist: „Diex te saut, Marie; dame,
Virge Dieu, acceptable fame,
Plaine de grace, virge monde, 735
En toi est li sires dou monde
Et devant les fames trestoutes

703—716 Igitur nuptiarum jure de more celebrato ipse quidem in Bethlehem recedit civitatem, domum suam dispositurus et nuptiis necessaria procuraturus. Virgo autem Domini Maria cum aliis septem virginibus coævis et collactaneis, quas a sacerdote acceperat, ad domum parentum suorum in Galilæa reversa est. 717 tans. 717—854 = Cap. 9: Tischendorf p. 112—113. 720 coi. 721 p̄ nocier. conceueroit. 721—724 = qui ei conceptum dominicum narraret et conceptionis vel modum vel ordinem exponeret. 726 = cubiculum quidem ubi manebat. 727 enpli. 727 ingenti lumine perfudit. 729 = ipsam vero gratantissime salutans. 734 Am Rande steht roth: angelus ave Maria gracia plena dominus tecum. 734 = virgo domini gratissima. 735 plainne . munde.

653 pour. 657 ancors. 673 mainne. 674 painne. 675 avsi cūme. 680 touz jours . toz jors. 685 pour. 687 nette. 692 en. 693 cū. 694 quelle. 695 quoir . gregneur.

Ies beneoite, ja n'en doutes,
Et devant touz homes encore,
Qui ont este ne desqu'a ore."   740
De l'angle connut bien la chiere
La virge: car tele lumiere
Desäusee pas n'avoit.
Angles estoit, bien le savoit,
N'eut pas peour de la vëue   745
De l'angle, qu'ele avoit vëue.
De la grant biaute esbahie
Ne fu pas la virge Marie,
Mais tourblee fu voirement
En sa parole seulement,   750
S'en fu en meditation
Ses cuers, queus salutation
C'estoit, nen estoit pas usee.
Ainsi ne fu ainc saluee,
Merveilla soi, que fu a faire   755
N'a quele fin ce porra traire.
En ceste pensee, qu'avoit,
Li angles, qui penser la voit,
Aussi com au devant la prent:
Car Diex a faire li aprent. f. 232.   760
Au devant la prist dou penser,
Por ce que si la vit penser
Et se li dist: „Oz tu, Marie?
N'aies peour ne douter mie
Ne n'aiez pas entencion,   765
Qu'en ceste salutacion
T'aie dit contrariete

Encontre ta virginite.
Tu as trove de Dieu la grace
En paradis devant sa face.   770
Toute virge conceveras
Sanz pechie, si l'enfanteras.
Chastee as et as ëue
Et a tin ues l'as eslue.
Granz sera, plus grant n'estuet querre,
Sires iert de mer et de terre,
Dou monde de lonc et de lez,
Et fiuz Dieu sera apelez.
Il qui naist en terre humlement,
Es ciex regne mult hautement   780
En la joie, qui tant est clerc,
Et le siege David, sen pere,
Li dona Diex et regnera,
Et ses regnes sanz fin sera.
Rois iert des rois, des seigneurs
                           sires,   785
Et ades durra ses empires."
La douce virge la parole
Ne mescrut mie comme fole,
Mais foi en eut bone et entiere.
Bien en vout savoir la maniere   790
Et dist, comment ce porroit estre,
Comme d'ome ne connut l'estre,
Ainsi comme voue l'avoit,
Que ce puet estre, ne savoit.
Savoir vousist bien de ce voir   795
Et dist: „Comment puis concevoir
Sanz home ne sanz sa semence
Enfanter, je me dout en ce?"
Dist li angles: „Virge Marie,
Ne cuidier pas ainsi, n'iert mie,   800
Que conçoives en ten aage
Enfant selonc l'umain usage
N'en aiez esitation,
Mais sanz nule commistion

---

739 hõmes. 739—740 = benedicta
præ omnibus hactenus natis hominibus.
741—743 = Virgo autem quæ jam
angelicos bene noverat vultus et lumen
cœleste insuetum non habebat.... 745
peeur. 750 Am Rande unterstrichen:
turbata est in sermone eius. 751—756
= et cogitare cœpit qualis ista salutatio
tam insolita esse posset quidve porten-
deret vel quem finem esset habitura.
752 Mes. 753 Am Rande: et cogitabat
qualis esset ista salutatio. 757—762 bilden ein merkwürdiges Missverständniss.
757—767 = Huic cogitationi angelus divi-
nitus inspiratus occurrens. Ne timeas in-
quit, Maria, quasi aliquid contrarium tuæ
castitati hac salutatione prætexam. In-
venisti enim gratiam apud dominum, quia
castitatem elegisti: ideoque virgo sine
peccato concipies et paries filium. Hic
erit magnus, quia dominabitur a mari usque ad mare et a flumine usque ad ter-
minos orbis terræ: et filius altissimi vocabitur, quia qui in terris nascitur hu-
milis, in cœlo regnat sublimis. 759
avsi. 761 q. 764 paour. Vgl. 150, 745.

779 Zu humlement vgl. sustance V. 182
und asous 264. 782 Am Rande: et
dabit ei dominus deus sedem David patris eius et regnabit in domo Jacob in
eternum et regni eius non erit finis.
Item est rex regum et dominus domi-
nantium et tronus eius in seculum secu-
lorum. Maria: quomodo fiet illud quin
virum non cognosco? 783 dõna. 785
Erst richtig rois, dann ros. 786 enpires.
792 dõme = 797 = 805. 792—798
= Nam cum ipsa virum juxta votum
meum nunquam cognosco, quomodo sine
virilis seminis incremento parere pos-
sum? 804—806 = nam sine virili
commixtione virgo concipies, virgo paries,
virgo nutrics.

D'ome virge conceveras, 805
Nourriras et enfanteras.
Li sainz espirs en toi venra,
La vertu Dieu en toi menra.
Ce qui de toi saint naistera,
Fiuz de Dieu apelez sera." 810
Nostre dame sainte Marie,
Quant ceste response eut oïe,
Et mains et ieuz ou ciel tendi
Et ou vouloir Dieu se rendi
Et dist: „Vez ci la Dieu ancele! 815
Sa serve sui et sa pucele
Ne sui mie de tel renon,
Que je de mere avoir le non
Soie digne; Diex le me dongne,
Si com ta parole tesmongne!" 820
Sainz Gabriel d'iluec s'en torne,
Plus n'i demeure ne sejorne,
Non pas qu'ele seule demeure:
Car je croi bien que puis cele eure
Que li fiuz Dieu en li se mist, 825
Mult bien trova, qui s'entremist
De li servir et de li faire
Trestout quanqu'il li voloit plaire.
Celui dont ele estoit portee,
Portoit, he! Diex, quele portee! 830
He! Diex, qu'il i a de deport,
N'iert mais nule qui tele port.
Nos en sommes tuit deporte
D'enfer, ou nos fussiens porte,
Se ne fust de paradis porte, — 835
Cele qui le rachat aporte
Des ames, ou se deporteroient
Diable, quant les enporteroient, —
Et la porte de paradis portiere;
La porte est toute ouverte arriere. 840
Ce doint li douz fruit de son ventre,
Que chascuns face qu'il i entre!
Trop longue chose estre porroit,

Qui trestout raconter vorroit
Ce que nos lisons en escrit, 845
Si com la lettre le descrit
Devant et apres ce que nez
Fust Jesu Criz qui fu penez,
En la croiz por les granz pechiez,
Dont li mondes iert entechiez. 850
Ces choses dous ne mie dites,
Qui plus plainement sont escrites
Et qu'en l'evangile lisons
De ceus qui mains i sont, disons!
Quant ces choses sont acomplies, 855
Que vos avez devant oïes,
Joseph de Galilee en Jude
Venoit et si metoit s'estude,
Comment il l'en aroit mener
La virge, qu'il veut espouser. 860
Il avoit ja .iii. mois passez,
Et li quarz iert avant assez,
Des ce qu'espousee l'avoit
De ce que faire ne savoit.
En dedenz petit et petit 865
Li ventres por l'enfant petit
Enfla, si qu'on l'enfantement
Pëust veoir apertement:
Car il estoit bien revelez
Joseph ne peut estre celez: 870
Car il s'en vint a nostre dame,
Si comme espeus fait a sa fame.
Hardiement et par parole
Priveement a li parole
Dou douz fil Dieu la virge sainte 875
A trover la virge enprainte.

fuisse legimus: unde his omissis quæ in
evangelio plenius scripta sunt, ad ea
quæ minus habentur narranda accedamus.

844 vouroit Vgl. vorrai V. 3, 17,
18, 21. 846 con. 848 ihesu criz
850 mundes. 852 plainnement.
854 mai's i sunt disons. 855—931 =
Cap. X: Tischendorf p. 113—114. 857
—860 = Joseph igitur a Judæa in
Galilæam veniens desponsatam sibi virginem uxorem ducere intendebat. Also
Gautier kehrt die Sache um. 858 gua-
lilee. 860 qu'il veut espousee. 865—
880 = Interea paulatim utero puerperæ
intumescente puerperam se manifestare
cœpit, neque hoc latere potuit Joseph:
nam sponsi more liberius ad virginem
introiens et familiarius cum ea loquens
gravidam esse deprehendit. Æstuare
itaque animo et fluctuare cœpit, quia
ignorabat quid sibi potissimum esset faciendum. 867 qu'en. 868 peust on. 876
trouver. Vgl. V. 4, 30, 32, 58, 83, 92.

807—810 = spiritus enim sanctus
superveniet in te, et virtus altissimi ob-
umbrabit tibi contra omnes ardores libidinis: ideoque quod nascetur ex te solum
erit sanctum, quia solum sine peccato
conceptum et natum vocabitur filius dei.
815 Am Rande: Maria: ecce ancilla domini, fiat mihi secundum verbum tuum.
815 = dixit Ecce ancilla domini. 817—
820 = neque enim dominæ nomine
digna sum, fiat mihi secundum verbum
tuum. 821 dilec. Vgl. 923. 838 Deable.
843—854 = Longum forte et quibusdam
tædiosum erit, si cuncta huic opusculo in-
serere voluerimis quæ nativitatem domi-
nicam vel præcessisse vel subsecuta

En sen cuer fu mëu a ire
Ne seut que faire ne que dire:
Car il ne seut de son affaire,
Quel chose li vaut mieus a faire.   880
Justes iert ne la vout haïr
A ce que la vousist trahir
Ne fornication clamer
Ne vout seur li, por diffamer.
Repostement en son courage   885
Pense rompre le mariage
Et li laissier, se il pëust,
Que nule ame ne le sëust.
Com il pensoit en tel maniere,
Li angles Dieu a grant lumiere   890
Devant lui li aparissoit
En dormant et se li disoit:
„Joseph, fiuz David, ne te doute,
Toute soupeçon arrier boute
Ne n'aies pas entencion,   895
Qu'en li ait fornication
Ne chose, qui torne a infame,
Ne ne la doute penre a fame.
Ce qui est en li ne sanz faille,
Ten cuer estraint mult et detaille,   900
D'ome, sachiez, n'est mie l'uevre,
Mais dou saint espir, qui i uevre.
Seule enfantera virge et monde
Le sauveeur de tout le monde,
Qui Jesus a non avera,   905
C'est sauveres, qu'il sauvera
Sen pueple tout, sa creature
De tout pechie, de toute ordure."
Et quant Joseph l'angle eut oï,
De ce qu'il eut dit, s'esjoi.   910
Sa fame enmaine sanz riot

Si com li angles dit li ot.
De li connoistre se tarda
Charneument, chaste li garda.
Ja iert entrez li mois neuvismes,   915
Desqu'ele avoit concëu primes,
Quant Joseph vint en son païs,
En Bethleem, ou fu naïs,
Et nostre dame en ot menee
Avecques lui en sa contree,   fol. 233 920
Et autres choses enmena,
Por ce que il mestier en a.
Il avint, com iluec manurent,
Que tuit li jour acompli furent,
Qu'enfanter dut, si enfanta   925
Et sen premerain enfant a,
Si com ensaingnerent et dirent
Cil qui les evangiles firent.
Jesu Criz, qui Diex vit et regne
Avecques sen pere en sen regne   930
Et le saint espir sanz fenir,
A celui regne parvenir,
Nos otroit il si vraiement,
Com de la virge eut nassement,
Et si nos gart en ceste vie   935
Plaine d'orgueil, plaine d'envie.
Quant ce venra au definer,
Que si puissons a lui finer,
Que de pechiez si nos afine,
Ainçois que nostre vie fine,   940
Si que chascuns au finement
Soit afinez si finement,
Que il puist faire bone fin!
Amen, Amen, ici defin. — — —

_____

uxorem duxit. Also falsch aufgefafst
von Gautier. 912 = secundum angeli
præceptum. 913—914 = nec tamen
cognovit eam sed caste procurans custo-
divit 915—922 Jamque nonus a con-
ceptione instabat mensis, cum Joseph,
uxore cum aliis quæ necessaria erant
assumta, Bethlehem civitatem unde ipse
erat tetendit. 918 Vgl. oben V. 161.
922 pour. 923 cum. 923—931 [Ende
des Latein] = Factum est autem cum
essent ibi, impleti sunt dies ut pareret,
et peperit filium suum primogenitum,
sicut sancti evangelistæ docuerunt, dominum nostrum Jesum Christum, qui cum
patre et filio et spiritu sancto vivit et
regnat deus per omnia sæcula sæculo-
rum. 927 cum. 929 Ihesu Crit. Vgl.
848. 930 avecques = 920. 930 et
sen r. 934 cum. 936 plainne.

_____

878 q'. 881—898 = neque enim
eam traducere voluit, quia justus erat;
neque fornicationis suspicione infamare,
quia pius. Itaque cogitabat clam dissol-
vere conjugium et occulte dimittere eam.
Hæc autem eo cogitante, ecce angelus
domini ei apparuit in somnis dicens Joseph, fili David, noli timere: hoc est,
ne velis fornicationis suspicionem in virgine habere vel aliquid sinistrum cogitare, neque timeas eam [in] uxorem ducere. 886 rumpre. 889 Cum. 891
apparissoit. Vgl. 393. 901 d'omme.
902 weure. 903 = 904 munde. 905
Ihesus. 906 sauu'res. 908 tout ordure;
oben V. 420 steht toute. 909 E =
„und" ausgeschrieben.
911 enmaiune. 911 = virginem

Beurteilungen und kurze Anzeigen.

Grundrifs der Laut- und Flexions-Analyse der neufranzösischen Schriftsprache, von Dr. Felix Lindner. VII und 109 S. Oppeln, Georg Maske, 1881.

Das vorliegende Werk, dessen Ziel es ist darzuthun, in welcher Weise zu verfahren sei, um auch in Schülern schon ein Verständnis für die lautgesetzliche Entwickelung der französischen Sprache zu erwecken, bringt in übersichtlicher Form und klarer Sprache eine Zusammenstellung der wichtigsten lautgesetzlichen Erscheinungen aus dem Gebiete der französischen Formenlehre. In dem ersten Teile (v. p. 6—43) werden nach einer kurzen Einleitung, welche die Entstehung der romanischen Sprachen im allgemeinen behandelt, die verschiedenen Punkte der Lautlehre von den drei Gesichtspunkten des Wohlklangs, der Analogie und der Betonung aus abgehandelt. Im zweiten Teil (v. p. 43—103) wird mit Zugrundelegung der im ersten Teile angegebenen Lautregeln eine Darstellung der gesamten französischen Flexion vorgenommen. Es schliefst sich daran ein Anhang, in dem der Verfasser zeigt, wie er sich etwa denkt, dafs ein mit den voranstehenden Regeln vertrauter Schüler die lateinischen Vorbilder französischer Wortformen rekonstruieren würde.

Das Princip, welches der Verfasser als das ihn bei seiner Arbeit leitende hinstellt, nämlich: den Schüler auch aus dem in Rede stehenden Gebiete dahin zu bringen, dafs er mehr mit dem Verstande als mit dem Gedächtnisse operiert, wird jeder Einsichtige als berechtigt anerkennen. Wie es mit der Ausführung steht, ist freilich eine andere Frage. Wenn alle Erscheinungen aus dem Gebiete der französischen Laut- und Formenlehre genugend erklärt wären, wenn nicht Gleichmäfsiges so oft ungleichmäfsig behandelt wurde, ohne dafs sich ein triftiger Grund für diese Ungleichmäfsigkeit aufstellen liefse (cfr. z. B. G. Paris, Alexis, Einleitung, Behandlung von lat ŭ, ŏ, au = oi, ui). wenn, mit einem Worte, der Lehrer das hier zur Besprechung vorliegende Gebiet derartig beherrschen könnte, dafs er auf keine Frage seiner Schüler zu antworten brauchte: das ist einmal so; aber warum es so ist, kann ich euch nicht sagen: dann, meinen wir, wird sich die wissenschaftliche Behandlung der französischen Laut- und Formenlehre auch auf die Schule übertragen lassen, ohne dafs Gefahr vorhanden wäre, dafs die Schüler zu mehr oder weniger geistreichem Dilettantentum angelernt werden. Für Lehrer, welche im Laufe ihrer Studienzeit weniger Gelegenheit gehabt oder genommen haben, sich mit Diez, Littré, den hie und da zerstreuten Abhandlungen und Recensionen Toblers, Suchiers, Malls, Försters, Schelers, Darmesteters u. s. w. u. s. w. zu befassen, enthält der „Grundrifs der Laut-

und Flexions-Analyse" eine Fülle von Belehrung übersichtlich und bequem
zusammengestellt, die sie sonst erst mühsam aus verschiedenen Werken zu-
sammentragen müfsten.

Was die Ausführung im einzelnen anlangt, so waren manche Regeln
schärfer zu formulieren; einige Ausstellungen verraten einen veralteten
Standpunkt. II A 1, p. 7 — die Regel: „Je volltönender ein Wort ist,
desto stärkere Bedeutung hat es erlangt, und umgekehrt" gilt nur vom Pronomen, wie dies auch bei der Ausführung sichtbar wird, ohne indessen
ausdrücklich bemerkt zu werden. — Zu p. 8, Z. 2: soi-disant statt se-disant
war darauf hinzuweisen, dafs man es hier mit einem Überrest afr. Gebrauches zu thun habe. Im Afr. treten bekanntlich zum Infin. mit Präpos.
und zum Gerundium nur die betonten Formen des pron. pers. (moi, toi,
lui etc.) — ib. Z. 15 v. u. chenapan von Schnapphahn (nicht Schnappsack).
p. 10, Z. 3: dormo, dorme, dorm, dorms, dors; es hat aber nie dorme und
dorm gegeben; ähnlich p. 13, Z. 2 v. u. amo, amje, aimje, aime; aime ist
neufranz., es war gar nicht nötig (wie es denn auch nicht geschehen ist)
dafs die von G. Paris, Sur le rôle de l'accent latin, versuchte Erklärung
der Einführung des unorganischen e in der 1. pers. sing. præs. rekapituliert
wurde; es hätte nur hervorgehoben werden sollen, dafs das e unorganisch
ist, dafs in der Nachtonsilbe am Ende des Wortes alle Vokale aufser a
untergeben, falls nicht der vorangehende Konsonanz ein e braucht, um gesprochen werden zu können. Hätte sich der Verfasser dieser Regel erinnert, dann würde er nicht das e der Feminina als Unterscheidungszeichen
vom Masculinum ansehen, wie es z. B. p. 44, Z. 5 v. u., p. 54, Z. 22 v. o.
und sonst geschieht.

Zudem ist die Entwickelung nicht: amo, amje, aimje, aim; sondern aus
amo wird aim, wie aus sanum sain, aus panem pain, aus vanum vain etc.,
d. h. betontes a vor m oder n geht in ai über. In allen Formen, wo a
nicht betont ist, bleibt es: amer, amons, amez, amai etc. Wenn später ai
in allen Formen eingeführt wurde, so beruht dies auf dem fast durchgehends (Ausnahmen sind z. B. pouvoir, mouvoir, mourir, venir, tenir) zu
beobachtenden Hange der Sprache, ohne Rücksicht auf die verschieden-
artigen Wirkungen der in den verschiedenen Formen nicht gleichbleibenden
Betonung die Stammsilbe zu uniformieren. — Derselbe Fehler, wie p. 13,
Z. 2 v. u. kehrt p. 17, Z. 2 v. u. („Lat. amo gab regelrecht aime"); p. 35,
Z. 9 v. o., p. 84, Z. 19 v. o., p. 91, Z. 15 v. o. wieder. — Die unorga-
nische Natur des s in der 1. pers. sing. præs. ind. der anderen Konjugationen (mit Ausnahme der inchoativen) wird nicht genügend hervorgehoben;
Entwickelungen wie sap-o, saps — sais, p. 95, Z. 1 v. o.; curr-o, curs, cours
ib. Z. 14 v. u. sind ebenso unrichtig, wie die Annahme, dafs aus curúi ohne
weiteres courus, aus morúi mourus hervorgegangen sei. Ebenso ist es mit
der 1. sing impf. ind.

Zu p. 10, Z. 5: dorms zu dors, gents gens, enfans, sentimens war zu
bemerken, dafs man es hier mit den Überresten eines im Afr. durchgehends
herrschenden Gebrauchs zu thun hat, wonach der letzte Stammkonsonant,
wenn er nicht ein Nasal war, vor dem s der Flexion abfiel: sac, sas; espart,
espars; nerf, ners; chief, chies etc.

Dafs, wie p. 10, Z. 9 v. u., p. 27, Z. 14 v. u., p. 44, Z. 18 v. u., p. 57,
Z. 15 v. o. und sonst ausgeführt wird, das x in vieux, yeux, eux, maux etc.
dadurch entstanden sei, dafs sich zwischen l und s bei der Aussprache ein
c eingeschoben habe, malcs, elcs, etc., ist gewifs falsch. Es ist doch nicht
eine Erleichterung der Aussprache, malks statt mals zu sprechen. Aus mals
wurde durch Erweichung des l zu u maus, und so ist das Wort auch noch
gesprochen worden, als man es max schrieb, d. h. als man x als Lesezeichen für us einsetzte. Wie käme sonst biax zu dem accus. biau? Später,
wo man die Natur des x, als Lesezeichen für us zu stehen, nicht mehr
kannte, fugte man noch ein u ein, denn man sprach immer noch maus, sah

aber nur max. In maux hat man also u zweimal; maux ist = mauus. — Bei der Entwickelung von parescere zu pareiscre etc. (p. 10, Z. 2 v. u.) war zur Erklärung des Übergangs von e zu ei auf das von Ed. Mall in der Einleitung zum Cumpoz über die Vorliebe des scharfen (tonlosen) s für einen vorangehenden i-Laut Bemerkte zu verweisen.

p. 14, Z. 14 v. u. und p. 56, Z 13 v. o. wird bei in priez-lui für eine Verstärkung der Pronominalform, wie in donnez-moi, assieds-toi erklärt. Es ist aber der Dativ des Pronomens, mit dem im Afr. und Nfr. prier stets verbunden wird.

p. 15, Z. 7 v. o. Nicht blofs in eu und eusse, eûmes, eus, eurent etc. ist das in der Aussprache untergegangene e in der Schrift erhalten, sondern auch in seoir, asseoir, cfr. p. 93, 9. — Zu p. 82, Z. 18 v. o. Nicht nur bei den Verben auf g wird durch Einschiebung eines nur als Lautzeichen dienenden e dem g seine palatale Aussprache gewahrt, sondern auch bei Substantiven, z. B. neigeure, gageure, rougeole. — Was p. 17, oben von der Übersetzung der Vorsilben: ge- durch com- (Ge-vatter, com-père); er- durch es = ex (er-leuchten, éclairer); ent- durch inde- (ent-fuhren, emmener); miss- durch mé- (Missethat, méfait) gesagt wird, ist mehr geistreich als richtig.

p. 19, Z. 14. Das durch Angabe der Betonung debúi, sapúi, recipúi „jede weitere Schwierigkeit der Erklärung gehoben werde", wird durch die Ausführungen Suchiers Ztschr. II, 255 ff. widerlegt. — Der Bemerkung p. 19, Z. 14 v. u. „die zweite afr. Deklination besafs die kräftigste, lautliche Unterscheidung des ... Nominativ und Accus. Sing. und Plur." läfst sich entgegenhalten, dafs enfes — enfant, ber — baron, pastre — pastor, lerre — larron, emperere — emperedor etc. sich entschieden noch kräftiger unterscheiden.

p. 20 unten: z steht nach G. Paris, Einleitung zum Alexis, statt des flexiv. s: 1) nach t: mudez, toz, enfanz etc.; 2) nach mouilliertem l: filz (engl. Fiz), velz, melz, oilz, fideilz; 3) nach ei und oi: feiz (vĭcem), voiz (vōcem); 4) oft nach n: danz (dominus), ahanz, senz, luinz, jurz (= jurnz). p. 21, Z. 13 v. u. œil kommt nicht von ocellium, sondern von oculum (prov. huelb), denn es ist nie zweisilbig gewesen.

" ' p. 24, Z. 5 v. u. ent = endum hat sich erhalten in à escient. p. 28, Mitte: aufser grand in grand'mère etc. nimmt noch fort in se faire fort kein e im Femin. an. Zu p. 29, Z. 5 v. o. kommt hinzu: gindre, geindre = junior (nach Tobler von juvenir, mit interkaliertem r). p. 30, Mitte: je le sui, ist nfr.; afr. heisst es: ço sui ge; z. B. Beste 3124: se c'estes vous; Amis Amiles 2117: Maris et fame ce est toute une chars; QLR 62: ço sui jo; ib. 95: es tu ço? dto. 104, 126. Erec 662: ce sui je. Enf. Vivien, fol. 290, vᵒ. ce estes vous. QLR 144—145: ço est la lei à hume. p. 38, 7 v. u. Etymon von marchand ist nicht mercantem, sondern mercatantem, afr. marchëant.

p. 41, 16 v. u. chercher ist aus cherchier durch Assimilation entstanden (Diez, Einleitung zum Etym. Wrb.).

p. 47, 9 v. u. vieux ist afr. Nom., vieil Accus.

ib. Z. 4 v. u. actrice, créatrice, impératrice sind sämtlich mots savants.

p. 48, Anm. 2, zu certes, volontiers: „Das s ist unorganisch." Littré, Hist. de la lang. franç. glaubt es auf den latein. Ablativ plur. zurückführen zu können, was wenig Wabrscheinlichkeit für sich hat. Altfranz. kommt dieses s oft vor; um nur einige Beispiele zu nennen, führen wir an: Auberi 7, 27) Teix cuide autrui son grant mal porchacier, Qui sa grant honte fait primes avancier. ib. 7, 30) premerains (ill aura ~ son louier). Amis Amiles 1216) dex, dist Amilés, qui haut sies et loinz vois. ib. 1406: ainsiz; dto. ib. 1410, 1424. Alexis 17, d: jo ne sai com louges; converset. ib. 24, e: sempres. ib. 67, a: En tant dementres. dto. ib. 100, c. QLR 128: la guerre durad lunges. ib. 131: quan ques. ib. 144: lunges. ib. 146: alches, de hardement. Couron. Loo. mscr. 1448, Léon Gautier, Ep. franç. III 313 : Plorent soaives pucelles et moilliers.

Die auf p. 49 und 50 über die Bildung der Adverbia gegebenen Ausführungen hatten durch Berücksichtigung des von Tobler, Ztschr II, 249 ff. Gelehrten noch gewinnen können.

p. 53, Z. 14 v. u. Nicht „betontes latein. i geht in oi uber", sondern betontes k u r z e s latein. i.

ib. Z. 7 v. u. Aus tui wäre tui geworden, wie cui aus cui, .celui aus ecc'illúic.

p. 54, Mitte: Der Nomin. des Artikels ist afr. li

p. 59, Mitte: elle kommt nicht blofs bei Präpositionen als Accus. vor; qui avez-vous vu? — Elle.

p. 60, Z. 8 v. o. leur ist schon vor dem Ende des 13. Jhs hier und da mit flexiv. s versehen worden. QLR 48: as lurs s'acumpaignierent. Dagegen Satire Ménippée p. 223: des hostes vivans à discretion en leur maisons.

p. 60, Z. 12: en ersetzt nicht blofs im Singular das pron. possess. der 3. pers., sondern auch im Plural.

p. 62, Z. 10. Das afr. pron. possess. der 1. und 2. pers. plur heifst: nostres, noz; Acc. no; Plur. no; Acc. noz; ebenso vostres.

p. 63, Z. 6 v. u. ecce-ilium giebt icel, cel, nicht icil, cil.

p. 65, Z. 17 v. u. qui als Relativ nach Präpositionen entspricht dem afr. cui, nicht aber wird die volltönende Form qui angewendet, weil nachstehendes que lautlich zu sehr in den Hintergrund treten würde.

p. 66, Z. 9 v. o. où vertritt nicht blofs den Dativ des Relativs, sondern alle möglichen von Präpositionen abhängigen Formen. Cinna V, 1: Les rares qualités par où tu m'as dû plaire. Marot, 1. Elegie: celle, où tu écris.

p. 66, Mitte: quoi als Interrogativ kommt im Nominativ nicht vor, hat sich also nicht vollständig erhalten (cfr. aber Liaisons dangereuses I, 137: et puis, je ne sais quoi m'en empêchoit).

p. 67: qui als neutrales Subjekt = qu'est-ce qui kommt kaum mehr vor. Le Cid II, 2: Te mesurer à moi! Qui t'a rendu si vain. Dann noch bei Lafontaine, Le Loup et la Brebis.

p. 74: „Elle est toute triste." Die Flektierung von tout in diesem Falle ist der letzte Rest des afr. Gebrauches; cfr. Tobler, Ztschr. II, 402 ff.

p. 75, unten: Der Conj. præs. von amer lautet: aim, ains, aint, amons, amez, aiment.

p. 76, 7: das t in ait ist durch Übertragung aus soit eingedrungen.

p 80: Zum „Plusqueparfait" konnte bemerkt werden, dafs die ältesten Denkmäler noch Formen aufweisen, die auf das latein. Plusquamperf. zurückgehen.

p. 82, 1: aus eram wird iere, ieres, iere; ierent; aus ero: ier, iers, iert.

p. 83, 1: dafs es aimé-je, puissé-je heifst, hat denselben Grund wie das é in: abrége, piége, collége etc.

p. 83, Mitte: envoyer kommt von inviare.

p. 88, oben: aus cocere wird nicht cucre, um zu cuire zu gelangen, sondern oc vor Konson. giebt ohne weiteres ui: nuit, cuisse etc.

ib. unten: braire auf das nur im Aor. II, bei Homer vorkommende βράχε zurückführen zu wollen, ist sehr gewagt.

p. 90, Z. 10: aus vid-o wird ebensowenig void-s, vois, wie aus sapo — saps, sais (p. 95, 1).

ib.: aus úndecim wird onze, aus duódecim — douze durch ondce, dódce wegen des d, welches den folgenden Zischlaut tönend machte.

p. 101, 8: costé ist = costatum.

ib.: Der Infin. von j'aide hat nie ainder geheifsen, sondern stets aidier.

Übungsbuch zur französischen Grammatik für Mittelschulen von A. Bechtel. Mittelstufe (VI u. 84 p.) 40 kr., Oberstufe (VII u. 102 p.) 60 kr. Wien, Klinkhardt, 1881.

Die Bechtelschen Übungsbücher bieten, übersichtlich geordnet, ein reichliches Material zur Einübung des grammatischen Lehrstoffs der mittleren und oberen Klassen von Realschulen. Sie kommen damit einem Bedürfnisse entgegen, das wohl schon von manchem empfunden worden ist, der Unterricht im Französischen erteilt hat.

Die Übungsstücke bestehen teils aus zusammenhanglosen, einzelnen Sätzen, teils aus kleineren Erzählungen; der Inhalt ist meistenteils derartig, daß er das Interesse der Schüler nicht leer ausgeben läßt; zu jedem Stücke finden sich hinten die selteneren Vokabeln. Als besonders lobenswert ist hervorzuheben, daß an der Spitze der Übungsstücke, namentlich in der Mittelstufe, die wichtigsten, mit den bezüglichen Verben etc. gebildeten Redensarten ausführlich zusammengestellt sind.

Gerade hier kommen einige kleine Versehen vor, die der Brauchbarkeit des Ganzen jedoch keinen Eintrag thun können. Stück 26, Satz 25 konnte angedeutet werden, daß nach „schicken" „um zu" im Französischen nicht zu übersetzen ist. 31, 20: „daß er ihn nur drei Tage überleben würde"; vor „drei Tage" war ein de, Bezeichnung des Unterschiedes beim Messen [= um] hinzuzufügen. 35, a: der Beispielsatz: „Les maux et les chagrins font paraitre les heures longues," passt nicht zu der weiter vorher gemachten Angabe: „faire paraître = zum Vorschein bringen". 47, 2 franz. Satz: es muß heißen: „aussi tout le monde l'abandonne-t-il"; da aussi = daher auch, im Anfange des Satzes stehend, Inversion verlangt. So auch im 11. deutschen Satze. 48, 4. franz. Satz: wegen der Inversion von Subjekt und Prädikat muß es heißen: „Le plus grand des fleuves de la France, ... c'est la Loire." 62, 3. In: „die meisten großen Bauwerke des alten Athens liegen in Trümmern oder sind verschwunden", ist mit: „oder sind verschwunden" ebensogut ein Zustand angegeben, wie mit: „liegen in Trümmern."

ib. Satz 14: Cabot war ein Engländer.

Nr. 69 war zu betiteln: Genitiv der Herkunft, der Absonderung und Trennung (wenn man überhaupt von „Genitiv" sprechen darf, wo die lokale Bedeutung der Präposition so offen daliegt).

Unter Nr. 70 befinden sich eine Menge Sätze (4, 5, 9, 10, 11, 13—18 und ganz B), wo von „kausalem" Genitiv nicht die Rede sein kann. Einige Wendungen kehren zudem unter Nr. 71 (intrumentaler Genitiv) wieder (70, 10 = 71, 20; 70, 12 = 71, 25).

Vokabeln zu 16: l'équinoxe ist Masc., ebenso zu 70: le peau-rouge.

In der Oberstufe vermißt man gänzlich Sätze über den Gebrauch des Konjunktiv nach Verben der Gemütsbewegung. Überhaupt kommt der Konjunktiv, dieses wichtigste und für den Zweck alles Unterrichts, die Entwickelung logischen Denkens im Schüler, fruchtbarste Gebiet der Syntax, knapp weg.

Beiträge zur Dispositionslehre. Für den Gebrauch an höheren Lehranstalten von Dr. Joh. Heinr. Deinhardt. 3. Auflage. Berlin 1881. 64 S.

Referent hat den auf der inneren Umschlagseite des Büchleins abgedruckten lobenden Bemerkungen früherer Referenten nichts weiter hinzuzufügen. Sorgfalt ohne Überladung, Klarheit der Darstellung, Präcision des Ausdrucks, das sind im wesentlichen die Vorzüge, die man dem Büchlein nachrühmen kann, und denen es ohne Zweifel auch seine Beliebtheit verdankt, die eine dritte Auflage nötig gemacht hat. Je vortrefflicher indessen das Ganze ist, desto mehr fallen einige Ungleichmäfsigkeiten auf, durch deren kurze Hervorhebung Referent dem Interesse Ausdruck geben möchte, das er für das Büchlein empfindet Es befremdet, dafs p. 17 unten die Aufopferungsfähigkeit mit Tugend im allgemeinen identisch gesetzt und gesagt wird, Mäfsigkeit, Tapferkeit, Weisheit und Gerechtigkeit seien die nach bestimmten Seiten und in bestimmten Sphären ausgeübte Aufopferungs-fahigkeit. Die Gerechtigkeit z. B. kann doch nur wenn sie handelnde, nicht aber wenn sie richtende ist, als Aufopferungstähigkeit angesehen werden.

p. 22, Z. 5 ist durch ein Versehen gesetzt worden: „oder eine Gattung, auch wohl eine Idee", statt „oder ein Individuum" („ein einzelner Mensch, z. B. Schiller, ist eine erste Substanz oder ein Individuum").

p. 35, Z. 10: „wenn man die Richtungen, nach denen jedes Raumgebilde geteilt werden mufs, verlängert, so trifft man auf die Umgebungen etc.", soll heifsen: wenn man die Linien verlängert, welche die Richtungen an-geben etc.; Richtungen kann man nicht verlängern.

p. 38 ist nicht recht klar, wie man die Örtlichkeit, an der, in der, auf der eine Handlung vor sich geht, als das Zugleich dieser Thatsache, als gleichzeitig mit derselben auffassen soll.

p. 43, Z. 7 ist nicht recht verständlich, was „natürliche und geistige Zeitereignisse" sein sollen.

p. 52, Z. 4 könnte statt: „Indem der Mensch ,Ich' sagt, verhält er sich als Selbstbewufstsein" vielleicht besser gesagt werden: „Indem etc., macht er sich zum Objekt seines Bewufstseins."

Auf p. 56 hätte schärfer hervorgehoben werden können, dafs Divisionen, die sich aus der eingehenden Partition eines individuellen Ganzen ergeben, sich nicht auf dieses individ. Ganze, sondern mehr auf die Teile desselben beziehen, die Gattungen darstellen können, welche ihrerseits die Einteilung in Arten oder Division gestatten. Das individuelle Ganze kann nur z e r teilt werden; ganz unabhängig davon ist es, dafs bei dieser Zerteilung sich Teile finden, welche die Eigenschaft von Gattungen besitzen und e i n geteilt werden können.   Dr. F r i t z B i s c h o f f.

Karl Elze, Lord Byron. 2. verm. Ausg. Berlin, R. Oppen-
    heim, 1881. IV u. 499 S. 8⁰.

Die litterarhistorischen Arbeiten Elzes, des bekannten Professors des Englischen an der Universität Halle, sind Werke des Forschers, die in ein-facher, schlichter Darstellung auftreten. Und gerade bei der kritischen Biographie eines Mannes und Dichters wie Lord Byron ist eine mühevolle und rastlose Durchdringung des weitschichtigen Materials besonders unerläfslich. Denn mit den glänzenden Werken des Dichters steht hier das oft lichtscheue, das Dunkel suchende Leben des Menschen in unerfreulichem Gegensatz. Zumal die Aufhellung solcher dunklen Partien in Byrons Leben hat der scharfsinnige Verfasser sich zur besonderen Aufgabe gestellt: erst hierdurch kann das Leben des Mannes jene Einheit gewinnen, die wir bisher noch allzusehr an demselben vermissen mufsten. Bekanntlich wird allerdings erst der Nachlafs der Gräfin Guiccioli (Marquise de Boissy) und derjenige von Hobhouse, der erst im Jahre 1900 geöffnet werden darf, das biographische Material über den noch immer nicht ganz enträtselten Lord zum Abschlufs bringen. Dafs der Verfasser alles, was seit der ersten Ausgabe seines Werkes — seit zehn Jahren — über Byron veröffentlicht war, sorgsam benutzt hat, versteht sich von selbst. Diese Werke sind in erster Linie: die Erinnerungen von Lord Byrons Freund Hobhouse (nachmals Lord Broughton), die Lebensbe-schreibung von William Harness und die Denkwürdigkeiten von Francis Hodgson. Nach diesen Zeugnissen steht nunmehr fest, dafs Byron — der seinen Namen Byrne sprach, siehe Elze, Nachträge — in Dover, nicht in London gehoren ist. Über den Aufenthalt Byrons in Newstead Abbey nach der Rückkehr von der Pilgrimage und über das Leben, welches er dort mit seinen Freunden führte, wird man günstiger urteilen müssen, als bisher geschehen ist. Als Verfasser der „Hours of Idleness" wird — nach Elzes Forschung — Lord Brougham, und nicht Jeffrey anzusehen sein. Über Thyrza, über Allegras Mutter und viele andere Punkte in Byrons Leben hat die zweite Ausgabe des Elzeschen Werkes gleichfalls neues Licht zu verbreiten gewufst. Hierhin gehört das Verhältnis Byrons zur Fornarina (Margarita Cogni): es scheint nämlich nach der — auch an anderer Stelle unseres Werkes nutzbar gemachten Selbstbiographie Grillparzers, dafs Byron die Dame ihrem Gatten entführt habe, während man bisher im Gegenteil annahm, sie habe sich ihm aufgedrängt. Aus Grillparzer wollen wir ferner anführen, wie derselbe auf seiner Reise in Italien im Jahre 1820 in Neapel von dem gleichfalls im Gefolge seines Kaisers dort weilenden Fürsten Metternich zu Tisch geladen, sehr erstaunt war, den hohen Staatsmann beim Kaffee den ganzen vierten Gesang des Childe Harold aus dem Gedächtnis recitieren zu hören, nur hie und da hatte die anwesende Tochter des Fürsten, Gräfin Esterhazy, einzuhelfen. Jener Italien verherrlichende Gesang war damals neu und dem Dichter noch nicht bekannt. Zum Schlufs sei noch erwähnt, dafs auch die weder durch neues Material, noch durch wesentlich neue Gesichtspunkte hervorragenden, inzwischen erschienenen Werke über Byron von Elze sorgfältig benutzt worden sind. Hierhin gehören die Schriften der Gräfin d'Haussonville, die Biographien Emilio Castelars und Rudolf von Gottschalls.   —V.

Die neueste Ausgabe des Dictionnaire de l'Académie française. Septième édition. Paris 1878.

Wenn Referent noch jetzt, d. h. drei Jahre nach dem Erscheinen der 7. Auflage des Dictionnaire mit einer Besprechung derselben hervortritt,. so bestimmt ihn dazu die auffällige Wahrnehmung, dafs, wo auch immer diese neue Edition angekündigt wurde, man sich darauf beschränkt hat, die paar orthographischen Neuerungen, die in der Préface gerade hervorgehoben werden, zu betonen; eine eingehendere Vergleichung aber der sechsten mit der siebenten Auflage und eine Besprechung aller der Punkte, in denen sich letztere von der ersteren unterscheidet, ist nirgends versucht worden. Der Grund hierfür mag zum guten Teil in der Kostspieligkeit des Werkes (geb. 45 frcs.) liegen. Dazu kommt, dafs die Pariser Korrektoren in liebenswürdiger Rücksicht auf unsere sonst schon stark belastete Börse uns für einen Franken eine sorgfältige alphabetische Zusammenstellung aller derjenigen Wörter geliefert hat, die entweder als veraltet aus der vorliegenden Auflage ausgeschlossen, oder in dieselbe neu aufgenommen, oder in irgend einer Weise verändert worden sind. Es sind das die changements orthographiques par la société des correcteurs des imprimeries de Paris (Aug. Boyer et Cie., Paris), die in allen den Fällen, wo wir über die Klassicität oder die Orthographie eines Wortes im Zweifel sind, sichere Auskunft erteilen. Ein deutliches Bild aber von der durchgreifenden Überarbeitung — viele Artikel wie die über de, à etc. haben eine ganz neue Fassung erhalten — sowie von den Principien, die sie geleitet haben, kann diese nackte Nomenklatur nicht geben. Darum glaubt Referent, dafs der folgende kleine Aufsatz, der in mehreren Punkten obige Broschüre ergänzt und durch übersichtliche Gruppierung und Zusammenfassung unter bestimmte Gesichtspunkte erläutert, auch jetzt noch seine Berechtigung hat und nicht als ein opus operatum erscheinen wird.

Eine wesentliche Bereicherung der 7. Edition sehen wir darin, dafs die Préfaces der sechs früheren (von 1694, 1718, 1740, 1762, 1798, 1835) unverändert mit abgedruckt worden sind. Dieselben machen in sprachlicher wie in kulturhistorischer Beziehung ein wertvolles Stück französischer Litteraturgeschichte aus, da sich in einer jeden die Anschauungen und Grundsätze ihrer Zeit treu abspiegeln. — In Bezug auf die neueste Vorrede möge nicht unerwähnt bleiben eine Notiz der Bibliothèque universelle et Revue suisse (Juniheft 1878), wonach Verfasser derselben Mr. Sacy ist, der auch an der Überarbeitung des Ganzen in hervorragender Weise beteiligt war. Es ist derselbe Gelehrte, der 1867 einen Bericht über den état des lettres en France veröffentlicht hat. Gelegentlich der Besprechung dieses Berichtes urteilte Sainte-Beuve über seinen Verfasser also: il était peut-être l'homme le moins qualifié pour un tel travail, n'ayant jamais lu un livre moderne et étant confit à satiété dans les Sévigné, les Nicole et les Massillon.

Fragen wir nach den Grundsätzen, die für die neue Edition mafsgebend gewesen sind, so finden wir, dafs auch von den jetzigen Akademikern an den alten Principien, die sich nun bald zwei Jahrhunderte hindurch bewährt haben, festgehalten worden ist. Die Vorrede äufsert sich p. V folgendermafsen darüber: Jamais l'Académie française, pas même celle qui était la fille directe du cardinal, n'a prétendu exercer sur la langue un droit de souveraineté et d'empire; jamais elle ne s'est arrogé un vain pouvoir législatif sur les mots qu'elle reçoit tout faits du public qui parle bien et des auteurs qui écrivent purement. Elle n'en crée pas de nouveaux à sa fantaisie; elle n'en bannit aucun de ceux qu'un usage reconnu et constant autorise... C'est au bon usage que s'arrête l'Académie, soit qu'elle l'observe et le saisisse dans les conversations et dans le commerce ordinaire de la vie, soit qu'elle le constate et le prenne dans les livres. Die Anwendung dieser Principien hat im einzelnen folgende Neuerungen veranlafst:

I. In rein lexikalischer Beziehung ist das Dictionnaire um 2200 neue Wörter bereichert worden: eine stattliche Zahl, über deren Gröfse wir uns doch nicht wundern können, wenn wir an die gewaltigen Fortschritte denken, die die Neuzeit auf allen Gebieten des Lebens gemacht hat, sowie an die immer enger werdenden Beziehungen, die die Kulturvölker miteinander verknüpfen. Die neu aufgenommenen Wörter französischen Ursprungs, die naturgemäfs die weit überwiegende Mehrheit bilden, alle aufzuzählen unterlassen wir um so mehr, als sich natürlich keins darunter befindet, das nicht jedem schon lange bekannt sei. Folgende kleine Blumenlese möge genügen: acclimatation, adossement, affichage, aharissement, bredouillage, cachotter, chauvinisme, closerie, défraîchir, dénuder, écorchement, écrasant, engloutissement, entrain, envahissant, feuilletoniste, indéniable, insoucieux, irréfutable, marchandeur, mayonnaise, mitrailleuse, ondulant, opérette, pardessus, parfumerie, patronat, pavoisement, poigné, remontrant, suicidé, teinturerie etc. — Hierher gehören auch folgende Phrasen, die sich in der früheren Ausgabe noch nicht finden: avoir son content d'une chose, un visage blêmi, c'est un Barême (qui a une facilité merveilleuse à compter), meubles de Boule (à incrustations de cuivre et d'écaille), je m'en moque comme de Colin-Tampon (je ne m'en soucie nullement), aller aux Français (au Théâtre-Français), c'est une mère Gigogne (une femme qui a beaucoup d'enfants), il est fin comme Grébouille (aussi mal avisé qu'un homme qui par crainte d'un mal se jette dans un pire), il est Gros-Jean comme devant (après s'être cru dans une brillante position, se retrouver dans l'état où l'on était avant), Jacques Bonhomme (paysan), pleurer comme une Madeleine (abondamment), le Pactole coule chez lui, se porter comme le Pont-Neuf (se porter très bien), un vrai Roger-Bontemps (qui vit sans aucune espèce de souci), passer le Rubicon, ce fut un sauve-qui-peut général, c'est un savoyard, c'est un Scapin (fourbe, intrigant), c'est son sosie (d'une personne qui a une parfaite ressemblance avec une autre), tomber de

Charybde en Scylla, un travail de Sisyphe etc. — Bei der grofsen Gunst, deren sich jetzt die Sprache des 17. Jahrh. erfreut, konnte an viele Wörter du vieux langage das Bürgerrecht wieder von neuem verliehen werden, so an admonestation, bienvenir, discourtois, s'énamourer, housé, nonchaloir, outrecuidance-dant, prouesse. Bei anderen, die in der 6. Edition mit der Bemerkung „il a vieilli" versehen sind, ist diese Note wieder gelöscht worden, so bei charge (= commission), haquenée, loisible, punisseur, quémander, raccoutrer. Dasselbe ist geschehen bei den Redensarten: entrer en action, se tenir droit comme un bilboquet, aller grand'erre-belle erre, être au pain du roi, manger du pain du roi, avoir du pire dans une affaire, personne qualifiée, se renommer de quelqu'un.

In Betreff der den modernen Sprachen entlehnten Fremdwörter kann es nicht Wunder nehmen, dafs die Sprache Albions das bei weitem gröfste Kontingent gestellt hat; die moderne Anglomanie der Franzosen findet somit durch die Akademie Anerkennung und Bestätigung. Wir haben notirt: boxe, break, chèque, confortable, cottage, dandy, derby, dock, drainage, drawback, express, fashionable, groom, lasting, lord-maire, keepsake, macadam, meeting, mess, miss, mistriss, plum-pudding, poll, poney, puddlage, rail, ray-grass, reporter, revolver, sport, square, steamer, steeple-chase, stock, stoff, stopper, tender, tramway, truck, tunnel, turf, wagon, warrant. Einige wenige von ihnen sind, wie man sieht, in der Orthographie der französischen Aussprache leise accommodiert worden.

Mit der nächst gröfsten Anzahl ist Italien vertreten: bravo, carbonaro, dilettante, farniente, graffite, lazarone, libretto, tombola, vendetta. Es folgt Deutschland mit aurochs, ballast, loustic, thalweg, vehme, vehmique. Spanien ist vertreten durch don quichottisme, eldorado, gitano; die Araber mit goum, barnous, fellah; die Türken mit fez, giaour; Russland mit moujik und Japan mit mikado.

Die Zahl der den alten Sprachen direkt angehörigen oder aus griech. resp. latein. Wortbestandteilen neu geschaffenen Termini wie autographie, télégramme etc. ist mindestens ebenso grofs. — Somit zeigt diese Zusammenstellung genugsam, dafs die Akademie durchaus nicht engherzig bei der Zulassung von Neubildungen und Fremdwörtern gewesen ist. Um so mehr mufs es frappieren, dafs sie einem Worte wie actualité, das sich nicht nur auf seinen fréquent et déjà long usage, sondern auch auf seine dem Sprachgeiste ganz konforme Bildung berufen kann, die Aufnahme versagt hat. — Aber auch die Kehrseite der bisher besprochenen Thätigkeit ist der Akademie nicht erspart gewesen: gar manches Wort, das abgestorben nur noch in den Spalten des Dictionnaire ein Scheinleben führte, konnte zur verdienten Ruhe bestattet, d. h. gestrichen werden. In der Préface wird die Zahl solcher Wörter auf dreihundert angegeben. Zu ihnen gehören: académiste, anglaiser, bandoulier, caractérisme, chauveté, caillement, compétemment, dramatiste, emboiser, émolumenter, étranger (Verb), exagératif, se galer, intactile, ramender, ratier, ère, savouret, se ventrouiller etc.

II. Über die in der neuen Auflage befolgte Orthographie heifst es in der Vorrede p. XI: s'il y a un point sur lequel l'Académie ait cru devoir garder une grande réserve, c'est celui-là. Wir verstehen diese Zurückhaltung vollkommen, wenn wir bedenken, dafs wie bei uns so auch jenseits des Rheines Phonetiker und Etymologisten mit ihren extremen Forderungen schroff gegenüber stehen, und dafs der Grundsatz Bossuets, an den sich die Akademie auch diesmal gehalten hat: suivre l'usage constant de ceux qui savent écrire, auch nicht danach angethan ist, in allen Fällen eine sichere Entscheidung treffen zu lassen. — Die vorgenommenen changements lassen sich am besten in folgender Anordnung zur Darstellung bringen:

1. Bezüglich des Vokalismus ist die alte Schreibweise mit oi aufgegeben in raide (raideur, raidillon, raidir, déraidir) und harnais. harnois wird nur noch der Poesie und dem style soutenu gestattet. Die Akademie

schreibt ferner jetzt nur essieu und quémander (früher auch mit aiss. und
caim.), orillard oder oreillard (früher aur.), kermesse für karm., mit lé statt
früherem li: parallélépipède, besogneux für besoigneux, broussailles für
bross., ognon neben oignon; bivac und bivaquer, die in der 6. Edition noch
als die gewöhnlicheren Formen bezeichnet waren, sind fast ganz verdrängt
durch bivouac und bivouaquer; ferner nur asile und abime, wo vorher auch
y gestattet war, und umgekehrt nur mit y statt des früher auch gestatteten
i: azyme, amygdale, cymbalaire, sylves, syrtes; majolique und hyacinthe
neben maïolique und jacinthe.

2. Die den Konsonantismus betreffenden Neuerungen bestehen in Ver-
einfachung von Doppelkonsonanten, Verdoppelung einfacher und Vertauschung
unter sich verwandter Konsonanten.

Es ist jetzt geschrieben mit c statt cc: acoquiner; mit f statt ff: pata-
rafe; mit l statt ll: cannelier, ficelier, vermicelier; mit m statt mm: squa-
meux; mit n statt nn: consonance, consonant, résonance (wie ja auch in
der 6. Edition schon assonance und dissonance geschrieben sind); mit s statt
ss: nolisement; mit t statt tt: baisoter, ballote, buvoter, emmailloter, gigoter,
lunetier, raquetier. Sehr befremdlich ist die Orthographie der griechischen
Wörter aphte, apophtegme, autochtone, diphtongue, ichtyologie, ophtalmie,
phtisie, triphtongue. Préface p. XI heisst es darüber: dans les mots tirés
du grec, elle supprime presque toujours une des lettres étymologiques,
quand cette lettre ne se prononce pas. Wozu aber nur presque toujours?
Huldigt die Akademie der Ansicht, dafs ein nicht gesprochener Buchstabe
auch nicht zu schreiben sei, so hätte sie dieselbe auch konsequent durchführen und z. B. auch théatre, théogonie, thermomètre ohne h schreiben
sollen, wie es ja im Italienischen geschieht. Es wird sich doch wohl schwerlich beweisen lassen, dafs h in th, wenn keine Aspirata voraufgeht, deutlicher gesprochen werde, als wenn es hinter einer solchen steht. Bei der
von der Akademie beliebten Inkonsequenz ist nun die Abnormität zu konstatieren, dafs die Kenntnis des Griech. in gewissen Fällen der orthographischen Sicherheit hinderlich, in anderen dagegen förderlich ist. Das
h ist ferner unterdrückt worden nach r (für griech. ῥ) in rythme, rabdomancie,
rapsodie, während es in rhinoplastie, rhomboède etc. erhalten ist. Aufserdem zeigt sich Fortfall des h bei aruspice und arpège; halbran, halte und
hangar ohne h zu schreiben wird jetzt für ganz unzulässig erklärt. — Das
entgegengesetzte Verfahren, Verdoppelung der einfachen Konsonanz, findet
sich in allègre, allégresse, bourellerie, analemme (für lème), atterrer (für
attérer), empattement (für pâtem.), buglosse (für glose). — Vertauschung
der Konsonanz zeigt sich bei alpaca (c für g), gangrène (g für c), sizain
(z für x), asiarcat (c für ch); mufti und parafer neben muphti und
parapher.

3. Von den orthogr. Hilfszeichen kommen in Betracht die Accente,
das Trema und der Bindestrich. Der Accent aigu ist jetzt fortgelassen bei:
dégrever, émerillon, malevole, à posteriori, proscenium, receleur, revivifier,
reviseur, revision. Neu mit ihm versehen sind: antéchrist, alléluia, epitomé,
fac-similé, pépin, pétiller, pétillant, vélaut. Einige schreiben céler und
rédondant statt cel. und red. An Stelle des früheren Cirkumflex ist der
Aigu getreten bei alénier und tempétueux; an Stelle des Trema bei goé-
land, goélette, goémon. — Der Accent grave ist wieder in sein altes Recht
eingesetzt worden bei der Endung ège, die erst seit 1835 ége geschrieben
worden ist, also collège, cortège, j'abrège, j'assiège u. s. w. Aufserdem
haben den Gravis statt des früheren Acut: affrètement, avènement, complètement, incomplètement, déréglement, orfèvre, orfèvrerie, sève, soutènement,
tènement. Das Trema ist durch den Gravis verdrängt bei poème, poète,
ciroène, troène; der Cirkumflex bei prèle. — Der Cirkumflex ist fortge-
fallen bei résolument, gaine, gainier, goitre, goitreux, levure, masse, masser
(terme de jeu) und pali (langue palie). Dem Cirkumflex ist die ursprüng-

liche Orthographie mit stummem e vorzuziehen bei den Substantiven: dé-
nouement, dénuement, remerciement und secouement, wahrend in den anderen
Fällen beide Schreibweisen als gleichberechtigt zugelassen sind, also dévoue-
ment neben dévoûment, ralliement neben ralliment u. s. w.

Das trait d'union ist jetzt durchgehends fortgelassen worden nach dem
Adverb très, also très bon, très grand u. s. w.; nur in très-fonds und le
Très-Haut wird es noch geschrieben. Aufserdem fehlt es zwischen den
Teilen folgender zusammengesetzter Wörter, die somit als zu einem Ganzen
verschmolzen anzusehen sind: acompte, autodafé, boutefeu, clairsemé, contre-
basse, contrefort, contremarche, contremarque, contreseing, contrepoids,
contrepoint, contreseing, contresens, contresigner, courtepointe, entrecôte,
entrepont, entresol, malappris, outrepasser, passeport, passepoil; ferner bei
tout courant, faux monnayeur, libre échange (aber auch mit -), non seulement, saint Pierre. Dagegen sind erst jetzt mit einem Tiret verbunden
worden blanc-seing und en-cas. Endlich noch die Bemerkung, dafs das
Trema über uï in perspicuité jetzt fortgelassen ist.

III. Formenlehre. 1. Das Substantiv. Hinsichtlich des Genus ist
interessant, dafs après-midi als masc. bezeichnet steht mit dem Zusatz plusieurs le font féminin, während in der 6. Edition die umgekehrte Bemerkung
sich findet; ebenso steht jetzt hinter dem seltenen Wort les présides ein
m. statt des früheren f. Zu den Substantiven adorateur, inspecteur, gau-
freur, tapageur waren früher die entsprechenden Feminina adoratrice, in-
spectrice, gaufreuse und tapageuse nicht aufgeführt; laitière, das bisher
allein dastand, hat in laitier seine mannliche Halfte erhalten. — Im Singular steben aufgeführt, wahrend sie früher nur als Pluralia verzeichnet
waren: comice, gaure, goberge, guèbre, jardon, oreillon, ouvreau, sohn, strie,
tenette, velite, vitrail, von entrave, entrefaite und vergette war schon in der
früheren Ausgabe gesagt worden, dafs sie bisweilen im Sing. vorkommen. —
Die Substantiva carmélite, congréganiste, collecteur, couard(e), courtisan(e),
hydrogène, frondeur (se), pipeur (euse und eresse), tactique, tapageur (euse)
können nach der Akademie auch als Adjectiva gebraucht werden. — Um-
fangreiche Neuerungen zeigen sich bei der Pluralisation der zusammengesetzten Substantiva und der Fremdwörter. Von folgenden, die wir der
Deutlichkeit halber gleich mit dem pluralischen s versehen, war in der
6. Edition keine Mehrzahl angegeben: acquits-à-caution, avals, avant-scènes,
avant-ports, avant-quarts, avant-trains, basses-contre, basses-cours, blancs-
becs, casse-noisettes; cerfs-volants, terre-pleins (bei porte-monnaie bleibt
auch der zweite Teil der Zusammensetzung im Plural unverändert); — albums,
agendas, alléluias, andantes, babas, bénédicités, concertos, oratorios. Aus-
drucklich als invariables waren bezeichnet: acompte, à-coup, aparté, porc-
épic, alibi, alinéa, autodafé, déficit, impromptu, quiproquo, vivat. Einem
jeden dieser Subst. ist jetzt sein Plural auf s beigefügt worden, porc-épic
bildet porcs-épics. Von den neu aufgenommenen Fremdwörtern haben einen
regelmäfsig gebildeten Plural auf s: casino, elzévir, goum, guérilla, guit-
guit, railway, tramway, tunnel, turco, ultra, villa. — Bravo, carbonaro,
dilettante, lazarone haben den italien. Plural auf i, also bravi, carbonari
u. s. w., solo hat solos und soli. Englische Pluralisation zeigen gipsies,
ladies (früher ladys), miladies; neben tories auch torys.

2. Das Adjektiv. Communal, clérical, conifère, content, fédéré, frugi-
vore, gemme, générateur. girondin, libéral, réaliste sind jetzt auch als
Subst. gebrauchlich; compacte ist nicht mehr einer sondern zweier Endungen:
compact, e; das Fem. zu suret lautet surette (früher —ète); exterminateur und
recteur, die früher ohne Fem. waren, bilden dasselbe jetzt regelmäfsig auf trice;
gélif hat gelive, houiller: houillère. Zu den Femininformen: intercurente,
plénière, pluviale, probante, subintrante, transrhénane sind jetzt auch die
entsprechenden Masculina gegeben worden.

3. In Betreff des Verb ist zu merken, dafs die Reflexiva se câliner,

s'écouler, se gangrener und s'ingérer auch als Transitiva gebraucht werden
können und das aktive bleuir auch als verbe neutre.

IV. Die Aussprache beschäftigt uns nicht, da bis auf wenige Ausnahmen, die hauptsächlich den Endkonsonanten betreffen, die Akademie
auch diesmal von einer graphischen Darstellung derselben Abstand genommen hat. Sie ist der traditionellen Meinung treu geblieben, dafs le seul
moyen d'apprendre la bonne prononciation est d'écouter ceux qui pronon-
cent bien et de s'habituer à prononcer comme eux.

Berlin.   Lengnick.

Otto Henne-Am Rhyn, Das Jenseits. Kulturgeschichtliche
  Darstellung der Ansichten über Schöpfung und Welt-
  untergang, die andere Welt und das Geisterreich. Leipzig,
  O. Wigand, 1881.

Der Verfasser dieser Schrift, besonders bekannt durch sein „Buch der
Mysterien", die „Deutsche Volkssage" und durch seine „Allgemeine Kulturgeschichte", entwickelt in diesem Buche die Ansichten der alten und neuen
Völker über die jenseitige Welt. Obschon das Ganze auf wenig wissenschaftlichem Untergrunde aufgebaut ist und sich vorzugsweise in populärer
Darstellung bewegt, so verdienen hier doch einige Kapitel, obschon das
beigebrachte Material unvollständig ist, hervorgehoben zu werden; so Kap. 11
über Walhall und Hel, in welchem die germanische Schöpfungs- und Götter-
lehre, die Ansichten der Unterwelt, der Götterdämmerung und Wieder-
geburt der Welt dargestellt werden. Vieles wird man natürlich hier wie in
den folgenden Kapiteln vergeblich suchen, und der Verfasser zeigt, dafs er
das Gebiet nicht genügend beherrscht. Kap. 12 handelt vom Schicksal der
Seelen in Volkssage und Aberglauben, und bespricht weiter Sagen von
Schätzen, Pflanzen und Tieren, Sagen von Gespenstern und Totenver-
sammlungen, die Leonorensage, die Sage vom Totenschiff, vom Fortleben
der Toten auf der Erde, Sagen vom Antichrist und Weltende, die Toten
im Aberglauben. Aus den folgenden Kapiteln seien nur noch erwähnt die
Abschnitte über Himmel, Hölle und Weltgericht der Christen, das tausend-
jährige Reich, Christi Höllenfahrt, den Engels- und Teufelsglauben; auch
der göttlichen Komödie, dem Jenseits des Islam, dem ewigen Juden, der
Faustsage und den protestantischen Nachfolgern Dantes sind Abschnitte
gewidmet; ausführlicher ist zuletzt gehandelt über das Medium Slade und
Prof. Zöllner. Kurz, als populäre Darstellung ist das Buch zu empfehlen,
als wissenschaftliches jedoch nicht.

Max Nordau, Paris unter der dritten Republik. Neue Bilder
  aus dem wahren Milliardenlande. Leipzig, Schlicke. 2. Aufl.
  1881. 377 S.

Dies im Feuilletonstil geschriebene Buch, welches in drei Abschnitte
betitelt „Das republikanische Paris", „Stereoskop-Bilder" und „Unter den
Arkaden des Odeon" geteilt ist, enthält eine Reihe von Aufsätzen, die
fesselnd geschrieben sind und auch weitere Kreise interessieren; es zeigt
sich hier wieder, wie der bekannte Verfasser fremdes Leben zu beobachten
und zu beurteilen versteht. Im Gegensatz zu L. Kalisch, Pariser Leben,
Bilder und Skizzen, Mainz 1880, dessen Schilderungen teilweise zu roman-
haft sind, führt M. Nordau in die wahre Wirklichkeit des Pariser Lebens
ein, und führt dem Leser eine Reihe abwechselnder Bilder vor. So handelt
der erste Teil, um nur einigermafsen eine Vorstellung von dem reichen
Inhalt zu geben, von der Republik und der Hauptstadt, der Republik und

der Gesellschaft, J. Grévy, L. Gambetta, V. Hugo seit 1870, Zola und dem Naturalismus, A. Daudet und seinem Tendenzroman, der Republik und den Denkern, den republikanischen Salons und der Marseillaise. Der Stil ist meist gewandt, auch in Wiedergabe fremder Urteile; so giebt der Verfasser den Ausspruch eines französischen Abgeordneten uber den spateren Präsidenten Grévy so wieder: „Ich habe´Furcht vor diesem Menschen. Er hat keine Maitresse, man hat ihn nie Karten anrühren sehen und er trinkt weder Wein noch Liqueure. Ein unheimlicher Mensch!" Bemerkenswerte Angaben finden sich auch über L. Gambetta, ferner über Vertreter der Wissenschaft, so über Madame Adam, mit ihrem Mädchennamen J. Lamber genannt, der Direktrice der Nouvelle Revue. Diese Dame, welche seit kurzer Zeit erst die Ehre hat, eine Strafse von Paris nach sich benannt zu sehen, hat sich vor wenigen Monaten durch ein schönes neues Buch, betitelt: Les poètes grecs contemporains, Paris 1881, bekannt gemacht.

Im zweiten Abschnitt schildert Nordau die Physiognomie der Stadt in Kapiteln, die er betitelt: „Die neuen Monumente von der Madeleine zur Bastille, Strafsen-Industrien, Müfsiggang in Paris, die Première, historische Tage, ein epidemischer Volkswahnsinn.

Der letzte Abschnitt ist, was die Darstellung betrifft, in gleicher Weise wie die früheren als eine recht anziehende Lektüre zu empfehlen.

R.

Über den Unterricht in den neueren Sprachen, specieller der englischen, an unseren Universitäten und höheren Schulen. Ein Mahnruf an die Unterrichtsbehörden von Dr. David Asher. Berlin, Langenscheidt, 1881.

Dafs deutsche Gelehrte mit Publikationen in englischer Sprache nicht sorgfältig und vorsichtig genug sind, ja dafs mancher eine Abhandlung englisch drucken läfst, der das Idiom gar nicht so weit beherrscht, um Druckfahiges produzieren zu können, ist ein alter Gegenstand der Klage, den Herr Dr. Asher schon an verschiedenen Stellen zur Sprache gebracht hat. In der vorliegenden Schrift sucht er den Grund dieser Erscheinung in dem falschen und verderblichen System unseres Unterrichts in den modernen Sprachen. Nachdem er in der Einleitung darauf hingewiesen, wie auf unseren Universitäten meist nur für die Kenntnis der historischen Entwickelung der Sprache, nicht aber fur die gründliche Kenntnis und Fertigkeit in der Handhabung des gegenwärtig lebenden Idioms gesorgt werde, weist er zuerst an vier Doktordissertationen, dann an zwei Schulprogrammen eine grofse Menge der ärgsten Fehler auf, und schliefst daran eine Betrachtung uber unsere Lehrer der modernen Sprachen, von denen eine grofse Zahl wohl hübsche Kenntnisse im Altenglischen besitzen mögen, dem Neuenglischen aber nicht gewachsen seien. Die englische Aussprache ferner liege auf unseren Schulen sehr im argen. Auf eine Fertigkeit in der Konversation werde nirgend hingewirkt. Dem entspreche die Mangelhaftigkeit der Hilfsmittel, dieselbe wird an vier Beispielen von grammatischen Lehrbüchern nachgewiesen. Dann folgt ein Abschnitt über den Mifsbrauch im Privatunterricht und Übersetzungsschwierigkeiten, und einer über die Prufung der Kandidaten des höheren Schulamts, welche als durchweg zu oberflächlich dargestellt wird: namentlich zu tadeln sei, wenn mangelhaft ausgebildeten Kandidaten der Unterricht auf der untersten Stufe anvertraut werde, denn auf dieser werde das gröfste Unheil am leichtesten angestiftet. Die Vorschlage zur Besserung der jetzigen Zustände endlich spitzen sich dahin zu, dafs vor allen Dingen auf der Universität die lebende Sprache nach allen Richtungen hin gründlich gelehrt, die älteren Stufen nur nebenher mit berücksichtigt werden. Namentlich die Lehrer betreffend, wird vorgeschlagen: 1) dafs nur solche Kandidaten zur Prüfung zugelassen werden, die sich über verlangte ausreichende Vorbildung im Neuenglischen resp. Neufranzösischen durch eine schriftliche Klausurarbeit auszuweisen vermögen; 2) zu Examinatoren nur solche Manner bestellt werden, welche im stande sind, derartige schriftliche Leistungen zu begutachten und bei der mündlichen Prüfung sich ausschliefslich des Englischen resp. Französischen als Medium zu bedienen, und 3) keine anderen Lehrer mit dem Unterricht in diesen Sprachen betraut werden, als solche, die mindestens die Censur 2 erhalten haben und zum Unterrichte in allen Klassen befähigt befunden worden sind. Dazu sei es wünschenswert, dafs besondere Inspektoren ernannt werden, um den Unterricht in den neueren Sprachen nach den angegebenen Gesichtspunkten zu überwachen. — Als Anhänge zu seiner Schrift giebt der Verfasser a) seinen „Im neuen Reich" 1879 veröffentlichten Artikel über „Die Dissertationen in modernen Sprachen an den deutschen Universitäten"; b) seine in Herrigs Archiv erschienene Besprechung von Joh. Storms englischer Philologie; c) die Recension von „A Manual of English Literature" etc. aus Kölbings „Engl. Studien"; d) „Göthe als Übersetzer" aus den Blättern für litterarische Unterhaltung, 1880. — Die Schrift wird nicht verfehlen, bei Lehrern und namentlich „Professoren" Anstofs zu erregen und Widerspruch zu finden; doch wird sich nicht leugnen lassen, dafs in ihrem kritischen Teile eine Fülle von Wahrem und Beherzigenswertem enthalten ist.

Italienische Sprachlehre für Schul-, Privat- und Selbstunterricht von Dr. Hermann Buchholtz. Hannover, Helwingsche Verlagsbuchhandlung, 1882.

Die italienische Sprachlehre von Buchholtz ist eine Grammatik nach dem gewöhnlichen Sprachgebrauch, insofern sie nämlich keine Übungsstücke zum Übersetzen aus dem Deutschen enthält. Das Ganze ist in einer kornigen Sprache geschrieben, so dafs sich nicht leicht ein überflüssiges Wort findet und das Buch bei dem geringen Umfange sehr viel enthält. Die Regeln werden von trefflichen Beispielen aus den besten Schriftstellern begleitet und ist hierauf, wie auf das Ganze, ein grofser bis ins kleinste gehender Fleifs verwendet. So werden die Stellen aus den Promessi sposi des Alessandro Manzoni (und mit Recht sind diese bei dem jetzigen Stande der italienischen Schriftsprache und unseres italienischen Unterrichtes zahlreich) stets nach beiden Ausgaben ganz genau, bis auf das Fehlen oder Setzen eines Kommas, angegeben, und wo sich einmal etwas aus dem an sprachlichen Eigentümlichkeiten reichen Gedichte des Boiardo einfindet, fehlt nie die Abweichung von demselben, welche der toskanischere Berni zu machen für gut erachtete. Solche Unermüdlichkeit ist im stande, was mehr die Sache einer Stilistik als einer Grammatik wäre, wenigstens vorzubereiten und den Sinn des Lernenden für das Feinste zu wecken.

Schon der Vermerk auf dem Titel, dafs der Verfasser Lehrer des Italienischen am Königl. Joachimsthalschen Gymnasium und am Berlinischen Gymnasium zum grauen Kloster ist, sowie einiges im Vorwort lassen erwarten, was man nachher bestätigt findet, dafs dies Buch wesentlich für Kenner der beiden altklassischen Sprachen berechnet sei. Etwas weit rückt er in dieser Richtung vor, indem die Einleitung mit einer Übersicht der Mundarten Italiens im Altertume beginnt, und gesteht die Vorrede zu, dafs statt der hierauf verwendeten sieben Seiten wohl die Hälfte reichlich gewesen ware. Immerhin aber wird das quellenmäfsig gebotene Material manchem gefallen. Sehr weite Kreise wird sich hingegen der zweite Teil der Einleitung gewinnen, indem er die jetzigen Mundarten Italiens behandelt. Besonders willkommen sind die Nachrichten über das Toskanische. Bei der Würdigung der Städte dieses Landes vermifst man nur Lucca mit seiner Neigung nach Nordwesten, wie Caix in seinem bekannten Buche bemerkt. Weniger allgemeines Interesse wird wieder der dritte Teil der Einleitung erwecken mit seinem Überblick der romanischen Sprachen, da manche derselben wie z. B. das Französische nur dürftig skizziert ist. Der vierte Teil handelt kurz und leidlich von der Entwickelung der Schriftsprache, und der letzte von Fortschritten der italienischen Grammatik ist mehr ein Anfang, eine Andeutung als eine ordentliche Geschichte — wie es hier nicht anders sein kann.

Die Aussprache ist aufserordentlich klar behandelt und die Formenlehre mit der dem Anfänger wohlthuenden Übersichtlichkeit und genügt zugleich starken Wünschen nach Vollständigkeit; die Syntax bietet manches noch nicht Bemerkte, wie z. B. che se „wenn also" und „wenn nun aber". In der Verslehre ist neu, dafs iambische u. s. w. Verse, nicht aber bunt wechselnde Versfüfse anerkannt werden.

Diese Sprachlehre dürfte den Lehrern und Kennern des Italienischen warm zu empfehlen sein, desgleichen Schülern höherer Lehranstalten; aber auch weniger Vorbereitete werden sie, namentlich an der Hand eines Lehrers, mit Erfolg benutzen, und alle, welchen an einem Einblicke in die Feinheiten dieser Sprache gelegen ist, werden sie mit Vorteil und Genufs zur Hand nehmen.

Englische Studien. Organ für englische Philologen unter Mitberücksichtigung des englischen Unterrichts auf höheren Schulen. Herausgegeben von Dr. Eugen Kölbing, ord. Professor der englischen Philologie an der Universität Breslau. V. Band, 1. Heft. Heilbronn, Gebr. Henninger, 1881.

Über George Chapmans Homerübersetzung von H. M. Regel. Marlowes Doktor Faustus und Herr J. H. Albers von H. Breymann. Beiträge zu Ralph Royster Doyster von Max Wolter. Beaumont, Fletcher und Massinger von R. Boyle. Die Otierlsage im Mittelalter von H. Treutler. Kleine Beiträge zur Erklärung und Textkritik englischer Dichter (III) von E. Kölbing. Litteratur. Litterarische Notizen. Miscellen.

Das Heft ist diesmal so reichhaltig und mannigfaltig und enthält so wertvolle gröfsere Beiträge, wie namentlich Regels über Chapmans Homerübersetzung und Treutlers über die Otierlsage, dafs wir diese Zeitschrift unseren Lesern von neuem recht angelegentlich empfehlen wollen. Erwähnen wir noch, dafs Breymann in seiner Blofsstellung der sachlichen und sprachlichen Schnitzer, deren sich Albers in seinem Aufsatz über Marlowes Faustus schuldig gemacht, namentlich in letzterem Punkte mit dem stimmt, was Asher in seiner jüngst erschienenen Schrift über den Unterricht in den neueren Sprachen etc. so scharf rügt. Es herrscht also doch mehr Übereinstimmung zwischen beiden, als, wie man nach dem Citat in Ashers Broschüre und Breymann glauben könnte, Meinungsverschiedenheit.

Geschichte der Einwirkungen der deutschen Litteratur auf die Litteraturen der übrigen europäischen Kulturvölker der Neuzeit. Von Dr. F. H. Otto Weddigen. Leipzig, Otto Wigand, 1882.

Das vorliegende Werk fällt in den Rahmen des „Archivs" vorzugsweise in seiner Darstellung des Einflusses der deutschen Litteratur auf die eng-

lische und französische Litteratur; aber es ist nicht minder von Interesse
für den nach einer universellen litterarischen Bildung Strebenden, auch die
Einwirkungen unserer Nationallitteratur auf die übrigen germanischen und
romanischen, sowie auf sämtliche Litteraturen der europäischen Kulturvölker: der Niederländer, Dänen, Norweger, Schweden, Italiener, Spanier,
Portugiesen, Russen, Polen, Ungarn, Neugriechen u. s. w. kennen zu lernen.

Die deutsche Litteratur hat sich lange Zeit den Einflüssen der französischen und englischen Litteratur hingegeben. Erst im 19. Jahrhundert,
als Deutschland in der zweiten Hälfte des 18. Jahrhunderts seine Blüte-
periode der Dichtung erlebt hatte, war es dem deutschen Genius vergönnt,
auf die Litteraturen der gesamten europäischen Kulturvölker einzuwirken.

Das obige Werk ist in der That ein epochemachendes, es behandelt
einen Stoff, der bislang in seiner Totalität noch unberührt dalag. Es faſst
eine jede Litteratur Europas in ihren Beziehungen zur deutschen Litteratur
ins Auge und führt dieselben in festen Zügen vor — ein wahrhaft überreiches Material hat der Verfasser mit groſsem Fleiſs, mit feinem Takt
und bewundernswertem Geschick verarbeitet. Die Darstellung selbst ist eine
so frische, edle, von warmem vaterländischem Geist durchhauchte, daſs das
Werk nach jeder Seite hin anregend und belehrend wirkt. Wir erfüllen
eine einfache Pflicht der Dankbarkeit in Anbetracht der von dem Verfasser
glücklich gelösten Aufgabe, wenn wir das Werk allen denen empfehlen,
welche das Studium der neueren Litteraturen, sei es der deutschen, französischen, englischen oder einer anderen, zu dem ihrigen gemacht haben;
es birgt eine Fundgrube neuen Wissens, einen Quell geistiger Erfrischung,
eine notwendige Ergänzung einer jeden Geschichte der deutschen Nationallitteratur.   R.

Miscellen.

Eine Bereicherung unseres Litteraturschatzes.

Keine Litteratur verfügt über einen solchen Reichtum guter Übersetzungen, wie die deutsche. Bereits Göthe hob diesen Vorzug hervor und
meinte, die Ausländer würden schon deshalb Deutsch lernen müssen, weil
ihnen in der deutschen Litteratur ein Spiegelbild der gesamten Weltlitteratur entgegentrete. Seitdem sind die deutschen Übersetzer nicht müſsig
gewesen. Natürlich hat diese Emsigkeit auch ihre Schattenseiten. Übersetzungen haben nur dann wirklichen Nutzen, wenn sie uns das Dauernde
und ewig Wertvolle der fremden Litteraturen aneignen. . Nur dieses trägt
dazu bei, die Universalität des deutschen Geistes zu erhöhen. Anders, wenn
jedes Produkt des Tages verdeutscht wird. Die Überflutung des Büchermarktes mit derartigen Übersetzungen kann nur einen in jeder Beziehung
nachteiligen Einfluſs ausüben. Sie raubt dem nationalen Geschmack die
Gelegenheit, sich selbständig und eigentümlich zu entwickeln, indem diese
Entwickelung sowohl bei Produzierenden wie bei Genieſsenden fortwährend
gestört wird. Sie beschränkt ferner, ganz materiell gesprochen, den Absatz.
Das bessere Los englischer und französischer Schriftsteller entspringt nicht
zum geringsten dem Umstande, daſs ihnen das Ausland nicht eine solche
Konkurrenz macht wie deutschen Autoren. Ein Franzose und Engländer
ist auch bei wenig Mitteln immerhin in der Lage, sich die hervorragenden
Erscheinungen der eigenen Litteratur anzuschaffen. Von einem Deutschen
fordert man, daſs er auch im Auslande Bescheid weiſs: für eine so umfang-
reiche Bibliothek fürchtet er mit seinem Gelde nicht auszureichen, und so
besitzt er lieber kurzweg überhaupt keine. Die schlimmsten Folgen aber
haben die Übersetzungen für unsere Muttersprache. Die meisten Deutschen haben jedes Gefühl für Sprachrichtigkeit verloren, da sie in hunderten
von übersetzten Romanen, Bühnenstücken, Zeitungsartikeln, ein Deutsch zu
hören bekommen, das sich zum wirklichen Deutsch verhält, wie das lateinische Radebrechen eines Ober-Sekundaners zu der klassischen Sprache
Ciceros. Allein alles Ankämpfen scheint nichts zu helfen: die Über-
setzungsmanie ist eine mit dem deutschen Nationalcharakter unauflösbar
verwachsene Krankheit. Von der Energie derselben legt der eine Umstand
genugsam Zeugnis ab, daſs selbst von Werken, die bereits aufs muster-
giltigste verdeutscht sind, immer wieder neue Übersetzungen abgefaſst
werden. Der Autor einer solchen Ilias post Homerum bietet ein tragikomi-
sches Schauspiel dar: seine Hauptaufgabe ist es, alles, was sein Vorgänger
bereits prägnant und schlagend übersetzt hat, anders auszudrücken, wobei
denn natürlich eine sonderbare Originalität herauskommt.

8 *

Von Bereicherungen unserer Litteratur kann deshalb selten die Rede
sein, um so seltener, als fast sämtliche Meisterwerke der Weltlitteratur
unser Eigentum geworden sind. Trotzdem giebt es auf dem ungeheuren
Felde derselben noch immer Raum für eine bedeutende Nachlese. Eine
solche liegt uns in der Übersetzung der „sämtlichen Gedichte" des
Luis de Camoens von Wilhelm Storck (Paderborn, Ferdinand Schö-
ningh) vor. Camoens ist bisher dem grofsen Publikum vornehmlich als
epischer Dichter, als Verfasser der „Lusiaden" bekannt und fast ausschliefslich als solcher wurde er an seinem dreihundertjährigen Todestage (10. Juni)
in seinem Vaterlande und durch die ganze civilisierte Welt gefeiert. Camoens ist der nationale Dichter Portugals. Was sein Epos vor allen Epen
der Italiener auszeichnet, ist, dafs in ihm sich der ganze Glanz der portugiesischen Geschichte konzentriert hat. Lehnt sich Camoens auch in der
Form an die Italiener an, — verwendet er auch die mythologische Maschi-
nerie nach Art der Renaissance harmlos neben dem Christentum in einer
für uns verwunderlichen Weise, so besteht doch der eigentliche Inhalt
seines Gedichtes aus jenen Grofsthaten der Portugiesen, die auch gegenwärtig noch die teuersten Erinnerungen des Landes bilden. Die Lusiaden
sind nicht ein litterarisches Caput mortuum, wie etwa das befreite Jerusalem
Tassos. Namen, welche noch heute in Portugal einen vornehmen Klang
haben, tönen uns aus ihren melodischen Stanzen entgegen: so ist das Gedicht für immer mit dem Volksleben verwachsen. Aber Camoens war nicht
nur ein grofser Epiker, sondern ein ebenso grofser Lyriker. Diese gewaltige dichterische Persönlichkeit wird erst verständlich, wenn man sie auch in
der Lyrik kennen lernt. Trotz alles lyrischen Schwunges geht Camoens in
den „Lusiaden" durchaus in seinem Gegenstande auf: Pracht und Glanz,
Stolz und Kühnheit leuchten uns hier entgegen, man sollte meinen, der
Poet sei glücklich, wie sein Held, der trotz aller Widerwärtigkeiten zum
Ziele vordringt und sich auf der Insel der Venus von allen Plagen erholt.
Auch Camoens hat freilich sein Ziel erreicht: die Unsterblichkeit; allein
man weifs, dass ihm im übrigen Fortuna nicht gewogen war, und er in
Armlichkeit, ein halber Bettler, seine Tage beschlofs, wie das Ludwig
Tieck in einer schönen Novelle „der Tod des Dichters" geschildert hat.
Auch in der Liebe scheint unser Dichter wenig Gluck gehabt zu haben.
In alle diese Geheimnisse seines Leidens und Lebens führt uns nun seine
Lyrik ein. Damit soll indessen nicht gesagt sein, dafs wir Camoens hier
nur als schmachtenden Melancholiker kennen lernen. „Das Kind seiner
Zeit in Glauben und Wissen, in Wähnen und Wollen; den gewandten Ka-
valier in den Abendgesellschaften bei Hofe; den verwegenen Haudegen im
Kreise der Altersgenossen; den tapfern Krieger zu Land und See; den un-
erschrockenen Abenteurer, in dessen Leben Europa, Asien und Afrika sich
teilen; den feinfuhligen Beobachter der Natur und des Lebens, den selbstbewufsten und berühmten, aber dürftigen und unglucklichen Jungling und
Mann; kurz den ganzen Menschen wie Schicksal und Verschuldung sein
Gemüt erregen und bewegen — den sehen wir in seinen Gedichten." Die
Anzahl dieser Gedichte beläuft sich auf ungefähr 600; es sind Lieder, Sonette, Elegien, Sestinen, Oden und Oktaven, endlich Kanzonen und Idyllen.
Vergleicht man Camoens mit Petrarca, so verdient der Portugiese unbedingt
den Vorzug. Bei Petrarca ist doch alles künstlich; seine Laura mehr eine
allegorische Personifikation als ein Wesen von Fleisch und Bein. Camoens
dagegen schöpft stets aus der Tiefe seines Herzens und seiner Schicksale.
Seine Sonette möchte man eher den Shakespeareschen vergleichen, nur dafs
die Umrisse sanfter sind, die Leidenschaft nicht zu vulkanischen Eruptionen
fuhrt, sondern durch die Lieblichkeit der Form abgemildert wird. Jedenfalls ist die Lektüre unendlich anregender und mannigfacher, als die der
Gedichte des Einsiedlers von Vaucluse. An Formvollendung nimmt es Camoens mit jedem Nebenbuhler auf.

Wer nicht über eine gleiche Formvollendung gebietet, der kann einen Dichter, wie Camoens, unmöglich übersetzen: er würde nur Noten bieten, aber keine klingende Musik. Wilhelm Storck reiht sich in der Meisterschaft seiner Verskunst würdig einem Schlegel, Gries und A. W. von Schack an. Ja, er hat sich sogar die Schwierigkeiten unnütz vermehrt, da er Reime, wie: „Gedenke — Getränke — vernehmen — kämen — gebrechen — Landesflächen" für „unrein" hält. Wunderbar, dafs ein Sprachkünstler • wie Storck so wenig über die Aussprache seiner eigenen Muttersprache Bescheid weifs, denn Reime können überhaupt nicht reiner sein, als die angeführten, da, abgesehen von der Orthographie, in allen dasselbe offene E auftritt. Es sei dies nur angeführt, um auch hier zu zeigen, wie sehr selbst die Unterrichtetsten bei uns über unser herrlichstes Besitztum, die deutsche Sprache, im Dunkeln tappen: nicht einmal die festen Regeln der Aussprache sind bekannt und anerkannt, und jeder macht sich auf Grund irgend welcher Schrullen seine eigene Orthographie und Aussprache zurecht. Der Leser freilich kann Storck keinen Vorwurf machen: dieser würde jedes Hindernis überwunden haben. Überall klingt seine Übersetzung melodisch und verstöfst nirgends gegen den deutschen Satzbau. Auch den Mangel vieler Übersetzungen, dafs nämlich die einzelnen Verse mittels der Reime gleichsam aneinander geklebt sind, findet man nirgends, die Sätze schieben sich vielmehr weiter, als seien die Reime durchaus spontan daraus hervorgegangen. In unserer Zeit der Formverwilderung thut es ordentlich wohl, einmal einen Mann zu treffen, der alles Saloppe vermeidet und mit gröfster Gewissenhaftigkeit darauf sieht, dafs das aufsere Gewand der Poesie zu ihrem Inneren passe.

Bis jetzt liegen übrigens erst drei Bände der Übersetzung vor; der vierte, welcher die Kanzonen und Idyllen enthält, soll jedoch binnen kurzem erscheinen. Wir sehen dem Abschlufs der Storckschen Arbeit mit Freude entgegen: nach dem Gesagten wird es wohl jedem klar sein, dafs wir es hier mit einer wirklichen Bereicherung unseres Litteraturschatzes zu thun haben, wie sie vielleicht seit der Schackschen Übersetzung des Firdusi — welchem gewaltigen Riesen wir Camoens freilich kaum an die Seite stellen können — nicht zu verzeichnen war. Hans Herrig.

Mundartliches.

Die Gazette de Lorraine, welche in Metz erscheint, bringt in mehrern der neuesten Nummern einige Gedichte in plattfranzösischer Mundart, welche verdienen weiter bekannt zu werden. Man spricht dieses Patois in der Gegend von Remilly.

Au pia boneur!

Hérangue è mes compétriâtes, lo jo dzoute féte

Maugré que v'sin è tauye et mém' lo werre en main,
J'ouz' panre lè pèrall' et lè t'nin jusqu'à d'main.

Nien é qu'nomm' l'air dou creure,
To d'bhut' j'va li far veure.

Quà j'âteuy pou pu jânn' j'compouzieu des chansons,
Estour que j'u vnîn vieu, je n'fa pu qu'des sermons.

Que v'Teuv', mes chers émîns? — Qu'an zévanss' dans lè veye,
An n'somm' pu si jâyous qu'an z'en èrin anveye.
An rumînn' comm' les vèch' et pu bonnu v'dondu!...
Nié tant d'chainj'ments t'tévô, qu'an n'ouzrîn cozi pu

So dir' lo mât po rir', sans rwâtier d'dreute ou d'gauche,
Si, è tour ou rahon, nieum quéquînq que s'en fauche.

Quand an n'so ranconteurr' que d'quînze en quoètoure,
Po devizier ensànne enseulment eun' par' doure,
Çou qui nié de miou, çà de s'dir' queq' bonn' rahon,
Et de s'heyer înq l'aut' queq' piàt' consolacion.

Eun' vàl poquè, putoû que d'm' endreumîn,
Ou d'corre è màlvau su les quoèt chèmin,
J'a rehaussié po vo les r'dire aujdu
Queq mats que ve v'reppel'reu quâ j'ni s'ra pu.

Au pia boneur!

Lo boneur que chèquin chàrche en vain totévo,
       Wèyou qu'l'à ti, si v'pià?
       Wèyou? — Ve n'lo creurîn wâ!
Et beun! là dvant nas pieds, que pesse incognito.
       I nié qu'è s'behhier
       Po lo remessier:
E lè pourtay' des gens lo boin Dieu lè piècié.

An n'omm bezan po clè, d'ét' richâ, ni bel ome,
D'éte l'empreur d'Almeugne ou lo pape de Rome.
I suffit d'ét' s'qui faut, et sans trâp d'ambicion,
De s'contenter chèquin dedans sè pozicion.

       Vèveu vu ceut' botey' de sâvon si briyante,
       Qu'les âfans, p' s'aumuzier, è l'our delè mérante,
              Evâ i piâ polâ d'train
              Qui torniy' dedans zout' main,
       Font sourti todicoup d'eun' crâfày' de hhâlâ:
              Et j'to hhoffeuye!
              Et j'to hhoffeuye!
              Et pu clè freumeuye,
              Et pu clè s'renfeuye,
                Et cè s'gonfeuye,
                E vue d'euye!...

Cè vient grou comme i nieu, comme i pogne, comme i p'châ.
       Et çâ bé, fauti veure!
       Nien e d'torto les coleure!
Don bleu, don roch', don vâhh, don jaun', don brigâlé!
L'âfant creu tnin n'mervâye; i so r'tonn de coté
       Po veur
       Si l'e tepiein d'edmirateurs!
Peut! lè boul' creuve; au n'weunn' mém' pu lè pièce!
       I n'reste que lè grimèce
              Don pour nâ
              Que r'connâ
Qui namm' câ filozof ni queq grou potentâ
       Tenant l'univers en sè main;
Tout' sè ceume â pedauwe, i n'rest' que l'polà d'train!

       Clé preuv' que bien sovent,
       Lo piahi que j'ravans,
       S' n'â qu'eun' bull' de sâvon.
I nâmm' non pu, mârdi, question
Dé n'àwer su terr' que don piahi!

Lo s'cret, ça d'vive èvâ l'chègrin
Qu'an n'peuy'mé ampéché de v'nîn.

Lo pu cohh, po èhhepper n' daubaye
Çà, je creu, d'so tnin è hhwaye
D'où qu'an s'treuv' dans les rauw' dans les champs, dèy'les hayes
En veugne, dèye les mouayes.
Tant mieu po l'su qu'à sti, que s'hhauffe è lè chemnaye,
Ou que fa comme l'esker gâ
So r' kankyant dans l' fîn fon de s'keugnâ.

Le toneur cheu putou su les grou qu'su les piâ.
Ma quà l'auwe à dans l'ar, faut qu'eull' cheyeuss'. Lè chance
N' vamm tojo protéjer lo su qu' mât l'pu d'prudence.
Çà vra qu'lé veye à dubh!
Qué qu'an zi fron? Po boër', faut tojo beune,
Comm' l'ègné chàrcher n'fràhh' bibeune;
Ou su lè coûn' don boc, comm' lo r'na, d'hbant' dans l'puhh.

Quà v'srîn cà méchant comme i lou,
Ve n' s'rîmme è l'èbri d'lè pawou,
Des grous dàk' ou don chessou;
Et lè faim, è lè fîn, vo chessré fieu don trou.

Per ainsi, mes èmins, quà v'n'èrîmm' dans l'moment,
Torto s'qui faureu beun' po ét' t'téfa content,
Tacheu tojo d'âller vât piâ trèyîn.
Ne treupcheur' mé dvant lè fîn.
Peurneu putou l' chèmin
Don mollîn
Qu' don méd'cîn!
Et n' matteur' me pu d' auw' qu'i n'faureu dans vât' vîn.
Qui feyeuss' bé, qu'i feyeuss' peu,
E lè wâte de Dieu!
S'qu'an n'peuy mé ampécher, i faut lo vleur.
Au piâ boneur!

___

Istoere de lè Confraréye don Keulo et don Mare de Chaty,

Dans lo vlèje de Failly.

E Propou don dignitaire qu'an zi nomme
Lo preumîn Dieumanche de Koèromme.

Hèrangue don Cazimir.

Boin jo, bonnu, Messieurs et Dèmes!
Je viens po v'dir mes piat' itèmes.
Comm memb' de lè Confraréye en rnom
„De lè Frèpoille et don Baton,"
Je m'treuv' dans l'obligacion
De v'far tocé mè maucion.
Et en qualité de Mare de Chaty,
Bien qu' je n'seu qu'i pour ampiâte,
J'entreprends de v'conter l'entrefâte
De lè Moude don Keulèje, è Failly.

Comm je n'ame eun' bien grande mémoère
Je sra forcé d'èbreujer mon istoère.

　　　I nié pu d' quoët-cents ans
　　De ç'que j'vo dis, mes honn' gens!

Çateu l'an quoëtour cent quèrante quoète
　　Dezo l'régne don Reu Chala sèpte:

　　　Au bout don vlège de Fayi,
　　Dèye Cheu, streuveu des grous fossés,
　　Qu'attînt tojo remplis
　　　De bâs et d'bacawés,
Ainsi qu' d'aut' piat' bétes è quoët' pettes
Des Quoètêtreppayes, des Refuettes,
Tout' aq' que pout' èhis rayés!

　　　Çateu zous qu'ennayînt l'Monsieu,
Pè l'sebbet don dial' qu'i fèyînt è craukieu,
　　Quâ l'craukeuyment dzous chansons
　　Fèyînt pu d'bru qu'trompate et vialons
　　Ve sèveu que l'seigneur don vlèje
　　Jouisseu de pu di privilèje.
　　L'èveut l'dreu d'commander
　　　Et de s'fare écouter
　　　Pé torto ses subordonnés.

Don, po so r'pous et sè tranquilité,
Nut et jo, sans manq', l'anvayeu werdé
Torto ses bâs et ses bacawés!
Les jane om', éva n'frépoille et i baton
S'en allînt gentiment monter lè faction.
Ellignés su l'bord de ces grous fossés
I trappînt et rtappînt dru su l'né ·
Et su les bâs et su les bacawés!

Quan l'èvînt terminé zout temps,
I s'en rtornînt dans zous loujments,
　　Quâ Francis et Larent
　　S'en rvenînt tranquilment.
　　Errivés dans lo vlèje
　　L'ouy' i grand tépèje.
Çateu lè Kétiche et lè Fanchon
Qu'attînt en grande discussion!
Po les far s'couhier et les sépérer,
L'e fallu pant' lè frépoille et les cratter.
　　Valle mes dous mijaurayes
　　Qu'ont sauvé dans zou zallayes!

　　　Larent tot étorné
Dveur qu'lè frépoille les èveut fa sauvé,
Dit è Francis: „Val in instrument
„Que pouré n'seurvi d'aumuzment
　　　„Dans l'gras temps!"
　　　Francis l'i repond:
　　　„J'creu qu'té rahon!
„J'allan conserver lè Frépoille et l'batou!"

　　L'ennaye d'en hhutt', lo douss' fevrié
　　　Lè keulréye e don c'mancié!
Et l'om' que t'neut lè frépoille et l'baton,
L'e bien fallu qu'i porteusse i nom

Considèrè lu seul,
Lo baton s'houyeu keul:

Ma comme an zan èvin tapé dans l'o,
E keul l'on èjouté yn o: s'que fa keulo.
Et comme i v'callin lè frépoille au cu,
An pièce de l'o matteu l'u, v'èreu keulu.

Tot en féyant c'te expousicion
Je continüe mè leçon
E cet om' que t'neut lè frépoille et l'baton,
L'i falleut naturell'ment i compégnon.
An n'sont jèma si heureux
Qu'èva lo nombre deux!

Çateu dont l'jo don gras mardi,
Qu'an zon nommè l'Mare de Chaty.
Ma tolè les val beun ambéressé,
I n'sèvînt comment lo representé:
Qué qu'an zon-fa? An l'i on bèyé.
An mains ceute ancienne arm' de guerre ·
Qu'e seurvi, dit-on, dans l'temps pesse
E rampter pu d'eune victoère.

Ça comme eun' baguette de faye
Pè to l'monde rewatiaye!
Bien des keurious
An sont envious
Et vourînt l'awer cheu zous.
Ma v'sèveu qu'i nié que l'Mare de Chaty
Qu'e l'dreu de s'en seurvi,
Lo jo don gras mardi,
Po couper les beurtrelles
Aux gens de fieu d'velle.

Comm' je sus au bout de mè mémoère,
L'ennaye que vieint je finira l'istoère ...
Les su que n'veuy' m'creure,
N'èromm bezan d'i v'nin veure!

Le Kiachi don Vlèje.

Viv' lo kiachi
Don péyi
Qu'an zeppelle
Noësfelle!
Ça comme eun' toche d'aimant
Qu'ettire pias et grands!

An zon bé cor lo monde,
Lo pu bé ça s'peyi.
Et cent our è lè ronde,
I neum i jau d'kiachi
Po veur comme è Noësfelle
To les jos chouze novelle!

Çateu dans mè janesse,
Et je n'sume ica s'vieu,
Inq de ces vlèj' que pesse.
Dont pehhoun ne paleu
Si sna l'manr sobrequè
D' „hhauw-lurel" po s'maqué.

Estour, ça no qu'les gwaye,
Tout' ces voèzîns jalous.
J'èvan fa nat bouwaye,
Je plan briyer pu qu'zous.
Nas lurel sont fîn bien!
Si t'en é, hhauw les tien!

Dans m'temps lè sal d'écoule
Ateu dèy cheu l'hédi.
An j'tîn dans l'mèm moule
Afans, phhés et berbis.
Aujdu, ça dans l'chèté
Qu'an zepprann l'abc.

An zon n'sal de Maréye
Comme i chef-lieu d'canton,
Maubon d'cure pfar envéye,
Bés chemins et bés ponts,
Belles veugn' et bés champs,
Boin péyi et honn' gens.

N'faum longtemps rester fieu de Noësfelle,
　P'si rtreuver comme i pussîn pedu:
Snamm cheu vo qui nié n'cathédrale si belle!
　Je charch pu lon ... bonnu vdondu!

Dans lè véye, au m'on fa pu d'eun' propousicion
Képabes de m'solver l'imaginacion!

Prends modèl, qu'an m'debîn, su l'éjile alondrelle,
Que s'anvol, pleshés jos, dans des péyis divers
Que va, que vient, retonne, et sans ché, ni nabhelle
　　Fa l'to d' l'univers.

I nié ni kiou, ni noud qu' l'anchaîneusse è sn endreu,
'Sn endreu? Ça totèvau wèyous qui nié don sla,
Wèyous qui nié bon ar, des jédîns, don fomreu,
　　Wèyous qu'an mainj' don mia.

Qué qu'cè fa si l'uver s'en vient su l'vent d'erdainne?
L'alondrel' namme an poinne po rtreuver des bés jos.
L'a leste; eul' bhut l'prîntemps, pendant qu'au zout' tridainne
　　Les pours gens font: hho! ...

Que n'imit' me t'téfa l'exemp' de ç' jan' beni,
De cett' bét' don boin Dieu, que to chèquin respèke,
Que pess' sè véye en route, et portant qu'fa des nids
　　E deurier des sièke:

Qué sentiment d'instinct que t'rèmoinne è Noësfelle!
An ço vléj' mau pèvé, que n'è rien qu' d'ourdinare,
Si. pia qu'ses voèzîns l'i ont dit: hhauw tes lurelles!
　　Zous qu' roublient d'en farfare!

Que n'vate èyou? Por té l'monde ebeun aut' chouze
Bien d'aut' piahis, mardinn, que l'coin wèyou qu'ta né?
Lé des vill', des roèyaum', cent mil mervayes keriouzes
　　Wèyou qu't'é djè mîn l'nez!

Vètan veur l'Italie, ç'pèyi mégnifique
Que produt sans cultur, que n'conamm les uvers
Que mainj', dreume et s'aunnez', ne fa que dlé muzique
　　Et p'meulu rwat lè mer!

Percor lè Suisse, et grip' su ses montagn' z énormes
Que drâss', que coèch' dans l'ciel, zous tét' de guièce et d'naff';
Saut' pè dsus les èbîmm, les râch, les rus qui s'i forment,
　　Les vlèjes au fond qui s'i piaff!

Fa n'tonnaye en Almeugn', su les dous riv' don Rhin;
Vizit' zous vieux chètès, zous gotiq' catédrales;
Zous foër' de liv' et d'pip', zous danses et zous fehhtîns
　　Zous boûs qu'li rvient des diales!

Et l'Angletér' don, quâ dans l'mitan dlè mer
Qu'e tant d'ports, d'arsenals, de mtis è mécanique,
De chèmins d'fé, de vapeur! qu'voureu rend' l'univers
    Esclav' de sè politique!

Eun' vay' suy i bétiau, qué qu'cè cot' d'i pesser!
Dans hhi s'mainn', péy bé jo, cheur è Constantinope!
Je n'pal'me d'l'Amériq, ni d'Asie, ni d'Alger,
    Ça beun essé de l'Urope!

I nié tant d'chouz'! Lo monde invite è l'edmirier.
Çay i jèdîn qu'e des fleurs et des fruts è n'offrir.
Veur, connahh et doûrier! Ça vive torto çlé,
    Vayèjer, ça jayir!

    Faut creur que tout' çolè, poy i cœur qu'a tanre
    S'na qu'i riguiau d'eune étoffe essé manre
    Po coècher totèfa lè sainte et douce imèje
    Don cheu-lu, da qu'ça n'campègne, i vlèje!
        Çè n'famm' roublier l'kiachi
        Lo kiachi don péyi (bis)
        L'kiachi, l'kiachi don péyi!

    L'kiachi! ce lè guiour don vlèje!
    S'que pâl' de tout! — S'qu'an weunn' d'pu lon!
    Rwatieu d'to près! Vasse eune aute imèje,
    Lè femir su l'ti d'vat mauhon!...
    E moins qu'i n'sint jé dans l'atréye,
    Lo pér' lè mér', les pérents, les èmins,
    Ettend' po l'rembressier, depeu n'héye,
    Lo su que n'roublie me de rvenîn.
        Viv' les jan' sovnîns,
        De cheumaye et d'kiachi!
        Rien d'pu bé que l'kiachi
        L'kiachi, l'kiachi don péyi,
        Où qu'je rvieinra meuri!

Beitrag zur Etymologie des afrz. proz, it. prode, prov. pros, proz.

Bei den Versuchen, ein Etymon für das afrz. Eigenschaftswort einer Endung proz, it. prode, prov. pros, proz zu finden, sind die lat. Wörter prudens, probus und providus in Betracht gezogen; aber keine dieser Ableitungen entspricht den Gesetzen der romanischen Laut- und Formenentwickelung vollständig. Gieht man bei prudens selbst die Möglichkeit eines Abfalls der Endung -ens zu, so steht immer noch das ū des lat. Wortes, welches sich im Frz. nur zum ü Laut, im It. zum u-Laut, nie aber zu o entwickeln konnte, der Ableitung aus prudens entgegen.

Zu Gunsten der Herleitung aus probus bemerkt Diez (Wörterbuch) allerdings, dafs das katal. Adverb prou sich aus lat. probe entwickeln konnte; das b müfste somit zuerst zu v herabgesunken sein, und v konnte im Katal. zu u werden (Diez, Gramm. I, 114, blau, brau). Die ältesten Formen des Adjektivs im Frz., It. und Prov. widersprechen jedoch dieser Herleitung durch ihr d, welches weder im diesen, noch in den übrigen romanischen Sprachen aus b entstehen konnte. Wenn auch im Afrz. die Labiale vor dem Nominativ-s hätte ausfallen können, so dafs sich die No-

minativform pros aus probus erklären würde, so hätte die Labiale doch im
Accusativ wieder hervortreten und dieser Kasus afrz. nicht prod, sondern
prof lauten müssen. Nun citiert Littré (Hist. II, 209) allerdings, wie Diez
bemerkt, eine afrz. Form prœf. Allein probus konnte kein Adj. einer Endung werden, da es, wie Diez (Wörterbuch I, 333) sagt, von dem Über-
gange eines Adjektivs zweier Endungen in ein Adj. einer Endung schwerlich ein gemeinromanisches Beispiel giebt; das fem. müfste afrz. prove, resp.
prœve, it. und prov. prova lauten.

Das letzterwähnte gegen probus ist auch gegen die Ableitung aus providus zu erheben; wenn sich auch das afrz. masc. proz aus providus bilden
konnte, so hätte doch gleichzeitig ein afrz. fem. prode daraus entstehen
müssen, wie rade aus rapida. Aufserdem müfste, wie aus lat. nitidus, it.
nitido und netto, aus lat. sucidus it. sucido und sozzo, aus lat. turbidus, it.
turbido und turbo (Diez, Gramm. II, 320), aus providus die it. Form pro-
vido oder, analog dem turbo, provo hervorgegangen sein, während das afrz.
proz im It. prode lautet.

Diez (Wörterbuch I, 333) deutet schon auf den Zusammenhang des
afrz. proz, it. prode, prov. pros, proz, mit dem ersten Bestandteile des lat.
Zeitwortes prodesse, und man gelangte zu der Ansicht, dafs man ein allen
Anforderungen genügendes Etymon für das afrz. proz, it. prode etc. gefunden haben würde, wenn ein lat. undeklinierbares Adjektiv prode nach-
weisbar wäre. Auch das katal. Adv. prou würde einer Herleitung aus prode
keineswegs entgegentreten, da im Katal. auch lat. d durch u ersetzt werden
konnte, wie sich aus peu aus lat. pedem ergiebt (Diez, Gramm. I, 115).

Formen wie prode est geben noch nicht den Beweis, dafs prode als
selbständiges Eigenschaftswort besteht; aber er wird unwiderleglich geliefert
in dem Satze: „sed non fuit prode illis verbum auditus (Hebr. 4, 2. Clar.),
den Rönsch (Itala und Vulgata S. 468) citiert. Aus diesem Satze geht
auch hervor, dafs ebenso wie in ihm, prode auch an folgenden von Rönsch
(ibd.) angeführten Stellen als selbständiges Adjektiv aufzufassen ist: Mt. 16,
26: quid enim prode est homini; — Joh. 6, 63: nam caro non prode est
quidquam; — 1. Kor. 7, 19: circumcisio nihil prode est et praeputium
nihil est; — Hebr. 13, 17: hoc enim prode fit vobis. Clar.; — Jo. 12, 19:
videtis quoniam nihil prodefacitis, Cant.

Beispiele wie die genannten stehen nicht im Bibeltext allein; die folgenden habe ich in einem Schriftdenkmale des 6. Jahrhunderts gefunden,
in „Gargilius Martialis prolocus de virtutibus herbarum" (hrsg. von Valentin
Rose in seinen Anecdota graeca et graeco-latina, Heft II, Berlin 1870):

Occinum siccat et stringit sthomaco prode est inflationes et ruptiones
discutit (p. 139, 22). — Ulficum indigestibile Cum vino tritum potui datum
cauculosis prode est (p. 142, 22). — Sucus earum suspiriosus prode est
(p. 144, 6). — Infusus in mulso pedum dolentibus cum podagricis prode est
(p. 146, 8). — Et trita cum melle ieiuno tussientibus datum prode æst
(p. 147, 20).

Aus den vorgeführten Beispielen geht auch hervor, dafs prode ein Adjektiv von nur einer Endung ist. Es hat die Bedeutung „nützlich, tauglich,
brauchbar, gut". Auf den Krieger angewendet, würden sich die weiteren
Bedeutungen „tapfer, mannhaft, wacker, tüchtig" ergeben, welche das frz.
proz in der That aufweist.

Das vulgärlat prode kann nur eine durch Zerdehnung von prodesse
entstandene Neubildung sein, die sich dann auf proficere wegen der gleichen
Bedeutung des letzteren übertragen hat, nicht aber die verderbte Form
eines verloren gegangenen älteren selbständigen Wortes, aus dem durch
Zusammensetzung mit esse und facere die Verben prodesse und proficere
hervorgegangen wären; denn in letzterem Falle müfsten sich die Formen
proffui, profficio statt profui, proficio gebildet haben. Aufserdem haben die
anderen lat. Zusammensetzungen von vokalisch anlautenden Wörtern mit

der Präposition pro gleichfalls d zwischen sich und pro eingeschoben (pro-dire, prodigere).

Da nach Diez (Gramm. II, 238) Substantive — auch für abstrakte Be-griffe — sich ohne weitere Formenveränderung aus Adjektiven bilden kön-nen, so erklärt sich das mit dem oben behandelten Adjektiv proz, prod (frz.) gleichlautende Substantiv prod (z. B. „ben l'avez fait, mult grant prod i avrez", Rol. 699), it. prode, prov. pro, prod (= Vorteil, Nutzen). Ebenso das frz. prouesse, afrz. proecce (Rol. 1730), das Gautier aus pro-bitia herleiten will, prov. proeza, it. prodezza aus einem vorauszusetzenden proditia.

Formen, wie prov. pron, span. prol, die Diez anführt, lassen sich weder aus prode, noch auch aus probus oder providus erklären.   A. Jahn.

Einige Eigentümlichkeiten des Braunschweiger Dialektes.

Bekanntlich wird in der Braunschweiger Gegend das beste Deutsch ge-sprochen, und die Bewohner dieser Gegend thuen sich auf solchen Vorzug nicht wenig zu gute, ja sie nehmen es wohl sogar übel, wenn man ihnen gewisse Unreinheiten in ihrer Aussprache, wie sie eben nur der Fremde be-merkt, vorruckt. Namentlich wird hier st und sp scharf ausgesprochen. Das hindert aber nicht, dafs die Braunschweiger diese scharfen Laute von der Bühne herab nicht hören mögen. Der Grund für die scharfe Aus-sprache liegt im Plattdeutschen, das zu Anfang dieses Jahrhunderts noch die Umgangssprache selbst vieler Gebildeten war, jetzt aber verpönt und deshalb nur auf die unteren Volksschichten beschränkt ist. Unter den älteren Landbewohnern sind viele, welche das Hochdeutsche nicht sprechen können, obgleich sie es, von anderen gesprochen, alle verstehen. Da das Plattdeutsche für den Dativ und Accusativ des Personalpronomens „ich" nur eine Form hat, nämlich mick, so hört man hier von den gewöhnlichen Leuten häufig „mich" statt „mir" sagen, man hört sie „micheln".

Den Diphthong ei oder ai spricht der Braunschweiger unter so starker Hervorhebung des ersten Lautes aus, dafs er fast wie ein langes a klingt und man, z. B. bei Namen, mitunter recht aufpassen mufs, um sie richtig schreiben zu können. Dagegen neigt das lange a stark nach ä hin und lautet ziemlich wie im englischen have. — In Bezug auf mpf ist man der Abstammung getreu geblieben und sagt: entfinden, entfangen; natürlich ge-schieht das unbewufst und kommt daher, dafs auch anlautendes pf zu spre-chen dem Braunschweiger schwer fällt und von ihm in einfaches f verwan-delt wird: Ferd, Fund, Feil — eine wohl im gröfsten Teil Norddeutsch-lands vorkommende Erscheinung.

Namentlich interessant erscheint die Aussprache des r in gewissen Ver-bindungen, hauptsächlich zwischen kurzem a und t, wie in dem Namen Hartenstein. In solchem Falle bedient man sich zur Hervorbringung des r weder des vorderen noch des hinteren Teiles der Zunge, läfst letztere viel-mehr ziemlich unbewegt und bringt einen Laut hervor, der eher wie ein gutturales ch als wie ein r klingt. Wahrscheinlich entspricht das arabische χ'ain (von Lepsius durch χ' wiedergegeben) diesem Mischlaut. — Bei dieser Gelegenheit sei bemerkt, dafs in einigen Distrikten des Harzes anlautendes j wie gutturales ch gesprochen wird: cha statt ja. — Sonst sprechen hier die Städter das r guttural, die Dorfbewohner meist dental.

Schliefslich seien einige Geschlechtsverwechselungen bemerkt: der Tuch, der Oel, das Schrank, das Markt; auch „der Lampen" und „der Pulten" mögen hierbei Erwähnung finden. — Selbstverständlich sind diese, eben-falls im Plattdeutschen wurzelnden Erscheinungen, wie auch die übrigen hier erwähnten, fast nur den unteren Volksschichten eigen.   L. I.

Von einem Freunde unseres Blattes wird uns die nachfolgende amüsante Versifizierung der „braunschweigischen Meierei" zugestellt:

Brinkmeier, Ausmeyer, Dammeyer, Kappmeier,
Lindemeyer, Neddermeyer, Noltemeyer, Abmeier;
Kreymeyer, Kuhrmeyer, Maschmeyer, Reitemeyer,
Obermeyer, Räckemeyer, Schünemeyer, Weitemeyer.
Steinmeyer, Buchmeyer, Brauckmeyer, Homeyer,
Gürtelmeier, Eickemeyer, Degemeyer, Momeyer;
Hameyer, Kahnmeyer, Kallmeyer, Tägtmeyer,
Kellermeyer, Langemeyer, Mönckemeyer, Tegtmeyer.
Münchmeyer, Kreysmeyer, Niemeyer, Nollmeyer,
Gödeckemeyer, Ostermeyer, Sommermeyer, Wollmeyer;
Plumeyer, Rettmeyer, Röhmeyer, Retemeyer,
Stegemeyer, Sültzemeyer, Walkemeyer, Wedemeyer.
Probstmeyer, Schoppmeyer, Stegmeier, Rohmeyer,
Domeyer, Watermeyer, Austmeyer, Strohmeyer;
Dopmeyer, Ohlmeyer, Kirchmeyer, Rittmeyer,
Zwilgmeyer, Ziegenmeyer, Sudtmeyer, Twittmeyer.

———————

Druckfehler in dem Aufsatz: „Vorstudien zu Goethes Faust.
Von G. Hauff."   Archiv 66. Bd., 3. u. 4. Heft.

S. 295, Z. 5 von oben statt L, II lies LII.
     „ 8 „ „ „ μεγασόφιλος lies μεγασόφιλος.
     „ 10 „ „ „ Φαυσοφίλης lies Φαυσοφίλης.
     „ 15 „ „ „ übersetzt lies übersieht.
     „ 24 „ „ „ μασιφατ lies μασιφατ.
S. 296, „ 1 „ „ „ mit der Endung lies oder mit der Endung.
     „ 3 „ „ „ Mephotophiles lies Mephostophiles.
     „ 11 von unten „ λόων lies λύων.
S. 304, „ 12 von oben „ Tellusazza lies Tellurazza.
S. 307, „ 15 von unten streiche 4).

Bibliographischer Anzeiger.

Allgemeines.

G. Körting, Gedanken und Bemerkungen über das Studium der neueren Sprachen auf den deutschen Hochschulen. (Heilbronn, Henninger.)
1 M. 40 Pf.

Grammatik.

A. Lübben, Mittelniederdeutsche Grammatik, nebst Chrestomathie und Glossar. (Leipzig, Weigel.) 6 M.
C. F. Koch, Historische Grammatik der englischen Sprache. I. Bd. 2. Ausg. (Kassel, Wigand.) 10 M.

Lexikographie.

K. Schiller u. A. Lübben, Mittelniederdeutsches Wörterbuch. 31. (Schlufs-) Heft. (Bremen, Fischer.) 2 M. 50 Pf.

Litteratur.

E. Steinmeyer u. E. Sievers, Die althochdeutschen Glossen, gesammelt u. bearb. II. Glossar zu nichtbibl. Schriften, bearb. v. E. Steinmeyer. (Berlin, Weidmann.) 20 M.
A. Schopf, Nationalepos u. Balladendichtung. Eine ethnographische Studie. (Wien, Gerold.) 80 Pf.
O. Weddigen, Geschichte der Einwirkung der deutschen Litteratur auf die Litteraturen der übrigen europäischen Kulturvölker der Neuzeit. (Leipzig, Wigand.) 2 M. 50 Pf.
Göthes Reineke Fuchs, nach dem ersten Druck vom J. 1794 mit Proben der älteren Tierepen herausg. u. erläutert von A. Bieling. (Berlin, Weidmann.) 4 M.
W. Büchner, Ferdinand Freiligrath. Ein Dichterleben in Briefen. 7. bis 12. Lfrg. (Lahr, Schauenburg.) 1 M. 25 Pf.
F. Avenarius, Deutsche Lyrik der Gegenwart seit 1850. (Dresden, Ehlermann.) 4 M. 50 Pf.
R. Prölfs, Geschichte des neueren Dramas. II. Bd. 2. Hälfte. Das neuere Drama der Engländer. (Leipzig, Schlicke.) 13 M. 50 Pf.
F. R. Fricke, Glaube, Hoffnung, Liebe nach Dante. Eine Skizze zur Einführung in d. Verständnis u. den Gedankenkreis des Dichters. (Halle, Fricke.) 1 M. 50 Pf.

Sammlung französischer Neudrucke. Herausg. v. Karl Vollmöller.
11. Inh.: Armand de Bourbon, traité de la comédie et des spectacles.
(Heilbronn, Henninger.)   1 M. 60 Pf.
A. Leskien u. K. Brugman, Litauische Volkslieder und Märchen aus
dem preufsischen u. dem russischen Litauen gesammelt. (Berlin, Herbig.)
                                                     2 M.
Ponce de la Fuente, exposicion del primer salmo dividida en seis sermones.
(Bonn, Weber.)   10 M.
Germanischer Bücherschatz. Herausgegeben v. A. Holder. III. 1. Abtg.
Beowulf, herausg. v. A. Holder. I. Abdruck d. Hdschft. im Brit. Museum,
Cotton Vitellius.   1 M. 60 Pf.

Hilfsbücher.

K. Bindel, Hilfsmittel f. d. deutschen Unterricht in d. Tertia der höheren
Lehranstalten. (Berlin, Weidmann.)   1 M. 50 Pf.
L. Vöhringer, Deutsches Rechtschreibe- und Aufsatzbuch. 3. u. 4. Kurs.
(Stuttgart, Metzler.)   45 Pf.
J. Günther, Entwürfe zu Vorträgen u. Aufsätzen f. d. oberen Klassen.
2. Aufl., herausg. v. A. Peschel. (Leipzig, Reichardt.) 4 M.
Horace von Corneille, mit Einleitung u. Anmerkungen hrsg. v. W. Hering.
(Erlangen, Deichert.)   65 Pf.
K. Klöpper, Franz. Synonymik f. höhere Schulen und Studierende.
(Leipzig, Koch.)   2 M. 60 Pf.
T. Merkel, Die deutsch-französische Aussprache. (Freiburg, Trömer.)
                                                     90 Pf.
H. Schmick, 100 kleinere deutsche Dichtungen, f. d. Gebrauch beim
englischen Unterricht metrisch übersetzt (Köln, Warnitz.) 2 M. 60 Pf.
A. Matthias, Der kleine Engländer oder die Kunst, die englische Sprache
in kurzer Zeit zu erlernen. (Berlin, Friedberg & Mode.) 1 M. 25 Pf.
E. Brinkmeier, Portugiesisch-deutsches Gesprächbuch. (Leipzig, Koch.)
                                                     2 M. 50 Pf.

Shakespeare's Lustspiele

des charakteristischen Stiles von 1598—1601.

Von

Dr. B. T. Sträter.

II. Wie es Euch gefällt.

Die zweite Komödie dieser Zeit „As you like it" ist
dem Stoffe nach, und zwar mit einer sehr eingehenden Benutzung, der Erzählung von Thomas Lodge vom Jahre 1590
(in zweiter Auflage 1592) entnommen, welche den Titel führt:
„Rosalynde. Euphues golden Legacie, found after his death"
etc. etc.* Der Charakter der Rosalinde bildet daher auch
den Mittelpunkt des Stückes. Doch beginnt dasselbe nicht sogleich mit ihr, sondern mit der Exposition einer jener Familien-
geschichten, welche heutzutage unsere Krankenanstalten und
Irrenhäuser füllen. Ein Bruder hat den andern um sein väterliches Erbtheil betrogen, vernachlässigt die ganze Erziehung
des jüngeren und hält ihn in derartig sklavischer Abhängig-
keit, daſs dieser sich höchst unglücklich darüber fühlen muſs.
Dieser jüngere Bruder ist Orlando, der Sohn des Rowland
de Bois. Er klagt dem alten Diener Adam sein Leid, indem
beide im Garten des älteren Bruders Oliver umherspazieren:

---

* Vgl. die vortrefflich gewählten Auszüge in Delius' Einleitung zu „As
you like it", I, pag. 347—354 der Gesammtausgabe von 1876. (Vierte Auflage. Ich citire nach dieser, da sie wohl in jedermanns Händen ist.) Aufserdem die Abhandlung im VI. Bande des Shksp.-Jahrb. pag. 226—249 (1871):
Lodge's „Rosalynde" and Shakespeare's „As you like it". — Delius behandelt
hier eingehend das Verhältnis der Quelle zu unserem Stücke.

Orl. So viel ich mich erinnere, Adam, wurde mir in dieser Weise nur ein armseliges Tausend Kronen durch Testamentsverfügung vermacht, und dabei, wie du sagst, meinem Bruder bei seinem Seelenheil die Verpflichtung auferlegt, mich gut zu erziehen. Aber da beginnt mein Kummer. Meinen anderen Bruder Jacques schickt er zur gelehrten Schule und das Gerücht erzählt schon goldene Dinge von seinen Fortschritten; mich aber hält er wie einen Bauer hier zu Hause, oder vielmehr läfst er mich hier weilen ganz ohne Erziehung und hält mich durchaus nicht wie er mich halten sollte. Denn ist das eine Haltung und Erziehung für einen Edelmann von meiner Geburt, die sich wirklich kaum von der Stallfütterung eines Ochsen unterscheidet? Seine Pferde werden ja besser besorgt. Denn aufserdem, dafs sie durch gute Fütterung schön und glänzend werden, werden sie auch in der Reitbahn geschult: Stallmeister und Bereiter werden ihnen zu theuren Preisen gehalten, während ich, sein leiblicher Bruder, nichts gewinne unter ihm, als dafs ich wachse und gröfser werde — wofür ihm die Schmeifsfliegen auf seinen Düngerhaufen ebenso verbunden sein mögen als ich. Aufser diesem Nichts, das er mir freilich überreichlich zugesteht, scheint sein Betragen gegen mich aber auch alles mir rauben zu wollen, was die Natur mir etwa an glücklichen Gaben verliehen hat: er läfst mich speisen mit seinen Knechten, versperrt mir den Platz eines Bruders und untergräbt, so viel er nur kann, den angeborenen Adel meines Wesens durch solche Erziehung.

Das ist es, Adam, was mich traurig macht: und der Geist meines Vaters beginnt sich, da ich ihn in mir leben fühle, gegen diese Dienstbarkeit zu empören! Nicht länger will ich sie ertragen, obgleich ich noch kein zweckmäfsiges Mittel sehe, ihr zu entgehen.

Die Art und Weise, wie der gleich darauf eintretende Bruder Oliver ihn behandelt, zeigt uns deutlich die ganze Sachlage; selbst der alte gute Diener wird mit einem groben Schimpfworte abgefertigt. Man mufs diese Scene im englischen Texte lesen, um ihre Wortspiele zu verstehen:

Oliver. Now, Sir, what make you here?
Orl. Nothing: I am not taught to make anything.
Oliver. What mar you then, Sir?
Orl. Marry, Sir, I am helping you to mar that which God made, a poor unworthy brother of yours, with idleness.
Oliver. Marry, Sir, be better employed and be naught awhile. *

---

* Sieh die Erklärung bei Delius. Der Sinn ist etwa: „So beschäftigt Euch doch besser und schert Euch zum Teufel, packt Euch fort von hier!"

Orl. Shall I keep your hogs and eat husks with them? What prodigal portion have I spent, that I should come to such penury?
Oliver. Know you where you are, Sir?
Orl. O, Sir! Very well: here in your orchard.
Oliver. Know you, before whom, Sir?
Orl. Ay, better than him* I am before knows me. I know, you are my eldest brother. etc.

Um seine ausbrechende Wuth zu beschwichtigen, verspricht Oliver ihm einen Theil seiner Wünsche zu erfüllen. Sobald er ihn aber mit dem alten Diener verlassen, beredet Oliver den Ringer Charles, im nächsten Ringkampfe dem Orlando wo möglich den Hals zu brechen — ein sauberes Exemplar von einem liebenswürdigen Bruder! Damit schliefst die erste Scene: sie deutet eine Komposition mit doppelter Fabel, wie im Lear, an. Denn diesem Familienzwiste in den Söhnen des Rowland de Bois entspricht der Streit in der herzoglichen Familie selbst: hier hat Frederick seinen Bruder der Regierung beraubt und in die Verbannung getrieben.

Die zweite Scene, in der diese Situation am herzoglichen Hofe bereits vorausgesetzt erscheint, spielt im Garten des herzoglichen Palastes. Celia, die Tochter des jetzt regierenden Herzogs Frederick, billigt das rücksichtslose Verfahren ihres Vaters durchaus nicht: sie hat ihre Cousine Rosalinde, die Tochter des vertriebenen Herzogs, bei sich behalten, umgiebt sie mit der zärtlichsten Liebe und sucht sie vergebens über das Schicksal ihres Vaters zu trösten. Die hier gewechselten Redensarten sind übrigens im deutschen Texte völlig ungeniefsbar und streifen auch im englischen Original bedenklich in das unerquickliche Gebiet der gesuchten Phrasen hinüber. Bei einer etwaigen Aufführung müfsten hier Kürzungen stattfinden. Auch die ersten Scherze des dazu kommenden Clowns „Probstein" (Touchstone) sind weniger geistreich, als wir sie sonst

---

* He für Him zu setzen, ist nach Shakespeare'schem Sprachgebrauche nicht nothwendig. Die Akkusativ-Form ist zudem veranlafst durch die folgende Präposition before, vor welcher das Relativ-Pronomen ausgelassen ist. Mit Recht macht Delius auf die Stelle im Hamlet, II, 1 (Anmerkung 14 seiner Ausgabe, pag. 376 im II. Bande) zur Vergleichung aufmerksam. Der italienische Akkusativ des Personal-Pronomen wird oft in ähnlicher Weise statt des Nominativ gebraucht.

bei Shakespeare gewohnt sind.* Erst der eintretende Höfling
„Le Beau" belebt diese Unterhaltung ein wenig, indem er den
Prinzessinnen von dem bevorstehenden Ringkampfe erzählt.
Dieser findet darauf in derselben Scene vor ihren Augen statt:
Orlando besiegt den Charles, wirft ihn zu Boden, und die
Damen loben und belohnen ihn dafür mit ihrer Gunst. Rosa-
linde schenkt ihm eine goldene Kette zum Andenken. Der
Herzog Frederick aber, da er erfährt, dafs Orlando der Sohn
ist eines seiner Gegner, wendet seine eben erst ihm zugewen-
dete Gunst wieder von ihm ab: Le Beau giebt ihm deshalb
den guten Rath, sein Glück anderswo zu versuchen und diesen
Ort zu verlassen. Aus seinen Fragen nach den beiden Damen
erfahren wir bereits, dafs sein Herz Feuer gefangen hat für
Rosalinde.

Die beiden Prinzessinnen werden so zu Hauptpersonen des
Stückes, weshalb der Dichter den Akt mit einer ihnen gewidmeten dritten Scene beschliefst. Auch Rosalindens Herz fängt
an zu glühen: der starke Ringkämpfer Orlando gefällt ihr, zumal da er ein Anhänger ihres vertriebenen Vaters ist. Der
Herzog Frederick aber verbannt auch sie jetzt von seinem Hofe,
nur weil sie ihres Vaters Tochter ist und als solche sein Mifs-
trauen erregt. Celia's Bitte für sie ist vergebens. Da beschliefst diese, ihr zu folgen und mit ihr zu fliehen. Der
Hofnarr soll sie begleiten: verkleidet wird sie niemand erkennen.

So ist mit diesem Schlufs des ersten Aktes eine höchst
abenteuerliche Komödie im Stile der alten Novellen, der Schäfer-
und Ritter-Romane eingeleitet. Die Damen ziehen hinaus in
den Ardennenwald, den vertriebenen Herzog zu suchen.

Der zweite Akt beginnt daher mit einer reizenden Darstellung des Naturlebens im Walde, welches der Herzog dort
mit den ihm treu Gebliebenen führt. Das rauhe Leben gefällt
ihm und seinen tapferen Genossen Jacques, Amiens und an-

---

* Das Beste sind jedenfalls die Schlufsbemerkungen des Probstein und
der Celia: „The more pity, that fools may not speak wisely, what wise men
do foolishly!" — Celia: „By my troth, thou say'st true! For since the
little wit that fools have was silenced, the little foolery that wise men have
makes a great show!"

deren Herren des früheren Hofes. Zugleich zieht er die Lehre hoher Weisheit aus seinem Unglück:

Herzog.

Nun, ihr Genossen, Brüder mir im Banne,
Macht nicht Gewohnheit süfser dieses Leben,
Als das in Prunkgemächern? Sind die Wälder
Nicht sorgenfreier als der falsche Hof? . . .
Doch wenn des Winters eisiger Sturm den Leib
Bis auf die Knochen mir durchkältet, fühl' ich,
Der ist kein Schmeichler, ist kein feiler Höfling,
Nein, gar zu fühlbar zeigt er, was ich bin.
So zieh ich Nutzen aus des Unglücks Lehre,
Das, gleich der Kröte häfslich und voll Gift,
In seinem Haupt ein köstliches Juwel,
Sein schönes, klares Auge trägt. Und frei
Vom Weltgetümmel ist dies Waldesleben:
Es rauscht aus Bäumen uns, es spricht in Bächen,
Die Steine predigen — wie ein gutes Buch
Erscheint Natur uns gut allüberall!

Es sind seltsame Menschen in dieser Waldeinsamkeit geworden. Zwar erfreuen sie sich der Jagd; aber sie haben dennoch Mitleid mit dem sterbenden Wilde, wenn ihm „die dicken runden Thränen die unschuldige Nase hinablaufen". Sie sehen bedauernd die schönen Rehaugen brechen und stellen moralische Betrachtungen an, wenn der Hirsch fallend verendet. Der melancholische Jacques ist es besonders, der hier des Dichters eigenes reiches Naturgefühl glänzend vertritt. Diese Scenen im Ardennerwalde sind mit Recht immer bewundert worden: sie muthen uns an, wie Beethoven's Pastoral-Symphonie. Alles wirklich Poesievolle in der Schäferdichtung jener Zeit hat hier durch eine Meisterhand ersten Ranges eine höchst originelle Idealisirung in dramatischer Form erhalten.

Es folgen noch sechs Scenen in diesem Akte: sie spielen abwechselnd am Hofe des Herzogs Frederick — vor Olivers Haus zwischen Adam und Orlando — dann wieder beim verbannten Herzog im Ardennerwald, in welchen jetzt auch die Prinzessinnen verkleidet eintreten, so dafs vier verschiedene Gruppen von Personen abwechselnd hervortreten.

Die zweite Scene zeigt uns zunächst in der Besorgnis des

Herzogs um die nirgends zu findende Celia, dafs die Flucht der jungen Damen gelungen ist. Die dritte Scene enthüllt dem Orlando durch Adam die bösen Pläne seines Bruders Oliver: jene beide flüchten infolge dessen ebenfalls. In der vierten Scene erscheinen die Prinzessinnen verkleidet im Walde, Rosalinde als Ganymed wie ein hübscher Knabe von 16 Jahren, Celia als Schäferin Aliena. Die Wanderer sind todmüde und suchen sich durch schlechte Witze über ihre verzweifelte Lage zu trösten; der Narr Probstein findet schon: „dafs es zu Hause doch besser sei, als im Ardennerwald; aber arme Reisende müssen schon zufrieden sein." Der alte Schäfer Corin und der junge Silvius kommen durch den Wald gegangen — Liebesklagen finden ihr Echo in Rosalindens Herzen, und Probstein parodirt trefflich all diese ernsten und sentimentalen Empfindungen durch Erzählung seiner eigenen Liebesthorheiten. Der alte Schäfer nimmt sie dann alle auf und erquickt sie mit Speise und Trank: sie wollen ihm dafür den Meierhof kaufen, auf dem er in Diensten steht.

In der fünften, sechsten und siebenten Scene des II. Aktes erscheinen die übrigen Gruppen sämmtlich im Ardennerwalde, Jacques und Amiens, Orlando und Adam, zuletzt auch der Herzog selbst. Wie dieser sich mit seinem Gefolge zur Tafel setzen will, kommt Orlando (7.) zu ihnen, Nahrung zu fordern für sich und seinen alten Diener; dieselbe wird ihm aber so freundlich gewährt, dafs er verwundert ausruft:

Sprecht Ihr so liebreich? O vergebt, ich bitte!
Ich dachte, alles müfste wild hier sein,
Und darum nur nahm ich die Miene an
Des trotzigen Befehlens. Wer auch immer
Ihr seid, die Ihr in dieser öden Wildnis,
Im dunklen Schatten melanchol'scher Wipfel
Säumt und vergefst, wie träg die Zeit dahinfliefst:
Wenn je Ihr bessere Tage habt gesehn,
Wenn je zur Kirche Glocken Euch geläutet,
Wenn je Ihr safst bei guter Menschen Mahl,
Wenn je vom Auge Thränen Ihr getrocknet
Und wifst, was Mitleid ist und Mitleid finden,
So lafst die Sanftmuth mir statt Zwanges dienen,
In welcher Hoffnung ich erröthend denn
Mein Schwert zurück der Scheide geben will.

Der Akt schliefst dann mit einem jener hübschen Liedchen, mit denen Shakespeare's Truppe damals so grofse Erfolge auf der Bühne erzielt hat:

> Stürm', stürme nur, du Winterwind,
> Du bist nicht falsch gesinnt,
> Wie Menschen-Undank ist.
> Dein Zahn nagt nicht so sehr,
> Weil man nicht weifs, woher,
> Wiewohl du heftig bist.
> Heisa! Singt heisa! den grünenden Bäumen!
> Die Freundschaft ist falsch, die Liebe nur Träumen!
> Drum heisa den Bäumen
>   Im Walde,
> Den lustigen Räumen!
>
> Frier', friere! Du Himmelsgrimm!
> Du beifsest nicht so schlimm,
> Als Wohlthat, nicht erkannt!
> Erstarrst du gleich die Fluth,
> Viel schärfer sticht das Blut
> Ein Freund, von uns gewandt!
> Heisa, singt heisa! den grünenden Bäumen,
> Die Freundschaft ist falsch, die Liebe nur Träumen!
> Drum heisa den Bäumen
>   Im Walde,
> Den lustigen Räumen!*

So ist die ganze Gesellschaft der Entflohenen glücklich im
Ardennerwalde an den Ufern der Maas beisammen. Auch
Oliver soll im vierten Akte noch dazu kommen, um sich in
die Celia zu verlieben, weshalb der Dichter, alles sorgsam
vorbereitend, den dritten Akt mit einer ganz kurzen Scene
zwischen dem Herzog Frederick und Oliver einleitet: dieser soll
ihm den entflohenen Bruder herschaffen, oder all sein Hab und
Gut verlieren und ebenfalls in die Verbannung ziehen.

Im Ardennerwalde aber beginnen nun alle möglichen
Liebesverhältnisse sich in höchst ergötzlicher Weise zu entwickeln; dazwischen macht Probstein den alten Schäfer Corin
mit den Manieren des Hoflebens bekannt. Als dieser ihn

---

* Die Übersetzung, nach Schlegel und Tieck, ist nicht ganz glücklich.
Man mufs auch hier auf den englischen Text zurückgehen. Sieh Delius I,
pag. 369.

fragt, wie ihm denn nun das Schäferleben gefalle, antwortet der
Hofnarr:

> Wahrhaftig, Schäfer, an und für sich betrachtet, ist es ein gutes
> Leben; aber in Betracht, dafs es ein Schäferleben ist, taugt es nichts!
> In Betracht, dafs es einsam ist, mag ich es wohl leiden, aber in Be-
> tracht, dafs es so gar stille ist, ist es ein sehr erbärmliches Leben.
> Ferner, in Betracht, dafs man so ganz im freien Felde lebt, steht es
> mir wohl an; aber mit Rücksicht darauf, dafs es nicht am Hofe ist,
> wird es doch sehr langweilig. Insofern es ein sparsames und mäfsiges
> Leben ist, seht ihr, so ist es schon nach meinem Sinn; aber insofern
> es nicht reichlicher dabei zugeht, streitet es doch sehr gegen meine
> Neigungen. Verstehst etwas von Philosophie, Schäfer?
>
> Corin. Ach nein, ich weifs nur, dafs einer sich desto schlim-
> mer befindet, je kränker er ist, und wem's an Geld und Gut und Zu-
> friedenheit fehlt, dafs der ohne drei gute Freunde ist — dafs ferner
> die Nacht hauptsächlich vom Mangel an Sonnenschein herrührt . . . . .
> und dafs Einer, der weder durch Natur noch Kunst zu Verstande ge-
> kommen wäre, sich entweder über seine Erziehung zu beklagen hätte
> oder aus einer sehr dummen Sippschaft sein müfste.
>
> Probst. Da bist du nur ein natürlicher Naturphilosoph, nichts
> weiter. Aber warst je am Hofe, Schäfer?
>
> Corin. Nein, wahrhaftig nicht!
>
> Probst. So wirst du verdammt und in der Hölle gebraten
> werden.
>
> Corin. Na, ich hoffe denn doch —
>
> Probst. Wahrhaftig, verdammt und gebraten, wie ein schlecht
> geröstet Ei, nur an Einer Seite!
>
> Corin. Weil ich nicht am Hofe gewesen bin? Und Euer
> Grund dafür?
>
> Probst. Nun, wenn du nicht am Hofe gewesen bist, so hast
> du niemals gute Sitten gesehen. Wenn du aber niemals gute Sitten
> gesehen hast, so müssen deine Sitten schlecht sein, und alles Schlechte
> ist Sünde, und Sünde führt in die Hölle. Folglich bist du in einem
> sehr gefährlichen Zustande.* . . .

Beim Beginn dieser zweiten Scene hat Orlando seine Verse
an einen Baum geheftet oder vielmehr in die Rinde eingeschnit-
ten: Rosalinde findet sie, Celia ebenfalls andere; ihre Unterhaltung darüber verräth schon die ganze Leidenschaft des feurigen Mädchens für ihren tapferen Ringer Orlando. Als dieser

---

* „Thou art in a parlous state, shepherd!" — Parlous für perilous
ist nach Delius schon vor Shakespeare häufig zur Anwendung gekommen.

darauf selbst mit Jacques herankommt, ziehen die verkleideten Prinzessinnen sich tiefer in den Wald zurück. Die höflichen Grobheiten darauf in der Unterhaltung zwischen Jacques und Orlando versetzen uns ganz in die Sphäre jenes humoristischen Behagens, mit welchem der alles ironisirende Dichter diese köstlichen Scenen sämmtlich ausgeführt hat:

„Ich bin Euch allerdings sehr verbunden für Eure Gesellschaft" — so beginnt Jacques — „aber ich möchte doch ebenso gern allein bleiben."

Orlando. Ich befinde mich ganz im gleichen Falle: auch ich danke Euch für Eure Gesellschaft.

Jacques. So sei Gott mit Euch! Laſst uns so wenig als möglich zusammen kommen!

Orlando. Es ist allerdings besser, daſs wir einander fern bleiben.

Jacques. Ich ersuche Euch nur noch, die Bäume nicht ferner mit Euren Liebesseufzern mir ruiniren zu wollen: Ihr schneidet sie ja sogar in die Rinde ein!

Orlando. Und ich muſs Euch ersuchen, mir meine guten Verse nicht ferner durch Eure schlechte Deklamation verderben zu wollen.

Jacques. Also Rosalinde ist der Name Eurer Liebsten?

Orlando. Ja wohl, so heiſst sie.

Jacques. Ihr Name gefällt mir nicht.

Orlando. Es war nicht die Absicht, Euch zu gefallen, als sie getauft wurde.

Jacques. Welche Statur hat sie wohl?

Orlando. Sie reicht gerade bis zu meinem Herzen.

Jacques. Aber Ihr steckt ja ganz voll von hübschen Antworten! Ihr habt wohl angenehme Bekanntschaften unter den Goldschmieds-Weibern gemacht und Eure Sprüche aus ihren Ringen gelernt?

Orlando. Das nun nicht gerade! Ich antworte Euch nur, wie alte Wandtapeten, aus deren Munde Ihr Eure schlauen Fragen entnommen habt.*

Jacques. Eigentlich suchte ich eben nach einem Narren, als ich Euch fand.

Orlando. Der ist in den Bach gefallen: guckt nur recht tief hinein und Ihr werdet ihn deutlich sehen.

Jacques. Da werde ich nur mein eigen Gesicht sehen.

Orlando. Das meinte ich eben damit! ...

---

* Sieh die treffliche Erklärung bei Delius I, pag. 373.

Jacques. Ich kann mich nicht länger bei Euch aufhalten: lebt denn also recht wohl, mein verliebter Signore!

Orlando. Freue mich wirklich unendlich über Euren Abgang (departure): Adieu, mein melancholischer Monsieur! — (Exit Jacques.)

Ein vortreffliches Bild von der ganzen Art und Weise, wie man in der geistreichen Gesellschaft jener Zeit die Wortspiele hin und her zu werfen verstand! Noch feiner tritt diese Art der Unterhaltung in der Fortsetzung dieser zweiten Scene hervor. Rosalinde und Celia treten jetzt an Orlando heran und beginnen mit ihm folgendes Gespräch:

Rosal. (zu Celia): Gieb Acht, wie ich den Schelm mit ihm spielen werde! — (Zu Orlando:) Hört einmal, Forstbewohner — könnt Ihr auch hören?

Orl. O, ich höre ziemlich gut! Was wünscht Ihr denn eigentlich?

Rosal. Was ist die Uhr wohl?

Orl. Es giebt keine Uhr im Walde: Ihr solltet mich also besser nach der Tageszeit fragen.

Rosal. Dann giebt es auch keinen echten Liebhaber im Walde, sonst würde jede Minute ein Seufzen und jede Stunde ein Ächzen den trägen Fuſs der Zeit so gut anzeigen, wie eine Glocke.

Orl. Und warum nicht den schnellen Fuſs der Zeit? Wäre das nicht eben so passend gewesen?

Rosal. Mit nichten, mein Herr! die Zeit geht verschiedenen Schritt mit verschiedenen Personen, und ich kann Euch sagen, mit wem sie ruhigen Schrittes geht, mit wem im Trabe, mit wem im Galopp, und mit wem sie vollkommen stille steht.

Orl. Nun, also mit wem geht sie denn im Trabe?

Rosal. Fürwahr, im stärksten Trabe mit einem jungen Mädchen zwischen dem Heirathskontrakt und der Vermählungsfeier: denn wenn die Zwischenzeit auch nur acht Tage beträgt, so ist der Trab der Zeit schon so hart für sie, daſs derselbe die Dauer von acht Jahren zu haben scheint.

In ähnlicher Weise beantwortet sie auch die übrigen Fragen. Und dann fährt Orlando fort:

Sage mir, mein hübscher Junge, wo wohnst du denn eigentlich?

Rosal. Bei dieser Schäferin, meiner Schwester, hier am Waldessaume, wie Zierrath-Besatz unten am Kleide.

Orl. Bist du denn an diesem Platze geboren?

Rosal. Ja wohl, wie das Kaninchen (cony), welches Ihr dort wohnen findet, wo es zur Welt gekommen.

Orl. Aber deine Sprache ist doch ein wenig feiner, als du sie in einer so weltfremden Einsamkeit erwerben konntest?

Rosal. Ja, das hat mir schon mancher gesagt; aber das rührt von einem Onkel her, der ein Geistlicher war: der lehrte mich sprechen. Er war in seiner Jugend in die Städte im Innern des Landes gekommen, hatte alle Arten von Hofleben, Höflichkeit und Hofmachen nur zu sehr kennen gelernt; denn er verliebte sich dabei und kam dadurch ins Unglück. Dagegen hörte ich ihn nun immerfort predigen! Und ich danke Gott, dafs ich kein Weib bin und keinen Theil habe an all der Flüchtigkeit und Verkehrtheit, die er ihrem Geschlechte zur Last legte.

Orl. Könnt Ihr Euch nicht einer von den vornehmsten Untugenden erinnern, die er den Weibern aufbürdete?

Rosal. Ach, da gab es keine vornehmste Untugend, keine überragte die andere, alle waren einander gleich, wie schlechte Pfennigstücke. Aber jeder einzelne Fehler schien ein Ungeheuer für sich, bis sein Mitfehler sich neben ihn stellte: dann hatte er einen ähnlichen Gefährten!

In dieser Weise geht es noch eine ganze Weile fort: Rosalinde verspottet die übermäfsige Liebessehnsucht des Orlando, um damit ihre eigene Leidenschaft zu verdecken. Alles sprüht und leuchtet an ihr von Geist und Leben. Zuletzt verspricht sie, ihn von seiner Liebe durch ihre Launen gründlich zu kuriren, wenn er sie nur als seine Rosalinde betrachten und so nennen und ihr den Hof machen wolle.

„Von ganzem Herzen, mein guter Junge; aber ich möchte nicht kurirt sein!" sagt Orlando, indem er ihr nachfolgt zu ihrer Hütte. Er hat schon wohl erkannt, dafs er seine Rosalinde wirklich vor sich hat; aber er will ihr das geistreiche Spiel nicht stören, zu glücklich schon, jetzt in ihrer Nähe weilen zu können.

Dieses feine und reizende Spiel zwischen dem durchaus ideal und humoristisch gehaltenen Paare wird nun sofort ironisirt durch die Werbung des Clown „Probstein" um „Audrey, the Country-Wench". Er möchte sich gleich mitten im Walde durch den Pfarrer Oliver Martexte mit ihr vermählen lassen. Nach einer weiteren kleinen Scene zwischen Celia und Rosalinde, in der sich beide über Orlando aussprechen, schliefst der dritte Akt mit der köstlichen 5. Scene: Rosalinde liest der Schäferin Phœbe derartig den Text über ihre Hartherzigkeit gegen den Schäfer Silvius, daſs dieselbe sich ihrerseits in den hübschen Götterknaben Ganymed verliebt. Ganymed-Rosalinde aber ist nun eben so hartherzig gegen sie, die schöne Phœbe, wie diese gegen ihren Schäfer, nur um ihr einmal zu zeigen, wie es thut, so seine Liebe verschmäht zu sehen.

So ist dieser ganze dritte Akt ein köstliches · Gemälde des idyllischen Waldlebens — eines Lebens, reich erfüllt und tief bewegt durch jede Art von Liebe und Leidenschaft, und dennoch zugleich reizend ironisirt und parodirt durch die niederen Stufen solcher Liebesverhältnisse, die uns nur lächerlich erscheinen und mit deren humoristischer Darstellung der Dichter also alles in den reinen Äther der selbstbewuſsten Komik erhebt. Alle diese verschiedenen Verhältnisse sind schon viel feiner charakterisirt, als das immerhin etwas bedenklich bleibende Werben des liebenden Weibes um den spröden Mann in „Ende gut, alles gut". Das goldene Zeitalter der Schäferpoesie hat hier einmal eine Darstellung gefunden, wie sie liebenswürdiger gar nicht zu denken ist. Es ist „ein neckischer Übermuth, eine bewegliche Ausgelassenheit, eine athemlose Plauderhaftigkeit" in dieser allerliebsten Rosalinde ausgeprägt, daſs man zuweilen glaubt alles ·fürchten zu müssen von dieser überquellenden Springfluth ihres inneren Glückes. Die Novelle sagt von ihr: „Verliebt wie sie war, wuſste sie ihre glühende Pein doch in der Asche der Ehrbarkeit zu bergen." Und Shakespeare verwandelt diese moralische Grundlage ihres lebensvollen Charakters in das reizende Geständnis der Liebenden: „Seid versichert, daſs sie fähiger ist zu lieben, als es zu gestehen; denn das ist Weiberart, im Herzen zu glühen und dennoch es nicht zu sagen." Sie zügelt, wie Gervinus es treffend ausdrückt, ihre überquellende Leidenschaft dadurch, daſs sie dieselbe in ein Spiel des Witzes und der Phantasie verwandelt, dem Kopfe und Geiste so Beschäftigung giebt und dadurch ihr Herz und Gefühl vorläufig zu meistern versteht. Aber wenn sie allein mit Celia ist, dann brechen ihre Thränen hervor, und all ihr Muthwille hilft ihr nichts mehr gegen das überquellende Lebensgefühl ihrer leidenschaftlichen Liebe.

So wird Rosalinde immer mehr der Hauptcharakter und

die interessanteste Figur des Stückes. Der vierte Akt beginnt denn auch mit einer grofsen Hauptscene, in welcher sic die erste Rolle spielt. Sie beginnt die weitere Unterhaltung im Ardennerwalde durch einige Scherze mit dem melancholischen Jacques, über die Zwecklosigkeit seiner Reisen, die ihn nur traurig gestimmt hätten, schilt dann ihren Orlando, dafs er so lange ausgeblieben — „sie möchte lieber von einer Schnecke dann geliebt sein, die aufserdem gewisse bedenkliche Zierrathen schon mitbringe" — und führt nun folgendermafsen fort:

Und wenn ich nun wirklich Eure wirkliche Rosalinde wäre, was würdet Ihr jetzt zu mir sagen? —

Orl. Ich würde dich erst küssen, dann sprechen.

Rosal. Nein, Ihr thätet besser, erst zu sprechen; und erst, wenn Ihr stecken bliebet aus Mangel an Stoff, dann könntet Ihr die Gelegenheit wahrnehmen zum Küssen. Die besten Redner, wenn sie aus dem Konzept kommen, speien wohl einmal aus; und für Liebhaber, die nichts zu sagen wissen — Gott behüte uns vor ihnen — ist ein Kufs der beste Nothbehelf.

Orl. Aber wie, wenn der Kufs versagt wird?

Rosal. Dann zwingt die Geliebte Euch zum Unterhandeln: und das giebt neuen Stoff zur Unterhaltung.

Orl. Wer könnte denn wohl in Verlegenheit kommen, wenn er vor seiner wahren Geliebten stünde?

Rosal. Ihr solltet das, fürwahr, wenn ich Euer Schatz wäre, oder ich würde meine Ehrbarkeit für üppiger halten als meinen Witz.

Orl. Wie, Ihr würdet mich also aus meiner Bewerbung herausbringen?

Rosal. Ganz gewifs!* — Bin ich nicht Eure Rosalinde?

Orl. Es macht mir ein besonderes Vergnügen, anzunehmen, Ihr wäret es, nur um mit Euch von ihr zu sprechen.

Rosal. Nun wohl, im Namen ihrer Person sage ich Euch, ich will Euch nicht.

Orl. Dann sage ich Euch im Namen meiner eigenen Person, dafs ich sterben werde.

Rosal. Nein, meiner Treu, überlafst das lieber einem Stellvertreter. Diese arme Welt ist schon sechstausend Jahre alt; und in all dieser Zeit ist noch kein Mann vor Liebe gestorben. Dem Troilus

---

* Das englische Wortspiel, auf der doppelten Bedeutung von „suit" (Kleidung und Bewerbung) beruhend, ist im Deutsche nicht wiederzugeben. Orlando sagt: „Out of my suit?" Und Rosalinde antwortet: „Not out of your apparel, and yet out of your suit. Am not I your Rosalind?"

wurde sein Schädel durch eine griechische Keule entzwei geschlagen, und dennoch that er, was er konnte, um schon vorher an Liebe zu sterben: und er war ein Musterbild der Liebe. Leander würde noch manches schöne Jahr gelebt haben, wäre auch Hero eine Nonne geworden, wenn da nicht in einer heifsen Mittsommernacht etwas Besonderes passirt wäre: er wollte sich nur waschen und baden im Hellespont, bekam einen Krampf und ertrank; und da kommen die närrischen Chronikenschreiber jener Zeit und meinen, da sei Hero von Sestos Schuld gewesen. Das sind ja alles Lügen und Windbeuteleien! Es mag ja wahr sein, es sind zuweilen von Zeit zu Zeit Menschen gestorben, und Würmer haben sie gefressen, aber gewifs nicht aus Liebe — das könnt Ihr mir glauben.

Orl. Ich möchte doch nicht meine brave Rosalinde in solcher Stimmung sehen; denn ich versichere Euch, ihr Zürnen könnte mich tödten.

Rosal. Bei dieser Hand, es könnte nicht eine Fliege tödten! Aber kommt, kommt, mein lieber Herr, jetzt will ich einmal Eure freundliche Rosalinde sein: und nun verlangt, was Ihr wollt, ich will alles gewähren.

Orl. O, dann liebt mich, Rosalinde!

Rosal. Ja, meiner Treu, das will ich, Freitags und Sonnabends und alle Tage.

Orl. Und willst mich zum Manne haben?

Rosal. Jawohl, und zwanzig solche Prachtjungen wie Ihr seid!

Orl. Wie — was sagst du?

Rosal. Seid Ihr nicht ein guter Mann?

Orl. Nun, ich meine doch!

Rosal. Nun denn, kann man von etwas Gutem zu viel haben? — Kommt, Schwester, Ihr sollt Priester sein und uns vermählen!

Gervinus bemerkt mit Recht dazu, es könne einem doch zuweilen angst und bange werden um den guten verliebten Orlando einer schon als Mädchen so schlagfertigen Zunge gegenüber: was wird sie erst darin leisten nach der Vermählung, beim ersten ehelichen Streite, wenn sie eifersüchtig wird oder sich auf Gardinenpredigten verlegt! Aber Shakespeare hat ihr zugleich eine solche Fülle tiefen und reinen Gefühls geliehen, dafs alle Bedenklichkeiten über ihre scharfe Zunge dagegen verschwinden. "Sein Kufs ist so keusch und rein, wie die Berührung des ""vorn Brodes!"" sagt sie einmal zu Celia. Und in ähnlicher Weise bricht öfter ihr tiefes Gefühl für den tüchtigen Mann ihrer Wahl hervor, so dafs all ihr Muthwille in seiner Gegenwart mehr wie eine tiefe Aufregung eben durch die Nähe des Geliebten erscheint, die nun ihren Witz und ihre Zunge in Bewegung setzt, nur um ihrem tiefen Gefühl in dieser Richtung einen Ausweg zu verschaffen, so lange die strenge Sitte und ihr Plan noch keine weitere Annäherung gestatten. Sie wird schon still werden, wenn sie erst in seinen Armen ruht.

Ein solcher höchst interessanter Charakter steht freilich noch nicht auf jener höchsten Höhe reinster Weiblichkeit, wie die tragischen Charaktere der folgenden Periode: eine Desdemona, eine Cordelia, eine Imogen, eine Miranda hätten niemals so lose Reden führen können, wie diese reizende Rosalinde. Aber für ein Lustspiel ist dieser Charakter eben so trefflich geeignet, wie der der Beatrice in dem folgenden „Viel Lärmen um nichts". Wir werden bei dieser noch deutlicher sehen, wie Shakespeare solche lebensprühenden Frauencharaktere für seine Zwecke zu benutzen weiſs.

Eine kurze Jagdscene und ein hübsches Liedchen versetzen uns wieder in das Waldleben der anderen Personen zurück (2. Scene). Dann aber führt uns der Dichter (IV, 3) gleich wieder zu seinen Lieblingsfiguren Rosalinde und Celia: die Botschaft der Phœbe an Ganymed, von Silvius selbst überbracht, hat nur die Wirkung, daſs Ganymed-Rosalinde der Schäferin befiehlt, den Schäfer zu lieben. Dann kommt Oliver, ebenfalls verbannt vom Herzog Frederick, erzählt eine wundersame Geschichte vom Kampfe mit einer Löwin und von der Verwundung seines Bruders Orlando durch sie: und als er das blutige Tuch zum Beweise vorzeigt, daſs Orlando nur deshalb sich verspätet habe, da kommt in Rosalinde die ganze Schwäche des liebenden Weibes zum Vorschein — sie fällt in Ohnmacht und verräth so deutlich, daſs sie kein Mann ist. Celia und Oliver bringen sie zu ihrer Hütte: damit schlieſst der vierte Akt.

Der fünfte Akt stellt nun die Lösung all dieser und Entwickelung durch allgemeine Vermählung dar. Der Ehm im Hymen selber verbindet die liebenden Paare: Rosal und Orlando — Oliver und Celia — Touchstone und ignor, die vorher einen älteren Liebhaber verabschiedet habe. — endlich auch Phœbe und Silvius. Jacques le Bois kommt zuletzt dazu, sich als den dritten Bruder zu Oliver und Orlando zu erkennen gebend, also ein neuer Jacques: als Bote verkündct er, dafs der Herzog Frederick bereits gegen seinen vertriebenen Bruder mit Heeresmacht ausgerückt sei — da habe er am Saume des Ardennerwaldes einen alten Einsiedler getroffen, der ihn von seinem Vorhaben abgebracht, ja sogar der Welt zu entsagen und seine Krone und sein Herzogthum seinem Bruder zurückzugeben bewogen habe. Und so kehren denn alle aus ihrem Wald- und Schäferleben in die alte Heimath zurück.

Das Stück schliefst also wie ein altes Märchen, ist komponirt wie eine Novelle und Wald-Idylle und erhält nur tieferes Interesse durch den fein durchgearbeiteten Charakter der Rosalinde. Wir werden sehen, wie ähnliche Grundzüge auch die folgenden Komödien charakterisiren, wie aber diese nun doch immer feiner und reicher werden in der Durcharbeitung humoristischer Charaktere.* — —

III. Viel Lärmen um nichts.

„Much Ado about Nothing" ist 1600 schon gedruckt, also wohl ebenfalls ein Jahr vorher (1599) entstanden. Als Quelle hat Shakespeare die 22. Novelle des Bandello benutzt. Es ist, wie Coleridge und Gervinus schon richtig bemerkt haben, mehr ein Charakter-Lustspiel, als eine Intriguenkomödie: die Verwickelung und die Komposition überhaupt ist daher ziemlich einfach, der ganze Reiz des Stückes liegt in den Charakteren, besonders in den witzig-lustigen Rollen der Beatrice und des Benedict; die stille Hero, die Tochter des Gouverneurs Leonato von Messina, tritt dagegen ganz zurück, ohgleich um sie und ihr Verhältnis zu Claudio die ganze Intrigue des Stückes sich dreht. Die übrigen Personen des Stücke ... nen sich in drei Gruppen: Don Pedro, der Prinz von A... er ..., sein böser Halbbruder, der Bastard Johann und dessn... vor... er Conrad und Boracchio, nebst dem Diener

* Über de... ...chen Text sieh die Bemerkungen am Schlufs des folgenden Stückes (... ... 158—160).

des prinzlichen Hauses Balthasar, bilden die erste Gruppe; eine zweite repräsentiren die Offiziere der Wache, Dogberry und Verges, und die Wachtmannschaften selbst, bestimmt dazu, durch Ergreifung der Schuldigen die Wahrheit ans Licht zu bringen und die nichtswürdige Verleumdung der edlen Hero zu widerlegen; die dritte Gruppe gehört zum Hause des Leonato, sein Bruder Antonio, ein guter alter Herr mit bereits etwas wackeligem Kopfe, dann Ursula und Margarethe, die Edelfräulein der Hero, lustige Kammerzofen, wie sie in jeder Intrigue brauchbar sind, endlich der die Liebenden vermählende Mönch und andere Nebenpersonen, Boten und Begleiter.

Das Stück spielt in Messina, zur Zeit der spanischen Herrschaft in Neapel und Sicilien. Alles athmet jenes Behagen und Wohlleben des schönen Südens, von welchem Tizian's Gemälde uns ein Bild geben. Gesicherte Verhältnisse, ein reiches Haus, ein schöner Garten, ein regierender Prinz, der im Palaste des Gouverneurs von Messina mit seinen Freunden, Claudio von Florenz und Benedict von Padua, einkehrt, um nach einem glücklichen Feldzuge der Ruhe zu pflegen, die Freuden der schönsten Geselligkeit zu geniefsen und endlich seine jungen Freunde mit der Tochter und der Nichte des Gouverneurs zu vermählen — das ist das köstliche Bild, welches des Dichters Meisterhand uns hier mit der Virtuosität eines Tizian entworfen hat. Schon bei der Ankunft des Boten, mit welchem der erste Akt beginnt, zeigt Beatrice den lustigen Ton, auf den die ganze Gesellschaft gestimmt ist: sie hat dem Benedict versprochen, alle aufzuessen, die sein Heldenmuth im Feldzuge tödten würde. Sie will es dem Boten nicht glauben, als er versichert, dafs er sich durchaus brav gehalten habe; sie erzählt von den letzten Witz- und Wortgefechten mit ihm, und wie sie ihn stets besiegt habe; sie bedauert seinen Freund Claudio, da er den Wechsel liebe, wie der Mond — jeden Monat ein neuer! Und als Benedict eintritt mit dem Prinzen und Claudio und gleich seine Witze beginnt, bemerkt sie ihm impertinent genug:

I wonder, that you will still be talking, Signior Benedick: no body marks you.

Und er antwortet ebenso grob:

What, my dear lady D i s d a i n! are you yet living?

Seht einmal, seid Ihr auch noch da? Lebt Ihr wirklich noch, mein theures Fräulein Übermuth und Verachtung?

Im weiteren Verlaufe des Gespräches versichert sie ihm ganz unbefangen, „sie höre lieber ihren Hund eine Krähe anbellen, als einen Mann ihr Liebe schwören" — ein Prachtstück also von einem gesunden und resoluten Mädchen, dessen herbe Jungfräulichkeit noch nichts von allem wissen will, was sonst einzig der Mädchen Sinnen und Trachten erfüllt. „Gott erhalte Euch bei dieser Gesinnung!" sagt Benedict darauf — „so wird doch ein oder anderer Mann dem Schicksal entgehen, von Euch sich das Gesicht zerkratzen lassen zu müssen!" Wir sehen, sie schonen sich durchaus nicht gegenseitig.

Unterdessen hat Claudio verwundert sich die stille Hero angesehen, hat gleich Feuer gefangen und beschlossen, sich um sie zu bewerben. Der Prinz verspricht ihm, am Abend auf dem Balle den Brautwerber für ihn zu machen. Antonio's Bedienter hört dies Gespräch und glaubt verstanden zu haben, d e r P r i n z s e l b s t w o l l e s i c h u m H e r o b e w e r b e n — was Antonio nun gleich brühwarm, wie er es vernommen, dem Leonato mittheilt. Sein Bruder Johann der Bastard aber erfährt gleich darauf von Boracchio den wahren Sachverhalt und beschliefst, dagegen zu intriguiren: damit endet der erste Akt.

Der zweite Akt entwickelt bereits diese Intrigue, indem Johann den Claudio glauben macht, der Prinz bewerbe sich selbst um Hero für seine eigene Person. Das stellt sich nun zwar bald als eine Täuschung heraus, dient aber dazu, in Betreff des leichtgläubigen Claudio zu zeigen, was bei seinem Charakter überhaupt möglich ist. Wichtiger aber ist die zweite Intrigue, die den Schlufs des zweiten Aktes erfüllt (Scene 3): der Prinz beschliefst, den Benedict und die Beatrice in einander verliebt zu machen und läfst dies sogleich in der Weise ausführen, dafs er mit Leonato und Claudio im Garten derartig von Beatrice's Liebe zu Benedict spricht, dafs dieser jedes Wort hören und die Sache für wirklich wahr halten mufs — eine köstliche Scene!

Im dritten Akt spielen Hero, Magarethe und Ursula dasselbe Spiel mit Beatricen, indem sie ebenfalls in der Weise,
dafs dieselbe jedes Wort hören mufs, sich von der Liebe des
Benedict zu ihr unterhalten.   Die Wirkung ist eine ebenso
plötzliche und entscheidende, wie bei Benedict: beide sind
nun bereits heimlich von ihrer Liebe zu einander überzeugt,
eine völlige Wandlung geht in ihnen vor, jedes beschliefst
bereits bei sich, den anderen nicht unglücklich werden zu
lassen.

Unterdessen hat aber Johann der Bastard seine Intrigue
weiter gesponnen: er ladet seinen Bruder Pedro und den Claudio
ein, zuzusehen, wie Hero einen Mann durch ihr Fenster ein-
läfst.   Boracchio erzählt darauf in der folgenden Scene (III, 3)
den Schurkenstreich, den er mit dem Bastard verabredet: die
Wache hört das und nimmt beide in Gewahrsam; so ist der
Zuschauer bereits vorbereitet darauf, dafs Hero's Unschuld an
den Tag kommen wird.

Und nun nachdem in dieser Weise beide Intriguen zu
einer entscheidenden Wendung weiter geführt sind, so schliefst
der dritte Akt mit einigen reizenden kleinen Scenen (4 u. 5):
Hero kleidet sich zur Vermählung an, es ist 5 Uhr Morgens,
Margarethe und Beatrice helfen ihr dabei.   Die erstere zeigt in
ihren Reden bei dieser Gelegenheit, dafs sie des bösen Strei-
ches fähig ist, den sie der Hero gespielt hat: „Fye upon thee!
Art not ashamed?" so mufs Hero ihre losen Reden zur Ruhe
verweisen.   Auch Beatrice wird von ihr geneckt: „Mir scheint,
Eure Augen sehen jetzt genau so drein, wie andere Frauen-
zimmer auch thun!" spöttelt sie.   Dann meldet Ursula, die
Herren kämen bereits, die Braut zur Kirche abzuholen: und
nun eilen sie, die Toilette zu beendigen. — Die letzte Scene
stellt in ebenso ergötzlicher Weise, wie die Offiziere der Wache
schon vorher den gemüthlichen Schlendrian ihres Dienstes kund
gegeben haben, einen verunglückten Versuch dar, die Meldung
über die Gefangenen an den Mann zu bringen: Leonato, der
Gouverneur, hat jetzt keine Zeit für die schwerfälligen Redensarten, mit denen sie ihn lange genug schon aufgehalten; er
bittet sie, die Gefangenen selbst zu examiniren und ihm später
Bericht zu erstatten.

So ist dieser dritte Akt wieder ganz vortrefflich und ganz durchsichtig komponirt: die beiden Intriguen verbinden sich zu einer Gesammtwirkung, Beatrice wird verliebt, Hero wird verleumdet; und die kleinen Nebenscenen (4 u. 5) werfen noch einmal ein helles Licht auf die wirkliche Sachlage, erhalten also das Stück im Lustspielcharakter, da sonst vielleicht der Beginn des vierten Aktes einen gar zu tragischen Eindruck machen könnte.

Dieser vierte Akt beginnt nämlich mit einer wahrhaft grausamen öffentlichen Beschimpfung der Hero in der Kirche: vor dem Traualtar weist der Bräutigam die Braut zurück, so harte Beschuldigungen auf ihre Ehre werfend, daſs die arme Hero darüber in Ohnmacht fällt. Der Mönch schlägt darauf vor, als alle Hochzeitsgäste und der Bräutigam selbst sie verlassen haben, man solle das Gerücht ihres Todes aussprengen. Dies geschieht. Benedict und Beatrice bleiben dann allein zurück; und nun erfolgt das reizende Geständnis zwischen diesen beiden tapferen, geistreichen und witzigen Naturen, die bisher immer auf dem Kriegsfuſse mit einander standen (IV, 1 am Ende):

> Bened. Beatrice, du weinst?
> Beat. Ja, und ich will noch lange weinen — die arme Hero!
> Bened. Thu mir das nicht an, Beatrice: ich könnte es nicht ertragen.
> Beat. Es schadet Euch ja nichts — ich weine für mich!
> Bened. Gewiſs, theure Beatrice, ich glaube doch, daſs man Eurer schönen Cousine Unrecht gethan hat.
> Beat. Wie könnte sich der Mann um mich verdient machen, der sie wieder zu Ehren bringen würde!
> Bened. Giebt es irgend einen Weg, Euch solche Freundschaft zu beweisen?
> Beat. O, einen ganz ebenen leichten Weg schon, aber keinen solchen Freund.
> Bened. Vermag ein Mann es auszuführen?
> Beat. Freilich, ein männlich Thun ist es, aber nicht das Eure.
> Bened. Es ist seltsam — ich liebe nichts auf der Welt so sehr als Euch.
> Beat. Ebenso seltsam, wie jenes Etwas, was ich nicht kenne. Ebenso gut könnte ich sagen, ich liebte nichts so sehr als Euch. Aber glaubet mir nicht — und dennoch — ich lüge nicht — ich will nichts gestehen und nichts leugnen — ich bin nur traurig wegen meiner Cousine!

Bened. Bei meinem Schwerte, Beatrice, du liebst mich!

Beat. Schwöre nicht bei deinem Schwerte — widerrufe es!

Bened. Ich will bei ihm schwören, dafs du mich liebst, und den w ich zum Widerrufe zwingen, der sagt, dafs ich Euch nicht liebe! ill

Beat. Wollt Ihr das nicht widerrufen?

Bened. Nein, niemals! Ich betheure dir nochmals, ich liebe dich!

Beat. Nun denn — Gott vergebe es mir!

Bened. Welche Sünde, holde (sweet) Beatrice?

Beat. Ihr habt mich in einer unglücklichen Stunde getroffen: ich war eben daran, Euch zu gestehen: Ich liebe Euch!

Bened. Von ganzem Herzen, thue es nur!

Beat. Ich liebe Euch mit so viel von meinem Herzen, dafs gar nichts übrig bleibt, es Euch zu versichern!

Bened. Komm, Beatrice, befiehl mir, was du willst!

Beat. Tödte den Claudio!

Bened. Himmel! Nicht für die ganze Welt!

Beat. Eure Versagung tödtet mich — Lebt wohl!

Bened. Halt, holde Beatrice — weile noch!

Beat. Ich bin schon fort, obwohl ich noch hier bin — denn in Euch ist keine Liebe — Nein, fürwahr — ich bitte Euch — lafst mich gehen!

Bened. Beatrice! — — —

Beat. Wirklich, ich möchte gehen — lafst mich — ich bitte Euch!

Bened. Erst lafs uns Freunde sein!

Beat. O ja, es ist freilich leichter, mit mir Freund sein, als kämpfen mit einem Feinde.

Bened. Ist Claudio denn dein Feind?

Beat. Aber hat er sich denn nicht als ein vollkommener Tölpel und Schuft erwiesen, dafs er meine Verwandte so verleumdet, verachtet, entehrt hat? — O, dafs ich ein Mann wäre! — Wie — sie hinhalten, bis sie dazu kommen, die Hände zur Vermählung ineinander zu legen — und dann mit einer öffentlichen Anklage zu kommen, mit offener Verleumdung, mit rücksichtslosem Grimm und Groll — o! dafs ich ein Mann wäre! Sein Herz wollte ich ihm aus dem Leibe reifsen und es verzehren vor aller Augen! —

Bened. Beatrice, hör' mich an!

Beat. Mit einem Manne aus dem Fenster soll sie gesprochen haben — eine recht hübsche Nachrede!

Bened. Nein, aber, Beatrice —

Beat. Diese sanfte Hero! — O, Verleumdung, Unrecht, Nichtswürdigkeit ist alles!

Bened. Beatrice —

Beat. Prinzen und Grafen — nette Gesellschaft — wirklich!
Ein prinzliches Zeugnis, ein gräfliches Machwerk! — Ein feiner Liebhaber, wirklich! Ein zuckersüſses Gräflein! — O, daſs ich ein Mann
wäre! Oder daſs ich nur irgend einen Freund hätte, der meinetwegen
ein Mann sein wollte! Aber die Männlichkeit ist in Höflichkeit zer-
schmolzen, Tapferkeit ist in Komplimente verwandelt, und Männer sind
nur noch mit der Zunge brav. Sie haben sich in Zieraffen umgesetzt:
wer jetzt nur gehörig lügen und noch dazu es beschwören kann, der
ist so tapfer wie Herkules. Nun, mein Wunsch kann mich nicht zu
einem Manne machen — so will ich denn wie ein Weib vor Kummer
sterben!

Bened. Halt, gute Beatrice, bei dieser Hand, ich liebe dich!

Beat. Gebrauche sie meiner Liebe wegen zu anderem Zwecke
als zum Schwören!

Bened. Ihr glaubt also wirklich in Eurer Seele, daſs der Graf
Claudio seiner Hero Unrecht gethan?

Beat. Ja, bei Gott, so wahr ich eine Seele und Gedanken
habe.

Bened. (entschlossen): Genug, jetzt bin ich in deinem Dienste:
Ich will ihn herausfordern! Ich küsse deine Hand und so verlasse ich dich! Bei dieser Hand, Claudio soll mir theure Rechen-
schaft ablegen! Wie du von mir hörest, so denke über mich! Geh,
tröste deine Cousine! Ich werde sagen, sie sei todt: und so — lebe
wohl! —

Das ist diese berühmte Scene, in der beide Intriguen des
Stückes sich wieder zu einer entscheidenden Wendung verbinden. Benedict hat' in der That die Stunde glücklich gewählt:
seine Beatrice ist erschüttert, in tiefster Seele verletzt, weich
und traurig geworden über das unerwartete Miſsgeschick ihrer
Cousine — diese weichere Stimmung macht sie geeignet, Benedict's Liebeserklärung anzuhören. Aber wie tapfer, wie stolz
und resolut erweist sie sich doch gleich wieder: nur der Mann
soll ihre Liebe gewinnen, der diese Schmach mannhaft zu
rächen sich entschlieſsen kann. Benedict bewährt sich als
diesen Mann: die Herausforderung soll wie ein Gottesgericht
über die Sache entscheiden.

Der Akt schlieſst dann ebenso heiter, wie er tragisch begonnen hat — ein vortrefflicher **Kontrast**: Hero's Unschuld
wird durch das Verhör der Gefangenen an den Tag gebracht;
die Art des Verhörens ist aber derartig humoristisch gehalten,
daſs man aus dem Lachen gar nicht herauskommt. Als Con-

rad den guten Dogberry einen **Esel schilt**, sagt dieser zuletzt:

Hast du denn keine Ahnung von meiner Stellung, keine Idee von meinen Jahren? — Wenn er nur noch da wäre, um das niederzuschreiben — ich ein Esel! — Aber, die Herren hier werden es behalten, dafs ich ein Esel bin! — Nein, du Schuft, du steckst voll von Pietismus, wie durch gute Zeugen kann bewiesen werden. Ich aber **bin ein weiser Mann** — und was mehr ist, **ein Offizier!** — Und was mehr ist, **ein guter Haushalter!** — Und was mehr ist, **so ein hübscher Herr**, als irgend einer in Messina — und einer, der das Gesetz kennt — und reich genug dazu — und habe schon Verluste gehabt — und hatte zwei Röcke an und alles fein und nett an mir — ja! — Aber fort mit ihm — o! dafs es aufgeschrieben wäre — ich ein Esel! —

Der fünfte Akt bringt dann alles zur glücklichsten Lösung: nach einer heftigen Scene zwischen dem Vater Leonato und dem Claudio bringt Benedict seine Herausforderung an, wobei Pedro und Claudio immer noch die Scherzreden über Beatricens Verliebtheit fortsetzen; dann aber enthüllen die Wachen mit ihren Gefangenen vor Claudio und Leonato die schändliche Verleumdung der Hero, und Leonato ladet den Claudio zu einer neuen Vermählung mit einer der Hero ähnlichen Nichte ein. Maskirt werden die Damen im Brautstaat hereingeführt — dann die Wiedererkennung der Todtgeglaubten — dann die Doppel-Vermählung: und selbst da zeigt die besiegte Beatrice noch etwas von ihrem alten Trotz; denn: „nur auf vieles Zureden will ich Euch nehmen!" sagt sie — „zum Theil, nur um Euer Leben zu retten; denn man hat mir gesagt, Ihr verzehrtet Euch in Liebe zu mir!"

„Friede!" sagt Benedict darauf: „Ich will Euch mit Küssen den Mund stopfen!" —

Und so schliefst das amüsante Stück. Es will gespielt sein: namentlich die beiden Hauptrollen sind durchaus nicht leicht zu geben. Auf den Londoner Theatern lebt noch die Tradition fort, wie Garrick den Benedict, Mrs. Pritchard die Beatrice gespielt hat. Wir haben das Stück noch auf keinem deutschen Theater gesehen, glauben aber, dafs es eine höchst bedeutende Wirkung und grofsen Erfolg haben würde, wenn es etwa so gespielt und arrangirt würde, wie die Meininger

Schauspieler das Wintermärchen geben.* — — (Siehe die Anmerkung am Schluſs, pag. 163.)

Was die älteste Ausgabe des Stückes betrifft, so scheint
sie ein ähnliches Verhältnis zur Folio von 1623 einzunehmen,
wie die erste Quarto von Heinrich IV. Der Text differirt im
Ganzen wenig und ist so korrekt, daſs auch hier die Vermuthung nahe liegt, der Dichter habe selbst sein Theater-
Manuskript in Druck gegeben. Die Vermeidung allen unnützen
Beiwerkes im Titel, die Erwähnung der Schauspielertruppe und
des Namens des Dichters, dann die Angabe desselben Ver-
legers (Andrew Wise), der auch die guten Quartos von
Richard II. und Heinrich IV., 1, hat drucken lassen,** vor
allem aber der eigenthümliche Umstand, daſs bei der Eintragung in die Buchhändler-Register vermerkt wurde (im August
1600), daſs die Veröffentlichung des Stückes durch
einen andern Verleger sei gehindert worden —
alles dies macht die Vermuthung zur Gewiſsheit, daſs wir
hier den authentischen Text der ersten Aufführung vor uns
haben.

Prüft man die einzelnen Varianten der 23 Jahre später,
nicht mehr bei Lebzeiten des Dichters gedruckten Folio genauer, so erscheinen dieselben wie Korrekturen der Herausgeber, die durchaus nicht immer eine Verbesserung des älteren
Textes repräsentiren. Zum Beweise dieser meiner einen ganz
fest bestimmten Standpunkt darstellenden Behauptung in Bezug
auf den hohen Werth der genannten drei Quartos (printed for
Andrew Wise) gehe ich einige dieser Varianten genauer durch.
Ich mache zugleich darauf aufmerksam, daſs unter den Editoren
des 18. Jahrhunderts Theobald eine besondere Beachtung
verdient: seine Ausgabe erschien 1733, in zweiter Auflage
1740, in acht Bänden. Diese letztere habe ich vor Kurzem

---

* Über die einzelnen Charaktere vgl. die vortreffliche Abhandlung von
Gervinus, Bd. I, pag. 514—534, sowie auch Mrs. Jameson, pag. 77
bis 83. Nur moralisirt jener wieder zu viel. — —
Der englische Text existirt auſser der Folio-Edition nur in einer Quarto
vom Jahre 1600.
** Die schlechte Quarto von Heinrich V. vom Jahre 1600 ist nicht von
Andrew Wise verlegt, sondern: „Printed by Thomas Creede, for Thomas
Millington und John Busby.

auf der hiesigen Königl. Bibliothek sorgfältig revidirt und mich dabei persönlich davon überzeugt, dafs seine Konjekturen das hohe Ansehen rechtfertigen, in welchem seine Ausgabe auch noch bei den Editoren unseres Jahrhunderts zu stehen scheint. Delius nimmt besonders gern Rücksicht auf ihn; auch Leo knüpft an seine Emendationen an und hat dieselben in einem Falle mit seinem gewohnten Geschick und Glück besonders erfolgreich weiter geführt (Shakespeare-Jahrbuch XV, p. 165).

Zunächst ist zu erwähnen, dafs Theobald zuerst die Rolle der Mutter der Hero, Innogen mit Namen, gestrichen hat, weil sie nur eine stumme Rolle war. Shakespeare aber hat sie nach der Quarto unzweifelhaft mit auftreten lassen; man beachte dabei, dafs auch Hero, ihre Tochter, auffallend wenig an den ersten Gesprächen Theil nimmt: Beatrice spricht so viel, dafs das stumme Spiel der übrigen Frauen dadurch erträglich wird. Ich zweifle meinerseits daran, ob ein guter Schauspieldirektor wohl daran thäte, diese mütterliche Begleitung der stillen, sanften Hero fallen zu lassen.

Die Erklärung des Namens Adam als eines guten Bogenschützen rührt ebenfalls von Theobald her. Benedict sagt: „And he that hits me, let him be clapped on the shoulder and called Adam." — Theobald erwähnt ein Lustspiel jener Zeit von John Day, betitelt „Law Tricks", in welchem Adam Bell als guter Schütze erwähnt wird.

In der Quarto redet Don Pedro (I, 1) den Gouverneur von Messina folgendermafsen an: „Good Signor Leonato, are you come to meet your trouble? The fashion of the world is to avoid cost, and you encounter it!" Und Leonato antwortet: „Never came trouble to my house in the likeness of your grace" etc.

Frage und Antwort treten hier so zweckmäfsig und sinnentsprechend einander gegenüber, dafs ich es für keine Verbesserung halten kann, wenn die Folio dafür liest, ohne Frage: „You are come to meet your trouble." — —

Ferner in den Wechselreden zwischen Don Pedro, Claudio und Benedict liest die Quarto richtig:

Claudio. And in faith, my lord, I spoke mine (my thought).

Bened. And by my two faiths and troths, my lord, I spoke mine.

Die Korrektur der Folio „speak" ist offenbar ganz über-flüssig. —

Nach Delius liest die Quarto am Ende der ersten Scene:

> And I will break with her, and with her father,
> And thou shalt have her. Was't not to this end,
> That thou beganst to twist so fine a story?

Der Ausdruck to „break with" steht hier im Sinne von „sich aussprechen mit einem, einem etwas mittheilen"; to twist heifst „zusammendrehen, entwerfen" — hier eine verwickelte Erzäh-lung geben oder komponiren.

Dafür liest nun die Folio ganz unnöthig, mit Auslassung eines Verses:

> And I will break with her: was't not to this end,
> That thou beganst to twist so fine a story?

Die Herausgeber hätten wissen sollen, dafs in Italien der Vater die Hauptperson ist für die Vermählung der Töchter. Auch hat Claudio seine Geschichte erzählt, um die Hero wirk-lich zur Gattin zu bekommen, nicht nur deshalb, damit der Prinz mit ihr sprechen solle. — —

Im Anfang der dritten Scene sagt Conrad: „If not a pre-sent remedy, at least a patient sufferance!" Für diese gute und energische Lesart der Quarto setzt die Folio: yet a pa-tient sufferance! Jedenfalls doch schwächer und unbedeutender

Weiter sagt Conrad: „You have of late stood out against your brother, and he has taken you newly in his grace; where it is impossible you should take true root, but by the fair weather that you make yourself: it is needful that you frame the season for your own harvest."

Aus diesem ganzen Zusammenhange geht deutlich hervor, dafs es sich darum für Johann handelt, wirklich und ordent-lich jetzt Wurzel zu fassen in seines Bruders Gunst. Diese gute Lesart der Quarto wird also nicht verbessert, wenn die Folio das „true" ausläfst — das kann nur ein Versehen des Setzers sein. — —

Die wichtigsten Emendationen Theobald's finden sich im zweiten Akte; namentlich hat er da eine Konjektur in der ersten Scene gemacht, die überraschend wirkt durch ihren feinen Sinn:

Don Pedro.   My visor is Philemon's roof; within the house is Jove! —

So korrigirte Theobald das „love“ der Folio, mit einer hübschen Anspielung auf den Besuch des Göttervaters unter dem schlechten Dache von Philemon und Baucis. Er führte auch bereits die ähnliche Stelle aus „As you like it“ an (III, 3): „O knowledge ill inhabited, worse than Jove in a thatched house!“

Mit Recht führt Delius zu dieser Stelle den Vers aus Golding's englischer Übersetzung des Ovid an, der dem Dichter dabei mag vorgeschwebt haben:

The roof thereof was thatched all with straw and fennish reed.

Noch überraschender aber wird diese sinnreiche Lesart dadurch, daß sie sich in der Quarto von 1600 findet und somit einen der stärksten Beweise hergiebt für den prävalirenden Werth der Quartausgabe. — —

Die Noten 26, 41 und 44 derselben Scene bei Delius sind fernere Beweise für die Lesarten der Quarto: county für count, my Lady Tongue statt this Lady und that jealous complexion statt a j. c. entsprechen besser dem Sprachgebrauche unseres Dichters. In Bezug auf die zweite Lesart erinnere ich nur an die bekannte Stelle im Hamlet: „Now get you to my lady's chamber and tell her, let her paint an inch thick, to this favour she must come.   Make her laugh at that!“ — —

Zweifelhafter erscheint die Emendation Theobald's: „an happiness“ statt unhappiness in der Rede des Leonato über Beatrice:

There's little of the melancholy element in her, my lord: she is never sad, but when she sleeps; and not ever sad then! For I have heard my daughter say, she has often dreamed of an happiness and waked herself with laughing!

Ich erinnere jedoch daran, daß Don Pedro etwa in der Mitte der dritten Scene desselben Aktes von Benedict rühmt:

„He hath indeed a good outward happiness!" und dafs Jago im Othello sagt: „Happiness to their sheets!"

Das Wort war dem Dichter also doch ganz geläufig in dieser Ideen-Assoziation und giebt einen besseren Sinn hier als unhappiness. Vielleicht liegt sogar eine Andeutung darin, der Schelm habe von Benedict geträumt. Der Scherz (pretty jest) der Hero bezieht sich offenbar darauf, wie aus den vorhergehenden Reden des Leonato deutlich hervorgeht. — —

Im folgenden dritten Akt hat Delius bereits die besseren Lesarten der Quarto fast sämmtlich in den Text aufgenommen, weshalb ich der Kürze wegen auf ihn verweise: sieh bes. III, 1, Note 18, 24 etc. Auch die Korrekturen der späteren Folio-Editionen sind zuweilen zu beachten, obwohl sie weniger bedeutend erscheinen, z. B. III, 3, Note 13.

Im vierten Akte hat Theobald zuerst einmal den Vers verbessert durch eine geschickte Ergänzung des proof zu approof, so dafs Leonato also sagen würde (Sc. 1, Zeile 45):

> Leon. Dear my lord, if you in your own approof
>   Have vanquished the resistance of her youth etc.

Dann aber findet sich bei ihm wieder eine recht gelungene Emendation in der Rede des Mönches:

> Your daughter here the princes left for dead,

während die früheren Ausgaben aus der Hero eine Prinzessin (princess) plötzlich werden liefsen, was sie doch nicht ist. So verändert ein Buchstabe den ganzen Sinn!

Ferner hat Theobald schon das altsächsische, im Plattdeutschen noch ganz bekannte Wort gesetzt für das ganz ungebräuchliche eftest: nämlich „deftest", entsprechend dem plattdeutschen „deftig" = passend, geschickt, tüchtig, kräftig, recht gut, also hier: „der beste Weg!" (Sc. 2, Dogberry's Rede).

Im fünften Akt erscheint dann gleich im Anfang die interessante Konjektur, an welcher sich seit Theobald alle Herausgeber und Erklärer bis auf Delius und Leo versucht haben. Da der Sinn nach allen bisher versuchten Erklärungen kaum zweifelhaft sein kann, so gestehe ich, dafs mir die kühne

Emendation unseres Leo als die beste Lösung der Streitfrage und überhaupt als ein vorzügliches Muster einer modernen Verbesserung eines alten Textes erscheint. Ich verweise darüber kurz auf die bereits citirte Stelle im Shakespeare-Jahrbuch (1880, pag. 165: „Besprechung über Verbesserungs-Vorschläge zu Shakespeare") und lese also mit ihm die Rede des Leonatus folgendermafsen:

> If such a one will smile and stroke his beard,
> At sorrow's rage cry „hem!" — when he should groan etc.

Dies mag vorläufig genügen, um in Bezug auf die vorliegende Komödie „Much Ado about Nothing" eine kleine Probe davon zu geben, mit welcher Vorsicht diese textkritischen Fragen wollen behandelt sein. —

Was die beiden vorhergehenden Lustspiele betrifft, so liegt bei ihnen die Sache insofern einfacher, als nur Folio-Editionen existiren, keine Quartos. Aber der Text als solcher bietet manche Schwierigkeiten dar, so dafs hier eine genauere Durchsicht der Editionen des 18. Jahrhunderts besonders zu empfehlen ist. Theobald namentlich hat mir wieder gute Dienste geleistet. Nur seiner berühmten Konjektur im ersten Akte, Sc. 3, von „All's well that ends well" kann ich meine Zustimmung nicht geben: loneliness statt loveliness scheint auf den ersten Blick allerdings sehr plausibel zu sein, und die Verwechselung des v (u) und n im Druck ist bekanntlich die häufigste, die vielleicht überhaupt vorkommt, auch bei unseren Setzern noch. Aber man achte doch einmal genauer auf den ganzen Zusammenhang. Die Gräfin von Roussillon, in ihrer Bemühung, die Liebe der reizenden Helena zu ihrem Sohne zu entdecken, ertappt das Mädchen darauf, dafs sie bei ihren ersten Worten — Mutter, Tochter, Schwiegertochter — in grofse Aufregung geräth, bald erröthet, bald erblafst, und so alle jene ein tugendhaftes Mädchen so unbeschreiblich liebenswürdig kleidenden Zeichen kund giebt, mit welchen die erste Liebe die Unschuld zu schmücken. pflegt. Dafs ein schönes junges Mädchen in solchem Zustande, wenn zum ersten Male Wangen, Hals und Nacken wie mit Purpur übergossen erscheinen, ganz besonders reizend sich darstellt, wird niemand leugnen. Darauf sagt nun die Gräfin: „Um Gotteswillen, Mädchen, was ist dir? Warum fliegt dein Puls so? — Und nun wieder bleich? — Ah, jetzt hat mein Argwohn deine Neigung entdeckt, jetzt sehe ich das Räthsel und Geheimnis deines liebenswürdigen Wesens aufgedeckt vor mir liegen, jetzt habe ich die Quelle deiner bitteren Thränen gefunden — du liebst meinen Sohn! Jedermann sieht es ja deutlich — eine flammende Wange erzählt es der andern, deine glänzenden Augen sprechen es offen aus — der lauten Verkündigung solcher Leidenschaft gegenüber schämt die Verstellung sich, es noch ferner abzuleugnen!"

Ich wüfste nicht, was in diesem Zusammenhange der wunderbar schönen und sinnreichen Stelle noch zu korrigiren und zu emendiren wäre und lese daher mit der ältesten Folio:

Countess.

> Yes, Helen, you might be my daughter-in-law!
> God shield, you mean it not! daughter and mother
> So strive upon your pulse! What, pale again?
> My fear hath catch'd your fondness: now I see
> The mystery of your loveliness, and find
> Your salt tears head. Now to all sense 'tis gross,
> You love my son: invention is ashamed,
> Against the proclamation of thy passion,
> To say, thou dost not! Therefore tell me true ... etc. —

Ferner: Die vielen Reime im ersten Akt können als ein Beweis der früheren Entstehung der ersten Anlage des Stückes gelten. Die Gleichzeitigkeit der ersten Akte mit „Love's Labour's Lost" verräth auch die in beiden Stücken vorkommende Wahl der Ausdrücke in Lafeu's Rede, im Anfang des zweiten Aktes. Er preist die Helena als einen Arzt an:

> That's able to breathe life into a stone,
> Quicken a rock, and make you dance canary
> With spritely fire and motion; whose simple touch
> Is powerful to araise king Pepin, nay
> To give great Charlemain a pen in's hand
> And write to her a love-line!

Die gesperrt gedruckten seltsamen Wendungen finden sich ganz ähnlich im dritten und vierten Akte von Love's Labour's

Lost" — worauf ich Mr. Furnival doch besonders aufmerksam machen möchte, um ihn zu fragen, wie alles dies zu seiner Theorie stimmt und ob er diese Partien auch in das Jahr 1601 setzen will, während L. L. Lost schon 12 Jahre früher (1589) soll entstanden sein.

Dagegen ist die ungewöhnlich lange dritte Scene des zweiten Aktes, meisterhaft ausgearbeitet, bereits in den charakteristischen Stil der folgenden Periode hinübergeführt: „Lustick, as the Dutchman says!" Mit diesen Worten des Lafeu scheint unser grofser Dichter in aller Form von seinen Lateinern und Italienern her zur holländischen Malerschule abzuschwenken. Die zahlreichen Hendekasyllaben und die häufigen Enjambements in den Reden des Königs und Bertrams deuten ebenfalls auf die folgende Periode hin, nicht mehr auf die Zeit von Love's Labour's Lost mit all ihrem „Chaff". — —

Der Schlufs des Aktes, wo Helena in so zarter und schüchterner Weise wenigstens um einen Abschiedskufs bittet, zeigt eine Meisterschaft des poetischen Gefühls und einen so feinen Takt im Dichter, dafs derselbe bereits der dritten Periode angehören mufs. Ebenso ist der Monolog der zurückgekehrten Helena im dritten Akte, am Ende der zweiten Scene, von einer überraschend reifen Schönheit und könnte sehr wohl ein späterer Zusatz sein, während das gleich darauf folgende Sonett wieder an die Zeit von Romeo und Julia erinnert (III, 4). Einzelne Schwierigkeiten des Textes sind hier von Delius genügend erklärt; ich mache besonders aufmerksam auf die Emendation der späteren Folios in der Rede des Clown (III, 2, 9):

I know a man, that had his trick of melancholy, sold a goodly manor for a song.

Die erste Folio hat das unverständliche hold dafür. Die Erklärung bei Delius, Note 2.

In der weiteren Ausführung des Planes der Helena hat der Dichter offenbar seine ganze Kunst aufgeboten, um das bedenkliche Thema allmählich immer plausibler zu machen: und so sind die Schlufsscene des dritten Aktes (III, 7), die zweite Scene des vierten Aktes — Diana und Bertram — und vor

allem die bereits besonders hervorgehobene v i e r t e S c e n e
d e s v i e r t e n A k t e s sprechende Beweise für den neuen Stil,
der die Periode von 1595—1601 charakterisirt. Auch der
Schluß des fünften Aktes ist so reich zu einer wieder auffallend langen Scene ausgearbeitet, daß die Vermuthung wiederholter späterer Zusätze hier besonders nahe liegt. Es mögen
diese kurzen Andeutungen nur zum Beweise dafür dienen, wie
richtig C o l e r i d g e in seinen „Lectures" die beiden verschiedenen Stilarten des Stückes unterschieden hat. Das interessante
Lustspiel muß demgemäß als eins der wichtigsten Ü b e r -
g a n g s s t ü c k e vom italianisirenden Konzettistenstil zum sachlich charakteristischen Stile der Histories und Comedies von
1595—1601 betrachtet werden: die zwei Titel entsprechen
diesen beiden Stilen.

Einzelne Schwierigkeiten des Textes, die bereits zu textkritischen Streitfragen Gelegenheit gegeben haben, behalte ich
noch einer besonderen Besprechung vor,* da einige Bemer-

---

* Ich erinnere hier nur an die berühmteste dieser Stellen, welche nach
I n g l e b y („Notes and Queries", London) nicht weniger als etwa 20 Versuche zu Emendationen hervorgerufen hat. Die Stelle steht IV, 2 in der
schönen Scene zwischen Diana und Bertram, etwa in der Mitte (Vers 40)
und lautet nach unserer Lesung:

    Diana. I see, that men wake hopes with such a charm,
          That we'll forsake ourselves. Give me that ring!

Und sie ist zu übersetzen: „Ich sehe, daß ihr Männer in so bezaubernder
Art Hoffnungen zu erwecken versteht, daß wir nicht ferner widerstehen
können. Gebt mir den Ring!" Und es bezeichnet in dieser Weise die
wichtige Stelle genau den Moment, wo die strenge Diana dem werbenden
Liebhaber scheinbar nachzugeben beginnt, aber freilich nur unter der Bedingung, daß er ihr den Ring giebt. Diese, wie mir scheint, durchgreifend
allen sonstigen an diese Stelle geknüpften Unsinn beseitigende Emendation
verdanken wir unserem L e o , dem feinsinnigen Herausgeber unseres Shakespeare-Jahrbuches, dem ich mich ganz besonders zu Danke verpflichtet be-
kenne, weil er mich in persönlicher mündlicher Mittheilung auf diese und
andere Feinheiten der neueren Textkritik zuerst aufmerksam gemacht hat.
Alle seine Arbeiten in dieser Hinsicht verdienen die genaueste Berücksichtigung und das eingehendste Studium. Ich mache noch besonders aufmerksam, außer auf die zahlreichen Abhandlungen im Shakespeare-Jahrbuch, auf
seinen bereits im Jahre 1853 (bei Asher) erschienenen „S u p p l e m e n t -
B a n d z u S h a k e s p e a r e ' s W e r k e n", in welchem die interessante Streitfrage der Collier'schen Korrekturen die gründlichste Erörterung findet.
Collier hat an dieser Stelle suit statt charm, was ebenfalls einen erträg-
lichen Sinn geben würde (Bewerbung).

Nachträglich erhalte ich noch von Leo die briefliche Mittheilung, daß
er folgende Form seiner Emendation jetzt als die beste betrachtet:

kungen über „As you liké it" mir vorläufig hier von gröfserer Wichtigkeit zu sein scheinen.

Auch von „As you like it" existirt nur die Folioausgabe, obwohl ein Quartoabdruck einmal mufs beabsichtigt gewesen sein, da die Eintragung in die Buchhändlerregister unter dem 4. August 1600 stattgefunden hat.

> I see that men wake hopes and use a charm
> That we forsake ourselves. Give me that ring.

Also gleichsam ein Zaubermittel anwenden — etwa wie Othello (I, 3) in seiner Rede vor Doge und Senat diesen hübschen Ausdruck gebraucht. In der Folio aber steht die seltsame Stelle folgendermafsen gedruckt:

> I see that men make rope's in such a s c a r r e ,
> That we'll forsake our selves. Give me that ring.

D e l i u s versucht dies zu erklären — ich gestehe, in einer Weise, die mir ganz unmöglich zu sein scheint: was hat das mit Stricken sich an Felsen heraufwinden mit der Situation hier zu thun? Das Bild liegt gar zu fern und entspricht aufserdem nicht dem Wortlaute: der zweite Vers müfste dann statt mit That, mit Where beginnen. — I n g l e b y ' s Emendation dagegen lautet:

> I see that men make promise — such as care
> That we'll f. ours. Give me th. r.!

Man sieht deutlich, Ingleby sucht schon den Sinn, den Leo richtig gefunden hat: aber woher soll das „promise" kommen? Die Konjektur ist nicht zu halten.

Schon seit Rowe und Theobald (1709 und 1733) lasen die meisten Herausgeber:

> I see that man make h o p e s in such a f f a i r s
> That etc.,

und das hopes ist seitdem immer beibehalten worden, während für affairs alle möglichen Varianten versucht wurden: a scene (Malone) — a case (Dyce) — a scare (Singer) — a snare (Staunton). Nur die letztere Konjektur scheint mir deshalb vielleicht einer näheren Berücksichtigung werth zu sein, weil ihre Bedeutung (= Schlinge) einige Aussicht gewährt, das alte ropes statt hopes beibehalten zu können: denn ich gehe im Ganzen von dem Standpunkte aus, dafs niemand alte Texte willkürlich verändern darf, so lange irgendein guter Sinn vorliegt. Nun gebraucht Shakespeare häufig den Ausdruck „to make ropes" im Sinne von „Fallstricke legen oder Schelmenstreiche ausführen": in Com. of Err., Tam. of the Shrew, und Romeo and Juliet kommt wiederholt eine Wendung in diesem Sinne vor; die Amme in Rom. a. Jul. gebraucht dann sogar ropery für roguery — wie auch im Deutschen „ein rechter Strick, ein Galgenstrick" gern als Terminus für einen Taugenichts gebraucht wird. Wenn nun snare Schlinge bedeutet, so wäre der Sinn etwa: „Ich sehe schon, Ihr Männer wifst Eure Fallstricke zu solch einer Schlinge zu drehen, dafs wir Mädchen uns darin gefangen geben müssen."

Wir müssen es dem Kenner überlassen, zwischen dieser Erklärung und Leo's feiner Emendation seine Wahl zu treffen.

Dieser Text bietet nun ein besonders belehrendes Beispiel darüber dar, wie man mit einer alten Handschrift oder einem ältesten Drucke nicht umgehen darf. Gleich die erste Scene enthält eine ganze Reihe überflüssiger Korrekturen, theils aus den späteren Folios, theils von den Herausgebern des 18. Jahrhunderts herrührend: so hat die Fol. 2 vom Jahre 1632 in Zeile 2 (I, 1) a poor thousand statt des charakteristischen und alterthümlichen poor a thousand; statt des guten „stays me here at home unkept" will der gelehrte, sehr raffinirte, aber auch sehr pietätlose Warburton (1747) sties setzen, als ob Orlando sich von seinem Bruder in einen Schweinestall einsperren liefse; vor duke's will Hanmer ein überdeutlich machendes „old" einschieben, während die Rede des Oliver ohne diesen Zusatz verständlich genug ist: „Can you tell, if Rosalind, the Duke's daughter, be banished with her father?" Und so folgen noch eine ganze Reihe ähnlicher Versuche, welche die naive Meinung voraussetzen lassen, als könne jeder Herausgeber beliebig mit so einem alten Manuskripte oder Drucke umspringen. Mit Recht hat Delius alle solche überflüssigen Korrekturen und Zusätze der früheren Herausgeber wieder beseitigt — mit derselben Entschiedenheit, wie Leo im XV. Bande des Shakespeare-Jahrbuches (1880) die unglücklichen Versuche Wagner's unter den neueren Verschlimmbesserungen des Shakespeare'schen Textes zurückgewiesen hat. Wir können deshalb nicht umhin, den jüngeren Shakespeare-Forschern nochmals die äufserste Vorsicht in Bezug auf die ältesten Lesarten der ersten Drucke zu empfehlen. Es ist manchem vergönnt, Shakespeare im Ganzen richtig zu erklären; aber nur wenigen ist es gegeben, den Shakespeare-Text zu emendiren im Einzelnen.

Eine annehmbare Korrektur der Fol. von 1632 ist dagegen in der zweiten Scene zu finden, so dafs Celia also sagt:

Peradventure, this is not Fortune's work neither, but Nature's: who, perceiving our natural wits too dull to reason of such goddesses, hath sent this natural for our whetstone. For always the dulness of the fool is the whetstone of the wise.

Fol. 1 von 1623 hat perceiveth, was Malone denn veranlafste, nach goddesses ein „and" einzuschieben. Die Korrektur der zweiten Folio ist vorzuziehen.

Die wiederholten Korrekturen Theobald's in Bezug auf die Vertheilung der Gespräche unter die richtigen Personen haben mit Recht allgemeine Zustimmung gefunden.

Dagegen ist die Korrektur von Hanmer „men" statt „man" durchaus zu verwerfen: die Rede des Herzogs bezieht sich nur auf den Orlando.

Ebenso hat Theobald richtig den guten Sinn der alten Folio-Lesart erklärt in Scene 3:

Rosal. No, some of it is for my child's father!

Das heifst also: „For him whom I hope to marry and have children by." Wenn Pope und Rowe statt dieser reizenden Wendung setzen: „for my father's child", d. h. für Rosalinde selbst, so verbitten wir uns ganz einfach solche Prüderie der späteren englischen Puritanerzeit in ihrer Anwendung auf Shakespeare'sche Komödiencharaktere. Die Herren haben durchaus kein Recht zu solcher Trivialisirung eines höchst geistreichen Textes.

Ich könnte noch eine ganze Reihe ähnlicher kleiner Notizen hinzufügen, wenn ich nicht fürchten müfste, die Geduld meiner Leser zu ermüden. Das Weitere mufs der mündlichen Texterklärung im Einzelnen überlassen bleiben, wie sie in unseren philologischen Seminarien getrieben wird.*

---

* Für die deutsche Bühne bearbeitet ist „Ende gut Alles gut" bereits 1828 von Fr. Förster unter dem Titel „List und Liebe"; Aufführungen fanden danach besonders in Leipzig und Weimar statt.

In Berlin wurde es nach der Übersetzung von Hertzberg und der Bearbeitung unseres verdienten Julius Thümmel gegeben. Diese Bearbeitungen, so brauchbar sie für die Bühne auch erscheinen mögen, zeigen indessen so starke Abänderungen, dafs sie kaum noch als ein Shakespeare'sches Stück gelten können. Gisbert Vincke hat eine Bearbeitung geliefert, die sich mehr an das Original hält.

Auch mit den beiden folgenden Stücken sind bereits wiederholt Versuche auf unserer Bühne gemacht worden, worüber das Shakespeare-Jahrbuch die näheren Notizen giebt. „Viel Lärm um Nichts" ist z. B. in dem einen Jahr 1876—77 nicht weniger als 27 mal auf unseren deutschen Bühnen zur Aufführung gekommen; nur zweimal dagegen „Wie es euch gefällt", und zwar nur in München.

Man achte nun einmal genau darauf, wie sich in all diesen Lustspielen der mittleren Zeit des Dichters und namentlich in dem nächstfolgenden „Was Ihr wollt" der Stil im Ganzen allmählich veredelt und idealisirt.

Ich verstehe aber den dichterischen Stil nicht nur in dem gewöhnlichen sprachlichen, sondern im künstlerischen Sinne des Wortes: Auffassung des Themas, Wahl des Gegenstandes wie der einzelnen Ausdrücke, Charaktere, Komposition — alles wird feiner, idealer, grofsartiger.   Von der Werbung des Weibes um den Mann zu der reizenden Waldidylle, von der plauderhaften Rosalinde zu der schelmisch-witzigen und übermüthigen Beatrice, von dieser zu der bezaubernden Ironie aller Irrungen in der Liebe, wie sie der heilige Drei-Königs-Abend darstellt, ist ein stetiger und ununterbrochener Fortschritt zu beobachten.   Am Schlufs der nächsten Abhandlung werden wir ausführlicher auf diese interessante Stilfrage zurückkommen: Helena — Rosalinde — Beatrice — Viola und Olivia, in diesen immer mehr sich idealisirenden weiblichen Charakteren ist die ganze fortschreitende Kunst des Dichters niedergelegt und ausgeprägt   Das demnächst darzustellende Lustspiel „Was Ihr wollt" schliefst die dritte Periode in der dichterischen Entwickelung Shakespeare's (1595—1601) ebenso bezeichnend und entscheidend ab, wie der „Sommernachtstraum" die zweite Periode (1589 bis 1594.   Vergl. die von mir zusammengestellte Übersicht über „die Perioden in Shakespeare's dichterischer Entwickelung" im XVI. Bande des Shakespeare-Jahrbuches, 1881, pag. 415—417).

L'Arbre des Batailles par Honnouré Bonet.

Bruchstücke aus einer altfranzösischen Handschrift.

Mitgeteilt

von

Adolf Krefsner.

(Schlufs.)

Comment doit estre puniz cilz qui se part de la bataille et va combatre les ennemis sanz le comandement du connestable. En ceste partie feray une demande pour declairier aucunes chouses que j'ay dictes cy devant. Si demande d'un tel (fol. 30, 1.) debat: ung chevalier saigès et hardiz avecques sa compaignie contre le comandement du connestable ou du marchal de l'ost s'en va assaillir les ennemis, si les desconfit et les met a neant: je vous demande, se selon les loys cestui chevalier doit perdre le chief. Et tout premierement ge vous preuve que oyl, car dit la loy que cellui qui fait contre le comandement du gouverneur de l'ost doit perdre le chief, suppouse qu'il aye bien fait le prouffit de son seigneur. La seconde raison si est: car celluy qui est tenu d'obeir a son souverain doit estre punis de desobeissance, quant il fait contre son comandement, selon le droit escript. Mais y a oncores une autre raison. Car un malefice ne doit mie estre excusez pour l'utilite qui est venue d'aventure. Mais s'il a bien contre les ennemis, c'est adventure et contre le conseil general; car pour la departie qu'il fist de l'ost, il mist en peril de faire perdre toute la bataille; donc il doit perdre le chief. Or faut il dire aucune chouse pour l'autre partie. Car ung grant fait de grande

utilite doit excuser la desobeissance comise contre le comandement du souverain; donc, puysque si grant bien en est advenu,
ne doit point perdre le chief. Encores plus fort: nous devons
regarder en toutes chouses la voulente de celluy qui fait la
chouse. Mais il est bien a veoir que celluy chevalier cela fist
pour bien et par bonne entente; donc nous disons qu'il n'y a
point de coulpe. Encores une autre raison: en toutes choses
nous regardons la fin, mais nous avons veu que la fin a este
bonne; il donc n'en doit mie emporter peine. Ung docteur qui
s'apelle Messire Richart Malombre disoit que vrayment en grant
partie pour ce que l'aventure est bien advenue pour luy, qu'il
ne doit mie estre puniz si fierement come les loys dient. Mays,
a dire la verite, selon les droictes loys il devroit perdre le chief.
Toutesfoiz son seigneur peut bien s'il veult ou par prieres des autres
luy [par]donner en tout ou en partie selon qu'il luy sera advis et
selon la personne du chevalier. Car s'il est bien preu dome et loyal
et cela n'eust fait pour mal propos, il luy doit estre pardonne,
selon misericorde qui vault plus aucunefoiz que ne fait rigueur.

(Die Überschrift ist von dem Schreiber des Manuskripts
vergessen worden.)

En ceste partie demande ge, de quel droit vient bataille.
Et ge vous dy que nous avons ung droit que nous appellons
droit divin, c'est a dire, droit de Dieu. Et pour ce nous faut
entendre, se bataille est chouse (fol. 30, 2.) reprouvee de celluy
droit divin. Car bien se le penseroyent aucuns homes simples
et pour raison. Car en guerre et en bataille se font plusieurs
mauls; mais faire mal est chouse reprouvee et condempnee par
ycelluy droit de Dieu; donc bataille n'est mie ne ne vient
d'icellui droit. Et ge vous dy que cestui argument ne vault
riens; car il est verite que bataille n'est mie male chouse, mays
est bonne et vertueuse. Car bataille ne regarde autre chouse
selon la droite nature que retourner tort en droit et faire
retourner dissencion en paix selon que dit l'escripture. Et se
en bataille se font pluseurs mauls, ce n'est mie selon nature de
bataille, mais est fauls usaige, si come d'un home d'armes [qui]
prent une femme et luy fait vergoigne et honte, ou fait mettre
le feu en l'eglise; cela ne vient mie de nature de bataille, mais

est faux usaiges de bataille et de guerre et de mal guerroyer.
Ainsi come nous disons de la vertu de justice par laquelle le
juge doit faire raisonnablement sa cognoissance; mais se uns
juges faisoit tort, disons nous que juridiction feust mauvese
chose? Certes, nanil! Car faire tort ne vient mie de la nature
de juridiction, mais vient de fauls usaiges et de mauvais juges,
et car touz biens et toutes vertus viennent de Dieu, non mie
tant seulement qu'il permette qu'on bataille, ains il mesmes l'a
ordennee. Car Dieux comanda a ung qui s'appelloit Jheususane (?)
coment il feist la bataille contre* ses ennemis et si l'advisa coment
il ordenast une embusche pour engignier et pour vaincre l'autre
partie. Encores disons nous coment Dieux mesmes est sires et
gouverneur des batailles, et pour ce convient il ottroyer et
accorder que bataille vient de droit divin, c'est a dire par droit
de Dieu; car la fin de la bataille est pour conquerir paix et
transquillite et raison de celluy qui son tort ne vouloit recog-
noistre. Et se en fait de bataille les bons ont mal pour les
mauvais, il ne s'en peut autre chouse faire. Car selon la verite
bataille est comparee a medicine, et nous veons bien coment
les maladies vienent es corps humains pour l'exces des humeurs.
Et pour celluy exces abaissier le mire donne la medicine. Et
toutefoiz moult souvent la medicine gaste non les humeurs mauvaises; car tant sont meslees et adjoustees que autrement il ne
se peut faire. Et pour ce: car sont ainsi prochaines et voisines
les unes des autres; si en fut grant (fol. 31, 1.) exemple en
l'escripture. Car quant Dieux vouloit destruire pour le tres**
ort pechie de la char de nature troys cites, Sobdome, Gomorre,
Gahom, et deux autres, lesquelles estoyent voisines, furent arses
avecques celles troys, dont j'ay parle. Et donc clerement avons
exemple coment souvent les bons ont mal pour cause de leurs
mauvais voysins. Car ung ortolain ne peut pas bien traire les
males herbes de entre les bonnes sanz arrachier des bonnes
avecques les mauvaises. Encores veons nous souvent que pour
l'exces et desfaut d'un home tout un lignaige sera destruit. Si
en avons ung exemple d'un qui s'appelloit Gizacy que pour
son desfaut tous ceulx de son lignaige furent ladres et meseauls.

---

* Ms. entre. ** Ms. tiers.

Encores plus fort, car pour le desfaut d'un roy ung royaume
sera en perdicion et en peine, ainsi que nous trouvons que
pour le pechie de David vint mortalite sur tout son royaume.
Et pour ce que j'ay prouve que bataille vient de droit divin,
devez savoir que nous avons ung droit que nous appellons droit
de gens, en latin: jus gentium. Et de cestui ne faut point
doubter; car la bataille est aussi trouvee de celluy droit, ainsi
come le dit le decret en la loy civile. Mais se vous me
demandez que c'est a dire droit de gens, je vous dy que c'est
a dire toute chouse qui soit selon raison en general; mais droit
canon et droit civil peut estre appellez droit de gens. Car ilz
en espicial declairent les cas raisonnables et leur donnent fourme
deue pour apprendre coment les chouses doyvent estre ordennees.
Encores dy ge plus fort que vrayment bataille vient de droit
de nature pour ce que chacune chouse est enclinee naturelment
de contredire a son mal et a son contraire pour garder soy et
son estre et ses chouses et ce que li appartient. Et donc par
touz droiz est ce chouse deue bataille en general. Mais en
espicial il faut veoir plus soutinement les cas et les autres
chouses et les raisons selon que diray en plusieurs lieux es
chouses qui vendront apres.

Par quel droit ne par quelle raison peut on
mouvoir guerre contre les Sarrazins.

Or veul ge faire une telle question, c'est assavoir par quel
droit ne par quelle raison peut on mouvoir guerre contre les
Sarrazins ou autres mescreans, ne se c'est chouse deue que le
pape donne indulgences et pardon pour les guerroyer; et tout
premierement coment guerre ne se doit donner contre les
mescreans. La raison si est telle: Touz les biens de la terre
a fait Dieux pour creature humaine, indifferentement pour la
mauvaise (fol. 31, 2.) personne come pour la bonne. Car
Dieux ne fait mie plus chaut ne plus vertueux le solail pour
l'un que pour l'autre, et le fait luyre sur les bons et sur les
mauves, et fait porter bons bless et bons vins et bons autres
fruiz es terres des mescreans ainsi come des crestiens, et
aucunes foiz meilleurs. Et si leur donne science et savoir
naturel et vertu de justice, et si leur a donne royaumes, duchiez

et contez et empereur et leur foy et leur estament. Et Dieux ce leur a donne: pourquoy le leur osteront les crestiens? Item plus fort selon la sainte escripture: nous ne devons ne si ne povons contredire ne forcier ung mescreant a prendre la sainte foy ne le saint baptesme, mais les devons laisser en leur franche voulente que Dieux leur a donnee. Donc, se pour prendre la sainte foy ne leur povons faire guerre, pourquoy le porrons nous faire pour les biens qu'ilz tiennent? Certes, raison ne le monstre mie. Encores plus appertement le puys ge prouver. Car se ung Sarazin prent le baptesme, oncores peut il estre homs a celluy seigneur, selon que dit Saint Pol, si dient les decrez coment les crestiens qui sont logies es terres des mescreans doyvent estre obeissans a leur seigneur. Et se le seigneur fait son mandement, ilz se doyvent armer et faire ce que leur seigneur comande a desfense de son pays. Toutesfoiz se leur seigneur leur comandast pour faire guerre contre les crestiens, ilz ne seroient mie tenuz d'obeir a tel comandement. Et si veil ge oncores prouver coment le pape ne doit donner indulgences pour faire guerre contre les mescreans. Car le pape il mesmes en sa decretale dit, coment a luy n'appartient riens de ceulx qui sont hors de la foy et hors de l'eglise; et si dit qu'il ne doit faire jugemens entre eulx; et puisque il mesmes le tesmoigne, coment peut il deument donner indulgences contre les mescreans? Or nous faut il bien entendre cestui debat. Et si devez savoir, coment toutes escriptures sont communement d'accord que en toutes chouses doit avoir ung chief, si come est en la seignourie du monde, en laquelle sanz doubtance est uns sires souverains, c'est le filz de Dieu, leque[l] dit coment toute puissance lui estoit donnee sur le ciel et sur la terre. Et apres en la terre est ung vicaire et son prevost general, le saint pere de Rome, lequel print povoir general sur toute la terre. Et ge croy bien que uns homs saiges ne diroit mie que Dieux n'eust povoir sur les fielz et sur les infielz; certes, ce seroit heresie. Donc, se Dieux (fol. 32, 1.) l'avoit, il faut ottroyer et consentir que le pappe aussi le doit avoir; et ce n'est mie chouse mal appertenant a raison de dire que le pappe aye povoir sur toute la terre. Car, qui est plus fort, Dieux luy donna les clefs du ciel, et si puys ge donner por

veritable une telle conclusion que vrayment le pappe ne se
mettroit a juger en tous cas les infeauls et mescreans. Mais
se un Sarrazin ou ung juif faisoit contre la loy de nature, certes,
le pappe de celluy pechie le pugniroit. Si en donna Dieux
l'exemple en l'ancien testament: car il mesmes fist justice de
celles citez Sobdonne, Gomorre, lesquelles pechoient contre nature; mais se les juifs ou les Sarrazins faisoient contre les
envangilles, le pape ne les en pugniroit mie; car par force ne
doit estre homs constraint a la foy croire. Et si vous dy encores une autre chouse: que le pape peut donner indulgences
contre les mescreans pour recouvrer la sainte terre de Jherusalem, laquelle fut par droicte conqueste gaigniee aux crestiens
par la passion de nostre seigneur Jhesucrist, et si fut conquise
apres sa passion par le prince de Rome. Mais se apres les
sarrazins l'ont occuppee, ce n'est mie par bon droit; donc par
celle raison le pape peut donner indulgences a touz ceulx qui
la vouldront recouvrer. Et si vous dy ge que faire guerre
generale contre les Sarrazins sanz l'accord et assentement du
pape, je ne voy mie coment se doye bien faire, suppouse que
soit l'empereur. Et la raison si est: car toutes les plus grandes
chouses sont a cognoistre au pape selon l'escripture, et d'autre
partie, la sainte terre d'oultre mer est espiciale terre de Jhesucrist et de son vicaire general, car il donna la conqueste a
Godeffray de Buillon, et par celluy nom quiconques soit roys
de Jherusalem la tient, se crestiens est du pape. Et si en
avez exemple cler et notoire; car tous les grans passaiges qui
se sont jadiz faiz oultremer contre les Sarrazins ont este faiz
par le consentement du saint pere de Rome. Et bien le scevent
ceulx qui ont leues les hystoires passees. Toutesfoiz ge ne dy
mie que se l'empereur vouloit faire guerre pour celle querelle
ou li roys de France ou ung autre roy que le pape luy deust
contredire; car il doit conforter la devocion des princes chrestiens
et eulx aidier a son pooir; mais luy soit advis que par bon
conseil la guerre soit expedient. Car se uns roys a petite compaignie vouloit faire le passaige, ce seroit honte aux crestiens,
et avec ce seroit peril de plus grever la nostre (fol. 32. 2.) foy
que la croistre. Apres ge vous dy que le pape raisonnablement ne peut declairer guerre contre les mescreans pour les

autres terres ou royaumes qu'ilz tiennent, se non que celles
terres feussent deument soubjectes a l'eglise ou a l'empereur de
Rome, lesquelles se ne sont* subgettes a l'empire, le pape peut
bien comander aux infizels, coment ilz ne grefvent les crestiens
qui sont en leur juridicion. Car en cas ou ilz les crestiens gre-
veroyent, le pape leur peut ouster par sentence disfuntive (?) la
juridicion et donner la conqueste contre eulx selon l'oppinion de
noz maistres et docteurs. Et pour ce que j'ay dit ne veil ge
pas que on entende que le roys de Jherusalem n'aye bon droit
de recouvrer le royaume quant il pourroit; si scet on bien
coment Madame de Napples est celle a qui appartient le royaume
et aux siens qui seront apres ly. Dieux par sa pitie y aye
tramis et envoye telle personne par laquelle le royaume soit
conquis, et j'ay fiance en Dieu que ainsi soit.

Se l'empereur peut comander guerre, et quelles gens luy doyvent obeir.

Encores nous faut il veoir comment l'empereur peut commander de faire guerre et quelles gens luy obeiront. Donc faut
il que vous entendez coment l'empereur de Rome a plusieurs
peuples. Car il en y a qui du tout luy obeissent et font obeissance, et sont eulx appellez du peuple de Rome par lequel
peuple est entenduz tout l'empire selon que dit une loy. Il en
y a d'aucuns qui pas n'obeissent a l'empereur, combien qu'ilz
vivent selon les loys imperiaulx et combien qu'ilz octroyent que
l'empereur soit sires en temporel du monde. Ja pour ce l'empereur entre eulx ne fait justice si come sont les cites de Lombardie et si sont elles du peuple de Rome, car combien qu'elles
ayent occuppe la juridicion imperial, l'empereur toutesfoiz de
droit laissa la seigneurie sur elles. Et si en a un autre peuple
qui n'a que faire de loys imperiaulx ne de l'emperiere; car il
dit qu'il a privilege coment toute juridicion soit a luy appar-
tenent, si come est la cite de Venise. Et cestui peuple est oncores du peuple de Rome, puisqu'il dit que par privilege imperial
il tient la juridicion; car l'empereur peut oster celluy privilege,
quant luy plaira. Si y a ung autre peuple lequel souloit estre

---

* Ms. ne seront.

de l'empire, mais par domination est maintenant d'autruy, si
come est le peuple qui est en toutes les provinces que jadiz
ordennees a (fol. 33, 1.) la sainte eglise.   Et cestuy peuple ne
obeist mie a l'empereur, mais au pape, ainsi come nous dirons
de nostre royaume de Napples, lequel se tient du pape.   Et si
sont aucuns roys qui pas n'obeissent a l'empereur, si come est
ly roys de France, d'Angleterre et d'Espaigne, lesquelx ont par
escript la juridicion imperial.   Mais se le roy de France n'est
subget a l'empereur ne a l'empire ce n'est mie merveilles.   Car
l'empire et le royaume furent une foiz tout un; car Charles le
grand fut fait empereur, et si furent V. roys qui furent empereurs
et roys de France, et car fut une chouse l'empire avec le royaume, et n'est pas mervoilles se l'un n'est subget a l'autre.   Et
si dient aucuns que l'empereur Charlemaigne declaira le royaume
non estre tenuz de riens a l'empereur.   Et pour ce n'ont que
faire des loys emperiaux.   Mais il y a aucuns peuples qui pas
ne confesseroyent voulentiers que l'empereur soit sires du monde,
et les Tartres lesquielx dient que le grant chan est sires du
seicle; et les Sarrazins dient autel du soudan.   Or retournons
a nostre propos, coment l'empereur peut ordenner guerre.   Et
je vous dy vrayment pour ce qu'il n'a point de souverain, il
peut ordenner guerre et bataille contre ses ennemis.   Si pense
ge bien declerer une foiz lesquelx sont ses ennemis.   Et de
ceste bataille contre ses ennemis parle bien clerement droit civil.
Et ne disons mie tant seulement de l'empereur qu'il puisse
ordenner guerre et bataille contre ses ennemis.   Car oncores
le peuple de Rome le peut faire contre les rebelles.

Or veons donc d'une autre raison.

Se autres princes que l'empereur pevent ordenner guerre.

Apresque ge vous ay dit, comment l'empereur peut ordenner
et comander guerre, nous convient savoir, comment le feront les
autres princes, c'est a dire, s'ilz pourront ordenner guerre.   Et
ge vous dy que oyl selon droit, car le conseil de fere guerre
est par devers les princes; ce dient les droiz.   Mais selon la
verite autre personne qui ne soit prince ne peut commander
guerre general.   Et c'est la raison: car nulz nene peut nene

doit porter armes sanz la licence du prince. La seconde raison
si est: car uns homs ne peut pas prendre droit d'un autre, se
tort l'y tient, mais faut que le prince face justice entre ses
homes. Toutesfoiz au jour d'uy chacun (fol. 33, 2.) veult commander guerre ou ung simple chevalier contre ung autre, ce
que faire ne se doit selon les droiz.

Se l'empereur peut ordenner guerre contre
l'eglise.

En ceste partie fais ge une telle demande: se l'empereur
peut ordenner guerre contre l'eglise; et en cas qu'il l'ordenne,
se les homes et les seigneurs de son pays li doyvent obeir a
faire celle guerre pour celluy mandement. Et tout premierement
il est avis que les soubmis luy doyvent obeir; car l'empereur
est le plus hault des princes, et l'escripture dit que celluy doit
mourir qui ne veult au prince obeir. Encores une autre raison:
car la cognoissance et le jugement de faire guerre appartient a
l'empereur et aux autres princes. Donc pourquoy seroyent
les soubzmis desobeissans? L'autre raison pourquoy doyvent
obeir est telle: car ainsi come le pape doit avoir obeissance es
chouses espirituelles, aussi le doit avoir l'empereur es chouses
temporelles. Si y a oncores une plus forte raison; car selon
droit les subges de l'empereur doyvent obeir a l'empereur, combien qu'il soit scismatiques; et cecy ne peut mie nyer quiconques soit clerc en droit. Mais ge vous dy vrayment que ces
raisons ou argumens sont moult foibles. Car l'empereur doit
estre procureur et desfenseur de l'eglise, et dire que mon procureur soit contre moy, que celluy qui est ordennez pour moy
desfendre, me doye offendre, ce ne se pourroit bien soustenir.
Encores plus: l'empereur si est subgiez au pape et le pape
est son souverain, car il de sa election enquiert, se bon est et
se sa personne est digne pour empereur, et sa election est deue.
Encores se l'empereur fait chouse maladroit, le pape luy ostera
la dignite imperial, et pour ce ne faut doubter que se l'empereur
telle guerre ordennoit, les princes ne les peuples de l'emperiere
ne seroient mie tenuz de luy faire obeissance ne de faire telle
guerre. Car selon la verite des droiz les subges ne doyvent
mie obeir [a un] souverain quant leur commandast chouse qui

fust contre la voulente et le commandement de Dieu. Mais en
persequent la sainte eglise est offendue la voulente de nostre
seigneur et ses commandemens; car c'est presque heresie. Donc
les subges ne sont mie tenuz d'obeir en telle guerre. Or veons
d'une autre chouse.

Se le pape (fol. 34, 1.) peut ordenner guerre
contre l'empereur.

· Donques puisque dessus avons veu, comment l'empereur
ne peut ordenner ne jugier guerre contre l'eglise, veoir nous
faut, se le pape peut ordenner guerre contre l'empereur. Car
seroit advis que non; et c'est la raison: car le prevost du roy
ne peut mie plus faire que le roy. Mais il est clere chouse
'que onques Jhesucrist ne ordenna contre ses ennemis, ains quant
il fu prins, expressement commanda a saint Pierre comment il
retournast son coutel en sa gaine. Donc le pape qui est prevost
de Dieu, pour laquelle raison fera il plus que son seigneur?
Encores plus fort: Dieux dist a ses apoustres: veez vous fait?
Les roys des gens sont leurs seigneurs et font seignourie sur
elles; mais vous autres ainsi ne le ferez mie, c'est a dire que
vous soyez seigneurs; mais celluy qui est le plus grant, sera
voustre servitour. Donc pert bien que Dieux ne vouloit mie
qu'ilz eussent seignourie, et donc, se seignourie n'en a le pape,
comment pourra il jugier guerre contre l'empereur? Encores,
l'apoustre nostre seignour saint Pol disoit, comment ceulx de
l'eglise ne se doyvent revenchier, mais doyvent vaincre par
pacience. Mais combien que les raisons dessus dites par semblant soyent bonnes, je vous dy vrayment (que) selon la verite
que se le pape veoit l'empereur estre scismatique ou herege, ou
qu'il voulsist occupper les biens ou le pays ou les privileges
de l'eglise, vrayment le pape pourroit jugier ou ordenner guerre
contre luy, et tous les crestiens seroient tenuz d'aider au pape,
oy, et touz ceuls de l'empire: ainsi comme fut ou temps du
bon pape Alixandre le tiers, lequel l'empereur qui pour le temps
estoit, en fist fouir en France, si ordenna le pape son proces
contre l'empereur et l'ousta par sentence de la dignite imperial,
et ordenna contre luy le bon roy de France, lequel pas ne
refusa la guerre contre l'empereur, et si en vint li roys a son

entente. Et si vault moult pou le premier argument de dire que Dieux commanda a saint Pierre qu'il remeist son coutel en sa gaine ou en son fourrel; car je vous dy comment Dieux avoit ordenne de prendre mort, si ne vouloit mie eschapper par aide d'ome. Tout aussi ne dit il mie comment saint Pere du tout laissast son coutel, mais il dit qu'il le remist en sa gaine. Et vouloit signifier (fol. 34, 2.) comment il deust garder le coutel pour le temps a venir. Car en celluy jour il ne se vouloit desfendre, ains vouloit prendre passion. Apres vous dy ge comment les argumens sont vrayment [a] entendre des apoustres et des disciples de Jhesucrist, mais non mie de saint Perre pour tant qu'il n'aye juridiction et puissance de jugier toutes personnes mortelles. Et ainsi est vraye conclusion que le pape peut ordenner guerre contre l'empereur en cas que j'ay dessus dictes.

Quelles chouses sont neccessaires a bien faire bataille.

Or nous faut il veoir des chouses qui sont neccessaires a faire bataille. Et ge vous dy deux en le commencement, c'est assavoir le duc de la bataille, lequel au jour d'uy l'en appelle connestable ou mareschal de l'ost. Apres, la seconde si est deue ordenance des gens lesquels doyvent faire la bataille,* III ordres ou ordenances;** car la premiere s'appelloit legion, si doit avoir en une legion VII. mille pions, c'est a dire, VII. mille homes a pie; et VII. C. XIX. homes d'armes a cheval; l'autre ordenance s'appelloit compaignie et si doit avoir XX. mille (?) homes a pie et V. C. a cheval; la tierce ordenance s'appelloit cinquantisme et doit avoir V. C. LV. homes a pie et LXVI. a cheval, selon une glose que nous avons en droit. Toutesfoiz sont au jour d'uy lessiez toutes manieres de les nommer ainsi; car par tout les appelle l'on communement batailles. Si les font grandes ou petites selon que vient a plaisir a chacun marchal de l'ost et selon ce qu'ilz ont de gent. Si nous convient il savoir le propre fondement de la bataille, et ge vous dy que deux fondemens y a. Le premier est fortelesce et forte gens; car se les gens estoyent foibles, moult peu vauldroit

---

* Hier ist wohl eine Lücke anzunehmen.
** Im Ms. steht III vor ordenances.

la bataille, si come seroient gens trop anciennes ou trop josnes
ou homes malades. Et pour ce fut commande au saint home
Josue, comment il preist les fors homes du peuple d'Israel pour
faire la bataille contre ses ennemis. Le second fondement est
des armeures; car uns homs desarmez bien peu pourroit durer
en bataille que tost ne fust mors. Et si sont en bataille III
manieres de gens, c'est assavoir gens a pie et gens a cheval et
gens sur eaue, si come sont mariniers. Et doit tout bon connestable, quant il peut, mettre les gens a pie en forte place, que soit
montaigne ou fort passaige et mal adroite voye. Car en tel lieu
sont en seurte d'avoir avantaige (fol. 35, 1.). Mais ceulx a cheval
doyvent estre en lieu plain et pres de gens a pie, les autres
doyvent estre en l'eauve comme a eulx appartient, selon leur office.

Quelles chouses appartienent aux bons chevaliers.

Or nous faut il veoir quelles chouses appartiennent aux
bons chevaliers, et quelles chouses doyvent faire. Si vous dy
pour la premiere et pour la plus principale, que ilz doyvent
garder le sacrement qu'ilz ont fait a leur seigneur, si ont il
jure de faire tout ce que leur seigneur leur commandera pour
desfense de son pays selon les droiz des loys. Si n'est mie
vray chevalier celluy qui pour doubtance de mort ne de chouse
qui advenir ly puisse laisse a desfendre le pays de son seigneur,
ains vrayment est traictres et parjurs. Apres doit estre ung
chevalier obeissant a celuy qui pour son seigneur est ordennez
gouverneur de l'ost, et s'il ne li est obedient, il n'est mie bon
chevalier, mais orgoilleux et oultragieux. Et les chevaliers par
espicial qui sont aux gaiges du roy ou d'aucun seigneur ne
doyvent autre chouse ne faire ne penser que soy habiliter en
armes et chevauchier. Mais tousjours doyvent il faire le commandement de celluy qui gouverne pour le seigneur, car se
ung chevalier fait contre son commandement, il doit perdre le
chief. Encores dient que ung chevalier ne doit labourer les
terres ne les vignes ne garder les bestes, c'est a dire estre
bergier, ne faiseur de maignages ne procureur ne advocat; autrement il doit perdre la chevalerie et les privileges de chevalier,
ne ne doit mie, s'il est soubdoyez acheter terres ne vignes en

cellui temps qu'il est aux gaiges, et s'il en achate, tout doit
estre du seigneur. Mais se vous voullez savoir pour quelle
raison cela fut ordenne, je vous dy que pour ce que les chevaliers ne laissassent les armes pour avarice de conquerir richesses.

·Quelles chouses appartiennent au duc de la
bataille.

Apres nous faut il veoir des chouses qui appartiennent au
duc de la bataille, si appellent en francoys cestui duc le grant
connestable ou le mareschal, et je vous dy, comment a luy
appartient de donner licence aux homes d'armes d'aller la ou
ilz ont affaire; car sanz sa licence ne doyvent ilz aller en lieu
du monde. Si leur doit il donner mandement de chevaucher
donc ca donc la selon qu'il est advis pour l'onneur de son
seigneur, et se doit garder comment du pays de son seigneur
ne partent chevaulx ne gens d'armes pour aller en aultre part.
Encores se (fol. 35, 2.) doit il garder, comment les chevaliers
ne demeurent es chastiaulx ne es forteresses; ni ne doit mie
envoyer ses gens d'armes pour peschier le poisson ne pour
chacier venaison. Encores appartient a son office d'avoir les
clefs des portes des villes, ou il est logiez, et si doit faire bon
guet et tenir voille par nuit. Encores luy appartient il de
garder que les mesures du pain et du vin, du ble et de toutes
autres chouses soyent justes; et si doit punir ceulx qui faulses
mesures tiennent. Apres appartient a son office d'oir les debas
et les questions de ceulx qui sont en son ost, et faire justice
de l'un a l'autre. Encores luy appartient de visiter les malades de l'ost, et ceulx qui sont bleciez les faire guerir selon
que dit la loy civile. Si luy appartient d'ordenner ses gens
au passer des rivieres et des eaues, et si doit garder que nuls
ne se lave ou les chevaulx doyvent boire pour ce que les
chevaulx ne perdent la veue. Et si doit ordenner comment se
necessites est de faire chastel, qu'il se face en lieu ou ayt
assez boys et eaues; et puis doit adviser qu'il ne soit pres de
la mer ou trop hault en la montaigne. Encores doit il garder
comment ses gens il ne mette en lieu ou en champ qui soit
acoustume d'estre argueux ou trop mol en temps de pluye, ou
que les eaues des montaignes (les) puissent venir domaigier les

gens d'armes. Et c'est la doctrine d'un docteur qui s'appelloit
Mons. Vejece ou livre de chevalerie. Tout assi appartient il
a son office de venger les injures faites a ses chevaliers. A
luy aussi appartient de estre saige et advise sur le fait des
combatemens; car selon le pays et selon les places, selon le
temps et selon l'eure et selon les gens avec lesquelx il doit
combatre, il doit aviser desquielx de ses gens il peut mieulx
aider celle journee. Car aucune fois ceulx qui sont a pie pourront mieulx celle journee faire la bataille que ceulx qui sont a
cheval; aucunes fois cculx qui sont a cheval la feront mieulx
selon le lieu, selon la place et selon la condicion des gens.
Tout aussi appartient il a cestui connestable, lequel en droit
s'appelle le duc de la bataille, qu'il face justice de ses gens de
ce que on leur demande par devant luy; si comme scroit, se
ung marchant se plaignoit d'un home d'armes ou une autre personne, si en il juge et doit oir les raisons d'une partie et d'autre.
Et vcez cy l'office de cestui connestable de l'ost.

Comment et pour quel cas doyvent estre puniz
les chevaliers.

(fol. 36, 1.) Mais il nous faut veoir, comment ne pour
quelx cas les chevaliers doyvent estre puniz; si devez savoir,
comment selon les loys celluy qui fiert le prevost de la bataille
pour luy dommaigier de corps doit perdre le chief. Tout aussi
le doit perdre celluy qui est inobedient a celluy qui gouverne
l'ost. Et encores doit perdre le chief cellui qui s'enfuyt premier
de la bataille, se les autres se demeurent. Et aussi le doit
perdre celluy qui est envoyez pour savoir l'estat des ennemis,
et puiz il revele les secrez de son seigneur a l'autre partie.
Et aussi le doit perdre cellui qui n'a voulu estre en la bataille
avecques son seigneur, disant que il estoit malade, et si estoit
sain et en bon point. Aussi le doit perdre celluy qui se naffre
soy mesmes ou se occist. Aussi le doit perdre celluy qui ne
desfent son cappitaine s'il peut; autrement lui est pardonne.
Tout cecy que j'ay dit est en droit de loys. Apres doit perdre
le chief celluy qui se part de la bataille contre le commandement de son majour, si come sont aucuns qui veulent faire hors
de la bataille cops de lance un pour un ou se monstrer bien

hardy, si laissent leur bataille et mal font; car pour bien qu'ilz facent ilz doyvent perdre le chief. Encores dit la loy que ung chevalier lequel empesche comment paix ne soit faicte, doit perdre le chief. Apres le doit perdre celluy qui procure comment en l'ost aye dissencion ou rumour mortel les uns contre les autres. Et se un chevalier laisse son seigneur en temps de paix, puisqu'il prenoit gaiges, il doit jugier que dores en avant ne doye aller a cheval, mais qu'il soit a pie comme ung sergent. Item celluy chevalier lequel muet en l'ost de son seigneur riote ou brigue perilleuze doit perdre le chief. Et cecy a lieu en temps de guerre. Item et celluy qui se part de l'assemblee de son seigneur doit estre condempnez d'aller a touzjours mais a pie et jamais ne chevaucher, mais tousjours d'ore aller en armes comme ung sergent. Toutesfoiz le seigneur quant est saiges doit bien penser la vie et la condicion de celluy qui se part de son seignour, et se ou temps passe il a este bon chevalier et loyal, il doit avoir pardon plus legierement. Tout aussi doit il bien regarder combien de jours il a este sans retourner vers son seigneur; et se il par aventure pour bonne et pour juste cause n'a peu retourner, il luy doit pardonner. (fol. 36, 2.) Encores vous faut il savoir, car se ung chevalier pour ce qu'il avoit laissie son seigneur en l'ost et s'en estoit allez sanz licence, est jugez a mort selon les loys, touz ses biens sont confisques a la court du seigneur.

Cy demande se fortelesse est vertu morale.

Or nous faut il veoir en ceste partie d'une question assez soutive, c'est assavoir, se fortelesce est vertu morale. Et je preuve premierement que non: car fortelesse est disposicion du corps. Mais il est clere chouse que toute vertu morale a regard a l'arme; donc n'est elle mie vertu morale. Encores plus fort: car la vertu du corps est subgette a celle de l'arme, ainsi comme une chouse petite et de petite valeur. Encores plus fort: toute vertu morale est entendement et mesure des œuvres humaines actives ou passives, mais la fortelesse corporelle de par soy n'a nulle telle condicion ne telle propriete; donc n'est elle mie morale. Si faut bien entendre saigement, quelles chouses sont les extremites de force ou de fortelesse. Car je

12*

dy que hardiesse est l'une, et paour est l'autre. Donc ge vous
pry que nous regardons bien, se hardiesse ou paour vient de
fortelesse de corps. Certes est clere chouse que nanil; mais
vient sur le cuer et sur la pensee de l'ome; donc faut il consentir que la fortelesse du corps n'est mie vertu morale, mais
la fortelesse de l'arme l'est vrayment, combien que la fortelesce
du corps soit principalment fondement de la bataille. Car harnoys et force sont deux principaulx fondemens de la bataille,
car l'une chouse et l'autre est neccessaire, et se bien avez
entendu les choses dessus dites, en chacune des extremites a
vice, car en hardiesse vient oultrecuidance et exces, et en paour
vient desfaillement et doubtance non deue (de laquelle parloit:
ilz ont eu paour la ou ne chaloit doubter), car ce n'est mie
deue paour, se ung capitaine est en une forteresse avec L.
homes d'armes, si s'en fuyoit pour autres L. qui le voulsissent
assaillir; et aussi c'est oultrecuidance, se ung capitaine est avec
L. homes et il en veult assaillir III. C. qui sont en bonne ordennance. Mais en lieu moyen est vertu de fortelesse, laquelle
scet entendre et assaillir meurement et vertueusement et attendre
saigement et honnestement. Et cestuy moyen truevent les ben-
eurez et les saiges, (fol. 37, 1.) vertueux et atrempes de ceste
vertu qui est en l'arme. Et celle est vertu morale. Donc nous
faut il veoir d'une autre chouse.

Se fortelesse est vertu cardinale.

Si vous demande en ceste partie, se fortelesse est vertu car-
dinale; et ge vous prouveray tantost que nanil. Car c'est vraye
chouse que les vertus cardinaulx sont pour ce ainsi appellees:
car ainsi comme l'uys ou la porte se soustient ou se tourne et
revire sur les gons, tout aussi la vie humaine prent excercice
et estude sur cestes vertus communement. Mais il est clere
chouse que toutes gens n'ont pas cure de seguir armes ne batailles; donc la vertu de fortelesce n'est mie vertu cardinal.
Mais non obstant cestui argument, il est vraye chouse que
fortelesce est vertu cardinal, et ainsi le trouvons nous communement en l'auctorite des docteurs, si come est Seneque lequel
fist un espicial livre des IIII vertus cardinaulx; et le docteur
Tulles le dit expressement en un livre que nous appellons rec-

torique. Et se toutes gens ne se meslent des batailles seguir,* ja pour tant n'est il qu'ilz n'ayent en leurs armes la vertu de fortelesce, ne ja pour ce que ung chevalier est retourne de la guerre pour demourer en son hostel X. ans n'est il pas privez de la vertu de fortelesce. Et pour tant ge dy que fortelesce vrayment est vertu cardinal, car pour certain, autrement sanz elle uns homs ne pourroit este vertueulx; car sans elle uns homs ne pourroit avoir perseverance entre les autres vertus. Et si y a une autre raison: car les autres vertus ne sont pas mie ainsi de neccessite au salut humain, comme sont les vertuz cardinaulx, c'est assavoir justice, temperance, fortelesce et saigesce, lesquelles s'appellent cardinauls. Car elles ont sur les autres vertus principale auctorite, royaume et papat, c'est assavoir seignourie. Or veons d'un autre enseignement sur le fait des batailles.

Se le duc de la bataille est pris, se on luy [doit] pardonner et avoir mercy.

Maintenant ge demande, se par aucune aventure le duc de la bataille est prins par son ennemy, se selon bonne raison et selon justice celluy qui l'a prins luy doit pardonner. Et ge preuve tout premierement que nanil: car nature le nous enseigne comment une chouse occist ou corrumpt de sa nature celle qui luy est contraire, si comme au feu jamaiz ne pardonneroit l'eaue, ne le chaut au froit, ne le loup au chien, ne le chat a la souris. Et puisque ainsi le veult l'ordenance (fol. 37, 2.) de nature, pour quelle raison home qui est plus raisonnables ne fera vengence de celluy qui luy est contraire et mortel ennemy? Encores plus fort selon la loy civilé. Celluy qui est prins en bataille est serf ou esclave de celluy qui le prent; pourquoy donc n'en fera il a sa voulente? Mais le decret est encontre ceste raison: car il dit que depuis que uns homs est en prison, misericorde luy est deue; donc cellé luy est deue; comment puysque droit le veult, le pourroit tuer celluy qui l'a prins, sans luy faire tort? Encores plus fort: car dit un autre decret, que puysque uns homs a vaincu ung autre, il est tenus de luy

_____
. * Ms. fuyr.

pardonner. Et donc, s'il en est tenus, par quelle raison le doit
il tuer? Or en ceste question il m'est advis que celluy qui en
bataille a emprisonne son ennemy et en espicial le duc ou le
mareschal de la bataille, vrayment selon Dieu et selon thelogie
et droit de decrez, il luy doit mercy, se non que par sa deli-
vrance on doubtast d'avoir plus grant guerre. Et aussi le
prouve le decret dessus dit, et tout par ceste raison: le bon
roy Charles de Napples fist par sentence morir Conradin et
luy fist coupper le chief; car touz ceulx du conseil disoient que
s'il eschappoit, la guerre ne seroit mie finee ne la paix ne
seroit jamaiz au royaume tant comme cestui Conradin vivroit.
Toutesfoiz selon droit des loys puisque uns homs est prins,
celluy qui le prent, en peut faire a sa voulente par les loys
dessus dites.

Se uns homs est prins en guerre, se il doit
estre prisonnier ou de celluy qui le prent ou du
seigneur de qui il prent les gaiges.

Mais pour les chouses ja passees est il bien a entendre,
car j'ay parle du duc et du mareschal, se il estoit prins; pourquoy je faiz une question: se ung soubdoyer l'avoit prins, duquel seroit prisonnier, ou du soubdoyer ou de celluy a qui le
soubdoyer est. Car selon ycelles loys semblant seroit qu'il fust
prisonnier du soubdoyer, pour ce que les loys parlent: de
celluy qui l'a prins ou conquis, il doit estre a sa voulente.
Mais ge vous dy tout le contraire. Car depuis qu'il sont aux
gaiges du roy ou du seigneur, tout doit estre au seigneur duquel il prent les gaiges. Et pour ce dit le decret que toute la
proye ou la pille doit estre a la voulente du roy. Et il la doit
partir a son plaisir a ceulx qui bien l'ont aide a gaaignier,
selon son advis. Et se aucuns disoyent le contraire, ilz ne le
pourroyent maintenir selon droit escript. Car se ung prisonnier
devoit estre de celluy qui l'a prisonne, tout aussi par celle mesme
raison devoit estre sien ung bon chastel ou une bonne ville,
se il la prenoit. Et ce ne seroit mie raison qu'il avecq l'argent
(fol. 38, 1.) du roy et aux despens du roy conquestast ou gai-
gnast terre; car il fait ce qu'il fait ainsi comme ung procureur
ou nom du roy ou de celluy seigneur duquel il a gaiges, pour-

quoi ce qu'il conquiert doit estre du seigneur, et ce qu'il fait,
il ne fait mie par sa propre industrie ne par son propre monne-
ment.

Se les vassaulx doyvent aller en la guerre de leur seigneur a leurs propres despens.

Maintenant ge vous demande, se les vassaulx du roy ou
d'un duc ou d'un autre doyvent aller en la guerre de leur seigneur a leurs propres despens ou aux gaiges de leur seigneur.
Et pour declairier ceste question il nous faut veoir, combien de
chouses contient le jugement de fidelite. Car selon droit civil
et selon droit des decrez il contient VI. chouses: la premiere
si est que vassal jure et promet par son serment que il ne sera
jamaiz au dommaige de la personne de son seigneur; la seconde:
jure qu'il ne sera en dommaige de son decret ou de ses mande-
mens par lesquelx il pense estre seurs; la tierce chouse: jure
qu'il ne sera en son dommaige de sa justice ou des autres
chouses qui a luy appartiennent selon honnestete; la quarte
chose si est que il jure que il ne sera en son dommaige de
ses biens ne de ses possessions ou de ses heritaiges; la quinte
chouse si est que il jure que celle chouse que son seigneur
vouldra ou devra faire, s'il la peut faire legierement, il ne fera
ne traictera, comment il la face difficilement ne en difficulte;
mais la VIe chouse: jure que chouse que bien soit possible de
faire a son seigneur, il ne fera ne traictera qu'elle luy soit impossible. Ore avons oyes les chouses que doit jurer ung
vassal a son seigneur. Donc je vous faiz un tel argument:
le vassal ne doit faire chouse pour laquelle ce que son seigneur
vouldroit faire, lui soit plus difficille ou impossible; mais il est
clere chouse que le seigneur ne pourroit feire guerre sanz les
vassaulx ou sanz leur aide. Car li sires n'est que une personne,
laquelle tout par luy ne pourroit grant guerre faire. Donc se
le vassal ne luy venoit aider, il est perjures. Item ne doit
mie ... (hier und hinter luy scheint der Schreiber des Ms.
mehrere Zeilen übersprungen zu haben) Dieux en son envan-
gile que celluy qui n'est avecques luy ... Item suppose que li
sires ait droit de faire guerre ou pour recouvrer ses chasteaulx
ou ses rentes ou ses possessions; comment garde le vassal son

jurement, s'il n'est en ceste guerre a ses despens? Car s'il y
vient aux despens du seigneur, autant en feroit ung soubdoyer.
Mais a dire la verite: combien que assez de raisons l'on peut
faire, li vassaulx n'est pas tenuz d'aller en (fol. 38, 2.) guerre,
combien qu'elle soit juste, au mandement de son seigneur a ses
despens propres, mais ly convient avoir gaiges, se non par coustume ou par convenances les hommes du seigneur qui fait
celle guerre en fussent obliges. Et ceste oppinion tiennent nos
docteurs. Et ce peut estre la raison; car soit guerre ou paix,
li sires prent de ses homes ses rentes, ses treux et ses devoirs,
dont il doit vivre et faire ses guerres et desfendre ses droiz et
ses biens et son pays. Mais pour tant n'est il mie que se le
roy n'avoit de quoy faire sa guerre, par espicial pour desfendre
soy et ses droiz et son pays, qu'ilz ne soyent tenuz de luy
aider; mais se le roy vouloit aucun offendre et contre aucun
seigneur faire guerre, combien qu'elle fust juste, ses homes ne
seroient mie tenuz de luy aider a leurs despens; car desfense
est une chouse trop plus privilegiee que n'est juste offense.
Et se faire le convient qu'il prengne aide de ses homes, il se
doit bien garder qu'il le face courtoisement sanz les desheriter,
et non pour soy enrichir ne pour faire thesor; car s'il le faisoit
il en seroit condempne par le grant juge des roys. Donc s'il
est bons ne ayme Dieu ne s'arme, s'il peut vivre de ses rentes
et d'icelles faire ses guerres, et s'il y a en son conseil qui luy
conseille de mettre imposicions ou tyrannies sur les homes, il
ne le doit oyr ne escouter, mais le doit avoir et reputer pour
fauls conseiller et pour son ennemy. Car il luy veult faire
perdre le cuer de ses homes et leur tollir l'amour qu'ilz ont a
luy. Et c'est la doctrine que le philosophe Aristotes disoit au
roy Alixandre ou livre que nous appellons les secrez. Et pour
ce m'en passe je ceste foiz plus legierement, car en aucune
autre part de cestui livre en parleray plus a plain.

Se les homes d'un baron doyvent aider leur
seigneur contre le roy.

Apres ge faix une telle question: le roy d'Espaigne meut
guerre contre ung baron de son royaume, lequel est subgect
au roy pour cause de sa terre et de sa baronnie, si commande

le bon baron a ses homes comment ilz luy aident a sa guerre
faire contre le roy, se ilz en sont tenuz de luy aider. Et tout
premierement il est advis que oyl, et que ilz ne se mesfont en
riens contre le roy, et pour ceste raison: car combien que le
baron soit homs du roy, les homes (fol. 39, 1.) du baron ne
le sont mie; car ainsi le disons nous par: celluy qui est home
de mon home n'est mie mon home. Item plus fort: il est certaine chose que quant uns homs fait l'ommaige a son seigneur,
il jure d'estre avec luy contre toute personne, et s'il fait hommaige a ung baron, il ne fera mie excepcion du roy, donc pour
quelle raison ne aidera il a son seigneur contre le roy? Item
selon raison naturelle: ung pouvres homs se peut aussi bien
aider de ses chouses comme uns riches des siennes; car chacuns
est sires de ses biens; pourquoy donc ne se aidera donc le
baron de ses homes contre son seigneur ainsi comme le roy des
siens contre le baron? Et combien que pluseurs raisons pourroye ge faire par espicial, car les docteurs tiennent tout le contraire, je n'ose mie bien soustenir ceste oppinion; car elle n'est
mie fondee en droit, mais l'oppinion contraire est toute veritable. Et tout premierement: car il est chouse certaine que le
baron quant il vient contre le roy, chiet en la peine de royal
majeste; et aussi faut il octroyer que le roy est prince en son
royaume et prince de tous, pourquoy ceulx qui sont en son
royaume se mesfont, se ilz sont encontre. Puysque les homes
du baron voyent qu'il va contre son seigneur et se parjure, ils
ne luy doyvent mie aider a parjurer ne a faire pechie. Car
selon que dit ung decret: ce n'est mie bonne aide quant uns
homs aide a un autre a faire pechier; et [a] dire la verite: qui
fait un tel argument, disant que li homs du vassal a jure de
luy aider contre toute personne, donc se il ne luy aide, il est
parjurs, je vous respons: certes, que non est. Car le jurement
se doit entendre, se raisonnablement sanz soy mesfaire le peut
aider, car nul jurement ne doit obliger a chouse (ne) injuste,
ainsi comme le dit un decret. Et tout ce que je dy du roy,
dy je d'un autre qui soit prince en son pays, ainsi comme est
le conte de Foiz en la terre de Beart, en laquelle il est
empereur, car il ne la tient, ce dit, se non de Dieu et de
l'espee. Donc s'il faisoit guerre contre un baron de Beart, les

homes du baron ne seroient mie tenuz de aider leur seigneur
contre le comte de Foiz.

Se les homes de deux barons lesquelx ont
guerre ensemble doyvent aider chacun a son seigneur ou. le roy lequel aussi a guerre, se il leur
commande.

Apres ge feray une autre question: ge suppouse que ung
baron du roy de France meut guerre contre ung autre baron
du dit royaume, (fol. 39, 2.) donc, se avient que chacun des
deux demande a ses homes, comment ilz viennent chacun a son
seigneur, et le roy d'autre partie, lequel a guerre au roy
d'Angleterre, mande a touz les homes de touz les deux barons,
comment ilz viegnent pour luy aidier et garder le royaume; je
demande maintenant, se ilz vont au roy ou chacun a son baron.
Et tout simplement il sembleroit que ilz deussent aller a leurs
seigneurs, auxquelx sont obliges par raison de fidelite et de
jurement. Mais, a dire verite, selon les oppinions des docteurs
ilz · sont tenuz d'aller au roy et laisser leur seigneur. Et tout
par troys raisons; la premiere si est: car la guerre du roy
regarde la commune utilite de tout le royaume, laquelle vault
mieulx que la singuliere utilite de baronnie; la seconde raison:
car ilz sont tenuz a leur seigneur d'espiciale juridiction, mais
ilz sont au roy de generale, laquelle est auctorisee de haulte
puissance sur celle petite juridiction de la baronnie; la tierce
si est: que quant il avient que en la presence d'un petit officier
vient le seigneur, l'auctorite de celluy officier cesse pour la
presence de son souverain; donc le mandement du roy adnulle
le mandement du baron.

Se ge puys aidier mon voisin par armes, se on
le veult tuer.

Encores fais ge une autre question. Ge voys par mon
chemin, et uns homs d'armes assaut devant moy mon voisin:
ge demande, se selon droit escript je doy aider mon voisin
lequel home d'armes pense tuer, espicialment s'il me requiert
que je luy aide pour son argent. Et tout premierement
je preuve que sanz argent je luy dois aidier; car ce dit

le decret, que [se] je puis destourner que ung mal ne se face,
et je ne le destourne, je suy qui l'ay fait quant a la coulpe.
Encores dit plus fort une loy, que se puys garder ung home
de mort, et je ne l'en veul garder, je l'ay tue. Mais toutesfoiz
une autre loy dit que vrayment pour garder ung home de paour
ou de dommaige, je puis bien prendre argent ou gaiges. Maintenant a dire la verite: car selon droit de nature et de evangille
je doy faire a autruy ce que je vouldroye qui fust fait a moi.
Je le doy aider de ma parolle et si y doy faire mon povoir
sanz moy mettre en peril; mais de fait sanz son argent je n'y
suis pas tenuz, se je ne vueil mettre mon propre corps en peril
de mort pour mon voisin. Et ainsi le tiennent les docteurs des
loys.

Maintenant s'ensuyt apres, quelles personnes
sont tenues de desfendre les autres.

Maintenant je vous demande quelles personnes sont tenues
de desfendre les autres. Et premierement je 'vous dy que le
vassal est tenus de desfendre la personne de son seigneur, s'il
est en lieu ou l'en le veulle offendre, et se (fol. 40, 1.) incontinent on le vouloit offendre, sanz demander argent ne prendre
gaiges; autrement il pert son fief et la terre qu'il tient de son
seigneur.

Comment le serf est tenuz de desfendre son
seigneur, se on le veult offendre.

Apres ge dy que le serf est tenus de aider a son [seigneur]
se on le vouloit offendre, sanz demander autre licence selon la
determination de droit escript.

Comment le filz est tenus de desfendre le pere,
sanz licence de court.

Apres ge dy que le filz est tenus de aider le pere, sanz
demander licence de court ne d'autre personne, se aucun le
vouloit offendre; et c'est selon droit de nature, selon droit de
la sainte escripture et se[lon] le droit des loys et des decrez.
Mais pour tant je faiz une question assez doubteuse. Le roy
de France donne ung chastel au filz du conte de Pierregourt, et

pour celluy chastel fait hommaige au roy. · Or avient que puisque le conte et le ˙roy ont˙ guerre ensemble, et si demande le
roy au fil du conte. qu'il luy viegne aider, comme a son seigneur; et le conte apres luy mande et commande sur quanque il
se peut mesfaire envers luy qu'il luy viegne en aide comme a
son pere. Maintenant ge demande, car c'est impossible qu'il
aille en deux parts, auquel il doit aller aider de guerre. Et
tout premierement il est˙ avis qu'il doit aller aider au pere et
tout par pluseurs raisons. La premiere si est:˙ car c'est clere
chouse et magnifeste qu'il est tenus a son pere, ainsi comme le
pere a son filz par la premiere loy qui est de nature, laquelle
ne se peut renoyer ne varier ne contredire; et de ce qu'il est
tenus a son seigneur, c'est d'aventure et pour cas et pour chouse
corruptible, laquelle n'est mie si forte comme la loy de nature.
Toutesfoiz une nostre glose maintient l'oppinion contraire, que
li peres doit aider le seigneur contre son filz, et aussi sem-
blablement devroit estre le filz .contre son pere. Et la raison
de ceste oppinion si est: car combien que le filz soit tenuz a
son pere selon droit de nature, il est tenus a son bon seigneur
par sacrement, lequel il ne pourroit fausser ne aller contre, sanz
rompre le commandement de Dieu et .la loyaute de son corps,
offendant son seigneur. Item est clere chouse que se uns.
autres homs tenist la terre que le filz tient du seigneur, il fust
avecques luy, donc li sires perdroit son droit sanz sa coulpe.
Item tout aussi [se] le fils i aid(er)oit son pere, il feroit guerre
a son seigneur de ses biens propres et de la terre qu'il tient
de luy; et ce n'est mie raison que, uns homs me face guerre
avecques le mien. Et toutesfoiz il y.a assez de raisons pour
(fol. 40, 2.) l'autre partie. Premierement oultre la raison de
nature si est le mandement de Dieu, par lequel on doit
honnourer pere et mere; apres est habondante raison d'escripture par laquelle nous disons que le pere et le filz sont reputez
une personne; et l'autre que selon la loy de nature nulle personne ne hait sa propre char ne son sang. Mais vrayment
selon l'oppinion non obstant la raison de l'autre partie, je croy
qu'il doit aidier a son pere, mais qu'il se pense ou luy soit
advis selon raison qu'il aye droit. . Et si ge dy encores plus
fort: que se il ne veult aidier. son pere pour le vice de ingrati-

tude, le pere le peut desheriter; et si fonde ge ma raison par
la loy civile; et si est oncores fondee ceste raison en droit de
decret; car se uns homs juroit qu'il ne feroit bien ne secours
a son pere, je demande se cestui jurement vauldroit riens.
Mais une decretale respond que nanil vrayment; car tout tel
jurement est contre toutes bonnes coustumes, contre le commandement de Dieu et hors de toute humanite. Et doncques
ja pour tant qu'il est tenuz a son seigneur de jurement, ne doit
il estre contre son pere, puis que par jurement il ne le peut
garder qu'il ne soit tenus de luy aidier.

Se ung clerc doit plus tost aidier son pere
lequel a guerre que son evesque lequel aussi a
guerre.

Apres demande ge, se ung clerc est tenus de aidier plus
tost a son pere lequel maintenant a guerre ou a son evesque,
et si luy commande checun d'eulx comment il leur viegne aidier.
En ceste matiere devez savoir comment nos docteurs tiennent
vrayment qu'il est plus tenus a son evesque, et c'est la raison:
car les droiz espirituelx le eslieve[nt] plus fort que ne font les
droiz charnelx. Donc, puisque a son evesque il est tenuz selon
l'espiritualite, il luy doit aider plus tost que a son pere; car se
le pere est pere du corps, l'evesque est pere de l'arme auquel
touz ses prochains doyvent croire de ce qu'il leur dit ou commande ou enseigne de la foy. Item quant ung mandement vient
de par ung petit juge, et apres vient autre mandement de par
le seigneur souverain, on doit oheir au plus grant mandement.
Item encores y a une plus forte raison, car depuys que uns
homs est donnes a l'eglise de laquelle il tient benefice, pour
desfendre les droiz de l'eglise ou de son benefice il ne luy faut
de rien prendre (fol. 41, 1.) congie de son pere, pour ce ne
dirons nous donc qu'il doye aussi a son evesque. Item nous
disons de droit escript que, se j'ay ung benefice en une eglise
et je donne conseil encontre elle, je doy perdre le benefice.
Donc se ge n'aide a mon evesque, je suy contre luy, car selon
que j'ay dit en l'autre question, Dieux dit que celluy qui n'est
avecques moy est contre moy. Mais quant a mon oppinion, je
dy vrayment qu'il doit aidier a son pere de tout son povoir et

de toutes autres chouses ga ınt ses ordres et son office selon
l'estat ouquel il est. Et si ne faix ge que une exception, se
non que l'evesque ait besoiı de luy pour secours de la foy
crestienne. Car en celluy ca ne dy ge pas qu'il ne doye laisser
son pere et perdre ses bie et son corps pour desfendre la
foy de lhesucrist. Car auı il mesmes y doit mettre le sien
et prendre martire, se lieu ȷ ıvenoit. Et ceste oppinion reconforte tres bien une glose ır le decret laquelle despute tres
subtillement auquel uns hon est plus tenus ᴘn cas de necces
site, ou au pere charnel ouıu pere espirituel; si dit: que ᴄ
honneur et en reverence est lus tenus au pere espirituel, mɑ
quant en aide temporel plus rt et premierement est tenuz a ẟ
pere charnel. Et pour ce que'ay parle de aide temporelle qui
sur le fait de bataille ou d guerre, je dy que uns homs ᴄ
doit plus tost aider son perᴇ harnel que il ne fait a son eveɟ

Se pour les bienɪ justement conquesteɀ
peut faire guerre desȷnsable.

Or nous faut il regardᴇ sur ung point que je vous
c'est assavoir, se pour les ꝛiens que uns homs a juɪ
conquestez il peut faire gu re contre celluy qui les lᴜ
occupper. Et ge m'en pas ray bien legierement. Cɪ
question est moult bien declree en droit escript, c'est
que pour ses biens peut on ien faire guerre; car ainsɪ
la loy civile; et aussi le diᴇt noz decretales et noz ⵏ
teurs en decret. Et car ceꝛ raison est assez clere,
une autre plus doubteuse.

Se pour les biens non] justement coɪ
on peut faire guerre esfensable.

Mais ge vous demande maintenanɭ, se pour ḏ
pour recouvrer une chouse on deument conquiꝗe
ment possessee l'en peut faiꝛ guerre. Et il semb⸱
raison de droit que nanil. Ꝛar les loys lesquel⸱
pour ses droiz garder on pɪt faire guerre, (fol.
vent a leur entendement qu on ne la peut miᴇ
les chouses esquelles on a droit. Mais il faiɭ
entendre soubtilement ceste natiere. Car se n⸱

conquis ung chastel ou une autre hose non deument ou injuste-
ment et je estoye apres ses hoi) et ne savoye les injustices
de mon pere, vrayment, l'ygnoran⸱ du fait me pourroit excuser,
car je diroye qu'elle estoit juste. Mais se l'avoye conquis non
deument, il y a ung autre point ; car se uns homs auquel le
chastel n'apartient point, le me vuloit tollir, je luy desfendant
pourroye bien faire guerre ; mais e celluy a qui est le chastel
le m'avoit ouste, vrayment, selon interpretation de juste guerre
je ne la pourroye point faire pou luy recouvrer. Encores faut
entendre a ceste determination, ce, se j'ay eu aucune chouse
non pas par violence ne par fois ne pour rappine et le vray
seigneur de qui elle est, l'a me ustee, je la luy puis rendre
tout chaudement, c'est a dire de nt que je face autre el
Mais se ge laissoie passer un ju de temps, je ne po
point faire de guerre, mais convedroit ceste chouse demand
par jugement. Et combien que ces oppinions sove⸱
entre les docteurs, je croy que que j'ay escript
Mais nous avons une autre raisc qui est bien raison
ceste matiere. Car se uns homs n'avoit robbe
ung autre livre, et je pensoye q⸱ par justice je
recouvrer, ou car son juge est s foible qu'il
faire raison, et ge le luy povoye esrober, je le
de ma propre auctorite, ou une a re chouse
livre, selon les vrayes oppinions no⸱
a Dieu, n'en seroye je chargiez e con⸱o
aucunes manieres de possessions ue Dieu
c'est a dire a voulente de celluy⸱ que
devez savoir, en cestui cas que se⸱
mien houstel au prevost de Pari⸱
me plairoit, quant ge le vouldr⸱
requerir qu'il voidast mon houstel
je le pourroye jetter dehors par
la loy ; car en refusant de me
de ma possession, et combien
en facent grant feste et g⸱
espicial les seigneurs de
matiere ; pour ce, car
par violence et puis la

ue
emand⸱
car cest⸱
des decrez,
puysqu'il est
use qu'il n'eust
pas tenuz de les
eu avoit fait barat
irnoys ou pour estre

de toutes autres chouses gardant ses ordres et son office selon l'estat ouquel il est. Et si ne faix ge que une exception, se non que l'evesque ait besoign de luy pour secours de la foy crestienne. Car en celluy cas ne dy ge pas qu'il ne doye laisser son pere et perdre ses biens et son corps pour desfendre la foy de Ihesucrist. Car aussi il mesmes y doit mettre le sien et prendre martire, se lieu y avenoit. Et ceste oppinion reconforte tres bien une glose sur le decret laquelle despute tres subtillement auquel uns homs est plus tenus en cas de neccessite, ou au pere charnel ou au pere espirituel; si dit: que en honneur et en reverence est plus tenus au pere espirituel, mais quant en aide temporel plus fort et premierement est tenuz a son pere charnel. Et pour ce que j'ay parle de aide temporelle qui est sur le fait de bataille ou de guerre, je dy que uns homs clers doit plus tost aider son pere charnel que il ne fait a son evesque.

Se pour les biens justement conquestez on peut faire guerre desfensable.

Or nous faut il regarder sur ung point que je vous diray, c'est assavoir, se pour les biens que uns homs a justement conquestez il peut faire guerre contre celluy qui les luy veult occupper. Et ge m'en passeray bien legierement. Car ceste question est moult bien declairee en droit escript, c'est assavoir que pour ses biens peut on bien faire guerre; car ainsi le veult la loy civile; et aussi le dient noz decretales et noz bons docteurs en decret. Et car ceste raison est assez clere, j'en feray une autre plus doubteuse.

Se pour les biens [non] justement conquestes on peut faire guerre desfensable.

Mais ge vous demande maintenant, se pour desfendre ou pour recouvrer une chouse non deument conquise et non deument possessee l'en peut faire guerre. Et il semble bien selon raison de droit que nanil. Car les loys lesquelles dient que pour ses droiz garder on peut faire guerre, (fol. 41, 2.) preuvent a leur entendement que on ne la peut mieulx faire pour les chouses esquelles on a droit. Mais il fait (? faut) bien entendre soubtilement ceste matiere. Car se mes peres avoit

conquis ung chastel ou une autre chose non deument ou injuste-
ment et je estoye apres ses hoirs et ne savoye les injustices
de mon pere, vrayment, l'ygnorance du fait me pourroit excuser,
car je diroye qu'elle estoit juste. Mais se l'avoye conquis non
deument, il y a ung autre point; car se uns homs auquel le
chastel n'apartient point, le me vouloit tollir, je luy desfendant
pourroye bien faire guerre; mais se celluy a qui est le chastel
le m'avoit ouste, vrayment, selon l'interpretation de juste guerre
je ne la pourroye point faire pour luy recouvrer. Encores faut
entendre a ceste determination, que, se j'ay eu aucune chouse
non pas par violence ne par force ne pour rappine et le vray
seigneur de qui elle est, l'a me oustee, je la luy puis touldre
tout chaudement, c'est a dire devant que je face autre chouse.
Mais se ge laissoie passer un peu de temps, je ne pourroye
point faire de guerre, mais convendroit ceste chouse demander
par jugement. Et combien que cestes oppinions soyent diverses
entre les docteurs, je croy que ce que j'ay escript soit verite.
Mais nous avons une autre raïson qui est bien raisonnable a
ceste matiere. Car se uns homs m'avoit robbe mon decret ou
ung autre livre, et je pensoye que par justice je ne le peusse
recouvrer, ou car son juge est si foible qu'il ne m'en pourroit
faire raison, et ge le luy povoye desrober, je le pourroye faire
de ma propre auctorite, ou une autre chouse qui vausist celluy
livre, selon les vrayes oppinions de noz docteurs, ne ja, quant
a Dieu, n'en seroye je chargiez de conscience. Mais il y a
aucunes manieres de possessions que nous appellons precaire,
c'est a dire a voulente de celluy a qui est la chouse. Et si
devez savoir, en cestui cas que se je avoye baille ou preste un
mien houstel au prevost de Paris autant de temps comme il
me plairoit, quant ge le vouldroye recouvrer, je le devroye
requerir qu'il voidast mon houstel, et s'il refusoit d'issir dehors,
je le pourroye jetter dehors par force. Et si est la raison de
la loy; car en refusant de me bailler ma chouse, il me despoille
de ma possession, et combien que les docteurs en ung autre cas
en facent grant feste et grandes oppinions et diverses; et par
espicial les seigneurs de l'eglise (fol. 42, 1.) sur toute ceste
matiere; pour ce, car souvent (que) uns homs prent une chose
par violence et puis la transporte es mains d'autres, se le sires

la veult recouvrer par force d'armes de celluy qui tient la possession, je fais une distinction. Car il y a bien de conseiller; et si y a tres grande difference, se celluy qui prist la chouse premierement par force, incontinent la transporta es mains d'un autre. Car se cela fist incontinant et celluy bien savoit la violence, vrayment je dy que de ses mains il la peut prendre a force d'armes et recouvrer la possession non obstant cellui transport. Mais ou cas que celluy qui la prinst par force premierement l'eust tenue par aucuns temps et depuys transporte en povoir d'autruy, je ne seroye pas d'oppinion qu'il la puisse ouster a celluy par voye de guerre, mais que il la demande par jugement, et s'il vouloit a celluy qui tient la possession faire guerre, tres bien et trés justement la pourroit faire.

Se ung prestre peut desfendre ses biens temporelx par armes.

Or veons d'une autre chouse, c'est assavoir, se ung prestre ou ung clerc peut desfendre ses chouses temporelles, si comme nous dirions son patrimoigne, ou qui luy vouldroit ouster le ble de son grenier ou le vin de son celier. Je demande se il en telles chouses se vouloit desfendre par bonnes armes, se il seroit irregulier. Et tout premierement je vous dy que nanil, et par ceste raison: qui veult ouster a une personne les chouses et les elemens de quoy il doit vivre, il est advis qu'il la vueille tuer. Mais il est clere chouse que se uns homs vouloit tuer ung chappellain, il se pourroit bien desfendre par armes, donc tout aussi pourra il desfendre ses vivres. Encores plus fort; c'est chouse honneste, sainte et juste de contredire et soy oppouser a juste violence, a usurpation non deue, a pechie condempne, si comme est larroncin, rappine. Donc pour quoy ung chappellain se on luy veult touldre ses biens, ne se pourra oppouser, ne se il se oppouse contre luy, qui la veult faire, en juste desfense et honneste, pourquoy en portera il peine de irregulerite? Mais a determiner ceste question je fais une telle distinction: se* ung chappellain pensoit tout de vray ou bien savoit que ung larron tout seul luy voulsist touldre son mantel,

---

* Ms. que.

et il ne voulloit laisser, mais avoit plus cher tuer le larron, je
pense vrayment qu'il seroit irregulier, mais qu'il pensast que
sanz celluy mantel il peust vivre. Toutesfoiz se le chappellain
estoit en lieu loing de toutes gens et feist tel froit qu'il ne peust
venir sans prendre mort en lieu ou il peust avoir secours de
robbe, et il n'avoit que celluy mantel dont il se peust garder
(fol. 42, 2.) de mort contre le grant froit, et le larron luy
voulsist ouster, je pense vrayment que se autrement il ne peut
garder sa vie, s'il le tuoyt, qu'il ne seroit point irregulier. Et
si diroye je tout le contraire ou cas qu'il ne seroit en si estroicte
neccessite; car ce dit l'escripture que est mieulx apres la cotte
laisser la chappe et les biens vils et transsitoires que mettre la
main sur la creature de Dieu. Et tout par ceste maniere
diroye je en tous cas semblables faisant mencion et difference
entre estroicte neccessite. Mais pour ce que les roys et les
autres grans seigneurs n'ont que faire de ceste matiere, je m'en
passe plus briefment et en parleray en briefves parolles en
autre part ou il charra.

**Se harnoys preste en bataille est perdu, se
doit rendre.**

Mais encores fais je une question qui bien souvent avient
ou pourroit avenir ou temps de guerre. Ung chevalier d'Allemaigne s'en vient a Paris, si treuve le roy appareille pour aller
combatre les Anglois, lesquelx vouloyent entrer en son royaume,
si regardé tant l'assemblee du roy qu'il treuve ung chevalier de
sa cognoissance, et si luy prie par courtoisie comment il luy
vueille prester harnoys compli pour ung chevalier et troys ou
quatre de ses chevaulx, et il luy octroye moult voulentiers, puys
s'en vient en la bataille apres le roy. Mais il avient que le
chevalier pert le harnoys et les chevaulx: maintenant je demande
s'il est tenus de rendre le harnoys et les chevaulx. Et car ceste
question est assez clere entre les clers des loys et des decrez,
je n'en feray ja grans parolles; car vrayment, puysqu'il est
allez la, ou il avoit promis, ne il n'a fait chouse qu'il n'eust
dite a celluy qui les luy avoit prestez, il n'est pas tenuz de les
luy rendre. Mais s'il estoit allez autre part ou avoit fait barat
evident pour perdre les chevaulx et le harnoys ou pour estre

faintement prisonnier, je diroye tout le contraire; car il en seroit
tenuz tout de vray.

Se harnoys et chevaulx louez (sont) perdus en bataille se doyvent rendre.

Mais faisons une question qui est semblant a celle qui est
precedent et si pourroit bien souvent avenir: ung chevalier
de France s'en va a saint Jaques en pelerinage; mais quant il
est a Compostelle, il trouve que le roy d'Espaigne veult entrer
en bataille et pour ce qu'il n'a avec soy les garnemens pour
soy combatre, il prent d'un marchant chevaulx et armeures a
loyer pour certains temps, et ainsi s'en va avecques le roy
(fol. 43, 1.) en la bataille. Mais il advient que le cheval est
mort et il est prisonnier, donc le harnoys est perdu et gaigne
au maistre; apres il fait finance et retourne au roy d'Espaigne.
Le marchant si demande ses armeures et le cheval ou la value;
je demande s'il en est tenuz, et je respons que vrayment que
se non qu'il y eust autre convenance avecques le marchant, il
n'est tenus de payer le loyer. Car ainsi le veult droit escript.

(fol. 53, 2.) Se ung chevalier meurt en bataille, se nous dirions que son arme soit sauvee.

Or demande en ceste partie, se ung chevalier meurt en
bataille, se nous dirons que s'arme soit sauvee. Et il semble
bien que nanil. Car selon une oppinion, guerre ne chevalerie
ne se pevent faire sanz peche. Item plus fort: se ung clerc
meurt en bataille, il ne doit mie estre enterre en lieu sacre ne
en l'eglise ne en cymitere. Mais la raison pourquoi? Certes,
elle n'est pour autre occasion se non pour ce que mortel home
qui meure en ire et en male voulente on croit qu'il soit mort
en pechie mortel; et ainsi peut on penser d'un chevalier. Mais
non obstant cest argument je feray troys conclusions. La
premiere soit ceste cy: que vrayment ung chevalier ou ung
home d'armes qui meure en bataille ordennee pour l'eglise, si
comme est contre les mescreans ou encontre les ennemis du pape
ou de la foy, mais que autrement ne soit en pechie mortel, il s'en va
en paradis; car ainsi le dit le decret. La seconde conclusion si est,
que se uns homs d'armes meurt en bataille pour guerre juste et

maintenant juste querelle, que aussi il séra sauve en paradis. La
tierce conclusion si est, que se il meurt en bataille maintenant in-
justice, il est en voye de dampnation; car nous tenons selon nostre
foy que cilz qui meurt en pechie mortel, s'en va en enfer.

(fol. 59, 2.) Se l'eglise peut ordenner guerre contre
les juifs.

Or nous faut veoir se l'eglise doit ordenner guerre contre
les juifs; et je preuve tantost que oy. Nous disons que ou
monde n'a si male pestilence comme d'avoir ennemy familler; mais
il est clere chouse qu'ilz sont nos ennemis mortelx, combien qu'ilz
nos servent; car autre chouse ne pevent faire. Donc pourquoy le
pappe ne pourroit ordenner contre eulx bataille? Item plus fort:
l'escripture dit, se tu entendoyes ou appercevoyes que les gens
d'une cite deissent: Allons servir aux dieux lesquelx nous ne cog-
noissons, tu occiroys toute celle gent et ardroyes la cite par feu,
et jamais n'y reveigne home pour demourer en celluy lieu, puis
que tant de honte est faite a Dieu. Mais il est certain que les
juifs ne croyent mie Dieu parfectement, car ilz ne croyent pas
la trinite, mais expressement la renoyent. Donc par quelle raison
se pourroit justement faire que guerre ne peust estre donnee
contre eulx? Item autre raison: c'est tout certaine chouse que
les juifs sont ennemys de nostre Seigneur, (fol. 60, 1.) car ilz
sont hors de sa foy et de sa grace a pechie. Mais de quelle part
seroit ung soubzmis du roy, s'il vouloit avoir paix aux ennemis
de son seigneur? Item les juifs nous monstrent manifestement
que ilz sont touz nos ennemis expres; car ilz ne menguent de
nos viandes ne boyvent de nostre vin; et c'est signe de malveil-
lance. Item plus fort: ilz sans avoir de ce faire conscience,
comment qu'ilz puissent, ou par usures ou par fraudes ou par barat
trayent argent des biens des crestiens et vivent du labour des
crestiens sanz labourer ne terres ne vignes, par leur mauvais engin
et mauvese soubtivete; et communement quelque part qu'ilz de-
mourent, desheritent les pouvres gens et des riches assez. Donc
par quelle droit si faite gent doit on soustenir? Mais je sur
cestuy debat dy, comment Dieux lequel soustient les pecheurs en
attendant leur conversion, nous donne exemple de les soustenir.
Et d'autre part il nous a dit es envangilles que le temps vendra

qu'il ne sera que ung pastour et ung peuple. Car ilz se con-
vertiront, et aussi nous veons tous jours que aucuns prennent le
saint baptesme, et pour ceste raison l'eglise les soustient; et aussi
car nous avons quant les veons, meilleur memoire de nostre sal-
vation; et se nous hayent, ilz ne sont mie puissans a nous faire
guerre ouverte, et de moins amer ne nous passent ilz mie, car
aussi nous les amons moult petit, et se nous font assez de mal,
nous ne leur faisons guaires de bien.

Bemerkung. Das von mir in der ersten Partie dieser Mitteilung
p. 67 gesetzte ? ist zu streichen.

Fremdwörter aus dem Chinesischen.

Von

Dr. F. Hirth in Schanghai.

Ehe ich von den eigentlich chinesischen Wörtern rede, möchte ich eine Anzahl solcher Fremdwörter abfertigen, die gewöhnlich im Zusammenhang mit chinesischen Gegenständen gebraucht und deshalb leicht für chinesische Ausdrücke gehalten werden können, die aber dennoch nicht-chinesischen Ursprungs sind. An der Spitze steht das jedem bekannte Wort M a n d a r i n. Im Chinesischen selbst existiert kein Wort dieser Art, wenn auch der Begriff desselben eine grofse Rolle spielt. Dieser heimatlose Name ist das genaue Äquivalent des chinesischen k u a n (k u a n - j ê n oder t s o - k u a n - t i - j ê n), d. h. es ist der Gattungsname für alle Staatsbeamte, die wiederum eingeteilt werden in Civil- und Militärbeamte (w ê n - k u a n und w u - k u a n). Unter letzteren versteht man die Offiziere der Armee, unter ersteren die Verwaltungsbeamten der Regierung. Was ist ein Mandarin? Diese Frage wurde nach Giles von einem chinesischen Kaufmann folgendermafsen beantwortet: „Es ist ein Mensch, der entweder in einer Sänfte sitzt oder auf einem Pferde reitet; zu Hause aber sitzt er in einer hohen Halle; es ist ein Mensch, dessen Ruf von hundert Stimmen geantwortet wird, den man nur schüchtern von der Seite ansehen darf, und in dessen Gegenwart niemand gerade stehen darf." Unter „Mandarindialekt" versteht man die von den nördlichen Chinesen gesprochene Mundart der Sprache mit ihren nur mäfsig voneinander abweichenden Abarten. Diese von den Chinesen k u a n - ʻh u a genannte Sprache wird vom bei weitem gröfsten Teil der Bevölkerung gesprochen, man kann sagen überall in den achtzehn Provinzen mit Ausnahme der Provinzen Kuang-tung, Fukien, Chêkiang und Kiangsu. Die nichtangeführten

fünfzehn Provinzen repräsentieren nach dem Census von 1812 eine
Einwohnerzahl von 264 Millionen Köpfen, eine Zahl, die, selbst wenn
sie die Wirklichkeit um das Doppelte übersteigen sollte, immerhin bedeutend gröfser ist als das numerische Sprachgebiet der englischen oder
irgend einer anderen Weltsprache. Das Wort Mandarin, das zur
Bezeichnung dieser, der offiziellen Sprache Chinas verwendet wird, ist
selbst zweifelhaften Ursprungs, doch stammt es keinesfalls aus dem
Chinesischen. Die landläufige Ansicht englischer Sinologen ist, dafs
es mit dem portugiesischen mandar, „befehlen", zusammenhängt.
Doch ist mir dabei die Endsilbe gänzlich unerklärlich, die sich gar
nicht mit dem Geiste der portugiesischen, wie irgend einer anderen
romanischen Sprache zu vertragen scheint. Das diesem Stamm ent-
nommene Derivativ von der Bedeutung eines Mandarinen könnte in
den meisten romanischen Sprachen wohl Commandante oder ähnlich
klingen, aber nicht — mandarino oder Mandarin. Befriedigender
ist die Erklärung unseres Professors Schott in Berlin. Derselbe sagt
auf S. 57 seines „Entwurfs einer Beschreibung der chinesischen
Litteratur" (Berlin 1854):

„Das Wort Mandarin haben wir zuerst durch portugiesische
Seefahrer bekommen; gleichwohl ist es ebenso wenig portugiesisch oder
spanisch als chinesisch, sondern das sanskritische mantrin, Ratgeber,
Minister (von mantra, consilium), welches schon sehr früh mit einer
Menge anderer Sanskritwörter zu den Malaien überging, bei denen es
noch heute einen hohen Würdenträger bedeutet, mag er Malaie, Chinese
oder Europäer sein. — Da nun jene portugiesischen Entdecker mit
Malaien früher Bekanntschaft machten als mit Chinesen, so ist sehr
erklärlich, dafs sie, um chinesische Beamten zu bezeichnen, ein bei den
Malaien übliches Wort wählten. Nur machten sie sich dieses Wort
durch Einschiebung eines neuen Vokales und Milderung des t in d
mundrecht, und so erhielt es das Ansehen, als käme es von mandar,
befehlen; aber Befehlshaber heifst mandador und nie mandarin."

Als Bezeichnung einer der eben erwähnten häufig entgegengesetzten Klasse möchte ich hier das Wort Kuli nennen. Man versteht darunter den niederen Handarbeiter sowie diejenigen Hausdiener,
welche die gröbste Arbeit verrichten. So nahe dieser Begriff dem
chinesischen Leben steht, so geläufig der Ausdruck dem englisch
redenden Chinesen ist, so findet sich doch im Chinesischen selbst kein
Ausdruck, von dem man sagen könnte, dafs er das Wort Kuli, wie
wir es brauchen, vollständig decke. Es scheint, dafs dieser Begriff
erst durch die Berührung fremder Völker mit der chinesischen Arbeits-

kraft entstanden ist. Die Etymologie des Wortes ist zweifelhaft, doch ist sein Ursprung wahrscheinlich in Indien zu suchen. Nach dem indischen Journal des Bischofs Heber sind die „Kholees" eine entartete Rasse der Rajpoots in Gudjerat, die wegen der niedrigen Arbeiten, zu denen sie verwendet werden, und zwar durch Vermittlung der Portugiesen, den Lastträgern ganz Indiens den Namen Kuli verschafft haben. „Die Einführung des Ausdrucks in China" — wird von E. C. Bowra in den „Notes and Queries on China and Japan, 1867," S. 77 weiter ausgeführt — „geschah selbstverständlich durch das Monopol der ostindischen Compagnie; bemerkenswert ist die Thatsache, dafs in Westindien das Wort auf die indianischen Arbeiter angewendet wird, welche die Stelle des Negers in den Zuckerpflanzungen einnehmen, und nicht auf chinesische Einwanderer." Eine andere Ableitung findet sich an der citierten Stelle, wonach Kuli im Tamulischen „mieten" oder „Lohn" bedeutet; das Wort sei dann erst von Europäern auf die eingeborenen Lohnarbeiter in Südindien angewendet worden.

Das Wort Dschunke, von den Engländern Junk geschrieben, ist Jahrhunderte alt in orientalischen Reisewerken, indem bereits Ibn Batuta, der arabische Reisende des vierzehnten Jahrhunderts, es auf gröfsere chinesische Schiffe anwendet. Die Etymologie ist zweifelhaft und schwer aufs Chinesische zurückzuführen. Der landläufigen Ansicht zufolge liegt ein javanesisches Wort jung, d. h. ein grofses Boot, zu Grunde. Wenn nicht besondere Gründe zu dieser Annahme nötigen, scheint mir das chinesische Wort für Schiff, chʻuan, in südlichen Dialekten shün und suán, gleich nahe zu liegen.

Nicht chinesisch sind die bekannten Bezeichnungen chinesischer Geldsorten: Tael, Mace, Candareen und Cash. Die drei ersten sollen aus Indien durch Vermittelung des Malaiischen gekommen sein; das letztere, cash, wird von caixa, dem Namen einer von den Portugiesen 1511 in Malakka gefundenen Zinnmünze, abgeleitet. Diese, sowie die Gewichtsbezeichnungen Picul und Catty, gleichfalls dem Malaiischen entlehnt, sind auch dem eigentlichen Chinesisch gänzlich fremd. Die Geldsorten heifsen hier: Hiang, Chʻieu, Fên und Hi; die Gewichte: Tan oder Shih und Chin. Das Cash als Münze, jenes flache runde Stück Kupfer, das, mit einem viereckigen Loch versehen, auf Schnüren gereiht die einzige Verkehrsmünze Chinas bildet, und das als solche bereits zur Zeit Karls des Grofsen von den arabischen Reisenden beschrieben ist, wird oft unter dem

Namen Sapeke, franz. sapèque, erwähnt und ist nach einer kleinen
Münze benannt, die sich in Tungking findet, etwa einen halben Pfennig
wert ist und dort sapek genannt wird.

Zweifelhaften Ursprungs ist das Wort Pagode. Ich meine
hiermit nicht die indischen Götzenbilder, nicht den ewig nickenden
Pagoden, der den Zorn des philosophierenden Narcifs erregt, nicht den
Pagoden, sondern die Pagode, speciell die chinesische Pagode, jenes
turmartige Bauwerk, aus fünf, sieben oder neun Stockwerken bestehend,
das der kirchturmlosen chinesischen Landschaft den architektonischen
Charakter des Landes aufdrückt. Im Jürgens findet sich dafür ein
persisches und hindostanisches but-kadah zu Grunde gelegt, und
zwar soll but „Götzenbild“, kadah „Haus“ bedeuten; nach
anderen ist Pagoda die portugiesische Verdrehung eines indischen
dagoba; noch weniger wahrscheinlich ein portugiesisches Wort
pagão, aus dem lateinischen paganus entstanden. Am meisten
einleuchtend ist noch die von Giles (im Far East Glossary) vorgeschlagene chinesische Etymologie, wonach eine der verschiedenen
chinesischen Bezeichnungen eines solchen, von Haus aus wohl dem
buddhistischen Dienste gewidmeten Gebäuden, pai-ku-t'a, d. h.
„Turm der weifsen Knochen“, ist. Der Sage nach sollen diese Türme
als Grabzeichen für Gebeine Buddhas oder buddhistischer Heiliger
errichtet worden sein.

Das Wort für das Ding, das die chinesische Gesellschaft zu-
sammenhält, Bambus, ist malaiisch. Der chinesische Name ist chu.
Eine beinahe gleich wichtige Grofsmacht ist der Mönch mit dem ge-
schorenen Kopf, der buddhistische Priester, von uns mit dem japanischen
Wort Bonze (japan. bonso, in chines. Aussprache fan-sêng),
von den Chinesen aber meist ho-shang genannt.

Die Zahl unserer wirklich chinesischen Fremdwörter ist augenscheinlich sehr gering. Gerade diejenigen termini technici, die sich
als Bezeichnungen chinesischer Eigentümlichkeiten durch Schriften
über den Orient bei uns eingeführt haben, sind, wie wir soeben an
einer Anzahl bekannter Fremdwörter gesehen haben, nicht chinesisch
oder mindestens zweifelhaften Ursprungs. Ich will nun versuchen,
einige Etymologien vorzuführen, bei denen der echt chinesische Ursprung
wahrscheinlicher, wenn auch nicht immer leicht nachzuweisen ist.

Verhältnismäfsig am leichtesten läfst sich die Geschichte eines
Wortes verfolgen, wenn es einem konkreten Begriffe als untrennbar

eigentümlich ist; wenn wir den Gegenstand, den es bezeichnet, in seiner Wanderung aus einer fremden Welt in unsren Gesichtskreis, bis auf seinen Ursprung zurückverfolgen können. Solcher Beispiele finden wir einige in den Produkten des chinesischen Handels, die vor und während der Periode des Mittelalters auf verschiedenen Wegen nach Europa gelangt sind. Als bekannt will ich nur kurz der Etymologien von S e i d e und T h e e erwähnen. Das erstere, von Klaproth, in seinen verschiedenen Phasen auf die mongolisch-chinesische Urquelle zurückgeführt, wurzelt in dem chinesischen s s à, dem mongolischen s e r k e, dem mandschurischen s i r g h e, das im Lateinischen in der Wurzel s e r i c von s e r i c a, und im russischen s h o l k sich wiederholt. Unser T h e e ist ein rein chinesisches Wort; es ist die Aussprache des sonst c h ‘ a gesprochenen Wortes im Dialekt von Amoy, von wo aus vermutlich die ersten direkten Ladungen ausgingen. C h ‘ a, dasselbe Wort im Mandarin- wie im kantonischen Dialekt, ist ins portugiesische c h a, sowie ins russische t c h a i übergegangen; die Portugiesen bekamen vermutlich das Wort mit den ersten Ladungen der Ware aus Makao, die Russen über Sibirien. Deutsche, Franzosen und Engländer sagen t é; auch das englische t e a muß noch im Anfang des vorigen Jahrhunderts t é ausgesprochen worden sein, wie aus folgenden Reimen hervorgeht, die sich in Popes „Rape of the Lock", geschrieben im Jahre 1712, vorfinden, und zwar im ersten Gesang, 61:

> Soft yielding minds to water glide away,
> And sip, with nymphs, their elemental tea.

Ferner im dritten Gesang, 7:

> Here thou, great Anna! whom three realms obey,
> Dost sometimes counsel take — and sometimes tea.

Jeder Droguist kennt die bittere Wurzel G a l g a n t. So unchinesisch dieser Name klingt, habe ich es doch versucht, seinen Ursprung bis zu den in China gelegenen Feldern zurückzuverfolgen, auf denen die Mutterpflanze dieser Ware gezogen wird. Die Galgantwurzel wurde bereits im frühen Mittelalter durch die Araber bei uns eingeführt. Im dreizehnten Bande des botanischen Teils des „Journal of the Linnean Society" findet sich eine erschöpfende Monographie von Daniel Hanbury: „Historical Notes on the Radix Galangæ of Pharmacy." Der Verfasser hat sich bemüht, darin eine große Anzahl von Citaten zusammenzustellen, welche die Erwähnung dieser Drogue in mittelalter-

lichen Werken beweisen. Nach Hanbury wird Galgant zuerst in
dem Bericht eines arabischen Geographen Ibn Khurdádbah, der unter
dem Kalifen Mutammid (869 bis 885 n. Chr.) diente, als chinesisches
Produkt erwähnt. Seine Einführung in Europa fällt in eine viel
spätere Periode; bekannt war die Wurzel der heiligen Hildegard, die
als Äbtissin von Bingen im Jahre 1179 starb, und die nach Hanbury
über die medizinischen Vorzüge des Galgant geschrieben hatte. Von
späteren, linguistisch wertvollen Beweisen erwähne ich einen im Programm des Gothaer Gymnasiums für 1872 erschienenen Artikel meines
Lehrers Prof. Karl Regel über „Das mittelniederdeutsche Gothaer
Arzneibuch und seine Pflanzennamen", einen Papierkodex des vierzehnten Jahrhunderts von der herzoglichen Bibliothek in Gotha. Der
Verfasser hat mit besonderer Mühe die verschiedenen Formen gesammelt, in denen die verschiedenen pharmaceütischen Namen in diesem
„Arzneibuche", der „dudeschen arstedie", wie es heifst, sich finden.
Daraus geht hervor, dafs für Galgant während des vierzehnten Jahrhunderts in Thüringen die Formen galligan, gallegan, gali
ghanum, gallian und galgan in Gebrauch waren. In keiner
dieser Formen findet sich ein schliefsendes *t*, und ich bin geneigt anzunehmen, dafs dieses nur als orthographisches Ornament nach einer
falschen Analogie an dieses mit nasaler Endsilbe ausgesprochene Wort
angehängt wurde, so dafs die letzte Silbe mit dem französischen Wort
für „Handschuh" Ähnlichkeit haben mochte. Die mittlere Silbe lautet
verschiedentlich lig, leg, lli; im lateinischen galanga und im
englischen galangal: lang, womit ich eine von Hanbury erwähnte
alte Form garingal vergleichen möchte. Wir dürfen wohl aus dem
vorhandenen Material die drei Silben des Wortes zu ga-Iang-gang
oder ga-ling-gang rekonstruieren und sind so gerüstet, den Vergleich mit dem chinesischen Äquivalent ko-léung-kéung (spr. go-
löong-göong) des kantonesischen Dialekts anzustellen. In der
That ist dies derjenige chinesische Name, der sich in wissenschaftlichen Werken wie dem Pén-tsao, der grofsen Droguenkunde der
Chinesen, für diesen Artikel angegeben findet. Der chinesische Text
des Zolltarifs enthält als Äquivalent für das deutsche Galgant allerdings nur die Worte liang-kiang, wörtlich übersetzt: „milder
Ingwer", was im Kantonesischen léung-kéung (spr. löong-
göong) lautet und nur die letzten beiden Silben des vollen Namens
enthält. Die Silbe Kó (spr. go), im Mandarindialekt kao, ursprüng-

lich „hoch", ist nämlich die erste Silbe eines Regierungsbezirks Kao-
chou fu in Kuang-tung, und zwar gerade desjenigen Bezirks,
aus welchem früher, sowie noch jetzt, die Galgantwurzel bezogen
wurde. Kó-léung-kéung heißt daher nichts weiter als „Milder
Ingwer, resp. Galgant, von Kao-chou fu". Der alte Name des Bezirks Kao-chou fu war übrigens Kao-liang, kantonesich Kó-léung,
wenn auch nur eine Verwechselung gleichlautender Schriftzeichen diesen
Namen als Doppelsilbe in der Bezeichnung des Galgant rechtfertigen
könnte. Die wörtliche Übersetzung des chinesischen Ausdrucks würde
daher „Ingwer von Kao-liang" lauten. Wie dem auch sei, es steht
fest, daß Kó-léung-kéung ein alter chinesischer Name für Galgant ist; es steht ferner nach Hanbury fest, daß in Arabien die Drogue
unter dem Namen Khalanjān bekannt ist und bereits im frühen Mittelalter unter den chinesischen Produkten genannt wurde. Dazu kommen
unsere mittelniederdeutschen Formen, deren Ähnlichkeit in ihren einzelnen Teilen mit diesen beiden Namen es wahrscheinlich machen, daß
das Wort zwischen dem neunten und zwölften Jahrhundert mit der
Drogue zugleich durch Vermittelung der Araber zu uns gekommen ist.

Einen ähnlichen Weg scheint mir ein anderes Wort gegangen zu
sein, ein Wort, das vielen kaum bekannt ist, das sich jedoch in jeder
Droguenkunde, und zwar als Wechselname für die Frucht des Illicium
anisatum findet, das Wort Badian. Bis vor wenigen Jahren galt
die Ansicht, daß der Sternanis, außer aus Japan und den Philippinen,
aus einem Departement der chinesischen Provinz Fukien bezogen
werde. Dies beruht jedenfalls auf Irrtum, soweit es sich um den
Sternanis des Welthandels handelt. Die chinesische Zollstatistik weist
nach, daß in den Häfen der Provinz Fukien, nämlich Foochow und
Amoy, nicht nur kein Sternanis ausgeführt wird, sondern daß der
dortige Markt seinen Bedarf durch Einfuhr von Hongkong aus deckt.
Die Kaufleute in Hongkong bezogen diesen Artikel früher aus Makao,
wohin er durch Junken von der sogenannten „Westküste", das ist die
Küste des Kontinentes gegenüber und in der Nähe der Insel Hainau,
gebracht wurde. Seit Eröffnung des Hafens Pakhoi nahe der Grenze
von Tungking hat sich herausgestellt, daß dort der eigentliche Aus-
fuhrort für Sternanis sich befindet, indem im Jahre 1879 nahezu
4000 Centner im Werte von 190 000 Mark ausgeführt wurden. Als
Produktionsdistrikt wird in einem Bericht meines Kollegen in Pakhoi
die Umgegend von Lung-chow in Kuang-si an der Grenze von Tung-

king und der Stadt Po-sê, an einem Arme des Sikiang, nahe der Grenze von Yünnan genannt. Die jährliche Produktion wird mit 13 000 Ctr. angegeben. Sehr wahrscheinlich ist es daher, daſs Sternanis von altersher in den Gewässern von Kanton von fremden Kaufleuten kennen gelernt wurde, und zwar zunächst von Arabern, von deren blühendem Handel im Mittelalter noch heute die Überbleibsel einer arabischen Kolonie in Kanton Zeugnis ablegen, bestehend in einem von den Chinesen in hohen Ehren gehaltenen Kirchhof, der die Gebeine eines Verwandten des groſsen Propheten enthalten soll, und einem ziemlich gut erhaltenen, wenn auch augenscheinlich uralten Turm, unter dem Namen „die mohammedanische Moschee" bekannt. Bei uns ist der Name Badian als aus dem Persischen entlehnt erklärt worden, wo er in der Bedeutung „Fenchel" vorkommen soll. Wie kommen wir aber dazu, damit die, wenn auch verwandte, aber doch nicht identische Drogue „Sternanis" zu bezeichnen? Ich kann hier vorläufig nur mit einer Konjektur aushelfen. Die Frucht des Sternanis oder Badian besteht aus einer zackigen Schale meist mit acht Hörnern, deren jedes einen Kern enthält. Der gegenwärtige Name, wie er sich auch im chinesischen Zolltarif findet, ist daher pa-kio, kantonesisch pát-kok, d. h. „Achthorn". Als Erklärung für diesen Ausdruck finden sich in dem erwähnten Droguenwerk Pên-tsao die Worte „Frucht aus acht Kernen", die acht Kerne aber werden dort pa jên genannt, ein Silbenpaar, dessen genaue Aussprache im Kantonesischen pát-yan (spr. bádjan) lautet.

Ein drittes Wort, das mit ziemlicher Wahrscheinlichkeit auf die Vermittelung der Araber zurückzuführen ist, finden wir in der Bezeichnung eines atlasartigen Gewebes, Satin, franz. satin, engl. satin, ital. zetanino. Jürgens verbindet dieses Wort unmittelbar mit dem lateinischen seta und serica. Dagegen giebt Professor W. Neumann, in einem Aufsatz „Über orientalische Seide im Mittelalter" in der Juni- und Juli-Nummer der östreichischen Monatsschrift für den Orient, folgende Erklärung: „Von der Stadt Tseu-tung (jetzt Tswan in der Provinz Fokien) brachten die Araber einen Stoff in den Handel, welcher ganz specifisch für den Seidenstil ist und den sie — das chinesische Wort arabisch umgestaltend — Zeitûni nannten, italienisch zetanino, französisch satin. Ibn Batuta rühmt den Atlas, welcher zeitunisch heiſst, er kam aus China nach Indien, Samarkand und Tebris, von wo er in den italienischen Handel kam."

Die Lage der von Marco Polo beschriebenen Stadt Zeitûn ist immer noch einer der vielen Zankäpfel der Sinologen. Die von Prof. Neumann adoptierte Ansicht ihrer Identität mit dem heutigen Chʻüan-chou fu, sonst Tzʻū-tʻung (nicht Tseu-tung) genannt, stammt von Klaproth. Dagegen versucht der englische Konsul George Phillips nachzuweisen, daſs Zeitûn in der Nähe des südlicher gelegenen Chang-chou-fu sich befunden haben müsse. Ich habe in der Nähe beider Städte mehrere Jahre gelebt und viel von dem dortigen Thee, von Zuckerbau, von Porzellanmanufakturen und anderen Industrien, nie aber von einer irgendwie bedeutenden Seidenkultur gehört, wenn auch nicht geleugnet werden kann, daſs dergleichen Gewerbszweige im Laufe der Jahrhunderte kommen und verschwinden; auch ist es ja keineswegs ausgeschlossen, daſs Seidenzeuge aus anderen Provinzen nach Zeitûn als dem damaligen Hauptverschiffungshafen der Araber gebracht wurden. Jedenfalls ist der Platz im Süden Chinas, von welchem wir heutzutage die meisten ähnlichen Stoffe erhalten, nicht die vermutliche Gegend des alten Zeitûn, sondern die Stadt Kanton und Umgegend. Ich vermute, daſs das Wort Satin in viel direkterem Zusammenhange mit der chinesischen Sprache steht, als man aus der zeitûnischen Erklärung annehmen kann. In den Seidenmanufakturen Kantons wird nämlich noch heutigestags derselbe Stoff, den wir gewöhnlich mit Seidenatlas bezeichnen, unter dem Namen Ssū-tuan, was im Kantonesischen sze-tün ausgesprochen wird, d. h. „Seiden-atlas", verkauft. Es scheint, daſs arabische Käufer im Laufe der Jahrhunderte dieses direkt importierte Wort mit dem ähnlich klingenden Namen ihrer schon vor Kanton berühmt gewordenen Handelskolonie Zeitûn verwechselten. Merkwürdig ist, daſs gerade Ibn Batuta, der wie es scheint den Atlas zuerst als zeitunisch erwähnt, die Stadt Kanton besucht und beschrieben hat. Um diese Frage sicher zu entscheiden, fehlen uns noch einige Mittelglieder, namentlich arabische Formen, da das europäische satin dem chinesischen szetün näher zu stehen scheint als das ältere arabische zeitûni.

––––––––

Chinesische Namen und ihre Derivativwörter gehören wohl nur indirekt hierher. Wenn wir vom Namen Fohi, dem Namen des ersten mythischen Gesetzgebers der Chinesen, des Ursprungs der Künste und Wissenschaften, ein Wort Fohismus mit der Bedeutung

„Lehre des Fohi" bilden, so ist das darin enthaltene Material allerdings auch chinesischen Ursprungs. Dasselbe würde sich von dem analog gebildeten Worte Konfucianismus sagen lassen. Konfucius ist die latinisierte Form für Kʻung³-fuʻ-tzŭ³, den Namen des berühmten Philosophen, wie Mencius die latinisierte Form für Mêng⁴-tzŭ³ ist; latinisiert durch die ersten Übersetzer ihrer Schriften, die sich der lateinischen Sprache bedienten. Unser Landsmann Faber, Mitglied der rheinischen Mission, der sich viel mit der Erklärung und Übersetzung chinesischer, auch der weniger berühmten Philosophen beschäftigt hat, bildet von einigen der letzteren analoge Formen, indem er den tauistischen Philosophen Lieh-tzŭ, dessen Name im Dialekt von Kanton Lit-tzě ausgesprochen wird, „Licius", und den Philosophen Mo-tzŭ (oder Mei-tzŭ) „Micius" nennt. Nicht zu verwechseln mit dem erwähnten Fohismus ist das Wort Foïsmus. Das letztere ist ein Derivativ von Fo, dem chinesischen Namen für Buddha, und ist als Fremdwort für den modifizierten Buddhaismus der Chinesen in Gebrauch. Ähnlich wie diese beiden Wörter, ist das häufig genannte Taoismus gebildet, abzuleiten von Tao, dem Vernunftprincip des Philosophen Lao-tzŭ.

Die Porzellanerde, die das chinesische Porzellan liefert, ist dem Techniker unter dem Namen Kao-lin bekannt. Dies ist die überlieferte Orthographie, nach der wir lin statt ling schreiben, da der erste, der über die chinesische Porzellanbearbeitung geschrieben hat, ein Franzose war, der Pater d'Entrecolles, welcher als Augenzeuge der seiner Zeit (1712), wie noch jetzt in der grofsen Fabrikstadt King-te-chén betriebenen Arbeit, sowie mit Benutzung schriftlicher chinesischer Quellen in den Lettres Édifiantes et curieuses écrites des missions étrangères seinen berühmten Bericht über die Porzellanmanufaktur unter dem Titel „Lettre sur la fabrication de la porcellaine à King-te-tching" veröffentlichte. Das „neue etymologische Fremdwörterbuch" von Karl Jürgens enthält in Bezug auf die Abstammung des Wortés Kao-lin resp. Kao-ling insofern einen Irrtum, als es hier „nach der Insel Kaoli = Korea benannt" wird. Zunächst ist Korea keine Insel, sondern eine Halbinsel, die allerdings im Chinesischen unter anderen Namen auch die Bezeichnung Kaoli oder Kao-li-kuo führt. Das Wort Kaoli hat jedoch nur eine oberflächliche und noch dazu unvollständige Ähnlichkeit mit dem Namen Kao-ling; die chinesischen Schriftzeichen für das letztere, kao und ling, bedeuten „hoher Berg". Dieser

„hohe Berg" aber befindet sich wenige Meilen nordwestlich von der
Stadt K i n g - t é - c h ê n, und zwar auf der grofsen Ta-ching-Karte
unter 29⁰ 28′ n. Br. und 1⁰ 10′ östlich von Peking. Hier ist es,
wo die Arbeiter von K i n g - t é - c h ê n den Feldspat für die grofse
Menge ihrer Porzellanöfen finden, wie ja auch bei uns die Lage der
Porzellanfabriken sich nach den Fundorten des hauptsächlichsten Roh-
materials zu richten pflegt. Der Transport von Korea nach der Por-
zellanstadt beim See Po-yang würde das Kaolin viel zu teuer machen,
als dafs ein dortiger Fundort je mit der chinesischen Manufaktur in
Beziehung gestanden haben könnte. Eine andere in der Porzellan-
technik gebrauchte Bezeichnung, P e t u n t z e, ist vom chinesischen
P a i - t u n - t z ŭ, „weifser Quarz", abzuleiten.

Unsere Fremdwörterbücher enthalten ein, wie es scheint, zunächst
dem Französischen entnommenes Wort C a r c a n in der Bedeutung
„Halseisen, Pranger", auch „einer Art Damenhalsband". Jürgens
vergleicht damit das englische c a r c a n e t und leitet das Wort ab vom
spätlateinischen c a r c a n u m; von einigen wird nach Jürgens das
althochdeutsche q u e r c a, unser G u r g e l zu Grunde gelegt. Vom
Damenhalsband zum Halseisen ist zwar ein grofser Schritt; beide drehen
sich um den Hals als das vermittelnde Glied. Ich habe weiter keinen
Grund als die Gemeinsamkeit des Gebrauchs, die auch hier an das
chinesische k i a, in den südlichen Dialekten k á, k o, u. s. w. denken läfst;
besonders aber an eine im Chinesischen keineswegs unmögliche Umkehrung des landläufigen Ausdrucks k o n ġ - k á (so im Kantonesischen),
d. h. das „Halsholz, das k á, von den Engländern c a n g u e genannt,
tragen". K á - k o n g könnte unter Umständen „das Tragen des Hals-
holzes" bedeuten. Ich kann über diese Frage nichts Positives sagen, da
mir die hier wichtigen Beziehungen des Worts zum spätlateinischen
c a r c a n u m unbekannt sind. Doch wollte ich auf die Möglichkeit eines
chinesischen Ursprungs für dieses Wort hingewiesen haben, dessen Bedeutung mit dem „C a n g u e" so nah verwandt scheint. Das engl. Cangue
wird übrigens von einigen aus dem portugiesischen c a n g a, d. h. Joch,
abgeleitet. Wenn nicht weitere Gründe diese Ansicht unterstützen, möchte
ich die chinesische Phrase k a n ġ - k á, „das Halsholz tragen", vorziehen.

Ich komme hier auf ein Wörterpaar zu sprechen, das sich in jedem
Fremdwörterbuch findet und zwei unserer ureigensten, angestammten
Wörter bezeichnet, die ersten Wörter, die das deutsche wie das chine-
sische Kind zu lallen pflegt; sie sind ihrer äufseren Form nach echt

chinesisch, insofern sie den monosyllabischen Charakter, wenn auch in
reduplizierter Gestalt, treu wiedergeben; und doch werden wir nie zugeben, daſs unsere Kleinen sich bereits mit chinesischen Fremdwörtern
befassen, wenn sie ihre Sprachstudien mit den Wörtern „M a m a“ und
„P a p a“ beginnen.   Auch ich bin weit davon entfernt, diese internationalen Wörter, diese Naturlaute, auf welche die deutsche wie die
chinesische Sprache, nein, wie fast jede andere uns bekannte Sprache,
gleiches Recht hat, für Fremdwörter auszugeben.   Ich möchte hier
lediglich den gemeinsamen Besitz konstatieren.   Die Silbe m a, dargestellt durch ein Schriftzeicheu, das aus den Symbolen „Weib“ und
„Pferd“ zusammengesetzt ist, findet sich im nationalen Wörterbuch des
Kaisers Kang-hsi, das unserem Grimm oder dem Dictionnaire de
l’Académie der Franzosen entspricht, mit der Grundbedeutung „Mutter“
angegeben; eine andere Bedeutung, heiſst es, ist „weibliches Pferd“
oder „Stute“, eine Nebenbedeutung, die so wie die ideographische Entstehung des Zeichens aus „Weib“ und „Pferd“, auf das Nomadenleben
in den mongolischen Steppen hinzuweisen scheint, dem das chinesische
Volk entsprungen ist.   L a o - m a im Norden und A - m a im Süden
bedeutet eine Amme, eine Kinderwärterin; aber die Verdoppelung
m a - m a entspricht dem gleichen Wort bei uns.   Es ist wohl ein
Naturlaut, erzeugt durch dieselbe Bewegung der Lippen, die das Kind
bei der vom Instinkt diktierten Aufsaugung der Muttermilch erlernt
hat, ein Naturlaut, dem auch wohl das lateinische M a m m a, in der
Bedeutung „Mutterbrust“, seine Entstehung verdankt.   Als eine Ver-
härtung dieses weichen Lautes muſs das strengere P a p a erscheinen.
Auch für pa findet sich im K a n g - h s i ein Schriftzeichen, zusammengesetzt aus dem Radikal f u, der dem Zeichen die Bedeutung „Vater“
verleiht, und dem hier bedeutungslosen phonetischen Bestandteil p a
(sonst „nehmen, fassen“ bedeutend).   Der Verfasser dieses Artikels
im kaiserlichen Wörterbuch scheint geneigt zu sein, dieses Wort eher
als ein Fremdwort im Chinesischen anzusehen, als das vorige, m a,
„In der Sprache der *I* (d. i. der westlichen Barbaren, vermutlich cen-
tralasiatischer Stämme)“, heiſst es, „heiſst der Alte ‚Papa‘“.   Durch
Vereinigung des Zeichens für diesen Laut pa mit dem Radikal für
Vater (fu) ist unser Zeichen pa mit der Bedeutung „Vater“ entstanden.
Der Sprachgebrauch verwendet beide Ausdrücke, Mama und Papa,
ganz wie bei uns, wovon man sich durch Beobachtung chinesischer
Kinder bald überzeugen kann.

Chinesischen Ursprungs und zwar ohne Schwierigkeit zu erkennen ist das Wort G i n s e n g, der Name für die Wurzel der Panax ginseng, der berühmten Universalmedizin der Chinesen. Der einfache botanische Name für die Pflanze ist s h ê n. Da die gabelförmige Wurzel jedoch Ähnlichkeit mit der Menschengestalt hat, so wird dem Namen das Wort j ê n, „Mensch", vorgesetzt, so dafs der Ausdruck j ê n - s h ê n entsteht. Der Nasal am Ende der zweiten Silbe dürfte seinen Ursprung in einer dialektischen Abweichung der Lokalaussprache von Schanghai haben, wo diese beiden Silben Njäng-zeng lauten.

Das unter dem Namen N a n k i n g bekannte baumwollene Gewebe ist nach der Stadt N a n - k i n g benannt, wo sich die meisten Web-stühle dafür befinden, ist also selbstverständlich chinesisch. Ebenso herrscht kein Zweifel über die Namen der Theesorten, wie Congou, vom chinesischen k u n g - f u, d. h. Arbeit; Oolung = w u - l u n g, d. h. schwarzer Drache; Souchong = s i a o - c h u n g, d. h. kleine Sorte; Pekko = p a i - ʻh a o, kantonesisch p á k - h o, d. h. weifser Flaum, wegen der feinen weifsen Härchen, die auf den Blättern des echten Pekko zu sehen sein müssen, u. s. w. Auch B o h e a, im botanischen Namen der Theepflanze, T h e a b o h e a, ist chinesisch. Das Wort ist zunächst dem Englischen entlehnt und sollte b o h í ausgesprochen werden. Bohí aber ist die lokale Aussprache des Namens W u - i oder W u - i - s h a n, eines Gebirges in der Provinz Fukien, auf dessen Ab-hängen lange Zeit der beste Thee gezogen wurde. Seiner Zeit war b o h e a in England gleichbedeutend mit Thee überhaupt, wie aus den Zeilen Popes hervorzugehen scheint:

> To part her time 'twixt reading and b o h e a,
> To muse and spill her solitary tea.

Das Wort S o y a als Bezeichnung einer pikanten Sauce oder eines konzentrierten vegetabilischen Saftes zur Aufbesserung von Saucen, ist japanischen Ursprungs, wenn auch die Schriftzeichen für dieses Wort in China unter verschiedener Aussprache bekannt sind. Die-selben heifsen im Mandarindialekt c h i a n g - y u, im Kantonesischen t s é u n g - y a u; die japanische Aussprache derselben Zeichen ist s h ō y u, woraus unser Soya entstanden ist.

Zweifelhaft bin ich über das Wort T u s c h e. Es könnte recht leicht mit einem chinesischen Tʻu - s ê, d. h. „Erdfarbe", verglichen werden, wenn dieser Ausdruck nicht im modernen Chinesisch metaphorisch mit „blafs" und „bleich" gleichbedeutend wäre, was man von unserer Tusche

nicht eben behaupten kann. Ich erinnere mich, irgendwo das chinesische Schriftzeichen für Tusche, im Mandarindialekt m o gelesen, als
etymologischen Ursprung des deutschen Wortes zu Grunde gelegt gesehen zu haben. In seine einzelnen Bestandteile zerlegt, besteht nämlich das Zeichen für m o, Tusche, aus zwei anderen bekannten Zeichen:
t͑u, Erde, und ͑hei, schwarz. Diese Zeichen, separat gelesen, sollen
einen chinesischen Ausdruck t͑u-͑hei, „Erdschwarz", gebildet haben,
woraus das deutsche „Tusche" entstanden sei. Mir ist in der Praxis
des täglichen Lebens ein solcher Ausdruck t͑u-͑hei für „Tusche"
noch nicht vorgekommen, auch findet sich in Kaughsis Wörterbuch
weder unter t͑u noch unter ͑hei eine Andeutung davon. Die chinesische Herkunft bleibt daher vorläufig unbewiesen, weshalb wir auf
die nicht sehr einleuchtende Etymologie des französischen toucher
angewiesen sind.

Als chinesich verdächtig ist mir immer der Name des starkriechenden
Krautes in Neuholland vorgekommen, der auch für den daraus ge-
wonnenen Riechstoff verwendet wird, — Patchouli. Das Wort klingt
jedenfalls chinesisch, doch bin ich nicht in der Lage, irgend welche Beweise für und wider beizubringen.

Ich schliefse die Aufzählung dieser nur teilweise und oft mangelhaft bewiesenen Etymologien mit der Geschichte eines Wortes, das
während der letzten zehn Jahre vielfach Gegenstand der Kontroverse
gewesen ist, und dessen nächsten Ursprung ich wenigstens bis auf die
Zeit unserer Entlehnung mit einiger Sicherheit nachgewiesen zu haben
glaube, — des meteorologischen Ausdrucks Teifun. Ich habe das
Resultat meiner darauf bezüglichen Nachforschungen im letzten Journal
der Königl. Geogr. Gesellschaft in London niedergelegt und erlaube
mir, die hauptsächlichen Punkte dieser Frage hiermit vorzulegen.

Das Wort Teifun darf mit Recht ein internationales Fremdwort
genannt werden, aber auch ein Wort, an dessen Erklärung der Scharfsinn der Philologen seit seiner Jahrhunderte alten Einführung in die
europäischen Sprachen bisher oft gescheitert ist. Das Wort wurde
zuerst durch Pinto (1560) zugleich mit seiner Schilderung des Phäno-
mens bekannt, und zwar bezeichnete es schon dieser Reisende als aus
dem Chinesischen stammend, ohne jedoch specielle Beweise dafür beizubringen. Nach verschiedenen haltlosen Erklärungsversuchen späterer
Autoren, wie Navarete und Renaudot, scheint sich die Ansicht, dafs
die Bezeichnung des Wirbelsturmes als dem griechischen τυφών entlehnt

zu betrachten sei, zuerst durch Lecomtes Werk über China (1693)
eingebürgert zu haben. Dagegen machte sich später wieder die chine-
sische Abstammung, und zwar vom kantonesischen t a i - f u n g, d. h.
grofser Wind, geltend, wogegen sich mit Recht der verstorbene Sinolog
Mayers erhob, da dieser Ausdruck irgend einen und jeden grofsen
Wind, nicht aber einen Cyklonen im technischen Sinne bezeichnet.
In Ermangelung einer besseren Erklärung kam Mayers wieder auf die
Ableitung aus dem Griechischen zurück, während der deutsche Sinolog
Himly in einer gelehrten Abhandlung den bereits von Renaudot ver-
tretenen arabischen Ursprung von dem Wurzelzeitwort t t â f a wieder-
holt (neuerdings im Januar-Heft der Berliner Gesellschaft für Erd-
kunde, 1881) zur Geltung zu bringen suchte. Gegenüber diesen zum
Teil mit viel Scharfsinn verteidigten Hypothesen habe ich es versucht,
den Ursprung des Wortes auf seine erste Quelle zurückzuführen.

Es finden sich nämlich einige für die Geschichte des Wortes wichtige Stellen in dem meteorologischen Teil eines chinesischen Werkes
über die Insel Formosa. Der Name T a i - f u n g wird dort wiederholt
auf ein darin beschriebenes Phänomen angewendet, dessen charakteristische Einzelheiten keinen Zweifel über seine Identität mit dem von
uns „Teifûn" genannten Wirbelsturm übrig lassen. Als interessantes
Beispiel für die Art, wie man in China Meteorologie treibt, teile ich die
betreffenden Stellen mit. Es heifst nämlich in den Annalen von Formosa:

„Die Winde unseres Meeres sind von denen anderer Meere sehr
verschieden. Ein heftiger Sturm, der hier weht, heifst K ü; gröfsere
Gewalt aber besitzt der T a i. Der K ü entsteht plötzlich, wie er auch
plötzlich nachläfst, während der T a i Tag und Nacht ununterbrochen
wütet. Der K ü weht in der Zeit zwischen Februar und Mai, der T a i
vom Juni bis zum September; im September setzt der Nordwind
[Nordost-Monsun] ein."

Weiter heifst es: „Die Heftigkeit dieses Sturmes mit seinem Regen-
wirbel ist im stande, Schiffe in den Grund zu bohren und Masten umzu-
brechen. Dies entsteht daher, dafs das Meer gegen den Himmel anwütet,
da sonst selbst bei grofser Heftigkeit des Sturmes ein Schiff seinen Kurs
weiter steuern könnte. Im sechsten Monat pflegt kein T a i einzu-
treten, sobald es donnert. Daher die Ansicht, dafs ein Donner im
sechsten Monat drei T a i, im siebenten Monat neun T a i verscheucht."

Ferner: „Ein K ü von verstärkter Gewalt heifst T a i. Der letztere
weht nicht periodisch; er ist von starkem Regen begleitet, entwurzelt
Bäume, wirft Backsteinmauern um, deckt Dächer ab und sprengt Felsen.
Er weht um so heftiger, je länger er anhält, so dafs selbst Schiffe, die

regelrecht vor Anker liegen, zum Schrecken der Seeleute zu Stücken zerschmettert werden. Sobald sich Donner hören läfst, ist's mit dem Sturm vorbei. Man darf das plötzliche Umschlagen eines regelrecht periodisch wehenden Windes in die entgegengesetzte Richtung als ungünstiges Vorzeichen betrachten. Gegen Ende April, nach dem Matsu-kü [Äquinoktial-Sturm?], soll Südwind [der Südwest-Monsun] einsetzen; nach dem „weifsen Tau" im September soll bis zum April Nordwind [der Nordost-Monsun] vorherrschen. Wenn aber Nordwind im siebenten Monat [August-September] eintritt, so steht ein Taifung (sic!) mit grofser Wahrscheinlichkeit bevor. Um einen Sturm als regulären Tai zu erkennen, ist es nötig, dafs man seinen Verlauf beobachte. Denn der Tai ist ein Sturm, der in jeder Richtung der Windrose weht, und es giebt keinen Tai, der diese Regel nicht befolgte. Vom Norden einsetzend, schlägt der Tai bald nach Osten um; von Osten dreht er sich nach Süden, von Süden wieder nach Westen. Ist der Kreis der Windrose nach drei, fünf oder sieben Tagen nicht beschrieben, so hört der Wind nicht auf: der echte Wirbelsturm wechselt die Richtung; ein gewöhnlicher Sturm weht in ein und derselben Richtung. Der Kü ist trotz seiner plötzlichen Stöfse weniger zu fürchten wie der Tai mit seiner langsamen Mächtigkeit. Im allgemeinen ist von Stürmen, die im Frühjahr wehen, der Anfang zu fürchten; von Winterstürmen das Ende. Aufsergewöhnliche Stürme treten meist im siebenten Monat [August-September] auf. Muschel- und Schaltiere, auf der Oberfläche des Meeres treibend, gelten als Anzeichen eines bevorstehenden Sturmes."

Wer die Eigentümlichkeit der Windverhältnisse des chinesischen Meeres kennt, wird in dieser Beschreibung des Tai oder Tai-fung auf den ersten Blick den „Taifun" erkennen. Das im chinesischen Text gebrauchte Schriftzeichen ist aus dem Klassenhaupt fung (Wind) und dem abgekürzten Zeichen für Tai (= Tai-wan, „Formosa") zusammengesetzt und dürfte ideographisch als „Wind von Formosa" erklärt werden. Da sich das Zeichen nicht im kaiserlichen Wörterbuche findet, vermute ich, dafs das Wort Tai, dem die Chinesen ihr Fung (Wind) anhängten, als Bezeichnung des Cyklonen, bei den Ureinwohnern der Insel bereits vor der chinesischen Okkupation im XVI. Jahrhundert in Gebrauch gewesen ist, und dafs der meteorologische Verfasser der citierten Artikel der Annalen von Formosa (Tai-wan-fu-chik, 1694) für die dem nördlichen Chinesen unbekannte, und deshalb im Sprachschatz durch eine technische Bezeichnung nicht vertretene Erscheinung ein neues Schriftzeichen zu erfinden hatte.

Eine

gröfsere Arbeit über englische Wortstellung.

Man hat heutzutage keine Veranlassung zu der Klage, dafs das
Gebiet der Grammatik des modernen Französisch und Englisch zu
schwach angebaut wäre. Im Gegenteil sind in den letzten Decennien
— von jenen zahllosen grammatischen „Gründungen", die immer dasselbe mit ein bischen anderen Worten sagen, ganz abgesehen — eine
Reihe von tüchtigen, auf selbständigen Forschungen beruhenden Grammatiken für beide Sprachen entstanden, von denen keine überflüssig
gewesen ist und jede des Neuen viel gebracht hat. Dafs aber dieses
Gebiet bei weitem noch nicht erschöpft ist, haben wir in den letzten
Jahren z. B. an den beiden französischen Grammatiken von Seeger
und Lücking sehen können, die nach den bedeutenden Arbeiten von
Mätzner, Benecke, Brunnemann, Steinbart dennoch im stande gewesen
sind, den grammatischen Stoff in einem Umfange zu erweitern und zu
vertiefen, dafs ihre Brauchbarkeit als Schul-Grammatiken fast in
Frage gestellt wird. Nichtsdestoweniger bleibt im einzelnen noch viel
zu thun; noch immer werden wir bei einer Menge syntaktischer und
stilistischer Fragen von unsern Hilfsmitteln im Stich gelassen und
einzig auf unser französisches oder englisches Sprachgefühl gestellt,
das doch nur bei sehr wenigen alle seine Entscheidungen mit abso-
luter Sicherheit fällt. Wir können behaupten, dafs von erschöpfenden
Monographien über einzelne gröfsere Gebiete der neusprachlichen
Grammatik vor der Hand noch wenige existieren. Und das ist kein

Wunder. Denn die selbstlose Hingabe von Kraft und Zeit an eine
solche Leistung, die unermüdliche Energie, welche bei der langweiligen
Arbeit des Stoff-Sammelns und -Ordnens zu bethätigen ist, findet ihre
entsprechende Belohnung nicht. Was ist das Los solcher Arbeiten?
Eine selbständige Existenz in Buchgestalt wird ihnen selten zu teil.
Gewöhnlich führen sie in irgend einem Journal ein ephemeres Dasein,
von dem nur ein Bruchteil der Fachgenossen Kunde erhält, oder sie
werden in einem Programme gleichzeitig geboren und begraben. Deshalb müssen wir ein solches Beispiel uneigennützigen Strebens jedesmal, wenn es gegeben wird, freudig begrüfsen.

Vor uns liegt eine Arbeit von Albert Verron, Realschullehrer
in Münster, welche eine empfindliche Lücke auf dem Gebiete der englischen Grammatik auszufüllen bestimmt ist. Sie behandelt nämlich
in drei Teilen (Programme 1877—1879) und auf ca. 80 Quartseiten

The construction of words and sentences in the present English language.

Die Lehre von der englischen Satzstellung, die in ihrer gleichzeitigen
Beschränkung und Freiheit das feinste und schwierigste Gebiet der
englischen Syntax bildet, lag — man darf es ohne Bedenken sagen
— bisher im argen. Die meisten Grammatiken pflegen sie auf
einigen Seiten abzumachen; sie geben eine Reihe guter Regeln, die
jedoch selbst für den Schüler nicht ausreichend sind, daneben aber
auch einige, die den thatsächlichen Sprachverhältnissen nicht ganz
entsprechen — und das ist doch wohl ein grofser Übelstand. Verron
hat, soweit mein Wissen reicht, das Verdienst, die erste grundlegende
Arbeit über dieses Thema geliefert zu haben. Er hat einerseits die
für die Satzstellung mafsgebenden Principien entwickelt, andererseits
eine Anzahl Irrtümer berichtigt und eine Menge neuer Entdeckungen
gemacht. Wir haben uns im folgenden die Aufgabe gestellt, besonders diejenigen Erfolge dieser vortrefflichen Arbeit, welche für die
Schul-Grammatik verwertbar sind, hervorzuheben; dann aber —
eine Pflicht, die auch der wohlgesinnte Kritiker üben mufs — unsere
Bedenken an einigen der aufgestellten Regeln auszusprechen.

Der erste Teil behandelt die Stellung der attributiven Bestimmung. Ich mache hier auf folgende Punkte aufmerksam.

Beim Artikel finden wir in den Grammatiken *however* mit den Adverbien *as, so, too, how* aufgezählt, welche die Nachstellung von *a* hinter das Adjektiv verlangen. Erwähnt wird dabei nicht — und auch bei Mätzner habe ich es nicht entdecken können — dafs die Korrektheit einer Ausdrucksweise *however rich a man* für „ein noch so reicher Mann" von vielen angezweifelt wird, und die Wendung *a man however rich* jedenfalls sehr gewöhnlich ist.

Beim Possessivum finden wir meist die Regel, dafs in Verbindung mit dem Demonstrativum oder Relativum nicht das adjektivische, sondern das substantivische Fürwort gebraucht und zwar mit *of* nachgestellt wird, während doch *this my book, which my book* durchaus gebräuchlich ist neben *this book of mine, which book of mine.*

Ich erinnere mich nicht, in den Schulgrammatiken eine Regel über den Ausdruck zweier mit „und" verbundener Possessiva vor einem Substantiv gefunden zu haben, obgleich dieser Fall sehr häufig vorkommt und das Englische vom Deutschen abweicht. „Dein und mein Haus" heifst, wenn e i n Haus gemeint ist, gewöhnlich *yours and my house*, oder auch *your and my house*; wenn z w e i Häuser gemeint sind, n u r *your house and mine.* *

Dafs *such* dem Substantiv häufig nachgestellt wird, sobald *as* darauf folgt, ist auch wohl für Schüler wissenswert: *such a thing as this* oder *a thing such as this; such words as these* oder *words such as these.*

Dafs „noch" in Verbindung mit unbestimmten Fürwörtern und Zahlwörtern *more* heifst, steht in jeder Grammatik, aber es fehlt gewöhnlich die Gebrauchsanweisung über seine Stellung, die doch eigentlich unerläfslich ist. Es steht unterschiedlos v o r und n a c h dem Substantiv: *one day more* oder *one more day (another day); few more days* oder *few days more; many more things* oder *many things more.* Nur wenn ein „als" darauf folgt, mufs es nachstehen: *He drank two glasses more than I.*

In Betreff der Stellung der Genetive des Relativums *of whom, of*

---

* In Gesenius und Gurcke finden sich Übersetzungen für „mein und dein Haus", aber ohne Berücksichtigung der Sinnesverschiedenheit.

which geben verschiedene Grammatiken die naive Regel, dafs sie ihrem
regierenden Hauptworte immer folgten, während *whose* ihm immer
voranginge. Andere sprechen von Fällen, in denen *of whom, of which*
vor ihrem Substantiv stehen können, lassen diese aber mehr oder
weniger unbestimmt. Nach Verron verhält sich die Sache folgendermafsen: 1) *Of whom, of which* m ü s s e n ihrem Substantive f o l g e n ,
wenn dasselbe von einer Präposition regiert,* oder ein unbestimmtes
Fürwort, ein Zahlwort, ein Superlativ ist. *A story of the truth of
which I could never be persuaded (the truth of which I could never
be persuaded of). For the love of whom. All of whom. Neither of
which. Three of whom. The best of which.* 2) Sie können v o r
oder n a c h ihrem Substantiv stehen, wenn dieses nicht von einer Präposition regiert, also Subjekt, Objekt oder Prädikat des Relativsatzes
ist. *A boat the rudder of which was broken. The old house of
which the vaults have remained.* — *A house the possession of which
I had secured* oder *of which I had secured the possession.* — *Some
scheme of which Agnes might become the victim. The Old Saxon
the principal specimen of which is the Heliand.* 3) Sie m ü s s e n
v o r a u s g e h e n , wenn sie von zwei korrespondierenden unbestimmten
Fürwörtern abhängen. *Two brothers of whom o n e died at sea, t h e
o t h e r held a high rank in the army.*

Wenn man die Erörterungen der Schulgrammatiken über die
Stellung der adjektivischen Attribute liest — die meistens auf einer
Seite Raum finden — so empfängt man den Eindruck, als ob die
Sache aufserordentlich einfach wäre. Und doch entfaltet die englische
Sprache auf diesem, wie auf den anderen Gebieten der Wortstellung
eine sehr glückliche Freiheit, welche ihr erlaubt, jede Forderung des
Gedankens bis zur feinsten Färbung des logischen Accents zum Ausdruck zu bringen, welche andererseits aber geeignet ist, dem ausländi-
schen Stilisten grofse Schwierigkeiten zu bereiten. Nach den Grammatiken steht das einfache oder von einfachem Adverb bestimmte Adjektiv immer voran; Adjektive mit mehreren oder längeren Bestimmungen, sowie mehrere Adjektive, besonders wenn sie mit Konjunk-

---

* Einzelne Ausnahmen kommen freilich auch hier vor, z. B. The Pre-
fect broke forth at once into explanations, interspersing them with long
comments upon tbe evidence, o f w h i c h l a t t e r we were not yet in p o s-
session (Poe).

tionen verbunden sind, stehen nach. Es werden dann noch ein paar
Einzelheiten angeführt: z. B. daß Adjektive mit *so* und *too* häufig
nachstehen, daß *present* in der Bedeutung „anwesend" und *alone* dem
Substantiv folgen müssen; es werden eine Anzahl jener meist dem
Französischen entnommenen Ausdrücke genannt, wie *Prince Regent*,
Princess Royal, darunter *God almighty* — als wenn *almighty God*
falsch wäre — und damit ist die Sache gewöhnlich abgethan. Selbst
Mätzner findet die Nachstellung einzelner Adjektive in Prosa der
Regel nach nur auf die Participien beschränkt. Das Beste, Vorurteils-
freieste darüber giebt die Grammatik von Wagner* sowohl im einzelnen, wie in der Aufstellung des richtigen Princips. Hier heißt es:
„Das Adjektiv steht überhaupt oft nach dem Substantiv, wenn
darauf der Nachdruck liegt" ... „und irrig ist es, dieses auf
einzelne Wörter oder gewisse Endungen beschränken zu wollen."
Und in der That, der wirkliche Gebrauch ist sehr abweichend von
jenen obigen Regeln der Schulgrammatiken. In sehr vielen Fällen,
und keineswegs bloß im „höheren Stile", können einzelne oder
von einzelnen Adverbien begleitete Adjektive dem Substantiv folgen,
und noch häufiger können und müssen mehrere Adjektive oder
von mehrfachen Bestimmungen begleitete Adjektive dem Substantiv
vorangehen.

Um einige Beispiele anzuführen, es muß heißen: a wreck adrift,
sedge afloat, a residence abroad; all the persons present; God incar-
nate, the Virgin immaculate; with his face composed (oder ohne Pronomen with composed face); no maiden so beautiful, no habit however
deep-rooted. Es kann heißen: anything supernatural, all things
necessary (oder all necessary things); God almighty, life everlasting,
countries adjacent, the house opposite, by all means possible, wisdom
unsearchable, confusion unspeakable, honours supreme; Sunday last,
on Monday next, the day previous; participle present, verb neuter,
adjective attributive; a land more bright, effects more wonderful, the
Lord most high; one more faithful, one most complete; a girl un-
affectedly modest, torrents still increasing, charters yet extant, with
sails how swift, a mountain almost perpendicular; circumstances less
auspicious, friends as faithful, a position lofty enough.** Und ob es

---

* In der Bearbeitung von Herrig. Braunschweig 1857. §§ 598—606.
** Wir haben die Participien von diesen Beispielen ausgeschlossen.

so heifst, hängt von dem Tone ab, den man auf das Attribut legt; denn das Attribut vor dem Substantiv ist nicht betont. Deshalb ist es auch keineswegs immer nötig, ein von mehreren Adverbien bestimmtes Adjektiv nachzusetzen, sondern nur dann, wenn es betont ist. Unbetont steht es voran, z. B. a more than mortal voice, the most frequently occurring error, too fast growing plants, a not yet forgotten accident, a rarely if ever happening case, some more than usually interesting inquest. Ja, selbst Adjektive mit präpositionalen Redensarten finden sich mitunter vor dem Substantiv: her by no means undoubting confidence, a modern and by no means yet fully established distinction; häufig ist die Voranstellung von different, wenn es nicht betont wird: a very different country from that which ..., a captain of a different order to that of the invincible Louis.

Die Regel, dafs die Anzahl der Adjektive auf ihre Stellung influiere, ist durchaus unrichtig. Verron hat das richtige Princip gefunden, nach welchem sich die Stellung mehrerer Adjektive zu ihrem Substantiv regelt. Zunächst kommt es darauf an, ob die verschiedenen Adjektive verschiedene Individua bezeichnen („die englische und französische Sprache") oder ein Individuum bestimmen. Im letzteren Falle entscheidet der Ton und die Bedeutung der Adjektive über ihre Stellung. Die Adjektive, welche eine wesentliche Eigenschaft des Substantivs ausdrücken, stehen, wie im Französischen, notwendig voran, und zwar direkt vor dem Substantiv. Diejenigen, welche eine unterscheidende Eigenschaft ausdrücken, stehen entweder vor jenen, oder, wenn sie besonders hervorgehoben werden sollen, nach dem Substantiv. Unbetont: a slight foreign accent, her high mental cultivation; what great practical benefits; Tertullian, the oldest christian Latin writer — in diesen Beispielen kann keins der Adjektive nachgestellt werden; in den folgenden könnten die unterscheidenden nachstehen, wenn man sie hervorheben wollte: a very learned, judicious, good old man; a respectable and interesting old gentleman, a small though valuable Latin manuscript, a clever rather than a studious little boy; a very rich and, it is said, very miserly old patrician; the oldest and strongest but unfortunately the dullest boy in the school, a cold, bleak, biting weather. Betont: a hot beverage well sweetened, a vast body languid and almost unanimated, the human mind neglected, uncultivated and oppressed; one night stormy and dark, a stillness deep, insensible, unheeding, her husband half-drunk, half-furious. —

Da wir hier nicht alle Erfolge der Verronschen Untersuchungen aufzählen können, so wollen wir nur noch hinzufügen, daß die Stellung der aus Fürwörtern oder Zahlwörtern und Adjektiven zusammengesetzten Attribute, sowie der Apposition, des Genetiv- und Präpositional-Attributs ganz in derselben erschöpfenden Weise behandelt worden ist, wie die der Adjektive. Eine Schulgrammatik wird selbstverständlich nicht alle Einzelheiten in sich aufnehmen können; aber jene neugefundenen Hauptgesetze werden in Zukunft in einem guten Buche doch wohl ihre Stelle finden müssen.

Im zweiten Teile, der die Stellung der übrigen Satzglieder behandelt, finden wir dieselbe Vollständigkeit des Materials, dasselbe Eingehen auf das Einzelne. Dagegen will uns scheinen, daß das Ganze der Entwickelung an Übersichtlichkeit und Klarheit gewonnen hätte bei anderer Anordnung, bei derjenigen Anordnung, wie sie die allgemein gültigen grammatischen Begriffe an die Hand gaben. Verron behandelt nach dem Subjekt und Prädikat die Stellung des Adverbs für sich. Die aus Präposition und Substantiv gebildete adverbiale Satzbestimmung behandelt er in dem Kapitel „Objekt", er nennt sie auch Objekt. Wozu diese Abweichung von der gewöhnlichen Terminologie? Die Unterscheidung zwischen Präpositional-Objekten und gleich aussehenden adverbialen Bestimmungen ist ja streng durchzuführen. Wenn ein Verbum eine bestimmte Präposition zu seiner Ergänzung verlangt, so verlangt es damit ein Präpositional-Objekt. Das Verbum „sich erinnern" z. B. verlangt notwendig die Präposition „an", das Verbum „sich verlassen" „auf". In den Sätzen „Ich erinnere mich an seine Worte", „Ich verlasse mich auf meinen Freund" sind also „an seine Worte, auf meinen Freund" Objekte. Das Verbum „bleiben" verlangt aber nicht die Präposition „an", und „steigen" nicht „auf"; in den Sätzen „Ich blieb an der Stelle", „Ich stieg auf den Berg" sind also „an der Stelle, auf den Berg" adverbiale Bestimmungen. — Das Mißliche liegt aber weniger in der Abweichung von einer hergebrachten Terminologie, als darin, daß Dinge, die naturgemäß zusammengehören, auseinander gerissen, und Dinge, die nichts miteinander zu thun haben, zwangsweise vereinigt werden. Die Stellung der adverbialen Redensart ist dieselbe wie die des Adverbs: sie

steht betont 1) nach dem Objekt, 2) am Anfange des Satzes, nicht betont 3) zwischen Subjekt und Verb, 4) zwischen Hilfsverb und Particip, 5) zwischen Verb und Objekt, nur dafs die Stellungen 3) und
4) bei ihr nicht so häufig vorkommen, wie beim Adverb. Das Objekt dagegen kann in Prosa niemals zwischen Subjekt und Prädikat
oder zwischen die einzelnen Teile des letzteren treten. Selbstverständlich hat in einer so gründlichen Arbeit, wie die vorliegende, dieser
Unterschied der Stellung nicht übersehen werden können, und so hat
sich Verron veranlafst gesehen, die von ihm unter dem Namen „Objekt" zusammengeworfenen Satzteile doch wieder zu trennen, indem er
completing objects — Objekte — und adverbial objects — adverbiale
Bestimmungen — unterscheidet und fortgesetzt n e b e n einander behandelt.

Das für die Stellung des Adverbs mafsgebende Princip hat Verron nicht entdeckt, aber in einer so nachdrücklichen Weise zur Geltung gebracht, wie keine der mir bekannten Grammatiken. Vor ihm
tritt es besonders bei Plate (3. Teil) in den Vordergrund. Es handelt
sich darum, ob das Adverb 1) ein Adjektiv, ein Adverb oder eine adverbiale Redensart, 2) den Begriff des Verbs, 3) den ganzen Satz bestimmt. Nachdem er hierfür die betreffenden allgemeinen Regeln aufgestellt hat, behandelt er unter 2) und 3) die verschiedenen Arten der
Adverbien, unter 2) die Raumadverbien *on, up, back, out* etc. Die
hier aufgestellte Regel, dafs das Substantiv-Objekt diesen Adverbien
immer folgt, ist nicht liberal genug. Es ist durchaus nicht selten,
dafs das Adverb dem Substantiv nachfolgt, wenn es nämlich betont
werden soll, oder wenn eine andere adverbiale Bestimmung damit verbunden ist. Ich halte es für inkorrekt zu sagen: He brought back
the book to his friend. Es heifst besser: He brought the book back
to his friend. So bei Dickens (Oliver Twist): He pushed the book
away from him. Oder ohne weitere Bestimmung: He never took the
tablecloth o f f even. Let us help you put the things a w a y (Tom
Brown's School Days). So I was giving the matter u p (Irving). —
It was Pelz-Nickel tearing the tiles o f f (Longfellow). Off, away, up
sind betont. — Hierauf kommen die Adverbien, die mit Adjektiven
gleichlautend sind — *stop short, sleep sound* etc. — und die Adverbien der Art und Weise auf *-ly*. In diesem Abschnitt hätte auch
wohl die Stellung des Adv. *so* behandelt werden können, das nicht
blofs als solches, sondern auch als Vertreter des Faktitiv häufig vor

das Verb (resp. Particip) gestellt wird. Any one so constituted will readily so conduct himself, upon occasion of real excitement, as to render himself liable to suspicion (Poe). It so happened that Jermyn had not yet heard of her presence (Eliot). — I so held it (d. h. für ein providential arrangement) (Eliot). Some say he was so called (d. h. the Left-handed) on account of his being really more expert with his sinister than his dexter hand. Mohamed was acknowledged to be a wise king by his courtiers, and was certainly so considered by himself (Irving). Unter 3) folgen die unbestimmten Zeitadverbien *ever, never, often, always* etc., denen meines Erachtens die schliefslich einzeln behandelten *still* und *presently* hätten angeschlossen werden können; die bestimmten Zeitadverbien *to-day, tomorrow, yesterday* etc., die eigentlich wohl zu den adverbialen Redensarten gehören; die auf *-ly* gebildeten *hourly, daily* etc., und schliefslich *once, twice* etc. Die Ortsadverbien *there, thence, thither, hence, hither* fehlen, *here* ist besonders behandelt. Sehr erwünscht wäre es gewesen, wenn auf die Stellung der Adverbien und adverbialen Redensarten bei Formen, die mit zwei Hilfsverben zusammengesetzt sind, näher eingegangen wäre. Die Grammatiken geben über die Frage, wann die Adverbien zwischen den beiden Hilfsverben, wann zwischen dem zweiten Hilfsverb und dem Particip stehen, nichts Bestimmtes. Die Frage wird von Verron nur einmal (S. 14) berührt. Auch hätte *yet* (noch) und *not yet* wohl eine besondere Behandlung erfordert.

Die Stellung des Objekts — zu dem also Verron die adverbiale Redensart gezogen hat — ist vortrefflich bearbeitet. Wir erhalten über alles Aufschlufs: über die Stellung des Objekts zum Verb, zum Adverb, zur adverbialen Redensart; über die Stellung mehrfacher Objekte und adverbialer Redensarten untereinander. Aber — der Herr Verfasser mag mir verzeihen, wenn ich dennoch zwei Wünsche ausspreche.

Es ist nun einmal ein Fehler der menschlichen Natur, dafs wir nie ganz zufrieden sind, dafs wir, wenn uns recht viel und recht Gutes geboten wird, immer noch etwas mehr, noch etwas Besseres haben möchten. — In einer Arbeit von dieser Anlage wäre es wünschenswert gewesen, wenn die Reihenfolge der adverbialen Bestimmungen, von denen mitunter fünf, sechs in einem Satze vorkommen, eingehender behandelt worden wäre, und zwar auf Grund der Eintei-

lung in sechs, und nicht in vier Arten; die Subsummierung der Bestimmung des Zweckes und des Werkzeugs unter die des Grundes ist
eine Zwangsmaſsregel, die sich hier, wo es auf die Reihenfolge der
verschiedenen Bestimmungen ankommt, in ihrer ganzen Unklarheit unangenehm fühlbar macht.

Mein zweiter Wunsch geht dahin, daſs der Herr Verfasser bei
dem Stellungsverhältnis des Verbums, des Accusativ-Objekts und der
adverbialen Bestimmung jenes Princip, das er so glücklich zum Fun-
damental-Princip der englischen Satzstellung gemacht hat, mehr zur
Geltung gebracht hätte: ich meine das Princip der Betonung. —
Die Schulgrammatiken geben mit auffallender Übereinstimmung die
Regel: Das Verbum darf vom Accusativ-Objekt — manche sagen sogar
nur Objekt — nicht durch eine adverbiale Bestimmung getrennt
werden.* Das ist sehr seltsam; denn man kann nicht zehn Seiten
gutes Englisch lesen, ohne mindestens einmal auf diesen verpönten
Fehler zu stofsen, auf eine Stelle, in der dennoch zwischen Verb und
Accusativ eine adverbiale Bestimmung steht. Die Regel ist in dieser
strikten Fassung unrichtig; man mag sie dem Anfänger geben, um
ihn davon abzuhalten, das englische Adverb nach der französischen
Regel zu behandeln. Sobald aber schwierigere Stilübungen beginnen,
muſs der Schüler das Richtige erfahren, und das ist: Man darf die
adverbiale Bestimmung nie ohne besondere Nötigung zwischen
Verb und Accusativ stellen — er muſs auch erfahren, welcher Art
diese Nötigung sein kann. Das aber ist bisher ein schwieriger, zweifelhafter Punkt gewesen.

Mätzner sagt ganz allgemein, daſs der durch Zusätze verlängerte
Accusativ durch Adverbien vom Verbum getrennt werden kann, und
seine so reiche Beispielsammlung scheint ihn hier im Stich zu lassen.
Wir finden nur das eine Beispiel: He heard again the language
of his nursery. Verron beschränkt diese Regel und erweitert sie zugleich. Nach ihm können 1) zwischen einen verlängerten Accusativ
und das Verb nur diejenigen Adverbien treten, welche den Begriff des
Verbums bestimmen, d. h. also die mit Adjektiven gleichlautenden
(*buy dear*, *hold fast* etc.) und die Adverbien der Art und Weise auf
-ly. — Nun, das Mätznersche Beispiel zeigt gleich ein anderes Adver-

---

* Die Adverbien *out, on, back, up* etc. sind ausgenommen.

bium an dieser Stelle, und einen Sprachfehler hat Dickens hier nicht gemacht. — 2) Zwischen Verb und nicht verlängerten Accusativ können und müssen die Adverbien treten, welche das Objekt allein bestimmen, wie *but, only, even, merely, also, at least.* Dasselbe kann geschehen bei den „parenthetisch gebrauchten" Adverbien *indeed, certainly, evidently, undoubtedly, unfortunately,* z. B. Mr. S. has, evidently, no keenness of perception. It dimmed, indeed, the stars near itself. (Ich glaube, wir können sie alle zusammen die emphatischen Adverbien nennen, welche zur Hervorhebung des Accusativs dienen.) — Bei der Stellung des Objekts führt er an, dafs zwischen Verb und verlängerten Accusativ andere Objekte treten können. Was er aber andere Objekte nennt, sind lauter adverbiale Redensarten der verschiedensten Gattung. Es sind z. B. Ortsbestimmungen: 1) George and Albert lost no time in concocting and afterwards publishing, in the local newspaper, a full account of the fortune that had been left me. Hier kann nicht nur, hier mufs *in the local newspaper* zwischen Verb und Accusativ stehen, denn wollte man es ans Ende stellen, so würde es einen Ton erhalten, der ihm gar nicht zukommt, *a full account* ist das meist betonte Wort. Dasselbe ist in den folgenden Beispielen der Fall, wo Bestimmungen des Mittels und Zweckes vor den Accusativ treten. 2) I was in the habit of receiving, through them, the interest of a small sum that had been left me by an uncle. 3) She betrayed for him an easy friend who had long loved her. — In den folgenden Beispielen wäre eine andere Stellung der adverbialen Bestimmung möglich, dennoch wird sie von den Autoren zwischen Verb und Accusativ eingeschoben. 4) And now they heard at a distance the harsh rumbling roll of the tumbril* that bore the victims. Ans Ende konnte *at a distance* nicht gut ohne Zweideutigkeit treten, aber es konnte heifsen: *And now, at a distance, they heard. . . .* Bulwer beabsichtigte jedoch keinen malerischen Effekt und setzte *at a distance* an die weniger betonte Stelle hinter das Verb. 5) They came to love with all their hearts the place wherein they had their new habitation. 6) His son was displaying in the warmest language the virtues of Uberto and the truly paternal kindness he had experienced from him. 7) It would have been impious to call

---

* Nicht tumbrel?

in question the equity of divine decision. In diesen drei Beispielen könnten die adverbialen Bestimmungen ans Ende treten; die
Autoren wollten ihnen aber nicht den Nachdruck geben, den sie in
solcher Stellung haben würden. — Übrigens finden sich in 5) und 6)
adverbiale Bestimmungen der Art und Weise.

Für diese Beispiele reicht nun die Regel von Mätzner und Verron
von den verlängerten Accusativ-Objekten aus.   Nun kommen aber
Beispiele, in denen die Accusative nicht nur nicht länger, sondern zum
Teil kürzer sind als die ihnen voranstehenden adverbialen Bestimmungen.   8) She had never, in her military capacity, forfeited, by
any act of treachery or cruelty, her claim to that treatment.
9) Callista repels from some undescribable feeling his
ardent caress.   10) The Venetians pretended they would set out
in case of great necessity thirty men of war.   11) The
Duke of Milan sent to his assistance a body of Lombards.
In diesen Beispielen lägen, wenn die Grammatiken recht hätten,
grobe Fehler vor; denn überall konnte die adverbiale Bestimmung mit
grofser Leichtigkeit hinter den Accusativ gestellt werden.   Aus diesen
wenigen Beispielen* aber kann man schon sehen, dafs es nicht auf
das Längenverhältnis des Accusativ und der adverbialen Bestimmung
ankommt — das ist ja auch in vielen Fällen ein sehr unsicherer Anhaltepunkt — sondern auf das Tonverhältnis.   Die Autoren wollten
in diesen Sätzen den Accusativ hervorheben und die adverbiale Bestimmung nicht betonen, deshalb setzten sie den Accusativ ans Ende
des Satzes und schoben die adverbiale Bestimmung zwischen Verb
und Objekt ein. — Übrigens haben wir in 9) eine Bestimmung des
Grundes, so dafs also alle Arten der adverbialen Redensarten** vor
den Accusativ treten können.

Wie ist es nun mit den Adverbien? — Verron giebt nur sechs
Beispiele für Adverbien auf -ly, denen immer ein längeres Objekt
folgt.   In einigen konnte das Adverb mit Leichtigkeit vor das Verb
treten; wurde es dennoch hinter das Verb gesetzt, so geschah es hier,

---

* Die der Bibel und Dichtern entnommenen sind hier absichtlich weggelassen.
** In Betreff der Zeitbestimmungen vergleiche die folgenden Beispiele
16. 18. 24.

um dem Adverb einen stärkeren Nachdruck zu geben, als es vor dem
Verb haben kann; vor dem Verb wäre es tonlos gewesen. In dem
Satze: Sire, it is no charm that I wear, but a memorial of my father,
who in this very place made gloriously the same confession
that I now humbly make, sollte *gloriously* hervorgehoben werden;
vor *made* würde es weiter nichts als ein schmückender Zusatz sein,
wie das *humbly* des folgenden Relativsatzes. Interessant ist das Beispiel: A voice appeared to whisper in my ear *scornfully the
name of coward*. Hier sind zwei adverbiale Bestimmungen zwischen Verb und Accusativ getreten. Wäre die Länge der Satzteile
maßgebend, so müßte es heißen: He whispered the name of coward
scornfully in my ear. Und so könnte es auch heißen, etwa als
Antwort auf die Frage: „Hat er dich laut einen Feigling genannt?"
Die Absicht des Redenden, *the name of coward* sehr stark und demnächst *scornfully* zu betonen, verlangt aber diese Stellung, die nicht
geändert werden würde, selbst wenn statt des längeren Objektes *the
name of coward* bloß *coward* dastände. — Ebenso ist es mit dem
Beispiel bei Mätzner: He heard again the language of his
nursery. Hätte *again* das meist betonte Wort sein sollen, so würde
seine Stelle am Ende des Satzes, oder bei noch stärkerer Betonung
am Anfang gewesen sein. Da aber *the language of his nursery* den
Hauptton haben sollte, so mußte dieses an das Ende oder an den Anfang des Satzes treten; noch emphatischer würde der Satz heißen:
The language of his nursery he heard again.

Folgendes also scheint mir das aus den obigen Beispielen zu zie-
hende Resultat zu sein: 1) Die adverbiale Redensart tritt zwischen
Verb und Accusativ, wenn der letztere einen stärkeren logischen Accent hat, als die erstere. Soll der Accusativ nicht besonders hervorgehoben werden, so ist die Satzstellung regelmäßig. Selbstverständlich ist nun hierbei, daß ein durch Bestimmungen sehr verlängerter
Accusativ schon durch seine Länge mehr Gewicht, mehr Bedeutung
im Satze haben wird, als eine ganz kurze adverbiale Redensart; gewöhnlich wird also der Accusativ vom Verb getrennt werden, wenn
er recht lang und die adverbiale Redensart kurz ist. Aber die Länge
ist keine unerläßliche Bedingung; die Länge ist Nebensache,
der Ton ist die Hauptsache. — 2) Das Adverb tritt zwischen Verb
und Accusativ, wenn der letztere stärker betont ist als das Adverb,
wenn das Adverb aber nicht schwach genug betont ist, daß es die

tonlose Stellung vor dem Verb annehmen könnte. — Als 3. Punkt können wir noch hinzufügen, dafs der Accusativ h.äufiger durch eine adverbiale Redensart als durch ein Adverb vom Verbum getrennt werden wird. Denn der unter 2) bezeichnete Fall wird selten eintreten; entweder wird das Adverb schwächer betont als das Objekt, vor dem Hauptverb (einfache Zeit oder Particip) seinen Platz haben, oder, stärker betont, hinter dem Objekt oder am Anfange des Satzes stehen. Dagegen kann man eine schwach betonte adverbiale Redensart nicht mit derselben Leichtigkeit zwischen Subjekt und Prädikat oder gar zwischen Hilfsverb und Particip stellen; der Satzbau wird dadurch immer schwerfällig.

Um nun nicht in den Verdacht zu kommen, als ob ich meine Schlüsse blofs auf das unbedeutende Fundament von wenigen Sätzen aufgebaut hätte, babe ich mir die geringe Mühe gemacht, von verschiedenen modernen Prosaisten aufs Geratewohl einige Seiten nach weiteren Belegen durchzusehen, zusammen ca. 120 Seiten von Goldsmith, Eliot, Longfellow, Poe, Hawthorne, Irving. Die Anzahl der gefundenen Stellen zeigt, dafs die Trennung des Accusativs vom Verbum keineswegs so unerhört ist, wie es die Schulgrammatiken hinstellen, sondern ziemlich häufig vorkommt.

Vor dem Accusativ steht ein A d v e r b: 1) She s a w a t o n c e the c o g e n c y of his reasoning. 2) He h a d, i n g e n e r a l, a l a u d a b l e c o n f i d e n c e in his own judgment (Irving, Tales of the Alhambra). 3) I took my leave ... my visit having doubtless r a i s e d g r e a t l y h e r o p i n i o n of her legendary store (Sketch Book). 4) She h e l d f a s t h e r r o s e s in spite of him (Hawthorne, Twice-Told Tales). 5) The island and cloister of Nonnenwerth m a d e t o g e t h e r b u t o n e b r o a d, d a r k s h a d o w on the silver breast of the river. 6) He r e a d a g a i n the t a l e s o f L i b a. 7) The old keeper closes the door behind him slowly, lest he should j a m t o o h a r d t h e p o o r s o u l s in purgatory, whose fate is to suffer in the cracks of doors and hinges. 8) The avowed object of all his literary labours was t o r a i s e u p a g a i n t h e d o w n - s u n k e n f a i t h in God, Virtue, and Immortality; and, in an egotistical, revolutionary age, to w a r m a g a i n o u r h u m a n s y m p a t h i e s, which had now grown cold. 8a) C h a n t n o m o r e t h a t dirge of sorrow (Longfellow, Hyperion). 9) They had carried away, indiscriminately, as

well the inhabitants themselves, as all their moveable possessions.
10) He had given very early instances of those great virtues
which ... (Goldsmith, History of England). 11) The growing fami-
liarity revealed more and more the threadbare tissue of
this majestic lady's life. 12) Her mind was in that state of highly
wrought activity, weighing unpartially our own tempta-
tions and the weak desires that most habitually solicit us (Eliot,
Holt the Radical).

Ich bemerke zu diesen Beispielen, dafs in 1. 2. 3. 4. 6. 7. 8. 10.
11. 12. genau die unter 2) beschriebenen Fälle vorkommen. Zu 2.
ist hinzuzufügen, dafs *fast* niemals vor *held* treten könnte, sondern
nur hinter *her roses*; *her roses* ist aber besonders betont — es ist von
einer alten Frau die Rede, die ihre Jugend (her roses) festhalten
möchte — und würde durch ein nachgestelltes *fast* seinen Ton verlieren. In 5. steht *together* zwischen Verb und Accusativ, obgleich
kein rechter Grund dafür ersichtlich ist, ein Zeichen, dafs gute Stilisten einen ungeheuren Verstofs in solcher Stellung unmöglich erblicken können. In 9. ist *indiscriminately* eine direkte Bestimmung
des Accusativs.

Vor dem Accusativ steht eine adverbiale Redensart:
13) [The sun] threw on the grass a long shadow of himself
and the groom riding (Eliot). 14) ... farther details which will
carry with them the air of extorted confession. 15) The Chevalier's analytic abilities acquired for him the credit of intui-
tion. 16) It was not supposed that the murderer would be able to
elude, for more than a very brief period, the inquisition
which was immediately set on foot (Poe). 17) He obtained from
the Spanish court a fleet of ten ships of war and transport,
having on board 6000 regular troops, with arms for 12000
more (Goldsmith). 18) ... a traveller who enters for the first
time a strange city. 19) He throws over all things a
strange and magic colouring. 20) He has still in his
mind and heart that beautiful sketch of Carové (Longfellow). 21) The whole scene expressed, by the strongest
imagery, the vain struggle of the gilded vanities of this world,
when opposed to age, infirmity, sorrow, and death. 22) The widow
recognized in every face some trait of former friends, long

forgotten, but now returning, as if from their graves, to warn her to prepare a shroud.   23) This strange occurrence b r i n g s t o m y m i n d a m a r r i a g e s e r m o n of the famous Bishop Taylor, wherein he ... 24) Mr. Ellenwood m a n i f e s t e d, o n r a r e o c c a s i o n s, a v e i n of g e n e r o u s sentiment (Hawthorne).   25) P u t t i n g i n h i s h a n d a s m a l l t o k e n of my gratitude and good will, I departed.   26) But what was my delight, at b e h o l d i n g o n i t s c o v e r t h e i d e n t i c a l p a i n t i n g of which I was in quest.   27) Dame Honeyball p u t i n m y h a n d s a d r i n k i n g c u p or goblet, which also belonged to the vestry, and was descended from the old Boar's Head.   28) The two views, which c o m p r i s e d, i n a l l p r o b a b i l i t y, h e r p r o s p e c t s i n l i f e, and the little world in which she had lived ... (Irving, Sketch Book).   29) She pressed his hand, and l e f t w i t h i n i t a n - other p i e c e o f g o l d.   30) He p u t i n r e q u i s i t i o n, t h e r e - f o r e, a l l t h e d r e s s - m a k e r s, and the jewellers, and the artificers in gold and silver throughout the Zacatin of Granada.   31) They c h e r i s h e d i n t h e i r b r e a s t s a l l t h a t t h e y h a d h e a r d of their valour and noble lineage.   32) The cavalcade o v e r t o o k, o n t h e b a n k s o f t h e r i v e r X e n i l, a s m a l l b o d y of Moorish soldiers with a convoy of prisoners.   33) She d r e w f r o m t h e d u e n n a t h e m o s t a n i m a t e d p i c t u r e s of the scenes of her youthful days and native land.   34) The monarch determined to e n l i s t i n h i s f a v o u r t h e d u e n n a, who had been captured with the lady.

In der überwiegenden Mehrzahl der Fälle ist der vom Verb ge-trennte Accusativ wesentlich länger als die davorstehende adverbiale Bestimmung (13. 14. 15. 17. 21. 22. 23. 25. 26. 27. 29. 30. 31. 33. 34).   In einigen Sätzen ist die Trennung des Objekts vom Verb unvermeidlich, 13. 14. 15. 21. 22. 23. 25. 27. 30.   In andern wäre eine regelmäfsige Satzstellung möglich gewesen; aber die geringere Betonung der adverbialen Bestimmung, die stärkere des Objekts ver-langte die unregelmäfsige, 17. 19. 20. 26. 29. 31. 33. 34.   In noch andern ist kein anderer Grund ersichtlich, weshalb der Autor nicht eine regelmäfsige Konstruktion gebraucht hat, als der, dafs er in sol-cher Stellung keinen Verstofs sieht, 16. 18. 24. 28. 32. — In 20. ist aufser einer längeren adverbialen Redensart noch ein Adverb an die betreffende Stelle getreten.

Dafs vortreffliche Stilisten sich nicht scheuen, sogar ganze Sätze zwischen Verb und Accusativ einzuschieben, beweist folgende Stelle bei George Eliot: He understood now, as he had never understood before, the neglected solitariness of his mother's life, the allusions and innuendoes which had come out during the election. Es scheint mir unmöglich bei dem beabsichtigten Gegensatz zwischen *now* und *before*, den Satz mit *as* an eine andere Stelle zu setzen, ohne die Deutlichkeit zu gefährden.

In dem folgenden Satze aus Chambers (Hist. of Engl. Lang. and Lit.) war eine andere Stellung des eingeschobenen Satzes möglich: Its (der Verse) breaks and changes [seem] to represent, as a critic has remarked, the sighs and sobbings of a broken and ebbing spirit. Das Citat erstreckt sich ja nicht blofs auf den Accusativ, sondern mindestens auf das Verb mit; Chambers wollte aber den Accusativ ganz besonders herausheben; deshalb liefs er ihn an der Stelle, wo man ihn gewöhnlich erwartet, nicht eintreten, sondern spannte die Aufmerksamkeit des Lesers, indem er zwischen ihn und das Verb den Satz mit *as* einfügte, der sonst bequem hinter das Subjekt, oder an den Anfang oder das Ende der Periode treten konnte.

Was die Adverbien anbetrifft, so bleibt es vor der Hand noch eine offene Frage, ob jedes beliebige zwischen Verb und Accusativ gestellt werden kann. Soviel geht aber aus den obigen Beispielen (1. 2. 5. 6. 8. 8a. 10.) hervor, dafs es auch solche, die den ganzen Satz bestimmen, sein dürfen. Die Regel von Verron ist zu eng gefafst.

Der dritte Teil behandelt das Thema der Inversionen mit einer Vollständigkeit, wie sie bisher, selbst von Mätzner und Wagner, nicht erreicht worden ist. Er zerfällt in die Abschnitte: Inversion des Subjekts (12 Quart-Seiten), Inversion des Prädikats, Inversion des Objekts (Accusativ — Faktitiv — Dativ — Genetiv). Als besonders wertvoll für den Lehrer ist hier die eingehende Behandlung der poetischen Inversionen zu betrachten. Im einzelnen möchte ich noch auf folgende Punkte aufmerksam machen.

Sehr hübsch ist der in den Grammatiken nicht behandelte Unterschied der Stellung von *not* in verneinten Fragen — vor oder nach dem Subjekt — mit Hilfe des Französischen klar gemacht. Is this not true? = N'est-ce point vrai? Ist dies nicht wahr? — Is not

this true? = N'est-ce pas vrai? Ist dies nicht wahr? Das ist
doch wahr. — Das heifst also: Wenn der Sinn der Frage negativ ist,
so tritt *not* an die betontere Stelle hinter das Subjekt. Wie wenig
gleichgültig in vielen Fällen die Stellung von *not* ist, beweist das folgende von Verron angeführte Beispiel: Has England, or has she n o t
a right of war? Es wäre hier falsch, zu sagen *has not she.*

Was die Inversion des Subjekts in indirekten Fragesätzen betrifft,
so glaube ich, dafs dieser Fall, der von Verron nur allgemein als
Möglichkeit hingestellt wird, fester bestimmt werden konnte. Ich
darf nur sagen, ich g l a u b e; denn ich kann dem Herrn Verfasser kein
eigenes Beispiel-Material entgegenstellen. Die Grammatiken schweigen über diesen Fall, oder stellen ihn auch nur als Möglichkeit hin.
Gesenius giebt eine bestimmte Regel, er sagt: Wenn ein indirekter
Fragesatz mit *who, which, what* beginnt und darauf das Hilfsverb *to
be* mit einem Substantiv-Subjekt folgt, so kann dieses nachtreten.
Diese Regel enthält Wahrheit, aber eine beschränkte. Es ist allerdings richtig, dafs das zu invertierende Subjekt ein Substantiv sein
mufs. Verron giebt kein Beispiel, wo etwa ein persönliches Fürwort
invertiert wäre. Und diese Notwendigkeit erklärt auch am besten die
Verschiedenheit der Stellung bei zwei verbundenen gleichartigen Fragesätzen, die bei Verron als blofse Willkürlichkeit erscheint: I can't tell
what is my name, and who I am. Besides, I know what were
her feelings, and what they are now. — Es ist ferner richtig,
dafs das Verb *to be* in dem Satze vorkommen mufs. Verron giebt
nur zwei Beispiele mit anderen Verben, die meiner Ansicht nach nicht
hierher gehören: Would you mind telling me, how did you get up?
Let us ask, what would a civilized and enlightened Westindian have
done in any case of parallel nature? Hier ist nicht die indirekte, sondern die direkte Frageform gebraucht, und zwar der gröfseren Leb-
haftigkeit wegen, zu rhetorischen Zwecken. Das letztere ist von Pitt.
So werden wir auch im Deutschen sagen bei eindringlicher Rede:
„Sage mir, hast du es gethan?" und nicht „Sage mir, ob du es gethan hast." Den ersten Satz aber wird niemand für eine indirekte
Frage halten. So erklärt sich auch die verschiedene Stellung in der
zusammengesetzten indirekten Frage des folgenden Beispiels: He de-
manded, what was the moral of the story, and what it went to
prove. — Aufser in Sätzen, die mit *who, which* und *what* beginnen,
kann aber auch Inversion eintreten in solchen, die mit *how* und einem

Adjektiv beginnen: One stanza will show h o w j a r r i n g and unmelo-
dious is t h e r e s u l t. The warriors of the tribe instructed the hunts-
men h o w r i c h w e r e t h e f o r e s t s of America in game. — Aber
auch in diesen so bestimmten Sätzen kann regelmäßige Wortstellung
eintreten: We did not know for certain w h o t h e w r i t e r s w e r e.
— Nach *if* und *whether* findet keine Inversion statt, daher z. T. die
verschiedene Stellung in der folgenden Doppelfrage: John asked him
w h a t w a s the matter and w h e t h e r h e w a s afraid of the man on
the stage.

Auch die Inversion des Subjekts in Sätzen mit *as* und *than* muß
auf bestimmtere Gesetze zurückzuführen sein, als die Forderungen
des Accents und Wohlklanges. Es giebt eine Menge von Sätzen, in
denen Inversion unstatthaft wäre, z. B. in einem Satze wie: He spoke
as his father wanted him to speak. In den von Verron gegebenen
prosaischen Beispielen findet sich immer ein Hilfsverb mit nachstehen-
dem Substantiv-Subjekt: as is my wont — as did Squire Thornhill's
proposition — as has been the case with the Sanscrit — The beggar
is greater as a man, than is the man merely as a King — Now the
reader knows more about the Passionists, than did Reading at the
time etc.

Bei der Inversion in eingeschobenen Sätzen ist der Fall übergangen worden, wo das Verb des Sagens ein Objekt bei sich hat — *he
replied to them* — wo ebenfalls Inversion nicht korrekt ist.

Schließlich hätte bei den adverbialen Redensarten, welche an den
Anfang des Satzes gestellt häufig Inversion des Subjekts veranlassen,
auch wohl erwähnt werden können, daß voranstehende Nebensätze
hin und wieder dieselbe Wirkung auf die nachfolgenden Hauptsätze
ausüben. Mätzner giebt eine Reihe von Beispielen für diesen Fall.

Nachdem wir nun diejenigen Punkte der Arbeit, die uns bestreit-
bar oder bedenklich erschienen sind, alle aufgezählt haben, wäre es
ungerecht, wenn wir nicht hinzufügen wollten, daß sie in der That
verschwinden vor den vielen Vorzügen und den vortrefflichen Resul-
taten, welche sie aufzuweisen hat. Wenn der eigentliche Wert einer
wissenschaftlichen Arbeit in dem besteht, was sie Neues zu Tage för-
dert, so müssen wir diese als eine äußerst wertvolle bezeichnen. Es
ist außerdem keine von jenen Leistungen, die auf einem schwanken
Fundament einige immerhin recht geistreiche Schlüsse aufbauen. Der

Herr Verfasser hat die mühevollen Vorarbeiten nicht gescheut und ein massenhaftes Beispiel-Material zusammengetragen, das nur höchst selten einen Zweifel an der Richtigkeit seiner Schlüsse aufkommen läfst. Es ist solide Philologenarbeit. Wünschen wir, dafs sie nicht blofs für später zu schreibende Grammatiken benutzt werde, sondern eine möglichst weite Verbreitung finde! Wünschen wir, dafs sie ein Buch, ein jedem Lehrer des Englischen unentbehrliches Nachschlagebuch werde!

Barmen.   Hermann Isaac.

Dichtungen Gautiers von Coinsy.

II. Die Geburt und Kindheit Jesu.

Zum erstenmal herausgegeben

von

Robert Reinsch.

Wie in dem Gedicht von der Geburt Marias, so hat sich
der Dichter auch in der „Nativite Jesu Crist et ses enfances"
nicht mit Namen genannt. Da für das zuerst veröffentlichte
Gedicht — die Legende vom heiligen Zahne erscheint erst hier
unter III — die Autorschaft Gautiers von Coinsy bereits durch
genügende Beweisgründe sichergestellt ist, so genüge es hier,
auf eine beliebte Eigenheit des Verfassers hinzuweisen. V. 768,
773, 776 der Nat. J. C. wendet derselbe nämlich ein Wortspiel
an mit rude, rudement, ruderie, Worte, mit denen die Barsch-
heit und Unfreundlichkeit Josephs gegen Maria bezeichnet
werden soll. Weiter gebraucht Gautier V. 703—704 acointai
und acointe ai; ferner V. 1334—1335 salue, saluz; V. 135—136
bourjois, bourjoisier; endlich V. 1749—1754 porter, deporter.*
Als Quelle benutzte der Dichter, welcher V. 863—864
zwei lateinische Verse, eine Reminiscenz an ein lateinisches
Lied, einmischt, von Ave Maria V. 414 ganz abgesehen, das
von C. von Tischendorf, Evangelia Apocrypha, Leipzig 1853,
p. 53—105 herausgegebene Evangelium des Pseudo-Matthäus

---

* Vgl. Dichtungen Gautiers I. Archiv LXVII, p. 75 fgd. Ebenda
p. 73, Zeile 4 sind nach Coinsy die zwei Worte ausgefallen: „herausgegeben hatte".

teilweise, nicht den von O. Schade 1869 herausgegebenen
Liber de infantia Mariæ et Christi salvatoris, welcher nach dem
vorliegenden Gedicht nur bis V. 1788 reicht. Jedoch hatte
Gautier eine Handschrift vor sich, in welcher die von Kap. XXVI
an erzählten Wunder Jesu von seinem vierten 'Jahre an
noch nicht an die vorausgehenden Erzählungen angeschlossen
waren. Aufserdem hat der Dichter die Kapitel 1—5 inkl., die
Geschichte Joachims und Annas* enthaltend, weggelassen, und

* Unter den Wundergeschichten des Mittelalters, welche aus der Hei-
ligenlegende hervorgegangen sind, nimmt die Lügendichtung von der heiligen
Anna und dem Kaiser Fannel eine besondere Stellung ein. Dieselbe, in
ihrem Ursprunge wohl dem Pseudo-Chrysostomus zugeschrieben, ist nur in
französischer Aufzeichnung vorhanden und findet sich als Interpolation in
einer Handschrift des 13. Jahrhunderts, welche in den dreifsiger Jahren
im Besitze Le Roux de Lincys war, welcher die in Rede stehende Dichtung in einem lückenhaften Auszuge in seinem Buche „Le Livre des Légendes. Introduction, Paris 1836" bekannt machte; gleichzeitig teilte er
seine Analyse den Herausgebern der Histoire littéraire de la France mit,
welche dieselbe im 18. Bande flüchtig zum Abdruck brachten. Inzwischen
ist die hier analysierte Hs. in den Besitz des Lord Ashburnham in Ash-
burnhamplace gelangt, in dessen Sammlung sie als Ms. Barrois 171 kata-
logisiert ist. Zu beachten ist, dafs die zur Verherrlichung der wunderbaren
Geburt der heiligen Anna dienende Legende hier zwischen das Marienleben
von Herman von Valenciennes eingeschoben ist. Eine zweite Hs. der Fa-
nuellegende findet sich in London als Ms. Addit. 15606, der bekannten bur-
gundischen Hs., welche 1845 von der Verwaltung des British Museum aus
Privatbesitz angekauft worden ist; hier ist sie in Waces [hier Gace ge-
schrieben] Marienleben fol. 38—42 eingeschoben. Hiernach werden die
524 Verse unten unverändert mit den Fehlern und nur mit Einführung von
Interpunktionszeichen und Unterscheidung von j, i, v, u abgedruckt. Noch
könnte man das Vorhandensein zweier anderer Handschriften dieser Legende
vermuten; aber in dem von E. Stengel, Mitteilungen aus französischen
Handschriften p. 21 beschriebenen Ms. fr. 36 fehlt die eigentliche Legende
und die Hs. beginnt, inmitten der Dichtung des Herman von Valenciennes,
erst mit V. 519 des vollständigen Abdruckes. Derselbe Schlufs und die
Fortsetzung von V. 519 an findet sich nach Stengel in einem fragmenta-
rischen Marienleben einer Hs. zu Donaueschingen, das vom Frh. von Lafsberg, Ein schœn Lied vom Graf Zolre mit mehreren Lesefehlern abgedruckt
ist. Da die Londoner Hs. Addit. 15606 hinreichend beschrieben und die
Interpolation selbst an zwei Stellen, im Livre des légendes und in der Histoire
littéraire 18 analysiert ist, so wäre hier vielleicht nur noch zu bemerken,
dafs die Londoner Hs. noch an anderen Stellen interpoliert ist. So möge
hier aus Waces Marienleben noch eine Stelle folgen, in welcher das Ende
des Herodes in einer merkwürdigen, sonst nicht nachweisbaren Darstellung
beschrieben ist. Dieser zufolge schwoll der Leib des aussätzigen Herodes
bei seinem Lebensende so an, dafs er überall her Ärzte berufen lassen
mufste; da ihm diese jedoch nicht helfen konnten, liefs er sie alle köpfen,
und in seinem Wahnsinne erwürgte er in einer Nacht sein Weib und zwei
seiner schlafenden Kinder; das ältere dritte Kind jedoch entkam, welches
nach ihm regieren sollte. Dieses nun läfst seinen Vater in ein Fafs (cue)
mit siedendem Öl und glühendem Blei werfen und ihn so töten. Es heifst
hier auf fol. 55:

hier zeigt er, dafs er nicht ganz ohne Urteil verfahren ist;
denn dies hatte er bereits nach anderer, weniger ausführlicher
Quelle in der Dichtung „Nativite Nostre Dame" berichtet. Da
bereits in der Ausgabe dieses letzteren Gedichtes nachgewiesen

---

Oez, com Herodes fina.
Mas aincois grant tens trespasca,
Qu'il morist, mas an la fin
Li dona Dex si mal destin,
Que li suens cors trestoz anfla.
Il fut meseas, il angroissa,
Il fut senrous, il fut degiez.
Cant vit, que fut si malbaillierz,
Il fit mires partot mander,
Por lui garir et meciner;   10
Mas riens ne li vaut sa mecine.
Cant voit, que sa. dolor ne fine,
Si fait lez mires toz tuer,
Qui lou devoient repasser:
A toz les fait les chief tolir   15
Ne n'osent mais a lui venir.
Cant voit, que il ne garira
De duel et d'ire forsona;
Forsenez est ne set, que fet:
Vers sa fome une nuit se trait,   20
Si l'a a ses .ii. mains covree,
Illuc l'a morte et estranglee.
Apres revint a sez anfans,
An lor lit les trova dormant,
Les .ii. an hai mort et occis,   25
E li ainnez s'an est fois,
Qui apres lui devoit regnier.
Une cue fit aparoillier
D'oille buillant et de plonc chaut:
Son pere fit dedans giter,   30
Ansinc lou covint afiner.
Herodes ansinc desvia.
Oez, commant Josep erra
Droit an Egipte ou sa masnie,
Tant ai sa voie acoillie. —   35

Die Sage von Herodes, welcher seine eigenen Kinder ermordet, war
im Mittelalter ziemlich allgemein verbreitet, nur mit dem Unterschiede, dafs
der Volksglaube dieselbe an den Kindermord von Bethlehem geknüpft hat,
bei welchem nach der Überlieferung 144,000 Kinder, darunter nach einer
Volkssage das einzige des Herodes, hingeschlachtet wurden, ein Glaube,
welcher sich bis in die nachmittelalterliche Zeit in englischen Weihnachts-
liedern erhalten hat. Einer näheren Beschreibung der reichhaltigen und
in burgundischem Dialekt geschriebenen Handschrift sind wir überhoben
durch die von Paul Meyer in der Romania VI, 1 fg. gegebenen Analysen
und Notizen, die später an einigen Stellen verbessert worden sind. Auch
kann zur Vergleichung der mit der Sage vom jüngsten Gericht verbundene
Fanuelsage mit der Kreuzeslegende einfach verwiesen werden auf C.
Schröder, Van deme holte des billigen Cruzes, Erlangen 1869, und auf

ist, in welcher Weise Gautier sich an seine lateinische Quelle anschliefst, so möge hier nur kurz darauf hingewiesen werden, dafs der Dichter nach der V. 1—68 bildenden Einleitung sich in V. 69—236 an Kapitel 6 des Pseudo-Matthäus (Tischendorf a. a. O. p. 61 fg., Schade a. a. O. p. 16 fg.) hält. V. 237—312 entsprechen Kapitel 7; 313—398 = Kap. 8; 399—424 = Kap. 9; 425—482 = Kap. 10; 483—526 = Kap. 11; 527—746 = Kap. 12; 747—1094 = Kap. 13; 1095 —1124 = Kap. 14; 1125—1256 = Kap. 15; 1257—1359 = Kap. 16; 1360—1394 = Kap. 17; 1395—1466 = Kap. 18; 1467—1526 = Kap. 19; 1527—1628 = Kap. 20; 1629—1664 = Kap. 21; 1665—1704 = Kap. 22; 1705—1722 = Kap. 23; 1723—1788 = Kap. 24 und 1789—1800 = Kap. 25. V. 1801 —1802 bilden den Übergang zum Schlufs V. 1803—1874, einen Hinweis auf die Armut Jesu und einen Exkurs über die Armut im allgemeinen enthaltend. Auf dieses Gedicht spielt der Dichter in einem andern späteren unveröffentlichten Werke an, welches in der Hs. fr. 25532 der Bibliothèque Nationale in Paris fol. 256 den Titel führt: C'est ci si comme nostre sires ala par terre, worin es fol. 256, Zeile 9 fg. der zweiten Spalte heifst:

Por ce me veil ci amoier
A trouver et a rimoier
De Dieu, qui est veritez voire,
Et ainsi le doit chascuns croire,
Sanz avoir nes point de doutance.
I avez oï de s'enfance,*
Ou fu nez et com faitement,
Comment fu couchiez povrement

En l'estaule dedenz la creche,
Qui toute estoit et viez et seche,
Et s'ai dit des .iii. rois, qui virent
L'estoile et leur offrende firent
Au roi, qui nez estoit en terre,
Vers cui Herodes avoit guerre:
Car quant fu nez, mult eut grant ire,
Que perdre cuida sen enpire.

A. Mussafia, Sulla leggenda del ligno de la croce in den Sitzungsberichten der k. k. Akademie der Wissenschaften zu Wien, Philosophischhistorische Klasse, Band 63. Man sehe auch Chabaneaus Ankündigung des Roman de l'empereur Fanuel, de la Vierge et des Apôtres in der Revue des langues romanes. März 1882, p. 156. Da das Buch von Frh. von Lafsberg selten und unzugänglich ist, mögen hier nur noch die Varianten der wenigen Verse 519—524 folgen, welche die Turiner Hs. fr. 36 in Stengels Mitteilungen aus frz. Handschriften der Turiner Universitätsbibliothek p. 36 aufweist:

519 molt. 520 Ce nous tesmoigne sains Johans. 521 In der Turiner Hs. scheint auch ein Absatz zu sein. 522 cose vaurons statt estoire volons. 523 Je quit bien i repaierons. 524 quant nous vaurons.

* Besser als i der Hs. ist Ja.

Bien ai dite la vcrite,
Si com devant l'ai recite,
N'est pas mestiers, que le recorde.
Ja soit ce qu'aucuns s'i acorde,
Por ce qu'il n'a nient sëu
De ce que j'ai devant lëu,
Mais s'ades ce qu'ai dit, disoie,
Jamais desqu'au chief ne venroie:

Car petit se puet avancier,
Qui ades est au commencier.
Or soufise ce que veil lire,
Sanz ce qu'ai dit devant redire:
Car je vorrai en romanz mettre,
Si comme me livra la lettre [Hs. cū]
Et je leverrai en escrit
La vie et les faiz Jesu Crit [Hs. ih'u].

Somit ist gewifs, dafs das Gedicht „La Nativite J. C. et ses enfances" vor dem letztgenannten längeren Werke und, wie aus V. 96 (redirai) hervorgeht, nach der Nativite N. D. entstanden ist, und, wenn man den Inhalt der frommen Dichtungen Gautiers in Betracht zieht, so scheint er mit denselben, in ähnlicher Weise wie der englische Dichter des Cursor Mundi (Cursur o the World), eine kurze cyklische Darstellung der neutestamentlichen Geschichte mit Benutzung apokrypher Quellen für die Vor- und Jugendgeschichte der heiligen Jungfrau wie für die Kindheit Jesu und die Himmelfahrt Marias beabsichtigt zu haben. Wie die Nativite N. D., so hat der Dichter auch die Nat. J. C., V. 3, 16 und 1803 ebenfalls conte genannt, vor einem Zuhörerkreise, ohne Zweifel an heiliger Stätte, vorgelesen, wie sich aus V. 426 ergiebt.

Möge die hier begonnene Veröffentlichung der noch übrigen sprachlich interessanten Gedichte Gautiers von Coinsy Anregung zu weiterem Studium dieses von Louis Racine und von den Benediktinern in der Histoire littéraire de la France zu geringschätzig beurteilten geistlichen Dichters geben! Zunächst soll eine Mitteilung über die (auch dramatisch bearbeitete) Legende von der heil. Thräne zu Vendôme folgen, die schon von Jean de Venette (1357) in seine Histoire des 3 Maries eingefügt ist. Zugleich dürfte sich bald eine Gelegenheit darbieten, auf die noch unbekannte in Ms. fr. 25470, alt 3464, La Vallière 94, fol. 1—140 erhaltene Tragédie de l'enfant Jésus, in welcher das Jesuskind, Maria, Joseph, Jacobée, Salome, Cleophe, Johannes, sowie ein anderer petit cousin de l'enfant Jésus und 4 docteurs auftreten, näher einzugehen.

II. Geburt und Kindheit Jesu.

La nativite nostre seigneur Jesu Crist et ses enfances.

Qui vieut oïr la verite   fol. 244 b
De la sainte nativite
Jesu Crist, si escout men conte,
Si com l'escripture raconte.
Veritez est, que nostre dame   5
Fu virge ades de cors et d'ame;
Tout mauvais delit desprisa,
Ses cuers de riens point ne brisa.
Virge conçut, virge enfanta,
Par sa honte ouvre tant a,   10
Que nos rarons nostre heritage,
Qu'Adans perdi par son outrage.
Tuit savez bien, fames et home,
Comment Adans menja la pome,
N'est pas mestiers, que le vos conte, 15
Trop alongeroie men conte.
A ma matere revenrai
Et a parler entrepenrai,
Comment nos vint des ciex Diex querre,
Quant vout de fame naistre en terre 20
Por les granz max, por les pechiez,
Dont li mondes est entechiez.
Mais par sa grant misericorde
A derompuz et laz et corde,
De quoi loiez iert home et fame, 25
Ainz qu'il naschist de nostre dame.
Apres fu il por nos penduz:
Povres loiers l'en est renduz.
Son chastel sauver n'i puet mie
Non voir la centisme partie   30
Dou gros grain ne puet point avoir
Li diables trestout l'avoir.
Et Diex prent en bon gre la paille
N'a riens dou monde fors ringuaille,
Les afolez, la povre gent,   35
Et s'en livra son cors le gent
Por nos touz a si grant martire,
Que langue ne le porroit dire.
Et il, qui est la veritez,
Dist, qu'il n'est si granz charitez 40
En nul home, quant il a mis
S'ame et son cors por ses amis.
Et tout ainsi le vout il faire:
Por nos morut a grant contraire.
Mais s'il n'eust en verite   45

Por nos fait plus grant charite
Que ce qu'il vout naistre de fame, f. 245
Si fist il mult por nos, par m'ame:
Car ce sachiez de verite:
Trop fu nez en grant povrete.   50
Comment fu nez, oïr porrez
En ce que ci apres orrez,
Et por vos .i. peu deliter,
De s'enfance veil reciter.
Mainte ame ai vëu resjoïr   55
En enfances d'enfanz oïr.
Mais de ce ne doit nus douter,
Se por enfances escouter
Doit on avoir solaz ne joie.
Escoutez moi, que Diex vos oie. 60
Qui d'enfance vieut joie avoir,
S'il oit cesti, il l'aura voir.
S'il ne l'en a, n'ai pas fiance,
Qu'il ait joie de nule enfance.
A lui eut mere si propice,   65
Qu'onques n'i peut nus trover vice.
Je vos en conterai la vraie,
S'atendez tant que dite l'aie.

En escrit truis, que nostre dame,
Ainz qu'ele eust aage de fame 70
Et de ce que .iii. anz n'avoit,
Si bien parler de Dieu savoit,
Que n'avoit pareil ne pareille.
A touz venoit a grant merveille
Ne sambloit enfes d'aage: 75
Car trop estoit et preuz et sage.
Il sambloit, que .XXX. anz ëust.
Il n'estoit nus qui mieuz sëust
Faire oroison qu'ele faisoit;
A Dieu et au monde plaisoit,   80
Et affliz de piez et de mains
S'avoit .iii. anz ne plus ne mains.
De son vis teus clartez issoit
Et si tres cler resplendissoit,
Nus hom, qui le dëust larder, 85
Son vis ne pëust esgarder
Por la clarte, por la lumiere,
Qui issoit de sa douce chiere.
Nois en pre ne ne rose espennie
A sa biaute ne prennent mie,   90
Si bele fu com plus peust estre:
Car mere fu au roi celestre.

Die Überschrift der Hs. ist beibehalten,
nur ist Ihesu = Jesu geändert wie V. 3.
4 con. 13 hõme. 14 pomme. 16
alongneroie. 25 hõ. 27 nõs. 37 pour
= 53 = 58 = 87. 40 charite. 42
pour = 44 = 48. 46 p'.

47 naitre. 49 vos de virete. 54 weil.
Vgl. 276. 59 soulaz. 62 aura. 65 conques. 67 vrai. 79 orison. 81 mainz.
84 replandissoit. 91 con. 92 celeste.

Mieuz ne la saroie descrire,
Si ne finasse ja d'escrire.
Plus avant n'en puis dire mie: 95
Or vos redirai de sa vie.

La lettre, qui mie ne ment,
Nos tesmoingne certainement,
Que tout ades en l'uevre estoit,
Nule foiz ele ne festoit 100
Et s'avoit sa riule estaulie,
Comment mener voloit sa vie:
Des le main sanz nule occoison
Desqu'a tierce iert en oroison.
Por riens ne perdist sen ourer, 105
Puis se prenoit au labourer
Des tierce desqu'a droite none.
Diex, quel converse, Diex, quel none!
De sa riule ains ne passa point,
Ainz mena bien sa vie a point. 110
Quant l'eure de none venoit,
D'ourer mie ne s'astenoit,
Devant que lui s'apaieust
Li angles Dieu et qu'ele eust
De sa main la viande prise, 115
Que plus ardanz et mieuz esprise
Fust en Dieu et que deliter
S'i peust mieuz et porfiter.
Ainsi la tres douce Marie
Son tans emploioit et sa vie. 120
Tout ades voloit le ourer
Ou traveillier ou labourer
Ne voloit mie le tens perdre,
Mult tost s'aloit a l'uevre aerdre.
Ou sanz oroison ou sanz euvre 125
Ne fust tant com ieuz clot et euvre.
Mais clerc, bourjois, chevalier, prestre
Tout ades vuelent oiseus estre,
Ades dormir, mengier et boire, f. 245 b
Nus ne vieut mais autre Dieu croire. 130
Qui demande auques por nient,
Il est bien fous a escient.
Estre bourjois et Dieu avoir,
Ja teus marchies ne sera voir.

Bourjois estre hui et bourjois ier, 135
Diex n'a cure de bourjoisier.
Home et fame, qui ne travaille,
Diex nes aime, chose qui vaille.
Oiseuse anemie est a l'ame,
Por ce l'eschiva nostre dame. 140
Si prenons a li essamplaire,
Nos ne porrons a Dieu desplaire.
Labourons, si ferons savoir,
Sanz ce ne poons Dieu avoir,
Por Dieu: car nos i essaions 145
De labourer, honte n'aions.
Nostre dame n'eut pas hontage
De labourer tout son aage.

Cil qui n'ourra ou labourra,
Ou boulant feu d'enfer bourra. 150
Oiseuse por Dieu eschivons
Et en labourer nos tuons,
Qu'en tel usage usa sa vie
Nostre dame, sainte Marie:
De bien faire ne se faingnoit, 155
Les autres virges ensaingnoit,
Qui plus vielles de lui estoient,
Mais avers li riens ne savoient;
Dieu a louer les aprenoit,
Si faite vie maintenoit 160
Ne dormoit pas grant matinee:
La premiere ert ades levee.
Tele science en li avoit,
Que la loi miex que nus savoit.
En li iert toute humilite, 165
Toute parfaite charite.
Seur toutes autres estoit pure,
En vertuz avoit mis sa cure;
Tant i mist de cure et de paine,
Que de vertuz fu la fontaine, 170
N'ele n'estoit de riens muable,
En son bon propos fu estable.
Mais ades tint droite sa main
Ne se mua ne soir ne main.
De mieuz en mieuz se porfitoit, 175
Chascun a bien faire escitoit,
Ains nus ne li oï maudire
Ne son courrouz ne vit ne s'ire
Ne disoit pas parole oiseuse:
Sa parole ert si gracieuse, 180

---

96 redira. 97 Ja. 98 certainnement.
99 = Inistebat autem operi lanifico.
100 elle. 104 orison. 107 nōne = 108.
109 ainc. 109 = Ab oratione non
recedebat. 111 nōne. 116 = et ita
majus et melius in opere dei proficiebat.
118 pourfiter. 120 enploioit. 121 vouloit. 123 tans. 124 aherdre. 125 Vor
oroison steht h mit Punkt. weure =
126. 128 welent. 130 Am Rande steht
unvollständig und durch den Buchbinder
teilweise abgeschnitten: [q]uorum deus
[v]enter est.

---

137 hōme. 138 aimme. 139 Am Rande
unvollständig: [o]ciositas inimica [e]st
anime. 140 pour = 145. 148 Am Rande:
Qui non laborat non manducet. 151 dieus.
161 matine. 165 iert fehlt. 169 painne.
170 fontainne. 171 nestuet. 180—186
= Omnis autem ejus sermo erat ita gratia plenus ut cognosceretur in lingua esse
ejus deus. Semper in oratione et per-

Qu'ades de Dieu parler voloit,
Qui nule riens ne li toloit.
De ses compaingnes si couroit,
Que de nule pas n'enduroit,
Que d'eles parole fust dite,   185
Qui pechiez soit, tant fust petite,
Et si voloit outreement,
Qu'eles parlassent simplement
Et pere et mere honneur portassent
N'a leur povoir les courreçassent. 190
Si faitement les chastioit
Et de bien faire les prioit.

La douce fleur, la fresche rose
Refaisoit encor autre chose.
Sanz nul relais ades looit   195
Dieu, de quanqu'ele onques pooit.
Quant il avenoit, qu'aucune ame
La saluoit, fust bons ou fame,
En louer Dieu si habondoit,
„Deo gracias" respondoit.   200
Tant qu'on meïst au saluer,
Ne voloit la virge eschiver
Sa parole de la loenge
Nostre seignour ne faire estrange.
Trestouz les jours a li venoit   205
Li angles Dieu, de cui prenoit
De quoi ele estoit soustenue
En ceste vie et repëue.
La viande, qui establie
Li ert ou temple por sa vie,   210
Departoit a la povre gent: fol. 246
Car ne li ert ne bel ne gent,
Qu'autre menjast en nule guise
Par deseur celi qu'avoit prise
Dou saint angle nostre seignour.   215
Meilleur viande ne greignour
Ne pëust pas estre trovee.
Mult l'out seuvent asavouree
Ne li ert amere ne fade,
Ainz li estoit et bone et sade.   220
Mult vit on souvent avenir,
Qu'on veoit les angles venir:
Avec li et a li parloient
Et tout aussi l'acompaignoient,
Com on fait ces genz, qu'on festoie. 225
Nus ne porroit dire la joie,
Que li angle de paradis
Li firent en terre jadis,
Dont li font il bienfait acroire
Devant son fil, ou est en gloire.   230

Et s'aucuns avoit maladie,
Venist a la douce Marie,
Puis que la touchast li malades,
Si forz ne fust li maus ne rades,
Que maintenant et sanz demeure 235
Ne fust touz sains en icele eure.

En ce tans que la virge nete,
Qui encor iert assez josnete
Et si donoit a touz essample,
Avec les autres iert ou temple,   240
De si grant sainte fu nommee,
Partout couroit la renommee:
Car bons et nez estoit ses estres.
Abiathar, qui estoit prestres,
A vesques vient, ses araisone,   245
Maint grant don leur promet et done.
Une mult grant infinite,
Nus n'en savoit la verite,
Leur offri touz de son avoir
Por la virge, qu'il vout avoir   250
Por son fil, cui la vout doner.
La virge en fist araisoner,
Mult requerre et deprier,
Que lui se vousist marier.
Por l'avoir et por la priere,   255
Que li evesque avoient chiere,
En requistrent la virge pure.
Mais ele dist, que n'en a cure.
Mult durement l'evesques chose.
„Ne puet," ce dit, „estre la chose." 260
De trestout raison leur rendoit,
Le parler leur en desfendoit.
„C'est ore," ce disoit, „la some,
Que bons me connoisse ne je home.
Sachiez de voir: je ne be mie,   265
Que ja me mari en ma vie."
Et li evesque li disoient
Et trestuit cil qui la estoient,
Qui jamais enfanz n'averoit,
Jamais Diex serviz ne seroit,   270
Et por ce fist il mariage,
Veillez le, si ferez que sage.
La virge bon conseil avoit:
Mult bien respondre leur savoit:
„Laissiez ester vostre prier,   275
Je ne me veil pas marier:
Ce sachiez tuit en verite:

---

scrutatione legis insistebat, et sollicita erat
ne aliquo sermone peccaret circa socias.
    187 vouloit. 197 q'ucune. 201 cō.
204 seigneur. Vgl. 215. 217 trouuee.
222 cō. 224 ausi. 225 con f.

233 thouchast. 237 nette. 239 donnoit. 245 araisonne. 246 donne. 251
donner. 252 araisonner. 255 pour.
263 sōme. 264 hōme. 271 il steht
über der Zeile. 272 weillez. 275—
285 = Deus in castitate colitur, ut
primo omnium comprobatur. Nam ante
Abel nullus fuit justus inter homines.

J'ai vouee virginite,
Et je sai bien certainement,
Diex fu serviz premierement: 280
Car aval en ce mortel monde
D'ome virge pur chaste et monde,
Bien savez et voirs est provez,
Devant Abel ne fu trovez
En tout le monde nus bons justes, 285
Ne sai s'onques mais le sëustes,
A Dieu plut, qui les siens esprueve,
Bien fu essaiez a l'esprueve.
Son louier bien en desua,
Chäyns ses freres le tua: 290
Car a Dieu s'offrende plaisoit
Mieuz que de Chäyn ne faisoit.
Mais toutes voies .ii. courones
Li dona Diex beles et bones:
L'une fu por l'oblacion,   295
Qu'il faisoit. en devocion,
Et por ce r'ot il la seconde,
Qu'en virginite fu au monde.
Helies refu, ce me samble,
Raviz et ame et cors ensamble, 300
Por ce que sa char virge et pure
Garda de pechie de luxure.
Bien sai, de m'enfance l'apris
Ou temple, si l'ai mis a pris,
Que Dieu plaist et si l'a mult ebiere 305
Virginitez vraie et entiere.
Por ce ai propos, que je serai
Virge tant com je viverai.
Ja charnelment, comment qu'il aille,
Ne connoistrai home sanz faille. 310
De riens plus vos ne m'en chosez,
Taisiez vos en et reposez."

Quant li vesque la virge oïrent,
Qui le mariage entreprirent,
Esbahi furent et plain d'ire   315
Ne n'en seürent trestuit que dire:
Car lors n'estoit mie en usage,
Que nus veschist sanz mariage.
Lors envoierent par la terre
Les lignies d'Israel querre,   320
Dedenz .iii. jors soient venu
Un et autre, josne et chenu,
Por conseillier de cest affaire:
Car c'est chose a la loi contraire.

Et quant au tierz jour venu furent 325
Les lignies, ainsi com durent,
Lors se conseillerent et dirent,
Qu'un sort feroient, si le firent;
Seur laquel lignie avenroit
En cele lignie on penroit   330
Celui, en la qui garde on mette
La virge sainte pure et nette.
Au faire mirent grant estude:
Li sors chaï seur ceus de Jude.
Joseph iert de cele lignie,   335
La virge li a on baillie:
Car quant sa verge es mains li mirent,
D'ensom .i. coulon issir virent,
Qui plus avoit la plume blanche
Que ne soit la nois sur la branche. 340
Joseph doutoit la virge a penre:
Car trop estoit et josne et tenre,
Mais on li dist tant de raison,
Qu'il l'enmena en sa maison,
Avec li .V. autres puceles,   345
Nettes et hones jouvenceles,
Qui compaignie li feront
Et si la reconforteront.
Ce fu Rebeca, Sophora,
Susanna et Abygea,   350
Et la .V.me fu Zael,
Toutes .V. nees d'Israel.
Jacinte, bisse a cele voie,
Lin et pourpre pristrent et soie,
Que li vesque baillier leur firent, 355
Si que le tans pas ne perdirent.
Oiseuse n'en i ot nesune:
A l'uevre s'est prise chascune.
La honte Marie visa,
Por filer la pourpre prise a;   360
.i. voile ou temple en voloit faire
La douce virge debonaire.

Quant les autres ont ce vëu,
Chascune en eut le cuer mëu;
En bien s'en tenoient de rire,   365
Lors li commencerent a dire:
„Marie, de riens ne t'en doutes,
La plus josne ies de nos toutes.

---

327 fehlt im Text, steht aber unter
der ersten Spalte hinzugefügt. 328 cun.
333 ma on. 338 densō. 349—351
Die Namen stimmen am nächsten mit
Tischendorfs Cod. C und mit Schades
Hs. überein. Citate folgen nach Schade.
353—355 = Quibus datum est a pon-
tificibus sericum et iacinctum et coccus
et byssus purpura et linum. Vgl. Schade
p. 21. 354 prinstrent. 361 tenple. 363
on. 368 nous.

---

279 certainnement.   281 munde `=
282 = 285. In 282 ist über dem Initial
d ein Zeichen wie o. 282 Die Hs. hat:
dū me virge pur chate 7 mūde. 291
soffrande. 293 couronnes. 294 donna .
bonnes. 295 pour = 297. 298 munde.
300 Vor ensamble steht 7 mit Punkt. 301
pour. 308 con. 310 connestrai hōme sainz.

Qu'ades de Dieu parler voloit,
Qui nule riens ne li toloit.
De ses compaingnes si couroit,
Que de nule pas n'enduroit,
Que d'eles parole fust dite,
Qui pechiez soit, tant fust petite,
Et si voloit outreement,
Qu'eles parlassent simplement
Et pere et mere honneur portassen
N'a leur povoir les courreçassent.
Si faitement les chastioit
Et de bien faire les prioit.

La douce fleur, la fresche rose
Refaisoit encor autre chose.
Sanz nul relais ades looit
Dieu, de quanqu'ele onques pooit.
Quant il avenoit, qu'aucune ame
La saluoit, fust bons ou fame,
En louer Dieu si habondoit,
„Deo gracias" respondoit.
Tant qu'on meïst au saluer,
Ne voloit la virge eschiver
Sa parole de la loenge
Nostre seignour ne faire estrange.
Trestouz les jours a li venoit
Li angles Dieu, de cui prenoit
De quoi ele estoit soustenue
En ceste vie et repëue.
La viande, qui establie
Li ert ou temple por sa vie,
Departoit a la povre gent:
Car ne li ert ne bel ne gent,
Qu'autre menjast en nule guise
Par deseur celi qu'avoit prise
Dou saint angle nostre seignour.
Meilleur viande ne greignour
Ne pëust pas estre trovee.
Mult l'out seuvent asavouree
Ne li ert amere ne fade,
Ainz li estoit et bone et sade.
Mult vit on souvent avenir,
Qu'on veoit les angles venir:
Avec li et a li parloient
Et tout aussi l'acompaignoient,
Com on fait ces genz, qu'on festoie.
Nus ne porroit dire la joie,
Que li angle de paradis
Li firent en terre jadis,
Dont li font il bienfait acroire
Devant son fil, ou est en gloire.

Et s'aucu
Venist a
Puis que
Si forz n
Que mai
Ne fust

En ce
Qui en
Et si d
Avec l
De si
Partou
Car L
Abiat
A ve
Main
Une
Nus
Leur
Por
Por
La
Mul
Que
Por
Que
En
Ma
Mu
„N
De
Le

1
1
1

19

20

21
fol. 24

21

220

22

scrutatione legis insistebat, et sol
ne aliquo sermone peccaret circ.
    187 vouloit.   197 q'ucune.
204 seigneur. Vgl. 215.   217
222 cō.   224 ausi.   225 con f

conçéu.

⸱⸱era,

⸱t monde
⸱⸱n monde." 500

⸱rveilla;
u ciel tendi
n rendi.
⸱t ne peut mie 505
Marie
s compaignes;
⸱ ensaignes
⸱ it vëue,
⸱ grant joie ëue. 510
onforte:
ne trop grief ne porte
en li pechie.
Ioseph, „j'ai pechie
nt ies vraie et bone, 515
me pardone
⸱oi soupeçone!"
pardone.
cuer lors apaisa
Marie pais a.   520
ne demoura gaires,
⸱riboulez ses affaires:
e dame et il souffrirent
il, que li vesque leur firent
ouz en faire et en dire, 525
ci apres m'orrez dire.

imee, qui riens ne cele,
tout conte la nouvele,
Marie iert grosse et emprainte,
toi on dit parole mainte.   530
enistre dou temple prirent
ph, si le sachent et tirent.
it durement le mesmenerent,
vant l'evesque le menerent,

492 apparuz. 498 Ihesus. 500 munde.
01 pour. 502 si steht über der Zeile.
08 ensaingnes. 515 bonne. 516 pardonne.
17 q°i . soupeçõne. 518 pardõne. 520
our. 522 Von tribouler (normannisch
ribler, lat. tribulare) bildet Gautier die
abstantive tribol und tribouleur, die er St.
éocade 1131 braucht. 523 soufrirent.
25 Vor touz steht vos mit Punkten.
27 Renõme. 529 enprainte. 531 pris-
ent. 534 Stellung der Worte ist 1,
, 4, 2, Zeichen deuten das Richtige an.

Doiz tu donques la pourpre avoir?
Petite raison i a voir.   370
Tu ies avers de nos trop josne."
Lors la commencent par ramposne
Virge des virges apeler;
Ainz leur cuers n'en porent celer.
Eles par contraire li dirent,   375
Mais onques de riens nen mentirent. f.247

Si com parloient les puceles,
Uns angles s'aparut entr'eles
Et leur dist, que ceste parole
Ne sambleroit mie frivole,   380
Ainz seroit vraie prophetie
Provee ne demorroit mie.
Quant les virges l'angle parçurent,
Durement esbahies furent
De sa biaute, qu'en son vis virent 385
Et de la parole, qu'oïrent:
Trestoutes lors s'agenoillerent,
A Marie merci crierent;
Trop avoient vers li mesfait,
Mais pardonast leur le mesfait   390
Et se les ëust en memoire
Envers le roi, qui maint en gloire.
Et la virge tout plainement
Leur pardona mult doucement
Ne porquant nus ne porroit dire, 395
Que point en fust mëue d'ire.
Quant furent vers li apaisies,
Les virges mult en furent lies.

Ainsi demoura li affaires
Mult petit de tans ne de gaires. 400
Cele qui de touz biens est vaine,
.i. jour ert lez une fontaine.
Li angles Dieu s'aparissoit
Devant li et si li disoit:
„Marie, tu ies beneoite: 405
Car Diex en ton cuer se soutoite

Tu li as fait .i. tabernacle,
Ou il penra sen habitacle."

·Au tierz jour une pourpre ouvroit,
De quoi sen vivre recouvroit   410
A ses mains ploies et beles
Et Diex li envoia nouveles:
Car sen angle envoie li a,
Qui li dist: „Ave Maria!"
Quant le vit la virge Marie,   415
Por le salut fu esbahie
Et s'en eut .i. peu de freour.
Dist li angles: „N'aiez peour,
Marie: car tu fus buer nee,
Devant Dieu as grace trovee: 420
Car tu virge conceveras
Le fil Dieu et enfanteras."
La virge dist: „Ainsi, biau sire
M'avigne il com je vos oi dire."

Ou tans que furent avenues   425
Ces choses, que j'ai ci lëues,
En Capharnäum demoroit
Joseph: car il i labouroit,
Non pas qu'il i ëust repaire,
Mais il i avoit uevre a faire,   430
Qu'il estoit, ce cuit, charpentiers.
La demoura .IX. mois entiers.
Et quant a fin de s'uevre vint,
Au chief des .IX. mois s'en revint
En son païs et en son estre.   435
Et quant en bien cuida estre,
La pucele grosse trova
Ne set adonc, se vient ou va.
Peour eut et se varia,
Par grant angoisse s'escria   440
Et si dist: „Diex, la mort me livre:
Car mieuz me vient morir que vivre."
Les virges, qui laienz estoient,
Qui avec Marie manoient,
Sen duel vëu mener li eurent,   445
Plus souffrir mie ne le peurent.
Toutes V li pristrent a dire:

---

372 ranposne. 372—373 = Et hec
dicentes in fatigationis sermone ceperunt
eam reginam virginum appellare. Nach
Schade ist in fatigationis sermone = in
Scherzrede, in Scherz, hier = ramposne
(das sich in ramponer zechen bis in das
Neufz. erhalten hat). 373 des virges
steht zweimal. 374 ainc. 381 prophecie. 382 prouuee. 390 pardonnast.
393 plainnement. 394 pardonna. 398
frent. 401 vainne. 402 les . fontainne.
403 s'apparissoit. 405—408 = Beata
es Maria quoniam in mente tua habita-
culum deo preparasti. 406 Das echt
poetische Wort soutoite kommt natürlich
von toit (tectum).

407 tabernache. 409 ppre. 410 coi.
416 pour. 416—417 = expavit et
contremuit. 417 freeur. 418 peeur.
425 tanz. 427 Hier stimmt der französische Text wieder zu Tischendorfs
Kodex C und zu Schades Stuttgarter
Hs., wo Capharnaum steht. 430 weure
affaire. 431 charpentiers ist hier Zimmermann (carpentarius). Anders Wace,
Rou 11610 ed. Andresen. 437 trouva.
439 peeur. 441—442 = Domine domine accipe spiritum meum, quoniam
melius est mihi mori magis quam vivere.
446 soufrir.

„Joseph, biau frere, ne t'aïre:
Car nos savons de verite,
Perdu n'a pas virginite;   450
Il n'i a voir nule occoison,
Ades estoit en oroison,
A li parloit a grant sejour
Li angles n'en failloit de jour,
Et de la main l'angle prenoit   455
Sa viande, quant venoit.
Tu donc n'autres comment seneche,
En li n'a pechie nul ne teche.
Noz cuers, se tu vieus, t'en dirons,
Ja nul home n'en seurdirons   460
Ne savons qui a fait le fait,
Se li angles Dieu n'a ce fait.
Saches de voir, que nule autre ame
Ne soupeçons nos de ta fame."
Joseph, qui le cuer eut plain d'ire,   465
Se merveille de ce qu'oit dire
Et dist: „Faire me volez croire,
Qu'une blanche berbiz est noire,
Si ai or perdue ma joie.
Por quoi volez vos que je croie,   470
Li angles engroissie l'ait?"
A peu que morir ne se lait:
Car trop granz Dieus le cuer li serre
Ne set, s'est a ciel ou a terre;
Plus d'un vil chien se despisoit.   475
En plorant tenrement disoit:
„Las, que ferai, las, que dirai?
Hai! las chaitis, ou irai?
Ou temple, las, comment iroie?
Certes, aler n'i oseroie   480
Non nes prestres regarder,
Je m'enverrai mult bien garder."

Ainsi Joseph se blasme et chose.
Adonc apense une chose,
Que de son duel se retrairoit   485
Et sanz nul sens la lairoit.
Quant eut ordene son affaire
Ainsi com le beoit a faire,
Que nus bons ne s'en parcevoit,
La nuit que fuir s'en devoit,   490
Li angles Dieu sanz longue alonge

A lui s'est aparuz en songe
Et dist: „Joseph, ne doutez mie
A penre ta fame Marie!
Dou saint esperit a ëu   495
Ce qu'en son ventre a conceü.
Virge .i. enfant enfantera,
Qui Jesus apelez sera,
Qui fera sauf et pur et monde
D'ordure de pechie sen monde."   500
Por la vision s'esveilla
Joseph et si s'en merveilla;
Ses mains jointes au ciel tendi
Et a Dieu graces en rendi.
Si tost que plus tost ne peut mie   505
Est venuz parler a Marie
Et a trestoutes ses compaignes;
Contees leur a les ensaignes
De la vision, qu'eut vëue,
De quoi ont mult grant joie eue.   510
Joseph Marie reconforte:
Car il crient, que trop grief ne porte
Ce qu'il cuidoit en li pechie.
„Ha" ce dist Joseph, „j'ai pechie
Vers toi, qui tant ies vraie et bone,   515
Marie: car le me pardone
Ce qu'ai de toi soupeçone!"
Et ele li a pardone.
Joseph sen cuer lors apaisa
Por ce que Marie pais a.   520
Mais apres ne demoura gaires,
Fu mult tribouley ses affaires:
Car nostre dame et il souffrirent
Maint mal, que li vesque leur firent
Devant touz en faire et en dire,   525
Si com ci apres m'orrez dire.

Renommee, qui riens ne cele,
A partout conte la nouvele,
Que Marie iert grosse et emprainte,
De quoi on dit parole mainte.   530
Li ministre dou temple prirent
Joseph, si le sachent et tirent.
Mult durement le mesmenerent,
Devant l'evesque le menerent,

449—451 = Nos certe scimus quod
vir numquam tetigit eam, quia mentis
integritas et virginitas in ea perseve-
rantes immaculatæ custoditæ sunt ab ea.
Vgl. Tischendorf p. ·69· 451 mã voir.
ocroison. 457 In der Hs. ne mit Punkt
unter e. 458 ne statt n'a. 460 hõme.
463 nos. 468 cune. b'biz. 470 pourquoi
voulez. 472 mourir. 484 adonc oder adons.
486 sen. 488 con . affaire. 489 hõ. 490
Am Rande steht: glosa. 491 alongne.

492 apparuz. 498 Ihesus. 500 munde.
501 pour. 502 si steht über der Zeile.
508 ensaingnes. 515 bonne. 516 pardonne.
517 q'i. soupecõne. 518 pardõne. 520
pour. 522 Von tribouler (normannisch
tribler, lat. tribulare) bildet Gautier die
Substantive tribol und tribouleur, die er St.
Léocade 1131 braucht. 523 soufrirent.
525 Vor touz steht vos mit Punkten.
527 Renõme. 529 enprainte. 531 pristrent. 534 Stellung der Worte ist 1,
3, 4, 2, Zeichen deuten das Richtige an.

16*

Et li evesques et li prestre   535
Li dirent: „Comment te puet estre,
Que Marie as si baretee,
Si grant virge, ainc teus ne fu nee.
Li angle Dieu ou temple estoient
Avec lui, qui la norrissoient. fol. 248. 540
Onques ne vit home ou visage,
De la loi ele estoit si sage,
Que touz venoit a grant merveille
N'avoit ne pareil ne pareille.
Or est ainsi par toi honnie;   545
Honneur n'ara mais en sa vie.
Se tu l'ëusses bien gardee,
Encor fust virge demouree;
Mais tu li as servi de guile.
En est ce verite? Di le!   550
Que nos le volons orendroit,
Nus bons voir ne t'en desfendroit,
Que tu n'i aies mal et honte.
Di tost le voir, or tost di conte!"
Mult se desfendoit durement   555
Joseph et fist maint sairement,
Qu'onques touchie ne l'avoit;
Ce sëust Diex, qui tout savoit.
„Joseph, tu as povre escient"
Dist li vesques, „c'est por nient.   560
Ce sache Diex, qui maint en gloire,
Je te ferai maintenant boire
De l'iave Dieu, c'est dou buvrage,
Adonc perra en ton visage
Li signes de ce grief pechie,   565
Dont on te tient por entechie."

Or ne vos ennuit a atendre,
Por mieuz savoir et mieuz entendre
Ce que je ci apres lirai,
De ce buvrage vos dirai,   570
S'il est apareilliez qui l'oie.
Icele iave, que je disoie,
Li boires Dieu iert apelez:
Nus pechiez n'iert lors tant celez,

Puisque forfaiz bons le bëust,   575
Que maintenant n'aparëust
Uns teus signes en son viaire,
Que chascuns savoit son affaire.
Et on ne voloit Joseph croire,
Se l'en voloit on faire boire: 580
Car ne se voloit assentir
A eus, s'il ne voloit mentir;
Par son jurer ne par son dire
Ne s'en peut onques escondire.
On ne l'ëust por riens crëu,   585
Se dou boire n'ëust bëu,
Ne peut estre chose celee.
Errant i eut tele assemblee
De ceus d'Israel et de Jude,
Nus n'en nombrast la multitude.   590

Por ce en pais ne laissierent mie
La tres douce virge Marie.
Amener la fist on ou temple,
De li firent au pueple essample.
Li prestre de la loi ploroient   595
Et si parent, qui i estoient,
Et li voisin trestuit a fait.
Por le pechie, qu'en dit qu'a fait,
Chascuns mult durement la presse:
„Ha! mere Dieu, car te confesse!   600
Ençainte ies, tu nel puez celer,
Cest fait tu nel puez rapeler.
Confesse toi a ces provoires,
Bien sez, se les choses sont voires!
Quant ou temple Dieu demoroies,   605
Simple com i. coulon estoies:
De viande des cieus venue
D'angles estoies apëue.
Repen toi, s'il t'est meschëu!
Aussi avons de mains vëu."   610
La douce virge n'a pas honte,
Ce qu'on li dist, por nient conte.
De tout pechie, de toute ordure
Se sentoit bien et nette et pure.

Derechief Joseph apelerent,   615
Droit devant l'autel le menerent
Et de l'iave dou cruel boire
Devant l'autel li firent boire.
Et quant il en eust essaie,
De rien n'eut le cuer esmaie.   620

536—538 = Ut quid fraudator ex-
stitisti tantæ et tali virgini? 537 a.
Das Verb barater = täuschen; barateor
= Betrüger; barat Betrug. In St. Léochade 836 gebraucht Gautier das Wort
barateor. 541 hōme. 542 elle. 548
vige. 549 guile, pikardisch ghile, ist
häufig. Vgl. St. Léochade 1395. 555
desfendent. 556 sairement ist regelrecht
aus sacramentum gebildet. 557 conques. 562—563 = Vivit dominus quod
modo te faciam potare aquam potationis
domini et mox aparebit peccatum tuum.
568 pour. Das zweite Mal steht miex.
571 appareilliez.

---

575 hō. 581 vouloit. 585 pour. 588
assamblee. 590 nonbrast. 591 Pour.
laissient. 603 prouoieres. 605 demor-
roies. 610 ausi. 612 con. pour. 613
tout. 615 Im ersten Wort fehlt der un-
tere Strich von i; die zwei andern Worte
durch Zeichen richtig gestellt.

Entour l'autel tout maintenant
Ala .VII. foiz en .i. tenant,   f. 248 b
Ainz n'i eut signe de pechie,
Dont on le tint por entechie.
De riens ne parut en sa face.   625
Lors n'i eut nul joie n'en face.
Adonc l'ont por juste tenu
Un et autre, josne et chenu,
Et li menistre et li provoire
Tesmongnerent la chose a voire   630
Et disoient: „Joseph, biau frere,
De bone eure fus nez de mere,
Quant n'ies de riens nule entrepris
De ce dont as este repris."

Quant virent, que tout estoit fable, 635
Que de riens nel truevent coupable,
La douce virge venir firent,
Si li demanderent et dirent:
„Or di, tu ne puez refuser,
Comment te porras escuser.   640
Tuit seront fors dou sens et ivre,
Se raisons nule te delivre,
Por quoi te mettoit on a prueve.
Ce que tu ies grosse, le prueve.
Nos ne savons, en quele terre   645
On iroit autre juise querre.
Tuit veons bien, c'est chose ataínte,
Grosse d'enfant ies et emprainte.
Delivres est Joseph de ceste.
Or te faisons une requeste,   650
Que dies, qu'il t'a deceü:
Car il estuet, qu'il soit seü.
C'est sotie, que tu le nies,
Mieuz covient il, que tu le dies,
Que'Diex .i. tel signe te face — 655
En ta bele polie face
Et que touz li pueples le voie.
Croi nos, Marie, a ceste voie!"

La douce virge glorieuse,
Qui de riens n'estoit peoureuse   660
Ne venoit point n'a bel n'a gent,
Lors dist devant toute la gent:
„S'il a de pechie de luxure
En moi toute conchiëure

Ne se j'ai faite iniquite   665
Encontre ma virginite,
Je pri a Dieu, qui le descuevre,
Que devant touz apaire l'uevre,
Que mes pechiez et mes affaires
A tout le mont soit essamplaires." 670
La virge s'en vint a l'autel,
Se but dou boivre et fist autel,
Com Joseph devant fait avoit.
Liement fist: car bien savoit,
Que riens n'i avoit d'avoutire,   675
Contre li ne peut nus riens dire,
Qu'onques en li n'aparut tache,
Porquoi de li mal dire on sache."
Et quant ceste chose tuit virent,
N'en peurent mais, s'il s'esbahirent, 680
S'en orent hesitacion,
Por ce que la concepcion
Virent apertement dou ventre.
Chascuns en grant pensee en entre,
Qu'en li nul signe n'ont veü   685
Et s'avoit dou boivre beü.
Toutes les genz en murmuroient
Et durement s'en destourboient.
Li uns disoit, c'iert sainte chose,
Et li autres la blasme et chose.   690
De ce que li uns devisoit,
Riens nule .i. autres n'en disoit.

Et quant vit la douce Marie,
Qu'encor ne la creoit on mie
Et chascuns encor varia,   695
Adonc la virge s'escria,
Que tuit l'oïrent a voiz clere
Por leur foi, qu'ele vit si rere,
Et dist: „Ce sache Diex, qui regne
En paradis en son saint regne,   700
En la qui presence je main
Et par cui conseil me demain,
Qu'onques nul home n'acointai,
Dieu seulement a acointe ai.
Ja autre n'arai sanz doutance: 705
Car je l'ai promis de m'enfance;
Promis li ai virginite,
Si be a tenir verite.
En li mult durement me fi,
De touz les autres di je fi.   710
A lui tout seul me doing et livre,
Por lui trestout seul je veil vivre
Sanz' tache tant com viverai,
S'ancele et sa virge serai."

---

621 en tout. 621 Vor dem letzten
Wort ist na punktiert und durchstrichen.
621—622 Der recht bezeichnende latein.
Ausdruck für das Herumgehen um
den Altar ist girare oder gyrare.
627 pour. 640 pourras.' 641 seron.
643 pourquoi. 648 enprainte. 654 te
vient. 663—666 = Si est aliqua in
me pollutio aut peccatum aut fuit aliqua
concupiscentia, detegat etc. 664 conchi-
eure regelrechtes seltenes Wort.

---

669 afaires. 673 cum. 677 conques.
681 sent orent. 682 pour = 698.
703 conques . hõme. 707 premis. 712
weil. 713 con.

Et quant ce li oïrent dire   715
Et si bien de tout escondire,
Leur cuers pristrent a apaier;
Les piez li alerent baisier
Et li prioient doucement,
Que de leur soupeçonement,   720
Qu'envers li avoient ëu,
De quoi estoient decëu,
Indulgence et misericorde
Leur feïst au roi de concorde.
Qu'a tort mescrëue eut este,   725
Dieu a este manifeste."
Et ele si fist volentiers:
Car ses cuers iert vrais et entiers.
Adonc i eut tele assamblee
De virges, qui l'en ont menee   730
Desqu'en sa maison a grant joie.
Chascuns volentiers la convoie.

Les virges, qui la convoierent,
Mainte loenge a Dieu donerent
Por la virge bonëureuse,   735
De quoi chascune estoit joieuse
Et disoient: „Douce Marie,
Douce compaigne, douce amie,
Beneoit soit Diex, nostre sires,
Li souvrains rois, li souvrains mires, 740
Que si t'a dou tout delivree
Et ta sainte manifestee
Au pueple d'Israel trestout,
Ou tu as trove maint estout:
Car on cuidoit, que decëue   745
Fusses dou tout et corrumpue."

Ainsi demoura li affaires.
Apres peu de tans et ne gaires
Cesar Augustus fist crier,
Que sanz longuement detrier   750
Se voit chascuns en son païs,
Ou il avoit este naïs.
Adonc ne peut demourer mie
Joseph, ainz enmena Marie.
Ainsi com ja mëu estoient,   755
Que droit en Bethleem aloient,
Marie Joseph apela,
Sa vision ne li cela.
„Joseph," ce dist Marie, „voi!

Voiz tu mie ce que je voi?   760
„Quoi?" dist Joseph. „Fines mer-
                            veilles,
Ainz teus n'oïs de tes oreilles.
Devant moi voi .ii. puoples estre,
Qui ne sont mie tuit d'un estre:
Car li .i. d'eus pleure et larmoie 765
Et li autres demaine joie."
Ainc ne mist Joseph a ce estude,
Une parole dist mult rude.
Ja soit ce que trop l'ëust chiere,
Mais tele estoit or sa maniere.   770
Ainsi est il de mainte gent,
Qui ne parolent ne bel ne gent,
Ainz parolent si rudement:
Car nel sevent faire autrement,
Et ne porquant il nel font mie   775
Fors seulement par ruderie
Ne mautalent il n'i a point,
Mais ne sevent parler a point.
Non fist Joseph a nostre dame,
Qu'il amoit mult de toute s'ame   780
Aincois dist a la virge pure:
„Tais toi!" dist il, „n'en aies cure,
Soies en pais! de quoi t'esmaies?
Tien te bien, garde, que ne chaies
De deseur ce jument a terre   785
Ne te chaille de tant enquerre
Ne d'oiseuses paroles dire,
Mais aise toi bien et atire,
Si que tu soies bien a t'aise!"
Biau li prie or, qu'ele se taise. 790
Maint en sont or, s'en son point
                            fussent,
Qui plus bel dire li sëussent.
Mais plus loial ne plus preudome
Ne trovast on, c'est or la some.

Ainsi com ensemble parloient   795
Et que de riens ne se gardoient,
Uns enfes leur aparissoit
Si biaus, que de son vis issoit
Si granz clartez et si tres fine,
Que le païs tout enlumine,   800
Et sa robe si clere fu,
Qu'il sambloit, qu'ele arsit de fu.
A Joseph dist: „Tu n'ies pas sages,
Tel chose a dit qui est outrages,

---

717 leurs. 720 soupeçōnement. 722
quo. 724 Nach feist ist st punktiert.
725 q'tort. 734 dōnerent. 738 com-
paingne. 740 Beidemal souurains. Es
fehlt rois; vgl. V. 920. 1064. 743 di-
rael. 746 corrumpue. 750—752 = ut
properaret unusquisque ad patriam suam.
755 con. 756 Belleem.

766 demainne. 767—781 ist natürlich Zusatz Gautiers. 772 steht an den
Rand geschrieben. 782—790 = Sede
et tene jumentum et noli verba superflua
loqui. 787 duiseuses. 790 Nach li ist
pie punktiert. 793 preudōme. 794 sōme.
797 apparissoit.

Que tu as tenu la parole,   805
Qui Marie dist a frivole.
Des .ii. pueples quant oïs dire.
L'un veoit plorer, l'autre rire,
N'est pas bourde, ainz est chose voire.
Bien l'en puez et doiz, saches, croire: 810
Li pueples, qu'ele vit duel faire,
Ce sont li Giue deputaire,
Qui de Dieu se sont departi
Et au diable sont sarti,
Et li autres, qui revenoit,   815
Qui si grant joie demenoit,
Cil sont qui Dieu craiment et croient
Et qui s'i donent et aloient.

Or enten, Joseph, biax amis,
Ici alec m'a Diex tramis.   820
Vez ci le tans et l'eure est nee,
Que beneïçons iert donee
A trestouz, por oster d'ahan
En la semence d'Abrahan."

Quant ces choses, que j'ai ci lites,   825
Eut li angles a Joseph dites,
Au jugement commence ester,
Et il si fist sanz contrester:
Car point et tans et eure voit,
Que la virge enfanter doit.   830
Adonc la fist sanz plus atendre
Dou jument a terre descendre.
La sainte virge, qui iert grosse,
A fait entrer en une fosse,
Qui plaine estoit d'oscurte toute,   835
Si que nus hons n'i veoit goute,
Ainc n'i eut clarte nuit ne jour.
Laienz prist la virge sejour.
Mais quant ele vint a l'entree,
Por la sainte douce ventree,   840
Qu'ele portoit dedenz en ventre,
Si tost com ele dedenz entre,
Si granz clartez fu laienz mise,
Com se la fosse fust esprise.
Sachiez, por verite je di,   845
Se li soulauz a miedi
I fust, la fosse ne fust mie
De si grant clarte raemplie:

Car Diex la clarte li donoit,
Qui tout entour l'avironoit,   850
Et tel vertu Diex li bailloit,
Que nuit ne jour ne li failloit,
Tant que cil i fu enfantez,
Qui nos a mis hors d'orfantez.
Et quant fu nez, sachiez, sanz faille, 855
Encore n'i avoit on baille.
Mais li angle l'avironoient,
Qui au naistre la menistroient.
Et cil qui por nos nez estoit,
Deseur ses piez touz droiz s'estoit, 860
Et li angle tuit l'aourerent.
Ceste loenge li chanterent
Com „gaudentes nato eo
Gloria in excelsis Deo."

Alez estoit Joseph savoir,   865
S'une baille porroit avoir.
Tant quist, que .ii. en out trovees,
Avec li les a amenees.
Devant la fosse s'aresterent,   f. 250
Quele dedenz mie n'entrerent.   870
l'or la clarte, qui en issoit,
Dont la fosse resplendissoit,
La grant clarte souffrir ne peurent,
An.ii. granz merveilles en eurent.
Joseph est entrez en la fosse.   875
Marie, que laissie out grosse,
Qui de verite le savoit,
Vit l'enfant, qu'enfante avoit.
Adonques a dit a Marie:
„Ma douce suer, ma douce amie,   880
Ci t'ai amenees a mi
Et Salome et Zelomi,
Qui sont, saches, mult bones bailles
N'est pas raisons, que tu i failles.
Eles sont la fors a l'entree,   885
Encor n'en i a nule entree
Por la grant clarte, qu'ont vëue,
Qui leur esbloïst la vëue,

---

849 dōnoit. 850 l'avirōnoit. 854 Die
zwei letzten Worte sind umgestellt, durch
Zeichen richtig. 855 = 866 baille =
latein. obstetrix. 856 encor . en. 857
l'avirōnoient. 861—864 = Quem cir-
cumdederunt nascentem angeli, et natum
statim adoraverunt dicentes Gloria in excelsis deo et in terra pax hominibus
bonæ voluntatis. 871 pour. 872 re-
plendissoit. 874 an.ii. = andeus, wie
aus V. 901 hervorgeht. 882 Die Namen
der obstetrices stimmen zum Cod. Vene-
tus und Laurentianus des Evangeliums
des Pseudo-Matthäus. 883 bōnes. 887
cont.

---

808 plourer. 811—818 = Nam populum Judæorum flentem vidit quia re-
cessit a deo, et gentium populum gau-
dentem respicit quia accessit ad dominum secundum quod promisit patribus
nostris Abraham Ysaac et Jacob. 812
sunt = 813. 817 craimment. 818 dō-
nent. 822 donnee. 825 q̄ ia ci lite.
835 plainne. 836 hō. 841 dedens. 844
con. 845 pour.

Si qu'entrer n'i pooient mie.
Quant la douce virge Marie   890
Ces paroles oit Joseph dire,
Lors a commencie a sourire.
Adonc li dist Joseph: „Marie,
Por Dieu tais toi ne rire mie.
Garde, que sagement te truissent, 895
Si qu'eles visiter te puissent.
Je le te pri par amor fine,
Se mestier as de medecine,
Qu'eles i metent bon conseil.
Ainsi le te lou et conseil."   900
Adonques andeus les manda,
A li venir les commanda.
Mais la lettre dist, ce me samble,
Qu'eles n'entrerent pas ensamble.
Zelomi entra la premiere   905
Et Salome remest arriere,
Qui cele foiz n'i entra mie.
Quant vint Zelomi a Marie,
De cuer li a dit et de bouche:
„Marie, sueffre je t'atouche!“   910
La douce virge debonaire,
Qui porta le douz laituaire,
Qui la sante nos a rendue,
Que devant avions perdue,
Si laissa doucement touchier   915
Et relever et retouchier.
Quant la trova et virge et mere,
Lors s'escria a sa voiz clere
Et dist: „Sire, sire, granz sires,
Li souvrains rois, li souvrains mires, 920
Aiez merci de moi chaitive.
Plus que nule fame, qui vive,
Je voi certes fine merveille,
Onques nus n'oï sa pareille
Ne penser nus ne porroit mie.   925
Aïe, Diex, aïe, aïe!
Les mameles de lait sont plaines
Et habondanz comme fontaines,
Et ses douz fiuz nez de bone eure
Nos moustre, que virge demeure   930
Sa mere, qui l'a enfante.
He! Com ci a bon enfant, he!

En lui ne pert nesune tache,
Que nus i voie ne ne sache
Ne n'i parut onques au naistre   935
Diex com bon mire et com bon maistre
N'a l'enfanter sa sainte mere
Nule doleur n'en eut amere.
Virge conçut, virge enfanta,
Virge remaint et enfant a."   940

Salome, qui iert demouree
Par dehors la fosse a l'entree,
Quant ele eut Zelomi oïe,
Dehors a haute voiz s'escrie
Et dist: „Certes, ja nel querrai, 945
Devant ce que je le verrai
Et que j'averai esprove,
Se c'est voirs, que diz qu'as trove."
Adonc sanz plus de demouree
Est Salome dedenz entree.   950
Tout droit est venue a Marie:
Cele qui en sen cuer varie,
Li escria a plaine bouche
Et dist: „Laisse moi, je t'atouche:
Car prover veil et parcevoir   955
Ou la faussete ou le voir
Tout maintenant sanz contredit
De ce que Zelomi me dit."
A li tantost la main a mise,
Mais si tost com li eut assise   960
Et la verite eut sëue,
Por la doleur, qu'ele a ëue,
Durement a plorer se prist,
De l'erreur, qu'ele eut, se reprist.
Tele angoisse eut et tel contraire, 965
Si durement commence a braire,
Com s'ele fust toute desvee
Et disoit: „Lasse, mar fui nee,
Com je n'en ai le voir crëu,
Aincois que l'ëusse vëu,   970
Je l'ai mescrëu comme fole.
Ha! sire, entendez ma parole!
Sire, je vos en cri merci,
Trop ai le cuer taint et nerci.
Sire, tu sez bien tant de mi,   975
Ades te doutai et cremi.
Es povres cuers ai mise cure
Et volentiers encor i cure;
Onques n'en pris loier ne don,
Curez les ai sanz guerredon: 980
Riens n'ai pris, veritez est fine,
Ne de veue ne d'orfenine

903—904 = Et jussit eam Maria in-
troire ad se. 911 debōnaire. 916 recou-
chier. 917 trouua. 919—928 = Domine magne miserere; adhuc hoc numquam nec auditum nec in suspicione
habitum est ut mamillæ plenæ sint
lactis. 920 Beidemal souurains. Es
fehlt hier rois wie oben. Vgl. 1064.
927 plainnes. 928 fontainnes. 928
habundanz. 929 ne. 929 bōne. 932
con.

---

935 nestre. 945 querra. 948 q̄st'ue.
950 Solome. 953 plainne. 956 fausete.
960 Vor li ist le punktiert. 961 ont.
962 douleur. 963 plourer. 965 9tire.
967 con. 974 n'ci.

N'onques de moine soir ne main
Ne se departi vuide main
Ne besongneus ne besongneuse: 985
D'eus estoie souvent songneuse.
Or sui ci com la plus chaitive,
Qui jamais soit ne jamais vive,
Par m'erreur et par ma sotie,
Por ce que croire ne vos mie 990
La verite de ceste chose,
Ainz fui si bardie et si ose,
Que ta virge tenter voloie.
Diex, quel leesce, Diex, quel joie!
Qui me feroit beter et batre 995
A .iii. forz vilains ou a .iiii.,
Je l'aroie bien deservi
Car je vos ai trop mal servi."
Qui que ces paroles disoit
Et li meesmes despisoit, 1000
.i. angle vit lez li ester,
Qui disoit: „Va sanz arester,
Salome, n'i faire demeure,
Vien a l'enfant et si l'aeure
Ou il gist, en sa povre couche, 1005
Et de ta main aussi l'atouche!
Et il por toi tant en fera,
Que de ta main te sanera:
Car il a de saner puissance
Ceus qui en lui ont esperance." 1010

Salome, qui forment plora,
A l'enfant vint, si l'aoura.
L'un des drapiaus a atouchiez,
En quoi li enfes iert couchiez
Mult povrement envelopez 1015
N'i a drapel ne soit frepez;
Si povre ierent li drapelet,
Que plaine ensamble en tient pelet.
Nus bons, sachiez certainement,
Ne nasqui si tres povrement. 1020
Quant sa main i eut adesee,
Maintenant fu toute sanee.

Salome, sanz faire atendue,
De la fosse s'en est issue .

Sanz compaignie toute seule, 1025
En baut s'escrie a plaine gueule:
„Venez veoir les granz merveilles,
Onques nus ne vit les merveilles!
Venez i tuit, venez savoir,
Si le tenrez plus tost a voir! 1030
Venez veoir le douz enfant,
Jamais tel nule nen enfant!
Venez veoir, com est piteus, fol. 251.
Onques ne fu vëuz iteus!
Venez veoir le povre riche, 1035
N'i demeurt nus, s'il n'est trop biche,
Povres, qu'a paines a drapel
N'a couvertoir sanz pel n'a pel.
Certes plus povres encor est:
Car beste, qui naist en forest, 1040
Ne naist mie si provrement.
Venez i veoir, se je ment.
Je voi, qu'une beste sauvage,
Quant ele naist en .i. boscage,
Fueilles .ii. et .ii., une et une, 1045
Mousse et herbe sa mere äune.
Dou ventre sa mere sanz doute
Aporte sa robe trestoute,
Quanqu'il en estuet en sa vie.
Mais ainsi de cestui n'est mie: 1050
Car si tres povrement fu nez,
Ainc festuz n'i fu äunez,
Il est riches, qu'en tout le monde
De lui vient li biens et habonde.
Tout a fait et tout desfera, 1055
C'est cil qui le mont sauvera."
Ainsi les genz a croire escite
Et la verite leur en dite
Et de sa main, qu'avoit perdue,
Leur dist, comment li fu rendue. 1060
Tant dist, li pluseur, qui la furent,
Par son preeschement i crurent.

La nuit, que fu nez nostre sires,
Li souvrains rois, li souvrains mires,
Li pastourel, qui repairoient 1065
Es montaingnes, ou il gardoient
Leur berbiz et leur bestes, dirent,
Qu'a mienuit les angles virent,

---

984 wide. 987 cum. 990 vous.
990—994 = quia ausa fui temptare
virginem tuam quæ peperit lumen verum
et post partum virgo permansit. 993
vouloie. 994 Nach dem zweiten diex
ist die punktiert. 995 Das Wort beter
ist selten. 1006 ausi. 1007 pour. 1013
—1019 = tetigitque fimbrias pannorum
in quibus erat infans. 1016 freper zer-
knittern, abnutzen = nfz. friper. 1018
plainne. Zu pelet vgl. nfz. pelletier, pel-
leterie. 1019 certainnement.

1023—1062 = Exiens autem foras
clamare cœpit et dicere magnalia virtu-
tum quæ viderat et quæ passa fuerat et
quem ad modum curata erat ut ad præ-
dicationem ejus multi crederent. 1026
plainne. 1027 Nach venez ist avant
punktiert. 1037 q̄ painnes. 1043 cune.
1053 q̄ tout. 1054 habunde. 1059
quoit. 1068 q'mienuit.

Qui looient Dieu hautement
Et disoient certainement,   1070
Que nez estoit li racheterres
De tout le monde et li sauverres,
Qui Jesu Crist est apelez,
Qui de mort nos a rapelez.

Encor truis lisant en latin,   1075
Des le vespre desqu'au matin
Descur la fosse eut une estoile,
Qui le novel ne pas ne coile,
Mais mult tres bien manifestoit
Le liu, ou li enfes estoit.   1080
Si grant iert l'estoile et si bele,
Qu'onques nus hons si grant com cele
Ne vit des le tans en ença,
Que li siecles en commença.
Li prophete, qui lors estoient   1085
En Jerusalem, se disoient:
„Ceste estoile nos senefie
De Jesu Crist le fil Marie
La saintisme nativite."
Et il disoient, verite,   1090
Et il disoient qu'il seroit
Cil qui le monde sauveroit.
Voirs est, mais cil qui nel querront,
Ja en paradis nel verront.

Li tierz jour apres ce que nez   1095
Fu li douz enfes, li senez,
Sa mere, la virge Marie,
De la fosse ist, si l'a laissie.
L'escripture, qui n'est pas fable,
Dist, qu'ele entra en une estable.   1100
Sen enfant mist en une creche,
Qui mult estoit et viez et seche.
Li bues, li asnes l'aourerent,
Grant reverence li porterent.
C'est donc mult grant confusions,   1105
Quant nel fait la fame et li bons.
Adonc avint la prophetie,
Qui fu dite par Ysaïe:
„Li bues, li asnes bien sentirent
Leur seignour, qu'en la creche virent."
Li bues, li asnes, ces .ii. bestes
Vers terre enclinoient les testes;

L'enfant en la creche aouroient,
Si que nule foiz ne cessoient.
Lors fu la prophetie emplite,   1115
Qu'Abacuc avoit devant dite,
Qui dist, qu'on le connoisteroit
Entre .ii. bestes, ou seroit.

Veritez est et chose estable,
Que .iii. jourz furent en l'estable   1120
Li enfes et sa douce mere
Et Joseph, qu'on cuidoit son pere.
Encor dient, qu'il l'engenra
Lignie cui maus en venra.
La ne firent plus de sejour.   1125
Venu sont a l'uitisme jour
En Bethleem, ou granz tans furent,
Que de Bethleem ne se murent.
La fist la virge sa gesine
De sen enfant toute enterine.   1130
Adonques l'enfant enmenerent
Ou temple et la le presenterent
Et offrende por l'enfant firent.
L'escripture dit, qu'il offrirent
Une paire de tourtereles   1135
Et .ii. jonetes columbeles.
Sens ne pooir n'ai, que vos die,
Que ceste offrende senefie.
Je le vos di selonc la lettre,
Sanz riens oster et sanz riens mettre. 1140

Ou temple estoit en ce tempoire
Uns hom, qui eut Dieu en memoire
Et si juste vie menoit,
Que nus a lui ne se prenoit
Ou monde de lonc ne de lez: 1145
Symeon estoit apelez.
Mult le tint on a home sage,
Cent et .XIII. anz avoit d'aage;
Des plus vieuz iert, que on savoit.
Li sainz espirs dit li avoit,   1150
Qu'estre por riens il ne peust,
Qu'il trespassast ne moreust,
S'aroit vëu apertement
En char le fil Dieu proprement.
Quant li vieuz vit l'enfant venir,   1155
Ne peut mie sa voiz tenir,

1070 certainnement. 1073 ih'u cris.
1074 nous. 1077 Beachte estoile im
Reim mit coile. 1078 Vor coile ist cele
punktiert. 1080 lieu. 1082 conques. hō.
1084 conmenca. 1086 iherusalem. 1088
ih'u. 1107 prophetie. 1108 Am Rande
steht: Ysaias. cognouit bos possessorem
suam (!) et asinus presepe domini sui.
1110 saingneur.

1115 prophecie. 1116 q'bacuc. Am
Rande steht: abachuc. In medio duorum
animalium innotesceris. 1117 cou = 1122.
1126 sunt. 1126 Tischendorfs und Schades
Kodex haben: Sexta autem die. 1127
Belleem. 1128 Belleem. 1141—1148 =
Erat autem in templo domini vir propheta et justus nomine Simeon annorum centum duodecim. 1142 Nach 1142
folgt noch: et par diz ades et par faiz.
1147 hōme.

Mais durement en haut s'escrie:
„Je sai de voir, je n'en dout mie,
Que Diex, qui maint en trinite,
A hui son pueple visite, 1160
Et la promesse est hui emplite,
Si com il eut promise et dite."
A l'enfant vint lors sanz demeure:
As piez li chiet et si l'aeure.
Apres le prent et si l'a mis 1165
Entre ses braz com vrais amis.
Le pan de son mantel ouvri,
L'enfant, qu'il tenoit, en couvri
Com cil qui mult liez le faisoit.
Les plantes des piez li baisoit 1170
Et l'aouroit mult humlement.
Bien savoit, c'iert Diex proprement.
Mult i iert ses cuers ententis.
Adonc dist il: „Nunc dimittis."
.i. psiaumes est, bien sai la lettre, 1175
Dou françois ne m'os entremettre.
Je n'ai pas tant bëu de vin,
Trop me sent a mauvais devin.

Anne a ce tans et a ce jour,
Fille Phanuel, a sejour 1180
Ades ou temple demouroit,
Ou Dieu servoit et aouroit
Et si avoit maint jour vëu,
Que .VII. anz n'eut baron ëu
N'onques, puisque il devia, 1185
Ele ne se remaria.
Quatre vinz et .iiii. anz veschu
Avoit ou temple sanz eschu.
Son tresor ou ciel äunoit,
Ades ouroit et jëunoit. 1190
A Dieu ses jëuners plaisoit:
Car le droit jëuner faisoit.
Droite est et bone la jëune,
Quant la chars par dehors jëune
Et li espirs par dedenz eure 1195
Et gemist ses pechiez et pleure.
Quant de jëune est empenee,
L'oroisons plus tost est alee
Parmi le ciel devant la face
Jesu Crist et plus tost a grace. 1200
Ja ne sera Diex si crueus:
Quant bons est esperitueus,
Lors est avec Dieu et habite,
Et des angles a la merite,

Plus est que maistres de decrez: 1205
Car il set dou ciel les secrez.
Jëuners est, n'est mie fable,
Fors dars encontre le diable.
Adonques la chars Dieu covoite,
Quant ele mainc vie estroite 1210
Et par jëuner s'amaigrist.
Quant bons mengiers li ennigrist
Et ele maintient astenance,
L'ame en paradis en avance.
Astenance la char maistrie, 1215
Ele ocist, ele vivefie;
En sainte vie maintient l'ame,
Le cors tue et met souz lame.
Je ne di pas, n'entendez mie,
Quant on le cors trop afoiblie, 1220
Que ce soit bon a maintenir.
On puet bien trop le frainc tenir
Et si le cors batre et tenser,
Que l'ame en pert a Dieu penser.
Ainsi si ne gaaingnons gaires, 1225
Ainz empire mult li affaires;
Ne puet bien faire par peresce
Por le cors, qui est en foiblesce.
La chose plus longuement dure,
Quant on la maine par mesure 1230
Et trestout atempreement,
Ou sauver ne puet autrement.
En trestout trop bien vos di ce:
N'a riens ne soit tourne en vice.
Mesure, ce doit on savoir, 1235
Encontre uevre fait bon avoir.
Puisque nus trop fait de la chose,
Touz li mondes et Diex l'en chose.
On dit: „Cil qui fait belement,
Il en fait trop plus longuement." 1240
Je ne di pas cil ne soit sages,
Qui en bienfait met ses usages,
Mais la seursome s'abat l'asne
Et le grant coup aussi le chasne.

Anne, la sainte bone fame, 1245
Qui servoit Dieu de cors et d'ame,
Tel jëusne faisoit ou temple
A li feroit bon penre essample.
Quant l'enfant vit en icele eure,
A lui s'en vint et si l'aeure 1250
Et dist, sachiez certainement:
„Vez ci le fil Dieu vraiement,

1158 uoiir. 1161 enplite. Hs. p̄messe.
1162 p̄mise. 1173 entencis. 1175 la
ettre sai mit Zeichen. 1186 elle. 1192
geuner. 1193 geune = 1194. 1197
enpennee. 1197 geune. 1200 Ihesu.
1204 angle.

1210 mainne. 1211 geuner. 1212
ennigrist? 1222 frainc? 1226 enpire.
1230 mainne. 1232 Am Rande: omne
quod est nimium vertitur in vicium.
1236 weure. 1243 seursōme. 1244
ausi , chaisne. 1251 certainnement.

Par cui sera sauvez li mondes
De l'ardant fu des houlanz ondes,
Ou arsissent et mainz et maintes, 1255
Qui seront or par lui estaintes."

Apres, quant ces choses avinrent,
Deus anz en Jerusalem vinrent
Trois rois, qui d'orient venoient,
Qui l'enfant granz dons aportoient. 1260
Quant en Jerusalem entrerent,
As Giues mult bien demanderent
Tout belement et sanz tençon
Les nouveles de l'enfançon
Et disoient: „Seignour, daingniez, 1265
S'il vos plaist, que nos enseingniez,
Ou li rois est, que venons querre,
Qui por nos touz est nez en terre.
S'estoile en orient veïsmes,
Por li aourer ça venismes. 1270
Se vos savez, moustrez le dons:
Car nos li volons faire dons."
Et quant ces noveles oïrent
Li Giue, tuit s'en esbahirent.
A Herode en vint la nouvele, 1275
Qui ne li fu bone ne bele;
L'enfant vousist avoir noie.
Tout maintenant a envoie
Les Phariseus, les maistres querre
Par le païs et par la terre, 1280
Por ce que d'eus savoir pëust,
S'en i avoit nul qui sëust,
Ou li prophete devisoient,
Qui les propheties disoient,
Ou Jesus, li fiuz Dieu, le pere, 1285
Naistre en terre devoit de mere:
Car mult li empli le cuer d'ire
La nouvele, quant l'oï dire.
De toutes pars maistre s'esmurent,
Quant a Herode venu furent. 1290
Dite li ont et devisie
Dou prophete la prophetie:
„Terre, qui Bethleem ies dite,
Tu n'ies mie la plus petite,
Mais la plus grant des autres toutes, 1295
Saches de voir et ne t'en doutes,
Que de toi li rois istera,
Qui Israel gouvernera."

Quant ceste chose eut entendue
Rois Herodes, la couleur mue: 1300
Car cist nouviaus rois li empire,
Ce li samble, mult sen empire.
Le cuer de duel eut boursoufle,
Si l'avoit diables soufle.
Les rois adonques en apele, 1305
De l'estoile enquiert la nouvele
Et le point, que leur aparut,
Qu'en fust dolanz, ainz n'i parut,
Ne ne moustra, que fust irez.
„Seignour," dist il, „vos en irez 1310
En Bethleem et tant ferez
Por moi, quant l'enfant troverez,
Que nel laissiez por nul avoir,
Que vos ne me faciez savoir:
Car aler aussi i vorrai, 1315
S'aler i puis, si l'aourrai."

Li trois rois adonques s'esmurent,
Mult eslongnie mie ne furent.
Devant eus virent leur estoile,
Qui de leur nef conduit le voile 1320
Et qui a droit port les menoit.
Ades devant eus se tenoit
Desqu'au liu, ou l'enfes esta:
Adonc l'estoile s'aresta.
Et quant il arester la virent, 1325
Mult durement s'en esjoïrent.
Adonc n'i ont plus atendu:
De leur chevaus sont descendu,
Dedenz la maison s'en entrerent,
Ou Jesu Crist, l'enfant troverent, 1330
Qui seoit ou giron sa mere,
Qui nos a mis hors de misere.
Salue ont de leur saluz
Celui qui est li vrais saluz.
Adonques leur tresors ouvrirent, 1335
Marie et Joseph biax dons firent,
L'enfant tuit .iii. ont aoure
Et dou leur l'ont bien honore.
Chascuns .i. vaissel d'or i offre,
Que trait avoient de leur coffre, 1340

1253 mundes. 1254 houlanz gebört
zu dem nfz. houle = Deining, Schlag-
welle. 1254 feu. 1255 mains. 1257
quant steht über der Zeile. 1259 iherusalem = 1261. 1259 troi roi. doriant.
1265 seigneur. 1266 ensaingniez. 1268
pour. 1269 oriant. 1271 lavez. 1285
Ihesus. 1287 enpli. 1293 Belleem.
1292 prophecie.

1303 boursoufe. boursoufle = auf-
gedunsen, angeschwollen, aufgeblasen.
1307 apparut. 1309 In Hs. 3 ne. 1310
seigneur. 1311 Belleem. 1312 pour =
1313. 1315 ausis. Hs. hat uourai. 1317
troi roi. 1319 leu. 1320 Gautier stellt
hier die drei Magierkönige als Seefahrer
dar. 1323 desqau lieu. 1325 le. 1328
sunt. 1330 Ihesu. 1330—1331 = in-
venerunt infantem Jesum sedentem in
sinu Marie [Laurent.: matris]. 1333 ont
zweimal. 1335 leurs.

Mirre et encens de leur tresor
Offrent li .ii., li autres or.
Et quant leur offrende ëurent faite,
De retourner chascuns s'afaite,
Et par Herode aler voloient: 1345
Car faire savoir li voloient,
Que dou nouvel roi ont trove,
Mais de par Dieu leur fu rove
En songes, en avision,
Qu'au raler en leur region   1350
Par Herode n'alassent mie:
Car il het l'enfant et sa vie.
Ainsi fu as rois revelee
D'Erode la crueus pensee.
Adonc n'i ont plus demoure;   1355
Tuit .iii. ont l'enfant aoure.
De lui se partent a grant joie,
Rale sont par une autre voie   f. 253
En leur terre et en leur païs.
Quant Herodes li fox nais   1360
Vit, qu'il fu ainsi escharniz,
De duel estoit si esdarniz,
Que bien pres qu'il ne forsenoit,
Merveilleus duel en demenoit.
Adonc envoia a trespas   1365
Por les rois: car sanz nul respas
Mort sont, s'il pueent estre pris:
Car nule ame, tant fust d'espris,
N'en preïst por laissier en vie,
S'il les tenist en sa baillie.   1370
Mult li cousterent grant avoir
Au querre et si nel peut avoir.
Quant ne peurent estre trove,
A ses tiranz a lors rove,
Qu'en Bethleem errant s'en aillent 1375
Et si occient et detaillent
Touz les enfanz, qu'il troveront,
Qui de l'aage Crist seront.
Ainsi comme fous et estouz
Les enfanz dou païs trestouz   1380
Occirre as tiranz commanda
Selonc le tans, qu'il commanda
As rois, qui nul mal n'i pensoient,
Qui l'enfant aourer aloient.
.i. jor devant l'occision   1385
Par son angle en avision

Diex a Joseph amonesta
Et dist: „Garde, ci plus n'esta!
Va t'en tost et n'areste mie,
S'enmaine l'enfant et Marie   1390
Par la voie de l'ermitage!
Va en Egipte querre estage!“
Plus n'i ont faite de demeure,
Ales en sont en icele eure.

Tout ainsi com il s'en aloient,   1395
Une fosse devant eus voient,
Et quant desque la venu furent,
Por eus reposer, s'aresturent.
Dou jument est lors descendue
Nostre dame seur l'erbe drue   1400
Et tantost apres s'est assise;
Sen enfant tint en cele guise,
Que leur enfanz tienent ces fames
En leur girons deseur leur james.
Ainsi sen douz enfant tenoit   1405
La virge, cui bien avenoit.
Avec eus .iii. enfanz menoient,
Mais je ne sai, qui il estoient,
Et une pucele eut Marie;
Qui ele fu ne sai je mie.   1410
D'eus parler a moi plus ne monte:
Car mes livres plus ne m'en conte
Des enfanz ne de la pucele,
Qui il soient ne il ne ele.

Ne demoura pas longuement,   1415
Quant il issi soudainement
De la fosse une mult grant tourbe
De granz dragons, qui mult destourbe
Les .iii. enfanz, qui la estoient.
Por la peour, qu'il en avoient,   1420
Quant les virent, mult s'esfreient,
Comme enfant en haut s'escrierent.
Mais moi samble, que mais n'en peu-
                            rent,
Se hides et peour en eurent.
Et quant ce vit et entendi   1425
Li douz Jesus, lors descendi
Jus a la terre dou devant
Sa mere et s'ala devant

1350 qau. 1358 sunt. pa. V. 1358
steht nochmals auf dem fol. 253 als
erste Zeile mit den beiden Varianten.
1361 ainsis. 1360—1365 = Videns
autem Herodes rex quod delusus esset
magis inflammatum est cor ejus [Laurent.:
inflatum]. 1363 q'bien 1366 pour. 1367
sunt. 1368 steht am Rande: ame fehlt.
q̃r. 1373 trouue. 1374 rouue. 1375
Belleem. 1376 ocient. 1379 ainsis.

1390 sēmainne. 1391 = per viam eremi
perge in Egyptum. 1398 pour. 1401
assisse mit Punkt unter letztem s. 1404
leu iames . gerons. Vgl. 1331. 1404
james, lat. gamba = nfz. jambe. 1416
soudainnement. 1420 peeur. 1422
cōme. 1424 hides? Vgl. nfz. hideux.
1424 peeur. 1426 Ihesus. 1426—1472
= excussit se de gremio matris =
Tischendorf: descendens Jesus de gremio
matris suæ.

Touz les dragons, se s'arestut,
Devant eus seur ses piez s'estut.   1430
Et tuit li dragon l'aourerent
Et puis d'ilueques s'en alerent.
Adonques fu la prophetie,
Que David dist, bien acomplie,
Quant il dist, mult souvent l'oez: 1435
„Dragon de terre, Dieu loez.“

Joseph et Marie s'esmurent,
Que li dragons avec eus furent.
Li enfes devant eus aloit,
Qui leur cbiere mult avaloit,   1440
Ne l'osoient faire greignour:
Car il le doutent com seignour,
S'en perdoient leur hardement,
Et il leur fist commandement,
Que por rien si hardi ne fussent, 1445
Que nule ame de rien neussent.
Marie et Joseph ne savoient
Que faire: car trop se doutoient,
Que des dragons par aventure
N'eust li enfes blecëure   1450
Ne couvenoit pas d'eus garder:
Car ne l'osent nes esgarder.
Cil qui en lui a le savoir,
Sa mere et Joseph vit avoir
Peour de li et grant doutance,   1455
Por ce que josnes iert d'enfance.
Lors leur dist: „Ne vos esfreez.
Ne por enfant ne me creez.
J'en faz bien l'un et l'autre sage,
Que je sui de parfait aage,   1460
Et sachiez, qu'il est veritez
Et s'est droite necessitez,
Que toutes les bestes sauvages,
Qui repairent par les boscages,
S'umelient devant ma face.   1455
Nule n'en verrez, qui nel face.“
Ainsi li enfes les apaise,
Si n'en eurent pas tel mesaise.
Et li lion et li lipart
Aouroient tuit li poupart.   1470
A son pooir chascuns le sert
Et le compaigne ou desert;
En quelconque part il aloient,
Devant eus les bestes venoient,
Qui les conduisent et compaignent 1475
Et le droit chemin leur ensaignent

Et aeurent mult humlement
Les chies baissiez communement.

La tres douce virge Marie
Le premier jour fu esbahie   1480
Por les bestes descouvenues,
Qu'entour li vit venir si drues.
Divers moustres i eut de bestes
De cors, de membres et de testes.
Riens n'en peut, se peour avoit, 1485
Et quant ses douz enfes la voit,
Mult doucement enmi la chiere
L'esgarda et dist: „Mere chiere,
N'en aiez ja nule doutance,
Que viegnent por vostre grevance. 1490
Mais entour vos ainsi s'arestent
Por vostre service et aprestent.“
Quant a sa mere ot ainsi dites
Ces paroles, que vos ai lites,
La peour sa mere Marie   1495
Osta et de sa compaignie,
Si que puis ne les redouterent,
Mais tout sëurement alerent
As asnes n'as bues, qu'il menoient,
Qui trestout hennes portoient,   1500
Ne firent mal: car ne plaisoit
Au douz enfant, qui ce faisoit.
Li lions, qui avec eus erent,
De riens nes blescent ne ne fierent,
Ou qu'il preissent mansion,   1505
Avec estoient li lion,
Que de leur païs amenoient.
Et moutons et berbiz avoient
Et s'estoient avec les leus
Ades en pais entour les leus,   1510
Sanz douter et sanz resongnier,
Ainz dou garder n'estut songnier,
Ainc li uns l'autre ne bleça
Ne contre lui ne se dreça
Par courrouz ne par felonie.   1515
Adonc avint la prophetie,
Que li prophetes avoit dite,
Qui dit, si com la truis escrite:

1434 Am Rande: propheta . Laudate
dominum de terra dracones. 1438 dragō.
li steht über der Zeile. 1441 gregnour.
1442 con. 1445 pour. 1453 Vor a ist
si punktiert und durchstrichen. 1458 pour.
1470 poupart = nfz. poupard, Wickel-
kind, Säugling. 1472 compaigne. 1475
compaingnent. 1476 ensaingnent.

1481 pour. 1484 bestes. 1485 peeur.
1493 me statt mere. 1500 hennes?
1500 heñes. 1503—1515 = Ambula-
bant ergo simul leones et asini et boves
et saugmarii qui eis portabant necessaria
et simul ubi mansio facta esset ad pa-
bulum accedebant. Erant etiam man-
sueti arietes qui simul de Judea exierant
et sequebantur etc. 1504 ble'ces. 1509
In St. Léochade 1327 steht leu im Reim
mit leu. 1515 felōnie. 1516 auinc .
prophecie. 1517—1520 stimmen zu Tischendorfs Text (nicht zu Schade): Lupi

„Li leus .i. jour encor sera,
Avec les berbiz mengera." 1520
Et encore .ii. bues avoient,
Qui une churcte menoient,
Ou mainte chose necessaire fol. 254.
Metoient, dont eurent affaire.
Ainsi aloit Diex par la terre, 1525
Qui vers Herode estoit de guerre.

Le tierz jour, qu'il furent mëu,
Leur a mult durement nëu
La chaleurs, qui si fait lasser
Marie, que ne peut passer. 1530
Lors vit .i. aubre la pucele, —
Paumiers estoit, — Joseph apele
Et dist: „Joseph, cist chauz me grieve:
Car trop chauz et trop aspre lieve.
Souz cest aubre nos reposons 1535
En l'ombre .i. peu, se nos osons."
Joseph, cui estoit mult grevaine
Sa mesaise, a l'aubre l'enmaine.
Plus tost qu'il peut et sanz atendre,
Jus dou jument la fist descendre; 1540
Et quant dou jument fu jus mise
Et ele fu en l'ombre assise,
Se peu non apres ne tarda,
Qu'en som le paumier regarda.
Dou fruit i vit a grant plente, 1545
Si l'en est prise volente.
A Joseph dist: „S'il pooit estre,
Ainz que mëusse de cest estre,
Mult tres volentiers mengeroie
De ce fruit, s'avoir en pooie." 1550
„Quoi?" dist Joseph certainement,
„Je me merveil trop durement,
Comment tu diz tele parole,
Point n'en aras, se je n'i vole.
Par moi, trop sui de grant viellesce, 1555
De l'aubre voiz bien la hautesce,
Et tu en vieus dou fruit avoir.
Je ne le tieng pas a savoir."
Ainsi tout rudement la chose.
„Plus pens", dist il, „a autre chose, 1560
A l'iave, de quoi point n'avons,
Non point penre nos n'en savons

N'en noz bouciaus, mais n'en a point.
C'est ce qui plus au cuer m'apoint:
Car nostre affaire s'en empire 1565
Ne les savons de quoi emplire
N'en ia mie .i. tout seul boire
Por l'un de nos, s'il voloit boire."
Li enfes Joseph escoutoit,
Qui de defaute se doutoit. 1570
Comment il iert, bien le veoit,
Ou giron sa mere seoit,
De ce que Joseph dire oï,
Mult durement s'en esjoï.
A l'aubre fist lors i commant: 1575
„Paumiers", dist il, „je te commant,
Que tu desqu'en terre t'abaisses,
Et qu'a ma mere penre laisses,
Qui me nourrit et qui m'alaite
De ton fruit tant que soit refaite." 1580
Il n'eut pas dite la parole,
Plus tost que nous oisiaus ne vole,
S'est jus li aubres enclinez,
Et si tres bien fu doctrinez,
Qu'as piez la tresdouce Marie 1585
Avint la plus haute partie,
C'est a dire la haute cisme.
Et la douce virge saintisme
En prist tant com il li plaisoit
Et a touz mengier en faisoit, 1590
Tant que tuit en furent refait.
Et quant il eurent tout ce fait,
Li aubres por ce ne laist mie,
Qu'il ne s'encline as piez Marie.
Tout ades vers li se tendoit, 1595
Mais autre chose n'atendoit
Fors tant que l'en feïst raler
Cil qui l'avoit fait avaler.
Jamais ainsi ne se mëust,
Se fait aler ne l'en ëust. 1600
Lors dist Jesus, li debonaires:
„Je veil, qu'arriere t'en repaires."
Aussi l'apele, aussi le nomme,
Comme s'il parlast a .i. homme
Et dist: „Bien as fait mon commant, 1605

cum agnis pascentur; leo et bos simul paleas comedent. 1519 iuuz. 1520 megera. 1525 ainsis. 1533 cis. 1534 Vor lieue ist g punktiert. 1537 g⁰uaïne. 1538 l'enmaïne. 1543 apre. 1544 son. Hs. resgarda mit Punkt unter e. 1551 q'. certainnement. 1555 foi? statt moi. 1557 Vor fruit steht fr. 1559 tieg. 1561—1664 = Ego magis de aquæ penuria cogito, quæ nobis jam deficit in utribus, et non habemus unde nos et

jumenta refocillare valeamus. Vgl. Tischendorf p. 83.
1663 bouciaus, Singular boucel = Schlauch. Vgl. Ger. de Viane 2611: En un boucel de vin ou de clare. 1565 enpire. 1566 avons. 1568 nous. 1572 geron. 1583 enclines. 1584 doctrines, wo s aus z korrigiert ist. 1587 cisme = Gipfel, nfz. cime. 1593 pour. 1596 Vor chose ist noi punktiert. 1597 fest. 1599 dainsis. 1601 Ihesus. 1603 ausi beide Male so. 1605 bis 1609 = Erige te, palma, et con-

Relieve toi, je te commant,
Conforte toi et des ore soies
Compainz des aubres et des joies,
Qui sont en paradis men pere.
Por amor de ma douce mere   1610
De tes racines une vaine
Nos aeuvre et si nos amaine
Teus iaves, que bones truissons,
Que sazier nos en puissons."

Li paumiers errant se leva   1615
Et ses racines escreva,
Que les fontaines en sourdoient,
Qui assez plus cleres estoient
Qu'esmeraude n'est ne topace
Douces et froides comme glace.   1620
Quant les fontaines sourdre virent,
Mult durement s'en esjoïrent
Joseph et la douce Marie
Et trestoute la compaingnie.
Mult leur iert granz mestiers sanz
                        doute.   1625
Quant il et leur bestaille toute
Furent de l'iave assazie,
Dieu ont loe et gracie.

Quant l'endemain atorne furent,
En cele eure qu'aler s'en durent,   1630
Jesus vers le paumier se torne
Et dist: „Je veil et se l'atorne,
Qu'orendroit soit d'angles portez
Uns de tes rainsiaus et plantez
Lassus ou paradis men pere: 1635
Car bien as servie ma mere;
Rendre t'en veil le guerredon.
Tout maintenant te doing ce don,
Que de touz ceus qui bien feront,
On dira, que venu seront   1640
Au paumier de droite victoire.

Ainsi seras mais en memoire."
Quanqu'a l'aubre ainsi devisoit,
Es vos l'angle, qui ja brisoit,
L'un des rainsiaus et si l'emporte   1645
En paradis parmi la porte.
Cil qui la furent, quant ce virent,
Mult durement s'en esbahirent,
Si com mot parler ne pëussent
Ne que se il trestuit mort fussent. 1650
Dist Jesus: „Porqu'avez ëu
Peour de ce qu'avez vëu?
Or sachiez, se vos nel savez,
Le paumier, que vëu avez,
Qu'en paradis fait porter ai,   1655
Si grant honneur li porterai.
A touz sainz sera si propices,
Qu'il l'aront en liu de delices.
Ainsi com il vos a este,
Bien l'avons trove apreste   1660
Au grant besoing en ce desert,
Qu'il ait honneur, bien le desert.
Il l'ara, je li ai promise,
Deservie l'a et aquise."
Et quant ces choses furent faites, 1665
Que ci devant vos ai retraites,
Li vieux Joseph li prist a dire:
„Ceste chaleurs nos fait mal, sire,
Trop nos tormente et trop nos grieve
Por le souleil, qui trop chauz lieve, 1670
S'il vos plaisoit, je loeroie,
Ce seroit nostre mieudre voie
D'aler la voie de la mer,
C'est cele qu'on doit mieuz amer:
Car plus tost liu trover porrons,   1675
Por reposer, quant nos vorrons,
Par ces citez de maritime.
Jesus, ai je bien dit, di me!"
„Joseph", dist Jesus, „or m'escoute
Ne t'esmaier ne ne te doute,   1680
Ja courcerai si voz jornees,
Que tost les averez alees:
Car hui sera vostre sejourz
La ou meïssiez .XXX. jourz.
Ainçois que desque la fussiez,   1685
Si bien aler ne sëussiez."

Li douz enfes, li fiuz Marie,   f. 255.
Sa parole n'out pas fenie,
Monz et citez d'Egypte virent,
Ainz nule garde ne s'en prirent.   1690

---

fortare et esto consors arborum mearum
quæ sunt in paradiso patris mei. Vgl.
Tischendorf, dessen Text von hier an
herbeigezogen werden wird.
1609 sunt. 1610 pour amour. 1611
vainne. 1611 vaine, Wasserader = vena-
aquæ. 1612 nous aweure . amainne.
1617 fontainnes = 1621. 1619 Die beiden Steine werden oft, besonders in den
Lapidarien genannt. 1629 atourne. 1631
ihesus. 1632 latourne. 1634 rainsiaus
Zweig, Ästchen (ramicellus). 1635 lai-
sus. 1637 weil. 1638—1642 = Hanc
autem benedictionem in te conferam ut
omnes quicumque in aliquo certamine vi-
cerint, dicatur eis Pervenistis ad palmam
victoriæ. 1640 ov.

1642 q'qua . ainsis. 1645 l'enporte. 1649
cū. 1651 ihesus pourqu'auez. 1652
q'nez. 1657 sanz. 1663 premise. 1674
con. 1575 lieu. 1678 Ihesus = 1679.
1685. Vor qe steht de punktiert. 1689
d'Epipte. Vgl. 1793; 1724.

Devant cele eure qu'il les voient,
De maint jour estre n'i cuidoient.
Grant joie tuit en demenerent.
En une cite s'en entrerent,
Qui par non Sotyren iert dite. 1695
Mais de la gent, qui i abite,
N'i avoit nul qu'il connëussent,
Chies cui herbergier se peussent,
S'en firent le plus avenant.
Ou temple entrerent maintenant, 1700
Qui iert apelez Capitoles.
La aouroient les ydoles
Chascun jour cil de la cite
En liu de sainte trinite.
Et quant ou temple est entree 1705
La douce virge, l'enmielee, .
Et son enfant tint en sa brace,
Qu'ele si doucement embrace
Comme sen fil, que mult a chier,
Prises se sont a destachier 1710
Les ydles, que faites avoient
Cil de la vile et si creoient
En liu de Dieu, qui tout a fait.
Jus chaïrent toutes a fait
Et devant eus a terre jurent: 1715
Si froees malement furent,
Que touz firent bien demoustrance,
Qu'il n'avoient de puissance.
Lors fu la prophetie ëue
Qui dist: „Diex venra seur la nue 1720
Et si seront devant lui fraites
Les ydles de mains d'omme faites."

Et quant il sot la verite
Li sires de cele cite,
Qui eut non Affrodisiens, 1725
Avec lui mult d'Egyptiens,
Vint au temple grant alëure,
Por veoir la nouvele dure
Des diex, qui seur le pavement
Gisoient froe malement. 1730
Dou venir n'iert pas pereceus.
Bien se cuida vengier de ceus,
Por cui les ydles furent fraites
Et mar les avoient jus traites.

Ce disoient li puant viautre 1735
Communement et un et autre,
Et quant li dus entra ou temple,
Qui l'eust feru en la temple
D'un grant baston de lez l'oïe,
Plus esbahiz il ne fust mie 1740
Qu'il fu des diex, qu'il vit en terre.
D'ire fremist et les denz serre
Si durement de grant angoisse,
A peu se va, que touz nes froisse.
Mais si tost com il a choisie 1745
La tres douce virge Marie,
Grant alëure sanz demeure
Cele part vient, l'enfant aeure,
Qu'en son braz portoit nostre dame,
Ainsi com fait aucune fame, 1750
Que vos veez souvent porter
Aucun enfant por deporter.
Ainsi la mere le portoit:
Car ou porter se deportoit.

Li dus et tuit l'enfant aeurent, 1755
Et quant trestuit aoure l'eurent,
Li dus d'une part les apele.
„Ne sai" dist il „que j'en vos cele
Mon cuer de ce, comment il aille.
„Il me samble", dist il sanz faille, 1760
„Se cist ne fust Diex vraiement,
Nostre dieu ainsi faitement
Ne fussent pas, sachiez, chëu,
Com vos trestruit l'avez vëu,
Ne devant lui pas ne gëussent 1765
Ainsi a terre, se dieu fussent.
A leur affaire et a leur estre
Moustrent, que cil doit leur Diex estre.
Se sage n'eussiens este,
N'i eussiens riens conqueste: 1770
Car seussiens estre contraire
A ce que noz diex veons faire.
Grant peril a touz i ëust:
Car cist confondre nos pëust,
Qui est vrais Diex, c'est veritez, 1775
Touz nos ëust asoubitez:
Car nul pooir vers lui n'a on,
Aussi com il fist Pharaon,
Le roi, qui morut sanz respit
Por ce que Dieu eut en despit: 1780
Car il ne le daingna oïr
Et il en dut bien mal joïr,
Et il si fist, n'en doutez mie,
Qu'il l'en estut perdre la vie."
Ainsi li dus ci a brief parole 1785
A ceus de Sotyren parole,

1695 Bei Schade lautet der Name
Sihenen, während Tischendorfs Vaticanus
und Parisiensis I Sotinen, der Laurentianus Sotrina bieten. — Vgl. V. 1786.
1700—1701 = templum ingressi sunt
quod capitolium Egypti vocabatur. 1708
enbrace. 1709 cūme. 1713 lieu. 1719
prophecie. 1725 Schades Kodex hat wie
die zwei Pariser Hss. Afrodisius, der vatikanische Text Affrodosius. 1728 pour. 1731
Hs. perecevs. 1730 froue. 1733 pour.

1750 cō. 1758 il fehlt. 1776 ainsis.
1778 ausis. 1785 ainsis.

Et il dient, bien velent croire,
Qu'il est fiz Dieu, qui maint en gloire.

Jesus Criz et sa douce mere
Et Joseph, qu'on cuidoit son pere, 1790
Apres ce qu'avint cist affaires,
Mult petit de tans et ne gaires
Leur estage en Egypte prirent,
Tant que dou ciel nouvele oïrent,
Que de Dieu eurent .i. message, 1795
Qu'ailleurs alassent faire estage.
A Joseph dist: „Fai lie chiere!
Retorne t'en en Jude arriere!
Mort sont cil qui souloient querre
L'enfant, reva t'en en ta terre!" 1800
Leur affaire errant atornerent,
En Jude arrier s'en retornerent. —

S'avez bien entendu men conte,
Vos ne devez pas avoir honte.
Se povretez avez et perte, 1805
Mainte en a Diex por vos soufferte,
Et d'autre part on doit savoir,
Nus ne puet paradis avoir,
Se povretez en son conduit
Ne le reçoit et le conduit. 1810
Diex ama lui tant et son estre,
Qu'il vout en terre povres estre,
Plus povres et plus mesmenez
Fu que nus bons de mere nez.
Amons la tuit: car ele est bone 1815
Et si depart mainte courone
En paradis lassus amont,
Que je ne cuit, que nus i amont,
Se povretez ne li pourchace
Et l'amour de Dieu et sa grace. 1820
En paradis entrer ne doit
Riches hons nes metre le doit.
Nus ne puet l'amor Dieu aquerre,
Tant com il soit riches en terre.
Aucuns qui ne prent pas bien
    garde, 1825
Dist: „Povretez samble moustarde:
Car on en a de peu assez."
Ainsi s'en est aucuns passez,
Qui en faisoit sa moquerie.

Mais je dout, que ja nus n'en rie 1830
De ceus qui moquent povre gent:
Car il n'est Dieu ne bel ne gent.
Mentir cuide et il dist vrete:
Car qui .i. peu de povrete
En cest puant siecle averoit, 1835
Granz sires en l'autre seroit.
Je di de la povrete vraie,
De quoi je dout, que nus n'essaie.
Teus n'a robe, ou il ait couture,
S'il avoit .C. libre d'usure, 1840
Qui jamais denier n'en rendroit,
Il n'a pas pris en bon endroit
De povrete por sa partie,
Encore maint il povre vie.
Povretez li tient en bouche, 1845
Mais au cuer de riens ne li touche.
Povres de cuer, riches d'avoir
Porra bien paradis avoir.   fol. 256
Cil qui povres por Dieu vieut estre,
En paradis a pris son estre. 1850
Mais qui por Dieu ne le sera,
Jamais paradis n'avera.
Teus est povres, qui mult li grieve,
Si que peu li cuers ne li crieve.
En Dieu a si peu d'esperance, 1855
Qu'il enchiet en desesperance
Le jor plus de .LX. foiz.
Ce fait, qu'il n'est point de foiz.
Je croi par le mien escient,
Qu'il en est ou peu ou nient, 1860
Qui de povrete vos vorroit
Dire ce qu'on dire en porroit,
Tans et liu couvenroit choisir,
Ou en pëust avoir loisir.
Je ne vos en puis or plus dire: 1865
Car trop me fait mal a escrire.
Mais or prions au roi celestre,
Qui por le mont vout povres estre,
Qu'il a destre de son chier pere
Par les prieres de sa mere 1870
Nos veille mettre, ou il a mis
Et ses privez et ses amis,
Qui l'ont ame en ceste vie.
Chascuns de vos amen en die.

III. Die Legende vom heiligen Zahn.

C'est dou beneoit dent, que nostre sires mua en s'enfance, qui est a s. Maart.

A saint Maart ou grant livraire f. 265
Trovai .i. livre en .i. aumaire.

Je le pris et si le reting;
Tant i gardai et tant le ting,

1787 welent. 1788 Ihesucriz. 1790
cō. 1795 mesage. 1798 Retourne. 1814
hō. 1815 hōne. 1816 courōne. 1822 hō.
1823 l'amour. 1826 semble. 1828 ainsis.
2 trouvai.

1840 lbr. 1843 pour. 1847 Am
Rande: beati pauperes spiritu [Hs. spū].
1848 pourra. 1859 escient. 1862 con.
1871 weille.

Que je trovai sanz point de fable 5
.i. miracle mult delitable,
Qui plus me faisoit resjoïr
Que riens que je puisse oïr.
Onques mais n'eu joie greignor,
C'est dou saint dent nostre seignor, 10
Qu'il mua en sa sainte enfance.
Teus est et sera ma creance:
Car enfes fu en char humaine;
Froit et chaut ot et autre paine.
De lui fist on, c'est chose voire, 15
Com on faisoit a ce tempoire
De touz autres enfes sanz faille:
Circumcis fu et souffri taille
Cum li autre en toutes manieres.
De la loi n'ala point arrieres, 20
Ainz la maintint et fu dedenz
Et souffri muance de denz.
Il mua denz, c'est chose aperte:
Qui ne le croit, il ara perte:
Car il souffri, bien le savez, 25
Plus que nus, oï bien l'avez,
De mal de honte en ceste vie;
Et plus eut on seur lui d'envie
Que seur nul home mortel onques,
Que voirs est, qu'il souffri adonques 30
En la croiz por nos mort amere.
Hons com autres fu nez de mere.
Dont peut il bien ses denz muer,
Quant il souffri nos lui tuer,
Quant ses costez li fu perciez. 35
Alaitiez fu et fu berciez
Et manieres d'enfant avoit.
Mes voirs est, pas ne savoit,
La chars donoit et braiz et criz,
Si com tesmoigne li escriz. 40
Enfes com enfes se mena
Et ades ses faiz ordena
Selonc ce qu'en ages venoit:
Car selonc se maintenoit.
Cil qui ne croit en l'escripture, 45
De Dieu ne de ses sainz n'a cure.
Je di por ce qu'aucun ne croient
Se peu non riens, s'il ne le voient.
Voirs est, se ne fussent li livre
Ainsi comme nos devons vivre, 50
Nous veschissons a la loi de beste.
Mais mieudre loiz n'est il que ceste:
Diex morut, c'est bien chose voire,

Por nos: ainsi le devons croire.
Ou sachiez vous, qu'il couvenist 55
A ce que ceste loiz tenist,
Encor ne l'aions pas veu?
Mais es escriz l'avons lëu,
Et que nus bons Dieu connëust,
Que nus hom ja ne morëust: 60
Car es escriz, c'est sanz doutance,
Est la foiz toute et la creance,
Por tesmongnier, tant com vivroient,
Les choses, que vëu auroient.
S'il fust, que gent ne morëussent, 65
Li saint et li apostre fussent,
Qui les escriptures nous firent
Selonc ce qu'il seurent et virent.
Mais Diex ne vieut pas endurer,
Que nus hom puist ades durer, 70
N'a la deïte ne vout plaire;
Mieuz plaist a Dieu ainsi a faire.
Li affaires est areez
Ainsi par lui, com vos veez.
Fait ëust autre ordenement, 75
S'il fust mieuz ainsi qu'autrement.
Nus ne s'en doit plus entremettre
Ne riens oster ne riens plus mettre:
Car chose nule, qu'om feroit,
Fait ne tenu ja ne seroit. 80
Or soit chose, que je sëusse,
Ce qu'il deïssent, je crëusse,
Sanz chose nule contredire;
Quel raison porraie donc dire,
Que je ne doie mie croire, 85
Que leur escripture soit voire?
Il n'est raisons, que nus i voie,
Que leur escriz croire ne doie.
Je les croi, et chascuns si face,
Que ja a dame Dieu ne place, 90
Que je n'autres ja morir puisse,
Qu'en cest estat mort ne nos truisse.

De croire mie ne recroi:
Es escriz truis, et je le croi,
Qu'il a a Soissons une eglise, 95
Qui est et bien et bel assise,
Ou .i. denz est sanz doutance, f. 266.
Que Diex vout muer en s'enfance,
Lequel on nomme saint Maart.
Ma volentez ici m'aart, 100
Que je, se tant puis, m'entremette,
Que de latin en romanz mette,
Comment li sainz denz fu trovez

Ne comment li voirs fu provez.
Que ce fust cil certainement,   105
Que Diex mua humainement,
C'est selonc droit d'umanite.
Or vos dirai la verite.
Or entendez tuit a men conte:
Mes livres si me dit et conte,   110
Qu'il eut .i. apostoile a Rome
Religieus et mult preudome:
De mult de biens iert renommez,
Lions, ce me samble, iert nommez,
Li .IX.ᵐᵉˢ, ce truis ou livre,   115
Si com la lettre le me livre.
Cil apostoiles fermement
Tesmoingne et dit tout vraiement,
Que saint Maart iert, bien savoit,
Li denz, que Diex muë avoit.   120
S'aucuns dit, qui nel veille croire,
Comment sot, que c'iert chose voire,
De si loing comme desqu'a Rome:
Je truis, que jadis maint prudome
A Rains eut venu en la vile,   125
Ou l'apostoiles tint concile.
Cil meesmes, dont je parole,
Qui me conferme ma parole
Et me tesmongne, qu'ele est voire,
Apres lui di, qu'en ce tempoire, — 130
Et la lettre bien s'i acorde, —
Li miracles, que ci recorde,
Avint a saint Maart sanz doute.
Bien le seurent la gent trestoute,
Qui a ce jor a Rains estoient,   135
Et cil qui ou païs manoient.
Mais se ja Diex me doint sa grace
De chose mais que Diex nos face,
Nos n'en sommes de rien mëu.
Nes ce que nos avons vëu   140
Ne prisons la noiz d'un nouier
Ne por biau don ne por louier,
Qu'il nos en sache presenter.
Mais nos verrons tel vent venter,
Dont nos espoente serons: 145
Car petit crëu averons
Les miracles et les merveilles
De Dieu, qu'oons a noz oreillles.
Mais ne sai, comment on querra
Chose, puis qu'en ne la verra,   150
Com nos peu ou nient creons
Ce que nos a noz ieux veons.
Morirs est chose si en us,
Ne s'en doute ne je ne nus.
Peu s'en doutent ne fol ne sage,   155

Por ce qu'il est trop en usage.
Aussi vos di par saint Romacle:
Diex fait chascun jor tant miracle,
Que l'en tenons pour amuse,
Si sons dou veoir äuse.   160
Mais pour ce n'en lairai je mie,
Que je le miracle ne die,
Ainsi com je l'ai entrepris
. . . .
Je truis, qu'il fu .i. frenetiques   165
Fors dou sens et paralitiques.
Ou fu nez n'en quel region,
Ne sai, ne de quel nation,
S'il iert ou vilains ou gentius,
Mais ades iert si ententius   170
A faire ses forseneries,
Qu'il ne prisoit pas .ii. vesies
Riens de quanqu'il veoit n'ooit,
Aussi com .i. chaz esproboit.
Horriblement se maintenoit: 175
Car li diables le tenoit,
Si com aucun de vos savez,
Qui hors dou sens vëu avez.
Quant si parent ainsi le virent,
Merveilleus duel entr'eus en firent, 180
N'i avoit nul, qui n'en hontoit
Que plus cil a qui plus montoit
Conseil pristrent, qu'il en feroient,
Ne comment il s'en cheviroient.
Quant assamble furent ensamble, 185
S'en dit chascuns ce qu'il li samble.
En la fin ainsi s'acorderent:
Ce m'est avis, qu'il atornerent,
Que on tant partout le menroit,
Qu'en .i. liu, ou que soit, venroit, 190
Ou sa forsenerie estainte
Seroit ou par saint ou par sainte.
Quant ainsi eurent devise,
Des plus prochains ont avise,
Que le dent mener devoient   195
Partout, ou les bons sainz savoient,
Tant qu'en son sens fust revenuz
Cil qui dou diable iert tenuz.

Le fors dou sens ont encarchie
Cil cui li ami l'ont carchie;   200
Mais ne sai, s'il fu en charete
Ou a cheval ou en broete:
Car li livres ne le dit mie,
Si ne sai pas, lequel je die.
Toutevoies il l'enmenerent,   205
Ne faz force, en quoi le charcherent,

---

105 certainnement. 106 humainne-
ment. 109 dira. 112 romme = 123.
124 prudomme. 125 eut. 130 tesmõgne.
145 epoente.

157 ausi . rõmacle. 160 Vor amuse steht
amirse unterpungiet. 162 nou. 163 con.
173 qil. 174 avsi. 177 cum. 178 vas.
193 ainsis. 196 desnt. 206 toutevoiens.

Et loing et pres assez le mainent,
D'aler a mult de sainz se painent.
Mais cil .i. bouton ne donast
De saint nul, ou on le menast.   210
Qui sainz et saintes despisoit,
Tout leur pooir riens ne prisoit,
Et diables, qui mal l'atire,
Mult de merveilles li fait dire.

Et quant eurent partout mene   215
Le fors dou sens, le malsene,
Que ja trestuit, si com j'espoir,
Chëu furent en desespoir
De lui en son sens revenir,
Qu'au diable voient tenir,   220
Mais pas si esbahi ne furent,
Que le diable ne conjurent,
Que iss'ist hors dou cors a celui.
Mais il n'en fist riens por nului,
Mais cil respont por le diable,   225
Qu'il eut ou cors, chose est creable:
„Or i parra dou conjurer.
Sainz n'a pooir de moi curer,
Ne ja gariz je ne serai,
Devant ce qu'este averai   230
Devant le saint dent sanz doutance,
Que Diex eut muë en s'enfance."
Ce li fait li diables dire,
Qui si le mesmaine et martire.
Tuit cil qui ce dire li oient,   235
A deverie le tenoient.
Toutesvoies li demanderent
Cil qui avec eus le menerent,
Ou cil denz iert, qu'il leur disoit.
Mais chascuns si peu ce prisoit,   240
Que il leur aloit devisant:
Car aussi com en despisant
Li commanderent, qu'il leur die, —
Encor nel creussent il mie, —
Ou c'estoit, que cil denz doit estre.   245
Le païs leur deïst et l'estre,
Que cil qui estoit malsenez,
Leur respondi com forsenez:
„A Soissons est, la me menrez,
Et quant vos a Soissons venrez,   250
A saint Maart en verite,
Qui est mult pres de la cite,
La porrez nouveles oïr,
De quoi vous porrez bien joïr."
Cil qui menoient le desve,   255
Disoient, qu'il avoit resve,
Et qu'il ne savoit, qu'il disoit.

Chascuns ce qu'il dit, despisoit:
Car por riens ne crëussent mie,
Que voirs fust chose,que leur die.   f. 260
Toutevoies en aventure
La paine en pristrent et la cure
Et li dirent, qu'on l'i menroit,
Por savoir, qu'il en avenroit,
Non pas que nus creance ëust,   265
Qu'en son sens revenir pëust.
Mais en aventure se mirent.
Tant se penerent et tant firent,
Que droit a Soissons sont venu.
Mais pour sot s'en sont tuit tenu.   270
Dient: „Nos ne sons pas sene,
Quant nos creons ce forsene;
Il nos va, ce cuit, assotant."
Ainsi aloient riotant.
Mult se doutent et mult s'esmaient,   275
Que leur paine perdue n'aient.
Toutevoies leur chemin tienent,
A saint Maart tout droit s'en vienent.
Leur affaire trestout conterent
A moines, que laienz troverent,   280
Et comment ont crëu le sot
De ce qu'ainc ne vit ne ne sot,
Si dient, que leur escient
Il i sont venu por nient.
Mais li en païs ne les laissoit: 285
Car ne cuident, que jamais soit
En son sens en nule maniere;
Bien vousissent, qu'il fust en biere.
Mais li moine se les apaient
Et leur dient, qu'il ne s'esmaient: 290
Car se Diex plaist a ceste voie,
Il s'en riront a mult grant joie.
En l'eglise les font atendre,
Tant qu'il puissent a eus entendre,
Por eus mostrer les saintuaires.   295
Mais, sachiez, il n'en i ot gaires,
Que dou dent sëussent renon,
Si n'en dirent ne o ne non,
Mais tantost toute l'abeïe
Feu por la nouvele esboulie.   300
Mult de paroles en disoient,
Mais dou dent parler ne savoient:
Car onques de leur ieuz n'en virent.
N'onques mais parler n'en oïrent.
Mainte parole ont iluec dite   305

. . . .

260 Qui. 262 painne. 263 con. 270
Hs. st'. 275 Über das punktierte demen-
tant ist riotant geschrieben. 274 ainsis
276 painne. 280 mainnes. 283 Hs. q̄nc.
284 sunt. 292 Vor plaist ist pale durchstrichen. 295 aus. 299 fou pour. 303 lour.
304 nou. 305 onc illec. 306 fehlt in der Hs.

207 mainnent. 208 painnent. 209 don-
nast. 213 Nach diables folgt latire unterpungiert. 223 qoissist od. Quousist. 229
guariz. 234 mesmainne. 238 aus. 242 ausi.

. . . .
Se n'avoient les cuers plains d'ire,
N'osoient dire: „Nos l'avons"
Ne dire riens: „Nos n'en savons." 310
Ainsi estoient en balance,
Si l'ont ou non, sont en doutance.
Grant piece furent en riot,
Tant qu'un moine ancien i ot,
Qui mult estoit de grant viellesce, 315
Se li souvint, qu'en sa josnesce
Mult oï parler en avoit;
Mais ou il iert, il ne savoit.
Lors dist li vieuz: „Or escoutez,
Biau seigneur, et ne vos doutez. 320
Dire soloient mi ancestre,
Qu'il iert çaienz, tost i puet estre,
S'il vos plaist garder, i ferez
Espoir, que tost le troverez.
Que qu'en avint, je vos dirai,   325
Que ja ne vos en mentirai.
Ça en arrier qu'enfes estoie,
Il me souvint bien, que j'ooie
Parler et de sainz et de saintes,
Dont a çaienz et mainz et maintes." 330

Adonc çaienz on ne savoit,
Queus cors sainz ne quanz on avoit
N'ou faisoit on des saintuaires.
Mais a ce trova li affaires,
Qu'il dirent, qu'on i garderoit: 335
Car mult bone chose seroit,
Se tuit .i. et autre savons
Des sainz ce que nos en avons.
Au garder trestuit s'acorderent;
Adonc, sanz plus dire, i garderent. 340
Mult en troverent durement:
Car mult en i a vraiement.
Mais sëu fu et voirs provez,
Que donques li denz fu trovez,
Que Diex eut muë en s'enfance; 345
Ce sachiez de voir sanz doutance.
Renommee, qui riens ne cele,
Aporte partout la nouvele,
Que saint Maart, c'iert chose voire,
Estoit li denz au roi de gloire,   350
Que tant com de grant hautesce
Iert li denz et de grant noblesce.
De tant, sachiez certainement,
Le mist on lors plus richement.
Donques, se il vos voloit plaire   355
Et bone chose estoit a faire,
Que on i gardast et veïst,
Et partout tant on le queïst,

Qu'en le trovast, s'estre pooit,
Se chascuns de vos le looit   360
Et que mieuz a Dieu pëust plaire,
Bone chose seroit a faire,
Que nos trestuit jëunissiens
Et nostre seigneur proiissiens,
Qu'en li si grant grace truissons, 365
Que son saint dent trover puissons."
La raison, que le vieuz eut dite,
N'a nus des moines contredite,
Mais a ce trestuit s'acorderent,
Qu'avoit dit, et bien le loerent. 370
Li jovencel grant joie en firent:
„Mult eut bien devise," ce dirent,
„N'i a nul," ce dirent trestuit,
„Qu'ourer et jëuner n'estuit."
Acorde sont, que vos diroie,   375
A l'ancien chascuns s'otroie.
Quant jëune et oure eurent
Chascuns endroit ce qu'il pëurent,
A mult tres grant devocion
Cum gent de grant religion   380
Gardent en vaissiaus, en aumaires,
Ou il seurent des saintuaires,
Gardent desouz, gardent deseure,
Tant que vint la benoite eure,
Qu'une boiste d'argent troverent, 385
Que mult durement esgarderent.
Par deseur avoit lettre escrite,
La lettre virent, si l'ont lite,
Si avoit seur la boiste escrit:
„Ci est li sainz denz Jesu Crit." 390
Adonques mult grant joie firent,
Quant lettre et la boiste virent.
Lors l'ont prise mult belement
Et mult tres honerablement
La tinrent et la manoierent;   395
Mult grant honneur tuit li porterent.
Lors manderent le forsene,
Que les genz eurent amene;
Amene l'ont a mult grant painc:
Car diables si le demaine,   400
Que nus ne le pooit tenir;
Grant dangier faisoit de venir.
Mais toutevoies se penerent,
Tant qu'a la boiste l'amenerent.
Mais quant a·la boiste vëue,   405
Si a mult grant peour ëue;
Mult durement fu amatiz,
En traiant arrier s'est quartiz

---

359 Vor pooit ist peust unterpungiert.
364 Rasur. 374 qourer. 374 geuner.
375 q̃il . sunt. 377 geune. 385 cune.
390 Ihesu. 392 boite. 394 honnerable-
ment. 396 honneur. 399 painne. 400
demainne. 406 peeur. 408 q̃tiz.

---

311 ainsis. 314 cun.   320 Hs. vᵗ.
325 q'qu'en. 335 con. 338 sains.
344 dunques . dens. 353 certainnement.

Por le precieus saintuaire,
Ce qu'ainc por autre ne vont faire, 410
N'avoit nului prisie .ii. cliques
Quanqu'avoit vëu de reliques,
Ou eut este par le païs,
Si estoit il droiz fox naïs.
Si tres horribles criz getoit, 415
Qu'en grant esfroi chascun metoit.
Adonc li diables s'escrie:
„Hai! Jesu, le fiuz Marie,
Tant te devons or resoignier,
Fuir ades et eslongnier;   • 420
Mult ies contraires a noz uevres,
A nos souventes foiz recuevres f. 269
Mainte ame, que nos as tolue,
Que perdrions par ta venue;
Mult me mesmaintiens et degetes, 425
Par ta force de ci me getes.
Ainsi le vieus tu commander,
Mais je ne le puis amender.
Plus ne puis demourer sanz faille,
De ci comment que je m'en aille." 430
Adonques, sanz faire demeure,
Li diables en icele eure
S'en est alez le col baissie;
Celui qu'il tenoit, a laissie
N'i peut demourer ne plus faire 435
Por la presence au saintuaire.
Et cil en son sens r'est venuz,
Qui iert por forsenez tenuz.
Et cil qui amene l'avoient,
Plus grant joie que tuit avoient. 440
Mais cil fist joie seur trestouz,
Qui devant iert fous et estouz;
Mais en tel liu iert assenez,
Qu'or estoit tenuz assenez.
Si parent grant joie demaint; 445
Parti s'en sunt, si l'en remaint.
Des moines dire ne saroie,
Com il demenerent grant joie:
Il l'eurent grant, ce poez croire,
Quant il virent, que chose iert voire, 450
Qu'urent le dent nostre seigneur
De nul saintuaire greigneur,
Ne tel n'eussent recouvre,
Se Diex n'eust por eus oure.

Mais Diex i ouvra a ce jour.   455
Adonques, sanz faire sejour,
Le saint dent reportent arriere
En loant Dieu a liee chiere.
Ainsi l'ont remis en l'aumaire.
La boiste a tout le saintuaire   460
En autre vaissel est remis.
Mais ainsi m'aist sainz Remis,
Je ne sai pas, qui l'i fist mettre:
Car je n'en truis plus en la lettre.
Bien sai, bel est en vaisselez,   465
Pluseurs foiz ai este de lez,
Et le vaissel ai je tenu.
Et sachiez, mult i sunt venu,
Qui durement malade estoient,
Qui la sante i recouvroient.   470
Mult l'a on vëu avenir.
Mais sachiez, qu'en i doit venir
Le droit chemin, le droit sentier,
C'est de bon cuer vrai et entier.
Mais aucun, por ce qu'il n'a mie 475
Sante, si tost qu'on Dieu en prie,
Si s'esmaie, mais c'est sanz doute,
Que la courpe en est soie toute:
Car il puet mult bien avenir
Ne vient pas, si com doit venir,   480
Ou Diex le bat por son mesfait,
Qu'il a espoir vers lui mesfait,
Se vieut, tex est or ma creance,
Que cil face la peneance,
Pour morir plus a sëurte;   485
Mais li fox le tient a durte
Ne ne connoist pas son forfait,
Ainz dist: „Diex, que vos ai je or fait,
Que, si me hatez durement?"
Mais sachiez vos certainement,   490
Se devant Dieu s'umelioit
Et en sa douceur se fioit,
Mult tost apres, sachiez, verroit,
Qu'il aroit ce qu'il requerroit.
Or nos doint Diex, li rois de
                    gloire,   495
Lui et ses miracles si croire,
Qu'a la joie puissons venir,
Qui touz jors dure sanz fenir.
          Amen.

*Additional Ms. 15606. Fol. 38.

Et biens est dreis, que je vos die
De ma dame sainte Marie,

Commant fut concehue et nee,
Commant norrie et marie.

---

418 Ihesu. 421 weures. 422 nous.
425 mainties. 443 lieu. 445 demain-
nent. 446 remainnent. 451 Hs. q'urent.
452 del. 454 aus.

459 ainsis ont. 462 ainsis. 467
vaisel. 471 venu. 475 pour. 476 con.
482 q'la. 488 fa. or fait. Viell. forfait?
490 certainnement.

Por ce ne larrai ne vos die,
Que ne l'ahez assez ohie,
Que Joachim ot non ses peres,
Et Anne fut dite sa mere.
De grans gens, de grant parante
Fut Joachim d'une cite   10
De Nasarap de Galilee.
Anne de Baleam fut nee,
Done li ez hot de Baliam
De ci que an Iherusalem.
Par mariage s'asamblerent   15
Et mout bonemant s'antramerent,
Devant Deu et devant la gent
Se contenoient loiaument.
Mout demenoient roiau vie
Sanz mauvaistie et sanz anvie   20
Tot ce que andui conqueroient,
De tot lou gahein, que il faceent.

Or revolens arrier torner:
De Fanoau volons parler.
Soignor, volez que je vos die   25
De Deu et de sainte Marie.
Or faites pais, si m'escoutez:
Je vos dirai, se vos voulez,
Si com Ihesus li rois naisqui,
Et qui sa mere engenoui,   30
Et com sainte Anne fut trovee,
Qui ainz ne fu d'omme engenree,
Mas par lou tordre d'un coutel
An la cuisse saint Fanuel
La la porta si longemant,   35
Com la maire fait son anfant.

Sains Abraans ot .i. vorgier,
Que Dex amoit et tenoit chier.
Encor dit on l'ors Abraam
En terre de Iherusalem.   40
An ce vorgier avoit une ante,
Qui mout estoit et bele et gente.
Desus cele ante ot une flour,
Mas ne sai dire la coulour.
Il n'est nuls homs, tant soit letrez   45
Ne d'escriture dotrinez,
Que la quolor saust descrire
Ne la vertu saust a dire.
Et .i. anges hi suet venir,
Chascun jor sus la flour seïr;   50
L'abre et la flor venoit garder:
Car Dex li a fait arouter
Par .i. ange de paradis.
Ansic fu fait par devis.
C'est li abres veraiemant,   55

Que dame Dex parama tant,   5
Que il a Adam desfandit.
Puis an mainja, ce dit l'escrit:
Car sa famme l'an fit mangier.
Por ce l'on fit Dex araigier;   60
Mas apres lou maingemant
Fut anvoiez sains Abraans,
.I. homs, que Dex ot mout chier,
Cil lou plantai an son vorgier.
Cant plante l'ot, si s'an revint   65
A son ostel la si se tint.
An icele hore maintenant, —
Ce savons nos veraiemant, —   fol. 39
Vint une voix, qui l'apela;
Mout doucemant l'araisona;   70
Tel chose li dit an l'oroile,
Donc Abraans mout se mervoille:
Car ains ne pot estre sus piez,
Ains a terre trabuchiez.
Cant a la terre fut chaïz,   75
Dex s'est devant lui apparuiz.
„Amis," dit il, „antan a moi,
Tu as .i. abre plante ci;
Je hi serai crucifiez,
Mes cors plaiez et travailiez,   80
Et si serai covers de sanc,
Qui descendrai aval mon flanc,
Et de ceste flour naistrai
.I. chevarliers, qui porterai
La mere a icele pucele,   85
Donc Ihesu Criz ferai s'ancelle."
Sainz Abrahaans li respondit:
„Commant serai ce, or me di,
Que chevarliers de flors naistrai,
Ne commant hons an istrai?"   90
„Amis," fait il, „n'an dirai plus:
Je m'an revois ou ciel laissus.
Une autre fois tu lou saras,
Quant li anfes nez an serai."
Nostre sires s'an departit.   95
Sainz Abraans revient ensi,
Que il estoit au sa maison.
Hui mais orrez, par quel raison
Sainte Marie vint avant
De la file saint Abraant   100
Et donc issi la grant linie,
Donc ceste lois est essaucie.
Une file hot saint Abraans,
Asez fut gente de XII anz:
Mout ere bele la meschine   105
Plus blainche que flors d'espinc;
Les eauz avoit vers et rianz,
La boiche bele et bel samblant,

---

5 Hs. p. 16 môt.   7 Hs. ioachī.
10 fit.   12 baleā.   13?   37 abraās. Hs.
v'gier = vorgier.   45 nūs.   47 q'lor.

60 p.   84 ch'rls = 89.   100 aabrant
mit Punkt unter dem ersten a.

Mout fut bele la creature,
Ce nos reconte l'escriture,   110
Et chascun jor la matinee,
Cant la pucele estoit levee,
Si s'an antroit an cel vorgier,
Por son gent cors esbenoier.·
.I. jor s'aproichai de cele ante,   115
Qui tant estoit et bele et gente,
S'an ai coillie une flour,
La flour gita si grant odour,
Dou grant odour, qu'ele gitai,
La pucele an angroissai.   120
Cant sa mere sot la novele,
Qu'ancinte estoit la damoisele,
An sa chambre s'an est antree,
La pucele hai araisonee.
Puis li ai dit mout laidemant: 125
„De nos vos vai mout malemant.
Il n'ai pucele an cest païs,
Taint soit cointe ne de aut pris,
S'ele estoit grosse an avoutire,
Que ne morust a grant martire.   130
Fille tu es de grant paraige,
Bien as honi tot tun lignaige;
Ja es tu a gentil conte,
A tes parans feras grant honte;
Au jor qu'il t'aront, lapideront   135
Li pautonier et occirront.

Lla loi lou mostre veraiemant,
Cant une feme ara anfant
Et ele ne l'a de son soignour,
Que la lapide a grant dolour."   140
„Douce mere," dit la meschine,
„Je suis ancor ansinc virgine
Comme la rouse dou rosier,
Cant elle point an l'aglantier
Et si an ferai .i. tel juise   145
An .i. grant feu an ma chemise,
Ou je antrerai tote nue,
Que ains ne fu d'omme corrompue.
Se Dex me vet ou feu samel,
Que mes cors ne puisse anbraser, 150
Lors serai drois, que je remaigne
An ma dolour et vive et saigne."
„Oïl, file," ce dit la mere,
„Mas je l'irai conter ton pere."
La dame est de la chambre issue, 155
Son signor trove anmi la rue.
Trestot coemant l'apelai,
Ceste novele li contai,
Que sa file est ancinte et grosse,
Par ce qu'ele prit une rose   160
Desouz .i. abre an lor vorgier;

Lors n'i ot il que corrocier.
La mere se pasme souvant
Por la delor de son anfant,
Qui lor veïst lor duel mener   165
Et lor chevos a detirer,
Ains Dex cuer d'omme, ce saichiez,
Ne fist que n'an ahust pitie.
Lors se prenent a porpanser,
Com la chose porra aler,   170
Ains Deu ne plot que fust celee,
Ains vost bien qu'ele fust mostree.
An la chambre ot .ii. chamberieres,
Qui mout estoient nouvellieres.
Ce saichiez, Dex li nostre sires, 175
Ou hourc lou vout conter et dire,
Que la fille saint Abraam
Estoit ja grosse d'un anfant.
Li Juif, qui la loi tenoient
Et qui a governer l'avoient,   180
An la maison an sont venu
Et bont .i. pallemant tenu,
S'ont fait venir saint Abraant
Et li distrent mellemant,
Que face sa fille venir,   185
Qu'il voillent savoir et vooir,
Ce s'estoit vors, que l'on disoit,
Qu'elle ancinte et grosse estoit.
La pucelle vint an la place:
Chascuns Juif mout la menace,   190
Que d'une pierre la fierrai.
La pucelle les esgardai.   fol 40
„Soignor," dit elle, „que avez?
Mout vos voi ores abrivez
De moi lapider et occerre.   195
Dex m'an desfande, nostre sire,
Si vòiremant com il sait biem,
Que je n'i ai forfait de rien."
Ou bois anvoient li Juif,
Por faire alumer .i. grant feu,   200
Des espines hont amenees,
Plus hi ot de .iii. charretees,
Ou la pucele serai mise
Trestote nue an sai chemise.
Quant li feus fut bien alumez   205
Et li merriens bien anbrasez,
La pucele se desvestit,
Ce nos reconte li escriz,
Dou siglaton, qu'ele ot vestu,
Si laissai son cors trestot nu   210
Fors solemant de sa chemise.
La pucele fut bien aprise:
Car sains espiris l'out escolee
Et ansoignie et doctrinee.
Elle esgardai vers oriant   215
Et hai prie mout doucemant:
„Grans Dex, qui formas paradis
Et Adam et Eve fahis,

Vos lor mostrastes lou deduit
Et abondenastes lou fruit   220
Fors soulemant que d'un pomier,
Don il ne doignent ja mangier,
Por ce sommes nos tuit perdu
. . . .
Mas ce nos dit Jeremias   225
Et Moyses et Elias,
Que tu vanras lou mont sauver
Et an croiz te lairas pener,
Et de lingnie Abraham
Naistra la virge veraiemant,   230
An cui tu sanc et char panras,
Quant tu a terre descendras.
Si veraemant com c'est vors,
Si te proi je, bias sire rois,
Que tu me gietes sauve et saine 235
De ce grant feu, ou am me moigne,
Et cil qui te reclameront
An queique peril qu'il seront,
Sire tu an abies merci,
Biax sire Dex, je vos depri."   240

Quant elle ot s'orison finee,
Ou feu ardent s'an est antree.
Mere que n'iere pour mourir,
Apres sa fille vost saillir.
Quant Abrahans l'en redroscai,   245
Pour l'amour de lui espasmai.
Oez, que firent li Juif,
Cil qui atisoient lou feu,
Qui lie estoient de l'anfant
Et meschiez lor torna grant.   250
Li maux et toz li ancombriers,
Lor an revint parmi les chies
Nuls ne doit pour autrui delour
Joie mener ne grant baudor.

La gent si n'est mie saige,   255
Qui se fait lie d'atrui domage.
Qui ses voisins voit correciez,
Cil est mout fos, qui an est liez.
Cbascuns ne set que lui li pant,
Avenir lou veez sovant,   260
La gent et rire et jouer
Puis les voit en grant duel menel.
Et li Juif, qui antour estoient,
Tuit cil qui lou feu atisoient,
Ardirent tuit an ce juise.   265
La pucele fut an chemise,
Onques ne santit la chalor.
Mas cil qui estoient antor,
Furent tuit ars et tuit brui
Fors que li sien loau ami: 270
Car Dex lou vot et il avint,
Que li feus antre as toz se tint.

Onques .i. soul n'an escbapi
Fors ceos qui erent si ami.
Dex la covrit tote de flors,   275
Qui furent de maintes colors.
Onques rose n'avoit este
A icel jor que i a conte,
Mas sus la virge aparurent
Les premeres quanques furent,   280
Et li charbon, qui choient,
Les estancelles, qui voloient,
Devindrent roses de rosier
Et flors de lis et d'aglantier.
Li feus estoit, c'est veritez,   285
Mout an fut liez li parantez
Des miracles, que Dex il fit,
Ce nos reconte li escriz.
Et la mere, qui la portai,
Sa fille prit, si la baisai.   290
Hons si bel jardin ne vit,
Com est li leus, ou li feux sist.
Champflori li mit a non,
Et champ flori l'apele l'on.
La tienra Dex son jugement,   295
Quant il viendra jugier la gent.
Or vos ai je lou juge dit,
Si vos dira ancor de lui.
Lors s'asanblirent li parant,
Si bont tenu .i. pallemant,   300
Que la vouront bien marier
Et a .i. riche home doner.

En la contree ot .i. baron,
Baudeins Deniur avoit non,
Riches bons fut et poteis.   305
Cil a requist a ses amis,
S'il li donent, il la panra,
De .X. chasteas la douera.
Mas la pucele lour dit bien:
„Ne vos penez de nule rien,   310
Que je n'aurai ja autre espous
Fors lou signor, qui fit les flors,
Qui de ce feu m'a delivree,
Ou m'aurent cil ambrasee."
Ici lairons dou mariaige   315
La pucele et de son lignage,
Et si vos dirons de l'anfant,
Qui de la flor vint an avant.
Quant vint au jor que Dex il vint,
Si comme l'escriture dit,   320
La pucele se delivra
De ce anfant, qu'ele an charja.
La flor devint .i. damoiseaus,
Qui mout par fut gentis et beaus.
Par la beaute de sa facon   325

_____

_____

243 ꝗ mere.

Dient tuit cil de la maison,
Puis que de flor est angenrez,
Qui Panuau ert appalez.
Li anfes crut et amanda
Et son linaige essausa, 330
Et Dex l'ama tant, nostre peres,
Que rois devint et ampereres.
Sire Fanuau fut prodons
Et mout de grant religion.
Les chartriers aloit visiter 335
Et les melades conforter.
Les nuz facoit bien revestir,
Les mors facoit ansevelir,
Et a ber i ot les povres gens,
Et Deu amoit parfaitemant. 340
Pomes hot de bone nature,
Ce nos reconte l'escriture.
Dex ne fit home si delorouz,
Contrait, melade ne lieprouz,
S'il an aust lou col passe, 345
Que lor ne fust an sa sante.
Saint Fanuau se jut .i. jor
Anmi sa sole a la froidour.
Sour .i. coste a grant solaz,
Si apelai son senechal, 350
.X. pomes li fit aporter.
Car es melades an vot douer.
Ses senechauz l'en aporta
Et ses melades an dona.
Cant li rois hot talie ses pomes, 355
Qui mout furent beles et bones,
Son coutel panner voloit
Par la seve, que sus estoit,
A sa cuisse torchier lou vot,
Et li couteal li eschapa, 360
Si lou ferit dedans sa cuisse,
De coi il soffrit grant angoisse.
An cele plaie veraiemant
Fut concehue securemant
Une mout gentiz damoisele, 365
Qui mout fut avenans et bele.
Cant li rois vit si grant mervoille,
A cui nule ne s'aparoille.
Il la mande, ce m'est avis.
Touz les mires de son païs. 370
Mas n'i vint mires tant senez,
Tant fust saiges ne bien letrez,
Que saust dire la dolour
De la cuisse l'ampereour.
Tuit furent esboi li mire: 375
Li plus saiges ne sot que dire.

Quant vint a jor que Dex i mit,
Si comme l'escriture dit,
Li rois melades acoucha,
De sa cuisse se delivra 380
De celle gentil damoisale,

Qui tant par fut cortoise et bele.
Ce fu sainte Anne, que je di,
Don la mere Ihesu nasqui.
Quant li rois sot, que ot anfant, 385
Vergoine an bot et onte grant.
Il apela de sa mainie
.I. chevalier, ou mout se fie,
Si li ai dit: „Beas douz amis,
Que dira on an cest païs, 390
Cant on saura, que i a anfant?
Prenez lou tost astivemant,
Si lou portez an cest bochaige
Et gardez, que nuls ne lou saiche,
Si l'ociez tout en ressait, 395
Qu'a mes parans ne soit retrait.
Sil respont: „Sire, velontiers
Fera tot ce que tu me quers."
L'anfant ai pris et si l'anporte,
Tot coement ist par la porte; 400
An une grant foree antra,
Ou il mainte male beste hai,
Qui mout estoit et longe et lee,
La damoisâle hi ai portee.
Mout hi avoit hors et lyons, 405
Serpens sauvaiges et dragons.
Cant venuz est an .i. vorgier,
La li vot il lou chief trainchier.
Dex li anvoia .i. colom
Asez plus blanc d'un auqueron, 410
Qui sus l'espaule li assist.
Or oez, que li colons dist:
„Amis," dit il, „antain a moi,
Retien ton cop, je lou te proi,
N'ocierre pas cele meschine, 415
De lui naistra une vergine,
An cui Dex sanc et char panra,
Quant a la terre descendra,
Et il ot paour, si l'a laissie.
A cele fois ne toucha mie. 420
.I. nif sus .i. chaigne trova,
L'anfant i mist, si s'en ala.
A son signor an est venuz,
Qui dolans ere et irascuz.
„Sire," fait il, „conforte toi, 425
Je l'a ocise por ma foi,
Que ja paller n'an orrez mais,
Tote dolour metez an pais."
Li rois respont par grant doucor:
„Toz suis garis de ma dolour." 430
Puis prist Dex an garde l'anfant,
Por lou suen saint commandemant,
Que il li anvoit sa prouvande.
Chascun jor la paissot de manne
.I. sains anges quanqu'i venoit. 435

——————

388 chrl'. 417 pāra.

Et .i. beas cers la gardoit
Por les autres bestes sauvaiges,
Que ne li fessaient domaige.
Toz tans gisoit desoz ce nif;
Quant li anfes gitot .i. cri,   440
Inelemant lou redrecoit   fol. 42
Et lors li anfes se taisoit.
Ilec remaint mout longemant
Et Dex li anviot sa vie
Cil qui tot hai an sa baillie.   445
.I. jor alai li rois chacier,
An la forest esbeloier.
Il prit ses chiens et ses levriers
Et si mena ses branconniers.
Et Joachins ala ou soi,   450
Qui estoit senechauz lou roi.
Quant venu sont an la gaudine,
Ce dit l'escriture devine,
Li cers hoit les chiens venir,
Levez s'estoit desouz lou nif,   455
Si s'an estoit fuant tornez.
Cil hont lor chiens desacouplez
Apres por lui grever et nuire.
Et li cers sanz nule demore,
Vers lou nif est fuant tornez,   460
Et li chien sont apres ale,
Et Joachim grant aleüre,
Qui mout bien cuide lou cerf nuire,
An lui avoit grant ardemant,
An sa main tint l'espie trainchant,   465
Que il voloit lou cerf tuer.
La pucele prist a huchier:
„Ne faites ja la beste mal,
N'est mie a vos, sire vaissal.
Vaissal, laissiez la beste mue   470
Ne navrez pas an la char nue,
Qu'ele n'est vostre a ocerre."
Quant Joachins li ot ce dire,
Il esgarda an l'abre amont:
Lou nif hi vit bel et raont.   475
Seoir hi vit cele pucele,
Qui mout estoit gente et bele.
Joachins l'a araisonee:
„Belle," fit il, „d'ou fustes nee?
Je vos conjur de Deu lou roi,   480

Se fustes honques de nostre loi,
Et si me di commant as non?"
„An m'apele Anne par non,
Por ce que ci fui aportee
Des icele ore que fui nee,   485
Ains ne fu d'omme conceue;
Ci sui norrie et porcreue.
Je ne vis onques lou mien pere,
Mas je voi la venir me mere.
Dites li, qu'ele vainne a moi   490
Et jus de cest nif si m'ostoit."
Quant Fanuau vit cel anfant,
Vers lui s'an vai apertemant:
„Belle," fait il, „qui estes vos?"
Elle respont: „Non celer pas,   495
Je sui cele que tu portas.
Tu commendas, qu'an m'oceïst.
Li chevalier, qui ci me mist,
Tant par fut frans et debonneres,
Qu'onques nul mal ne me vot faire,   500
Et Dex me mist a norreture.
Or pran de moi aucune cure."
Quant Joachins vit la pucele
Et sa face, que tantot bele,
Sain Fanuau an apelai.   505
Mout doucement li demanda:
„Sire," fait il, „or me donez
La pucele, se vos volez,
Si la panrai an mariage,
Bien me samble de aut linaige.   510
„Joachim," ce dit Fanuau,
„Mout as este tojors loiaus,
Que ne vousis fame espousee
Et or demandes ceste fee,
Se tu la veas, la te donra,   515
Je cui, que bien l'amploera."
La pucele li ai donee,
Selom la loi l'a esposee.
Les noces furent mout vaillans,
Ce nos reconte saim Jehans.   520

De sainte Anne lairons ester,
D'autre estoire volons parler.
Je cui, que bien reparerons
A sainte Anne, quan nos vourons.

----

438 fiessaint.   498 chrl'.

Laut- und Formenlehre

des poitevinischen Katharinenlebens.*

Von

Fritz Tendering.

I. Lautlehre.

A. Vokalismus.

A

1) Betontes lat. *a* in offener Silbe wird *e*: *lez* (*latus*) 42, *contrea* 142, *gre* 304, *ber* 1379, *pere* 159, 237, 658, *lere* 38; Infinitiv der 1. lat. Konj.: *parler* 421, 523, 533, 540, *amer* 1826; Part. Prät. der 1. Konj.: *livrés* 31, *celé* 62, *mandé* 195, 335, 386; 3. Pers. Plur. Prät. der 1. Konj.: *comencérunt* 13, *enseignerent* 21, *vanterent* 328; Suffix —*arem*: *cengler* 552.

e = *a* reimt mit ę = lat. ĕ. Neben den korrekt franz. Fällen *poesté* zu *dé* (*deum*) 862, 977, 997, 1860, *vanterent* zu *erent* 328, *emperere* zu *ere* 634, *lere* (*latro*) zu *ere* 37 finden wir *poesté* zu *bre* (*brevem*) 1226, *soner* zu *fer* (*ferum*) 940, *alunger* zu *fer* 2471.

2) *a* bleibt in den bekannten einsilbigen Wörtern: *ja* 31, 67, 85, *quar* 52, 56, 75, 120, *a* (*ad*) 3, 31, 43, 57, 61; durch Einfluß des folgenden *l* in *al* (*aliud*) 1440, 1488, 1620, 1800, *mal* 558, 581, 1487, sowie in *tal* 428, 1337, 1478, *qual* 273, 290, 377, 378, und im Suffix —*alis*: *egal* 93, *mortal* 1567, 1858, 2247, *celestial* 1568, 1798, *mortalz* 29, 762, *charnauz* 973, (mit Verwandlung des *l* zu *u*) *orientauz*

---

* Herr Görlich hatte die Güte, mir aus seiner in diesen Tagen erscheinenden Arbeit über die übrigen poitevinischen Texte und eine Anzahl Urkunden einige Notizen mitzuteilen. Dieselben sind mit (G.) bezeichnet.

329, *esperitauz* 761, 894. — *Mal* reimt mit *sal* (*salvum*) 581, 1027, 1627, 2289, *al* mit *sal* 2107. Sonst reimen diese Wörter nur untereinander. Hervorzuheben ist *pars* (*parem*) 52.

3) Ferner bleibt *a* in einigen anderen Fällen, von denen jedoch keiner durch Reim gesichert ist: *ciptá* 2260, *asás* 664, *resucitás* (*resuscitatus*) 655, *comandá* 542, *muar* 858, *donar* 36, *predicar* 410, *destorbar* 2510, *remas* (*remansum*) 2272, *grava* (*gravat*) 70, 876.

Die Erhaltung des *a* vor *l* findet sich auf dem ganzen poitevinischen Gebiet. Vor andern Konsonanten bleibt es zuweilen in den Coutumes de Charroux und einmal im Turpin I (5714) *arbergiar* 274, 4. (G.)

4) Die Präposition *trans* findet sich nur in Zusammensetzungen, und zwar wird *a* stets zu *e* in der Verbindung mit *totum*, in allen anderen Fällen bleibt *a*: *trestot* 88, 2366, *trestoz* 26, 408, 473, *trestuit* 582, 1694. — *trapassarent* (3. Pl. Fut.) 1126, *trapassabla* 1555, *tramet* 1426, 2567, *trames* 380.

5) Obgleich der Infinitiv der 1. lat. Konj., mit den in § 3 angeführten Ausnahmen, stets auf —*er* endigt, so findet sich doch vortonig im Fut. und Kond. nach prov. Art etwas öfter *a* wie *e*: *donarei* 363, *fiarai* 270, *regnares* 451, *portara* 1227, *enclinarent* 1174, *contrarit* 2002, *regnareit* 818, 826; — aber rein franz. *nomerai* 812, *blasmerai* 2354, *travaillerais* 1179, *laisereit* 828.

6) *a* vor einfachem *m* und *n* bleibt: *am* 1405, *ame* 1192, 2610, *clame* 2052, *fam* 1310, 1762, *van* 2521. Wir schliefsen hier an *anz* (*ante* + *s*) 194, 441, 580, wo das Franz. *ai* hat, obwohl auf den Nasal noch ein Konson. folgt. Die einzigen Ausnahmen sind *setmaina* 2650 und *plentain* (*plentanum) 2560. Während die Reime *ame* zu *dame* 1192, 2610, *clame* zu *dame* 2052, *am* zu *parlam* 1405 die ersteren Formen bestätigen, setzen die Reime *setmaina* zu *peina* (*poenam*) 2650 und *humana* zu *pana* (*poenam*) 905 die Entwickelung zu ę voraus entsprechend derjenigen von *oe*.

Der gemeinpoitevinische Gebrauch stimmt mit dem franz., nur selten bleibt *a*. (G.)

Die Endung —*amus* der 1. Plur. Prät. der *a*-Verba wird zu *am*, s. § 150.

7) Entsprechend dem obigen zeigt das Suffix —*ianum* verschiedene Formen: 1) *a* bleibt: *crestïan* 1059, 1901, *crestïans* (*crestïanz*) 879, 890, 1482, *ancians* 165. — *ancians* reimt mit dem gelehrten *rectoricans* (wofür auch *rectorien* 530) und *crestianes* mit *fennes* 946 (durch Ein-

fluſs der Nasalierung). — 2) *a* wird *e*, reimend mit lat. ĕ + n, die
gewöhnliche . franz. Entwickelung: *ancïen* zu *bien* 19, *crestïen* zu *men*
(*meum*) 1886, zu *sen* (*seum) 2350, zu *bien* 2384, *crestïens* zu *porpens*
(Ms. *porpeis*) 2156, zu *paiens* 2171, *paiens* zu *porpens* 260, zu *cres-*
tiens 2172. — 3) Seltener ist unter dem Einfluſs des vortonigen *i*-Lauts
die Endung zu —*in* geworden; im Reim mit. andern Wörtern findet
sich diese Form nicht: *crestïis* 2128, *cristïine* 1364, *païn* 810, *païns*
2120, 2127, *païne* (*paina*) 543, 819, 1363. — *païne* 543 reimt mit
crestiane.

Paina bietet auch Turpin I einmal 333, 3 , Turpin II hat hier regelrecht *paiane* (G.)

8) *a* + *I* wird *ai*, selten ist dafür *ei* eingetreten: *faire* 50, 84,
155, *naistre* 2335, *aigue* (*aquam*) 1312, *maire* (*major*) 1132; — *neist*
(*nascit*) 2632, *eisi* 1430, *feiras* (Fut. von *faire*) 1195. — Die Assonanz
maistres zu *espavéntes* 671 deutet die lautliche Entwickelung zu ẹ an. —
Überwiegend findet sich *ei* für *ai* wie im Waldens., wo überhaupt oft *ei*
für *ai* steht (vergl. *Grüzmacher*, Herrigs Archiv XVI, 383 ff., Jahrb. IV,
378 u. 384 f.) in der Endung der 1. Pers. Sing. des Prät. der 1. schw.
Konj. und des Fut.: *laisei* 545, 559, *gitei* 561, *mengei* 1790, *parlei*
2074; — *livrarei* 2190, *gitarei* 2204, *tendrei* 950, *savrei* 1152, *direi*
416. — Daneben *laisai* 247, 549, 563, *nomerai* 812, *blasmerai* 2354,
irai 1239, *farai* 1123.

Auch die Coutumes de Charroux haben im Prät. *ey* statt *ai* (G.)

Für *palais* (*palasium) steht *palis* 1374, für *lais'* (*laxia*) *lis* 2453; neben
prov. *aisi* 203, 1107, 1881, *eisi* 1430 lesen wir gewöhnlich franz. *issi* 280,
360, 406.

Patrem wird gewöhnlich *pere*, zweimal finden wir jedoch die prov. Form
paire 590, 1689.

Neben *mais* (*magis*) 7, 25, 35, steht zweimal *mas* 268, 1144.

Traitre-s (*traditor*) findet sich dreimal: 2, 215, 1008. — In den beiden
Versen 215 und 1008 „*li traitres primeirament*" und „*et le traitres sudujanz*"
ist sicher *aï* zu sprechen. In Vers 2 ist diese Aussprache nur möglich bei
einer Änderung der Überlieferung „*et coma traitre deveez*" dergestalt, daſs
entweder *com* für *coma* oder das gleichbedeutende *desvez* für *deveez* eintritt.

9) Das Suffix —*arium* wird gewöhnlich —*er*, reimend mit *e* = lat. *a*
oder lat. ĕ: *primer* 177, zu *parler* 524, *chavallers* zu *requers* 1486, zu
cher (*carum*) 1705, *acer* zu *fer* (*ferrum*) 2081, *justisers* 1748, *moneer*
(*monetarium*) 1145. — *locarium* wird *loier* zu *quier* 501, zu *desputer*
·519, zu *er* (*heri*) 1604, zu *cher* 1631; einmal finden wir *loer* 1578 und
einmal *loir* 1613, aber letzteres im Reime zu *porpesser*. — Zuweilen
tritt *ei* für *e* ein, allein die Reime mit ẹ = a oder ĕ beweisen, daſs hier

kein lautlicher Unterschied vorliegt; *ei* findet sich nur in Wörtern mit
weiblicher Endung (auch im Adverb mit —*mente*), *lumneire* zu *eire* (*eram*)
245, zu *emperere* 1268, *maneira* 681, *corseires* (*corpus* + *arium* = stark)
2012, *primeira* zu *ere* (*erat*) 541, *preieira* 1246, *primeirament* 215, 538,
1078, *legeirament* 1483. — Jüngere Wörter haben *ai*: *contraire* 360,
417, 512, *aversaire* 1291, *viaire* 359, 1427.

10) In den unter das Bartschsche Lautgesetz fallenden Wörtern
findet sich nur selten *ie*: *comencié* zu *chavoné* 612, *congié* 1649, *mengié*
zu *isté* 1720, *legier* zu *plorer* 2505, *despresier* zu *ister* 1090. — Meist
bleibt *e*: *amisté* 1388, *pidé* 1364, 2511, *irés* 2130, 2175, *coseiller* 1193,
comencer 74, *preisé* 530, *reprocher* 805.

In *chargié* reimend mit *pajanie* 720 zeigt sich die pikard. (Förster
chev. as d. esp. S. 415; de Ven. la d. d'am. S. 51) und weiterhin burg. u.
lothr. (Förster Rich. l. b. S. IX) Übertragung des Accents auf *i*. Ebenso
finden wir *chis* 2204 und *chins* 2434 neben *chiens* 2295, 2300.

ei für *e* findet sich in *cheil* (*caleat*) 1090, wo jedoch vielleicht *i* dem
nachtonigen *e* im Hiatus entspricht; vergl. *tein* (*teneo*) 50.

11) *a* + *U* zeigt verschiedene Entwickelung: *clavum*· wird *clou*
2079, *clouz* 2082, aber *clos* 41, 2033; *vadó* giebt *vou* 1968, 2518,
aber im Reim *voi* (mit analog. *i*) zu *joi* 1258, zu *soi* (*sapui*) 2514
(s. § 170). — *apud* wird meist *o* 153, 246, 371, 428; daneben *au*
866, 958, 1300, 1391, 2093 und *ab* 316, 960, 975, 1701. Ebenso
otant 459 neben *abtant* 231. — Die Präterita von *habere*, *placere*, *sapere*
zeigen stets *o*: *oi* 553, 700, 1797, *ot* 29, 44, 71, 159, 425, 426,
orent 2265, *plot* 2286, *soi* 553, 2321, *sot* 2131, *sorent* 927, 1348. —
vadunt wird immer *vant* 738, 1496, 1588, 2633; *habent* giebt einmal
ont 1632, und *faciunt* einmal *font* 1784, sonst stets *ant* 82, 93, 260,
263, *fant* 47, 89, 90, 266, 274. *fant* reimt mit *comant* 89, und *ant*
seinerseits mit *fant* 273, 277. — Für —*ant* ist in der Endung der
3. Plur. Fut. oft —*ent* eingetreten. Neben *vengerant* 1091, *parlarant*
263, *murant* 1623, *oirant* 264 finden wir *trapasarent* 1126, *dirent* 1161,
enclinarent 1174, *regnarent* 1630, *vivrent* 1629. — *savrant* reimt mit
grant 1162. — Je einmal finden sich —*ont* und —*unt*: *tornaeront* 442,
creirunt 1710. — Entsprechend den Formen *vant* etc wird die Endung
—*amus* gewöhnlich zu —*am*: *demandam* 333, *ausam* 980, *mervillam*
334, 989, *parlam* 1406; *parlam* reimt mit *am* (*amo*). Die franz. Endung
—*om*[*s*] (—*um*) begegnet nur zweimal: *amom* 602, *otreium* 691, beide
reimen mit *hom*, das jedoch seinerseits auch mit *a* reimt (s. § 44).

Über die Endung der 3. Sing. u. Plur. Imperf. der 1. lat. Konj. s. § 161.

12) Betontes *a* in Position bleibt: *quant* 71, *arbre* 295, *las* 591, *fable* 267, *arme* (*animam*) 1855, 2340, *sage* 16, *rage* 1822, *gatge* (*vadi*) 2360, *menace* 1187, *plasa* (*platea*) 2064, *faci* 1762. — Suffix —*abilis* wird *able* (*abla*): *durabla* 732, 1268, 1556, *muabla* 2235, *istabla* 2236. — Waldensische Form (vergl. *Grüzmacher* Jahrb. IV, S. 393) findet sich in *raisonavolment* 2144. — Suffix —*aticum* giebt *age* (*atge*): *corage* 1367, 2453, *damage* 2359, *linatge* 1821 (vergl. § 112). — Suffix —*aculum* wird —*ail* (s. § 75). — Suffix —*aneum* zeigt die gewöhnliche Entwickelung: *compaigna* 1034, neben *estrangement* 134. Nachtoniges *e* drang vermutlich in die betonte Silbe ein in: *soveiren* 1684 reimend mit *ren*, wo *ai* durch den Einfluss der Nasalis zu *e* wurde.

13) Während *habes* stets *as* wird 137, 221, 335, 438, und *habet* stets *a* 1, 7, 83, 311, 312, findet sich in der 2. und 3. Sing. Fut. ebenso oft —*es*, — *é*, wie —*as*, —*aa*: *ires* 153, 1554, *fares* 2463, 2477, *perdres* 2464, *daré* 501, 503, 1850, *vengeré* 1880, *querré* 1620, *plairé* 2103, 2413, *muré* 1754 neben *comandaras* 1439, *fiaras* 1222, *metras* 1109, *portara* 1227, *monstrara* 1228, *gira* 1116, *vendra* 1225 (vgl. § 11).

14) In der Formel *a* + *n* + *gutt.* fällt gewöhnlich die Gutt., oft wird sie zu *i* und verbindet sich mit *a*: *sant* 53, 1692, 2110, 2112, 2546, *santa* 60, 1498, 1514, 1572, 1771, *plandre* 1965. — *saint* 548, 1026, *sainta* 539, 695, *plaint* (*plangit*) 2052, *plaint* (*planctum*) 2327, 2330, 2519 zu *taint* (*tangit*).

15) Nachtoniges *a* bleibt meist, wenn auf dasselbe kein Konsonant mehr folgt, sonst wird es fast immer *e*. Dafs beide Zeichen in gleicher Weise für einen dumpfen, flüchtigen Laut dienen, zeigt die Schreibung *ae*, die sich zuweilen findet: *pucellae* 467, *terrae* 65, 205, sowie Reime wie: *terrae* zu *guerre* 65, 205, *oïe* (*auditam*) zu *via* (*vitam*) 1197, *travaillerias* zu *profeitaries* 1179, und endlich das Eintreten des *a* für das sog. Stütz-*e*: *nobla* 1079, 1150, *muabla* 2235, *istabla* 2236, *guerra* 380, *chartra* (*carcerem*) 1250, 1262, 1714, 1755.

Beispiele sind: *chosa* 69, 340, 974, 1359, *esposa* 252, 450, 1181, 1536, *reïna* 1100, 1361, 1473, 1495, *abaisa* 98, *parla* 1064, 1077, *mervilla* 135, sogar *losenga* 660, *sapienca* 718. — Daneben *clame* 2052, *refude* 2046, *refuse* 362, *pucelle* 231, *païne* 543, 1363, *dame* 661, 1006. — Andererseits: *esteles* 99, *parolles* 343, 616, 790, *losenges* 184, *choses* 338, 683, 1595, 1598, 2312, *oses* 337, 684, 2311. — Daneben *tenebras* 1319, *richeisas* 1586, *fennas* 2495, *cuidas* 2151.

16) Nach *i* ist *a* zuweilen gefallen: *glori* 605, 1558, 1859, 2576,

gloiri 1184, *victori* 498, 606, *justici* 18, 2202, *feuni* 1347. — Aufserdem fällt nachtoniges *a* in *cheil* (*caleat*) 1090, vielleicht durch Analogie.

Ohne *a* erscheint noch *lais ister* (*laxia stare*) 1567, 1930, 2453 (Ms.
lis); eine orthographische Eigentümlichkeit, indem das zu elidierende *e* (*a*) vor
ister auch nicht geschrieben wird.

17) Vortoniges *a* folgt im allgemeinen den gewöhnlichen Regeln.
Wir bemerken hier nur, dafs neben franz. *mervilles* etc. 431, 470, 687
sich einmal das regelmäfsige *meravilla* 342 und einmal *meravillerent*
2330 findet, durch das Metrum gesichert.

18) Für unbetontes *ai* ist *i* eingetreten in *uchisons* 1339.

19) Neben *icest*, *iquil*, etc. (s. § 144) finden wir einmal *aquella*
594, ebenso neben *iso* (s. § 145) *aiso* 833, 1628, *eiso* 925 und neben
itant 191, 917, 2522, 2561 einmal *aitant* 1854.

Vulgärlat. ę (lat. ĕ),

20) Betontes ę in einfacher Konsonanz bleibt gewöhnlich: *fer*
(*ferum*) 551, 939, 2082, *levet* (*levat*) 2605; *bre* 447, 723, 1225, *derere*
430, *areres* 369, *greus* (*grevem) 622, *alegra* (*alecrem) 405, 462;
seltener wird es zu *ie*: *bien* 20, 118, 130, 144, *rien* 58, 90, 388, 840,
pie 1014, *pies* 41. — ę reimt mit ę = lat. a oder ę = lat. ĕ in Position: *fer* (*ferum*) zu *soner* 939, zu *alunger* 2472, zu *fer* (*ferrum*) 2215,
bré zu *poesté* 1225, *rens* zu *porpens* 1395. — Dieselben Reimverhält-
nisse bietet *ie*: *pies* zu *lez* (*latus*) 41, *bien*: *ancien* 20, zu *crestïen* 2383,
biens zu *temps* 15. — Die Präposition *per* wird meist durch die Abkürzung p wiedergegeben, sonst findet sich *par* 929, 935, 955, und
per 435, 972, 2288. — *Deus* behält immer *e* durch den Einflufs des
Lateinischen (das nachtonige *u* kann bleiben oder fallen): *deus* 79,
87, 89, 92, zu *greus* 621, zu *ceus* (*caelos) 751, *des* 516, zu *resucités*
763, zu *es* 226, *deu* zu *eu* (*ego*) 81, 728, 2317, zu *jeeu* 2195, *de* zu
bre 448, 724, zu *poesté* 743, 861, 978, zu *le* (*illam*) 397, 833, 1465,
1516, zu *gré* 442. — Zweimal steht *dei* 244 reimend mit *segquei*,
einer prov. Perfektendung und 485 mit dem Personalpronomen *lei*.
In ersterem Falle wird *dei* als Latinismus zu betrachten sein, in letzterem kann leicht die Änderung zu *dé* und *lé* eintreten.

Das Suffix —*erium* (*eriam*) wird *er*(*e*): *mister* 83, *empere* 2338
reimend mit *emperere*, 1079 zu *chere* (*caram*); einmal —*eire*: *mateire*
1150 zu *emperere*.

Ebenso wie in *mateire*, wo der Reim zeigt, dafs ei = ę, tritt noch *ei*
auf in *eire* (*eram*) 246 reimend mit *lumneires*. In *dereires* 1341 und 2011

könnte *ir* dem *tr* entsprechen, allein jedenfalls weist der Reim zu *corseires* 2011 auf die Aussprache e̦ bin (vergl. § 9). In *tein* (*teneo*) 50 kann *i* auch dem nachtonigen *e* (*i*) seinen Ursprung verdanken. Man vergleiche in den Urkunden Formen wie *reins* (*rem*), *mein* (*meum*), *teint* (*tenit*), *biein* (*bene*) (G.) Wie in *chins*, *chis* (§ 10 Anmerk.) tritt *i* für e̦ ein in *covint* (*convenit*) 2015 und in *vinent* 2581, wofür, wie der Reim mit *demenent* (*deminant*) zeigt, *venent* zu lesen ist.

In *veil* 529, 1519, *meilz* (*melius*) 520, 664, 1927, 2388, *vcina* (*veniat*) 2422, *veignant* (*veniant*) 467 drückt *i* die Mouillierung aus, daher verschwindet es auch bei Vokalisierung des *l*: *veuz* 1526, *meuz* 359, 868.

21) e̦ in Position bleibt: *temps* 16, 528, 1225, *terre* 43, 109, 1953, 1956, *fer* (*ferrum*) 2082, 2216, *repent* 262, *pestilenza* 2554, *sapiensa* 326.

22) Suffix —*entum* zeigt durch den Einfluſs des gedeckten Nasals neben —*ent* auch —*ant*: *torment* 1918, 2032, 2044, *argent* 261, *oinement* 1518, *garniment* 156. — Auſser dem auch sonst vorkommenden *talanz* 1223 finden wir *tormanz* 1224. — Reime mit *a* + *n* + Kons.: *talant* zu *tirant* 1256, *talanz* zu *granz* 2001, *marrimanz* (von ahd. *marran*) zu *tiranz* 2198.

23) Suffix —*ellum* (*ellam*) wird —e̦l (*elle* [*ella*]); vor Flexions-*s* wird *l* meist vokalisiert (s. § 71): *clavel* 2017, 2027, *toreuz* 1867, *veeuz* (*vitellos*) 1868, *chastels* 1601, *ancella* 403, *mamelles* 2217, 2261; — *chaveuz* 1471 reimt mit *euz* (*illos*), das ebenso behandelt wird, *pucella* 379 assoniert mit *querra* (*quaerere*). — *euz* reimt noch mit *ceuz* (**caelos*) 657 und mit *duels* 1087 (vergl. § 49), ebenso reimt *els* mit *cels* 865, auſserdem finden wir *elles* zu *esteles* 100. *illos* wird einmal *os* (*els*, **o̦ls*, *o̦us*, *o̦s*) 837 reimend mit *vouz* (*volis*).

·24) e̦ + *i* wird gewöhnlich durch *ei*, seltener durch *i* ausgedrückt: *mei* (*medium*) 1044, 1124, 2064, *reneia* 2361, *prei* (*preco*) 1435, *esleit* 1582, *neient*(*z*) 478, 659, 666, 1639, *preises* (*pretias*) 1198. — *eslit* 321, *respit* 2489, *nient*(*z*) 381, 1222, 1959, *ni* (*nec*) 48, 60, 86, 145, 147 (nie *nei*), *engin* (*ingenium*) 576, 2376, *enginz* 860.

Reneia 2361 reimt mit *creia* (*credat*), *prei* 1435 mit *lei* (Personalpronomen). Gewöhnlich jedoch reimen die Formen mit *ei* mit der Endung der 3. Sing. Prät. der 2. Konj., die in unserem Texte durch —*et* ausgedrückt wird: *despeit* zu *irasquet* 510, zu *nasquet* 912, *esleit* zu *respondet* 1582, *respeit* zu *vendet* (Ms. *vende*) 36, zu *respondet* 1842. — Bei Annahme der franz. Endung des Präteritums —*it* und der Entwickelung des e̦ + *i* zu *i* würden sich reine Reime ergeben. Ähnlich verhält sich der Reim *despeit* zu *respondeit* 887, wo an Stelle des Imperfektums das Präteritum zu gebrauchen ist.

eslit 321 assoniert mit *vint*.

oi für ẹi bietet *proiúnt* 2549 mit betonter Endung, veranlafst durch das Reimwort *tróvént*.

pectus wird *pez* 2218, 2264.

25) Vortoniges ẹ wird wie im Prov. durch Dissimilation zu *i* in: *sirvem* 1479, *sirvent* 161, *sirvenz* 382, 1244.

26) Vortoniges ẹ wird zu *a* 1) durch den Einflufs eines folgenden *r* in: *marci* 798, 1098, 1202, 1316, *escharni* 119, *escharnissunt* 642, *garent* 771, *garenz* 794; 2) durch den Einflufs eines folgenden Nasals in: *plantain* 2560, *espavanté* 1502, —*éa* 2070.

Vereinzelt *damandent* 2282.

27) Zu *o* ist vortoniges ẹ geworden durch den Einflufs eines Labials in *sopultura* 2205, 2302.

28) Vortoniges ẹ $+$ *i* ist durch den Einflufs betonter Formen zu *i* geworden in: *gita* (**jectavit*) 589, 2327, *gitei* 561, *prison* 1262, neben *preison* 1356, *profeiter* 883.

29) *ei* für ẹ findet sich in *coveinabla* 2419, *i* in *covinables* 2558.

Vulgärlat. ẹ (lat ē, ĭ).

30) Betontes ẹ in offener Silbe wird gewöhnlich *ei*: *crei* 262, 383, 1084, *deis* (*debes*) 742, 2423, *mei* 3, 235, 259, 273, *veire* (*veram*) 48, *aveit* 919, 1063, 1066, *faiseit* 754, *sei* (*sitem*) 1310, *seit* (*sit*) 67, 187, 251, 361, *peil* (*pilum*) 1050, *quei* (*quid*) 72, 274, 1097. — Diese Formen sind garantiert durch Reime mit Wörtern, wo *i* aus einem Guttural entstanden ist: *esteit* zu *adreit* 2343, *contrasteit* zu *estreit* 2053, *mei* zu *rei* 235, *tei* zu *rei* 1559, 1817, zu *lei* (*legem*) 145, *sei* zu *rei* 1378, 1574, 2273, *crei zu lei* (*legem*) 383.

Ziemlich oft bleibt jedoch *e*, namentlich, wie im Prov. vor *r* und *m*. So hat stets *e* der Infinitiv auf —ēre: *veer* 752, 2187, 2480, 2634, *saver* 232, 235, 313, 715, *arder* 1010, *voler* 1450, *aver* 356, 420, 498, 507. — Ebenso die Formen von *timeo*: *tem* 346, 1756, 2401, *tement* 1979, *temes* 1552. Auch bei *verum* (*veire*) 48, *ver* 267, 690, 817, *vers* 601, 601, 638. — Auch sonst steht *e*: *cres* (*credis*) 834, 843, 1084, *des* 129, 538, 805, *vet* 88, 280, *bevre* 1431. — *e* findet sich nie auslautend.

Formen mit *e* finden sich auch im Reim mit *ei*, selbst wo dieses aus ẹ $+$ *i* entstand: *tement* zu *veient* 1979, *crez* zu *dreiz* 2420, *cret* zu *seit* 68, 609, zu *dreit* 999.

ę reimt einmal mit ę = lat. *a*: *saver* zu *escháver* 1887, *ei* einmal mit *ei* = ę + Gutt.: *creia* zu *reneia* 2362.

Neben *sei* (*se*) findet sich häufig *si* (s. § 137).

Die 2. Sing. und die 3. Plur. des Konj. Präs. von *estre* werden gewöhnlich durch die prov. Formen *sias* 811, 1837, 1862, *siant* 174, 386, 1012,
1767 ausgedrückt, jedoch reimt *sias* mit *creas* 1837, *siant* mit *veiant* 1902,
siant mit *creunt* 1700 und *sient* mit *creent* 2590. — Ebenso wird *pium* zu
piu 125 und *vias* zu *vies* 721 reimend mit *sies*. Auch finden wir *ancis* 309
(*antius) neben *anceis* 283, 544, 1798; *oi* in *voire* 130 reimend mit *creire*.

31) Vor *n* bleibt e̦: *plen-s* 11, 18, 613, *menent* 1918, *senz* (*sine*)
73, 81, 144; Suffix —*enum* der Ordinalzahlen: *treizen* 1048, *sesten*
(Ms. *senten*) 2650, *menz* (*minus*) 144 reimt mit *jutgemenz*; den Reim
demenent 2582 zu *vinent* haben wir schon erwähnt (§ 20).

32) Durch ein nachtoniges *i* wird e̦ in den bekannten Fällen zu
i umgelautet: *fist* (*fecit*) 79, 203, 211, 471, *vint* 15, 322, 399, *cil* 13,
266, 3C3, 656, u. s. w.   Ebenso *sire* (*sĕnior* mit Fall des *n* und
Dehnung des *e*) 204, 312, 407, 413. — Sodann wird e̦ zu *i* durch
den Einfluß umgebender Konsonanten 1) nach *r*: *marci* 798, 1022, 1098,
2) vor *s* nach dem Fall eines Nasals: *païs* 921, *pris* (*prensum*) 829, 897,
913, 1011, *pris* (*prensi*) 665 (zugleich nachtoniges *i*), *prist* 766, 905,
910, 1054.

Vor *l* bleibt *i* zuweilen s. § 77.

33) e̦ in Position wird nicht verändert: *met* (*mittit*) 1570, 1963,
letres 163, *ella* (*illam*) 185, 389, 482, 543, *verges* (*virgas*) 449, *nez*
(*nitidus*) 1522, *neta* 824. — Ebenso vor Nas. + Kons. *vencre* 367,
440, 1352. Suffix —*emia*: *losenge-*(*s*) 184, 317, 639. Für *loenze*
318 muß wegen des Reimes mit *losenge* gelesen werden *loenge*. *fent*
(*findit*) 2175 reimt mit *ferament*.

ipsa wird *essa* (Adv.) 2641, **metipsimam meesma* 447, 1098; gewöhnlich jedoch wird hier *p* zu *i* und wir erhalten *meeisme — *meisme*(*s*)
807, 1205, 1595, *meisma* 1597, 1940. Ebenso *ne-ipsum* zu *neis* 2635
und mit Vokalisation des *p* zu *u*: *neuz* 2340, *euz* 1276.

Das Particip Prät. von *metre* ist gewöhnlich *mis* reimend mit
pris 830, 914, 1012, 1834, mit *vis* (*vivus*) 987, 2306, mit *paradis*
458, daneben steht *mes* 2451 und *trames* 380.

intus bewahrt meist sein *i*: *inz* 1468, *dinz* 1419, *dedinz* 1855,
2013, 2080, im Reime jedoch stets *dedenz* 2026 zu *abrivamenz*, 2016
zu *senz* (*sensum*).

intra wird *antre* 410 durch den Einfluß des Nasals.

34) ẹ + i-Element wird fast immer regelrecht zu ei: 1) ẹ + ausl. g: lei 146, 384, 838, rei 236, 508, 1171, 1333, 2) ẹ + ct: dreiz 500, 534, 846, 920, adreit 2344, estreit 2054. — 3) ẹ + n + Gutt.: peint (pinctum) 289, teint 290, costreint 777, veint (vincit) 778, feint (fingit) 1063. In dem mit prenna = pregna (*prendiat) asso- nierenden costreigna 2152 dient i zugleich zur Bezeichnung der Mouillie- rung. — Ohne Guttural-Auflösung erscheinen: dretz 282, das vielleicht in dreiz zu ändern ist, und costrent 1752, venz (vincis) 2409, vent (vincit) 1751, wo jedenfalls kein Unterschied in der Aussprache stattfindet.   .

ẹ + gn wird eñ, das durch eign ausgedrückt wird: deigna. 1024.

35) Suffix —itia wird 1) esza, eza, ece (über die verschiedene Schreibung der Sibilans s. §§ 101, 108): richesza 1365, noblesza 1366, tristeza 1618, fortareces 1602. tristeza reimt mit richeisa; da tristeisa sich nie findet, so wird richeisa in das auch sonst vorkommende richeza zu ändern sein. 2) eisa: richeisa 1575, richeises 728, richeizas 1586, nobleisa 1183, 1576, grandeisa 1612. 3) ice, ize, ici: justice reimend mit vizi 580, sacrifice 209, sacrifize 1074, sacrifici 17, 1871, 2201, justici 2202.

Wir erwähnen hier die Form richeés 1926 reimend mit beutés, abgeleitet von richi + tatem (richeté Tobler: dis don v. an. 10). Wegen des Metrums ist das tonlose erste e zu unterdrücken.

36) Wir behandeln hier noch ĕ + ns, da meist n fällt und Deh- nung in ē eintritt, wobei dann e zu ei werden kann: mes 2268, meis 2269, cortes 618, corteis 1381 reimend mit reis, pes (pensum = Gewicht) 1146. pest (penset) assonierend mit destreiz. — Das halbgelehrte pro + pensum behält stets n: porpens 259 zu paiens, 527 zu temps, 1396 zu rens, 1478, 2206; einmal lesen wir porpeis 2155, aber im Reim zu crestiens.

37) Nachtoniges ẹ folgt den allgemeinen Regeln, vírgina 911 ist gelehrt.

38) Vortoniges ẹ ist in einigen Wörtern durch gelehrten Einfluß geblieben, wo es nach der Hauptregel fallen sollte: verité 353, 2638 (neben verté 12, 128, 250), vanitez 23 (neben vanterent 328), predicar 410, resucitás 655, autoritez 24, divinité 765.

39) Zu o ist nachtoniges e geworden unter dem Einfluß eines vorhergehenden Labials in raisonavolment 2144.

40) Vortoniges ẹ ist zu a geworden durch Dissimilation in saiellées 163; durch den Einfluß eines folgenden Nasals in amperere 933 (sonst

stets *emperere* durch den Einfluſs eines vorhergehenden *r* in *trasor* 1142 (neben *tresor* 1422); durch Angleichung an die folgende Silbe in *avangeli* 249.

Vulgärlat. ī (lat. i).

41) Betontes ī ist stets erhalten: *fin* 43, 452, 914, *ire* 375, 613, 697, 935, *matin* 2279, *guisa* 40, *signe* 471, *dignes* 2525, *mil* 850. — Gelehrt ist *esperites* 1949, ebenso wie *esperitauz* 761, 894, *esperitalz* 974.

Vulgärlat. ǫ (lat. ŏ).

42) Betontes ǫ in offener Silbe bleibt gewöhnlich: *cor* 697, 1477, 2243, 2505, *bos* 1868, *escoles* 344 zu *parolles*, *pos* (*potes*) 132, 144, 506, *pot* zu *ot* (*habuit*) 881, 1922, zu *allot* (Imperf. von *aller*) 1739, *vol* (*volit*) 357, 514, 1494, 1775, *ovum* ist *uó* geworden 1897 reimend mit *so* (*ecce hoc*).

Selten tritt *ue* ein: *cuer* 485, *puet* 112, 366, 540, *estuet* (*est opus*) 1427, 1839; einmal *oe*: *proe* (*prope*) 2492 reimend mit *lue* (*locum*).

In *volis*, *volit* bildet das aus *l* entstandene *u* gewönlich mit ǫ den Diphtongen ǫu: *vouz* 715, 771, 837, 1861, *vout* 66, 100, 107, 111; *vouz* 1861 und *vout* 107 reimen mit *souz*, *sout* = nfrz. *sot*; *vouz* 837 mit *os* (*illos*) s. § 49.

43) ǫ vor Nasalen wird ọ: *bon* 59, 115, 156, 917, *hom* 1, 65, 160, 238, *tron* 1690, *comte* (*computum*) 950, *amont* (*ad-montem*) 472, *front* 471, *contra* 504, 621, 720, *non* 28, 31, 34, 36! *bon* reimt mit *perdon* (*pardon*) 125, 2456, mit *raison* 6, 677, 917, 971, mit *passion* 1977, *bọna* mit *corona* 2509. — *u* für *ọ* findet sich in *buns* (*bonus*) 1457, *encuntra* 493, *nun* 786, 2243.

44) *dominam* hat gewöhnlich die franz. Form *dame* (*dama*) 396, 429, 469, 479, 517, seltener die prov. Form *donne* 70, 1117, 1346, 2485. *dame* reimt mit *clame* 2051, mit *ame* 1191, 2609; meist reimt es mit *home* 386, 539, 661, 969, 1245, 1433; ebenso reimt *donne* mit *home* 1117, *donnes* mit *homes* 2496. Da *hom* andererseits mit *fam* (*famem*) 1795 und *homes* mit *flammes* 1043 reimt, so ist hier nicht die prov. Form vorzuziehen, sondern anzunehmen, daſs auch *homo* wie *domina* behandelt ist. ǫ + Nasal reimt noch mit *a* + Nasal in *comte* (*computum*) zu *cincante* 950, für *comte* lesen wir *cointe* 315 ebenfalls mit *cincante* reimend. Der Übergang von ŏ zu *a* in *computum* findet sich auch *Ben. de S. M.* (vergl. *Settegast* S. 19).

dominum + *deum* wird *damidé* 743, *damidés* 1728, *damideu* 728.

45) *locum* und *focum* (*locvum, focvum*) ergeben meist *lue* 2247, 2491, 2611, 2627, *lues* 429, 528, *fues* 1040, 1472; scheinbar ohne Einfluſs des *v*-Lautes, da *lue* 2491 zu *proe* (*prope*) reimt. Daneben kommen *lo* reimend mit *so* (*ecce-hoc*) 297 und *fo* ebenfalls reimend mit *so* 1468, wo vermutlich ǫ durch folgendes *v* zu ọ wurde. Diesem entspricht noch *foc* 1012, 1015.

46) ǫ in Position bleibt: *cors* (*corpus*) 223, 651, 1060, 1611, *fort* 105, 806, 1215, 1850, *fol* 91, 349, 1480, *fouz* 68, 1585, reimend mit *lous* (*lausum*) 955.

47) ǫ + *i* hat *oi* ergeben: *oile* 2632, *ploia* 110, 113, *oi* (*hodie*) 981, 1603, 2253, *voil* (*volio*) 851, 961, 1108, 1110, *pois* (*post*) 1, 107, 116, 362, 451, *oit* (*octo*) 308, *noit* 1397, 1495, 1880, *loin* (*longe*) 1338, 2620, 2623. — Die Gutt. ist gefallen in *notz* 650, das wohl in *noiz* zu ändern ist; *notz* reimt mit *doiz*, das vermutlich aus *doctos* stammt.

enoi 1454 reimt mit *lei* (Personalpron.), so daſs entweder *enuéi* zu *lei* oder *enoi* zu *lí* zu lesen ist (vergl. Förster, rom. Stud. III, 180 f. Stock ib. 459).

48) Suffix —*oriam* wird gewöhnlich *oire*: *gloire* 419, 508, 855, 1171, 2109, *victoire* 420, 507, 856, *memoire* 1172, 2543; daneben *glori* 605, 1558, 1859, 2576, *victori* 498, 606 und *gloiri* 1184 und *victore* 2110 reimend mit *gloire*.

49) *dolium* wird *dol* 1817, 1921, 1939, 1959, *dols* 2126, 2198, 2378, 2507; einmal *u* für *o*: *dul* 1368. — Im Reim ist Diphthongierung des *o* zu *ue* eingetreten: *duels* (*duelz*) 1088 zu *euz* (*illos*), 1914 zu *cels* (*caelos*). Diese beiden Reime erklären sich vielleicht durch die Annahme, daſs der Laut des *eu* (= ẹl oder ę̦l) ebenso wie der des *ueu* (= ǫl), indem für *l* — *u* zu setzen ist, sich dem ö̆*u*, ö̆ genähert haben (s. Koschwitz, Reise Karls des Groſsen S. 29). Es ist jedoch auch möglich, daſs hier *dols*, *dos* zu *os* (s. u) und *ços* reimt. Auſserdem reimt *duels* mit *ueuz* (*oculos*) 2499, in *ueuz* wurde ö̆ diphthongiert und ł vokalisiert, während wir gewöhnlich *oilz* finden 265, 1609. — Umgekehrt wie die obigen Reime von *duels* würde sich bei der ersten Annahme erklären der § 42 erwähnte Reim *vous* (*volis*) zu *os* (*illos*) 837 (*els*, *ǫls*, *ǫus*, *ǫs*). Wir erwähnen hier noch *ergoil* 375, 719, 923.

50) Vortoniges ǫ ist zu *u* geworden in *murir* 891, 1234, 1847, 1851, *durmir* 1432, *descuverta* 996; zu *e* in *escurs* 430.

Vulgärlat. ǫ (lat. ō, ŭ).

51) Betontes ǫ in einfacher Konsonanz bleibt: *nos* 9, 15, 21, 26, 47, *sola* 493, 633, 941, 949, *ora* 2626, 2652, *flor* 1506; *o (ubi)* 246, 882, 987, *recovre (recuperat)* 1955. — Suffix —*osum: doptos* 811, 1020, *lebros* 740, *tenebros* 1622, *vertuosa* 1288. — Suffix —*orem: honors* 147, 301, 1132, *color* 290, *dolor* 1732, *emperaor* 324, 377, *meillors* 560, 812, 1456, *seignor* 378, 406, 453, 960, 1047; *duos* wird *dos* 41, 41, zu *doptos* 812, *ambedos* 1512, zu *jojos* 1652, *does (duas)* 2016.

Neben dem von **prodis* (aus der Präp. prō) abgeleiteten Substantiv *pro* 368, zu *so (ecce hoc)* 1450, 1488, dem Adverb *pro* 869 und dem Adjektiv *proz* zu *toz* 25, 570, wird mit dem Suffix —*osum* gebildet: *prooz* 457, 1984 und — der einzige Fall, wo *ou* für ǫ steht: *proouz* 1748.

52) *a* + ǫ wird ǫ: *ore (ora) (hac hora)* 841, 1599, 1990, 2472, *or* 73, 207, 444, 528, *encore (encora)* 683, 707, 1094, 1119, *encor* 2464, *lor-s (illa hac hora)* 161. Einmal die prov. Form *ara* (aus **aura*) 127.

53) ǫ vor Nasal bleibt: *nom* 29, 218, 455, 597, *corona* 1425, 1607, 2233, *dona (donat)* 1426, 1608, 2234. Suffix —*onem: raison* 5, 12, 73, 678, *oraison* 2597, *prison* 1262, *baron* 1411, *leons* 2328.

54) Betontes ǫ in Position bleibt gewöhnlich: *cort (cortem)* 177, *tot (*tottum)* 372, 824, 1872, 1900, *espos* 1568, 1805, *bocha* 263, *sorz (surdus)* 745, *jorn* 46, 308, 764, 939, *soz (subtus)* 1395, 1574, *donc* 281, 517, 1905, *donques* 391, 2178. Zuweilen, besonders vor gedecktem Nasal ist *u* eingetreten: *munde* 22, 573, 600, *unt (unde)* 80, 429, 652, 1660, *dunt* 24, 54, 113, 392, *abunde* 574, *dunc* 957, 1509, *sufres* 1732, 1734, *tuz* 2392.

55) Ein durch Vokalisation eines Konsonanten entstandenes *u*, das sich mit ǫ vereinigt, macht den Laut noch geschlossener; für ǫu wird zuweilen einfaches ǫ geschrieben, auch bleiben öfters die ursprünglichen Konsonanten (*l* oder Labialis) in der Schrift erhalten. Wörter dieser Art reimen untereinander und mit einfachem ǫ. *multum* wird *mout* 1071, 2481 zu *dot (dubito)*; gewöhnlich steht die Abkürzung *m'lt* 27, 118, 120, 137 zu *escout*, 1587 zu *dot*, 2628 zu *dot*; *mult* 16, 18, 430 ist ein Latinismus. *ausculto* wird *escout* 138 zu *m'lt*. — *escoutes* 803 zu *dotes*, *escouta* 1997. — *vultum* giebt *vout* 1413, *vouz* 1521 zu *douz (dulcem)*, *vos* 1053 zu *toz*. *dulcem* wird *douz* 1522 zu *vouz*, 2456; *douza* 2583, *solus* wird *sols* 93 zu *vos (vos)*, 1806 zu *espos*. — *dubito*

giebt *dot* 1588 zu *m'lt*, 2630 zu *m'lt*, *dopta* 2140 zu *tota*, *dotes* 804 zu *escoutes*, *doptes* 774 zu *totes*.

56) Nachtoniges *i* hat ǫ zu *ü* umgelautet reimend mit *üi* = *ū* + *i*: *tuit* 62, 779 zu *destruit*, 119, 169, 1005 zu *conduit*; *trestuit* 2559 zu *fruit*, *dui* (*dui = *duo*) 836, 1543, 1661 zu *lui*, 2608; *fui* (*fugit*) 1029, 1130, 2162, *cuit* (*cogito*) 127, 1479, *cuident* 476, *refuides* 802, 1086. — Vor *n* tritt *oi* ein: *soin* 794, *besoin* 793, *besoinz* 340, *besoigna* 1294, *besoina* 1993, *vergoigna* 1293, 1994, *vergoina* 1370. Einmal steht *beson* 1337 reimend mit *loin* (*longe*). — Ebenso ist in dem aus *stüdium* entstandenen, halbgelehrten *estude* 2045 reimend mit *refude* (*refutat*) ü durch den Einfluſs des *i* zu *ü* geworden.

57) Ein aus einem Konsonanten entwickeltes *i* vereinigt sich mit ǫ zu ǫi: *vois* (*vocem*) 1197, 2383, 2571, *crois* (*crucem*) 38, 471, 830, 878, *reconois* 219, 800; ebenso vor Nasal + Gutt. *jointes* 2020, *pointes* 2019, *point* 384, 678, 977, 1306, *poinent* 2640, *oinent* (*ungunt*) 2639.

58) Nachtoniges lat. *u* ist erhalten in *piu* 125, *jueu* 2196, *jueuz* 1209, *eu* 82, 236, 355, 414, 416, *deu* 28, 53, 64, 77, 81, (oft *dé*) *feuz* (ahd. *fëhu*) 272; ebenso lat. *ō* in *vou* (*vado*) 1968, 2518, *voi* 1258, 2518. Vergl. *clavum* = *clou* 2079, *clouz* 2082, *clos* 41, 2033. — Ferner im Pron. poss. (s. § 140).

59) Vortoniges ǫ wird gewöhnlich durch *o* ausgedrückt: *corteis* 1381, *torner* (Ms. *tornier*) 369, *saollez* 2442, *dopter* 2584, *sovrer* (*superare*) 676, *soplanté* 2346; selten tritt *u* ein, fast immer bei den Formen von *sufferre* durch den Einfluſs des folgenden *i*: *sufrir* 622, 1655, *sufrirei* 608, 1213, 1216, *sufrirai* 2476; — nur zweimal *o*: *sofriras* 448, *sofria* 619. — Durch den Einfluſs des folgenden *n* in: *mundé* 740, und veranlaſst durch folgende Labialis in: *ublier* 564.

60) ǫ + einem aus einem Konsonanten stammenden *u* wird *ou*: *escouter* 661, 1194, *coutiver* 285, *douzors* 1184.

61) Durch den Einfluſs der betonten Formen wird auch vortoniges ō durch ein folgendes *i* zu *ü*: *cuida* (*cogitavit*) 1069, 1074, 1761, *cuiderent* 2083. Mit einem aus einem Konsonanten entstandenen *i* wird es zu *oi*: *oinement* 1518, *doisenz* 1707, *conoisem* 1678.

Vulgärlat. ū (lat. ū).

62) *U* bleibt wie auch sonst mit der Aussprache *ü*: *vertu* 116, 731, 908, *segur* 174, 368, 1037, *nul* 1128, 1246, 1635. Mit *i* wird es zu *üi*, s. § 53.

Lat. *ae, oe.*

63) Diese Diphthonge werden bekanntlich wie ę behandelt, jedoch finden wir hier fast nie *ie*: *les* (*laetus*) 2129 zu *irés*, *léa* 470 zu *apelléa*, 1219 zu *sacrifiéa*, *cel* 87, 99, 257, *cels* 866 zu *els* (*illos*), 1205 zu *mals* (s. § 2. Anm.), *ceus* zu *deus* 752, *quaero* wird *quer* 505 zu *veer*, 1842, 2360, 2368, *requers* 1485 zu *chavallers*, einmal *quier* 502 zu *loier*, und zweimal *ei* für ę *queire* (*quaeram*) 1446 zu *emperere*, *queirent* 1108 (vergl. §§ 9, 20). — *poenam* wird *pena* 611, *penes* 1229, 1863, *peina* 1282, 1285, 2649 zu *setmaina*; sodann finden wir *pana* 906, vergl. § 6.

64) Ebenso in Position: *prest* (*praesto*) 710 zu *est*, 1325, 2564 zu *est*, *segles* 2663, *querre* 66 zu *terre*, 206.

65) Wie *e* ist *ae* durch den Einfluß eines nachtonigen *i* in *i* umgelautet in *quis* (**quaesi*) 438, 2585, *requis* 2595.

66) Unbetontes *ae* ist durch Dissimilation zu *a* geworden in *aé* (*aetatem*) 343.

Lat. *au.*

67) Betontes *au* wird gewöhnlich zu ǫ, daneben kommt *ou* vor, und nur einmal bleibt es: *chosa* 69, 340, 974, 1359, *trasor* 1142, *loe* (*laudat*) 641, *ot* (*audit*) 88 zu *comandot*, *parolla* (**paraula*) 48, 635 zu *folla; ausare* bietet neben *oses* 336, 684, 2311, *osa* 953, 1564 auch *ausa* 1333, **lausum* hat stets *ou*: *lou* 2100, *lous* 168, 956 zu *fouz*, das got. *haunitha* hat die franz. Formen *onte* 1214, *humte* 2358, daneben die prov. *ante* 1894, *amte* 2092.

68) *au* + *i* wird ǫį: *joi* 126, 463, 1063, 1257 zu *voi* (*vado*) 2332, *noisa* (*nauseam*) 1633, *oi* (*audio*) 673, 675. — *paucum* wird gewöhnlich *poi* 464, 943, 1064, 2316 immer reimend mit *joi*. — Daneben kommt *pou* vor 1666, 2004, 2530, 2532; diese Form ist nicht durch den Reim gesichert, im Gegenteil reimt *pou* 1997 mit *joi*, so daß hier sicher *poi* zu lesen ist.

69) Vortoniges *au* wird ǫ: *oreilles* 264, *toreuz* 1867, *osés* 940; *osterent* 652, *onir* (got. *haunjan*) 2454; *auctoricare* hat auch *au* und *ou*: *autreiera* 8, *outreié* 1494, 1530 neben *otreium* 691. — Gelehrt ist *autoritez* 24. — Bekannt ist die Schreibung mit *e* in *escouter* 661, 1194, und mit *a* in *auguratum*: *benäuré* 303, *benäuréa* 396, 1137, 2221, *maläuré* 937, *maläurez* 2164.

B. Konsonantismus.

L

70) Verdoppelung eines einfachen *l* ist eingetreten, wie im Prov. und in Oberitalien in *parolla* 48, 635 zu *folla*, 1204, 1673, 1749 zu *folla*. Nur einmal *paroles* 139 ebenfalls im Reim zu *folles*; aus diesen Reimen läfst sich jedoch nichts schliefsen, da dieselben unrein sind, wie die Reime *escola* zu *folla* 248 und *esteles* zu *elles* 99 zeigen und da *parolles* 343 auch mit *escoles* reimt.

71) Gedecktes *l* ist zu *u* vokalisiert, wenngleich es orthographisch noch oft erscheint. Dafs ein lautlicher Unterschied nicht vorhanden ist, erhellt aus den Reimen beider Formen untereinander: *orientauz* zu *mals* 329, *esperitalz* zu *charnauz* 974, *alques* zu *autres* 958, 1594, ,2014. Aufserdem zeigt der Reim *ceus* (*caelos*) zu *deus* 752, dafs wir es wirklich mit *u* zu thun haben; *l* steht namentlich nach *a*: *mals* 330, 622, 1622, 1783, *tals* 37, 604, 597, *quals* 221, 389, 690, *als* (Dat. Plur. des Art.) 41, 166, 166, 517; daneben mit *u*: *mauz* 1007, *itaus* 1948, *auz* (Dat. Plur. des Art.) 883, 957. Stets wird *l* geschrieben nach *ū* in *nuls* 1834, 1922, 1962, 2068 (Beispiele für *ī* fehlen). Nach den übrigen Vokalen halten sich beide etwa das Gleichgewicht: *els* (*illos*) 865, 1060, *chastels* 1601, *sols* (nie *sous*) 94, 1435, 1806, 2272, *coltivez* 776, *volz* (*volis*) 232, 235, 721, 845; — *euz* (*illos*) 57, 270, 302, 322, *chaveuz* 1471, *vout* (*volit*) 66, 100, 107, 111, *coutivez* 92, 1687, *douzors* 1184.

72) Gedecktes *l* fällt nach *a* in *atretal* 1212, *as* (Dat. Plur. des Art.) 1487, 2201, 2432; — nach *e* in *des* (Gen. Plur. des Art.) 332, 456, 1052, 2011, *nes* (*ne-illos*) 256; nach *ǫ* in *coteuz* (*coltellum*) 2078, *vos* (*vultus*) 1053, *mot* (*multum*) 175, nach *ū* (?) in *pucella* (*pullicellam*) 136, 217.

73) Auslautendes *l* ist zu *u* geworden in *au* (sonst *al*, Dat. Sing. des Art.) 42 und in *beu* (für *bel*) 2767, wenn dafür nicht *ben* zu lesen ist.

74) *l* + *r* schiebt *d* ein, wobei *l* zu *u* wird, das jedoch selten geschrieben wird: *voldras* 158, 1101, 1106, 1111, *vaudria* 1144. In *fulgur* fällt *g* und das zwischen *l* und *r* eingeschobene *d* wird nach prov. Art nach Transposition von *r* zu *z*: *folre*, *foldre*, *folder*, *folzer*, *fouzer-s* 2096.

75) Mouilliertes *l* (*l̦*) entsteht wie sonst aus *l* + *i* + Vokal oder aus Gutt· + *l*; es wird inlautend gewöhnlich durch *ill*, auslautend

durch *il* ausgedrückt, daneben findet sich inlautend *ll*, auslautend *l* und
ill: *bataille* 491, *coseilles* 1398, *meillors* 560, 812, *merveilles* 1397,
oreille 1610, — *moller* (*mulierem*) 1115, — *coseil* 377, 1199, 1485,
1831, *travail* 536, 2590, *soleil* 53, 1614, *veil* (*veclum == *vetulum*) 529,
1519, — *cosel* 1711, — *conseill* 1096,ₐ *merveill* 1095; — stets *l* in
dolium s. § 49 und natürlich nach ī *peril* 306, 1968, 2547, 2591.
Zur Erklärung des ł in: *fail* 535, *fal* 2000, *faillez* 118, *failla* 2449 ist
wohl von einer Form *faillio auszugehen.

76) Folgt auf ł ein *s*, so wird ł zu *u* vokalisiert, wenn auch die
ältere Schreibung mit *l* sich noch daneben findet: *conseus* 2355, *meuz*
(*melius*) 359, 868, *ueuz* (*oculos*) 2500, *veuz* (*veclos) 1526.   Daneben
oilz 265, 1609, *travails* 381.   Gefallen ist ł vor *s* in *soleis* 85.

77) *Mirabilia* hat häufig statt ẹ—il blofs *il*: *mervilles* 431, 470,
687, 697, *mervillam* 334, 989, *mervilla* (*mirabiculat*) 135, vielleicht
durch Einfluſs des Prov., wo das nachtonige *i* tonerhöhend auf das betonte ẹ wirkt (s. Förster, Z. f. n. Phil. III, 497).

78) Zu *r* ist *l* in der Verbindung *cl* anlautend geworden in
crerzia 181 neben *clerzia* 477. — *ol* inlautend wird zu *gl* in *segles*
(*saeculos) 2663; gelehrt ist *miracle-s* 844, 1057, 1470.

R

79) Durch Dissimilation fällt *r* im Infinitiv und Fut. von *prendere*:
pendre 2406, *apendre* 1153, *pendra* 2001, *pendrant* 2192.

80) Umstellung des *r* findet statt in *porpens* 259, 527, 1396.
Die einfache Präp. lat. *pro* kommt nicht vor.   Ihre Stelle vertritt *par*
(*per*) 448, 955, *pær* 972.   Die Hs. hat gewöhnlich die Abkürzung
p̄r 913, 916.   Ebenso steht p̄mez 272 == *promittis*.

81) Eingeschoben ist *r* durch den Einfluſs eines folgenden *r* in
trasor 1142, *tresor* 1422; zur Hiatustilgung in *gramaire-s* (*graimaire*)
556, 1458 (vergl. Tobler, Rom. II, 132.   Bugge, Rom. IV, 362)
(anderer Ansicht sind G. Paris u. a.).

82) Zu *l* ist *r* geworden in *encontralé* (*incontrariatum*) 196.

83) Vor *s* ist *r* gefallen in den bekannten Wörtern *sus* (*sursum*)
211, 1423, *jus* (*deursum) 2006, *estros* (*extrorsum*) 706, 902.   Ebenso
in der prov. Präp. *ves* (*versum*) 1907.   Sonst bleibt *r*: *vers* 927, 968,
1417, 1464, *fors* 56, 394, 1115, 2429, *larsura* 1052.   Für *fors* steht
for 414 und ebenso *forfait* 1129, *forlignés* 586.

M

84) *mn* wird durch Ausfall des *n* zu *m*: *dama* (*dame*) 396, 469, 479, *home* 59, 275, 346, *damage* 2359. — Daneben steht *nn* in *donna* (*donne*) 70, 1117, 1346, *fenna* (*fenne*) 493, 540, 1996. *mn* bleibt in *lumneire* 245, 1268, *condemna* 2312. — *damnare* zeigt Einschiebung eines *p* zwischen *m* und *n*: *dampnent* 55, *dampné* 122, 1700. — Auslautend steht *m* oder *n*: *nom* 29, 218, 455, *non* 729, *dans* (*damnum*) 2408.

85) Die Gruppen *mr* und *ml* zeigen Einschiebung eines *b*, wobei zugleich öfters *n* für *m* eintritt: *remembrest* 397, *sembler* 948, *resembler* 2524; — *menbre* 413, 1190, 2648, *trenblam* 990. — Ebenso ist *b* eingeschoben in *marmor*, *marmbre, *marbre* 296. — Statt eines *b* ist *d* eingeschoben in *reemdre* 1298, so dafs also wohl *reendre* zu lesen ist.

86) Ebenso wie vor eingeschobenem *b* wird auch vor ursprünglichem *b* und *p* oft *n* für *m* geschrieben: *desmenbrer* 1900, *menbres* 2210, *enpere* 1079, 2338, *enperere* 1191, 1706, 1741, *enpaita* (*impactat*) 2336, neben *emperere* 133, 333, 339 etc.

N

87) *n* wird zu *r* durch Assimilation in *ordre* (*ordinem*) 282, durch Dissimilation in *arma* (*animam*) 1855, 2340, *armes* 1054, 1570, 2436, *amerme* (*adminimat*) 2238. — *m* tritt für *n* ein in *cumforter* (*confortare*) 1550, *humte* 2358, *amte* 2092, hierher auch *emblerent* (von *involare*, *imbolare) Diez W. IIc *embler*) 651 und auslautend, wohl nur orthographisch, in *vim* (*vinum*) 1312.

88) Eingeschoben ist *n* in den bekannten Beispielen; vor einem Gutt. in *ensament* 63, 76, 104, *anc* 394, 1672, *encora* 707, 1119, 2634, vor *d* in *rendre* 1297.

89) *nr* schiebt *d* ein: *mendre* (*minor*) 1592, *vendra* 1225, *remandret* 1449, *plandre* 1965, die einzige Ausnahme ist *donra* 2468.

90) Vor *s* ist *n* gefallen, jedoch wird es vor Flexions-*s* meist, seltener vor stammhaftem *s* noch geschrieben: *mister* (*ministerium*) 83, *demostrer* 170, *mostré* 127, *remast* 461, *costrent* 1752, *coseil* 377, 1199, 1485, *pes* (*pensum*) 1146. — *conseil* 1383, 1384, 1683, *monstrará* 1228. — Vor Flexions-*s* fällt *n* nur in *chis* (*canes*) 2204, *dos* (*donum*) 415, *bos* (*bonum*) 416, *crestiis* 2128 reimend mit *païns*, — jedoch verlangen auch die Reime *uchisons* zu *somos* (*submonsum) 1339 und *sonz* (Ms. *senz* Pron. poss.) zu *somos* 1891 Fall des *n*. — Ebenso vor sibilantischem *c* in

comecet 376. *pensare* denken und das davon abgeleitete Substantiv *propensum* behalten gewöhnlich *n*: *penser* 1899, *porpensot* 1373, *porpens* 259 zu *paiens*, 527 zu *temps*, 1396, 1478. Daneben jedoch *porpesser* 1611, *porpessà* 1863. — *porpeis* 2155 muſs in *porpens* geändert werden wegen des Reimes mit *crestïens;* in *pest* (*penset*) 798 ist *n* in einer sonst unsprechbaren Gruppe gefallen. Gelehrt ist *mansion* 2578 neben *maison* 1409.

91) Auslautendes *n* ist wie im Prov. gefallen in *e* (*en*) 610 *e ma* (= *en ma*) 1531. Sonst stets *en* 16, 38, 40.

92) Palatales *n* (*ñ*) entsteht, wie sonst, aus *ng, gn, n* + *i* + Vok.; es wird durch *ign* und *in*, nach *i* durch *gn* oder *n* ausgedrückt: *compaigna* 1034, *veignant* (*veniant*) 467, *seignor* 378, 406, 453, 960, *deigna* 1024; *seinor* 696, 1005, 1166, *vergoina* 1370, 1994, *oinement* 1518, — *lignage* 2454, *digna* 1079, — *linatge* 1821. — Zu *nğ* ist *n* + *i* + Vokal geworden in *donges* (**donias*) 291, *revunges* (**reponias*) 292, *estrangement* 134. — Ebenso meist *ng*, auſser vor einem Konsonanten, wo *g* zu *i* wird, das sich mit dem vorhergehenden Vokal verbindet: *angel* 1325, 1516, 1801, *engin* 576, *alunger* 2471, *lonjament* 1898. — *plaint* (*plangit*) 2052, *destreinz* (*destringis*) 2410, *feint* (*fingit*) 1063. — *g* (*i*) ist gefallen in *plandre* 1965 und *costrent* (*constringit*) 1752.

93) Nach *r* fällt *n*, obwohl es meist noch geschrieben wird: *jorn* 46, 308, 764, 939, *retorn* 307, *entorn* 1499, *charn* 1870; — im Reim stets ohne *n*: *jor* 1553 zu *seinor*, 2364 zu *amor*, 1657 zu *emperaor*, 2386 zu *seinor*. Ebenso vor *s* (*z*): *jorz* 623, 1311, 1358, 1719, 1876, *chars* 896. Einmal *jornz* 2279.

94) Den Einfluſs der Nasalen auf einen vorhergehenden Vokal hatten wir bei der Behandlung derselben zu beobachten Gelegenheit. Die Nasalierung des Vokals ist vollständig durchgedrungen, das beweisen die früher angeführten Formen und Reime wie *plantain* 2560, *antre* (*intra*) 420, *menga* 686, *espavantés* 1502, —*éa* 2070, *talanz* zu *granz* 2001, zu *tiranz* 1283 u. s. w. Durch Nasalieruug erklärt sich auch der § 84 ff. erwähnte Wechsel zwischen *m* und *n*, sowie das Antreten von *t* an auslautendes *n* in *tirant* 1255, 1758, *somont* (*submoneo*) 2006, von *c* in *tenc* (*teneo*) 2316 (hier kann *c* jedoch durch Verhältung des nachtonigen *i* (*e*) entstanden sein **tengo*) und endlich Reime wie *nom* zu *prison* 1261, *reemdre* zu *rendre* 1297, *sempres* zu *domentres* 2208, *donc* zu *somont* 2005.

T

95) Inlautendes *t* zwischen Vokalen ist gefallen: *roes* (*rotas*) 2007, 2028, 2063, *espea* 2605, *via* 545, 562, 746. — Wörter wie *desputer* 520, *prophete* 572, *natura* 823, 893, *autoritez* 24 sind gelehrt. Zu *d* ist es geworden in *refude* (*refutat*) reimend mit *estude* 2046 ebenfalls durch gelehrten Einfluſs.   Ursprünglich durch einen andern Konsonanten gestütztes *t* ist meist geblieben: *verté* 12, 128, 250, 816, *dopter* 2584, *beuté* 1157, 1366, 1945, *enpaite* (*impactare*) 2336, *coita* 2048.   Nach einer Media ist jedoch *t* zu *d* geworden: *malapde* (*malehabitum*) 2639, *refuida* (*refugitat) 2347, *cuides* 801, 1085, 1238; aufserdem steht *d* in *faides* (*facites*) 120, 551, *crestiande* 2154, *pidé* 1364, 2511, *pidés* 1252.

pidé 2511 muſs wegen des Metrums in *piete* geändert werden.

96) Auslautendes *t* nach Vokalen fällt: *vertu* 116, 731, 908, *sei* (*sitem*) 1310, *mari* (*maritum*) 1562 zu *enemi*, *secrei* 372 zu *mei*, *crei* (*credit*) 49 zu *dei* (*debeo*).   In Konjugationsendungen bleibt *t* oft: *apellet* 161, *mandet* 171, *levet* 2605; *sit* wird zweimal *sei* 391, 393, sonst stets *seit* 67, 187, 251, ebenso *et* 12, 13, 19, 26. — Nach Konsonanten bleibt *t* gewöhnlich: *cort* 177, *mort* 119, 200, 646, 805, *tant* 65, *volt* (*volit*) 609, 710, *vout* 66, 100, 107, 111, *fruit* 904, 2560; oft ist es auch hier nach prov. Art gefallen: *ten* (*tenet*) 61, 2349, *amen* (*amant*) 1697, *an* (*habent*) 222, 862, 1954, *tem* (*timet*) 346, 1756, 2401, *vol* (*volit*) 199, 357, 514, *aor* (*adoret*) 2362. — *facit* wird zuweilen *fai* 111, 2098, *factum* dagegen behält der Regel gemäſs stets sein *t*: *fait* 67, 97, 209, 274.

97) *tr* wird gewöhnlich *r*: *pere* 159, 237, 658, 1218, *lere* 38, *emperere* 133, 339, 373, 465, *derere* 430, *purist* (von *putrire*) 1952, *emperaris* 1425.   Daneben findet sich die prov. Entwickelung zu *ir* in *paire* 590, 1689, *emperairis* 1385, 1393, *nuirit* 1725 und vielleicht in *dereires* 1341, 2011. — Zu *rr* assimiliert erscheint es in *porra* (Fut. von *potere) 1112.

D

98) Inlautendes *d* teilt das Schicksal der Surda, es blieb nur in gelehrten Wörtern wie *odor* 1505, *obedir* 300, *paradis* 457, 915, 1236.

99) Auslautend ist *d* nach andern Konsonanten zu *t* geworden:

grant 11, 14, 18, 154, *unt* 80, 429, 652, *tart* 1912, *pert* 2332. —
Gefallen ist es nur einmal in *gran* 2410, in *pren (prende)* 1568, 1931
und immer in *en (inde)* 34, 70, 104, 134.

100) *nd* ist zwischen zwei Vokalen in den Formen von *prendere*
zu *nn* assimiliert: *prenneit* 1421, *prenna* 364, *prennes* 1905, zu *n* vereinfacht in *prenunt* 2219.

s

101) Die Bezeichnung des Sibilanten ist häufig unregelmäfsig,
namentlich werden die im Franz. sonst geltenden Regeln über das Setzen
von *s* und *z* nach Konsonanten im Auslaut, und zwar besonders nach *t*,
nicht beachtet.   Anlautend steht *c* für *s* in *cengler* (wenn von *singularem*) 552, *ceist* (für *seit = sit*) 2449, *ces* (für *ses* Pron. poss.)
1154.   Inlautend steht *z* für *s* in *vize* (got. *wisa*) 1073 reimend mit
sacrifize. — Auslautend nach Vokalen steht *z* für *s* in *voz* (= *vos*
Pron. pers.) 93, *palaiz* 211, *rivez* 2632.   Nach *l* steht meist *s*: *angels*
427, 433, 459, *cels* 866, 1205, 1913, *sols* 94, 1435, 1806. — *z* in
solz 2319, *folz* 8, *alz* (*ad illos*) 2120 u. a. — Nach vokalisiertem *l*
meist *z*: *ceuz* 658, *toreuz* 1867, *beuz* 1053, 1522. — *s* in *ceus* 752,
itaus 1948. — Nach ł meist *z*: *soleilz* 1638, 2098, *oilz* 265, 1609, *s*
in *travails* 381, ebenso *s* in *conseus* 2355 und *z* in *ueuz* (*oculos*) 2500.
— Nach *n* beides fast gleichmäfsig, *z* namentlich nach ursprünglichem
nn und nach *r(n)*: *chiens* 2295, 2300, *bons* 1351, *sens* (*sensum*) 1926,
tirans 509, *chars* 896; — *tiranz* 1283, 1305, 1807, *senz* (*sensum*) 224,
365, 2015, 2058, *bonz* 330, *charz* 1051, 1947, 1952. — Nach einer
Dentalis steht, wenn derselben ein Vokal vorhergeht, meist *s*, geht ein
Konsonant vorher, meist *z*: *pies* 41, *maris* 2194, *salus* 1154, *parles*
1945, — *prez* (*pratos) 1948, *vanitez* 23, *accusez* 1809; — *talanz*
1223, 1284, 2001, *genz* 521, 1893, *arz* 854; — *gens* 150, 322, *tor-
mens* 2158, *vos* (*vultus*) 1053. — *tz* in *notz* 650 und *dretz* 282 ist
wohl Schreibfehler für *iz*. — Auch die Reime zeigen unbedenklich *z*
und *s* nebeneinander, nicht nur wo in beiden Fällen *z* (= Dent. + *s*)
zu erwarten ist, z. B. *pies* zu *lez* (*latus*) 41, *veez* zu *aves* 521, *sennéz*
zu *escoutés* 525, sondern auch wo in dem einen Falle regelrechtes *s*
sich findet: *seveliz* zu *mis* 986.   Ebenso reimt *ceus* (*caelos) zu *deus* 752,
fouz zu *lous* (*lausum) 955.

102) *st* + *s* sollte *z* werden, aber auch hier finden wir neben
Criz 1733, 2602, *iquez* 285, 1040, 1043, 1061, auch *iques* 1302, *ces*

76, 91, 129, 2635, *mandas* (*mandastis*) 388. Dazu kommen auch *icetz* 1419 und *Cristz* 2516, *iquestz* 1565 vor.

Nach *m* ist *s* stets gefallen in der Endung der 1. Plur.: *demandam* 333, *sirvem* 1479, *cuidavam* 627, *dopterum* 1004.

103) *ss* ist zwischen zwei Vokalen oft vereinfacht: *mesatges* 203, *abaisa* 96, 98, *istesant* 411 (vergl. § 115).

104) Auslautendes *st* kann wie im Prov. sein *t* verlieren: *es* 624, 882, 2157, 2158, *repentis* (*repentisset) 183, *venques* (Ms. *veques* = *vincuisset*) 688. Hier mufs also, ebenso wie sonst, durchaus Verstummung des auslautenden *t* (s. § 96) eingetreten sein, hierfür spricht auch der Reim *repentis* zu *diz* (*dictos*) 183.

Ebenso in den Coutumes de Charroux *plas* für *plaist*. (G.)

105) Umgekehrt beweist die Einschiebung von unorganischem *s* vor einem Konsonanten in *reisme* (*regimen*) 1456, *sosmes* (*sumus*) 536, 1668, *sosmos* 970, *seist* (für *seit*) 2487, *ceist* (für *seit*) 2449, *dist* (für *dit*) 2352, der Fall von *s* vor *t* in *fit* (*fecit*) 2047, *despreit* (*dispretiat*) 2347 zu *seit* (*sapit*), vor *n* in *desrainer* (*dirationare*) 131, sowie die Reime *oït* zu *dist* 135, *sufrit* zu *fist* 713, *dist* zu *estaloït* 925, *fist* zu *malaït* 2041, *Crist* zu *dist* (für *dit*) 2351, *fit* (für *fist*) zu *poït* 2047, dafs *s* vor folgendem Konsonanten verstummt ist.

106) Vor *s impurum* steht *i* statt *e* in den von *stare* abgeleiteten Formen: *ister* 371, 1089, 1930, *isté* 464, 1430, 1667, *istot* 482, *istabla* 2236; eine Ausnahme macht *esté* 345.

107) Inlautendes *s* ist zu *r* geworden in *asermerunt* (*acesimare) 14.

C (lat. *c* vor *e* und *i*, *t* + *i* + Vokal.)

108) Die Bezeichnung der aus *c* entstandenen weichen Sibilans (unter Abgabe eines *i*) ist regelmäfsig *s*: *veisina* 1034, *pais* 154, 484, 921, *oraison* 2230, *desputaison* 74, 347, 474, *apreïses* 943. — Die einzige Ausnahme ist wie im Franz. *voiz* (*vocem*) 2570. — Für die scharfe Sibilans wird zwar überwiegend *c* gebraucht, daneben jedoch kommen *s*, *ss*, *zs*, und *sz* vor: *serchent* (*circant*) 2282, *asermerunt* (*acesimare) 14, *deslaseréz* 2057, *deslaseroient* 2079, *pesa* 355, *menasa* 1891, 2392, *creensa* 25, 513, 717, *ters* (*tertium*) 46, — *pessa* 115, *menassa* 2324, — *deslazeréa* 2035, *douzors* 1184, *vizi* 579, *espazi* 2530, *forza* 2184, — *pesza* 2209, *deslasza* (von *de* + *lacjum) 2097. — Dieselben Bezeichnungen der Sibilans bietet auch das Suffix —*itia* s. § 35. — Die mit *ecce* zusammengesetzten Pronominal- und Adver-

bialformen haben *c* oder *s*: *cil* 13, 266, 303, *cest* 603, 622, 2206, *ici* 495, 991, 1002, *isi* 78, 335, 969, *iso* 13, 23, 49, 117, *sella* 2145. — *z* in *izo* 320, 404, 843, *zo* 201.

c als Sibilant findet sich sogar einmal vor *a*: *sapienca* 718.

K

109) Anlautend und hinter Konsonanten ist *k* vor *a* zu *ch* geworden: *charz* 1051, 1947, 1952, *che* (*caput*) 1128, 2203, 2431, *serchent* (*circant*) 2282.

110) Inlautendes *k* ist vor *ū*, *ŭ* zu *g* geworden in *segur* 174, 368, 1037, *agu* 2017, 2022, *negun* 59, 418, 1094 (neben *neun* 1896), *segont* (Zahlwort) 1278, *segunt* (Präp.) 838. — *secunde* 599 durch lat. Einfluſs.

111) Auslautendes *k* ist zu *u* geworden, indem zunächst *ko* eintrat wie in *focum*, *locum* (vergl. Askoli, Arch. glott. I, 27; Förster, rom. Stud. III, 182) und dann mit Fall des *k v* zu *u* wurde, in *preu* (*preco*) 228, 1190, 2225, *diu* (*dico*) 769, 1113, 1593, 1875 (Ms. *dui*), *amiu* 2276, vielleicht auch in *pou* (*paucum*) 1666, 1942, 1997, 2004; — wo jedoch *ou* auch aus *au* entstanden sein kann (vergl. Gast. Paris, Alex. S. 78; Mussafia, Z. f. rom. Phil. I, 409). Auslautendes *k* bleibt in *dic* (*dico*) 2101 und *foc* (*focum*) 1012, 1015, eine orthographische Eigentümlichkeit, wie auch die Anhängung eines unorganischen *k* in *vic* (*vivo*) 2333 zeigt. Auslautend nach Konsonanten ist *k* geblieben, *donc* 281, 517, 1905, *franc* 618; tritt jedoch *s* an, so fällt *k* auch hier: *blans* 1521, *franz* 1862, *clers* 166, 347, 518. Ausnahme *francs* 1381.

112) Während der Infinitiv von *facere* mit der einzigen Ausnahme von prov. *far* 2311 stets *faire* lautet, tritt im Fut. und Kondit. gewöhnlich die *fare* entsprechende Form ein: *farei* 370, 1119, 1121, *faria* 176, *fareit* 126, *farent* 174. Daſs auch in anderen Verbindungen, wo gewöhnlich Auflösung in *i* eintritt, die Gutturalis zuweilen fällt, wurde früher wiederholentlich konstatiert.

113) Die Behandlung der Gruppe Kons. $+ i + k$ ist im allgemeinen regelmäſsig, jedoch erscheint wie prov. eine Dentalis oft als *t*, wobei die Reime zeigen, daſs dasselbe nur ein graphisches Zeichen ist; auch vor *a* wird *ǧ* durch *g* ausgedrückt neben *j*: *jutgemenz* 191, 332, *jutgament* 2304, *metge* (*medicum*) 2640, *venjanza* (*venjance*) 44, 364, *menjast* 1311, 1358, *menga* 686, *manga* 904, *coratge* 1070, 1551,

1988 zu *enrage, linatge* 1821 zu *rage, damage* 2359, *chargié* 720. —
clericatum bildet die prov. Formen *clerzia* 477, *crerzia* 181, *clerzesses*
946 und ebenso **tardicare: atarzer* 2459, *tarzérunt* 2259, *tarzeré* 1546,
tarzerét 1878.

grammaticum wird *gramaie-s* 167, 206, und mit eingeschobenem *r*
gramaires 1458, *graimaire* 556.

X (Ks)

114) *x* erfährt Umstellung der Elemente in *elesquet* 593, *visquet*
238, vermutlich eine analogische Bildung nach *nasquet* (**nascuit*) 600,
irasquet 509, 935, 1889.

SK

115) Die Inchoativa zeigen neben den franz. Formen *escharnissent*
642, *garentissunt* 225, 808 auch die mehr dem Prov. entsprechenden
sufrischa 2229, *obedisches* 1927, *perisches* 1928. Ebenso ist *ss* mit
folgendem *i* im Hiatus behandelt im Subj. von *posse: poscha* 1915,
2233, *poschant* 418, 421 (**possiam*).

Q

116) Inlautend zwischen Vokalen schwindet das *v* und *k* sinkt zu
g, das vor *e* durch *gu* und einmal sogar durch *gqu* wiedergegeben wird:
egal 93, 1114, *segunt* (*sequunt*) 254, *seguerunt* 2374, *segquei* 243; in
aigue (*aquam*) 1312 hat *k* ein *i* abgegeben. — Umgekehrt wird die
gutturale Surda vor *e* und *i* durch *qu* ausgedrückt: *iquel* 2165, 2269,
iquest 75, 604, 605, 626, *iqui* 39, 46, 486, *venquessent* (**vincuissent*)
181, *venques* (Ms. *veques*) 688, s. auch § 109. *ch* als gutturale Surda
tritt ein in den § 115 angeführten Beispielen.

G

117) Der in § 113 erwähnte Gebrauch des *g* für *ğ* vor *a* findet
sich auch in andern poitevinischen Texten (s. Boucherie, le dial. poit.
S. 227). — Auslautendes *g* nach Konsonanten wird zur Surda: *sanc*
1870, 2442, 2611; tritt *s* an, so fällt *c: sanz* 743, 1039, 1300.
Ausnahme *sancz* 2609.

P

118) *Reponeas* wird als Simplex betrachtet und daher *p* zu *v* gemacht: *revunges* 292.

119) Zu *i* ist *p* geworden in *meisme* (**metipsimum*) 807, 2622, *neis* (*neipsum*) 2635, *chaitis* 566, *chaitiver* 589, *cointe* (*computum*) 315. Daſs *p* durch Vermittlung von *u* entstanden ist, zeigen die Nebenformen *neuz* 2340, *euz* 1276 (vergl. Förster, rom. Stud. IV, S. 65). Daneben stehen ohne *p* *meesma* 447, 1098 (vielleicht aus *me-e-isma* mit Fall des *i*); *essa* 2641, *chati* 937, *comte* 950.

B

120) Ebenso wie oben **reponeas* ist behandelt *avatre* (*a-battere*) 2008.

121) Die Form *orant* 1637 zeigt, daſs *b* im Futur von *habere* zu *u* geworden ist.

Auch die Coutumes de Charroux haben *ora, oret* neben *aura* etc. (G.)

122) In den von *dubitare* abgeleiteten Formen wird gewöhnlich durch den Einfluſs der dentalen Surda *p* für *b* geschrieben, obwohl die Reime auf Ausfall des Labials hinweisen (vergl. § 52), der sich daneben findet. *doptes* zu *totes* 774, *dopta* zu *tota* 2140, *doptés* 783, *dopterum* 1004, *dopter* 2584, *doptos* 811, 1020, *doptansa* 172, 885, 1315, *redopteit* 2137, — *dot* (*dubito*) zu *m'lt* 1588, 2630, *dot* (Subst.) zu *mout* 2482, *dotes* zu *escoutes* 804, *dotoit* 484, *dotansa* 144. — Ebenso ist der Labial beeinfluſst durch folgendes *t*, obwohl dasselbe in unserem Texte zu *d* gesunken ist in *mulapde* (*male-habitum*, s. Cornu, Rom III, S. 377. Tobler, Z. f. rom Phil. III, S. 573) 2635.

V

123) Auslautendes *v* ist zu *u* geworden wie prov. in *greus* (**grevis*) 622 reimend mit *deus* (*deus*); vielleicht ist *gres* zu *des* zu lesen. Sodann steht *u* in *breument* 872, 1241, 2200 neben *bré* 447, 723, 1225 zu *poesté*.

124) Dieselbe Erscheinung wie bei *b* (§ 122) zeigt sich hier vor *t*, indem *civitatem* zu *cipté* wird: 1124, 1168, 1338, 1743.

125) Zur Hiatustilgung ist *v* eingeschoben in *paravis* 922, *glaive* 2266, 2564.

W

126) Deutsches *w* ist zu *gu* geworden: *guisa* 40, 610, 1177, *guart* 480, *esguardes* 95, 103, *guiardon* 2655, *guerpir* 1171, *guerra* 44, 1342. — Vor *a* ist *u* meist gefallen: *garir* 2292, *garent* 771, *gardéa* 395, *gatge* 2360, *gaire-s* 241, 1156, 1198. — Einmal findet

sich *vize* 1073. — Durch deutschen Einfluſs steht *g* (vor *a*) für lat. *v* in *degastés* (*de-vastatis*) 1946.

Auslautgesetz.

127) Unser Text folgt im allgemeinen der franz. Regel; daſs für *e* dann *a* eintreten kann, ist oben (§ 15) erwähnt. Zu den dort gegebenen Beispielen fügen wir noch hinzu *mili* (*milia*) 2058, *terci* (*tertia* scil. *hora*) 2651, *face* (**faciam*) 1762. Diesen Bildungen entsprechend ist *i* zuweilen auch in Mask. geblieben: *espaci* 2530, *avangeli* 249, *vici* (*vitium*) 1872, *vizi* 579. Nach dem von Grüzmacher (Jahrb. IV, S. 377 u. 379) angeführten Formen *avouteri* und *eydiluvi* stimmt dies mit dem Waldens. überein. — Da unser Text diese Bildung noch weiter ausdehnt und auch im Femin. des Demonstrativ-Pronomens einigemal *i* für *a* (*e*) setzt: *cisti* 521, 941, 1204, so dürfen wir annehmen, daſs durch *i* ebenso wie durch *a* und *e* nur der dumpfe, tonlose Laut bezeichnet wurde.

In *autri* (Nom. Plur.) 1519 haben wir es vielleicht mit der Pluralbildung des Waldens. zu thun, das (Grüzmacher, Jahrb. IV, 382) die Plurale *aquisti*, *tanti*, *quanti*, *alquanti*, *moti* (*multi*) immer in dieser Weise bildet.

Den prov. Auslautsgesetzen entsprechen: *chárcer* 1540, *fóuzers* 2096, das von *senior* abgeleitete: *séiner*, *séigner* 419, 423, 605, 890, 1076, und das Femin. *sávia* 1452.

II. Formenlehre.

1. Artikel.

128) Mask. Sing. Nom. *le*, ziemlich oft *li*; vor Vokalen *l'*. — 69, 85, 204, — 203, 253, 307, — 133, 373. Ak. *lo*, vor Vokalen *l'*. — 53, 61, 83, — 113, 249, 276. — *les* 2284 ist Schreibfehler. — Plur. Nom. *li* 19, 102, 117, dreimal *ci* 649, 1145, 1229. — Ak. *les*, selten *los*. — 79, 96, 206, 277, — 336, 743. — *le* 926.

Mit Präpositionen Sing. *del* 22, 95, 186. — *al* 46, 307, 650; *au* 42, vor Vokalen *a l'* 1291. — *el* 99, 153, 211. — Plur. *dels* 195, 374, 671; einmal *deuz* 184; zuweilen *des* 332, 456, 1052, *del* 142 ist Schreibfehler. — *als* 41, 166, 166, einmal *alz* 2120, zweimal *auz* 883, 957, dreimal *as* 1487, 2201, 2432, und einmal *al* 165; *au* 2096 ist vermutlich Präp. (*apud*). — *els* 658, 1913.

Fem. Sing. Nom. *la*, selten *li*, vor Vokalen *l'*. — 86, 109, 113,
— 739, 909, 1117, — 403, 450. — Ak. *la* 54, 103, 194. — Plur.
Nom. *les* 338, 728, 1014; Ak. *les* 99, 246, 1044, einmal *las* 2436.

Mit Präpositionen: Sing. *de la* 96, 460, 911, vor Vokalen *de l'* 475,
479. — *a la* 43, 70, 671. — *en la* 1250, 1308, 1497. — Plur. *des*
332, 1052, 2011, einmal *de les* 2014 und *de las* 184. — *as* 41, 1341.

2. Substantiv.

129) Im allgemeinen sind die Kasuszeichen streng festgehalten.
Die konsonantisch auslautenden Feminina haben im Nom. Sing. *s* angenommen. Die einzelnen Klassen geben zu folgenden Bemerkungen
Anlaſs: In der 1. Klasse der Mask. (Parisyllaba mit lat. Nom.-*s*)
steht der Acc. als Subjekt in *Jhesu* (*Critz*) 2518 und *Jhesu* (*Criz*) 2602,
sowie zweimal in Relativsätzen: *que ant paiens* 260 reimend mit *porpens* und *que ci sers dé sufrirent* 1229. — *Jh'u Crist* 1865 ist Apposition zum Subjekt. — Das Prädikatsnomen steht im Acc. in *crisme* (χρίσμα)
1039 und *baptisme* 1040. — Endlich steht der Acc. statt des Nom.
nach *coma* in *coteuz* 2078 reimend mit *claveuz*.

Der Nom. steht für den Acc. in *dos* (*donum*) 415 reimend mit
bos (*bonum*), „*dona mei cest dos | que quant que eu direi seit bos.*" Da
das präd. Adj. meist Acc.-Form hat, so wird *don* zu *bon* zu lesen sein;
im Plur. *in dels mal* 1027 reimend mit *sal*.

In der Phrase *uns jorz* = eines Tags 1876 haben wir es mit der
Anfügung eines Adverbial-*s* zu thun.

Wir erwähnen hier noch den absoluten Acc.: *dos clos als mans et
dos als pies* 41.

130) Von Parisyllabis (Mask.) ohne Nom.-*s* ist *liber* in die 1. Klasse
übergetreten: Nom. Sing. *livres* 315.

131) Die Imparisyllaba (Mask.) ohne Nom.-*s* haben selten bereits
s angenommen: *empereres* 487, 2375, *traîtres* 215, 1008. — Für *sire*
tritt zuweilen als Subjekt und Vokativ, gewöhnlich als Prädikatsnomen
das prov. *séigner*, *séiner* ein: 1737, 1865, — 419, 423, 2101, —
605, 890, 1076. — Von *homo* lautet der Nom. Sing. *hom* 1, 65, 160,
238 und einmal *homs* 2298.

132) Bei den konsonantisch auslautenden Fem. steht der Acc. als
invertiertes Subjekt in *quauz* (*qualis*) *est la poesté* 842. — Nom.-Form
für den Acc. steht *in avem tanz autoritez* 24 im Reim zu dem Prädikatsnomen *vanitéz*; vermutlich ist *tante autorité* und *vanité* zu lesen.

Entsprechend dem oben erwähnten *uns jorz* steht *de notz* 650.

133) Im Genus findet im allgemeinen Übereinstimmung mit dem franz. Sprachgebrauch statt. Wir bemerken folgende Einzelheiten: *fames* ist stets Mask.: *le fams* 1751, *seit ostés . . . fams et seis et pestilenza* 2553—2554. — *honte* ist Mask.: *cest grant ante* 1894; *icest grant humte* 2358. — *gaudium* ist Mask.: *mon joi* 2332, *cort joi* 944, einmal steht die weibliche Form *joia* 1635 ohne Artikel, wo jedoch das Metrum diese Form fordert. Das Geschlecht von *dentem* läfst sich nicht bestimmen, da es nur mit dem Pron. *ses* vorkommt: *ses denz* 1890. — *lous* (*lausum) ist wie im Franz. Mask.: *lo lous* 168, 956.

3. Adjektiv.

134) Auch hier ist die Deklination streng durchgeführt. — Die Adjektiva der 3. lat. Deklination haben im Fem. ihre regelrechte, lautliche Form behalten; nur *dulcis* bildet wie im Franz. das Fem. *douza* 2583. — Das attributive Adjektiv kann die Acc.-Form haben; so finden wir *bon* 393, 567, 677, *bel* 1977, 1980, 2104, *lait* 189, 624.

Kasusverletzungen sind: *riches* 735 als Nom. Sing. Fem., *saive* 1043 als Acc. Plur. Mask.; — die Nom.-Form nach *se faire* in *les quals vos faides si fer et si ardi* 551—552 und nach *se tenir pro* (vergl. Tobler, dis. d. v. anel., S. 26) in *chascuns s'en pot tener par fouz* 955. Der Acc. Plur. Fem. ohne *s* in *a grant mervilles* 431.

135) Die Komparation bietet nichts Besonderes, wir erwähnen nur, dafs die Vergleichungspartikel meist *de* ist 22, 308, 850, 1132, selten *que* 82, 1598.

4. Numerale.

136) Bei den Kardinalzahlen ist zu bemerken, dafs *catre* einmal mit Flexions-*s* erscheint: *catrez* 2006, und dafs neben *catre millérs* (*milliarium*) 2124, *cent mili* 2058 vorkommt. Sodann erwähnen wir noch den Ausdruck *plus cent itanz* 1990 = hundertmal soviel.

137) Die Ordinalzahlen werden von sechs ab mit dem prov. Suffix —*enum* gebildet: *sesten* (Ms. *senten*) 2650, *treizen* 1048.

5. Pronomen.

1. Personalpronomen.

I. Absolutes (betontes) Pronomen.

138) Sing. 1. Pers. Nom. *eu* 82, 236, 355, seltener *je* 78, 251, 364, *ge* 156, 543. — *il* für *ie* (*je*) 668. — Acc. *mei* 3, 235, 259,

273, zuweilen prov. *mi* 499, 1210, 1691.   Im Reim stets *mei* 1211 zu *dei*, 496 zu *vei*, 235 zu *rei*.

2. Pers. Nom. *tu* 37, 75, 141, 225, unmittelbar vor dem Verb auch *te* 1861, 2472, 2473, *t'* 221, 1081. — Acc. *tei* 145, 149, 292, *ti* 853, 1098, 1149.   Im Reim nur *tei* 1559 zu *rei*, 1817 zu *rei*, 145 zu *lei*.

3. Pers. Nom. Mask. *il* 3, 30, 34, 35, oft *el* 67, 126, 200.   Für das Neutrum steht einmal *lo* 992 (wie im Prov., s. Chabaneau, Rom. IV, 342, VII, 329).   Fem. *ella* 185, 389, 482 und fast ebenso oft wie prov. *il* 103, 197, 348. — Einmal findet sich dem prov. *ilh* entsprechend: *illi* 641. — Acc. Mask. *lui* 452, 467, 567; Fem. *lei* 397, 600, 633, 927, und ebenso oft *le* 350, 398, 834.   Beide Formen stehen im Reim, *lei* 1436 zu *prei*, 2189 zu *livrarei*; — *le* 350 zu *clamé*, 2214 zu *comandé*.

Plur. 1. Pers. Nom. *nos* 9, 47, 125; Acc. *nos* 153, 361, 366.

2. Pers. Nom. *vos* 51, 123, 387; Acc. *vos* 28, 569, 606.

3. Pers. Nom. Mask. *il* 21, 287, 289. — Fem. *elles* 100, 2020. Acc. Mask. *euz* 57, 270, 302, *eus* 624, 880, *els* 865, 1060, *os* (s. § 49). Fem. *elles* 2077.

Reflexiv der 3. betont *sei* 316, 1378, 2574, zuweilen *si* 884, 1420, 1871.   Im Reim stets *sei*, es reimt mit *rei* 1378, 1574, 2273.

non + *illum* wird *nol* 87, 132, 1153, *nel* 94, 705, 1306; *non* + *illos* *nols* 262, 306, *nels* 484, *nes* 256.

II. Konjunktes (unbetontes) Pronomen.

139) Sing. 1. Per. Dat., Acc., *me* 54, 157, 417, 418, *m'* 232, 262, 359. — *mes* 506 ist ein Schreibfehler.

2. Pers. Dat., Acc., *te* 131, 156, 228, 435, *t'* 8, 127, 218.   Für den Dativ findet sich mehrmals 1875, 2103, 2413, für den Acc. einmal 1179 die Form *ti*.

3. Pers. Mask. Dat. *li* 36, 71, 97, 112.   Acc. *lo* 33, 35, 50, 72, *l'* 71, 602, 652; *lo* für *la* ist zu lesen 2345 in *qui la* (*Porphire*) *m'a enchanté*.

Das Neutrum wird gewöhnlich durch die Mask.-Form ausgedrückt; einmal tritt jedoch das Fem. *la* ein 1624 (vergl. Tobler, Jahrb. VIII, 338; Germania II, 443.   Förster, Rich. l. b. zu V. 2393).

Fem. Dat. *li* 136, 217, 393, *l'* 1956; *lei* 1914.   Acc. *la* 111, 114, 182, 193, *l'* 107, 216, 355, *li* 2001.

Plur. 1. Pers. Dat., Acc., *nos* 21, 26, 335, *vos* (*uos*) für *nos* 286.
2. Pers. Dat., Acc., *vos* 124, 551, 608.

3. Pers. Dat. *lor* 66, 83, 171, 175, *lors* 497. Acc. Mask. *les*
68, 92, 279, 280, *los* 80, 266, 295. Fem. *les* 2218, *las* 2264.

Reflexiv der 3. unbetont *se* 183, 190, 208, *s'* 34, 70, 134. Dreimal steht *si* 89, 289, 2342.

2. Possessivpronomen.

I. Singularisches.

A. Konjunktes Pronomen.

140) 1. Pers. Sing. Mask. Nom. *mes* 237, 663, 860; seltener *mos*
1805, 2601, *moz* 2517. Acc. *mon* 155, 259, 372. Fem. Nom. *ma*
130, 770, 859, vor Vokalen *m'* 1183, 2517. Acc. *ma* 513, 1109,
1197, vor Vokalen *m'* 1139, 1159.

Plur. Mask. Nom. *mei* 1685. Acc. *mes* 1086, 1201, 2332. Fem.
Nom. *mes* 773. Acc. *mes* 2565.

2. Pers. Sing. Mask. Nom. *tes* 159, 223, 224. — *tos* 1926. —
des für *tes* 516. — Acc. *ton* 219, 336, 453. Vor *n* auch *to* 218,
2552. — Fem. Nom. *tu* 223, 1925, 1926. Acc. *ta* 838, 1122, 1198,
t' 2322.

Plur. Mask. Nom. *tei* 807, 997. Acc. *tes* 271, 409, 853, *tos*
1223." Fem. Nom. *tes* 224, 854. Acc. *tes* 1537.

3. Pers. Sing. Mask. Nom. *ses* 204, 312, 1916. Acc. *son* 84,
101, 198. Vor *n* auch *so* 607, 1580. Fem. Nom. *sa* 52, 188, 599,
s' 394, 2355. Acc. *sa* 116, 177, 205, *s'* 106, 363, 1730.

Plur. Mask. Nom. *sei* 45, 178, 1342. Acc. *ses* 185, 951, 975.
Fem. Nom. — Acc. *ses* 163, 164, 344, *ces* 1154.

Die in den übrigen poit. Denkmälern regelmäfsig auftretenden Formen
mis, *tis*, *sis* (G.) bietet unser Text nicht.

B. Absolutes Pronomen.

141) Neben den Formen mit auslautendem *n* stehen provençalische,
in denen das nachtonige *u* erhalten ist, jedoch finden sich nur die ersteren
im Reim, ausgenommen *meus* 2408 zu *ches*, wo vermutlich *mes* (aus
mens) zu lesen ist. Die Formen des Fem. sind vom Mask. unabhängig.

1. Pers. Sing. Mask. Nom. *meus* (?) 2409. Acc. *men* 1484 zu
ben, 1885 zu *crestïen*, 2366 zu *bien*; *mei* 158 zu *bien* ist Schreibfehler.

meu 1108. — Vielleicht ist *mon* zu lesen 2475 für *del nom deu*. Fem. Nom. *mia* 1532.

Plur. Mask. Nom. *men* 1037, *meu* 1118. Acc. *mens* 845 zu *tens*, 851.

2. Pers. Sing. Mask. Nom. *tons* 664 zu *bons*; *teus* 1733. — Acc. *teu* 446, 1554, 2567. Fem. Nom. *toa* 995. Acc. *toa* 1103.

Plur. Mask. Nom. *teu* 808, 861. Acc. *tons* 408 zu *bons*; *tens* 846, 2166, *teus* 2167.

3. Pers. Sing. Mask Nom. *seus* 33, 643. Acc. *sen* 161, 572, 1280, 2248, 2349 zu *crestien*, *seu* 1261.

Plur. Mask. Nom. *sen* 2059. Acc. *sens* 856, *sons* 2125 zu *confusions*, *seus* 1607, 1799.

Ebenso ist *sons* (*sos*) für *senz* 1891 zu lesen wegen des Reimes mit *somos*.

II. Pluralisches.

142) Da das konjunkte und das absolute Pronomen dieselbe Form haben, so trennen wir sie hier nicht.

1. Pers. Sing. Mask. Nom. *nostre* 603, 1737, 2616. Acc. *nostre* 583. Fem. Nom. *nostra* 1481, 1673. *vostra* (*uostra*) steht für *nostra* 9. Acc. *nostra* (*nostre*) 146, 384, 910, *nostr'* 2363.

Plur. Mask. Nom. *nostre* 583. Acc. *nos* (aus **nostr's*, *nosts, *noz) 148, 229, 358, 382, seltener *nostres* 226, 351, 362. Fem. Acc. *nos* 150, analogische Übertragung des Mask.

2. Pers. Sing. Mask. Nom. *vostre* 604, 1944, 1946. Acc. *vostre* 553. Fem. Nom. *nostra* steht für *vostra* 25. Acc. *vostra* 545, 783.

Plur. Mask. Nom. *vos* 550, *vostres* 789. Fem. Acc. *vos* 549, 550, 790, *vostres* 245, 1949.

3. Pers. Sing. Mask. Fem. Nom. *lor* 48, 326, 1656, 2421. Acc. *lor* 170, 181, 241, 325.

Plur. Nom. *lor* 584. Acc. *lor* 1471, 1971 und mit analogischem *s* *lors* 2194, 2560.

3. Demonstrativpronomen.

143) Die mit *ecce* zusammengesetzten Formen finden sich häufiger als die prov. mit *eccu*, namentlich sind die aus *eccu* + *ille* entstandenen selten. Anlautendes *i* (aus *k*) in *ecce* ist gewöhnlich gefallen, in *eccu* gewöhnlich geblieben. Das Maskulinum hat zuweilen Formen in —*ui* (wie das Femininum solche in —*ei*) und zwar steht *illúi* ebenso wie

iste auch ohne *eccu, ecce.* Im Nom. Sing. ist durch Analogie zum Plural oft *i* für *e* eingetreten.

144) *iste.* 1. *iste* allein. Mask. Sing. Acc. *est* 488, 573, 588. Fem. Sing. Acc. *esta* 44, 142, 632.

2. *ecce* + *iste.* Mask. Sing. Nom. *cist* 15, 679, 1383, *cest* 603, 622, 2206 (*cist* überwiegt), *icest* 381, 2158. Acc. *icest* 1210, 2074, 2318, *cest* 17, 536, 600, *cestui* 2356.

Plur. Nom. *cist* 323, 417, 495. Acc. *ices* 299, 300, 319, *ces* 76, 91, 129; aufserdem ohne *s*: *icest* 56 reimend mit *iquest* (Nom. Plur.), 1889 und *cest* 2485. *icetz* 1419 reimend mit *pres* ist nicht ganz sicher.

Fem. Sing. Nom. *icesta* 2654, *cesta (ceste)* 69, 396, 621, 949, *cist* 620, *cisti* 521, 941, 1204. Acc. *icesta (iceste)* 463, 1132, 1245, *cesta (ceste)* 51, 491, 717.

Plur. Nom. *cestes* 1267. Acc. *icestes* 2312, *cestes (cestas)* 139, 616, 1229.

3. *eccu* + *iste.* Mask. Sing. Nom. *iquest* 604, 605, 620, *iquist* 1909 reimend mit *Crist, iquez* 1040 durch Analogie. Acc. *iquest* 75, 626, 641, *iquist* 2614 (Nom. für Acc.).

Plur. Nom. *iquist* 317, 400 zu *dist,* 439. Acc. *iquez* 285, 1043, 1061, *iquestz* 1565; ohne *s*: *iquest* 425, 1535, *īq̄st* 1135.

Fem. Sing. Nom. *iquist* 1750, *iqūz* 351; an ersterer Stelle verlangt das Metrum *iquesta.* Acc. *iquesta* 699, 969, 1157.

145) *ille.* 1. *ecce* + *ille.* Mask. Sing. Nom. *cil* 709, 1377, *cel* 566, 1127, 1206. Acc. *icel* 2349, 2633, *cel* 16, 2088, 2195, *celui* 665, *cellui* 2351.

Plur. Nom. *icil* 173, 1578, *cil* 13, 266, 303. Acc. *iceuz* 254, 613, 1110, *ceuz* 167, 312, 402.

Fem. Sing. Nom. *cella* 1150, 1285, 1725, *sella* 2145. Acc. *cella* 247, 1192, 1395.

Plur. Nom. *celles* 2023, 2026.

2. *eccu* + *ille.* Mask. Sing. Acc. *iquel* 2165, 2269. Plur. Nom. *iquil* 583, 2080, 2329. Acc. *iqueuz* 1523.

Fem. Sing. Acc. *aquella* 594.

3. **illuic.* Sing. Acc. *ellui* 570.

146) Als Neutrum finden sich etwa gleich oft *hoc* und *ecce hoc*: *o* 8, 14, 50, 62. — *so* 21, 34, 45, 67, *zo* 201, *iso* 13, 23, 49, *izo* 320, 404, *aiso* 833, 1628, *eiso* 925. Vielleicht ist *soi* 2097 in *so* zu ändern.

4. Relativpronomen.

147) Der Unterschied zwischen *qui* und *que* wird nicht genau festgehalten, namentlich steht oft *que* für *qui*; *qualem* findet sich selten als Relativpronomen.

Sing. Nom. Mask. *qui* 146, 374, 566, *que* 679, 1298, 2492. Fem. *qui* 732, 819, 824, *que* 628, 633, 1597. Neutrum stets *que* 564, 565, 567. Acc. Mask. *que* 506, 548, 641, *qui* 2270, *qual* 1539, 2341. Fem. *que* 69, 180, 426, *qui* 244, *qual* 2052. Auf Personen bezüglich *cui* 213, 454, 1164. Einmal *quei* 1732 mit Beziehung auf *seinor*. Neutrum *que* 67, 97, 373, vor *a, o, u* auch *c'* 135, 151, 527, *co* einmal 1251 und ebenso *quei* 72.

Plur. Nom. Mask. *qui* 13, 91, 92, 167, *que* 301, 733, 2018. Fem. *qui* 2023, 2122. Acc. Mask. *que* 117, 195, 260, *quals* 1565. Fem. *que* 1229, 1571. *cui* wie oben 504, 775, 2193.

qui = *is qui* 8, 49, 57, 68, *que* = *id quod* 89, 253, 1085. — *quicunque* wird durch *qui que* 483, *quodcunque* durch *lo qual que* 1839, *qual que* 2472 ausgedrückt.

5. Interrogativpronomen.

148) Substantivisch: Sing. Nom. *qui* 392, 1794, 1819, *que* 225. Plur. Nom. *que* 327. Neutrum *que* 1019, 1085, 1771, in Verbindung mit *per* auch *quei* 274, 1097, 1945.

Wir erwähnen noch das neutrale *que* in *que es honors* 301.

Adjektivisch: Sing. Nom. Mask. *quals* 724, *quauz* 842. Fem. *quauz* 326. Acc. Mask. *qual* 28, 522, 637. Fem. *qual* 273, 290, *la qual* 742, *quel* 1788, das einzige Mal, wo *a* zu *e* wird.

Plur. Nom. Mask. *qual* 1578. Acc. Mask. *quals* 221, *les quals* 551.

Wir erwähnen hier noch den demonstrativen Gebrauch von *qual* in *a qual coseil d'emperaor et qual sentenza de seignor* 377—378.

6. Unbestimmtes Pronomen.

149) *autre* nimmt im Nom. Sing. kein *s* an 1188, 1806, 2612. — *autri* 1519 (vergl. § 127). — Zweimal steht *autrui* 899, 1384.

Neben *maint* 106, 912, 1037 etc. steht zweimal ohne *i* *mantes* 385, 1595. Fälschlich steht *mainte* 2036 als Acc. Sing. Mask. sowie *maintos* 347 und *mantes* 365 als Acc. Plur. Mask.

Von *totum* erwähnen wir die Anwendung von *toz* 2188, 2272 (?), 2424, 2431, und von *tote* 405 als Adv. und das substantivische *lo tot* 778.

tantum hat einmal als Acc. Sing. Fem. *tanz* 24 für *tant'*. — Wir erwähnen die Phrase *ni tant ni quant* 1476 = durchaus nichts.

Bei *talem* ist die Verbindung *tal i ot (habuit)* 1921 = mancher zu bemerken (vergl. Tobler, Jahrb. VIII, 350).

6. Verbum.

150) Nachtoniges *a* bleibt nach allgemeiner Regel gewöhnlich, wenn kein Konsonant folgt. So hat die 3. Sing. Präs. Ind. der 1. schwachen Konj. gewöhnlich *a*, wenn das auslautende *t* fällt, während der Infinitiv der 1. schwachen Konj. nur selten —*ar* neben dem gewöhnlichen —*er* zeigt.

151) Die Endung der 1. Plur. Präs. Ind. hat das auslautende *s* stets verloren. Während das Franz. gewöhnlich die Endung der 1. schwachen Konj. (s. Förster, Z. f. nfrz. Spr. I, 87) auf die übrigen Konjugationen überträgt, finden wir in unserm Texte in der 2. und 3. Konj. nach prov. Art gewöhnlich —*em* entsprechend —*emus*, das dann auch in der 1. Konj. ebenso häufig erscheint, wie das aus —*amus* entwickelte —*am*. Nach Grüzmacher ll. cc. hat das Waldens. fast immer *en*. Die franz. Endung —*om* findet sich nur einmal und zwar reimend mit *hom*, mit dem auch —*am* öfters reimt (vergl. § 44). Die 2. Konj. hat zuweilen auch —*am*, die 3. nie. — Im Subjunktiv haben alle Konjugationen —*am*. Im Futur hat die 1. Konj. —*um* reimend mit *hom*, die übrigen —*em* s. § 164).

152) Ähnliches Schwanken findet sich im Vokal der 3. Plur. Unzweifelhaft verdanken —*ant*, —*ont*, —*unt* einer Accentverschiebung ihren Ursprung (vergl. Förster, Z. f. ö. G. 1875, S. 541; Bonnardot, Rom. I, 337, II, 251—255; Mall Cumpoz, S. 109 etc.). Jedenfalls aber sind diese Endungen in unserm Texte nicht unbedingt betont. Wenn die Stammsilbe den Reim trägt, so steht zwar gewöhnlich —*ent*: *áment* zu *recláment* 1579, *vínent* (für *venent*) zu *deménent* 2581; *véent* zu *créent* 265, und wenn die Endung den Reim trägt, gewöhnlich —*ant*: *donessánt* zu *seránt* 1787, *ploressánt* zu *destorbessánt* 2501, *percessánt* zu *arangessánt* 2217, *deussánt* zu *aguessánt* 2292, *istesánt* zu *aguessánt* 411; aber von vornherein ist zu bemerken, dafs wir nie im Reime —*unt*, —*ont* zu —*unt*, —*ont* finden, —*únt* reimt einmal und zwar mit —*ént*: *proiunt* zu *trovént* 2549, ebenso reimen auch —*ént* und —*ánt*: *hastessént* (Ms. *gasdessent*) zu *venesant* 171, und aufserdem auch —*ént* mit —*ént*: *rendessént* zu *venquessént* 182, *aiént* zu *veirént*

(Fut.) 2059 und aufserdem steht auch im Fut. öfter —*ent* wie —*ant* etc., so dafs es also nicht bezweifelt werden kann, dafs auch —*ent* den Ton tragen kann. Umgekehrt zeigen die Reime *séntunt* zu *deméntent* 293 und *tormentavont* zu *amenavont* 1919, dafs auch —*unt* und —*ont* unbetont sein können. Das Imp. Subj. scheint in unserm Texte immer Accentverschiebung zu haben, da bei ihm stets die Endung den Reim trägt (s. o.), (vergl. Burguy I, 266). Das Waldens. hat gerade im Fut. stets —*én*, in den übrigen Zeiten —*an*, —*on* und nur selten — *en*. — Auch Benoit de St. Maure hat im Imperf. Subj. stets die Endung betont, jedoch tritt dann stets —*ont*, —*unt* ein (vergl. Settegast, S. 47). Naheres bei den einzelnen Konjugationen. — Endlich bemerken wir noch, dafs *t* nach allgemeiner Regel nach *n* fallen kann. Das Neupoit. hat nach Favre (gloss. du Poit. S. LXV ff.) stets —*ant*, aufser im Parfait, wo —*ont* eintritt.

153) Der Ind. Imperf. zeigt sehr mannigfaltige Formen. Die 3. Pers. Sing. und Plur. der 1. Konj. hat oft die aus dem Normannischen bekannnte Form —*ot*, —*oent;* daneben befinden sich die prov. Formen —*ava* (einmal), —*avam;* die 2. Konj. hat gewöhnlich —*eit* (nie —*oit*). In der 3. Konj. findet sich die 3. Sing. nicht, die übrigen Personen werden wie im Prov. selbständig aus dem lat. —*ibam* abgeleitet: Sing. 1. *ĭa*, 2. *ĭes;* Plur. 3. *ĭent* und hiernach wird oft die 3. Sing. auf —*it* gebildet. — Nach Analogie dieser Formen hat auch die 1. Konj. einmal *apreisïes* (*apretiabatis*) 943. Durch Analogie zur 2. Konj. hat auch die 3. zweimal —*eit* und einmal —*eient* (s. u.).

Da unser Text den Übergang von *ei* zu *oi* nicht zeigt, so müssen die Formen —*oie*, — *oit*, *oient* der 1. Konj. als selbständige Entwickelungen angesehen werden; *oi* entstand aus den Diphthongen *ou*, indem *u* zu *i* überging (*abam, au, ou, oi*) (vergl. Mall Cumpoz, S. 66, gegen Darmesteter, Rom. II, 145, der Einschiebung eines *i* annimmt).

154) Das prov., vom lat. Plusquamperfektum abgeleitete Kondit. (Diez, Gr. II⁴ 122) bietet uns noch einige Formen: *vendrent* 173, *farent* 174, *voldrent* 176, *feiras* 1195, *partrent* 2386. — Das durch Zusammensetzung mit *habebam* gebildete Kondit. hat ebenfalls die prov. Form: —*ĭa*, —*ĭes*, —*it* (für *ĭet* wie im Imperf.) —, —*ĭés*, —*ĭent*. Nur die 3. Sing. hat auch —*eit*.

155) Im Fut. und im Parf. steht in der 1. Sing. meist —*ei* für —*ai* und ebenso in der 2. und 3. Sing. und in der 3. Plur. *e* für *a*.

156) Im Imperf. Subj. findet in der 1. Konj. Schwanken zwischen *a* und *e*, in der 3. zwischen *e* und *i* statt.

157) Das Part. Präs. der 2. und 3. Konj. hat gewöhnlich die Endung —*ent*. Es scheint also nicht der Analogie der 1. Konj. zu folgen, jedoch könnte auch für *a* vor dem Nasal *e* eingetreten sein. Eine Analogie fände dieser Übergang in *vienda* 1797, das bekanntlich von **vivanda* abzuleiten ist. — Wir erwähnen hier noch die absoluten Gerundien *oiant trestoz* 615 und *veiant toz euz* 657.

Hilfszeitwörter.

1. Habere.

158) Ind. Präs. Sing. 1. *ai* 127, 355, 414.   2. *as* 137, 221, 335.   3. *a* 1, 7, 83.

Plur. 1. *avem* 24, 151, 977, *avom* 1021.   2. *aves* 522, 623, 625, *avez* 2511.   3. *ant* 744, 997, *an* 222, 862, *ont* 1632.   *avem* 32 muſs vermutlich in *oem* geändert werden.

Ind. Imp. Sing. 2. *avïes* 2159.   3. *aveit* 919, 1063, 1066, *avit* 1716.

Plur. 1. *avïam* 979.   3. *avïent* 168, 317, 1053, *avïant* 580. *aiuent* 2284 ist in *auïent* (*avient*) zu ändern.

Parf. Sing. 1. *oi* 553, 700, 1797, *ot* statt *oi* 1830, *agui* 239, 1796, 1798.   3. *ot* 29, 44, 71, 159, *aguit* 432 reimend mit *esclarzit*, 1726, 2136.

Plur. 3. *orent* 2265, *aguiront* 1921, *aguĩrt* 1464 zu *poguirunt*, *agrunt* 645.

Fut. Sing. 1. *aurai* 1170, *auraei* 1236, *aurei* 2484.   2. *auras* 158, 1226, 1558, *aures* 2205, 2246, 2248, *aurez* 1556.   3. *aura* 198, 1615, *aurét* 58, 1618, 1633, *auré* 527.

Plur. 1. *aurem* 152.   2. *aures* 302.   3. *aurent* 1104, 1631, 2412, *auren* 1103, *orant* 1637 (vergl. § 121).

aurai 1170 reimt mit *sai* (*sapio*), *auras* 2586 mit *as* (*habes*).

Subj. Präs. Sing. 2. *aies* 436, 1450, 1823.   3. *ait* 793, 799, 1022.

Plur. 1. *aiam* 1667.   3. *aient* 1765, 2059, 2544.

ait 2436 reimt mit *fait*, 1130 mit *forfait*, *aiént* 2059 mit *veirént*.

Subj. Imperf. Sing. 1. *aguessa* 1828, *agues'* 1829.   3. *aust* 1320, *aguest* 5, 145, 968, *aguist* 628, 915, 2066. — Plur. 3. *aguessant* 412, 2291, 2393.   Reime s. o.

Kond. Sing. 3. *aureit* 1142, 1316, *aurit* 1462.

Imper. Sing. 2. *aies* 1098, 1510, 1551. — Plur. 2. *aies* 1035.

Infin. *aver* 356, 420, 497.

Part. Prät. Mask. *agu* 221, 2170; Fem. *aua* 143. *fusses aua* =
wärest gewesen. Nach Grüzmacher (Jahrb. IV, 386 Anm.) ist diese
Form im Waldens. sehr gebräuchlich. Auch die von Boucherie herausgegebenen poitev. Predigten (le dial. poit. S. 254) kennen sie. Vergl.
ferner Mussafia, Jahrb. V, 247. Rom. II, 120. Tobler, Gött. Anz. 1874,
S. 1423. Förster, rom. Stud. IV, 77. Bertrand, Herrigs Archiv XXXV,
128.

2. *Essere.

159) Ind. Präs. Sing. 1. *soi* 234, 236, 453. 2. *es* 225, 337,
424, *est* 2298. 3. *est* 11, 23, 25, *es* 68, 187, 188.

Plur. 1. *somes* 991, 1001, *sosmes* 536, 1668, *sosmos* 970.
2. *estes* 91, 119, 524. 3. *sunt* 64, 77, 117, *son* 1653.

Dreimal steht *ses* für *es* 220, 1818, 1939, vielleicht durch den
Einfluſs des Subj.; *ost* für *est* 512 und *vont* für *sont* 240.

Ind. Imperf. Sing. 1. *ere* 251, *eire* 246 zu *lumneire*, *esteie* 1143
zu *vaudrïa*, so daſs wohl in *estïa* zu ändern ist, da im Kond. nie *—eie*.
3. *ere* 37, 160, 238, *esteit* 753, 757, 1076.

Plur. 1. *estïam* 591. 2. *estïés* 939. 3. *erent* 22, 327, 331, *erunt*
1516, 2071, *estient (estiant)* 167, 349, 400, *esteient (esteiant)* 1519,
1578. Die gebräuchlichen Formen sind gleichmäſsig *erent* und *estient*.

Die 3. Sing. lautet einmal *estoit* reimend mit *poït* 680; da wir
sonst nie *estit* finden, so ist *esteit* zu *poeit* zu lesen; einmal *ert* 430.

Parf. Sing. 1. *fui* 233, 543, 1417, *foi* 2331 zu *joi*. 2. *fus*
2575. 3. *fu* 39, 43, 160, weniger oft *fo* 29, 52, 462, nur *fu* im
Reim 967 zu *vertu*, 638, 819, 835 zu *Jhesu*, 1778 zu *batu*, 1664,
1942 zu *respondu*, 1679 zu *creu*.

Plur. 1. *fusmes* 1670. 3. *forunt* 16, 18, 323, *foront* 1045,
furent 209, 308; — *furunt* 1339, 2063, *furont* 1050. Meist *forunt*

Fut. Sing. 1. *serei* 1169, 1300, 1859, *serai* 1178. 2. *seras*
449, 1099, 1114, *seres* 1117, 1301, 2163. 3. *ert* 8, 365, 996, *sera*
197, 1039, 1616, *seret* 1876, 1916, *seré* 2104, *serai* 1167.

Plur. 1. *serem* 1027, 1028. 3. *serent* 196, 1628, 2012, *serant*
1788, 2017, 2023, *seren* 1118. *sereis* 122 soll wohl die 2. Sing. sein.

Subj. Präs. Sing. 1. *si* (für *sia* vor Vok.) 1220. 2. *sias* 811,
1837, 1862. 3. *seit* 67, 187, 251, *sei* 391, 393, *seist* 2487, *ceist* 2449.

Plur. 1. *siam* 2369. 3. *siant* 174, 386. 1012, *sient* 2590,
siunt 1700, *sian* 2401.

Die Reime *sias* 1837 zu *creas*, *siant* 1902 zu *veiant*, *siunt* 1700 zu *creunt*, *sient* zu *creent* 2590, verlangen die franz. Formen *seies* etc. Für *seies* (*sias*) steht *sed* 2450.

Auch die Coutumes de Charroux kennen die Formen *siet* etc. (G.)

Subj. Imperf. Sing. 1. *fussa* 544. 2. *fusses* 143, 150, *fossas* 141. 3. *fust* 6, 30, 31, 38.

Plur. 3. *fussant* 1011, *fusent* 1032, *fossant* 1777, 2395.

Kond. Sing. 1. *seria* 1137. 3. *sereit* 189, 402, 817. — Plur. 3. *seriant* 177.

Imperf. Sing. 2. *seies* 2093, 2536, *sies* 722, *sias* 1020 (*ista* 1735, 2252). — Plur. 2. (*istés* 1037, *istez* 368).

Infin. *estre* 201, 252, 366.

Part. Prät. *esté* 345 (*isté* 464, 1430, 1667).

Schwache Konjugation.

160) Im folgenden geben wir das Paradigma der drei schwachen Konjugationen und der starken, soweit sie sich — entsprechend ihrer Infinitiv-Endung — der schwachen anschliefst.

		I.	II.	IIIa.	IIIb.
Präs. Ind. S.	1.	—	—	—	*is.*
	2.	*es, as.*	*s, z.*	*s, z.*	*is.*
	3.	*a, e, et.*	*t, —.*	*t, —.*	*ist.*
	Pl. 1.	*am, em, om, um.*	*em, om um.*	*em.*	+
	2.	*es, ez.*	*es, ez.*	*es, ez.*	*es.*
	3.	*ent, unt, ant, ont, en.*	*ent, unt, ont.*	*ent, unt.*	*issent, issunt.*
Impf. Ind. S.	1.	*oie.*	*ie, ia.*	*ia.*	
	2.	+	*ies.*	*ies.*	
	3.	*ot, oit, eit, ava.*	*eit, it.*	*ia (it).*	
	Pl. 1.	*avam.*			
	2.	*ies.*	+	+	
	3.	*avont, oient, oent.*	*ient, iant.*	*ient, iunt.*	
Parf.	S. 1.	*ei, ai.*	*ei, i (?).*	*i.*	
	2.	*as.*	+	*is.*	
	3.	*a.*	*et, it, eit.*	*it.*	
	Pl. 1.	+	+	+	
	2.	*as.*	+	+	
	3.	*erent, erunt.*	*erent.*	*irent, iront.*	
Fut.	S. 1.	*ei, ai.*	*ei, ai.*	*ei, ai.*	
	2.	*as, es.*	*es, as.*	*as, es.*	
	3.	*e, a, et.*	*e, a, et.*	*e, a.*	
	Pl. 1.	*um.*	*em.*	+	
	2.	+	*es.*	*es.*	
	3.	*ent, ant, ont.*	*ant, ent unt.*	*unt, ent, ent.*	
Präs. Sbj. S.	1.	+	*a, e.*	*a.*	*ischa.*
	2.	*s, es.*	*es, as.*	*es.*	*isches.*
	3.	*t, —, e.*	*a, e, —.*	*a.*	+

	I.	II.	IIIa.	IIIb.
Pl. 1.	*am.*	*am, em.*	*am.*	‡
2.	+	+	+	‡
3.	*ant, ent, an.*	*ant, ent.*	*ant.*	+
Impf. Sbj. S. 1.	*asse, ase, ese.*	+	+	
2.	*esses, eses.*	+	+	
3.	*ast, est, es.*	*es.*	*ist, is.*	
Pl. 1.	*esmes.*	+	+	
2.	*eses.*	+	*isses.*	
3.	*essant, esant, essent.*	*essant, essent.*	*isent, essant.*	
Kond. S. 1.	+	*ia.*	+	
2.	*ias, ies.*	*I. ies, II. as.*	*ies.*	
3.	*eit, it.*	*it, eit, ia.*	*eit.*	
Pl. 1.	+	+	+	
2.	+	*ies.*	+	
3.	+	*I. ient, II. ent.*	*II. ent.*	
Imperat. S. 2.	*a, e.*	—	—	*is.*
Pl. 2.	*es, ez.*	*es, ez.*	*es.*	+
Infin.	*er, ar.*	*re, er.*		
Part. Präs.	*ant (anz).*	*ent, ant.*	*ent, ant.*	
Part. Prät.	*é, á, éa, ée.*	*u, ue.*	*i, u.*	

Beispiele und Bemerkungen geben wir nur da, wo Abweichungen vom gewöhnlichen Gebrauch zu konstatieren sind.

161) In der 1. Sing. des Präs. Ind. finden wir in der 1. Konj. die prov. und namentlich waldens. Formen *preso* 1156, *dopto* 1399 (vergl. Grüzmacher, Archiv XVI, S. 383. Jahrbuch V, 384). Die 3. Sing. der 1. Konj. hat meist die Endung *a*, *et* kommt etwa zwanzigmal und *e* etwa fünfzehnmal vor. Im Reim steht stets *a* oder *e*: *dura* 1824, *fia* 1585, *dona* 1426, *clame* 2052, *apelle* 2602. Im Innern des Verses vor einem Vokal steht immer *a* oder *et* und zwar ohne Elision: *deigna appeller* 1024, *parla o lei* 1077, *parla a la dame* 1064, *refuida et* 2347, *donae a ceuz* 1579, *apellet un* 161, *comencet iso* 936, *comencet a dire* 1814, *oret issi* 406, *laiset aver* 1804. — Die 1. Plur. hat in der 1. Konj. meist *am*: *demandam* 333, *mervillam* 334, 989, *parlam* 1406 zu *am*, *trenblam* 990, *ausam* 980, daneben —*em*: *sacrifiem* 148, *preiem* 1940, *preisem* 229, *parlem* 213, *livrem* 1005, einmal —*um*: *otreium* 691 und einmal —*om*: *amom* 602 zu *hom*. In der 2. Konj. meist —*em*: *creem* 603, 992, 998, *veem* 727, *devem* 214, *conoisem* 1678, zuweilen —*om* und —*um*: *savom* 9, 704, 891, *creum* zu *hom* 725, 760. In der 3. Konj. immer —*em*: *oem* 534, 981, *partem* 1002, *sirvem* 1479. In der 2. Plur. ist in der 1. Konj. *gez* 297 zu bemerken für *getez*. — Die 3. Plur. hat in der 1. Konj. meist —*ent*: *dampnent* 55, *cuident* 476, 574, *ament* 1579, sodann —*unt*: *torneiunt* 102, *outreiunt* 1904, *proiünt* zu *trovént* 2549; einigemal —*ant*: *menasant* 444, *demandant*

20*

1659, einmal —*ont*: *amont* 1632 und einmal —*en*: *amen* 1697.
Ebenso stehen in der 2. Konj. —*ent* und —*unt* fast gleich häufig
nebeneinander: *veent* 265, *creent* 266, 1886, *gaisent* 1951; — *valunt*
278, 854, *respondunt* 1535, *creunt* 1699; —*ont* findet sich in *devont*
338, *naisont* 1623. — Auch in der 3. Konj. —*ent* und —*unt*: *demen-
tent* 294, reimend mit *sentunt* 293, *vinent* (*veniunt*) 2581, *devenūt*
1953. — In der gemischten Form der 3. Konj. haben wir *garentis-
sent* 808, *escharnissent* 642, *garentissunt* 225. — *suffrir* zeigt
Schwanken zwischen der Inchoativ-Konj. und der reinen 3. Konj.,
indem die 2. Sing. neben *sufris* 1996, auch *sufres* 1732, 1734 hat,
so dafs es auch zweifelhaft ist, ob in der 2. Plur. *sufres* 1894, *suffres*
624 die prov. Bildung der Inchoativ-Konj. vorliegt.

162) Das Imperf. Ind. hat in der 1. Konj. in der 1. Sing. stets
oie: *cuidoie* 1193, *veilloie* 1408, *amoie* 2339, *comandoie* 2340, in
der 2. Konj. *ie*, *ïa*: *faisïe* 1133, *creïe* 1134, *savïa* 561 zu *via* (*vitam*),
nach Analogie zur 3. Konj. *dormia* 1408. Die 2. Sing. kommt in
der 1. Konj. nicht vor, in den übrigen entspricht sie der 1. Sing.:
poies 1304, *guerpïes* 1884. Die 3. Sing. hat in der 1. Konj. meist
—*ot* und zwar durch Reim gesichert: *comandot* 87 zu *ot* (*habuit*), 94,
espavantot 2068 zu *ot*, *mandot* 1283, *jurot* 1768. — Öfters tritt
—*oit* auf: *esperoit* 2341, *reposoit* 2342, *dotoit* 484 reimend mit *istot*.
Ebenfalls durch Reim gesichert ist das aus der 2. Konj. (—*ēbat*)
übertragene —*eit*: *contrasteit* 2053 zu *estreit*, *redopteit* 2137. Einmal —*ava*: *amava* 1385. In der 2. Konj. steht neben regelmäfsigem
—*eit* auch analogisches — *it* und zwar auch im Reim: *temeit* 1065,
meteit 1423, *deveit* 1746. — *faisit* 1382, *aparit* 427 zu *vit* (*vidit*),
poit 674, 1314. Für *poet* 758 reimend mit *esteit* ist *poeit* zu lesen;
ebenso mufs geändert werden *poït* 679 zu *estoit* (s. § 159). In der
3. finden wir einmal das regelmäfsig von —*ibat* abgeleitete —*ia*: *conduïa*
1652, sonst tritt auch hier analogisches *t* an, so dafs die Formen sich
nicht mehr vom Präteritum unterscheiden. Im Plur. kommen in der
1. und 2. nur in der 1. Konj. *cuidavam* 627 und *apreïsïes* 943 vor.
In der 3. Plur. hat die 1. Konj. meist —*oient* und —*avont*: *gardoient*
1329, *voloient* (von *volare*) 2122, *menoient* 1253 reimend mit *lai-
deioent* 1254, *deslaseroient* 2079 reimend mit *laisoent* 2080. —
reposavont 1277, *menavont* 2399, 2491, *amavont* 2274; auch —*avunt*:
sanavunt 1518. Dann öfters —*oent*: *cessoent* 1271, *flagelloent* 1272.
In der 2. und 3. Konj. findet sich stets —*ient*, —*iant*, —*iunt*: *faisïent*

1342, *batient* 1273, *veïent* 1059 zu *ensevelient* 1060, *durmïent* 1056
zu *estïent*, *deviant* 2257, *reconoisïant* 779, *veniunt* 1276.

163) Das Parf. hat in der 1. Konj. in der 1. Sing. meist *—ei*:
baisei 545, 559, *mengei* 1790, *parlei* 2074, seltener *—ai*: *laisai* 247,
549, 563. — *trovaia* 558 ist ein Schreibfehler. In der 2. Konj.
finden wir einmal die prov. Form *segquei* 243 reimend mit dem
Latinismus *dei* und einmal *entendiu* 249 im Reim zu *sagui* (Ms.
sagui), so dafs wohl *entendi* zu lesen ist. Die 3. Konj. bietet neben
oï 253 noch *guerpiu* 246, das wohl auch in *guerpi* zu ändern ist;
vielleicht sind die Endungen aus lat. *ivi* durch Vokalisierung des *v* zu
erklären. In der 3. Sing. hat die 2. Konj. ein einziges Mal franz. *—it*:
tollit 921, sonst steht immer prov. *—et* und zwar reimend mit *—eit*
aus ę + *i*: *deisendet* 594, 2115, *perdet* 596, 765, 908, 923, *vendet*
643, *vende* (mit Fall des auslautenden *t*) 35 zu *respeit*, *respondet*
1581 zu *esleit*, 1841 zu *respeit*, *fendet* 2116, *nasquet* 911 zu *despeit*,
irasquet 509 zu *despeit*. Wie schon § 24 erwähnt, wird überall *i*
einzusetzen sein. Der einzige Reim, der dem widerspricht, ist *respondet*
532 zu *set* (*sapit*). — Auch *respondeit* 888 zu *despeit* verlangt wohl
die Änderung in *—it*, s. § 24. In der 3. Konj. steht immer regel-
mäfsiges *—it*: *oït* 133, 135 zu *dist*, 539, 640, *nuirit* 1725 zu *aguit*,
esbaloït 926 zu *dist*. — In der 3. Plur. ist der tonlose Vokal neben
e auch durch *u*, *o* ausgedrückt: *comencerunt* 13, *asermerunt* 14,
sufriront 1016.

164) Wie § 5 erwähnt, tritt in der 1. Konj. die Endung des Fut.
und des Kond. oft an *—ar* statt an *—er*, in der 3. Konj. fällt das *i*
des Infin. zuweilen. In der 1. Sing. steht *—ei* häufiger als *ai*:
livrarei 2190 zu *lei* (Pron. pers.), *gitarei* 2204, *jutgerei* 1200, *tendrei*
950, *veirei* 1151, *direi* 416, *partrei* 1736, 1846, *sufrirei* 608, 1213,
1216, *guerpirei* 2474. — *fiarai* 270, *nomerai* 812, *respondrai* 867,
metrai 1124, *partrai* 2475, *sufrirai* 2476. In der 2. Sing. ist *—as*
häufiger als *—es*: *fiaras* 1222, *comandaras* 1439, *metras* 1109,
querras 1541, *muras* 1088, 1202, *sofriras* 448. — *regnares* 451,
creires 725, 837, *perdres* 2464, *sufrires* 1232. In der 3. Sing.
wieder überwiegend *—é*: *saluaré* 1127, *vengeré* 1880, *respondré*
2414, *perdré* 1128, *faré* 437, *vendré* 1912, *guaré* 1911. — *enginnara*
1068, *portara* 1227, *fara* 72, 200, *vendra* 1225. In der 1. Konj.
ist hier einmal der Vokal der Infinitiv-Endung gefallen: *donra* 2468.
Einigemal ist *t* an *e* angetreten: *tarzeret* 1878, *iraisseret* 1447,

remandret 1449. — Die 1. Plur. hat in der 1. Konj. —*um*: *dopterum*
1004 zu *hom*, in der 2. —*em*: *farem* 151, *creirem* 1030. — In der
3. Plur. ebenso oft —*ent* wie —*ant*: *trapasarent* 1126, *enclinarent*
1174, *regnarent* 1630, *farent* 2194, *dirent* 1161, *sufrirent* 443,
1231. — *vengerant* 1091, *torneierant* 2024, 2026, 2028, *resplan-*
drant 1638, *aparestrant* 2018, *savrant* 1162 zu *grant*, *oirant* 264,
sufrirant 1545.   Daneben *tornaeront* 442, *creirunt* 1710, *sentran*
298. — Schreibfehler sind *tarzere* (*tarzare*) 1546, *creirem* 1648,
creirerent 2387, überall muſs —*ent* eintreten.   In den Endungen des
Futurums hat das Waldens. stets die Schwächung von *a* zu *e* eintreten
lassen (Grüzmacher, Jahrb. IV, 383).

165) Im Präs. Subj. der 1. Konj. ist in der 2. und 3. Sing. der
auslautende Vokal regelrecht gefallen: *aors* 508, *lais* 2406, *parout*
525, *pest* (*penset*) 798, *dont* (*donet*) 2662, *comant* 90, in der 3.
kann auch *t* nach allgemeiner Regel fallen: *don* 2388, *aor* 2362. Zuweilen ist hier analogisches *e* eingeschoben resp. angetreten, und zwar
auch wo die auslautende Konsonanz dasselbe nicht verlangt, so daſs
wir ebenso wie *donges* 291, *enrage* 1368, *menbre* 1190 auch finden:
despreises 1816 reimend mit *veiées* (*viatas*), *reneia* 2361 zu *creia*,
preie 2362. *amerme* 2238, *ajua* (Ms. *aua*) 516. — *Prees* 2226 ist
vielleicht Schreibfehler für *preis*, das richtiges Versmaſs ergiebt. —
Wir haben es offenbar mit der 2. und 3. Sing. des Präs. Subj. zu
thun in *menbreis* 1559, *menbreist* 2659; sind diese Formen von
membrescare abzuleiten?   Hervorzuheben ist noch die 3. Sing.
contrarit 2002.   In der 2. Konj. findet sich die unregelmäſsige
Form *cheil* (*caleat*) 1090.   Von der Inchoativ-Konj. kommen die
1. Sing. *sufrischa* 2229 und die 2. Sing. *obedisches* 1927, *perisches*
1928 vor.   In der 1. Plur., wie schon erwähnt, —*am*: *priam* 1022,
encoitam 1025, *donam* 1488, *recevam* 1026, *moiram* 1025, *departam*
1686, einzige Ausnahme *faisem* 1900.   Die 3. Plur. hat meist —*ant*,
seltener —*ent*: *desneiant* 863, *gardant* 1624, 1626, *donant* 2100,
fasant 1627, *diant* 1903, *veignant* 467; — *celent* 1489, *revelent*
1490, *veient* 1980, *creent* 2589; einmal —*an*: *loan* 2552.

166) Für das Schwanken von *a* zu *e* im Imperf. Subj. der
1. Konj. führen wir an: 1. Sing. *amenese* 848, neben *cuidasse* 945,
preisase 847; — 2. Sing. immer *e*: *parleses* 4, *travaillesses* 1783,
laisesses 1784; — 3. Sing. *remembrest* 397 neben *portast* 164, *desli-*
vrast 714, 885, 906; ebenso mit Fall des *t*: *resucites* 764 zu *des*

(*deus*). Im Plur. immer *e*: *parlesmes* 1672, *laiseses* 123, *enclinessant* 1139 (s. § 147). In der 3. Konj. steht einmal *e* für *i*: *repentessant* 2394.

167) Im Kond. finden wir 1. Sing. *vaudria* 1144, *voldria* 2480; 2. Sing. *travaillerias* 1179, *profeitaries* 1180, *porïes* 1887, *repentiries* 1303 zu *poïes*. 3. Sing. *raierit* 85, *abaiserit* 576, *voldrit* 183, 1313, *parestrit* 86, *vencrit* 383, 832, *regnareit* 818, 826, *laisereit* 828, *voldreit* 1072, *fareit* 126, *mureit* 1315. Einmal —*ia*: *faria* 176.

In der 2. Plur. haben wir *devries* 1965, in der 3. Plur. *veirïent* 1145, *contendrïent* 1146. Die Formen des 2. Kond. s. § 154.

168) Im Infin. der 1. Konj. erscheint selten —*ar* neben —*er*: *muar* 858, *donar* 36, *predicar* 410, *destorbar* 2510. — Wir lesen *done* 2538 für *doner* reimend mit *loier* und *guereiers* 1344 für *guereier*, jedoch reimend mit dem Acc. Plur. *chavallers*.

169) Im Part. Präs. hat die 1. Konj. stets —*ant*: *contrariant* 230, *trenchant* 2022, *forsennant* 2141. In den andern Konj. tritt seltener —*ant* ein: *veiant* 657, *poisanz* 747, *suduïanz* 1008 zu *tyranz*, *joianz* 1763, *oiant* 615. — Meist bleibt —*ent*: *mescreent* 240, *poisenz* 2157, *vivent* 2043, *sirvent* 161 zu *isnellament*, 2219 zu *torment*.

170) Das Part. Prät. der 1. Konj. hat —*a* in *comanda* 542 und *resucitas* 655; —*et* in *esgardet* 1740, *mandet* 1747. In der 3. Konj. steht *u* neben *i* in *feru* 2021 neben *feriz* 42.

Einzelne Verba.
I. Konjugation.

171) *aller* (*andare*, *vadere*, *ire*). Infin. *aller* 734. — Ind. Präs. Sing. 1. *voi* 1258 zu *joi*, *vou* 1968, 2518. — *voi* findet sich noch 2514 reimend mit *soi* (*sapui*). 2. *vais* 230. 3. *vait* 468, 472, 474. — Ind. Imperf. Sing. 3. *allot* 1374, 1740. — Plur. 3. *aloient* 2076. — Parf. Sing. 3. *alla* 686, 1349, 2269. — Plur. 3. *alerent* 1047, 2437. — Fut. Sing. 1. *irai* 1239. 2. *ires* 153, 1554. — Subj. Präs. Plur. 1. *alam* 1487. — Subj. Imperf. Sing. 3. *allast* 1338, 1357. — Plur. 1. *alesmes* 1671. — Part. Prät. *allez* 205, *alées* 2626.

172) *dare*. Fut. Sing. 1. *darei* 156, 159, 368. 3. *daré* 501, 503, 1850, 1857, *daret* 1696. — Plur. 3. *darent* 1268. — Kond. Sing. 3. *dareit* 1072, *darit* 1461, 1932.

173) *estare*. Infin. *ister* 371, 1930, 2453. — Kond. Sing. 3ª *stareit* 1144 (*ben m'istareit* = es würde mir gut gehen). — Subj.

Präs. Plur. 3. *istoient* 1107.   Da der Übergang von *ei* zu *oi* unserm
Texte nicht zukommt, so kann, selbst abgesehen von den allgemeinen
Gründen, von einer Übertragung von den betonten Konjunktiv-Endungen
—éam, *—éas* etc. der 2. lat. Konj. her kaum die Rede sein.   Unser
Text spricht vielmehr für die Ansicht Boucheries (Rev. d. l. r. II, 57),
dafs wir es mit der syntaktischen Thatsache der Tempusverschiebung
zu thun haben, indem der Ind. Impf. (*oi* aus *ou*) für den Konj. Präs.
eintrat (vergl. Apfelstedt, lothr. Ps. § 123). — Subj. Impf. Plur. 3.
istesant 411 zu *aguessant*.

II. Konjugation.

174) *credere*. *credere* folgt im Prov. bekanntlich der 2. schwachen
Konj., im franz. der 3. starken.   Wir finden die 2. Sing. Subj. Impf.
creesses 226 nach der schwachen, und die 3. Plur. Prät. *creïrant* 1970.
„*maint en creïrant en Jhesu Crist.*" Da *creïrant* als Prät. unmöglich
ist, so ist *en* zu streichen und *creïrant* zu lesen, oder in Übereinstimmung mit *creesses creerant* zu setzen.   Das Part. Präs. ist *mes-creent*
240; Part. Prät. *creu* 1680.   Im Waldens. scheint sich *credere* ebenfalls
dem Prov. anzuschliefsen, da Grüzmacher ll. cc. es unter den starken
Verben nicht anführt.

175) *sequere.   Ind. Präs. Plur. 3. *segunt* 254. — Prät. Sing.
1. *segquei* 243 zu *dei* (*deum*). — Plur. 3. *seguerunt* 2374.

176) *stopere.   Ind. Präs. Sing. 3. *estot* 202 zu *pot*, 693 zu
pot, *estuet* 1427, 1839.

III. Konjugation.

177) *audire*. Infin. *oïr* 322, 474, 522. — Ind. Präs. Sing. 1.
oi 673, 675.   2. *os* 803, 806.   3. *ot* 88, 1807. — Plur. 1. *oem* 534,
981.   2. *oes* 788. — Prät. Sing. 1. *oï* 253.   3. *oït* 133, 135, 539. —
Fut. Plur. 3. *oirant* 264. — Subj. Präs. Sing. 3. *oia* 194. — Imper.
Sing. *oï* 407. — Part. Präs. *oiant* 615. — Part. Prät. *oï* 2657, *oia*
(*oie*) 52, 1197, 1675.

178) *cooperire.   Ind. Präs. Sing. 3. *descovre* 1387. — Part.
Prät. *descuverta* 996.

179) *exire*.   Infin. *issir* 1477. — Ind. Präs. Plur. 3. *eissent*
1651. — Prät. Sing. 3. *isit* 2609, 2611.

180) *fallere*.   Ind. Präs. Sing. 1. *fail* 535 zu *travail*; 3. *fal*
2000.   Plur. 2. *faillez* 118.

181) *fugere.* Infin. *fuir* 1330. Ind. Präs. Sing. 3. *fuit* 1029, 1130, 2162.

182) **morire.* Infin. *murir* 674, 891, 1234, *morir* 679. Ind. Präs. Sing. 1. *mor* 1478. — Prät. Sing. 3. *murit* 760, 877, 895. 902. — Fut. Sing. 2. *muras* 1088, 1202, 1269; 3. *muré* 1754, 2249. Plur. 3. *murant* 1623. — Subj. Präs. Sing. 2. *moires* 1838; 3. *moira* 1908. Plur. 1. *moiram* 1025. — Subj. Imperf. Sing. 3. *murist* 681, 749, 892. — Kond. Sing. 3. *mureit* 1315. — Part. Prät. *morz* (*mors*) 685, 897, 986, 2132, *mort* 119, 733, 737, *morta* 2367. — *mortz* 2166 hat den aktiven Sinn von „getötet".

183) *offerre.* Ind. Präs. Sing. 1. *ufris* 1874. — Fut. Sing. 1. *ufrirai* 1867.

184) *sufferre.* Ind. Präs. Sing. 1. *sufris* 1235; 2. *sufris* 1996, *sufres* 1732, 1734; 3. *sufrist* 1282. Plur. 2. *sufres* 1894, *sufres* 624. — Prät. Sing. 3. *sufrit* 713 zu *fist*, 878, 1210, *suffrit* 900, 912, 2649. Plur. 3. *sufriront* 1016. — Fut. Sing. 1. *sufrirei* 608, 1296, 1299, *sufrerei* 1213, 1216, *sufrirai* 2476. Sing. 2. *sufriras* 1547, 1557, *sofriras* 448, *sufrires* 1232. Plur. 2. *sufrires* 1898. Plur. 3. *sufrirent* 443, 1231, *sufrirant* 1545, *suffrirant* 439. — Subj. Präs. Sing. 1. *sufrischa* 2229. Subj. Impf. Sing. 3. *sufrist* 682, 750, 916. — Imperf. Sing. *suffris* 437. Part. Prät. *sufri* 2624, *sofria* 619, *sufert* 1093.

Starke Konjugation.

184) Bekanntlich haben einige Verba im Prov. und Afr. verschiedene Bildung. Unser Text zeigt auch hier das Schwanken zwischen prov. und franz. Formen. *Credere* wurde bereits oben (§ 174) besprochen; ebenso erwähnten wir schon (§ 182) das Prät. *murit. tenere* bildet sein Prät. stets wie im Prov., nach der 3. Klasse, *venire* schwankt zwischen dieser und der 1., jedoch überwiegen die prov. Formen; *mittere* hat neben franz. *mis* auch prov. *mes.*

Dem Prov. und Waldens. (Jahrb. IV, 377 ff.) entsprechen auch die in der 3. Klasse der starken Verba häufig auftretenden Präterita in —*gui* (*c*). Wir finden: *agui* neben häufigerem *oi*, *aguit* neben *ot*, *aguiront* etc. dreimal gegen einmal *orent*; im Subj. nur einmal *aust*; im Part. *agu* zweimal neben einmal *aua* (s. § 158). *Tenere* bildet *tenc, tenguessant* (s. § 187); *venire: venc, venguit, vengrunt, venguirunt, vengus* (neben *venu*), im Subj. jedoch *venessant, venesant* (s. § 188); *debere: deguist, deguessant* neben *deussaut* (s. § 218), *cog-*

noscere Part. *reconogus* (Prät. *reconu*) (s. § 223); *parescere*: *apare-guirent* neben *parut, aparut* (s. § 224); *pascere*: *paguit, pagu, pagua* (s. § 225); *pluere*: *plogu* (s. § 226); **potere*: *poc, poguit, poguirunt, pogues', poguist* neben *pot, poïst, poessant* (s. § 227); *sapere*: *sagui,* meist *soi* etc. (s. § 228); *volere*: *volc, volguisse, volguessa, volgueses, volguist,* daneben *voldrent* (s. § 231). Für die ganze 3. starke Konj. ergiebt sich demgemäfs ein Überwiegen der prov.-wald. Bildung.

Da wir diejenigen Formen der starken Verba, welche in ihrer Bildung mit der schwachen Konjugation übereinstimmen, bereits früher erwähnt haben, so geben wir aufser den stark gebildeten Formen nur diejenigen, welche irgend eine Besonderheit bieten.

Wir ordnen die Verba im Anschlufs an das Französische.

I. Klasse.

186) *facere.* Infin. *faire* 50, 84, 155, 242, *far* 2311. — Ind. Präs. Sing. 3. *fait* 116, 190, 341, 511, *fai* 111, 2039, 2098. Plur. 1. *faisem* 21, 147, 1480; Plur. 2. *faides* 120, 551, 1019, *faises* 1893; Plur. 3. *fant* 47, 89, 90, *font* 1784. Prät. Sing. 1. *fist* 1120 (für *fis*), Sing. 3. *fist* 79 zu *mist*, 203, 211, 714 zu *sufrit*, 1182 zu *Crist*, *fit* 2047 zu *poït*; dreimal, aber nie im Reim die prov. Form *feï* 667, 1691, 1871; Plur. 3. *firent* 1917, 2307. Im Subj. Präs. Sing. 3. steht neben *faie* 1188 zu *menace* auch *faisa* 2660. Die 1. Plur. ist *faisem* 1900, die 1. Sing. *faza* 2462 und ebenso die 3. Plur. *fasant* 1627.

Wir erwähnen hier den Ausdruck *faire à* (*fant à* 47) = würdig sein (s. Burg, gr. d. l. l. d'oïl II, 167).

187) *tenere.* Infin. *tener* 955, *tenir* 838, *mantenir* 673. Ind. Präs. Sing. 1. *tein* 50, *ten* 59, *tenc* 2316, *c* wahrscheinlich aus *g*, das aus *i* in **tenio*; Sing. 3. *ten* 61, 2349, *tent* 114; Plur. 1. *tenem* 1702; Plur. 2. *tenes* 26. Prät. Sing. 3. *tenc* 510, 1726 aus *tenuit* **tenguit*, also wie prov. — Subj. Impf. Plur. 3. *tenguessant* 2215.

188) *venire.* Ind. Präs. Sing. 3. *vent* 103, 113, *covint* 2015, 2237; Plur. 3. *vinent* 2581 zu *demenent, devenunt* 1953. — Prät. zeigt franz. und prov. Formen: Sing. 3. *vint* 15, 322 zu *eslit*, 399, *venc* 259, 686, 1741, 1744, *venguit* 1738 zu *dit.* Plur. 3. *vindrent* 2123 zu *ocistrent*, 2617, *vengrunt* 650, *avenguirent* 2608. — Subj. Präs. Sing. 3. *veina* 2422; Plur. 3. *veignant* 467. Subj. Impf. Plur. 3. *venessant* 169, *venesant* 172 zu *hastessént* (Ms. *gasd*—). — Part. Prät. *venu* 323, 400, 1543, *vengus* 311, 2563.

189) *videre.* Ind. Impf. Sing. 1. *veïa* 1407 zu *dormia;* Plur.
3. *veïent* 1059 zu *enseveliënt.* — Prät. Sing. 1. *vi* 1429, 1469, 1598;
3. *vit* 428, 542, 933, *viz* 2066 reimend mit *ardis;* Plur. 3. *virent*
1057, 1503 zu *chaistrent,* 1657, *viront* 1501. Fut. Sing. 1. *veirei*
1151 etc. Subj. Impf. Sing. 3. *veïst* 1055, 1318; Plur. 3. *veissant*
1978. — Part. Prät. *veü* 1397, 1596, 2167.

II. Klasse.

190) *ardere.* Infin. *arder* 1010. — Part. Prät. *ars* 1468.

191) *occidere.* Infin. *ocire* 444, 1238, 2285. — Prät. Sing. 3.
ocist 767, 768; Plur. 3. *ocistrent* 2124 zu *vindrent.* — Part. Prät.
ocisa 356, 1829.

192) *claudere.* Part. Prät. *enclose* 1250 zu *chose, conclusa*
(*concluse*) 182, 361 zu *refuse.*

193) *dicere.* Infin. *dire* 32, 376, 698. — Ind. Präs. Sing. 1.
di 792, 863, 1097, *diu* 769, 963, 1113, *dic* 2101; 2. *dis* 37, 75,
271, *dist* 1087; 3. *dit* 185, 189, 352, *di* 2223. Plur. 2. *dites* 703,
707, 1964; 3. *dient* 807, 1769, 1942. — Prät. Sing. 1. *dis* 1196
zu *vis,* 1434, *diz* 2073. 2. *diz* 683 ist wohl Schreibfehler für *dizis,*
das auch das Versmafs fordert. 3. *dist* 69, 71, 136. Plur. 3. *dis-*
trent 327, 655, 656, *distrunt* 839, 849. — Subj. Präs. Sing. 2. *dias*
273, 1833; 3. *dia* 528. Plur. 1. *disem* 533; 3. *diant* 1903. —
Subj. Impf. Sing. 1. *disissa* 1396; 3. *disist* 627, 781, *dises* 1056.
— Part. Prät. *dit* 393, 459, 873, *dist* 2352 zu *Crist.*

maledicere hat im Part. Prät. *malaït* (aus *maledictum, *maleït*)
2042 zu *fist.*

194) *ducere.* Part. Präs. *su-duianz* 1008. — Part. Prät. *so-*
duite 2353.

195) *docere.* Part. Prät. *doiz* 649 zu *notz* (*noctem*).

196) *jungere.* Part. Prät. *jointes* 2020.

197) *manere.* Prät. Sing. 3. *remast* 461. Part. Prät. *remas*
2272.

198) *mittere.* Infin. *metre* 1356. — Prät. Sing. 3. *mist* 80,
1525, 2278, *tramist* 588, 1326, *promis* 1461. Plur. 3. *mistrent*
2196. — Part. Prät. hat franz. *mis* 38, 43, 652, 830; Fem. *misa*
1308, 1540, 1704, *misse* 1262, 1321, und prov. *mes* 2451, *trames* 380.

199) *monere.* Part. Prät. *somos* 1340 zu *uchisons,* 1892 zu
sons (Ms. *sens*).

200) *prendere.* Infin. *pendre* 2406, *apendre* 1153. — Ind.
Präs. Sing. 2. *prenz* 1096. Plur. 3. *prenunt* 2219. — Ind. Impf.
Sing. 3. *prenneit* 1421. — Prät. Sing. 1. *pris* 665, *apris* 560; 3.
prist 766, 905, 910, 1054, *pris* 2271. Plur. 3. *pristrent* 1649; hier
finden wir einmal wie im Prov. (vergl. Diez, Gr. II⁴, 214) schwache
Flexion: *preserent* 2281 zu *querent.* — Fut. Sing. 3. *pendra* 2001;
Plur. 3. *pendrant* 2192. — Subj. Präs. Sing. 1. *prenna* 364; 3.
prenna 1960, 2151 zu *costreigna,* 2237 zu *amerme.* — Subj. Impf.
Sing. 3. *presist* 711. Plur. 3. *presessant* 1245, 2214; *presesses* 2216
ist ein Schreibfehler. — Part. Prät. *pris* 829, 897, 913, *apris* 565,
reprisa 149.

201) *quaerere.* Prät. Sing. 1. *quis* 248; 3. *quist* 2530, *requist*
1388. — Part. Prät. *quis* 438, 2585, *requis* 2595.

202) *ridere.* Prät. Sing. 3. *rist* 70, 1135.

203) *scribere.* Part. Prät. *escrit* 874.

204) *sedere.* Ind. Impf. Plur. 3. *seïant* 1411, *seïent* 1520 zu
esteient.

Gehört hierher auch der Ausdruck *seit sei* 1409, 1515?

205) *respondere* bildet das schwache Prät. *respondet* 532, 872,
957, *responderent* 328. — Part. Prät. *respondu* 1663, 1941, 2465.

206) *stringere.* Ind. Präs. Sing. 2. *destreinz* 2410 zu *venz* (*vincis*); 3. *costrent* 1752 zu *vent* (*vincit*). Subj. Präs. Sing. 3. *costreigna*
2152 zu *prenna.* — Part. Prät. *destreit* 1767, *destreiz* 797, *costreint*
777 zu *veint* (*vincit*).

207) **strūgere.* Prät. Sing. 3. das Ms. hat *destruisit* 2118,
wofür wahrscheinlich (*il*) *destruist* zu lesen ist. — Part. Prät *destruit*
780, 903.

208) *surgere.* Ind. Präs. Plur. 3. *resorzent* 737. — Prät. Sing.
3. *sorz* 1335. Ein Latinismus ist *resurrex* 46, 988 von der Auf-
erstehung Christi gebraucht.

209) *tangere.* Ind. Präs. Sing. 3. *taint* 2520.

210) *timere.* Ind. Präs. Sing. 3. *tem* 346, 1756, 2401; Plur.
3. *tement* 1979 zu *veient.* — Ind. Impf. Sing. 3. *temeit* 1065. —
Subj. Präs. Sing. 2. *temes* 1552.

211) *tingere, pingere.* Part. Prät. *teint* 290, *peint* 289.

212) *torquere.* Ind. Präs. Sing. 3. *detorz* 1890. — Prät. Plur.
3. *tortrent* (aus älterem *torstrent*) 2263.

213) **tragere.* Infin. *traire* 851. Part. Prät. *trait* 853, 1015, 1755.

III. Klasse.

214) *bibere.* Infin. *bevre* 1431. — Prät. Sing. 3. *bit* 686.

215) *cadere.* Prät. Sing. 3. *chaistrent* 1504 zu *virent.*

216) *calere.* Ind. Präs. Sing. 3. *chaut* 131, 1176. — Subj.
Präs. Sing. 3. *cheil* 1090.

217) *capere.* Infin. *apercever* 1594. — Prät. Sing. 1. *aperceu*
245, *recui* (?) 548 (Ms. ohne *i*-Punkt) reimend mit *reconu*, wofür vermutlich auch *reconui* zu lesen ist; Sing. 3. *recevit* 762, 2646 zu *sufrit.*
credere s. § 174.

218) *debere.* Subj. Impf. Sing. 3. *deguist* 1745. Plur. 2. *degues-
ses* 584; 3. *deussant* 2292 zu *aguessant.*

219) *irascere.* Infin. *iraistre* 2370, *irastre* 2391. — Prät. Sing.
3. *irasquet* 509 zu *despeit*, 935, 1889. — Fut. Sing. 3. *iraisseret* 1447.

220) *legere.* Prät. Sing. 3. *elesquet* 1582 zu *deisendet.* Part.
Prät. *eslit* 321 zu *vint*, *esleit* 1582 zu *respondet.* — *electa* 10 zu *sesta*
ist ein Latinismus.

morire s. § 182.

221) *nascere.* Infin. *naistre* 2335 zu *empaite.* — Ind. Präs.
Sing. 3. *neist* 2632 zu *geist* (*jacet*). Plur. 3. *naisont* 1623, *naisent*
1952 zu *gaisent.* — Prät. Sing. 3. *nasquet* 600, 911.

222) *nocere.* Präs. Ind. Sing. 3. *noit* 390.

223) *noscere.* Infin. *conoistre* 424. — Prät. Sing. 1. *reconu*
547, s. § 219. — Part. Prät. *reconogus* 2628.

224) *parescere.* Ind. Präs. Sing. 3. *pareist* 1538, *pareis* 586,
apareis 2297. Plur. 3. *apareisent* 100. — Ind. Impf. Sing. 3. *aparit*
427 zu *vit* (*vidit*). — Prät. Sing. 3. *parut* 2279 zu *saupuz*, *aparut*
1728. Plur. 3. *apareguirent* 2607.

225) *pascere.* Prät. Sing. 3. *paguit* 1721 zu *garit*, 1795. —
Part. Prät. *pagu* 1794, *pagua* 1769.

226) *pluere.* Part. Prät. *plogu* 115.

227) *potere.* Infin. *poer* 979 (Subst.). — Ind. Präs. Sing. 1.
pois 138, 507, 1155; 2. *pos* 132, 144, 506; 3. *pot* 201 zu *estot*,
516, 694 zu *estot*, 881 zu *ot* (*habuit*); *puet* 112, 366, 540. Plur. 2.
poes 313, *poez* 367; 3. *pount* 84, 286, 304. — Ind. Impf. Sing. 1.
das Ms. hat dreimal, darunter zweimal im hypothetischen Satze *poin*
1138, 1141, 1414, wofür vermutlich *poïa* zu lesen ist, das eine Änderung des Metrums nicht bewirkt, da stets ein Vokal folgt; 2. *poïes*
1304 zu *repentiries*; 3. *poït* 674, 1314, 2048. In *poeit* ist zu ändern

poit 679 und *poet* 758 (s. § 157). Plur. 3. *poïent* 2400. — Prät.
Sing. 3. *pot* 816, 881, 883, 884, *poc* 648, *poguit* 676. Plur. 3.
poguirunt 932, 1463. — Fut. Sing. 1. *porei* 1151, 1153, 1154;
2. *poras* 723, *poires* 2457; 3. *porra* 1112. Plur. 3. *porant* 440. —
Subj. Präs. Sing. 1. *poscha* 2233; 3. *poscha* 1915. Plur. 3. *poschant*
418, 421. — Subj. Impf. Sing. 1. *pogues'* 356; 3. *poïst* 1391, 2532,
poguist 692, 782. Plur. 3. *poessant* 1460. — Kond. Sing. 2. *poríes*
1887.

228) *sapere*. Infin. *saver* 232, 235, 313. Ind. Präs. Sing. 1.
sai 28, 34, 56, 57, vielleicht ist auch *sai* zu lesen für *soi* 2513
(s. § 166); 2. *sas* 1435, 1448, 1779, *ses* 1992; 3. *set* 384, 531 zu
respondet, 566, *sat* 88, 1912, 638, *sait* 2365, *seit* 2348 zu *despreit*
(*dispretiat*). Plur. 1. *savem* 47, 125, 582, *savom* 9, 704, 891, *savum*
64; 3. *savont* 287, 289, 301, *savunt* 1334. — Prät. Sing. 1. *soi*
553, 2321, *son* 564 ist Schreibfehler für *soi*, *sagui* 250; 3. *sot* 2131;
Plur. 3. *sorent* 927, 1348, *sorunt* 2275, 2281. — Subj. Impf. Sing. 2.
sausses 1082; 3. *saust* 146. — Part. Prät. *saupuz* 2280, *saupua* 2094.

229) *tollere* hat das schwache Prät. *tollit* 921. — Part. Prät.
tollu 222.

230) *vivere*. Infin. *vivre* 1843. — Ind. Präs. Sing. 1. *vic* 2333;
3. *vit* 394 (Ms. *iut* für *uit*), 2663. — Prät. Sing. 3. *visquet* 238. —
Fut. Sing. 2. *vivres* 1840. Plur. 3. *vivrent* 1629.

231) *volere*. Infin. *voler* 1450 (Subst.). Ind. Präs. Sing. 1.
voil 851, 961, 1108; 2. *vouz* 715, 771, 837 zu *os* (*illos*), 1861 zu
souz (*sot*), *volz* 157, *vous* 154; *vout* 74 und *vauz* 422, 1143 sind
Schreibfehler für *vouz*; 3. *vout* 66, 100, 107, *vol* 199, 514, 1494,
volt 609, 710. Plur. 2. *voles* 369, 371, 787, *volez* 701; Plur. 3.
volunt 2285. — Prät. Sing. 1. *volc* 564; 3. *volc* 1298, 1317, 1774.
Plur. 3. *voldrent* 320; *voltrum* 36 ist Schreibfehler für *voldrunt*. —
Subj. Impf. Sing. 1. *volguisse* 1081, 2186, *volguessa* 1825; 2. *volgueses* 1194; 3. *volguist* 1369, 2132.

Wir haben im vorhergehenden oft bemerkt, wie unser Text zwischen prov. und franz. Entwickelung schwankt. Eine genauere Darstellung des Verhältnisses der prov. und franz. Elemente gedenke ich demnächst zu geben.

Beurteilungen und kurze Anzeigen.

Die neusten Hefte der Geschichte der deutschen Litteratur von Wilhelm Scherer. *

In der Ankündigung der Geschichte der deutschen Litteratur Wilhelm Scherers seitens der Weidmannschen Verlagsbuchhandlung wurde die Behauptung aufgestellt, dafs es trotz der Überschwemmung des deutschen Büchermarktes mit Litteraturgeschichten noch durchaus an einem Werke mangele, „welches nicht aus zweiter und dritter Hand, sondern aus den Quellen selbst geschöpft, auf der Höhe der heutigen Wissenschaft stünde und in künstlerisch freier Anordnung, aber auf das Wesentliche beschränkt, ein umfassendes und anschauliches Bild der geistigen Entwickelung unserer Nation zu geben versuche." Das vorliegende Werk solle diesem oft empfundenen und vielfach kundgegebenen Bedürfnisse abhelfen. In diesen Sätzen scheint mir in doppelter Hinsicht zuviel gesagt zu sein, zuviel nämlich in der Herabsetzung jener älteren Litteraturgeschichten und im Lobe dieser neuesten. Die ersteren mögen ihre Mängel haben. Allein, dafs sie nur aus zweiter und dritter Hand, nicht aus den Quellen selbst geschöpft hätten, wird man doch weder den älteren Werken eines Gervinus, Koberstein, Vilmar, Kurz, noch den neueren eines Robert König oder Daniel Sanders vorwerfen können. Wenn jenen älteren Werken nachgesagt werden sollte, dafs sie sich seit dem Tode ihrer Verfasser nicht mehr auf der Höhe der heutigen Wissenschaft erhalten hätten, so hat diesem Fehler bei den neuesten Ausgaben von Gervinus und Koberstein der unermüdliche Karl Bartsch, bei Vilmar Karl Gödeke abgeholfen, wenn auch, was zugegeben werden kann, vielleicht ein wenig mit Beeinträchtigung des einheitlichen Charakters jener Werke. Was aber die „künstlerisch freie Anordnung" derselben betrifft, welche geeignet sei, ein umfassendes und anschauliches Bild von der Entwickelung unserer Nation zu geben, so steht in dieser Hinsicht, wie ich gleich im voraus und bei aller Anerkennung der grofsen Verdienste Scherers um unsere deutsche Litteratur an sich behaupte, sein Buch jenen älteren kaum voran. Wie Gervinus, räsonniert, deutscher ausgedrückt urteilt Scherer mehr, schildern und erzählen ist seine Sache weniger und doch ist dies bei einer Litteraturgeschichte, wie mir scheint, ein sehr notwendiger Bestandteil, um uns ein anschauliches Bild von den einzelnen Epochen zu geben. Die Litteratur ist doch der Ausdruck eines zweifachen Seins, teils des Seins eines Volkes selbst in seinen verschiede-

---

* Vortrag, gehalten in der „Gesellschaft für das Studium der neueren Sprachen" von K. Biltz.

nen geschichtlichen Perioden, teils der einzelnen Persönlichkeiten, welche
jene litterarischen Schöpfungen hervorgebracht haben. Darstellungen des
Lebensganges dieser Autoren und jener geschichtlichen Epochen scheinen
mir daher ganz unumgängliche Vorbedingungen, um ein anschauliches Bild
der Entwickelung einer Litteratur zu geben. Wenn Lessing einmal sagt,
er halte nichts davon, die Erklärung eines Werkes aus den personlichen
Verhältnissen seines Autors herzuholen, so ist das einer jener, in der
Hitze der Polemik hingeworfenen Sätze des grofsen Mannes, von denen ich
selbst nicht viel halte. Im Gegenteil dient die Persönlichkeit, das Leben
eines Autors, meiner Ansicht ganz wesentlich dazu, eine richtige Einsicht
in seine poetischen Schöpfungen zu gewinnen, von denen sie ja wesentlich
ein Abbild sind. Die von Gervinus beliebte und eingeführte Methode, von
dem zu besprechenden Autor, gleichsam wie auf einem seiner Beurteilung
schon vorausgesetzten Leichensteine nur Jahreszahl und Datum seiner Geburt und seines Todes anzugeben, ein Verfahren, welchem auch Scherer
im wesentlichen folgt, scheint mir nicht recht zweckdienlich und am
wenigsten dazu geeignet, ein anschauliches Bild von seinem Wirken zu
geben. Ebenso ungern entbehre ich eingehendere kulturgeschichtliche
Darstellungen vor den jedesmaligen Epochen der Litteraturgeschichte, ein
Mangel, welchen das Scherersche Werk allerdings mit fast allen den oben-
genannten älteren und neueren teilt. In dieser Hinsicht hätte, wie mir
scheint, eine neue deutsche Litteraturgeschichte eine noch sehr wesentliche
und sehr dankbare Aufgabe zu lösen. Endlich vermisse ich bei Scherer,
und ich glaube, das wird vielen anderen auch so gehen, den ganzen
bibliographischen Apparat, welcher zu einer Litteraturgeschichte gehört,
also das Verzeichnis der Haupthandschriften, ältesten Drucke, oder Haupt-
ausgaben der einzelnen Werke. Es ist das neben jenem biographischen
und kulturhistorischen Material das dritte Hauptfundament, auf welches
sich meines Erachtens eine Darstellung der deutschen Litteratur stützen
mufs, wenn dasselbe auch selbstverständlich nicht, wie das bei dem jetzt
endlich zu einem gewissen Abschlusse gebrachten, so höchst verdienstlichen
„Grundrifs" von Gödeke der Fall ist, immer die Hauptsache zu sein
braucht. Wie sehr eine Berücksichtigung dieses drittgenannten Fundamentes,
des bibliographischen Materials, dem Bedürfnisse und den Wünschen der
Leserwelt entgegenkommt, beweist der grofse Erfolg eines Werkes, wie die
Litteraturgeschichte von König. welches jenem Erfordernis wenigstens, nach
der jetzt beliebten Manier der Illustrierung, durch Faksimilierung von Titeln,
Handschriften und Portratierung der Autoren zu genügen versucht.
      Ohne ausreichende Berücksichtigung aller jener drei Voraussetzungen,
also ohne genügende kulturhistorische, biographische und bibliographische
Vorbemerkungen bekommt eine, sich also wesentlich auf das Raisonnement,
wenn auch auf das noch so gelehrte, scharfsinnige und geschmackvolle
Raisonnement beschränkende Litteraturgeschichte etwas Schattenhaftes, Un-
fafsliches, in der Luft Schwebendes, und dies scheint mir ein wesentlicher
Vorwurf zu sein, welchen man dem neuen Schererschen Werke nicht er-
sparen kann.
      Dafs dasselbe andererseits jenes Lob der Verlagsbuchhandlung verdient,
auf der Höhe der heutigen Wissenschaft zu stehen, ist eine Eigenschaft,
welche man einem so ausgezeichneten, ununterbrochen mit der gründlichen
Erforschung der verschiedensten, ältesten ebenso wie neuesten Epochen unserer
Litteratur beschäftigten Gelehrten wie Scherer ohne weiteres voraussetzen
mufs. Ja, dies ist unzweifelhaft die Seite, nach welcher sein Buch die
höchste Anerkennung verdient. Ich schicke diese Anerkennung hiermit ein
für allemal und im ganzen voraus, um damit die nachfolgenden wenigen
und minder bedeutenden abweichenden Ansichten, welche ich in einzelnen
Punkten auszusprechen habe, in das richtige Licht zu stellen.
      Diese betreffen zunächst die Einteilung der deutschen Litteratur-

geschichte. Ich habe mir vor einiger Zeit erlaubt, in einem Vortrage an
dieser Stelle meine eigenen Ansichten in dieser Beziehung ausführlicher
darzulegen und zu begründen, die allerdings von dem landläufigen Usus
auch wesentlich abweichen. Ich halte es danach für am zweckmäfsigsten
und natürlichsten, das ganze Feld der deutschen Litteratur nicht, wie bisher,
in einen alt-, mittel- und neuhochdeutschen Zeitraum, sondern zunächst nur
in zwei grofse Abteilungen, in eine altdeutsche und neudeutsche Litteratur-
periode zu teilen, welche durch die Reformation geschieden werden und
deren jeder wieder in zwei Epochen zerfällt, in eine erste mit wesentlich
vorherrschendem geistlichem Charakter und in eine zweite mit vorherrschend
weltlichem oder nationalem Charakter. Scherer hält seinerseits auch an der
alten Dreiteilung fest, neu und abweichend ist aber seine Anschauung von
den klassischen Höhezeiten, welche unsere Litteratur bisher erlebt habe.
Hiernach hat es, wie er von S. 18 ab auseinandersetzt, nicht, wie man
bisher gewöhnlich annahm, zwei Blüteperioden unserer Litteratur, nämlich
eine mittelhochdeutsche, um das Jahr 1200, und eine neuhochdeutsche, um
das Jahr 1800, sondern auch eine althochdeutsche, um das Jahr 600 nach
Christi Geburt zu setzende gegeben, von welcher wir freilich leider nur
noch ein einziges, noch dazu fragmentarisches Monument, das Hildebrandslied, noch übrig hätten. Eine solche Annahme (sie ist von mancher Seite
als eine neue grofse Entdeckung gepriesen) scheint mir denn doch in der
Luft zu schweben, um nicht zu sagen geradezu paradox. Die Geschichte,
also auch die Litteraturgeschichte, hat mit gegebenen Gröfsen zu rechnen,
wenn sie nicht in grenzenlose Willkür verfallen will. Es erinnert mich jene
Annahme an eine ähnliche von Gervinus in den früheren Ausgaben seiner
Litteraturgeschichte aufgestellte Behauptung, dafs wir die ganze Gröfse und
Blüte unserer Minnesängerpoesie deshalb nicht ermessen könnten, weil die
Gedichte des gröfsten und genialsten dieser Sänger, Friedrichs v. Hausen,
welche allein erst ein entsprechendes Bild jener Gröfse gegeben haben
würden, leider verloren gegangen seien. Es ist ja möglich, die vorhandenen Nachrichten lassen es sogar als wahrscheinlich erscheinen, dafs die
epische Dichtkunst in Deutschland um jenes Jahr 600 eine bedeutende
Ausdehnung gehabt habe. Irgend etwas Bestimmtes wissen wir aber weder
über die Grenze dieser Ausdehnung, und noch viel weniger über den
ästhetischen Wert dieser Dichtungen. Nach dem vorhandenen Fragmente
jenes Hildebrandsliedes auf einen klassischen Wert jener verlorenen epischen
Lieder zu schliefsen, scheint mir zu hoch gegriffen und auf einer Über-
schätzung jenes im Grunde genommen doch sehr primitiven und einfachen
Restes solcher Poesie zu beruhen. Man denke sich einmal jene, von
Scherer angenommene, durch diese wenigen Zeilen des Hildebrandsliedes
ausschliefslich repräsentierte althochdeutsche Klassizität dem, aus dem Zu-
sammenwirken Göthes und Schillers um 1800 entsprossenen reichen Schatz
von Poesie gegenübergestellt, um die ganze Paradoxie jener Annahme zu
begreifen.

Ich lasse einige andere neue und von den bisherigen Ansichten abweichende Urteile Scherers über hervorragende Produkte unserer älteren
Litteratur beiseite, mit denen ich sehr wohl übereinstimme. Es ist dies
beispielsweise ein Urteil über den Heliand, dem er vom Standpunkte der
Poesie aus eine bei weitem niedrigere Stellung einräumt, als sie ihm bisher
gewöhnlich zuerkannt worden ist. Er findet den Hauptreiz des Gedichtes
in der unbefangenen Übertragung damaliger zeitgenössischer deutscher Sitten
und Anschauungen auf die heilige Geschichte, nennt es im übrigen aber
(S. 46 fg.) überhaupt kein Epos, sondern lediglich ein Stück freier Bibelübersetzung, höchstens ein im Predigerstil gehaltenes Lehrgedicht. Mir
scheint dieses Urteil unzweifelhaft richtiger, als die seit Vilmar Mode
gewordenen übertreibenden Lobpreisungen, ja Verhimmelungen jenes Pro-
duktes eines altsächsischen Mönchskopfes.

Ebenso stimme ich, wie ich in meinem vor einiger Zeit hier gehaltenen
Vortrage über die Urteile unserer neuhochdeutschen Klassiker hinsichtlich
ihrer mittelalterlichen Kollegen ausführlicher begründet habe, durchaus mit
der S. 161 von Scherer geäufserten Ansicht über Heinrich von Veldeke und
Hartmann von Aue überein, denen er keinen höheren Rang als den freierer
Übersetzer einräumt und deren hauptsächliches Verdienst er in der Einführung eines reineren Reimes sieht.

Wesentlicher weiche ich dagegen ab, und hierin finde ich mich in
Übereinstimmung mit mehreren in öffentlichen Blättern zum Teil sehr
schroff geäufserten Urteilen, von einer Anschauung Scherers über den
Kulturzustand und das sittliche Niveau des klassischen Mittelalters im
Gegensatz zu späteren Epochen, namentlich dem 15. und 16. Jahrhundert,
welche Anschauung allerdings eine wichtige und mafsgebende für die ganze
Darstellung Scherers geworden ist, und auf welche es sich daher lohnt,
hier etwas näher einzugehen. Scherer hält an der alten, seit dem Wieder-
erwachen unserer germanistischen Studien gäng und gabe gewordenen Ansicht von dem hohen sittlichen Standpunkte, der feinen höfischen Kultur
fest, welche zur Zeit der Hohenstaufen bei uns in Deutschland geherrscht
habe, und wovon die damalige Poesie ein adäquater Ausdruck sei. Wie
schon seiner Zeit Herder, sieht auch er in dieser Poesie einen „Garten
feinster Zucht und Sitte, Ehre und Liebe, wo jede Blume in der artigsten
Sprache genannt und gepriesen werde". Dagegen ist er durchdrungen,
wie das ja auch im allgemeinen die herrschende Anschauung der hauptsächlichsten unserer älteren Litteraturgeschichten ist, von der Überzeugung
hinsichtlich der schlimmen Barbarei, welche angeblich mit dem Verfalle
jener klassischen Poesie, also im 14. und 15. Jahrhundert in Deutschland
eingedrungen sei und seiner Ansicht nach noch während des ganzen
16. Jahrhunderts geherrscht habe. Er giebt dieser Ansicht zu wiederholten
Malen den prägnantesten Ausdruck. „Die ästhetischen Sitten der Staufer-
zeit waren," heifst es z. B. S. 244 bei ihm von der Epoche des 14. Jahrhunderts, „weit entwichen; damals hatte man die Frauen wie die allerseligste
Jungfrau verehrt; jetzt verbrannte man Hexen und sagte den Frauen das
Übelste nach. Damals hielt man auf feines Benehmen und brachte der
gesellschaftlichen Konvenienz fast zu grofse Opfer; jetzt wurde St. Gro-
bianus ein Abgott der Zeit und der unflätige Eulenspiegel ihr Liebling.
Die Schamlosigkeit feierte rauschende Feste." Noch schärfer spricht
er diesen Gegensatz, allerdings zunächst hinsichtlich der Sprache, in der
Einleitung S. 20 aus. „Die Formvollendung des 13. Jahrhunderts," heifst
es daselbst, „ist schon im 15. wie weggeblasen; aus der grauenhaften
Roheit des 16. kämpfen sich talentlose Dichter langsam wieder zu einer
anständigen Sprache und einem gebildeten Verse durch."

Ich habe schon in einer früheren Gelegenheit, in jenem Vortrage
über die Urteile unserer neuhochdeutschen Klassiker in Betreff ihrer mittelhochdeutschen Kollegen, mich darüber ausgesprochen, dafs ich jenen, dem
13. Jahrhundert so überaus günstigen, den folgenden so ungünstigen Gegensatz nicht anzuerkennen vermag. Mir scheint vielmehr das vielgepriesene
sogenannte klassische Zeitalter der Hohenstaufen eine Epoche von mindestens ebenso grofser, nur im höfischen Leben durch äufsere glatte Formen
verdeckter sittlicher Roheit wie die folgenden, in denen jene Roheit
allerdings, da sich der Schwerpunkt des geistigen Lebens damals mehr
auf die niederen Stände senkte, unverhüllter hervortrat. Der Ausspruch
Napoleons von den Russen: „Grattez le Russe et il naît un barbare"
scheint mir auf das Rittergeschlecht der hohenstaufischen Zeit seine volle
Anwendung zu finden. Im Einklang hiermit finde ich auch die Poesie
jenes Zeitalters, die lyrische ebenso wie die epische, durchschnittlich nur
oberflächlich. Eine Vertiefung des deutschen Gemüts trat erst mit den
Notzeiten des 14. Jahrhunderts und der daraus hervorgehenden mystischen

Richtung ein, und die, freilich formell minder glatten und reinen, an Seelentiefe und Gewalt die Minnesänger-Poesie aber bei weitem übertreffenden Lieder jener Zeit sind ein Ausdruck jener gröfseren, reicheren Innerlichkeit.

Wenn man ein signifikantes Beispiel vom innerlich barbarischen, äufserlich glatten Charakter jener sogenannten klassischen Ritterzeit des Mittelalters haben will, so mufs man gerade das damalige vielgerühmte Verhältnis zu den Frauen, die ihnen angeblich zu teil gewordene, auch von Scherer hochgepriesene Verehrung näher und ganz unparteiisch ins Auge fassen. Glatte Redensarten wurden ihnen gesagt, eine gewisse äufsere, manchmal wie bei Ulrich v. Lichtenstein in halbe Verrücktheiten ausartende Galanterien wurden ihnen erwiesen, in der Sache aber und im Wesen wurden sie roh behandelt, wie heutzutage kaum die ärmsten Bauernweiber. „Ein braver Mann, ich kenn ihn ganz genau, erst prügelt er, dann kämmt er seine Frau,“ sagt Göthe von einem gewissen Biedermann. Die hohenstaufischen Ritter machten es umgekehrt, erst kämmten sie ihre Frauen, dann prügelten sie sie. Von dieser ganz allgemeinen Sitte des Durchprügelns selbst der hochgestelltesten Frauen im klassischen Mittelalter giebt es ganz unzweideutige Zeugnisse.

> „Ouch hât er sô zerblouwen darumbe minen lip
> Daz ich ie beswârte ir mit rede den muot

klagt bekanntlich Kriemhilde in Betreff ihres geliebten Siegfried, weil sie der Brunhilde durch Mitteilung des bekannten skandalösen Geheimnisses das Herz schwer gemacht hatte. In dem Liede vom alten Moringer (Uhland, Volksl. S. 773), das wir allerdings nur in späteren Aufzeichnungen haben, welches aber ganz offenbar den Ton und auch noch die Sprache jenes früheren Zeitalters an sich trägt, bittet der alte Moringer den jungen Ritter von Neifen, welchen seine Frau bei seiner langen Abwesenheit hatte heiraten wollen:

> „Habent euch die tochter mein
> Und lassent mir die alte braut!
> Mit der kan ich mich wol verrichten,
> Dih wil ir selber bern die haut!“

Man sieht also, das Prügeln der edlen Ritterfrauen war das ganz Gewöhnliche, so zu sagen Herkömmliche und Alltägliche.

Es giebt jetzt ein Buch, welches diese Stellung der Frauen im Mittelalter, sowie die damaligen Sitten, das ganze damalige Leben überhaupt und zwar das Leben in den höchsten Kreisen der Gesellschaft mit ungeschminkter, von keinem litterarischen Vorurteil, weil der Verfasser eben kein eigentlicher Germanist ist, beirrter und auf die reichste Fülle von Urkunden sich stützender Offenheit darlegt, welches meine eben ausgesprochene Ansicht genau, ja wörtlich bestätigt, ich meine das im Verlag von Hirzel in Leipzig in den Jahren 1879 und 1880 erschienene Werk von Alwin Schulz: Das höfische Leben zur Zeit der Minnesänger. Speciell über jene handgreifliche Behandlung der Frauen heifst es da Bd. I, S. 515: „Eine körperliche Züchtigung der Frau erforderlichen Falles angedeihen zu lassen, galt durchaus nicht für unpassend. Auch in dieser Hinsicht war das Mittelalter durchaus nicht so galant, wie dies gewöhnlich geglaubt wird.“

Derselbe Verfasser giebt Bd. 1, Seite 450 von den Sitten, resp. der Sittenlosigkeit jener gerühmten klassischen Zeit den Frauen gegenüber ein auf die zahlreichsten unzweifelhaftesten Belege gestütztes Bild, woraus hervorgeht, dafs dieselbe ganz sicher der späterer Jahrhunderte nicht nachstand, ja dieselbe eher übertraf. Man mufs nur immer dabei im Auge behalten, dafs die litterarischen Zeugnisse jener Zeit, des 13. Jahrhunderts,

aus den höchsten Schichten der damaligen Gesellschaft stammen und uns
deren Bild wiederspiegeln, während die Geschichten und Possen späterer
Jahrhunderte, beispielsweise die anrüchigen Fastnachtsspiele des 14. bis
16. Jahrhunderts, wie sie Keller gesammelt hat, den Bürger- und Bauer-
kreisen entstammen.

Die Zuchtlosigkeit der Zeit findet ja auch in den Epen, Geschichten
und Liedern des 13. Jahrhunderts ihre getreuste Abspiegelung. Ich glaube
nicht zuviel zu sagen, wenn ich behaupte, die anrüchigsten Litteratur-
erzeugnisse römischer, griechischer, oder späterer französischer und deutscher Poesie enthalten keine stärkeren Beweise dafür als jene, als Spiegel
reinster Zucht und Sitte von unseren Germanisten alter Schule gerühmten
Epen und Minnelieder der klassischen Hohenstaufenzeit.   Man denke nun
an die verschiedenen Affairen Tristans und seiner Isolde (in denen Jakob
Grimm freilich nichts als „liebliche Unschuld" erblickt), ferner an
die Geschichten, welche in Hagens „Gesamtabenteuern" oder Lafsbergs
Liedersaale gesammelt und verzeichnet sind, endlich an so manche Minnelieder selbst und bedenke dazu noch, dafs es sich dabei, wie auch im
Tristan, dem Ur- und Spiegelbilde in dieser Zeit, immer von der Stellung
zu verheirateten Frauen handelt.   Selbst der so oft als Muster reinster,
keuschester Sitte gepriesene Wolfram, auch sein Parzival, giebt davon
Belege genug, beispielsweise die Stelle 407, 3, wo der edle Gawan gegenüber
der ebenso edlen Antikonie das von Mephistopheles nur den Medizinern erteilte Privilegium: Ihr tappt zum Willkomm gleich nach allen sieben Sachen,
um die ein andrer viele Jahre streicht, sich in vollster Ausdehnung zu
eigen macht.

Wenn hiernach, innerlich und äufserlich, formell und materiell bei
Scherer die Sitte und Poesie des 13. Jahrhunderts zu günstig, die der
späteren Jahrhunderte, namentlich des 16., zu schlecht wegkommt, so
mufs doch zugestanden werden, dafs er einer Erscheinung dieses letztgenannten Jahrhunderts, dem Reformator der ganzen Zeit, Luther im
wesentlichen gerecht, ja gerechter wird, als dies sonst in den Litteraturgeschichten zu geschehen pflegt. Scherer erkennt nicht nur die sittliche
und geistige Hoheit des, dem ganzen Zeitalter seinen Stempel aufdrücken-
den Mannes vollkommen an, derart, dafs man das diesem ganzen Zeitalter,
freilich zunächst nur in formeller Hinsicht von ihm erteilte Prädikat
„grauenhafter Roheit" fast vergifst: er räumt auch seiner gewaltigen
litterarischen Bedeutung den gebührenden Platz ein.   In dieser Beziehung
hatte in unseren älteren Litteraturgeschichten eine ganz eigentümliche
Praxis Platz gegriffen. Luther, der Mann, dessen Sprache Jakob Grimm
in der Vorrede zur zweiten Auflage des ersten Teiles seiner Grammatik,
den „Kern und die Grundlage der neuhochdeutschen Sprachniedersetzung"
nennt, wovon bis auf den heutigen Tag nur sehr unbedeutend, meistens
zum Schaden der Kraft und des Ausdrucks abgewichen worden sei, wurde
trotzdem in jenen Litteraturgeschichten, beispielsweise in der von Gervinus,
nur en passant, als eigentlich zur Litteratur, wenigstens zur poetischen
Litteratur nicht gehörig behandelt.   Während man einem Niklas von Wyle
wegen seiner doch immer noch ziemlich holprigen und gezwungenen Trans-
lationen, einem Albrecht von Eybe wegen einer oder zweier einzelner Abhandlungen hergebrachtermafsen den üblichen besonderen Artikel widmete,
wurde des Übersetzers der heiligen Schrift, des Verfassers unzähliger die
ganze Zeit aufregender Flugschriften eigentlich nur nebenbei, wegen seiner
theologischen oder kulturhistorischen Bedeutung Erwähnung gethan. Seiner
grofsen oratorischen Leistungen, seiner Bedeutung als Gründer der evangelischen Kirchenliederdichtung gar nicht zu gedenken! Es war, als ob man
den Demosthenes und Tyrtäus zugleich aus der griechischen Litteraturgeschichte ausstreichen wollte.

In der Hinsicht ist in den neuesten Litteraturgeschichten eine Wendung zum Richtigeren eingetreten. Dem Mann, dessen Wirksamkeit für Sprache und Poesie, auch in der eigentlichen poetischen Litteratur, den Eckstein und Wendepunkt zweier Zeitalter bildet, hat man mehr und mehr diese ihm gebührende Stellung auch in der äufserlichen Ausdehnung seiner Besprechung zuerkannt und auch Scherer thut dies, mehr als alle seine Vorgänger, in gebührender Weise.

Wenn daneben gerade bei der Besprechung Luthers und des Reformationszeitalters überhaupt einige Flüchtigkeiten mit unterlaufen, so sind dieselben doch nicht von der Art, um der eben ausgesprochenen Anerkennung Eintrag zu thun. Ich will einige derselben anführen. S. 282 behauptet Scherer, Luthers Lied: „Eine feste Burg ist unser Gott" sei im Jahre 1527, etwa im Oktober 1527, beim Herannahen der Pest entstanden. Dies ist im wesentlichen eine Hypothese, welche von Dr. K. F. Th. Schneider in seiner im Jahre 1856 erschienenen Schrift: „Dr. Martin Luthers geistliche Leider" aufgestellt worden ist. Derselbe bemerkt dort, wenn schon in Briefen Luthers aus dem Oktober 1527 Anklänge an jenes Lied zu finden seien, so sei der Zeitpunkt der Abfassung desselben noch näher zu bestimmen im Hinblick auf eine Heimsuchung, welche damals über Luther und sein Haus hereingebrochen sei, nämlich die damals in Wittenberg grassierende Pest. „So nahte," sagt Schneider, „der 1. November 1527, der zehnjährige Geburtstag des Beginns der Reformation, den Luther trotz aller Trauer im Kreise seiner Freunde festlich beging, und zur Feier dieses Tages griff er zum Psalterbuche, zum 46. Psalm und sang sein Heldenlied: ‚Eine feste Burg ist unser Gott!' — Auch ein gerade an diesem Tage an Nikolaus von Amsdorf geschriebener Brief bestätige diese Annahme. „Unser einziger Trost," heifst es darin, „den wir der Wut des Teufels entgegenstellen, ist der, dafs wir das Wort Gottes haben, welches die Seele errettet, wenn er auch den Leib verschlingt." Wer höre hier nicht, fährt Schneider fort, alle Hauptgedanken, ja die Worte jenes Liedes selbst durchklingen. Damit ständen wir also an der Wiege des Lutherliedes und der 1. November 1527 werde fortan als der Geburtstag desselben gelten müssen. Allein diese Annahme ist in neuerer Zeit von den gründlichsten Forschern wie Geffken und Ph. Wackernagel als unhaltbar nachgewiesen worden. Der letztere weist namentlich in der Vorrede zum 1. Bande der grofsen Ausgabe seines „Deutschen Kirchenlieds" S. XX darauf hin, wie willkürlich jene Annahme sei. In keinem Gesangbuche vor 1529 findet sich das Lied, das Wittenberger vom Jahre 1529 ist das erste, welche es enthält. In demselben Jahre erscheint es in einem Augsburger Druck: „Form vnd Ordnung Geystlicher Gesang vnd Psalmen", und zwei Jahre darauf in den Gesangbüchern von Rostock, Erfurt und Nürnberg. Es sei durchaus undenkbar, dafs, wenn Luther das Lied schon im Herbst 1527 gedichtet, dasselbe bis 1529 ungedruckt geblieben sei. Die Annahme von der Besorgnis Luthers vor dem Herannahen der Pest im Jahre 1527 sei „ein Rechnen mit unbekannten Gröfsen, das zu nichts führe". Vielmehr werde man im Verein mit jenen bibliographischen Zeugnissen von dem ersten Erscheinen des Liedes mif Sicherheit schliefsen können, dafs dasselbe im Jahre 1529 zuerst gedichtet worden sei, als der Reichstag von Speier Luther die bestimmteste und ganz handgreifliche Bedrohung des Fortgangs seines ganzen reformatorischen Werkes darbot. — Eine andere irrtümliche Angabe Scherers ist die S. 279 ausgesprochene Behauptung, dafs die letzte plattdeutsche Bibel 1588 erschienen sei, und dafs damit der Zeitpunkt des allmählichen Verschwindens jenes Idioms aus der Schriftsprache überhaupt gegeben sei. Es sind vielmehr seit jenem Jahre 1588 noch eine ganze Reihe von plattdeutschen Bibelausgaben zu verzeichnen. 1590 erschien noch eine solche zu Wittenberg, 1596 desgleichen zu Hamburg, 1599 wieder eine zu Wittenberg, 1614 eine zu Goslar und ebenda auch noch eine im Jahre 1618 und 1621. Die ausführliche Beschreibung aller dieser Bibelausgaben ist in des Hauptpastor Gözes ganz vortrefflicher Schrift: „Versuch einer Historie der gedruckten niedersächsischen Bibeln" zu lesen. Das Verschwinden des niedersächsischen Dialektes aus der Schriftsprache ist daher auch mehrere Decennien weiter hinauszuschieben. — Ebenso ungenau ist die S. 297 enthaltene Mitteilung Scherers, dafs Georg Rollenhagen im Jahre 1595 den Homerischen Froschmäusekrieg verfafst oder, wie Scherer sagt, durch endlose Gespräche zu einem Lehrbuche der Politik und einer Geschichte der Reformation aufgeschwellt habe. Thatsächlich fällt die Abfassung dieses, allerdings erst 1596 zum erstenmal gedruckten Gedichtes schon 30 Jahre früher. Rollenhagen selbst berichtet in der Vorrede zu jener Ausgabe Bl. A. 6a darüber. „Darumb als der Hochgelerte Medicus Dr. Veit Ortel von Winfsheim, Griechischer Sprach Meister und Professor zu Wittenberg, im Jar Christi 1566 nach dem 65. Jar seines wolverdienten alters, unter andern das buch, welches Homerus jungen Herrn zur kurtzweiligen Ler vorgeschrieben und Batrachomyomachia, das ist, der Froschmeusekrieg genannt", öffentlich erklärt, hätten „einige freudige junge Gesellen" ein solches Gedicht aus des Doctoris eigener Lection u. erklerung Lateinisch, Französisch, Deutsch nachzudichten versucht. Dies habe auch Rollenhagen gethan. „Unter andern," fährt er fort, „ward jhm (also dem Doktor Veit Ortel) auch difs gegenwärtige Büchlein zu läsen gegeben, das er nicht allein sehr gerühmt, sondern auch Anleitung gegeben, wie man allerlei „Ratschläge von Regimenten und Kriegen" noch hineinbringen könne. Der Verfasser habe dies auch „alsbald ins Werk gesetzt", sein Buch sei aber, nach dem im Jahre 1570 erfolgten Tode Ortels, „unter der Bank", d. h. also ungedruckt „beliegen blieben." — Hiernach ist die Abfassung des Rollenhagenschen „Froschmeuselers" schon vor d. J. 1570 ganz unzweifelhaft. Endlich ist es ebenso zu bestreiten, dafs, wie Scherer S. 321, in dem eben erschienenen neuesten Hefte, sagt, die erste Gesamtausgabe ven P. Flemings Gedichten erst im Jahre 1646 von einem Freunde herausgegeben worden sei. Es heifst vielmehr in der Vorrede zu dieser in Lübeck im Verlage von Laurenz Jauchen ohne Jahr erschienenen ersten Ausgabe ausdrücklich: „Der Ehrenveste, Fürachtbare und Wolfürnähme Herr Heinrich Niehausen, der löblichen Gemeine und Bürgerschaft zu Revall Eltester und Handelsmann (bekanntlich der Vater von Paul Flemings Braut) habe, um seine, dem Autori auch in der Gruben zugetragene Schwiegerväterliche Affection zu bezeugen und daneben seiner in dem, vergangenen 1641 Jahrs, ausgelassenen Prodromo gethanen Zusage ein Genüge zu thun, nunmehr alle defs Sel. Dr. Flemingii vorhandene deutsche Poemata herausgeben wollen." Damit ist also vielmehr das Jahr 1642 ausdrücklich als das Jahr des Druckes jener ersten Ausgabe bezeugt und es wird wohl also auch bei dieser gegenwärtig allgemein angenommenen Datierung verbleiben müssen.

Es liefsen sich noch einige solche kleine Ausstellungen machen, die dem Verdienste des tüchtigen Werkes an sich keinen Eintrag thun. S. 277 bemerkt der Verf., Luther habe in seinem „Sendschreiben vom Dolmetschen" die Frage aufgeworfen, ob man das Wort „Liebe" auch so herzlich und genugsam in lateinischer und anderen Sprachen reden möge, dafs es also dringe und klinge in das Herz durch alle Sinne, wie es thut in unserer Sprache. Aber von diesem Worte „Liebe", nämlich von dem Substantivum, wofür übrigens auch, nebenbei bemerkt, die anderen Sprachen entsprechende Ausdrücke genug haben, ist in der betreffenden Stelle bei Luther ganz und gar nicht die Rede. Luther spricht da vielmehr von dem Adjectivum lieb, womit, wie er sagt, er am liebsten in dem Grufse des Engels Gabriel an die Jungfrau Maria das griechische χαλαρετωμάνη ausgedrückt hätte, während er in Wirklichkeit, des näheren Anlehnens an das Original wegen, das Wort holdselige gewählt habe. „Wer Deutsch kann," fährt er dann fort, „der weis wol, welch ein hertzlich fein Wort das ist, die liebe Maria, der lieb Gott, der liebe Keiser, der liebe fürst, der lieb man, das liebe kind. Und ich weis nicht, ob man das wort liebe auch so hertzlich und genugsam" u. s. w. und nun kommen die oben von Scherer citierten Worte.

Le livre du chemin de long estude par Cristine de Pizan publié pour la première fois d'après sept manuscrits de Paris, de Bruxelles et de Berlin par Robert Püschel. Berlin, R. Damköhler. Paris, H. Le Soudier.

Das vorliegende Buch hat bald, nachdem es erschienen, wohlverdiente Beachtung gefunden; denn schon am 15. Juni 1881 wurde es von dem Brüsseler Bibliothekar Aug. Scheler in Nr. 12 des „Athenæum belge" beurteilt, und in Nr. 9 des von O. Behaghel und Fr. Neumann herausgegebenen „Litteraturblatts für german. und roman. Philologie" erschien im September 1881 eine zweite Anzeige von Kr. Nyrop, die, in unbeholfenem Deutsch geschrieben, nur wenige einschlägige Fragen berührt. Endlich unterzog Suchier in Zarnckes Litt. Centralblatt Nr. 11, 11. März 1882 das Buch einer sachkundigen, jedoch kurzen Beurteilung, in welcher zum Texte einige Verbesserungsvorschläge gemacht sind. Die drei Recensenten haben noch nicht alle in Betracht kommenden Fragen erschöpft, so dafs es nicht überflüssig erscheint, auch an dieser Stelle noch einige Bemerkungen anderer Art zu geben. Dr. Püschel, dessen textkritische Methode aus der Ausgabe des ersten Teiles des Roman de la Rose von Guillaume de Lorris im Programm des Friedrichs-Gymnasiums von 1872 bereits bekannt ist, giebt in der Einleitung gewissenhaft Nachricht über die 7 Hss. des 15. Jhd., auf welchen der Text des von Cristine von Pisa nach dem 5. Oktober 1402 geschriebenen Gedichtes Chemin de long estude beruht. Über die letzte Hs. G, welche der Berliner Bibliothek angehört, wäre eine kurze Nachricht betreffs der Herkunft erwünscht gewesen, da noch immer kein Katalog der Berliner Hss. vorhanden ist. An zweiter Stelle wird in der Einleitung das genealogische Verhältnis der Hss. eingehend erörtert und durch ein Schema übersichtlich veranschaulicht. Hieran schliefst sich eine Charakteristik des Dialektes, in welchem Cristine ihr Gedicht geschrieben. Da die Dichterin dem französischen Hofe sehr nahe stand, indem ihr Vater das Amt eines Astrologen Karls V. bekleidete, so mufste sie sich der Hofsprache bedienen. Merkwürdig sind die vom Herausgeber p. XVI aufgeführten Reime fermes: armes, garce: enverse, lignage: herberge, die auch im Altnormannischen begegnen. Die Bemerkung über die Schreibung fames: „mais ce mot prit l'orthographe moderne dans la seconde moitié du quatorzième siècle" ist nicht zutreffend, da die Form femme schon im Rolandslied sich findet; Littré s. v. giebt aus den Gesetzen Wilhelms, die er zu hoch, in das 11. Jhd., setzt, ein Beispiel an. Dafs Cristine nasales an und en im Reime nicht mehr scheidet, bietet nichts Auffälliges dar; im Anglonormannischen wurde an und en länger geschieden als auf dem Festlande, wo schon im 13. Jhd. bei korrekt reimenden Dichtern die Bindung eintrat; die geschichtliche Entwickelung dieses lautlichen Vorganges ist 1871 recht hübsch von Paul Meyer in den Mémoires de la Société de Linguistique de Paris Band I behandelt worden. Nach der Dialektfrage wird in der Einleitung zum Livre du chemin de long estude noch die Entstehungszeit besprochen, ohne dafs dieser Abschnitt in einer Überschrift hervortritt, und die Angabe der Dichterin in Einklang gebracht, welcher zufolge sie das Werk am 5. Oktober 1402 begonnen und im März desselben Jahres beendet: wie nämlich der Herausgeber nachweist, rechnete man in Frankreich bis zum 16. Jhd. das Jahr von Ostern an. Ohne Überschrift folgt dann ein Kapitel über das Metrum des Gedichts, den achtsilbigen Vers, nur der Anfang ist in Zehn- und Sieben-Silbern abgefafst. Über die Cäsur des

achtsilbigen Verses hat G. Paris seine Ansicht geäufsert in der Romania
1872, Bd. I, p. 292 fgd., wo er über das älteste Denkmal mit achtsilbigem
Verse, die Vie de Saint Léger spricht.

Über die Eigennamen im Text wird zuletzt beiläufig bemerkt, dafs sich
bei diesen Cristine Freiheiten gestattet. Der Nachtrag des Wortes trofe
zum Glossar beschliefst die Einleitung. Bei der grofsen Ausdehnung des
Gedichtes ist es nicht zu verwundern, dafs in der Einleitung eine Untersuchung über die Lebensverhältnisse der Cristine, einer der bedeutendsten
Frauengestalten in der französischen Litteratur, sowie über die Chronologie
ihrer übrigen Werke und ihre Quellen fehlt, eine lohnende Arbeit, die,
von Dr. Püschel ausgeführt, mit Beifall aufgenommen werden würde. Der
Text, unter welchem die Lesarten der Hss. verzeichnet sind, umfafst 6392
Verse. Ein Glossar mit den seltensten Worten und Namen beschliefst das
Buch, welches dem Leser eine Fülle des interessantesten Materials darbietet
und noch im 16. Jhd. so beliebt war, dafs Jehan Chaperon das Gedicht
in Prosa umsetzte und 1549 in Paris in Sedez drucken liefs.

In der Einleitung wendet sich Cristine an König Karl VI., dem sie ihr
Gedicht, von ihr zweimal bescheiden „petit dit" genannt, darbietet. Mit
Vers 61 beginnt das Gedicht in achtsilbigen Versen. Die Dichterin, welche
über ihr Unglück klagt, suchte Trost in Büchern; aber ihre Mifsstimmung
schwand erst, als sie Boëtius Werk De consolatione philosophiæ fand, ein
Buch, das sie öfter, so V. 207, 4121, 4635, nennt und das sie so fesselte, dafs
sie in der „Vision de Cristine", wo sie über sich und ihre Familie Nachrichten giebt, den dritten Teil diesen Consolations de la philosophie
widmet. Der Dichterin erscheint nun die Göttin der Weisheit, Pallas, die
sich als eine der zehn femmes sages d. h. Sibyllen zu erkennen giebt,
welche von Jesus, dem Weltheiland, prophezeiten. Dieselbe, welche 1000
Jahre lebte, führte den Äneas durch die Unterwelt, geleitete ihn nach
Italien und prophezeite Roms Gründung; auch zeigte sie dem Äneas seinen
Vater Anchises in der Unterwelt sowie die Seele seiner Mutter nebst
anderen Wundern und geleitete ihn unversehrt zurück. Damals war sie
700 Jahr alt; später brachte sie neun Bände Gesetzbücher nach Rom, wo
Tarquinius Priscus herrschte. Virgil, der nach ihr kam, sprach von ihr,
der Cumäischen Sibylle, in seinen Schriften. Die Dichterin merkt jetzt,
wer mit ihr spricht, und dankt Gott, dafs sie die kennen lerne, von der sie
so viel gehört. Nun wünscht sie auch wie Äneas die Unterwelt zu sehen;
von der Sibylle geleitet, kommt sie nach einer blumenreichen Ebene mit
schönen Pfaden wie im irdischen Paradiese. Als beide auf dem Gipfel
eines hohen Berges ankommen, erblicken sie eine klare Quelle, in welcher
sich neun Frauen nackend badeten, und über dem Felsen ein grofses ge-
flügeltes Pferd. Von dem Felsen rieselten silbergleich aus der Quelle mehr
als 1000 Bäche sanft auf den Sand hinab. Die Dichterin bittet ihre
Führerin um Auskunft über diesen Ort und seinen Namen wie über die
Wege, Bäume und die köstliche Quelle. Die Sibylle erklärt die Bedeutung
der Wege und sagt, dafs der Berg Parnassus oder Helikon heifse, während
die Quelle die der Weisheit genannt werde; die badenden Frauen dagegen
seien die neun Musen, die die Quelle beherrschen und die heilige Schule des
Wissens halten; diese Schule wurde einst, durch den Hufschlag des fliegen-
den Pferdes gegen den Felsen, gegründet, indem dort die Quelle entsprang.
Die grünen Pfade sind die Wege, wo einst die Philosophen mit jenen
Frauen sprachen, als sie sich an dem süfsen Tranke der Weisheit labten.
Auf dem hohen Hügel wohnte an blumigem Platze der Fürst der Weisheit,
der Philosoph Aristoteles, umgeben von den Philosophen Sokrates, Plato,
Demokritus, Diogenes, die auf kleinerem Hügel wohnten. An jener Quelle
weilten einst Anaxagoras, Empedokles, Heraklit, Dioskurides (Accoglitor
Dioscoride), Seneca, Tullus, Ptolemäus, Hippokrates, Galen, Avicenna und
andere Philosophen. Dort versammelten sich die Dichter, deren Gesänge

die Musen erfreuten, so Homer, der „poete. souvrain", Ovid, Horaz, Orpheus, anderer nicht zu gedenken; dort gab es und giebt es eine Anzahl Lehrer, die sich im Schatten erfrischen, und Schüler, die vom Wasser schöpfen. Dort händigte einst Cadmus mit Mühe eine grofse vielköpfige Schlange. Dieses ist die Quelle der Weisheit, wo man Astrologie erlernt, wo Philosophie herrscht, wo Pallas einst wohnte und noch wohnt. Dort, sagt die Sibylle zu ihrer Begleiterin, kannst du aus den Bächen schöpfen und dich baden; der Weg, wo wir sind, heifst long estude, der von keinem Ungebildeten betreten wird; den Vornehmen allein ist er bestimmt. Da freute sich die Dichterin, als sie wufste, wo sie sich befand und wohin sie ein andermal auf anderem Wege gelangt war; von ihm berichtete der Florentiner Dante, zu welchem sein Retter Virgil sagte, ihm möge langes Studium (long estude) helfen. Diesen Weg hatte Dante betreten, als er Virgil begegnete, der ihn in die Unterwelt führte. Die Dichterin gelobt, nicht zu vergessen, was ihr von ihrer Führerin gesagt sei; von dem Wege wolle sie nicht weichen, denn sie sei bestimmt, ihr Leben langem Studium zu widmen. Die Sibylle verspricht nun der Dichterin, ihr manchen lieblichen Ort zu zeigen, dessen Anblick ihr zeitlebens Freude bereiten würde. Beide gelangen jetzt nach der grofsen und vornehmen Stadt Konstantinopel, der ehemaligen Hauptstadt Griechenlands. Hier sieht die Dichterin alle Wunder der Stadt, die marmornen Ringmauern, die Paläste und Häuser, die Pfeiler, Zimmer, Bilder, die Sophienkirche, die Ruinen der Stadt, die in langem Kriege mit den benachbarten Sarazenen gewesen und dadurch entvölkert war, die Felder und Weinberge, die innerhalb der Stadt behufs Versorgung mit Lebensmitteln angelegt waren. Von dort gingen beide nach dem heiligen Lande, um die Orte zu besuchen, wo Jesus lebte und starb. Die Dichterin sah in Ägypten alle Orte, wo der Herr sich aufhielt, sah Nazareth, wohin er von Bethlehem, seinem Geburtsort, zog, besuchte Jerusalem, küfste das heilige Grab und ruhte dort aus. Nach dem Gebet und nach der Messung der Höhe und Breite des Grabes stiegen beide auf den Kalvarienberg, um Golgatha zu sehen. Dann sah sie im Lande Judäa und in Jerusalem seltsame Dinge, die durch Pilger bekannt genug sind. Von Judäa ging es weiter nach Osten; die Sibylle zeigte ihrer Begleiterin viele Wunder, das Schlofs von Tenedos, wo das Meer mit grofser Gewalt anprallt, das St. Georgs-Arm heifst, weiter Phrygien, Troja, die Insel Rhodus, den Ort, wo die heilige Katharina verehrt wird, die grofse Stadt Babylon, das Land des Sultans, welcher den Christen manchen Schaden zufügt, ferner Kairo, den Nil, das Feld, wo der Balsam wächst; so sah sie Babylon, das in schönem Lande liegt oberhalb des Flusses Gion, den Hof des grofsen Kaisers, den Tamerlan vernichten wird. Von Babylon gelangte sie nach den Wüsten Arabiens, nach dem Berge Sinai und weiter nach Osten in manchen wunderbaren Ort; dann durchzog sie das Land des Sultans, das des grofsen Khans, wo feuerspeiende Schlangen, Krokodile, Drachen, Vipern, Bären, Löwen, Einhörner, Elefanten, Panther und seltsame Tiere hausen; in Gefahr erinnerte sie sich stets des helfenden Wortes Me vaille long estude. So kam sie mit ihrer Führerin durch die Tartarei und Syrien nach der Insel Cathay, sah in Arabien den Phönix, gelangte nach Indien, sah den Weinstock, der Pfeffer trägt, sah seltsame Völker, grofse Riesen, die Pygmäen, sah die glückseligen Inseln, das Königreich Bachina, wo die Leute von Natur gut sind und nicht sündigen, die vier Ströme des irdischen Paradieses, den Phison, der durch Indien, den Gion, der durch Äthiopien und Ägypten und Armenien, den Tigris, der durch Persien, den Euphrat, der durch Armenien, Persien und Medien fliefst, in Macedonien den Olymp (Olimpia) und andere Berge, in Äthiopien den Atlas, die Berge von Armenien, wo die Arche Noahs nach der Sündflut landete, den Berg Souffin, auf dem die Geburtsstadt des Propheten Samuel liegt, die kaspischen Gebirge, wo Gog und Magog eingeschlossen

sind, bis der Antichrist erscheinen wird, die Gold- und Silberberge, die
von Schlangen bewacht werden, in Indien den unversehrten Körper des
heiligen Thomas, das Wunderreich des Priesters Johannes. Unterwegs
lehrte die Sibylle die Eigenschaften aller Pflanzen und aller Geschöpfe; im
Orient sah die Dichterin die Mond- und Sonnenbäume, welche mit Alexander
sprachen und ihm auf seine Fragen antworteten, weiter sah sie die Säulen
des Herkules und wandte sich dem irdischen Paradiese zu. Da hörte sie
das Rauschen des Wassers, das von den das Paradies umschliefsenden
Bergen herabstürzte. Weiter, erklärte die Führerin, dürfe sie nicht gehen;
doch wolle sie ihr auf dem Berge zeigen, was sie versprochen. Wie die
Äthiopier infolge der Hitze schwarze Farbe bekommen, so betäubt das
Geräusch des von den Bergen nach dem Paradiese fliefsenden Wassers das
Gehör. Das Paradies, das von einer feurigen Mauer umgeben ist, ist unzugänglich, und der Eingang wird durch einen Engel bewacht.

Die Sibylle schlägt jetzt ihrer Begleiterin vor, auf den Berg zu steigen
und einen anderen Weg einzuschlagen. Auf den Ruf der Sibylle in
griechischer Sprache erscheint aus dem Himmel eine seltsame Gestalt.
Die Sibylle fragt nun, ob sie mit ihrer Begleiterin gen Himmel empor-
steigen könne. Jetzt erscheint am Firmament eine Leiter, über welche die
Dichterin Auskunft begehrt. Nach Antritt der Himmelsreise verschwindet
die Erde bald unter beiden als eine kleine Kugel. Bald wünscht die
Dichterin umzukehren, denn sie wollte nicht Ikarus gleich sein, welcher,
als das Wachs seiner Flügel zu schmelzen begann, im Meere umkam. Als
die Sibylle mit ihrer Gefahrtin im fünften Himmel, dem Firmament, ankam,
endete die Leiter. Hier sah Cristine vieles Schöne, die Sterne, die
Planeten, so dafs sie 1000 Jahre dort zu sein wünschte. Beim Hinab-
steigen bittet die Sibylle ihre Begleiterin, ihr nachzufolgen, denn weiter
dürfe sie nicht mit irdischem Leibe, über dem Firmament sei der krystal-
lene Himmel und noch höher der Himmel, wo die Heiligen und die neun
Ordnungen der Engel wohnen; darüber throne die Majestät Gottes, von
Seraphim und Cherubim umgeben. Im Verlauf des Gedichtes wird von den
Wundern erzählt, welche Cristine im Himmel schaute; Vers 2180 wird das
Jahr 1401 genannt, in welchem ein allgemein sichtbarer Komet erschienen
sei. Auch die künftigen Kometen sah sie und liefs sich von ihrer Führerin
alles über die zehn Sibyllen, über Merlin und die Verkündiger der Zukunft
mitteilen. Die letzten Abschnitte, über die vier Königinnen, welche die
Welt beherrschen, die Bitte, welche die Erde gen Himmel an die Königin
Raison richtete, die Verhandlung vor Raison über die vier Stände, die Bedingungen, die ein guter Ritter erfüllen mufs nach den Aussprüchen der
Schriftsteller, die Meinungen der Autoren über Reichtum (Richece), die
Tugenden der Weisheit, die Sitten eines guten Fürsten, sind teilweise voll
ermüdender Allegorie, aber durch verschiedene Episoden interessant, in
welchen die Legendenpoesie des Mittelalters noch forttönt. Mit Vers 6103
beginnt der Übergang zum Schlufs, indem die Sibylle vor Raison erscheint
und ihr alles berichtet, wie Cristine durch die Welt gewandert, ohne
jemals zu ermüden. Vor Raison geladen, wird Cristine ausgeforscht und
belehrt; gleichzeitig wird ihr geboten, die Debatten, die sie angehört, in
der Welt den grofsen französischen Fursten zu berichten, und sie erklärt,
dafs sie alles, was sie auf ihrem Wege gesehen und erfahren, aufgeschrieben
habe. Raison dankte ihr; sie aber zog aus ihrem Busen ihr Schreiben
hervor, um es ihr vorzulegen; Raison erklärte sich für zufrieden und gab
Cristine von ihren Kleinodien; diese dankte demütig für die Geschenke
und verabschiedete sich. Die Sibylle wollte nun Cristine ihrem Versprechen
gemäfs zurückführen; beide stiegen auf der Leiter wieder hinab. Cristine
dankte unterwegs der Sibylle, dafs sie ihr so viel Vergnügen bereitet hatte,
und als sie hinabgestiegen war, schien es ihr, als ob sie von ihrer Mutter,
die an die Thür ihres Zimmers klopfte und sich über die lange Ruhe

wunderte, gerufen würde; denn es war schon spät, als Cristine erwachte.
Hiermit endigt das Gedicht, dessen Inhalt hier kurz angegeben worden ist,
um andere dafür zu interessieren; nur schade, dafs die Dichterin öfter in
den Fehler verfällt, dafs sie weitschweifig wird und zuviel sagt, statt dafs
sie sich im Ausdruck ihrer Gedanken beschränkt. Hier mögen nur noch
wenige Bemerkungen zu Einzelheiten aus den letzten Abschnitten folgen.
Der mit Vers 5471 beginnende und „Les meurs que bon prince doit
avoir selon les dis des aucteurs" überschriebene Teil enthält den Keim zu
dem am 1. November 1404 von Cristine beendigten Livre des faits et
bonnes mœurs de Charles V., das vom Abbé Lebeuf in den Dissertations
sur l'histoire de Paris, auch in den Sammlungen von Petitot und Michaud
herausgegeben ist. Andererseits erinnert der Abschnitt Les condicions que
bon chevalier doit avoir selon les dis des aucteurs an Cristines Livre des
faits d'armes et de chevalerie, das ins Englische übersetzt und auf Befehl
Heinrichs VII. 1489 gedruckt wurde.
Bei der Stelle über den Astrologen und seine Wissenschaft V. 3399 fgd.
dachte die Dichterin offenbar an ihren Vater Thomas von Pisa, während
der Name des Ritters aus Bourbonnais mit dem Beinamen de Chastel Morant
nicht in Beziehung zu stehen scheint zu Estienne du Castel, dem pikardischen
Edelmanne und Sekretär des Königs Karl, an den die fünfzehnjährige Cristine
sich verheiratete. Auf die Dichterin selbst beziehen sich die V. 6287—6292,
welche in Italien „en cite amee" geboren und sehr jung nach Frankreich
gebracht wurde; vgl. J. Boivin, Vie de Christine de Pisan in den Mémoires
de l'Académie des Inscriptions et Belles-Lettres.
    Vers 3521—3632 wird die Geschichte von Troja, Helenus, Alexander,
Äneas, Latinus, Turnus und Lavinia berührt, und gesagt, dafs die Trojaner
aus Franken nach Gallien gingen, das nun Frankreich genannt wurde;
dann wird die Geschichte von Romulus und Remus und die Gründung
Roms eingeflochten. Von den Trojanern, heifst es dann V. 3614, kamen
die Franzosen:

> Ne leur fust pas si grant honnour,
> Se de ligne fussent menour.

Von einem der Kinder des wackern Hektor stammen die Fürsten, die
die französische Krone tragen, wie die Geschichte von ihrer Herkunft erzählt. Britannien dagegen wurde von dem Trojaner Brutus nach seinem
Namen benannt, Cornwallis nach Corineus und die ganze von Trojanern
besetzte Insel Albion heifst heute England, alles Sagen, die in das hohe
Mittelalter hinaufreichen und hier einen Wiederhall finden. In dem Beispiel von Scipio Africanus (V. 4475 fgd.), welchem eine gefangen genom-
mene Spanierin von ausgezeichneter Schönheit zugeführt wurde, qu'il en
feïst sa voulenté, welcher dieselbe jedoch einem Edlen nebst Geschenken
zur Frau gab, beruft sich die Dichterin auf Vegetius, welcher mit Livius
verwechselt scheint. In dem Beispiel von dem Philosophen (V. 4727—4738),
welcher seinen ganzen Reichtum ins Meer wirft, wird die Quelle unbestimmt citiert mit den Worten:

> Lequel [sc. exemple] est ou livre trouvé
> Des philosophes approuvé.

Zuerst dichterisch bearbeitet ist dies Beispiel von Guillaume de Normandie
im Bestiaire und im Besant de Dieu desselben Dichters. Vers 4750 wird
Satirus genannt, welcher in seinem Buche über Diogenes und seine Tonne
spreche; dieser Name fehlt nebst anderen im Glossar zu Cristines Gedicht. Dagegen wird Vers 4786 bei der Stelle über Alexander, welchen
Diogenes bittet, ihm aus der Sonne zu gehen, als Autorität Valeres (sonst
Valerius) citiert.
    Vers 5151 wird Aristoteles' Brief an Alexander genannt, welchem zu-

folge der Weise König sein solle.   Dies ist eine Anspielung auf das
Secretum Secretorum des Pseudo-Aristoteles.   Mit Alain (fehlt auch im
Glossar) Vers 5203 ist gemeint Alanus ab Insulis.   Der Name in Vers 5241
Appollophanies le bon philosophe ancien ist im Glossar nicht mit aufgeführt und erklärt.
      Die Notiz über Cäsar (V. 5874), welcher „bien quatre paire dictoit
de lettres de pluseurs matieres" scheint den Miracula Mundi des Solinus
entlehnt zu sein.
      Was Vers 4421 mit St. Augustins „Livre du prepos" gemeint ist, ist
nicht klar; im Glossar steht nur propos.   Le Policratique in Vers 4265,
4452, 4375 scheint von der Dichterin für eine Person gehalten zu sein;
vergl. Glossar.   Auf weitere Bemerkungen z. B. über die Anklänge an
Mandevilles Reisen, die Troja- und Alexander-Sage, die Prophezeiungen
der Sibyllen, die Legende vom Priester Johannes muſs hier Verzicht geleistet
werden.   Der Druck ist korrekt, und es verdient noch hervorgehoben zu
werden, daſs der Herausgeber eine schöne Ausgabe mit lesbarem Text geliefert und Deutschland wie Frankreich damit einen Dienst erwiesen hat;
insbesondere dürfte das Buch den Herausgebern der Histoire littéraire de
la France zu statten kommen, welchen es, nachdem der das 14. Jahrh.
beschlieſsende 28. Band dieses Werkes — G. Paris nennt dort p. 384 en
passant, wohl nach einer Notiz aus zweiter Hand, die Dichterin ohne seine
Quelle — erschienen, obliegt, mit dem 29. Bande die französische Litteraturgeschichte des 15. Jahrhunderts zu beginnen.

Gedanken und Bemerkungen über das Studium der neueren
    Sprachen auf den deutschen Hochschulen. Von Dr. Gustav
    Körting, o. ö. Professor der romanischen und englischen
    Philologie a. d. kgl. Akademie zu Münster. Heilbronn,
    Gebr. Henninger, 1882.
      Wie Referent, so sah wohl jeder Fachmann, der für die richtige Pflege
und die Förderung seiner Wissenschaft rege Teilnahme fühlt, mit gespannter Erwartung dem Erscheinen dieser Schrift entgegen, da voraus-
zusehen war, daſs ein Mann, der sich auf dem Gebiete der neuphilologischen
Studien so vielfache Verdienste erworben hat, etwas Gediegenes bieten
werde, und da man um so mehr einer allseitig einsichtigen Erörterung des
Gegenstandes entgegensehen durfte, als Dr. Körting infolge seiner früheren
Lehrthätigkeit an Mittelschulen aus eigener Erfahrung bemessen kann, was
auch nach dieser Seite hin verlangt werden dürfe und müsse.   Und in der
That täuschte die Erwartung keineswegs: es liegt uns hier eine durchaus
besonnene, alle wichtigen Punkte auf das eingehendste behandelnde Arbeit
vor, deren Verfasser in gleicher Weise den Anforderungen eines streng
wissenschaftlichen Studiums und denen des praktischen Schullebens gerecht zu
werden bestrebt ist.   Doch damit der Leser sich selbst von der Vortrefflichkeit
des Büchleins überzeugen könne, wollen wir sofort in mediam rem eingehen.
      Als Erstes wirft selbstverständlich der Verfasser die Frage auf: wer
ist befähigt, dem akademischen Studium der neueren Sprachen sich zu
widmen? und tritt damit der Streitfrage näher, ob die zur Zeit allgemein
gestattete Zulassung der Realschulabiturienten zu dem akademischen Studium
der Neuphilologie aus sachlichen Gründen zu billigen oder zu miſsbilligen
sei.   Bekanntermaſsen läſst sich viel dafür und noch mehr dagegen sagen,
so daſs im ganzen wohl weitaus die Mehrzahl der Sachverständigen sich
dahin aussprechen dürfte, daſs auf die Dauer eine Zulassung der Realschulabiturienten zu besagtem Fachstudium nicht statthaft sei.   Dieser Anschauung huldigt auch Körting, da gründliche Kenntnis des Griechischen
zum erfolgreichen wissenschaftlichen Studium der neueren Sprachen unbe-

dingt notwendig sei. Unter den von ihm zur Beweisführung vorgebrachten Gründen — die Menge der termini technici, herrliche Litteratur, deren häufiger Zusammenhang mit bedeutenden Werken der neusprachlichen Litteraturen etc. — möchte ich nur einen sonst wenig beachteten besonders hervorheben: erst durch die griechische Sprache wird im Schüler der Sinn für Sprachentwickelung und das Verständnis für die im Organismus der Formenbildung zur Anwendung kommenden Lautgesetze geweckt, That-sachen, deren Wichtigkeit für jedes spätere philologische Fachstudium jedermann zugeben wird; wie oft hat der Philologe nicht an der Real-schule resp. dem Realgymnasium Gelegenheit, den gänzlichen Mangel des griechischen Unterrichtes schwer zu empfinden! Von den einfachsten Dingen haben die Schüler keinen Begriff, wie z. B. von dem Unterschied zwischen tenues, mediæ, aspiratæ. Es wird demnach die Zulassung der Realschul-abiturienten zum neusprachlichen Studium von der Bedingung abhängig ge-macht, daſs diese Schule einen gründlichen Unterricht im Lateinischen er-teilt und auch den Unterricht im Griechischen in ihr Programm aufnimmt; ersteres wird künftighin allgemein der Fall sein, da auch in Preuſsen, wie an unseren bayr. Realgymnasien schon seit dem Jahre 1874, das Latein mit nahezu eben derselben Intensität wie an den Humangymnasien ge-trieben werden soll; ob aber bei der Menge von Unterrichtsgegenständen, welche die Schüler des Realgymnasiums (resp. der Realschule) ohnedem schon zu bewältigen haben, und bei den vielseitigen Klagen über Über-bürdung der Schuler, die ich, nebenbei bemerkt, aus guten Gründen in der Hauptsache für ungerechtfertigt halte, noch das Griechische, wenngleich nur fakultativ, eingesetzt werden kann und will, möchte ich sehr bezweifeln, ja fast verneinen. Dagegen ist eine andere Forderung Körtings entschieden durchzuführen und der Berücksichtigung an maſs-gebender Stelle im höchsten Grade würdig: daſs allgemein an den Gym-nasien ein fakultativer Unterricht in der englischen Sprache eingeführt werde. Daſs es leicht ausführbar sei, beweist der Umstand, daſs er nicht nur in einzelnen preuſsischen Provinzen, sondern auch an allen bayrischen Gymnasien schon längst erteilt und fast ausnahmslos recht zahlreich be-sucht wird. Daſs es zum mindesten sehr wünschenswert ist, den besseren Schülern des Gymnasiums Gelegenheit zur Erlernung dieser Sprache zu geben,* tritt offen zu Tage, sobald man nur bedenkt daſs nicht nur der Jünger der klassischen Philologie, der prot. Theologe, der Historiker, sondern mehr noch der Mediziner und jener, der sich sprachvergleichenden Studien widmet, zweifellos im stande sein sollte, die zahlreichen für seine Wissenschaft bedeutenden Werke der englischen Litteratur zu studieren. Einen weiteren Wunsch des Verfassers halte ich sehr der Beachtung wert: es möge allgemein beim Unterricht im Lateinischen mehr auf die Vokal-quantität Rücksicht genommen werden, als es jetzt beliebt wird; auch könnte man die Schüler der oberen Klassen darauf aufmerksam machen, daſs neben dem Schriftlatein, welches sie gelehrt bekommen und einzig gebrauchen dürfen, noch ein Vulgärlatein existiert hat, aus dem die roma-nischen Sprachen entstanden sind; falls dieser Hinweis im lateinischen Unter-richt unterlassen wird, muſs er, glaube ich, im Französischen gegeben werden.

* Natürlich ist darauf zu achten, daſs nur solche Schüler zugelassen werden, welche in den anderen Fächern wenigstens gute Durchschnittsleistungen aufweisen; auch habe ich während meiner Lehrthätigkeit am hum. Gymnasium immer daran festgehalten, daſs kein Schüler zwei neue Unterrichtsgegenstände in demselben Jahre beginnen dürfe, und im Falle ein Schüler des Englischen auch Italienisch lernen wollte — es wird auch diese Sprache an einer groſsen Anzahl unserer Gymnasien gelehrt —, es nur in Ausnahmsfallen gestattet, um Zersplitterung zu verhüten. Zeit wäre es auch, daſs die Ergebnisse der Lautphysiologie wie über-haupt, so im besonderen im englischen Unterrichte geeignet verwertet würden.

Bevor Körting die zweite Frage: wie soll man die neueren Sprachen
(d. h. Französich und Englisch) studieren? erörtert, giebt er dem lebhaften
Bedauern Ausdruck, daſs man noch immer diese beiden Gebiete als enge
zusammengehörig, so zu sagen als Einheit betrachten müsse, da sie doch
scharf geschieden seien. Die Kombination des Französischen mit dem Englischen zu einem Prüfungs- und Lehrfach sei fernerhin gänzlich unmöglich, wenn das akademische Studium der neueren Sprachen auf streng
wissenschaftlicher Grundlage gepflegt werden solle, weil dadurch dem Neuphilologen eine, schlechterdings unlösbare Aufgabe zugemutet, und er zu
einer wenig sorgfältigen Durcharbeitung des Doppelgebietes oder aber zur
nahezu völligen Vernachlässigung des einen Studienzweiges gezwungen
werde. Daſs dieses zuzugeben ist, wird heutzutage kaum ein Sachver-
ständiger leugnen, wie überhaupt zugestanden werden wird, daſs die
Prüfungseinrichtungen nach den zur Zeit in den einzelnen deutschen
Staaten üblichen Verordnungen sich nicht mehr lange werden halten
können, da sie den Kandidaten nötigen, wissenschaftlich gar nicht zusam-
mengehörige Fächer zu studieren, so daſs, bei den immer höheren Anforderungen, welche jetzt jede einzelne Fachwissenschaft stellt, eine Hintenan-
setzung des einen oder des anderen Faches oder, was noch schlimmer wäre,
ein oberflächlicher Betrieb aller die unausbleibliche Folge sein würde. Der
Nachteil, der aus einer solchen Verflachung bald auch den Mittelschulen
erwachsen würde, wäre ein bedenklicher, da einen gedeihlichen Unterricht
nur der Lehrer zu gehen vermag, der selbst ein gediegenes Wissen besitzt. Weil aber der Staat aus Rücksicht auf die praktische Verwendung
denn doch von den Lehrern der Mittelschulen verlangen muſs, daſs sie
wenigstens in zwei Fächern ersprieſslichen Unterricht erteilen können, so
wird es notwendig sein, die Fachgruppen so zu ordnen, wie es die wissenschaftliche Zusammengehörigkeit verlangt; dabei könnte etwa nach dem in
Preuſsen üblichen System in dem einen Fache die facultas für alle, im
anderen nur für die mittleren Klassen ermöglicht werden. Ausgehend
also von obiger Erwägung, es seien Französisch und Englisch als be-
sonderte Fächer auseinanderzuhalten, schlägt Dr. Körting folgende Kombina-
tionen für die Kandidaten der neueren Sprachen als die natürlichsten vor:
„1) Französisch für alle Klassen. Latein oder Englisch (eventuell beides)
für Mittelklassen. 2) Englisch für alle Klassen, Deutsch oder Französisch (eventuell beides) für Mittelklassen. Im Falle übrigens, daſs ein
Kandidat in zwei Nebenfächern sich prüfen lassen will, könnte das eine
derselben sehr passend auch die Geschichte sein.“ Ist damit die neuere
Geschichte, bezw. die des Mittelalters gemeint, so mag beigestimmt
werden, die alte Geschichte liegt sicher unseren Fachstudien viel zu ferne,
als daſs an sie gedacht werden könnte; im übrigen bin ich der Meinung,
daſs in nicht gar ferner Zeit auch der Unterricht in der Geschichte ganz
einem Fachlehrer wird überlassen werden müssen. Die beiden Kombina-
tionen Französisch I und Latein II einerseits und Englisch I und Deutsch II
anderseits werden besonders befürwortet und sind wirklich entschieden
glücklich zusammengestellt, da sie innerlich Zusammengehöriges verbinden
und eine sehr gute Verwendbarkeit der Lehrer ermoglichen. Wäre es
nicht, um nur eines zu berühren, viel naturgemäſser, daſs dem (wissenschaftlich gebildeten) Lehrer des Englischen der Unterricht in der deutschen
Sprache, vorzüglich im Mittelhochdeutschen, zugeteilt würde, als dem
klassischen Philologen, der kaum je Zeit hat, sich die dazu notwendige
Vorbildung zu verschaffen.* Als natürliche Konsequenz der Trennung des

---

* Seit zwei Jahren wird in Bayern auch von den klassischen Philologen bei
Ablegung der Hauptprüfung ein Nachweis über Kenntnis der Hauptsache aus der
deutschen (historisch-wissenschaftlichen) Grammatik und Litteratur gefordert.

Studiums der französischen und der englischen Sprache werden für jede Universität gesonderte Lehrstühle für romanische und englische Philologie verlangt. Einen Beweis, wie vorurteilsfrei unser Verfasser die Sache betrachtet, giebt er in der jetzt folgenden Untersuchung, welches Ziel das neusprachliche Universitätsstudium anzutreten habe, indem er zuerst zu fixieren sucht, welches Ziel dieser Unterricht an den Mittelschulen verfolge, weil der Docent in erster Linie auf die Bedürfnisse der für diese Schulen vorzubildenden Lehrer Rücksicht nehmen müsse. Nach einer längeren Auseinandersetzung gelangt er zu dem einzig richtigen Schlusse: es sei als Lehrziel der Mittelschulen die Einführung in die Litteratur und die Erreichung genügender Fertigkeit im schriftlichen Gebrauch der Sprache zu betrachten; erst dann solle man, wenn es sich thun lasse, möglichst viel von der Umgangssprache lehren. „Das, sagt Körting, sollte das leitende Princip des neusprachlichen Unterrichtes für die gelehrten Schulen sein; für Handelsschulen dagegen und ähnliche Anstalten, die für das geschäftliche Leben vorbereiten, ist das gegenteilige Princip das richtige." Noch eine andere Mahnung möchte ich betonen, welche zwar schon häufig ausgesprochen wurde — von Martin, Breymann, Joly u. a. —, die man aber nicht oft und eindringlich genug wiederholen kann: „Der neusprachliche Unterricht soll nach einer rationellen, verstandbildenden Methode erteilt werden, — die dem Unterricht zu Grunde zu legende Grammatik soll in elementarer Weise eine historische und wissenschaftliche sein, keine solche, in welcher der Sprachstoff zu einem breiartigen Ragoût zerhackt und vorgekaut ist." Es bedarf für einen guten Pädagogen kaum der Erwähnung, dafs man dabei sich wohl hüten mufs, dem Schüler allzu viel zuzumuten; für ihn gehört nur soviel in den Unterricht, als ihm zum richtigen Verständnis und leichteren Lernen notwendig und nützlich ist. Eine allen berechtigten Anforderungen genügende französische oder englische Grammatik haben wir gegenwärtig freilich noch nicht, aber deswegen dürfen wir nicht an der Möglichkeit des wissenschaftlichen Unterrichtes verzweifeln; denn ein gutes Lehrbuch kann einzig und allein aus der Praxis herauswachsen. „Soll nun, so fährt Körting weiter fort, an den Gelehrtenschulen der neusprachliche Unterricht in wissenschaftlicher Weise erteilt werden, so ist es selbstverständlich, dafs eine gründliche wissenschaftliche, echt philologische Durchbildung der Lehrer dazu die unerlafsliche Vorbedingung ist. Der auf der Universität studierende Neuphilologe soll ein wirklicher und ganzer Philologe sein, er mufs mit derselben Methode und Akribie arbeiten lernen, wie sein der klassischen Philologie beflissener Kommilitone." — „Aufser seiner wissenschaftlichen Durchbildung hat er aber auch eine praktische Ausbildung anzustreben." Wir sehen, er vertritt die allein richtige Anschauung: praktische Fertigkeit auf streng wissenschaftlicher Grundlage beruhend. Dem akademischen Lehrer möchte er ein etwas mangelhaftes praktisches Können eher verziehen wissen als dem Gymnasiallehrer, ich glaube mit Unrecht: unbedingt soll der Docent seinen Hörern auch hierin eine Leuchte sein, und wenn ich auch im Princip anerkenne, dafs es durchaus nicht seine Aufgabe sein kann, eigentlichen Konversationsunterricht zu erteilen, so mufs er eben doch, wo er der einzige Vertreter seines Faches ist, wenigstens einige Anleitung gehen können; und dann ist er jedenfalls viel eher als der Lehrer einer Mittelschule in der Lage, sein praktisches Können zu bewahren und zu vergröfsern, da ihn seine wissenschaftlichen Studien von Zeit zu Zeit ins Ausland rufen und seine besseren Gehaltsverhältnisse, sowie die längere Ferienzeit ihm derartige Reisen erleichtern. Der Ansicht huldigend, die Universität könne nicht für die wissenschaftliche und die praktische Ausbildung zugleich in der nötigen Weise sorgen, schlägt Verfasser vor: Es sollen zwei Prüfungen eingeführt werden: die erste, welcher der Student nach einem mindestens sechs Semester umfassenden rein theoretisch-wissen-

schaftlichen Universitätsstudium sich zu unterziehen hat, soll die wissenschaftliche Lehrbefähigung desselben für alle Klassen dartbun, die zweite,
ein bezw. zwei Jahre später abzulegende, soll eine rein praktische sein
und die praktische Lehrbefähigung für alle Klassen geben. Ich halte eine
solche Zweiteilung der Staatsprüfung, die übrigens ähnlich bei uns in
Bayern schon seit mehreren Jahren besteht, für sehr vorteilhaft ganz besonders deshalb, weil sich dadurch im ganzen das akademische Triennium
zu einem Quadriennium erweitern würde; eine Verlangerung der Studienzeit, die um so mehr nötig erscheint, als die meisten Studenten von den
zu einer gründlichen Ausbildung kaum hinreichenden sechs Semestern noch
zwei durch das Einjährigfreiwilligenjahr so gut wie verlieren; festzuhalten
aber wäre gegen Körting, dafs auch in den ersten sechs Semestern die
Übungen im praktischen Gebrauch der Sprache nicht gänzlich vernachlässigt
werden dürften.
    Die wissenschaftliche Ausbildung hat natürlich die Universität zu
geben; wie dieselbe am geeignetsten erreicht werden könne, darüber spricht
sich Verfasser im letzten Viertel seiner Schrift (pp. 58—78) eingehend aus.
Ein Urteil über die Einzelheiten in diesen Fragen mufs ich selbstredend
den dazu berufenen Universitätslehrern überlassen, und beschränke mich
deshalb darauf, einige Hauptpunkte hervorzuheben. Der leitende, in den
Bemerkungen mit Recht immer wiederkehrende Gedanke ist: Ohne
gründliche Kenntnis des Altfranzösischen (Altenglischen) giebt
es kein wissenschaftliches Studium des Neufranzösischen
(Neuenglischen); es hat also der Studierende Altfranz. und Neufranz. (Alt-
engl. und Neuengl.) als eine wissenschaftliche Einheit, als ein organisches
Ganze aufzufassen. Der Student wird ebenso sehr vor Zersplitterung wie
vor übertriebener Specialisierung gewarnt, mehr noch vor letzterer, „da
dadurch nicht blofs die fachwissenschaftliche Berufsbildung, sondern auch
die allgemein menschliche Bildung in Frage gestellt werden;" auch soll er,
ähnlich wie der klassische Philologe sich mit Altertumswissenschaften be-
schäftigen mufs, sich mit der Geschichte und Kulturgeschichte des Mittelalters nach Möglichkeit vertraut machen. Sehr viel Gewicht wird auf
steten Verkehr der Docenten mit ihren Hörern gelegt; dieser Verkehr
wird am leichtesten durch die Übungen im Seminar angebahnt, das an
keiner Hochschule fehlen sollte. Wie grofs thatsächlich der durch freund-
schaftliches Verhältnis des Universitätslehrers zu den eifrigeren unter seinen
Schülern geübte Einflufs ist, weifs nur jener zu ermessen, der das Glück
hatte, einzelnen Lehrern näher zu treten, welche ihn mit Liebe und Begeisterung für seine Wissenschaft zu erfüllen verstanden. Hauptaufgabe
des Universitätsunterrichtes ist nach Körting, wissenschaftliche Methode zu lehren, zu methodischer Forschung anzuleiten; „an-
regen zu wissenschaftlichem Studium, begeistern für die Wissenschaft, packen
und zünden soll der akademische Unterricht."
    In Bezug auf die praktische Fertigkeit sagt er sehr richtig: „In jedem
Falle ist es dringend wünschenswert, ja geradezu sachlich notwendig, dafs
der Neuphilologe vor seiner definitiven Anstellung als Lehrer, durch welche
er ja dann an die Heimat gefesselt wird, sich einmal längere Zeit im Auslande aufgehalten und daselbst die Sprache, die er künftighin lehren soll,
sprechen und sprechen hören gelernt, sie als eine lebende kennen gelernt
habe." Da erfahrungsgemäfs weitaus die Mehrzahl derer, welche wirklich
in das Ausland gehen, sich einen Aufenthalt dortselbst nur durch grofse
Entbehrungen ermöglichen können, und gewöhnlich ihren Zweck nicht
recht und nur unter Schädigung des wissenschaftlichen Studiums erreichen,
so schlägt er die Errichtung eines allgemein deutschen neusprachlichen Instituts in zwei Sectionen je in Paris und London vor, in denen die Kandidaten nach Bestehung der theoretischen Staatsprüfung unter Berücksichtigung ihrer Verhältnisse teils unentgeltlich, teils gegen nicht zu hohen

Pensionspreis Wohnung, Kost und Unterricht erhalten sollen. Könnte sich die Reichsregierung entschliefsen, diesen gut erdachten Plan zur Ausführung zu bringen, so wäre auch für die systematische praktische Ausbildung der Neuphilologen bestens gesorgt.

Zum Schlusse thut Körting noch derjenigen Erwähnung, welche von vornherein eine der beiden neuen Sprachen nur als Nebenfach betreiben wollen. Im Princip ein Gegner der sog. facultas für die mittleren Klassen — die für die unteren allein ist unbedingt zu verwerfen — drückt er die Forderungen für dieselbe so weit, ich möchte fast sagen weiter herab, als es ohne Schädigung des Unterrichtes irgendwie geschehen kann: der zu Prüfende mufs Kenntnis dessen zeigen, was etwa in einer wissenschaftlichen Schulgrammatik steht, sowie einige Vertrautheit mit dem gewöhnlichen Wortschatz und eine nicht zu oberfläche Bekanntschaft mit der neufranzösischen Litteraturgeschichte.

Dies der Hauptinhalt der verdienstvollen Körtingschen Schrift, durch welche zwar die Diskussion über den Betrieb unserer jungen Wissenschaft noch nicht zum Abschlufs gebracht sein kann, die aber durch vorurteilsfreie Beleuchtung der wichtigsten Streitfragen sehr viel zur Feststellung sicherer Normen beitragen wird.

Augsburg.   G. Wolpert.

Theodor Lohmeyer, Beiträge zur Etymologie deutscher Flufsnamen. Göttingen, Vandenhoeck und Ruprecht, 1881.

Der Verfasser dieser sehr schätzbaren Arbeit hat schon im 63. Bande des Archivs eine Abhandlung „Zur Etymologie hauptsächlich westfälischer Flufs- und Gebirgsnamen" veröffentlicht, welche vielfach Anerkennung fand. Das oben aufgeführte Buch bildet eine Fortsetzung dieser Untersuchungen. Der Standpunkt des Verfassers in demselben ist im allgemeinen nur der, dafs er die Flufsnamen in dem gesamten zu Cäsars Zeit bereits von Germanen besetzten Gebiete als deutsch betrachtet, wenn ihre Gleichheit mit denjenigen westfälischen bez. norddeutschen Flufsnamen dargethan werden kann, welche eine sprachlich und sachlich durchaus zutreffende Erklärung aus dem Germanischen nicht blofs zulassen, sondern geradezu erfordern. Diese Gleichheit kann eine ganze oder teilweise sein: entweder ist blofs das Bestimmungswort gleich, wie z. B. al- in Al-apa, Al-affa, Al-ara, Al-stra, Al-mina oder il- in Il-apa, Il-ara, Il-aba, Il-mina, ferner war- in War-aba, War-inna, War-inza, War-apa, War-mana oder un- in Un-strut, Un-sinn, Un-treu, oder es ist das Grundwort gemeinsam, wie mona bez. mana in Ale-mona, Liast-mona. Sal-mona, Wer-mana, ferner antia bez. anza oder enza (inza) — vgl. die Enz (Neckar) — in Rat-enza, Pag-enza, Sol-anza, Alas-enza, Arg-enza, Scafl-anza, Prim-antia. Ist nun für ein Bestimmungswort bei einer Reihe von Flufsnamen eine sprachlich und sachlich zutreffende Erklärung aus dem Deutschen gefunden und findet sich dasselbe Bestimmungswort bei einem Flufsnamen im Süden Deutschlands — in der oben gegebenen Beschränkung —, so ist daraus zu schliefsen, dafs der betreffende Flufsname deutsch ist. So läfst sich z. B. das War- in War-aba, War-apa, War-mana von dem War- in War-inza nicht trennen. Zeigt sich ferner bei einer Reihe von Flufsnamen, deren Bestimmungswörter als deutsch nachgewiesen sind, ein gemeinsames Grundwort und trifft man sodann bei einem süddeutschen Flufsnamen dasselbe Grundwort, so ist schon daraus zu schliefsen, dafs derselbe deutsch ist; dieser Schlufs gewinnt eine um so gröfsere Wahrscheinlichkeit, wenn auch das Bestimmungswort sich aus dem Deutschen erklären läfst. So erscheint z. B. in vielen norddeutschen Flufsnamen das Grundwort -mona, z. B. in Liast-mona, jetzt Lesum (Weser), Wer-mana, jetzt Wörmke (Emmer,

Weser), Almana oder Almina, jetzt Alme (Lippe). Hier liegt schon an und für sich der Schluſs nahe, daſs auch -mona in Ale-mona oder Alchmuna, jetzt Altmühl (Donau), dasselbe deutsche Grundwort für Fluſs und somit Alcmona eine deutsche Bezeichnung sei. Dieser Schluſs gewinnt dadurch noch gröſsere Zuverlässigkeit, daſs das Alc- in Alcmona oder mit der ersten Lautverschiebung Al*ch*muna nach der Ansicht des Verf. den „Elch" oder das „Elen" bezeichnen kann, sogleich Alcmona Elch- oder Elenfluſs bedeutet, wie Bibaraha Biberfluſs, Eparaha Eberfluſs, Bar-aha, Barbeck, Bar-bach, Bar-mecke Bärenbach (s. über Bar-aha u. s. w. S. 102, Anm. 298).

Das Mittel also, wodurch der Verf. zu Ergebnissen kommt, ist die Aufstellung von solchen Fluſsnamengruppen, die entweder ein gemeinsames Grund- oder Bestimmungswort haben. Der einzelne Name an sich ist vieldeutig, erst durch Vergleichung mit möglichst vielen verwandten Fluſsnamen gelangt man zu gröſserer Klarheit und zu einer ziemlich sicheren oder doch wahrscheinlichen Deutung. So betrachtet der Verfasser in dem ersten Abschnitt „die Wurzel *an* in dem ersten Bestandteile der Fluſsnamen Anara, Anatrafa, Ahne, Ennepe, Unstrut, Unsinn, Untreu, One, Ihna, Eine, Ehn, Indrista, Inda", und findet, daſs auch in diesem Bestimmungsworte der Begriff des Eilens enthalten sei, der so überaus häufig bei den Fluſsnamen zur Anwendung komme. In dem zweiten Abschnitt sucht er nachzuweisen, daſs der Wortbestandteil -antia, bez. anza und enza ein Grundwort sei, welches als solches in dem Fluſsnamen Enza, jetzt Enz (Neckar), hervortrete; eine groſse Menge bisher für keltisch gehaltener Fluſsnamen würden danach deutschen Ursprungs sein. Der dritte Abschnitt handelt über laisa und listan bez. laisti, laista als Bestimmungswort in deutschen Fluſsnamen und zwar in der Bedeutung „Abhang, Berg", wie ja Leiste auch jetzt noch eine Halde bezeichnet. Im vierten Abschnitt wird sodann ein Begriff erörtert, der so überaus häufig als Motiv der Namengebung erscheint: es ist der Begriff des Tönens, Rauschens, welcher nach dem Verf. in den mit ban-, kal- und kar-, han- und lap- zusammengesetzten Fluſsnamen enthalten ist. Im fünften Abschnitt sodann stellt der Verf. als ein der sprachlichen Bedeutung nach entgegengesetztes Fluſsnamenpaar den Neckar und Regen nebst den zugehörigen Fluſsnamen einander gegenüber; auch hier treten nach der Ansicht des Verf. zwei Begriffe hervor, die bei den Fluſsnamen sehr häufig als Bestimmungswörter erscheinen, nämlich der Begriff des Glänzenden und des Dunklen: der Neckar wird gedeutet als Lutaraha, also als blanker, klarer Fluſs, der Regen als Schwarza, als dunkler Fluſs. Sodann werden in diesem Abschnitte auch die zahlreichen Fluſsnamen behandelt, welche von dem Stamme *ald gebildet sind, nämlich die Aldena, jetzt Olle, die Elda, die Elte, die Altenaue, die Altena u. s. w.; der Verf. betrachtet sie als Grundwörter, als deren Wurzel er ard bez. *ald annimmt. Im letzten Abschnitt endlich weist er im Anschluſs an die in der oben erwähnten Abhandlung gegebene Auseinandersetzung moina mit seinen mannigfaltigen Zusammensetzungen als deutsches Grundwort für Fluſs nach und liefert zunächst den thatsächlichen Beweis, daſs die in Zusammensetzungen erscheinenden Formen -mona, -moune, -muna, -mana, -mina und -mena nur Spielarten derselben Grundform moina sind; auch versucht er diese verschiedenen Formen genetisch zu enwickeln sowie moina etymologisch zu erklären.

Wie bei den Personennamen ein bestimmtes Gesetz herrscht, so hat sich auch dem Verf. als Resultat seiner bisherigen Untersuchungen folgendes Bildungsgesetz bei den Fluſsnamen ergeben: „Ein deutscher Fluſsname besteht, wenn er nicht zusammengesetzt ist, aus einem einfachen Grundworte für Fluſs, wie aha, ambra, apa, moina u. s. w., welches durch ein Suffix weiter gebildet werden kann, wie z. B. in Travena, oder, wenn

er zusammengesetzt ist, aus einem Bestimmungsworte mit einem der Grundwörter für Flufs." Sodann liegen noch nach den Darlegungen des Verfassers
bei der zahllosen Menge der Flufsnamen den Bestimmungswörtern verhältnismäfsig nur wenige Begriffe zu Grunde, wie der Begriff des Eilens,
des Rauschens, des Glänzens, ferner giebt die Beschaffenheit des Quell-
ortes oder die Umgebung des Flufslaufes das Motiv der Namengebung
(der Berg-, Holz-, Elsen- oder Erlen-, Weidenflufs u. s. w.), oder der Flufs
wird nach den an demselben sich besonders zahlreich aufhaltenden Tieren
genannt (der Bären-, Biber-, Eberflufs u. s. w.). Die mannigfaltigen Grundwörter andererseits entwickeln sich in den meisten Fällen aus dem Begriff
des Eilens. Die Menge nun der zu den verschiedenen Zeiten und bei den
verschiedenen deutschen Stämmen verschiedenen Grund- und Bestimmungswörter bringen eben diese ungemeine Mannigfaltigkeit der Flufsnamen zu-
wege, innerhalb deren vermöge des mitgeteilten Gesetzes eine schöne
Einheit herrscht. Schliefslich sei die Arbeit den Fachgenossen bestens
empfohlen.   H.

Sprachlich-technische Litteratur.

Für diejenigen, welche die französischen und englischen Werke oder
Zeitschriften über naturwissenschaftliche oder technische Fächer studieren
wollen oder müssen, sind in den letzten Jahren eine Anzahl sehr empfeh-
lenswerter Hilfsmittel erschienen, auf welche wir kurz die Aufmerksamkeit
lenken möchten.
Zunächst veröffentlichte der eifrigste und erfolgreichste Arbeiter auf
diesem Gebiet, Dr. G. J. Wershoven, im Jahre 1879 das „Vocabulaire
technique français-allemand" (Leipzig, F. A. Brockhaus), welchem ein Jahr
später das „Technical Vocabulary, English und German, mit einem Vorwort von Geh. Reg.-Rat A. von Kaven" in demselben Verlag folgte. In
diesen beiden verdienstvollen Werken sind die in Mechanik, Physik, Chemie,
Technologie, Maschinentechnik und Eisenbahnwesen vorkommenden Ausdrücke deutsch und französisch resp. englisch gegenübergestellt, und zwar
nach den Materien geordnet, nicht alphabetisch; so dafs beispielsweise derjenige, welcher die technischen Ausdrücke der Akustik, des Magnetismus,
der Meteorologie etc. etc. kennen lernen will, nur das betreffende Kapitel
aufzuschlagen braucht, um alle einschlagenden Ausdrücke wohlgeordnet zusammengestellt zu finden. Hofrath Prof. Dr. Wagner sagte nicht zu viel,
wenn er (im „Chem. Jahresbericht") diese trefflichen Werkchen angelegent-
lichst empfahl als „überaus nützliche und zeitgemäfse Unternehmen, unent-
behrlich beim Studium der technischen Litteratur, beim Besuch internationaler
Ausstellungen und auf Reisen im Auslande.
Die nächste Arbeit war eine von Dr. Scheffler in der Zeitschrift
„Civilingenieur" Bd. 25 veröffentlichte Zusammenstellung der französischen
Ausdrücke des Eisenbahnbaues, welche sich von dem betreffenden Kapitel
des Wershovenschen Vocabulaire durch gröfsere Ausführlichkeit und Bei-
gabe etymologischer Anmerkungen unterscheidet.
Zwei Sammlungen der bergmännischen Ausdrücke seien nur kurz er-
wähnt:
Gätzschmann, Sammlung bergmännischer Ausdrücke, mit Hinanfügung
der englischen und französischen Synonyme durch Dr. Gurlt. Freiberg 1881.
Röhrig, Wörterbuch für Berg- und Hüttentechnik, englisch und deutsch.
Leipzig, Felix, 1881.
Sodann erschien eine naturwissenschaftlich-technische Chrestomathie,
betitelt:
The Scientific English Reader. Naturwissenschaftlich-technisches Lese-
buch mit sprachlichen und sachlichen Erläuterungen, von Dr. F. J. Wershoven.
Leipzig, F. A. Brockhaus, 1881.

Dies Werk besteht aus drei Teilen: I. Physik, Chemie, chemische Technologie (Preis 2 Mk.); II. Maschinentechnik und mechanische Technologie (Preis 1,50 Mk.); III. Bau-Ingenieurwesen (Preis 2 Mk.). Jeder Teil enthält über die betreffenden Gebiete Aufsätze aus den Werken der hervorragendsten englischen Fachmänner und aus Zeitschriften; die sprachlichen und sachlichen Schwierigkeiten sind durch zahlreiche Anmerkungen, Abbildungen und technologische Wortverzeichnisse erläutert. So enthält der erste Teil 41 Aufsätze von Maxwell, Lockyer, Jenkin, Wilson, Roscoe, Crookes, Rankine etc. Das Werk scheint recht geeignet, den mit den Elementen der englischen Sprache bekannten Lehrer und Studierenden durch verhältnismäßig geringen Aufwand von Zeit und Mühe mit der naturwissenschaftlichen Sprache und Litteratur Englands soweit vertraut zu machen, daß er im stande ist, die englischen Werke und Zeitschriften seines Faches ohne beständiges und oft vergebliches Nachschlagen in Wörterbüchern zu verstehen.

Mit großer, fast allzu großer Ausführlichkeit ist das Eisenbahnwesen behandelt in dem „Eisenbahnwörterbuch der französischen und ·deutschen Sprache, von J. Rübenach. Berlin 1881 (14 Mk.)" und dem kleinen „Eisenbahntaschenwörterbuch in französischer und deutscher Sprache, von A. Kirberg. Köln 1881."

Endlich sind vor wenigen Wochen (Ende 1881) noch zwei vorzügliche Arbeiten erschienen: Dr. Scheffler und R. Land veröffentlichen im „Civilingenieur" Band 27: „Beiträge zu einem technischen Vocabulär: Brückenbau, französisch-deutsch"; und unter dem Titel: „Vocabulaire technique français-anglais. Technical Vocabulary, English-French, for Scientific, Industrial and Technical Students" hat die Verlagshandlung von Hachette in Paris ein von Dr. F. J. Wershoven verfaßtes französisch-englisches und englisch-französisches Vocabular ausgegeben.

Zeitschriftenschau.

Litteraturblatt für germanische und romanische Philologie hgb. von Behaghel und Neumann.

Nr. 9. Sept. 1881. p. 313—344: F. H. von der Hagen, Volsunga- und Ragnars-Saga nebst der Geschichte von Nornagest. II. Aufl. Umgearbeitet von A. Edzardi. Stuttg. 1880 (B. Symons). — P. Pietsch, Trebnitzer Psalmen = Schlesische Denkmäler des deutschen Schrifttums im Mittelalter. I. Breslau 1881 (F. Bech). — E. Rautenberg, Sprachgeschichtliche Nachweise zur Kunde des german. Altertums. Hamburg 1880. Progr. (F. Kluge). — A. v. Keller, Fausts Leben von G. R. Widmann. Tübingen 1880. 146. Publ. des Litt. Vereins. — G. Egelhaaf, Grundzüge der deutschen Litteraturgeschichte. Heilbronn 1881 (G. Wendt). — M. Bernays, J. W. von Göthe. J. C. Gottsched. Zwei Biographien. Leipzig 1880 (Schröer). — Th. Reinach, Hamlet, Prince de Danemark. Tragédie en 5 actes par W. Shakespeare. Traduite en prose et en vers. Paris 1880 (L. Pröscholdt). — H. Suchier, Bibliotheca Normannica. I. Halle 1879 (E. Stengel). — R. Püschel, Le livre du chemin de long estude par Cristine de Pizan. Berlin [1881] (K. Nyrop). A. Mercier, Histoire des participes français. Paris 1879. J. Bastin, Le participe passé dans la langue fr. et son histoire. St. Pétersbourg 1880 (K. Foth). — H. Varnhagen, Eine italienische Prosaversion der sieben Weisen. Nach einer Londoner Hs. hgb. Berlin 1881 (J. Koch). — Chr. Schneller, Statuten einer Geißlerbruderschaft in Trient aus dem 14. Jhd. Innsbruck 1881 (Th. Gartner).

Nr. 10. Oktober 1881. p. 345—384: R. Müller und H. Höppe, Ulfilas, Evangelium Marci, grammatisch erläutert. Berlin (Behaghel). St. Wätzoldt, Die Pariser Tagezeiten. Hamburg 1880 (G. Milchsack). — J. van Vloeten, Jacob von Maerlant's Merlijn, naar het eenig bekende Steinforter handschrift uitgegeven. Leiden 1880—1881 (Jan te Winkel). — D. Sanders, Abrifs der deutschen Silbenmessung und Verskunst. Berlin 1881 (Kräuter). J. Minor und A. Sauer, Studien zur Göthe-Philologie. Wien 1880 (Max Koch). A. Sauer, Ewald von Kleists Werke. I. Berlin (Fr. Muncker). Ch. W. M. Grein, Bibliothek der angelsächsischen Poesie, ed. R. P. Wülcker, I. Bd. 1. Hälfte. Kassel 1881 (O. Brenner). J. Koch, Chardrys Josaphaz, Set Dormanz und Petit Plet. Dichtungen in der anglonormann. Mundart des 13. Jhd. Heilbronn 1879 (H. Suchier). G. Raynaud et E. Kölbing, Elie de St. Gille, chanson de geste publiée avec introd., glossaire et index. Paris, Soc. des anciens textes fr. 1879. A. Mercier, De neutrali genere quid factum sit in gallica lingua. Paris 1879 (J. Ulrich). Laun und Knörich, Molières Werke. XIII: L'école des maris. Leipzig 1881 (W. Mangold). F. M. Trautmann, Histoire et chrestomathie de la litt. française. Leipzig 1880 (Reinhardstöttner). Th. Braga, Historia do romantismo em Portugal. Lisboa 1880; F. Gomes de Amorim, Garrett, Memorias biographicas. Lisboa 1881 (Reinhardstöttner).

Nr. 11. November 1881. p. 385—424: H. Grimm und G. Hinrichs, Briefwechsel zwischen Jakob und Wilhelm Grimm aus der Jugendzeit. Weimar 1881 (H. Fischer). — Der Codex Teplensis enthaltend die Schrift des newen Geczeuges. I. Die vier Evangelien. München, Verlag des Litterarischen Instituts von M. Huttler (P. Pietsch). K. A. Barack, Zimmerische Chronik, II. Aufl. Freiburg-Tübingen (F. Liebrecht). R. Schoch, Über Boners Sprache. Frauenfeld. Halle 1881 (F. Vetter). F. Staub und L. Tobler, Schweizerisches Idiotikon. Wörterbuch der schweizer deutschen Sprache. Frauenfeld 1881 (K. Weinhold). — Flos unde Blankeflos von Stephan Wätzoldt. I. = Niederdeutsche Denkmäler hgb. vom Verein für niederdeutsche Sprachforschung, Bd. III. Bremen 1880 (R. Sprenger). C. Horstmann, Altenglische Legenden. Neue Folge. Heilbronn 1881: „Barbours des schottischen Nationaldichters Legendensammlung nebst den Fragmenten seines Trojanerkrieges." I. Bd. Heilbronn 1881 (Brandl). P. Mesnard, Molière. Les grands écrivains de la France. VI. Paris 1881 (Mahrenholtz). — G. Reiche und E. Martin, Die Prosodie oder richtige Silbenbetonung der frz. Sprache. Böhm. Leipa 1880 (A. Krefsner). A. Stickney, The romance of Daude de Pradas on the 4 cardinal virtues edited. Florence 1879 (H. Suchier). R. Prölfs, Geschichte des neueren Dramas. I. 1—2. Leipzig 1880 (A. L. Stiefel). Era Nova. Revista do movimento contemporaneo dirigida por Th. Braga e T. Bastos. 1880—1881. I. 1—8. (A. Coelho).

Nr. 12. December 1881. p. 425—464: L. Weingartner, Die von L. Bock aufgestellten Kategorien des Konjunktivs im Mhd. Troppau 1880— 1881 Progr. (K. Tomanetz). C. Moldaenke, Über den Ausgang des stumpf-reimenden Verses bei Wolfram von Eschenbach. Hohensteiner Progr. (Behaghel). M. Haupt, Der arme Heinrich und die Büchlein von Hartmann von Aue. II. Aufl. ed. E. Martin. Leipzig 1881 (O. Behaghel). C. Günther, Die Verba im Altostfriesischen. Leipzig 1880. Dissert. (R. Kögel). A. Schlossar, Deutsche Volkslieder aus Steiermark. Innsbruck 1881 (K. Weinhold). — K. Seidner, Lessings Verhältnis zur altrömischen Komödie. Mannheim 1880—1881; R. Pabst, Vorlesungen über Lessings Nathan. ed. Fr. Edinger. Bern 1881 (F. Muncker). P. Th. Falck, Die Oberpahlsche Freundschaft. Ein Gedicht in deutsch-estnischer Mundart von J. J. Malm. Leipzig 1881 (K. v. Bahder). G. Wenker, Sprachatlas von Nord- und Mitteldeutschland. I, 1. Strafsburg 1881 (Behaghel). E. Einenkel, Über die Verfasser einiger neuangelsächs. Schriften. Leipzig 1881 (Th. Wifsmann).

F. Stehlich, Messire Thibaut, Li romanz de la poire. Erotisch-allegor. Gedicht aus dem 13. Jhd. nach den Hss. der Bibl. Nat. zu Paris zum erstenmal hgb. Halle 1881 (A. Tobler). W. Buhle, Das c im Lambspringer Alexius, Oxforder Roland und Londoner Brandan. Greifswald 1881. Dissert. (H. Suchier). M. v. Napolski, Leben und Werke des Trobadors Ponz de Capduoill. Halle 1880 (K. Bartsch). L. Cappelletti, Albertino Mussato e la sua tragedia „Eccerinis". Parma 1881 (G. Körting). G. A. Scartazzini, Dante in Germania. I. Milano 1881 (K. Witte). G. Baist, El libro de la Caza. Zum erstenmal hgb. Halle 1880 (H. Morf).

III. Jahrg. Nr. 1. Januar 1882. p. 1—48: C. Marold, Über die gotischen Konjunktionen, welche οὖν und γάρ vertreten. Königsberg 1881. Progr. (K. Tomanetz). Sophus Bugge, Studier over de nordiske Gude- og Heltesagns Oprindelse. I, 1. Christiania 1881; O. Brenner, Studien über die Entstehung der nordischen Götter- und Heldensagen. Autorisierte Übersetzung. München 1881 (A. Edzardi). K. Bartsch, Der Nibelunge Nôt. II, 2. Leipzig 1880 (B. Symons). M. Walz, Gârel von dem Blüenden Tal. Wien 1881 (F. Bech). J. Heinzerling, Die Namen der wirbellosen Thiere in der siegerländer Mundart. Siegen 1879. Progr. (Ph. Wegener). K. Albrecht, Die Leipziger Mundart. Mit einem Vorwort von R. Hildebrand. Leipzig 1881 (R. Kögel). E. Uhlemann, Über die anglonormann. Vie de seint Auban in Bezug auf Quelle, Lautverhältnisse und Flexion. Strafsb. Diss. Bonn 1880 (H. Suchier). J. Frank, Zur Satire Ménipée. Eine krit. Studie. Nikolsburger Progr. 1880 (G. Körting). G. Carducci, La Poesia Barbara nei Secoli XV e XVI. Bologna 1881 (A. Gaspary). U. A. Canello, Stória della letteratura italiana nel secolo XVI. Milano 1880 (G. Körting). G. Benedetti, Stato della Commedia italiana nel Cinquecento. Mitterburger Progr. (A. L. Stiefel). Kr. Nyrop, Sagnet om Odysseus og Polyphem. Köbenhavn 1881 (F. Liebrecht).

Nr. 2. Febr. 1882. p. 49—88: V. Dahlerup, Agrip af Noregs konunga sögum. Kopenhagen 1880 (O. Brenner). K. Pannier, Die Minnesänger. Ausgewählt und übersetzt. Görlitz 1881 (Adalbert Schröter). L. Schlesinger, Deutsche Chroniken aus Böhmen hgb. I. Prag 1879 (H Lambel). R. Rofsberg, Deutsche Lehnwörter in alphabet. Anordnung. Hagen i. W. Leipzig 1881 (P. Pietsch). P. v. Hofmann-Wellenhof, Michael Denis. Ein Beitrag zur deutsch-österreich. Litteraturgeschichte des 18. Jhd. Innsbruck 1881 (M. Roch). R. Löning, Der Reinigungseid bei Ungerichtsklagen im deutschen Mittelalter. Heidelberg 1880 (G. Cohn). F. Settegast, Li hystore de Julius Cesar, eine altfranzös. Erzählung in Prosa von Jehan de Tuim, hgb. Halle 1881 (A. Mussafia). P. Gröbedinkel, Der Versbau bei Philippe Desportes und François de Malherbe. [Separatabdr. aus Körtings Studien.] Heilbronn (O. Ulbrich). M. Löffler, Untersuchungen über die Anzahl der Kasus im Neufranzös.; Untersuchungen über den Article partitif (K. Foth). A. Luchaire, Recueil de textes de l'ancien dialecte Gascon d'après des documents antérieurs au XIVᵉ siècle, suivi d'un glossaire. Paris 1881 (Fr. Neumann). M. Landau, G. Boccaccio, sua vita e sue opere. Napoli 1881 (G. Körting).

Nr. 3. März 1882. p. 89—91: Edda Snorra Sturlusonar. Edda Snorronis Sturlæi. Tomi III pars prior. Accedunt tabulæ lithographicæ quinque. Hafniæ 1880. Sumptibus legati Arnamagnæani. (Finnur Jónsson.) [Als das Wertvollste in diesem Buche, dessen erster Band vor mehr als dreifsig Jahren erschien, werden die beigegebenen Beiträge zur Kenntnis der Lebensverhältnisse und der dichterischen Wirksamkeit der Skalden hingestellt.] 91—92: E. H. Lind, Om rim och verslemningar i de svenska landskapslagarne. Upsala 1881 (Axel Kock). [Unvollständige, aber fleifsige Monographie über die Reime und Verse in den altschwed. Provinzgesetzen, Eidesformeln und Sprichwörtern.] 92—96: E. Wackernell, Hugo von Montfort mit Abhandlungen zur Gesch. der deutschen Litt., Sprache und Metrik im 14. und 15. Jhd. hgb. Ältere tirolische Dichter, III. Bd.

Innsbruck 1881 (A. Brandl.) [Leben, Sprache, Metrik, Stil des Dichters werden hier möglichst erschöpfend dargestellt.] 96—97: R. Bethge, Wirnt von Gravenberg. Eine litterarhistor. Untersuchung. Berlin 1881 (R. Sprenger). [Die Quelle des besonders von Veldeke, Hartmann, Wolfram beeinflufsten Wirnt ist die mündl. Erzählung eines Knappen Bel Inconnu des Renauld de Beaujeu, die Hippeau 1860 herausgegeben.] 97: A. Puls, Untersuchung über die Lautlehre der Lieder Muscatblüts. Kiel. Dissertation (O. Behaghel). [Die Ausführung ist ziemlich mangelhaft, die Heimatsbestimmung unsicher.] 97—99: B. Seuffert, Deutsche Litteraturdenkmale des 18. Jhd. in Neudrucken hgb. 1. Otto, Trauerspiel von M. Klinger. 2. Voltaire am Abend seiner Apotheose von H. L. Wagner. 3. Fausts Leben von Maler Müller. Heilbronn 1881 (J. Minor). [Die Auswahl der Neudrucke wird getadelt, die Sorgfalt und Genauigkeit des Hgb. und die Einrichtnng des Druckes gelobt. Als Heft 6—7 sollen die Frankfurter gelehrten Anzeigen von 1772 folgen.] 99—101: J. A. Leopold und L. Leopold, Van de Schelde tot de Weichsel. Nederduitsche Dialecten in Dicht en Ondicht uitgekozen en opgeheldert. 1—10. Afl. Groningen 1876—79 (Ph. Wegener). [Diese Sammlung von niederdeut. Dialektproben, welche sich der von Firmenich an die Seite stellt, ist für Laien, nicht für die Dialektforschung brauchbar.] 101—102: Bahrs, Über den Gebrauch der Anrede-Pronomina im Altenglischen. Vegesack 1880. Progr. R. I. O. (K. Foth). [Es wird die schon bekannte Thatsache betreffs der Pluralform des Pronomens in der Anrede nur bestätigt.] 102: O. Hallbauer, George Farquhar's life and works. Holzminden. Progr. Gymn. 1880 (K. Foth). [Diese auch als Erlanger Diss. erschienene Arbeit bildet einen „beachtenswerten Beitrag zur engl. Litteraturgeschichte des 18. Jhd.“] 102—103: F. Castets, Turpini Historia Karoli Magni et Rotholandi. Texte revue et complété d'après 7 mss. Montpellier 1880 (Stengel). [Abdruck einer Hs. nebst einigen Varianten von sechs anderen in Montpellier befindl. Hss. G. Baist wird eine krit. Ausgade veranstalten.] 103—107: Konrad Hofmann, Altburgundische Übersetzung der Predigten Gregors über Ezechiel aus der Berner Hs. (Abhandl. der bayr. Akad) München 1881 (A. Mussafia). [Die dankenswerte Ausgabe der Übersetznng des ersten Buches der Predigten Gregors über Ezechiel nach Hs. 79 in Bern durch den hochverdienten Hgb. erfährt hier nach Toblers Vorgange in der Deut. Litteraturz. 1881 einige wesentliche Verbesserungen.] 107—108: O. Wendeburg, Über die Bearheitung von Gottfried von Monmouths Historia regum Britanniæ in der Hs. Brit. Mus. Harl. 1605. Braunschweig 1881 [Erlanger Diss.] (H. Suchier). [Die Untersuchung über das ursprünglich pikardische Gedicht in Alexandriner-Laissen wirft die ursprüngliche Mundart mit der anglonormann. Überlieferung zusammen; die Sprache des Dichters ist nicht klar und vollst. dargestellt; Reimverzeichnis fehlt.] 108: M. Mandalari, Canti del Popolo Reggino. Napoli 1881 (A. Gaspary). [Reichhaltiges interess. Buch mit kalabresischen Volksliedern und Beiträgen zur Kenntnis des Volkes wie der Mundarten von Kalabrien.] 108—110: G. Alton, Proverbi, tradizioni ed aneddoti delle valli ladine orientali con versione italiana. Innsbruck 1881 (Th. Gartner). [Die sprachlichen Fehler des Buches und die Unzuverlässigkeit der (nicht phonetischen) Schreibung werden getadelt.] 110—114: F. Miklosich, Beiträge zur Lautlehre der rumunischen Dialekte. I. Separatabdr. aus den Wiener Sitzungsber. (A. v. Cihac). [Darstellung der Lautlehre des macedo-, istro- und dacorumunischen Dialektes durch den verdienten Slavisten.] 114—120: Zeitschriften. Neue Bücher. Recensionenverz. Litt. Mitteilungen.

Zarnckes Litterarisches Centralblatt.

Nr. 1. Januar 1882. p. 28: J. Cropp, Lessings Streit mit Hauptpastor Göze. Berlin 1881. J. W. Braun, Schiller und Göthe im Urteile ihrer Zeitgenossen. 1. Leipzig 1882.

Nr. 2. p. 61: W. Zingerle, Über Raoul de Houdenc und seine Werke. Erlangen 1881 (Sgt.). K. Kaiser, Französ. Lesebuch in drei Stufen für höhere Lehranstalten. Mülhausen i. E. 1880—81 (Kn.). Frh. v. Reden-Esbeck, Karoline Neuber und ihre Zeitgenossen. Leipzig 1881 (C.).
Nr. 3. p. 90—94: E. Stengel, Das altfranz. Rolandslied. Photographische Wiedergabe der Hs. Digby 23. Heilbronn 1878. Ders., Das altfranzös. Rolandslied. Genauer Abdruck der Hs. Digby 23. Heilbronn 1878; E. Böhmer, Romanische Studien. Heft XVII: Girart de Rossillon. Bonn 1880; E. Molteni, Il canzionere portughese Colocci-Brancuti. Halle 1880 (—nn). A. Scartazzini, Dante in Germania. I. Mailand 1881 (—nn). Fr. Godefroy, Dictionnaire de l'ancienne langue fr. Fasc. 4. Paris 1880 (Sgt.). F. Bobertag, Gesch. des Romans. 2. Bd. 1. Breslau 1879 (R. L.). R. Engel, Das Volksschauspiel Doktor Joh. Faust hgb. Oldenburg 1882 (C.).
Nr. 4. p. 121—123: L. Constans, La légende d'Œdipe. Paris 1881 (W. F.).
Nr. 6. p. 182: E. Monaci, Facsimili di antichi manoscritti per uso delle scuole di filologia neolatina. Fasc. 1. Rom 1881 (W. F.). Ph. Strauch, Margaretha Ebner und Heinrich von Nördlingen. Freiburg und Tübingen 1882 (F. B. Z.). E. Peschier, Joh. Ludwig Runeberg, ein schwedisch-finnischer Dichter. Stuttgart 1881 (K.).
Nr. 8. 18. Febr. 1882. p. 249—250: C. Wiesner, Französ. Vocabularium im Anschlufs an das Lat. für die oberen und mittleren Klassen. Berlin 1882. 250: Th. Zolling, Heinrich von Kleist in der Schweiz. Stuttgart 1882.
Nr. 9. 25. Febr. 1882. p. 283—284: G. Alton, Proverbi, tradizioni ed anneddoti delle valli ladine orientale con versione italiana. Innsbruck 1881. 284: G. Penon, Bijdragen tot de geschiedenis der nederlandsche letterkunde. 2. deel. Groningen 1881 (B. S....s). 284—285: R. v. Gottschall, Die deutsche Nationallitt. des 19. Jhd. 5. Aufl. Breslau 1881.
Nr. 11. 11. März 1882. p. 362: Rob. Püschel, Cristine de Pizan, Le livre du chemin de long estude publ. pour la première fois d'après 7 mss. de Paris, de Bruxelles et de Berlin. Berlin, Damköhler (—ier).
Nr. 12. 18. März 1882. p. 400—401: N. Kruszewski, Über Lautabwechslung. Kasan 1881 (Bgm.). [Dem Referat zufolge enthält der Anhang dieser das Wesen des Lautübergangs behandelnden Schrift einen Exkurs „über die Palatalisation und Dentalisation der altslavischen Hinterlingualen." — 401—402: H. Ziemer, Junggrammatische Streifzüge im Gebiete der Syntax. Kolberg 1882 (Bgm.). ·[Dies Buch eines „talent- und einsichtsvollen Forschers auf dem Gebiet der Syntax der klassischen Sprachen" berührt auch deutsche und romanische Spracherscheinungen.]

Gröbers Zeitschrift für roman. Philologie. Halle 1881.

V. Bd. 2. u. 3. Heft. p. 181—208: A. Tobler, Vermischte Beiträge zur Grammatik des Französischen. — 209—232: G. Körting, Boccaccio-Analekten. — 233—248: G. Baist, Etymologisches. — 249—322: H. Schuchardt, Die Cantes Flamencos. — 323—376: E. Ebering, Syntaktische Studien zu Froissart. — 377—391: Miscellen. 1. A. Gaspary, Zu Körtings Bemerkung über Boccaccios Brief an Nelli. 2. E. Stengel, Zur Entrée en Espagne. 3. E. Stengel, Die vatikanische Hs. Fonds Königin Christine 1682. 4. K. Vollmöller, Karls Reise ed. Koschwitz. 5. F. Neumann, Französ. Etymologien. 6. A. Horning, Über den Konjunktiv in Komparativsätzen im Altfranzös. 392—455: Recensionen und Anzeigen. J. Jung, Die roman. Landschaften des romischen Reiches. Innsbruck 1881 (A. Budinszky). Th. Braga, Parnaso de Luiz de Comões. Porto 1880 (C. Michaëlis de Vasconcellos). G. Pitrè, Proverbi siciliani. Palermo 1880 (F. Liebrecht). Z. Consigliere Pedroso, Contribuicões para una Mythologia popular portugueza. Porto 1880 fgd. (F.

Liebrecht). F. Castets, Turpini Historia Caroli magni et Rotholandi. Texte revu et complété d'après 7 mss. Montpellier 1880 (G. Baist). C. Buhlmann, Die Gestaltung der Chanson de geste „Fierabras" im Italienischen. Marburg 1880 (H. Morf). L. Adam, Les patois lorrains. Paris 1881 (F. Apfelstedt). J. Zemlin, Der Nachlaut i in den Dialekten Nord- und Ostfrankreichs. Halle 1881 Dissert. (Fr. Apfelstedt). Giornale di filologia romanza Nr. 6. Gennaio 1880 (A. Gaspary). Il Propugnatore. Anno XIV, disp. Ia. Bologna 1881 (A. Gaspary). Romanische Studien, hgb. von Böhmer. Heft XVIII. (H. Varnhagen). 455—460: Litterarische Notizen.

Anglia. Zs. f. engl. Philologie hgb. von Wülcker. IV. Bd. 4. Heft. Halle 1881.

p. 69—78: Wülcker, Besprechung der Beowulfübersetzungen. 78—80: Grein, Bibliothek der ags. Poesie ed. Wülcker. I, 1. Kassel 1881 (R. P. Wülcker). 80—87: E. Kölbing, Engl. Studien. III. Heilbronn 1880 (Wülcker). 87—88: O. Brenner, Studien über die Entstehung der nord. Götter- und Heldensage von Sophus Bugge. I, 1. München 1881 (Wülcker). 88—93: H. Lewin, Das me. Poema Morale. Halle 1881 (E. Einenkel). 93—117: J. Koch, Die neuesten Veröffentl. der Chaucer Society und die Überlieferung der Minor Poems. 117—124: H. Morley, Cassell's Library of English Literature. 5 vols. 1878—81 (L. Toulmin Smith). 125—126 E. Oswald, Th. Carlyle. Ein Lebensbild und Goldkörner aus seinen Werken. Leipzig 1882 (L. T. S.). 126—128: J. Darmesteter, Macbeth. Edition critique. Paris 1881 (L. T. S.). 128—131: J. Storm, Englische Philologie. Vom Verf. f. das deut. Publ. bearbeitet. Heilbronn 1881 (M. Trautmann).

Göttinger Gelehrte Anzeigen.

Stück 2. 11. Jan. 1882. p. 62—64: K. Th. Gädertz, Gabriel Rollenhagen, sein Leben und seine Werke. Beitrag zur Gesch. der deutschen Litteratur, des deutschen Dramas und der niederdeutschen Dialektdichtung nebst bibliographischem Anhang. Leipzig 1881 (J. Minor). Stück 5. 1. Februar 1882. p. 160: K. Vollmöller, Armand de Bourbon, Prince de Conti, Traité de la Comédie et des Spectacles. Neue Ausgabe. Heilbronn 1881 [Sammlung franz. Neudrucke. 2.] (Selbstanzeige). Stück 10. 8. März 1882. p. 314—316: B. Seuffert, Deutsche Litteraturdenkmale des 18. Jhd. in Neudrucken hgb. Heilbronn 1881. I. Otto, Trauerspiel von F. M. Klinger. II. Voltaire am Abend seiner Apotheose von H. L. Wagner (A. Sauer). [Diese Sammlung stellt sich den Hallenser Neudrucken des 16. und 17. Jhd. an die Seite und bildet ein Pendant zu den von Vollmöller in gleichem Verlag herausgegebenen französischen Neudrucken. Nicht verschieden dürfte das von W. Scherer angekündigte Unternehmen von genauen Abdrücken werden. Sauer hält den Beginn der Sammlung für einen „äufserst glücklichen Gedanken der strebsamen Verlagsbuchhandlung" und bezeichnet den Druck als sogfältig korrigiert, welcher sich vor den Hallenser Neudrucken durch Beifügung von Zeilenzahlen vorteilhaft auszeichne. Als Nr. 3 ist angekündigt Fausts Leben von Maler Müller.] Stück 11, 12. 15. und 22. März 1882. p. 347—370: Dr. Mich. Deffner, Zakonische Grammatik. I. Berlin, Weidmann 1881 (G. Hatzidakis). [H. weist in dieser Lautlehre mit reichem Material eine Menge elementarer Fehler nach und hält D. einer wissensch. Darstellung des Zakonischen nicht für gewachsen.] 380—382: W. Appell, Werther und seine Zeit. III. Aufl. Oldenburg 1882 (J. Minor). [Das bekannte Buch ist mehrfach umgearbeitet und verbessert worden.] 382—384: G. Körting, Gedanken

und Bemerkungen über das Studium der neueren Sprachen auf den deut.
Hochschulen.   Heilbronn 1882 (K. Vollmöller).   [V. tadelt an Körtings
Schrift nur, dafs er auf das Institut der Lektoren und auf die Sprechfertig-
keit der Lehrer der neueren Sprachen zu geringen Nachdruck legt.]

Revue des langues romanes publ. par la société pour l'étude
des langues romanes. III. série. t. 7.

Janvier 1882. p. 5—35: Poésies de Dom Guérin, de Nant (Suite).
36—46: A. Mir, Glossaire des comparaisons populaires du Narbonnais et
du Carcassez (Suite). 47—52: L Clédat, Les cas régimes des pronoms
personnels et du pronom relatif.
Février 1882. p. 53—57: F. Pasquier, Ratification par Madeleine, princesse
de Viane, d'une vente faite par les religieuses des Salenques, d'un territoire
situé dans la Barguillère, près Foix. [P. druckt den juristisch und philologisch
interessanten in gascognischem Dialekt geschriebenen Text von 1483 nach
dem in Privatbesitz befindlichen Originale mit Bemerkungen ab.] 57—61:
E. Lévy, Une pastourelle provençale. [L., der in Montpellier über Paulet
de Marseille (13. Jhd.) Mitteilungen gemacht, behandelt das Metrum der
von P. Meyer in den Derniers Troubadours edierten Pasturelle und sucht
die noch ungelösten Schwierigkeiten des kurzen Textes zu beseitigen, den
er neu berichtigt herausgiebt.] 62—77: J. P. Durand, Notes de Philologie
Rouergate. [Diese Abhandlung des Verf. von le Félibrige und der Études
de philologie et de linguistique aveyronnaises, giebt sich als ein „recueil
confus de notes" aus über nicht zusammenhängende Artikel.] 78—83:
Poésies d'Auguste Boissier. 84—87: A. Chastanet, Poésies: Lou boun
Perigord au felibre F. Pouyadou. [Das Gedicht ist von französischer Übersetzung begleitet gleich dem folgenden.] 88—89: A. Fourès, Al frount
d'un mainatjou per moun nebout. 90—101: C. C., La cour d'amour.
[Chabaneau giebt zahlreiche Verbesserungen zu dem von Constans in der
Revue 1881 hgb. Gedicht.] — C. C., Sur Les Derniers Troubadours de la
Provence de M. P. Meyer. [Chabaneau giebt als Ergänzung zu einem
1875 in der Revue des l. r. erschienenen Artikel weitere Verbesserungen
zu den von Meyer publizierten provençalischen Dichtungen.] 102—104:
Chronique.

Körting und Koschwitz, Zeitschrift für neufranzös. Sprache und
Litt. Bd. III. Heft 3. Oppeln 1881.

p. 385—422: C. Delay, Le roman contemporain en France. II. Octave
Feuillet. 423—453: Ph. Plattner, Über Bildung und Gebrauch des Plurals
im Nfz. 454—477: Kritische Anzeigen. Jos. Frank, Zur Satire Ménippée.
Eine krit. Studie. Nikolsburger Progr. 1880 (F. Zvěřina). E. Ritter,
Poésies des XIVe et XVe siècles publ. d'après le ms. de Genève. Genève-
Bâle-Lyon 1880 (O. Ulbrich). K. Vollmöller, De Villiers' le Festin de Pierre
ou le Fils Criminel ed. Knörich. Heilbronn 1881, Sammlung frz. Neu-
drucke 1. (R. Mahrenholtz). G. Geilfus, 1: La jeunesse de G. Washington
par M. Guizot; 2: James Watt par François Arago, im Auszuge und für
die Schule bearbeitet. Zürich 1880—81 (A. Hoffmann). A. Laun, La
Fontaines Fabeln. Heilbronn 1877—78. 2 Teile (E. O. Lubarsch). W.
Schönermark, Französ. und deutsche Anthologie französ. Lyrik des 19. Jhd.
Halle 1878 (G. Wittenbrinck). 478—526: Litt. Chronik. Schulbücher (C.
Th. Lion). Lese- und Übungsbücher (A. Klotzsch). Phraseologien. Brief-
steller (Ph. Plattner). Moderne Belletristik (E. Secretan). 527—538: Ph.
Plattner, Die in französ. Sprache verfafsten Programm-Abhandlungen der

beiden letzten Jahre [Schlufs]. 539—544: Miscellen (Englert, Bechtel, Plattner, Lindner, Suchier, Körting).

Zeitschrift f. das Gymnasialwesen hgb. von H. Kern und H. J. Müller. 36. Jahrg. Januar 1882.

p. 1—46: A. I. Reisacker, Gymnasium und Realschule. 47—55: Jul. Zupitza, Mein Votum in der Realschulfrage.

Elias Steinmeyer, Zeitschrift f. deutsches Altertum und deutsche Litt. Berlin 1882. N. F. 14. Bd. 1. Heft.

p. 1—18: Fr. Lichtenstein, Zu den deutschen Dichtungen von Tristan und Isolde. 18—19: Fr. Lichtenstein, Zum Volksschauspiele von Dr. Faust. 20—84: A. Schönbach, Sanct Christophorus. 85—86: Gerold Bickel, Schwazer Bruchstück der Kaiser-Chronik. 87—96: H. Höfer, Quellennachweise zu Wernher von Elmendorf. 96—98: Fr. Zarncke, Zu der rhythmischen Version der Legende von Placidas-Eustathius. 98—99: O. Zingerle, Himelstele. 99—104: J. Bächtold, Zu Niklaus Manuel.

Höpfner und Zacher, Zeitschrift f. deutsche Philologie. Halle. 13. Bd. Heft 3.

p. 257—276: H. Suchier, Handschriften und Bruchstücke von Wolframs Willehalm. 1. 277—303: O. Kohl, Zu dem Willehalm Ulrichs von Türheim. (Schlufs). 303—304: Fr. Wöste, Beiträge aus dem Niederdeutschen. 305—337: Piper, Aus St. Galler Handschriften. III. 338—354: J. Schwarzer, Visionslegende. 354—367: H. Düntzer, Der Fidele in Göthes „Walpurgisnachtstraum" noch einmal. 367—381: Lübben, Zur deut. Lexikographie. 381—384: Litteratur. F. H. v. d. Hagen, Altdeutsche und altnordische Heldensagen. 3. ed. Edzardi. Stuttgart 1880 (E. Mogk). Nachfrage wegen Lachmanns Wolfram (Müllenhoff).
Heft 4. p. 385—395: G. Bötticher, Über einige Stellen des ersten Buches von Wolframs Parzival. 395—420: J. Zacher, Zelt und Harnisch in Wolframs Parzival. I. II. 420—439: G. Bötticher, Zur Frage nach der Quelle des Parzival. 439—444: Lübben, Zur deutschen Lexikographie (Schlufs). 445—479: P. Piper, Aus St. Galler Handschriften (Schlufs). 480—488: O. Kohl, Zu dem Willehalm Ulrichs von Türheim. 488—510: Litteratur und Miscellen. Bericht über die VII. zu Herford abgehaltene Jahresversammlung des Vereins f. niederdeut. Sprachforschung am 16. Sept. 1881 (Schröder). J. E. Wackernell, Hugo von Montfort, mit Abhandlungen zur Gesch. der deut. Litteratur, Sprache und Metrik im 14. und 15 Jhd. hgb. Innsbruck 1881 (K. Kinzel). W. H. Carpenter, Nikolásdrápa Halls prests, an Icelandic poem from circa A. D. 1400. Halle 1881 (Th. Möbius). O. Erdmann, Notiz zu den Otfridhandschriften. Sachregister.

Germania. Vierteljahrsschrift f. deutsche Altertumskunde hgb. von K. Bartsch. Wien 1882. 27. Jahrg. Neue Reihe. 15. Jahrg. Heft 1.

p. 1—22: Friedrich Neumann, Iron und Apollonius. 23—60: E. Marold, Krit. Untersuchung über den Einflufs des Latein. auf die gotische Bibelübersetzung (Fortsetz.). 60—101: A. Edzardi und E. Mogk, Kopenhagener Bruchstücke von Rudolfs Weltchronik. 101—102: F. Bech, Dougen. 103—105: Th. Vernaleken, Das Wasser des Lebens. 105—122: Litteratur. A. Schulz, Das höfische Leben zur Zeit der Minnesinger. I. Leipzig 1879

(R. Bechstein). Amélie Sohr, Heinrich Rückert in seinem Leben und
Wirken. Weimar 1880 (Schröer). Eva Wigström [Ave], Folkdigtning,
visor, sägner, sagor, gåtor, ordspråk, ringdansar, lekar och barnvisor.
Köbenhavn 1880 (F. Liebrecht). 123—128: Miscellen (G. Milchsack contra
Schönbach). K. Bartsch, Bruchstüek von Konrads Trojanerkrieg und
Bruchstück einer Hs. des Passionals.

Pädagogisches Archiv hgb. von Krumme. 24. Jahrgang.
Stettin 1882.

Nr. 2. p. 81—101: Schwalbe, Über die akadem. Studienfreiheit in Beziehung zur Realschulfrage. 138: G. v. Löper, Prof. Karl Plötz. Ein
Abrifs seines Lebens, verf. von seinem Jugendfreunde. Berlin, Herbig.

Magazin f. die Litteratur des Auslandes. 51. Jahrg. Leipzig
1882.

Nr. 4. 21. Jan. p. 45—46: G. Brandes, Die Litteratur des 19. Jhd.
in ihren Hauptströmungen. I. Die Emigrantenlitteratur. Leipzig 1881
(Xanthippus). p. 49: 2000 Bände der Tauchnitz-Edition (E. Engel).
Nr. 5. 28. Jan. p. 59—63: Das Nibelungenlied und die ungarischen
Chroniken.
Nr. 6. 4. Febr. p. 74—76: E. Renan, Marc-Aurèle et la fin du monde
antique. Paris 1882.

Beiträge zur Geschichte der deutschen Sprache u. Litt. hgb.
von Paul und Braune. Halle 1881. VIII. Bd. 2. Heft.

p. 161—209: H. Paul, Zu Walther von der Vogelweide. 210—224:
Paul, Beiträge zur Geschichte der Lautentwickelung und Formenassociation.
225—255: P. Piper, Zu Otfrid. 256—287: H. Osthoff, Zum grammat.
Wechsel der velaren K-Reihe. 287—311: Osthoff, Über Aoristpräsens
und Imperfektpräsens. 311—312: Osthoff, Got. sai, ahd. mhd. sê. 313—
323: Fr. Vogt, Zur Salman-Morolfsage. 324—333: E. Sievers, Der ags.
Instrumental. 334—342: Grammatisches (F. Kluge). 343—370: A. Edzardi,
Zur Eddametrik; Heimat der Eddalieder.

Romania, ed. P. Meyer et G. Paris. Nr. 40. Octobre
1881. t. X.

p. 465—496: G. Paris, Études sur les romans de la table ronde.
497—518: A. Morel-Fatio, Mélanges de littérature catalane. 1. L'amant, la
femme et le confesseur, conte en vers du XIVe siècle. 519—532: G.
Raynaud, Le ju de le Capete Martinet. 533—542: P. Meyer, La farce des
trois commères tirée d'un ms. de Turin. 543—580: E. Cosquin, Contes
populaires lorrains recueillis dans un village du Barrois à Montiers-sur-Saulx
(Fin). 581—587: V. Smith, Chants du Velay et du Forez. 588—598:
Mélanges. Ch. Joret, Norm. torp et trop = nor. thorp; J. Cornu, I
espagnol = I portugais; „Chute de l'a en portugais à l'impératif de la
première conjugaison; esp. reventar, port. rebentar arrebentar = repeditare;
G. Paris, Estrumelé; A. Thomas, Grégoire Béchada; P. Meyer, Fragment
inédit des Tournois de Chauvenci de Jacques Bretel. 599—617: Comptes-
rendus. G. Weidner, Der Prosaroman von Joseph von Arimathia. Oppeln

1881 (G. P.). L. Adam, Les patois lorrains. Paris 1881 (G. P.). G. Baissac, Étude sur le patois créole mauricien. Nancy 1880 (A. Bos) 618—634: Périodiques (P. M., G. P.). 635—636: Chronique.

E. Kölbing, Englische Studien. Heilbronn 1881. V. Band. 1. Heft.

p. 1—55: H. M. Regel, Über George Chapmans Homerübersetzung. 56—66: H. Breymann, Marlowes Dr. Faustus und Herr J. H. Albers. 67—74: M. Walter, Beiträge zu Ralph Royster Doyster. 74—96: R. Boyle, Beaumont, Fletcher and Massinger. 97—149: H. Treutler, Die Otinelsage im Mittelalter. 150—156: E. Kölbing, Kleine Beiträge zur Erklärung und Textkritik engl. Dichter. 157—233: Litteratur. The Folk-Lore Record. Vol. III. 1. 2. London 1880—81 (F. Liebrecht). O. Zielke, Sir Orfeo, ein englisches Feenmärchen aus dem Mittelalter. Breslau 1880 (F. Lindner). E. Hermann, Weitere quellenmäfsige Beiträge zu Shakespeares litt. Kämpfen. I. Erlangen 1881 (O. S. Seemann). O. Danker, Die Laut- und Flexionslehre der mittelkentischen Denkmäler nebst romanischem Wortverzeichnifs. Strafsburg 1879. Diss. (O. Brenner). R. Döhn, Aus dem amerikanischen Dichterwald. Leipzig 1880 (E. O. Hopp). Dreser, Englische Synonymik für die Oberklassen. I. Wolfenbüttel 1880 (Deutschbein). K. Klöpper, Engl. Synonymik. Gröfsere Ausgabe für Lehrer und Studierende. Rostock 1881. J. W. Zimmermann, Lehrbuch der engl. Sprache. 1879. 30. Aufl. und Übungsstücke. W. Bischoff, Systematische Grammatik der engl. Sprache. Berlin 1879. R. Sonnenburg, Grammatik d. engl. Sprache. 7. Aufl. Ders., An Abstract of Engl. Grammar with questions. 2. Aufl. Ders., Engl. Übungsbuch. Berlin 1880. O. Dihm, Onomatik d. engl. Sprache. Berlin 1876 (G. Wendt). C. Deutschbein, Theoret.-prakt. Lehrgang d. engl. Sprache. Köthen 1881 (Willenberg). H. Plate, Vollst. Lehrgang der engl. Sprache. I. Elementarstufe. 51. Aufl. Dresden 1881. Sammlung deutscher Lust- und Schauspiele zum Übersetzen in das Engl. bearbeitet. Nr. 12. Der Parasit. Lustsp. von Schiller. Bearbeitet von Ch. Dickens jun. IV. Aufl. Dresden 1881 (W. Bertram). Chrestomathien: Wittstock, The Ancient Classics. Bremen (W. Münch); M. S., English Letters from Germany on every day subjects. Hamburg 1879 (W. Bertram). Saure und Weischer, Biographies of English Poets. Leipzig und Köln 1880 (W. Münch). H. Breitinger, Grundzüge der engl. Litteratur- und Sprachgeschichte. Zürich 1880 (Kölbing). Schulausgaben: H. Fritsche, Shakespeares Hamlet. Berlin 1881 (M. Krummacher). K. Meurer, Shakespeare für Schulen. I. Köln 1880. L. Richelmann, The Merchant of Venice. Leipzig 1876. L. Richelmann, Julius Cæsar. Leipzig 1879. W. Wagner, Macbeth. Leipzig 1872. A. Ey, Shakespeares Macbeth. Hannover 1879 (H. Ottmann). Immanuel Schmidt, Warren Hastings by Lord Macaulay. Gröfsere Ausg. Berlin 1880. Karl Sachs, A Description of England in 1685, with the permission of the authorized publisher taken from Macaulay's History of England Leipzig 1880 (Thum). K. Bindel, Macaulays ausgewählte Essays zur Geschichte der englischen Litt. I. Oliver Goldsmith. Samuel Johnson. Berlin 1879 (Willenberg). D. Bendan, Ausgewählte Reden von Lord Macaulay Berlin 1880 (H. Ottmann). 234—237: Programmenschau (F. Zvĕřina) 238—241: Litt. Notizen. L. Pröscholdt, The Works of W. Shakspere Hamburg 1880. X. (O. S. Seemann). W. Steuerwald, Lyrisches im Shakspere München 1881. Greins Biblioth. der angels. Poesie neu hgb. von R. P. Wülcker. I. 1. Kassel 1881 (E. K.). 242—268: Miscellen (R. Klose, D. Asher, R. Thum, H. Rahmig, E. Tiefsen, E. Kölbing. 269—271: Vorlesungen über engl. Philologie. 271—292: Zeitschriftenschau. 292—294 Nachtrag und Gegenerklärung von E. Kölbing.

Revue critique d'histoire et de littérature. Recueil hebdomadaire.

Nr. 6. 6 février 1882. p. 106—108: R. Chantelauze, Mémoires de Philippe de Commynes, nouvelle édition revue sur un ancien ms. ayant appartenu à Diane de Poitiers et à la famille de Montmorency-Luxembourg. Paris 1881 (Jean Kaulek). p. 114: I. Imelmann, Anmerkungen zu deutschen Dichtern. Berlin (A. C.).

Nr. 7. 13 février 1882. p. 124—130: A. L. Ménard, Œuvres inédites de J. B. Bossuet. I. Le cours royal complet sur Juvénal. Paris 1881 (A. Gazier).

Nr. 8. 20 février 1882. p. 141—145: Charles Graux. 155—158: G. Körting, Gedanken und Bemerkungen über das Studium der neueren Sprachen auf den deut. Hochschulen. Heilbronn 1882 (Bernhard Mangold).

Nr. 10. 6 mars 1882. p. 189—194: Bibliophile Jacob, Œuvres poétiques de M. C. de Buttet, précédées d'une notice sur l'auteur et accomp. de notes. Paris, Jouaust. Premières satires de Dulorens publ. par D. Jouaust avec une notice par P. Blanchemain. Paris (Cabinet du Bibliophile) (T. de L.). 194—195: A. Wagner, Lessing-Forschungen, nebst Nachträgen zu Lessings Werken. Berlin 1881 (A. C.). 196: W. L. Gleim, Preufsische Kriegslieder von einem Grenadier (Deutsche Litteraturdenkmale des 18. Jhd., hgb. von B. Seuffert). Heilbronn (C.).

Nr. 11. 13 mars 1882. p. 214: K. Elze, Lord Byron. Zweite vermehrte Ausgabe. Berlin, Oppenheim, 1881 (James Darmesteter). [Das Buch wird als gewissenhaft, genau, unparteiisch bezeichnet; neue Gesichtspunkte wären selten, doch verweist D. auf das interessante Kapitel „Scandale Beecher-Stowe" und hält den Abschnitt über Byron in der europäischen Litt. für zu oberflächlich; doch lerne der französ. Leser, dafs Lamartine den vierten Gesang von Childe Harold in Versen übersetzt habe, eine Angabe, die D. in einer III. Ausgabe berichtigt wissen will.]

Deutsche Litteraturzeitung, hgb. v. M. Rödiger. Berlin. III. Jahrg.

Nr. 6. 11. Febr. 1882. p. 205—206: E. Sievers, Grundzüge der Phonetik. Leipzig 1881. II. Aufl. (H. Collitz). p. 209: M. Lexer, Mhd. Handwörterbuch. Leipzig 1881. 209—110: Ph. de Lorenzi, Geilers von Kaisersberg ausgewählte Schriften. Trier 1881 (E. S.). 210—213: A. Sauer, Über die Ramlerische Bearbeitung der Gedichte E. C. v. Kleists. Eine textkrit. Untersuchung. Wien 1880. A. Sauer, Ewald von Kleists Werke. Hgb. und mit Anm. begleitet. I. II. Berlin, Hempel (1881—82). (B. Suphan).

Nr. 7. 18. Febr. 1882. p. 248—249: G. Wenker, Sprach-Atlas von Nord- und Mitteldeutschland auf Grund von systematisch mit Hilfe der Volksschullehrer gesammeltem Material aus ca. 30000 Orten bearbeitet, entworfen und gezeichnet. I. 1. Strafsburg 1881 (M. Rödiger). 249: H. Schreyer, Göthes Faust als einheitl. Dichtung erläutert und verteidigt. Halle 1881 (E. Schmidt). 249—250: Comte de Puymaigre, Romanceiro. Choix de vieux chants portugais traduits et annotés. Paris 1881 (W. Storck).

Nr. 10. 11. März 1882. p. 359: J. H. Gallée en S. Muller, Berijmd Verhaal van het beleg van Ijsselstein door Gelder en Utrecht in 1511, uitgegeven (Joh. Frank). 360: Karoline von Wolzogen, Agnes von Lilien. Roman. Neu hgb. von L. Salomon. Stuttgart 1881 (Fr. Lichtenstein). 361—363: K. J. Schröer, Göthes Faust. Mit Einleitung und fortlauf. Erklärung hgb. Heilbronn 1881 (D. Jacoby). 363—364: A. Morel-Fatio, Catalogue des mss. espagnols de la Bibl. Nationale. I. Paris 1881 (K. Vollmöller).

Nr. 11. 18. März 1882. p. 391—392: O. Brenner, Speculum regale. Ein altnorwegischer Dialog nach Cod. Arnamagn. 243 fol. B. und den ältesten Fragmenten hgb. München 1881 (Verner Dahlerup). [Die beiden früheren Ausgaben sind hier durch eine, wenn auch nicht abschliefsende ersetzt, in welcher wenige Fehler nachgewiesen werden.] 392—393: Jaro Pawel, Die litterarischen Reformen des 18. Jhd. in Wien. Ein Beitrag zur Gesch. der deutschen Litteratur. Wien 1881 (R. M. Werner). [Dies Buch will die Entwickelung der deutschen Litt. in Österreich im 18. Jhd. darstellen, Ref. spricht aber dem Verfasser die dazu nötigen Kenntnisse ab, tadelt auch den Stil; doch schreibt Werner selbst: „Das Heft von Landau: ‚Die italienische Litteratur am österreich. Kaiserhofe‘ ist unrichtig und unzuverlässig, man darf sich nicht darauf verlassen.“] 393—394: Lamartine, Mémoires inédits 1790—1815. Paris, Hachette & Co. 1881 (F. L.). [Das Werk ist ein Abdruck der i. J. 1870 hgb. Memoiren, welche interessante Lebensnachrichten über Lamartine enthalten und die Revolutionszeit schildern.]

Nr. 12. 25. März 1882. p. 427—428: Trois poèmes Grecs du moyen-âge inédits, recueillis, par feu le professeur W. Wagner. Avec le portrait de l'auteur. Berlin, Calvary & Co. 1881 (A. Eberhard). [Von den drei nach Wagners Tode durch Sathas und D. Bikélas unkritisch hgb. mittelgriech. Gedichten enthält das erste eine Achilleis, das zweite den Pseudo-Kallisthenes, das dritte die Liebesgeschichte des Lybistros und der Rhodamne. Das erste Ged. wollte Sp. Lambros, das zweite Legrand in der Bibl. Grecque vulgaire veröffentlichen. Das Buch enthält auch eine Skizze von Wagners Leben.] 428—429: E. Abel, Analecta ad historiam renascentium in Hungaria litterarum spectantia. Jussu Academiæ scientiarum Hungaricæ ed. Budapest 1880 (A. Horawitz). [Dies Werk enthält vorzugsweise Inedita von Janus Pannonius, nebst J. Vitez, dem bedeutendsten Dichter der ungarischen Renaissance. Leider ist die Untersuchung über die Hss. des Pannonius und die Vita des G. Marzio in ungarischer Sprache geschrieben. H. empfiehlt für dergl. Ausgaben den Gebrauch der latein. Sprache bei Exkursen und Noten.] 429—431: D. Sanders, Ergänzungs-Wörterbuch der deutschen Sprache. Eine Vervollständigung und Erweiterung aller bisher erschienenen deutsch-sprachlichen Wörterbücher (einschliefslich des Grimmschen). Mit Belegen bis auf die neueste Gegenwart. Berlin, Abenheim, 1879—81. 1—10 Lief. (M. Heyne). [H. rühmt den staunenswerten Fleifs, spricht aber S. die historische Kenntnis der deutschen Sprache gänzlich ab, auch wisse er nichts von Sprachvergleichung, und Leben, Glaube, Sitte und Recht unserer Vorfahren seien ihm so ziemlich unbekannte Dinge; ferner tadelt H. den Mangel an künstlerischer Empfindung, S. verschmahe es, seine Leser durch die Reize seiner Schreibung zu fesseln. Verzeichnet werden besonders die neuen Wörter der Dichter, Gelehrten, Staatsmänner, des wirtschaftl., kaufmännischen oder gewerbl. Lebens aus den letzten 10 Jahren. Quellen sind Zeitungen und Zeitschriften, deren H. einige andere von mehr Wichtigkeit zur Ausbeutung empfiehlt.] 431: H. Lewin, Das mittelenglische Poema morale. Im kritischen Text nach den sechs vorhand. Hss zum erstenmal hgb. Halle 1881 (H. Varnhagen). [Die Leistung des Hgb. bei der Textherstellung wird anerkannt, die Untersuchung über die Anklänge an das Poema m. als am wenigsten gelungen bezeichnet.] 431: Fr. Stehlich, Messire Thibaut, Li romanz de la Poire, Erotisch-allegorisches Gedicht aus dem 13. Jhd. Nach den Hss. der Bibl. Nat. zu Paris zum erstenmal hgb. Halle 1881 (H. Morf). [Wie bereits Tobler im Litteraturblatt für germ. und roman. Philologie (1881 Nr. 12), so erweist M. dies Buch als eine nach allen Richtungen ungenügende Edition, „eine unglaubliche Verballhornung des alten Textes“, mit den eklatantesten Beweisen für die absolute Unfähigkeit des der elementarsten Fachkenntnisse ermangelnden Editors.]

Zeitschrift für das Realschulwesen, hgb. von J. Kolbe, A.
Bechtel und M. Kuhn. Wien 1882. VII. Jahrgang.
1. Heft.

p. 34—36: Eines Philosophen [Dühring] Ansichten über den deutschen
Aufsatz und den Unterricht in den alten Sprachen. [Dühring wünscht Be-
seitigung des Griechischen und Latein. aus der Schule und will diese
Sprachen speciellen Antiquitätengelehrten überlassen wissen als Hilfsmittel
für die Geschichte. Das wiedererweckte Altertum hat seine Schuldigkeit
gethan und die neuen Völker verlangen neue Bildungsmittel.]

Revue des Deux Mondes. 52. année. tome 49.

1 féviier 1882. p. 567—612: F. Brunetière, Études sur le XVIIIe
siècle. IV¹: La direction de la librairie sous M. de Malesherbes.
1 mars 1882. p. 203—213: A. Barine, Une princesse allemande
au XVIIe siècle. [Darstellung nach den Memoiren der Kurfürstin
Sophie von Hannover in den Publikationen aus den K. Preußischen Staats-
archiven, Bd. 4.]

Sitzungsberichte der K. Akademie der Wissensch. Phil.-hist.
Klasse. 98. Bd. Heft 3. Wien 1881.

p. 913—980: A. Schönbach, Mitteilungen aus altdeut. Hss. IV:
Benediktinerregeln.

Strafsburger Studien. Zs. für Geschichte, Sprache und Litteratur des Elsasses hgb. von E. Martin und W. Wiegand.
Strafsburg 1882.

p. 1—75: R. Preufs, Stilistische Untersuchungen über Gottfried von
Strafsburg. 76—98: E. Martin, Urkundliches über die Meistersänger zu
Strafsburg. 98—99: E. M.: Abwechselnd bewirtschafteter Gemeindeacker.
99—100: E. M.: Meister Hesse, der Schreiber von Str. Ders., Minnelied.

Il Propugnatore. Anno XIV. Disp. 6ᵃ. Bologna 1881. No-
vembre-Dicembre.

p. 301—331: V. Pagano, Studi sopra Dante Alighieri. 332—347: L.
Passerini, Modi di dire proverbiali e motti popolari italiani, spiegati e com-
mentati da Pico Luri di Vassano. 348—375: A. Bartoli e T. Casini, Il
Canzoniere Palatino 418 della Bibl. Nazionale di Firenze. 376—393: V.
Imbriani, Il Canzoni Pietrose di Dante. 394—402: A. Restori, Il Cid
Campeador.

G. Monval, Le Moliériste. 1 février 1882.

p. 323—352: L. Duvauchel, Le nouvel an de Molière, Sonnet. G. M.,
Le banquet de Molière. P. L. Jacob, Correspondance. G. Monval,
Molière à Constantinople. Du Monceau, Bibliographie Moliéresque. G. M.,
La vente Guy-Pellion. Mondorge, Bulletin théatral.

Bibliothèque de l'École des Chartes. XLII. Année 1881.

p. 505—550: A. Thomas, Les Miracles de Notre-Dame de Chartres,
texte latin inédit.

Παρνασσός. Σύγγραμμα περιοδικὸν κατὰ μῆνα ἐκδιδόμενον. Ἐν Ἀθήναις. 1881.

p. 913—1000: Σαιξπηρ, Ἀντώνιος καὶ Κλεοπάτρα. Δρᾶμα εἰς πέντε πράξεις μεταφρασθὲν ἐκ τῆς ἀγγλικῆς ὑπὸ Μ. Ν. Δαμιραλη.

The International Review. February 1882. Vol. XII. Nr. 2.

p. 124—138: J. H. Ward, Daniel Webster to-day. 139—145: J. H. Allen, A Word on Hungary. 213—224: C. Cook, Some Recent Poetry.

The Fortnightly Review. Ed. by John Morley. February 1. 1882.

p. 155: A. C. Swinburne, Three Sonnets. 166—179: G. A. Simcox, Mr. Swinburne's Trilogy.

Archivio per lo studio delle Tradizioni Popolari. Rivista trimestrale diretta da G. Pitrè e S. Salomone-Marino. Vol. I, 1. Palermo 1882.

p. 9—34: S. Salomone-Marino, Schizzi di Costumi Contadineschi Siciliani. 35—69: G. Pitrè, Novelle Popolari Toscane. 70—72: R. Köhler, Perchè gli uomini non sanno più quando devono morire. 73—75: Z. Consiglieri Pedroso, Un Conto Popular da India Portuguesa. 76—82: G. Pitrè, I Ciràuli. Credenze popolari siciliare. 83—92: Storie popolari Abruzzesi in versi. 93—99: C. de Puymaigre, Veillées de villages. Les Dayemans. 99—115: A. Gianandrea, Proverbi Marchigiani. 116—119: Carolina Coronedi Berti, Proverbi Bolognesi. 120—125: J. Costa, Influencia del Arbolado en la sabiduria popular. 126—131: G. Ferraro, Cinquanta giuochi fanciulleschi Monferrini. 132—139: Miscellanea. 140—162: Rivista bibliografica. 163—172: Bulletino bibliografico.

Revue Internationale de l'Enseignement publiée par la Société de l'Enseignement supérieur. II. année. Nr. 2. 15 février 1882.

p. 113—125: G. Paris et E. Lavisse, Charles Graux († 13. Januar 1882, 29 Jahr alt). 152—161: A. C., Les thèses de la Sorbonne.

Journal des Savants. Janvier 1882.

p. 21—42: Histoire et Mémoires par le général comte de Ségur. II. éd. Paris 1877; Mémoires de Mme de Rémusat (1802—1808) publ. avec une préf. et des notes par son petit-fils, Paul de Rémusat. 14. éd. Paris 1880; Lettres de Mme de Rémusat (1804—1814) publ. par Paul de Rémusat. Paris 1881 (H. Wallon).

Fleckeisens Neue Jahrbücher für Philologie und Pädagogik. 125—126. Bd. Heft 1.

p. 47—50: W. Scherer, Geschichte der deutschen Litteratur. Berlin (L. Gerlach). [Die ersten vier Hefte über das Mittelalter werden mit wenigen Ausstellungen einer vorläufigen Kritik in künstlerischer und ästhe-

tischer Hinsicht unterzogen und die Stellung des Verfassers zur Nibelungen-
frage beleuchtet.] 51—59: Zur französ. und englischen Lektüre (G. Völcker).
[V. bespricht auf Grund einer Charakteristik von Münchs „Bemerkungen
über die frz. und engl. Lektüre in den oberen Realklassen" (Ruhrorter
Progr. 1879) (vgl. Archiv Bd. 63, 1880, p. 115 fgd.) und von Foths Abhandlungen in Dittes Pädagogium (1880) über „die frz. und engl. Lektüre
als Unterrichtsgegenstand" das „unsichere Herumtappen" der Lehrer bei
der Auswahl der Lektüre für obere Klassen · und die zur Besserung gemachten Vorschläge.]

The Athenæum. Nr. 2837. March 11, 1882.

  . p. 312—313: Δάντου ὁ Ἅϊδης. Μετάφρασις Κωνσταντίνου Μουσούρου.
London, Williams & Norgate. [Dies ist eine treue erste griech. Übersetzung in Versen von Dantes Inferno, deren Verfasser der türkische Ge-
sandte am englischen Hofe, C. Musurus oder Musurus Pascha ist, übrigens
kein Türke, sondern ein „cultivated Greek gentleman".]

Das Magazin für die Litt. des In- und Auslandes. 51. Jahrg.
Leipzig, 18. März 1882.

  p. 157—160: Edgar Allan Poe. II (E. Engel). 160—161: Der Versuch eines Universalalphabets (Karl Sachs). [S. bespricht das Buch von
G. de la Landelle, Alphabet phonétique universel, Paris 1881, in welchem
das viel erörterte Problem noch nicht definitiv gelöst ist.]

Nuova Antologia. Rivista di scienze, lettere ed arti. Anno
XVII. Fasc. V. 1º Marzo 1882.

  p. 133—139: [A. de Gubernatis bespricht das interessante Buch von
Michel Bréal, Excursions pédagogiques, des inspecteur général des écoles,
welcher über die reiche Erfahrung deutscher Schuldirektoren erstaunt gewesen ist und von Adalb. Kuhn und Bonitz in höchst anerkennender Weise
spricht.]

Bulletin critique d'histoire, de littérature et de théologie. Recueil bi-mensuel, publ. par Duchesne, Ingold, Lescœur,
Thédenat. II année.

  Nr. 18. 1 février 1882. p. 352—354: Jahresbericht über die Erscheinungen
auf dem Gebiete der german. Philologie hgb. von der Gesellsch. f. d. Philol.
in Berlin. I. Jahrg. 1879. Berlin 1880 (C.). [Dies bibliographische Verzeichnis, das vollständiger ist als das Bartschsche in seiner Germania,
umfaßt die Erscheinungen vom Oktober 1878 bis Ende September 1879
und ist zusammengestellt von E. Henrici, K. Kinzel, H. Löschhorn u. a.]
354—356: J. de Rothschild, Les continuateurs de Loret. Lettres en vers
de La Gravette de Mayolas, Robinet, Boursault, Perdon de Subligny,
Laurent et autres (1665—1669), recueillies. T. I. Mai 1665 à Juin 1666.
Paris (P. Bouscaillou). [Loret, der erste „journaliste littéraire", schrieb
sein Tagebuch von 1650 bis zu seinem Tode 1655, von wo an La Gravette
de Mayolas es fortsetzte. Der erste 138 Briefe enthaltende Band behandelt historische Ereignisse der Zeit und enthält die Titel der 1665 aufgeführten Theaterstücke. Viele Anekdoten lehren die Sitten damaliger Zeit,
die am Hofe und unter dem Volke kursierenden Gerüchte kennen.] 356—
358: Charles Graux (L. Duchesne).

Nr. 19. 15 février 1882. p. 371—373: Ch. Thurot, De la prononciation française depuis le commencement du XVIe siècle, d'après les témoignages des grammairiens. Tome I. Paris, J. N. (P. Lallemand). [Der jüngst verstorbene tüchtige Philolog Thurot, Mitglied des Institut, versucht hier eine Darstellung der Entwickelung der frz. Aussprache seit dem 16. Jhd. bis heute und bringt Zeugnisse bei aus frz. Grammatiken, Werken über Aussprache, Orthographie und Verskunst, sowie aus Wörterbüchern, die seit dem 16. Jhd. erschienen. Z. B. bemerkt er nach Tory (1529), dafs die Pariserinnen zu damaliger Zeit mery statt mary, Peris statt Paris sprachen, wie noch heute. Th. unterscheidet drei E-Arten: e fermé, e ouvert, e feminin. Betreffs des r bei den Infinitiven auf *er* setzte die Akademie 1762 fest, dafs dasselbe auszusprechen sei.] 374—377: E. Legouvé, La lecture en action. Paris, Hetzel (E. Beurlier). [Diese Plauderei des „apôtre de la lecture" handelt von der Kunst, einen Text zu verstehen; Analysen aus verschiedenen frz. Schriftstellern zeigen hier dem Leser, wie er sie auszulegen hat; die drei Grundregeln der Lesekunst: „bien ponctuer, faire ressortir le mot de valeur, et faire comprendre l'ordonnance générale d'un morceau" werden hier durch Beispiele veranschaulicht.]
Nr. 20. 1 mars 1882. p. 389—390: Ch. Kohler, Étude critique sur le texte de la vie latine de sainte Geneviève de Paris. 48e fascic. de la Bibl. de l'École des Hautes-Études. Paris, Vieweg 1881 (A. Ingold). [K. bespricht auch die franzöz. Lebensbeschreibungen der heil. Genofeva, deren eine in frz. Versen des 14. Jhd. von dem Geistlichen Renaut herrührt.] 391—392: Répertoire des travaux historiques, contenant l'analyse des publications parues en France et à l'étranger sur l'hist., les monuments et la langue de la France. Paris, I. N. 1882, I. fascic. (H. Thédenat). [Dies Werk, vom Unterrichtsministerium hgb., soll vierteljährlich in Heften erscheinen und jährlich 600 Seiten umfassen.] 392—395: V. Pierre, L'École sous la révolution fr. Paris, Société Bibliographique 1881 (A. Bouillet). [P. giebt hier Nachträge zu seiner Studie in der Revue des questions historiques vom April 1881.] 395—397: Saint René Taillandier, Études littéraires. Paris, E. Plon 1881 (*Ω*). [Das Buch ist eine Sammlung von Artikeln aus der Revue des Deux Mondes.]

Offenes Schreiben an den Herausgeber des „Archiv".

Verehrtester Freund!

Zwar haben Sie oder ein Ungenannter meine Schrift „über den Unterricht in den neueren Sprachen" bereits im letzten Hefte freundlichst angezeigt; nach dem wuchtigen Hieb jedoch, den mir der in Berlin neuerstandene Ischmael unter den Kritikern, Herr Dr. Eduard Engel, im Magazin für Litt. des In- (armer Lehmann, was ist aus deinem Blatte geworden!) und Auslandes, an welchem ich unter demselben Lehmann zwanzig Jahre lang thätig gewesen, versetzt hat — er meint nämlich, meine weisen Ratschläge seien durch meine „höchst mangelhafte Beherrschung des deutschen Stils bedeutend abgeschwächt" (wo ist da die Logik?), und nachdem ein Herr v. Sallwürck in seiner Besprechung meiner ged. Schrift darin gefunden haben will, dafs ich sogar dem „pädagogischen Standpunkt kein Recht zugestehe" &c., gestatten Sie mir vielleicht, im Interesse der Sache, die Sie ja ebenso sehr am Herzen haben wie ich, hier eine Zuschrift, die ich jüngst von einer unserer ersten Autoritäten in unserem Fache erhalten, der Öffentlichkeit zu übergeben. Der Schreiber der folgenden Zeilen ist kein geringerer als der berühmte Verfasser des auch in England anerkannten und hochgeschätzten Shakespeare-Lexikons, und sein Schrei-

23*

ben ist mir um so erfreulicher und wohlthuender gewesen, als es ganz
spontan und nicht etwa durch Zusendung eines Freiexemplares hervorgerufen ist.   Ich habe es aus leicht verständlichen Gründen unterlassen,
Fachgenossen überhaupt, zumal aber Schuldirektoren, Freiexemplare zuzu-
senden, und da wohl nicht jeder gleich nach dem Erscheinen meiner Schrift
(im Oktober vor. J.) sich beeilt hat, sie zu kaufen oder zu lesen, so ist es
auch erklärlich,· weshalb der Herr Direktor Dr. Schmidt erst so kürzlich,
gerade ein halbes Jahr nach der Veröffentlichung der Broschüre, mir seine
Zustimmung zu deren Inhalt zu erkennen gab.   Er schreibt   ׃

"Königsberg, den 28. März 1882.

Geehrter Herr,

Empfangen Sie meinen aufrichtigsten Dank für Ihre zeitgemäfse Schrift:
"Über den Unterricht in neueren Sprachen." Gott gebe, dafs Sie damit
eine gröfsere Wirkung erzielen, als es mir gelungen ist, wenn ich dieselbe
Ansicht in offizieller oder anderer Weise geltend zu machen versuchte.
Ihr aufrichtig ergebener

Dr. Schmidt,
Direktor."

Auf meine diesbezügliche Anfrage hat er mir die Erlaubnis erteilt, von
diesem Schreiben bei Gelegenheit, "wenn es der guten Sache etwas helfen"
könne, von seinem Namen Gebrauch zu machen, und da ich überzeugt bin,
dafs man diesem Namen allgemein grofses Gewicht beilegt, so glaubte ich
eines solchen Mannes Meinungsäufserung nicht länger zurückhalten zu
sollen. Ich lege sie getrost und hoffnungsvoll in die Wagschale gegenüber
einigen wenigen abfälligen Stimmen, die laut geworden sind, und sehe
einer guten Wirkung entgegen. Ich sage nicht zuversichtlich entgegen,
weil man im Leben zu vielen Enttäuschungen ausgesetzt ist, namentlich
aber da, wo Interessen im Spiele und Vorurteile oder doch falsche Ansichten zu bekämpfen sind. Dies aber will ich noch hinzufügen, dafs der
hochgeehrte Verfasser obiger Zuschrift in seiner zweiten sich noch viel
deutlicher und schärfer über die "radikale Verkehrtheit" ausgesprochen, die
hinsichtlich der Behandlung der neueren Sprachen "an unseren Universitäten
herrsche"; da ich mir aber nicht die Erlaubnis zur Veröffentlichung derselben bei ihm eingeholt habe, so unterlasse ich es, sie ihrem Wortlaute
nach hier wiederzugeben.

Mit freundschaftlichem Grufs Ihr ergebenster
David Asher.

Leipzig, den 2. Mai 1882.

Miscellen.

Bilder und Vergleiche bei deutschen Dichtern.

Bilder und Vergleiche sind die Seele der Poesie. In ihnen offenbart sich die Meisterschaft, wie andererseits das Ungeschick des Dichters. Den gröfsten Reichtum an Bildern und Vergleichen finden wir bei Schiller; was aber die Meisterschaft betrifft, so ist hier bekanntlich ein grofser Unterschied zwischen den frühesten und den späteren Werken des Dichters. In den frühesten Gedichten, wo eine gewaltige, aber ungezügelte Phantasie seine Seele beherrscht, sind seine Bilder ebenso unklar oder gewagt, wie kühn und grofsartig. Aus zahlreichen Beispielen mögen nur wenige hervorgehoben werden: vergl. B. I, S. 5 (Nasse Schauer schauern fürchterlich durch sein gramgeschmolzenes Gerippe; seine Silberhaare bäumen sich); ibid. S. 11 (Wie des Chaos Riesenarm entronnen, aufgejagt vom Schöpfungssturm, die Sonnen funkelnd fuhren aus der Nacht ...); ibid. S. 18 (Deiner Wangen wallendes Rund werden rauhe Winterstürme pflügen); ibid. S. 23 (Eumenidenruten deine Küsse, die von seinen Lippen mich entzückt); ibid. S. 97 (All meine Freuden hab ich dir geschlachtet).* Wem diese Beispiele noch nicht genügen, der findet mehr der Art S. 4, 9, 15, 16, 22, 26, 29, 37, 38, 54, 79 u. a. a. O. Es ist aber äufserst interessant, zu beobachten, wie mit der zunehmenden Reife des Dichters allmählich auch seine Bilder und Vergleiche immer klarer und einfacher werden. Dies im einzelnen durch die lange Reihe der Schillerschen Dichtungen nachzuweisen, das wird man uns gern erlassen. Eine kurze Umschau in den Balladen, in der „Glocke", oder in den späteren Dramen (besonders im „Tell") wird genügen, um den besonnenen und ruhig abwägenden Meister zu unterscheiden von dem begeisterungsvollen, aber noch nicht zur Klarheit hindurchgedrungenen Lehrlinge. Der Übergang von dem einen zum andern ist, wie schon angedeutet, ein sehr allmählicher. Auch einzelne unter den früheren Gedichten lassen schon den Meister erkennen: vergl. B. I, S. 92 (mit majestätisch stillem Schritte trägt seine Last der zitternde Neptun); ibid. S. 99 (An der Liebe Busen sie zu drücken, gab man höhern Adel der Natur); ibid. S. 102 (Ach, nur in dem Feenland der Lieder lebt noch deine fabelhafte Spur. Ausgestorben trauert das Gefilde etc.); ibid. S. 222 (Leis auf den Zehen kommts geschlichen; die Stille liebt es und die Nacht); ibid. S. 223 (Die Blume neigt sich bei des Westes Kufs); ibid. S. 225 (An dem

---

* Anders in der Bürgschaft: Er schlachte der Opfer zweie etc.

Himmel herauf mit leisen Schritten kommt die duftende
Nacht). — Wer die fortschreitende Entwickelung des Dichters auf diesem
Gebiete weiter verfolgen will, den erlauben wir uns noch auf folgende
Stellen aufmerksam zu machen: B. I, S. 256, 270, 280, 287, 290, 291, 293,
297. Auch einzelne Dramen verdienen eine besondere Beachtung. — Es
soll natürlich nicht behauptet werden, dafs nicht auch in den späteren Gedichten Schillers einzelne, weniger glücklich gewählte Bilder und Vergleiche
vorkommen. Wenn Schiller z. B. im „Spaziergange" (I, 356) die Dörfer
vom Rücken des Berges „herabstürzen" (= sich herabziehen) läfst, so
will uns dies Bild deshalb nicht recht gefallen, weil wir bei „stürzen"
notwendig immer an eine Bewegung denken, von der bei einem Dorfe
doch nicht die Rede sein kann. Anders ist es, wenn Schiller kurz vorher
von einer steil ansteigenden Strafse den Ausdruck gebraucht, sie „klimme
den Berg hinauf", weil eine Strafse bekanntlich nicht blofs „gehen",
sondern sogar „laufen" kann. Eher könnten (S. 357) die „in geordnetem
Pomp vornehm und prächtig daherziehenden Pappeln" bei einem strengen
Kritiker Anstofs erregen. Ein sehr kühnes Bild oder vielmehr kühne Bilder
finden wir ibid. S. 359 (Leicht wie der Iris Sprung durch die Luft, wie der
Pfeil von der Sehne hüpfet der Brücke Joch über den brausenden Strom).
Bedenklicher ist in der Braut von Messina (S. 420) die Stelle: Es flechte
sich Kränze, wem die Locken noch jugendlich grünen,* während gleich
darauf (S. 421) sehr passend die Jagd als „des ernsten Kriegsgottes
lustige Braut" bezeichnet wird. Etwas gesucht erscheint es, wenn an
einer Stelle des Macbeth (I, 12) die Luft des „Himmels Atem" genannt
wird. — Meisterhaft versteht es Schiller, durch leise Andeutungen (oft
durch ein einziges Wort) bestimmte Bilder oder Vergleiche in unserer Seele
hervorzuzaubern: vergl. B. I, S. 313 (Doch an dem Herzen nagten mir
d. U. u. d. Str.); ibid. S. 313 (Und lenke sie mit meiner Stimme); ibid.
S. 320 (Streut' ihm ins Herz des Argwohns Samen);** ibid. S. 329 (Süfser
Wohllaut schläft in der Saiten Gold); ibid. S. 363 (— den es in Schlafes
Arm beginnt); ibid. S. 368 (Durch der Hände lange Kette; ähnlich vorher: Durch der Strafse lange Zeile); ibid. S. 369 (In den öden Fenster-
höhlen wohnt das Grauen etc.); ibid. S. 372 (Denn das Auge des Gesetzes wacht); ibid. S. 372 (Weh denen, die dem Ewigblinden des
Lichtes Himmelsfackel leihn).
Doch es ist Zeit, dafs wir (wenn auch nur mit wenigen Worten) auch
anderer Dichter gedenken. Der Kürze wegen wollen wir in bunter Reihe
noch einige Beispiele folgen lassen, ohne weitere Bemerkungen an dieselben
zu knüpfen. „Lust und Liebe sind die Fittiche zu grofsen Thaten"
(Iphigenie v. Göthe); „Die Ungewifsheit schlägt mir tausendfältig die dunklen
Schwingen um das bange Haupt" (ibid.); „Denn schön begleitet gleich
einem Fürsten pflegt das Glück zu nahn" (ibid.) — „Regen-
bogen sind seines Wagens gleitende Räder" (Tieck, Grufs an den
Frühling, ein Gedicht, das überaus reich ist an schönen Bildern). „Die
silbernen Glöckchen der Blumen des Mais, sie läuten zum Reihn" (Matthisson,
Feenreigen). „Er rührt den Obstbaum mit rötlicher Hand; er klettert hinauf die Aprikosenwand" (Tieck, Frühling). — „Ach, ich bin kein starker
Baum, der ein Sommertausend lebt, nach verträumtem Wintertraum
neue Lenzgedichte webt (R., d. sterb. Blume). „Als mich wach-
geküfst dein Strahl" (ibid.) „Ja, du sonnest noch den Gram aus
der Seele mir zuletzt" (ibid.). „Mit eisernem Besen das Land rein
gemacht" (Blücherlied). „Wo Treue hell vom Auge blitzt und Liebe warm

---

* Der Vergleich der jugendlichen Locken mit dem frischen Laube eines Baumes
ist an sich ganz passend; ob aber auch obige Zusammenstellung?
** Vergl. den Sämann von Schiller: „Nur in die Furche der Zeit bedenkst du
dich Thaten zu streuen."

im Herzen sitzt" (Des Deutschen Vaterland). „Da brennt ihn seine Narbe, da gährt der alte Groll" (Eberh. d. Rauscheb.). „O königliche Eiche, dich hat der Blitz zerspällt etc." (ibid.). „Was da der edlen Garben auf allen Feldern lag" (ibid.). — „Wo gegenwärtig dein Geschicke im Kampfe blut'ger Wehen wird geboren" (R., Geharn. Son.). „Europas Weltleib hat aus allen Weiten geschwellt die Adern, dafs ihr Blutstrom springt in Deutschlands grofses Herz etc." (ibid.). — „Und Tag' um Tage heben ihr rosig Haupt empor; doch abends, wenn sie's senken, trägts einen Trauerflor" (Seidl, Glöckl. d. Gl.). „Doch auf seinen Augenwimpern liegt des Schlafes tiefe Nacht" (Geibel, Rothb.). „In meines Herzens Grunde steht aller Freuden Herd" (Geibel, Volk. Nachtges.). „Die Schneelawinen alter Lügen" (Lenau, Savonarola). — „Wie von den lebenden Mauern, gleich Blüten-flocken im Lenze, die Kugeln niederschauern" (Anast. Grün, der letzte Ritter). Weniger glücklich gewählt ist ein anderes Bild bei Kleist (Sehnsucht nach Ruhe), wo (zur Bezeichnung eines dichten Kugel-regens) der Ausdruck vorkommt: „Der Kugeln Saat pfeift"; vergl. die ob. Anm. zu Schillers Braut von Messina, S. 420.   A. W.
    Landsberg a. W.

In der Chronik des Minoriten Salimbene von Parma (Mon. histor. Parmens. 1857), in der sich die Ursprünge der deutschen Friedrichssage, ebenso wie auch die von Schiller im „Taucher" verarbeitete Erzählung von Nicole Pesce (p. 168 f.) zuerst nachweisen lassen, finden sich mehrere italienische und alt-französische Sprichwörter und Sätze, welche nicht bekannt zu sein scheinen, aber, da die Chronik noch vor Ende des dreizehnten Jahrhunderts (1287) geschrieben ist, doch ein gewisses Interesse beanspruchen; ich stelle, was ich gefunden habe, hiermit einfach zusammen:

S. 46. Nota quod vulgariter dicunt illi de Tuscin: Dohmo aleu adhizo, et de pioclo apicadhizo no po lohm gaudere.

S. 52. Jacobus Torellus, qui et ipse proverbium suum solitus erat dicere: L'asen dà per la parè: botta dà, botta receve quod est dicere: asinus percutit per parietem quando recalcitrat.

S. 53. Über die langen Schleppen der Weiber sagt Pateclus: Et drappi longhi, ke la polver menna.

S. 58. Quidem de Regio fecerunt rithmos de Florentina potestate (1241) Venuto è l'lione De terra Florentina l'er tenire raxone, In la cità regina.

S. 91. Von seinem Aufenthalt in Auxerre (1247) berichtet S.: Nota etiam quod gallici ridendo dicere consueverunt quod bonum vinum debet habere triplex t et septem f ad hoc ut sit optimum. Dicunt enim hoc modo ludendo: Et vin bon et bel sel dance, Forte et fer et fin et france, Freito et fras et froncijant.

S. 123. Quidem dixit:

    O lasso me, ke fu' temptato,
    Cum fo Adam nel paradhiso
    Ki volse plu ke nò i fo dato,
    Perdè lo bene o' era miso.
    Perzò ne prego ogne amadhore,
    Ke no alze tanto lo core,
    Ke cadha in terra e sia damnato.

Alius:

    Boni suno li spareci e li funze,
    E mejo sun le pècor ki lo munze.

Ki ponze troppo ad alto e no' li zunze,
Kade in terra, e tutto se de zunze.

S. 402. In libro Tædiorum dixit Pateclus:

Cativo hom podhesta de terra.
E fenescalco kintrol desco me serra.
Et homo ke zeloso andar a ballo.
E avar hom ki in honor aventura.

E povero superbo ki vol guerra.
E villan ki fimesso a cavallo.
E l'intronar de testa quande fallo.
E tutti quanti de solazo no cura.

S. 408. Idem Pateclus eodem loco:

Sime noja homo, ki desdigna
L'altra gente, per honor ke l'infia.

S. 411. Rustici et pueri et puellæ quoties obviabunt fratribus Mino-
ribus per vias in Tuscia, ut centies audivi, cantabunt: Hor attorna frutt
Helya ke pres ha mala via.

Berlin.   Reinhold Röhrich.

_____

Zur Frage „Hermann und die Hermannsschlacht in der deut-schen Litteratur", speciell in der Kriegslyrik von 1870—71.

Im 1. Heft des 77. Bandes (1882) vom „Archiv" befindet sich ein Aufsatz von Gustav Hauff „Hermann und die Hermannsschlacht, hauptsächlich
in der lyrischen Poesie des deutschen Volkes", eine erfreuliche Ergänzung
von Julius Rifferts im Jahrgange 1880 des Archivs abgedruckter Studie
„Die Hermannsschlacht in der deutschen Litteratur".

Auf Seite 47 der ersteren Abhandlung lesen wir die Worte Hauffs:
„Ob in der Kriegslyrik von 1870 und 1871 Hermann zu seinem Rechte gekommen ist, mögen andere beurteilen."

Diese Frage verdient gewiſs eine Erörterung, und der Unterzeichnete
dürfte speciell im Hinblicke auf seine Studien über die deutsche Kriegspoesie, wie auch namentlich im Hinblicke auf die von ihm veröffentlichte
Schrift „Die patriotische Dichtung von 1870—71 mit Berücksichtigung der
gleichzeitigen politischen Lyrik des Auslandes", Essen u. Leipzig 1880, zur
Beantwortung der obigen Frage legitimiert sein.

Die Kunst- wie die Volkslyrik jener groſsen Tage des Jahres 1870—71
pflegt vielfach — und dies ist ein charakteristischer Zug — die deutschen
Nationalhelden zum Schutze für Deutschlands gute Sache aufzurufen.
Wesentlich sind es freilich historische Gestalten der neueren Zeit, insbesondere der Freiheitskriege. Die Geister eines Blücher, Scharnhorst,
Theodor Körner, wie auch der Königin Luise u. s. w. werden angefleht,
vom „hohen Himmelszelt" herabzuschauen und der Schlachten Geschicke
zu lenken.

Natürlich treten die Namen des „alten Fritz" und „Friedrichs Barbarossa"
in der Dichtung des Jahres 70 uns vorzugsweise gern entgegen; allein Persönlichkeiten aus einer früheren Zeit werden mit den groſsen nationalen
Ereignissen selten in Beziehung gebracht. Nur der Cheruskerfürst Armin,
der die Römerscharen schlug, und dessen Denkmal der greise Bandel,
„der Alte vom Berge", schuf — seine Heldengestalt findet sich scharf
gezeichnet in der Kriegslyrik des Jahres 1870. Die Einweihung jener
meisterhaften Schöpfung im Teutoburgerwalde am 16. August 1875 ge-
staltete sich überhaupt erst auf Grund der vorausgegangenen Siege und
Ereignisse zu jenem groſsartigen allgemeinen Nationalfeste, das noch
in unserer Erinnerung steht. Die Vollendung des Hermannsdenkmals wäre
ohne die nach dem Jahre 1870 reicher flieſsenden Beiträge des deutschen
Volkes schwerlich so schnell von statten gegangen. Die Kriegspoesie von
1870—71 feiert Hermann in begeisterten Tönen als den Befreier Deutsch-

lands. Namentlich erheben sich Stimmen aus dem Westfalenlande zum Preise jenes Helden, der auf diesem Boden einst gestritten.

Möge es dem Unterzeichneten gestattet sein, aus seinen „Schwertliedern eines Freiwilligen aus dem Feldzuge von 1870—71" die folgenden Verse hierher zu setzen. Es sei noch zu denselben bemerkt, dafs — wie Kaiser Rotbart im Kyffhäuser — der Cheruskerfürst Armin, Karl der Grofse und Wittekind der Sage nach im Westfalenlande schlummern. Der erste im Hermannsberge, unweit Lügde, der zweite im Desenberge, unweit Warburg, der dritte auf dem Gute Wedigenstein am Fufse des Margaretenberges — des einen Pfeilers der Porta Westphalica.

Die Schläfer im Jahre 1870.

Der Kaiser Rotbart schläft nicht länger
In des Kyffhäuserberges Nacht,
Beim Waffenklang und Spiel der Sänger
Ist er aus seinem Traum erwacht.

Hin folgt er mit den Mannen allen
Ins Frankenland dem stolzen Aar,
Der zornentflammt mit scharfen Krallen
Sich stürzte auf der Raben Schar.

Der Schlachtenruf, der neue Morgen,
Erweckte auch der Schläfer drei,
Verscheuchte von der Brust die Sorgen,
Die sie belastet schwer wie Blei.

Auf stand Armin bei solchem Zeichen
Und schwang sein Schwert so wohl bekannt,
Das war ein Jubel sondergleichen
Ringsum in ganz Westfalenland.

Um Mitternacht aus Bergesgrunde
Erhob sich mahnend Wittekind:
„Fort, meine Sprossen, fort zur Stunde!
Helft baun ein neues Reich geschwind."

Auf stand Karol im Desenberge —
Ein hoheitsvolles, edles Bild —
„Bringt mir das Pergament, ihr Zwerge!
Will sehn, ob sich die Zeit erfüllt.

Geschrieben steht's in festen Zügen,
Ein deutsches Reich wird neu erstehn,
Das Kaiserbanner wird bald fliegen,
Es wird vom Meer zum Felsen wehn."

Er ruft — und laut die Berge dröhnen —
„Nun wird mein Sehnen Wirklichkeit!
Nun lafst die Freudenhörner tönen,
Nun will ich ruhn in Ewigkeit.

Ruhn weiter im Westfalenlande
Mit Hermann und mit Wittekind;
Doch droht dem Reiche jemals Schande,
Dann wieder fliehn die Ruh geschwind.

Drum schirmt das Reich mit starken Händen —
Und gönnt uns allen endlich Ruh —
Gott wird ein Unheil von ihm wenden,
Wenn ihr es führt dem Frieden zu."

In einem anderen Gedichte „Auf dem Schlachtfelde vor Metz" heifst es:

Silbern giefsen Mond und Sterne
Strahlen auf den Erdengrund,
Gräberhügel nah und ferne
Tauchen auf zur nächt'gen Stund.

Geisterstimmen, Klagelieder
Aus dem öden Totenreich
Hallen in den Lüften wieder —
Und mein Herz, das wird so weich.

Weh! Hier schlummern edle Söhne
Aus Westfalens reicher Mark;

Euer Ruhm im Lied ertöne,
Helden, noch im Tode stark.

Helden aus Westfalenlande,
Wo der Sachsenherzog stritt,
Wo am wilden Bergesrande
Varus blut'ge Schmach erlitt.

Ziehet hin zu euren Ahnen!
Hermanns Geist bleibt ewig
wach;
Deutschland, solche Thaten mahnen
Dich an deines Ruhmes Tag.

Zum Schlusse möge im Hinblick auf die Abhandlungen von Riffert und Hauff im „Archiv" noch bemerkt werden, dafs in Kürze von dem Unterzeichneten gewissermafsen ein Seitenstück zu den obigen litterarhistorischen Untersuchungen erscheint, welches den westfälischen Nationalhelden Wittekind zum Vorwurf hat, nämlich „Das Buch vom Sachsenherzog Wittekind in Sage und Dichtung nebst einer historischen Einleitung und mit Illustrationen nach Moritz von Schwind u. a."

Hamm.   Dr. Weddigen.

Der Verfall des heutigen Lustspieles.

(Fortsetzung.)

Ein Stück, welches durch einen bei der ersten Aufführung ins Werk gesetzten Skandal zu unverdienter Berühmtheit gelangte, sind:

Die Teufelsfelsen von Dr. Oskar Blumenthal.

Der Titel des Stücks heifst „Die Teufelsfelsen" wahrscheinlich deshalb, weil von dem „Teufelsfelsen" gar nicht oder nur höchst beiläufig die Rede ist. Ein Rittergutsinhaber schickt nämlich seinen Taugenichts von Sohn auf sein Gut, um eine Reihe Felsen, Teufelsfelsen genannt, absprengen zu lassen. Der Sohn zieht vor, sich in einem Bade zu belustigen, depeschiert aber von Zeit zu Zeit an Papa, wie schön die Sprengversuche ihren Fortgang nähmen. Papa will nun zwar mit eigenen Augen sehen, der Herr Sohn befürchtet das Schlimmste, da tritt im rechten Augenblicke ein Minister als deus ex machina auf und protestiert aus hoher Staatsraison gegen die Absprengung der militärisch wichtigen Teufelsfelsen. Der Herr Sohn hat also durch seine Unterlassungssünde den Vater vor Konflikten mit der Staatsraison geschützt.

In diesen unscheinbaren Rahmen der Sprengversuche und der Badereise sind nun eine Reihe der wundersamsten Begebenheiten und Personen eingeschoben, die offenbar mehr im Monde oder in einem fernen Planeten ihren Ursprung haben als auf unserer lieben Erde.

Ein Gutsbesitzer, halb Bauer, halb Gentleman, und vor allem Pantoffelheld, schickt seine teure Ehehälfte ins Bad, um gute Freunde ungestört bei sich zu sehen. Aus übergrofser Vorsicht läfst er die Gattin schon zwei Stunden vor Abgang des Zuges reisen und erledigt auch seine Korrespondenz mit der fernen Ehehälfte gleich für ein oder zwei Wochen per Hektograph. Die Vorsicht wird sein Verderben, denn die Gattin, von übergrofser Sehnsucht gefoltert, kehrt noch vor der Abfahrtszeit zurück, findet den Gatten und seine Freunde beim solennen Frühstück, entdeckt die Hektographkorrespondenz und nimmt zur Strafe den allzuschlauen Eheherrn gleich mit ins Bad.

Im Bade lernen wir eine Gesellschaft kennen, die aus den denkbar ab-
normsten Individuen besteht. Da finden wir einen Generalagenten, der mit
dem Badevorsteher das Abkommen getroffen hat, der Kürze halber „Herr
General" genannt zu werden, und deshalb als General und Respektsperson
gilt. Daſs dieser Herr General ein zudringliches Subjekt der schlimmsten
Art ist, daſs man ihm den Proletarier auf jeden Schritt anmerkt, scheint
die feine Badegesellschaft nicht irre zu machen. Endlich verrät der schwatz-
hafte Badekommissar das groſse Geheimnis dem Herrn Gutsbesitzer und
dieser, der überdies durch die Aufdringlichkeit des Pseudo-Generals zu
einer Regenpartie verleitet und mit seiner Ehehälfte durchnäſst worden ist,
sagt es rachsüchtigen Herzens der Badegesellschaft am Trinkbrunnen.
Pseudo-General brütet nun seinerseits Rache. Eine Depesche, die auf die
Sprengung jener Teufelsfelsen sich bezieht und in orakelhaftem Tone abgefaſst ist, läſst zur Not sich auch — auf nihilistische Umtriebe deuten.
Der Herr General ist boshaft genug, sie so zu deuten, und der Herr Badekommissar dumm genug, die Deutung zu acceptieren, weil zufällig vorher
in der Zeitung etwas von nihilistischen Umtrieben gestanden hat. Der Gutsbesitzer wird arretiert, dann, nach Aufklärung des blödsinnigen Miſsverständ-
nisses, freigelassen, ihm sogar vom Badekommissar Satisfaktion angeboten,
und alles Unheil kommt nun über den Telegraphenboten, der jenes ver-
hängnisvolle Hieroglyph aus der Hand gegeben hat. Der ersinnt eine Rache
höchst eigentümlicher Art gegen den bösen Herrn General. Er sperrt ihn
in ein Schwitzbad bei einigen 30^0 R. ein.

Auſser der Bekanntschaft des Pseudo-Generals machen wir noch die
eines Narren, der aus besonderer Monomanie nur mit Bummelzügen fährt,
und auch sonst ein ziemlich abnormer Tölpel ist, und die interessantere
einer Dame, welche sich für — verheiratet ausgiebt, um so die Realität ge-
wisser Annäherungsversuche zu prüfen und zu einem Mann zu kommen.
Originalität läſst sich diesem Kokettiermittel nimmermehr absprechen, gleichwohl ist ebensowenig zu bezweifeln, daſs es in Wirklichkeit nie angewendet
werden und nie zum Ziele führen dürfte. Indessen da das Stück doch einmal so enden muſs, daſs „sie beide sich kriegen", so fällt der Sohn jenes
Rittergutsinhabers auf die seltsame Kokette herein, nicht ohne daſs es vorher zu einem kostbaren Miſsverständnis gekommen wäre. Der Vater der
Schönen, eben jener Minister, der in hoher Staatsweisheit gegen die Sprengung der „Teufelsfelsen" protestiert, will sich von neuem ins Joch der Ehe
stürzen und deshalb seine erwachsene Tochter mit guter Manier loswerden.
Er eilt also selbst an Ort und Stelle und sucht dem Heiratskandidaten seine
hohe Einwilligung in möglichst eindringlicher Form klar zu machen. Dieser,
der von der Idee nicht loskommen kann, daſs seine Auserwählte bereits gebunden sei, hält natürlich den Minister für den beleidigten Gatten, fürchtet
schon ein unabweisbares Duell, bis endlich die Fülle ministerieller Beredsamkeit ihm sein unverhofftes Glück zum Bewuſstsein bringt.

Man wird, wenn man überhaupt eine ästhetisch-principielle Kritik an dem
Stücke üben will, sagen müssen, daſs die Wirklichkeit der Dinge hier nicht getreu abgebildet, sondern verzerrt und übertrieben ist, daſs die Effekte viel zu
grell sind, daſs die Komik einzelner Scenen nur eine momentane Lachlust erregen kann, und daſs vor allem die Einheit der Handlung und des Interesses
mangelt. Fehler, die auch dann ein Lustspiel nicht haben darf, wenn es sich
vor der Kritik durch die schützende Firma „Schwank" sicherzustellen sucht.

Der Leibarzt, Lustspiel von Günther.

Auch dieses Stück, das an gröſseren deutschen Bühnen oftmals, wenn-
schon ohne durchschlagende Wirkung gegeben worden ist, beruht auf einer
höchst unwahrscheinlichen, ja unmöglichen Voraussetzung. Ein junger,
reformlustiger Fürst, der sich der festesten Gesundheit erfreut, nimmt der
Form halber einen Heilkünstler ohne Praxis zum Leibarzt an und legt

diesem die Bedingung auf, daſs er sich nie — um sein Befinden kümmert.
Um die Ironie vollständig zu machen, fragt der Fürst beim Eintritt des
Leibarztes jedesmal mit rühmlichster Konsequenz: Wie geht es mit Ihrem
Befinden? Das Mysteriöse des Verhältnisses giebt den Höflingen und selbst
einer Verwandten des Fürsten die Vorstellung, daſs der schweigsame Leib-
arzt allmächtiger Günstling des seltsamen Fürsten sei, und so wird er dann
für alle Schandthaten des neuerungssüchtigen Potentaten, selbst für den
Bau einer Eisenbahn verantwortlich gemacht, mit Titeln, Bittgesuchen bedacht, selbst von der Verwandten des Fürsten mit dem schmeichelhaften
Auftrage beehrt, dessen Schwermut durch Zerstreuungen zu heilen, von den
Höflingen gehaſst und von seinen Freunden für einen Geheimniskrämer gehalten. Eine Reihe von Zufällen läſst diese Idee noch mehr einwurzeln,
bis Durchlaucht selbst dem verzweifelnden Leibarzt öffentliche Genugthuung
giebt. Ein seltsamer Zufall will nun, daſs der wundersame Arzt sich eingehend der ökonomischen Studien befleiſsigt hat, und so wird er denn vom
Fürsten der unglückbringenden ärztlichen Charge entsetzt und zum Leiter
aller volkswirtschaftlichen Angelegenheiten des Duodezfürstentums ernannt.
Eine Anzahl witziger Scenen und komischer Personen wird uns in dem
Stücke nicht für das Seltsame und Unwahrscheinliche der Grundidee ent-
schädigen.

Der Compagnon, Lustspiel in 4 Akten von l'Arronge.

Auch der Grundgedanke dieses vielgegebenen und beliebten Lustspieles
ist wenig wahrscheinlich. Ein Kaufmann, der seinen Schwiegersohn zum
Geschäftsinhaber einsetzt, verpflichtet denselben durch einen besonderen
Kontrakt, jede Einmischung des Schwiegervaters zurückzuweisen. Ein
baldiges Miſsverhältnis zwischen beiden und ewige Reibereien sind die natürliche Folge. Unglaublich ist es ferner, daſs das neuvermählte Paar unmittelbar nach der Trauung und ohne das Hochzeitsessen mitzumachen,
abreist, lediglich um seine Emancipation von väterlichem Einflusse kund-
zugeben. Überhaupt ist die Art und Weise, wie auch später der zärtlich
besorgte und aufdringliche Vater zurückgestoſsen wird, outriert, wenn schon
nicht irreal. Sonst sind Personen, Scenen und Effekte mehr im Geiste des
feineren Lustspieles, als der possenhaften Ahart desselben. Nur stört eine
zu groſse Zahl von Nebenpersonen und Nebenhandlungen Von einer Einheit der Handlung und des Interesses, dem notwendigen Erfordernisse aller
dramatischen Poesie, ist somit auch hier nicht die Rede, wie denn die Handlung, welche sich um den entlassenen Beamten und dessen verarmte Familie
konzentriert, mit der Haupthandlung gar nichts zu thun hat.

(Schluſs folgt.)

Halle.   Dr. Mahrenholtz.

Variatio (non semper) delectat. Es ist wundersam, wie oft man in den
Aufgaben zu freien Aufsätzen die bekanntesten Sätze ganz willkürlich umgestaltet findet. So z. B. findet man oft das bekannteste aller Distichen:
„Daſs wir Menschen nur sind" korrumpiert. Im Programm des Gymnasiums
zu Konitz 1881 hat es folgende Metamorphose erfahren: „Daſs wir Menschen
nur sind, der Gedanke drücke uns nieder (!), doch daſs Menschen wir sind,
hebe uns freudig empor." Da war doch noch genialer die Änderung jenes
rheinpreuſsischen Abiturienten: „Daſs wir Menschen nur sind, der Gedanke
beuge das Raubtier," wonach jener Böotier denn auch richtig im ersten
Teile die Gewalt des Menschen über die Raubtiere behandelt. — Dasselbe
Konitzer Programm enthält als Primaneraufgabe diesen schönen Vers: „Vor
jedem steht ein Bild des, was er werden soll, So lang er das nicht ist, ist
sein Friede nicht voll. — Iam satis.

In dem Programme des Gymnasiums zu Celle 1881: „Dem Oberlehrer Dr. Tschischwitz wurde vom Herrn Minister unterm 29. Dezember 1880 der Professortitel, von Seiner Majestät dem Unterzeichneten am 18. Januar der rote Adlerorden 4. Klasse verliehen." Hier ist durch die chiastische Wortstellung eine komische Zweideutigkeit hervorgerufen.   x.

Berichtigungen

zu der Abhandlung „Theophilus-Faust u. Mephistopheles" LXVI, S. 241 etc.

Seite 257, Zeile 14: „Nicodemus Frischlin (etwa 1600)." Diese runde Jahrzahl ist unrichtig: N. Frischlin lebte von 1547 bis 1590.

Seite 268 Grofsdruck unten und Seite 269 oben. Irrtümlich sind das Volkslied in „Des Knaben Wunderhorn" und das „fliegende Blatt aus Köln" neben einander gestellt. Beide aber sind eins, wie eine nachträgliche Vergleichung herausgestellt. Der Name des bösen Geistes lautet daselbst: Mephistophíles und Mephistophíles.

Adalbert Rudolf.

Bibliographischer Anzeiger.

Allgemeines.

S. Brassai, Die Reform des Sprachunterrichts in Europa. Ein Beitrag zur Sprachwissenschaft. (Klausenburg, Demjén.) 1 M. 20 Pf.

Fr. Eyssenhardt, Römisch und Romanisch. Ein Beitrag zur Sprach- geschichte. (Berlin, Bornträger.) 3 M. 60 Pf.

J. Müller, Quellenschriften und Geschichte des deutschsprachlichen Unter- richts bis zur Mitte des 16. Jahrh. (Gotha, Thienemann.) 9 M.

Lexikographie.

Eberhards Synonymisches Handwörterbuch der deutschen Sprache. 13. Aufl. Herausg. von Lyon und Wilbrandt. Mit Übersetzung der Wörter in die englische, französische, italienische und russische Sprache v. D. Asher und A. Boltz. Schlußlieferung (4—11). (Leipzig, Fernau.) à 1 M.

A. Stern, Lexikon der deutschen Nationallitteratur. Die deutschen Dichter u. Prosaiker aller Zeiten, mit Berücksichtigung der behandelten Stoffe u. Motive. (Leipzig, Bibliogr. Institut.) 3 M. 50 Pf.

Grammatik.

K. A. Hahns Althochdeutsche Grammatik, nebst einigen Lesestücken und Glossar. Fünfte wesentlich veränderte Ausgabe von J. Strobl. (Prag, Tempsky.) 3 M.

W. Braune, Sammlung kurzer Grammatiken germanischer Dialekte. III. Angelsächsische Grammatik v. Sievers. (Halle, Niemeyer.) 2 M. 80 Pf.

H. Pratje, Der Accusativ im Heliand syntaktisch dargestellt. (Göttingen, Deuerlich.) 1 M. 20 Pf.

P. Noack, Geschichte der relativen Pronomina in der englischen Sprache. (Göttingen, Akademische Buchhandlung.) 1 Mk. 20 Pf.

R. Zeuner, Die Sprache des kentischen Psalters. (Vespasian A. I.) Ein Beitrag zur angelsächsischen Grammatik. (Halle, Niemeyer.) 1 M.

Litteratur.

W. **Meyer-Markau**, Der Parzival Wolframs v. Eschenbach. Abhandlung.
(Magdeburg, Heinrichshofen.) 2 M. 50 Pf.

A. **Börckel**, Die fürstlichen Minnesinger der Manasseschen Liederhand-
schrift. (Mainz, v. Zabern.) 3 M. 50 Pf.

H. **Busch**, Die ursprünglichen Lieder vom Ende der Nibelungen. (Halle,
Niemeyer.) 1 M. 80 Pf.

J. **Minor**, Die Leiche und Lieder des Schenken Ulrich von Winterstetten.
(Wien, Konegen.) 3 M.

Bibliothek älterer Schriftwerke der deutschen Schweiz u. ihres Grenzgebietes,
herausg. v. J. **Bächtold** u. F. **Vetter**. 3. Bd. Alb. v. Hallers Gedichte,
herausg. v. **Hirzel**. (Frauenfeld, Huber.) 10 M.

M. **Geyer**, Der Musenhof zu Löbichau. (Altenburg, Bonde.) 60 Pf.

W. v. **Humboldts** ästhetische Versuche über Göthes Hermann und Dorothea.
Mit Vorwort von **Hettner**. 4. Aufl. (Braunschweig, Vieweg.) 4 M.

H. M. **Richter**, Aus der Messias- und Werther-Zeit. (Wien, Rosner.)
3 M. 60 Pf.

C. **Lemcke**, Von Opitz bis Klopstock. (Leipzig, Seemann.) 4 M.

Göthes Faust, n. Fragment, in der ursprünglichen Gestalt, neu herausg. v.
W. L. **Holland**. (Freiburg, Mohr.) 1 M.

Deutsche Litteraturdenkmale des 18. Jahrh., neu herausg. v. B. **Seuffert**.
Nr. 5. Ein Fragment von Göthe. (Heilbronn, Henninger.) 80 Pf.

J. **Bendel**, Zeitgenössische Dichter (Schack, Geibel, Jordan, Simrock).
(Stuttgart, Metzler.) 2 M. 40 Pf.

R. **Felgentreu**, Das Wesen der deutschen Poesie in ihrer geschichtlichen
Entwickelung. (Leipzig, Sigismund & Volkening.) 1 M. 20 Pf.

H. **Meltzi** v. **Lomnitz**, Die Minckwitzische Ode, ihr Epitheton ornans u.
Neologismus. (Klausenburg, Demjén.) 1 M. 20 Pf.

A. **Baragiola**, Das Hildebrandslied. L'inno d'Ildebrando. Versione dall'
antico tedesco con introduzione ed appendice. (Strafsburg, Trübner.)
1 M.

R. P. **Wülcker**, Kleinere angelsächsische Dichtungen. Abdruck der
handschriftl. Überlieferung, mit den Lesarten der Handschriften u. einem
Wörterbuche. (Halle, Niemeyer.) 3 M. 60 Pf.

Poésies huguenotes du seizième siècle. (Strafsburg, Schmidt.) 3 M.

E. **Brinkmeier**, Die provençalischen Troubadours als lyrische u. politische
Dichter. Mit Proben ihrer Dichtungen. (Göttingen, Vandenhoeck.)
4 M. 40 Pf.

G. **Hartmann**, Über die Modifikativformen in Manzonis Promessi sposi.
(Wiesbaden, Niedner.) 1 M. 60 Pf.

F. **Miklosich**, Beiträge zur Lautlehre der rumunischen Dialekte. Vokalismus II. (Wien, Gerold.) 1 M.

F. **Miklosich**, Rumunische Untersuchungen. (Wien, Gerold.) 4 M.

J. **Petzholdt**, Catalogus bibliothecæ Danteæ Dresdensis a Philalethe,
b. rege Ioanne Saxoniæ, conditæ, auctæ, relictæ. (Leipzig, Teubner.)
5 M.

J. **Fastenrath**, Calderon und Spanien. Mit einem Anhang: Die Beziehungen zwischen Calderons Wundertbätigem Magus und Göthes Faust.
Gekrönte Preisschrift v. Dr. Antonio Sanchez Moguel. (Leipzig, Friedrich.)
4 M.

K. **Haller**, Geschichte der russischen Litteratur. (Dorpat, Schnakenburg.)
6 M,

S. **Singer**, Beiträge zur Litteratur der kroatischen Volkspoesie. (Agram,
Hartmann.) 8 M.

Dr. v. **Biedermann**, Das Zeitungswesen sonst und jetzt. (Leipzig,
Friedrich.) 2 M.

Hilfsbücher.

J. Pölzl, Mittelhochdeutsches Lesebuch f. Oberrealschulen. (Wien, Hölder.)
1 M. 40 Pf.

J. Zelter, Mustersätze nebst Übungsaufgaben f. d. grammatischen Unterricht. (Langensalza, Schulbuchhandlung.) 80 Pf.

W. Benthien, Deutsche Aufsatzschule. Ausgeführte Beispiele und Dispositionen. (Bernburg, Bacmeister.) 1 M. 60 Pf.

Deutsches Lesebuch f. Realschulen. Herausg. v. d. Lehrern der deutschen Sprache an der Königl. Realschule zu Döbeln. I. Teil, Sexta. (Leipzig, Teubner.) 1 M. 50 Pf.

Bürgel u. Wimmers, Die deutsche Lektüre in Lehrerbildungsanstalten. Litteraturkunde und Methodik. Zweites Jahr: Die Arten der lyrischen Dichtung. (Aachen, Barth.) 1 M. 50 Pf.

K. Geerling, Deutsche Metrik und Poetik. Materialien u. Leitfaden für mittlere und höhere Lehranstalten und zum Selbststudium. (Wiesbaden, Gestewitz.) 1 M.

H. C. Willems, Vollständige Lehre von der Interpunktion im Deutschen, Französischen u. Englischen. (Emden, Haynel.) 1 M.

M. Dangschat, Das Wissensnötigste aus der deutschen Metrik, Poetik u. Litteraturgeschichte. (Kottbus, Differt.) 1 M. 50 Pf.

A. Dröse, Einführung in die deutsche Litteratur von ihren ersten Anfängen bis zur Gegenwart. Biographien und Proben. 2 Teile. (Langensalza, Schulbuchhandlung.) 2 M. 50 Pf.

J. Hunziker, Franz. Elementarbuch. 1. Teil. (Aarau, Sauerländer.) 2 M.

Ch. Witzel, Conjugaisons françaises à l'usage des allemands. (Miltenberg, Halbig.) 80 Pf.

K. Brunnemann, Die Hauptregeln der franz. Grammatik nebst Musterbeispielen. (Leipzig, Litterarisches Verlags-Institut.) 60 Pf.

M. Wölffel, Mille questions à répondre librement par écrit ou oralement, pour faciliter la conversation. (Leipzig, Tägtmeyer.) 1 M.

Recueil de synonymes français à l'usage des Allemands. Par un académicien. 3. éd. (Meiningen, v. Eye.) 1 M. 60 Pf.

J. B. Peters, Materialien zu franz. Klassenarbeiten. Für obere Klassen. (Leipzig, Neumann.) 1 M.

A. Allen u. W. Voigt, Unterrichtsbriefe für das Selbststudium der engl. Sprache. In 20 Briefen. (Leipzig, Beuer.) 1. Brief. 75 Pf.

Stopford Brooke, Kurzer Leitfaden der engl. Litteratur. Deutsch bearbeitet mit Anmerkungen von A. Matthias. (Berlin, Langenscheidt.) 1 M. 50 Pf.

Sammlung deutscher Lust- u. Schauspiele, zum Übersetzen in das Englische bearbeitet. I. Wilhelm Tell, bearbeitet von Dr. Breakel. (Dresden, Ehlermann.) 1 M.

S. Opke, Englisches Lesebuch. I. Unterstufe. (Goslar, Stöckicht.) 1 M. 50 Pf.

H. Saure, Franz. Lesebuch f. höhere Mädchenschulen, nebst Unterlagen zur Konversation. (Kassel, Kay.) 4 M.

D. Defoe, The life and adventures of Robinson Crusoe; erklärt von H. Löwe. (Halle, Gesenius.) 2 M.

Schiller, the nephew as uncle; a comedy translated by T. E. Wilkinson. (Münster, Coppenrath.) 50 Pf.

A. Göbel, Bibliothek klassischer Werke der italien. Litteratur. 3 Hefte. (Münster, Aschendorff.) 2 M.

V. Horowitz, Praktischer Lehrgang zur Erlernung der span. Sprache. (Leipzig, Brockhaus.) 1 M. 80 Pf.

G. Kappes, Lehr- u. Übungsbuch der span. Sprache. 3. Aufl. (Dresden, Ehlermann.) Schlüssel. 1 M.

Die Sage von Frithjof dem Starken.

Nach der altnordischen Volkssage aus dem 13. Jahrhundert frei erzählt

von

W. Calaminus.

Einleitende Bemerkungen.

Tegnérs schöne Frithjofsage hat sich mit Recht sofort nach
ihrem Erscheinen während der zwanziger Jahre dieses Jahrhunderts eine solche allgemeine Beliebtheit und Berühmtheit
nicht nur in ihrem Vaterlande, sondern auch in der ganzen gebildeten Welt erworben, dafs man wohl voraussetzen darf, auch
die altnordische Volkssage des 13. Jahrhunderts, nach welcher
der schwedische Bischof gearbeitet hat, werde von dem gebildeten Publikum mit Interesse gelesen werden. Ist es doch in
der That ein anziehendes Studium, im einzelnen zu verfolgen,
wie aus den einfachen, bescheidenen poetischen Keimen, welche
die alte Nordlandssage von Frithjof dem Starken („Saga af
Frithjofi enum Froekna") in sich birgt, ein so prächtiges, farben-
reiches und stimmungsvolles Gedicht unter der Hand eines
Meisters herausgewachsen ist, gleichwie aus der geringen Eichel
der Stolz des Waldes oder aus einer einfachen Bleistiftskizze
ein prächtiges Ölgemälde: denn in diesem Verhältnis ungefähr
stehen zueinander das alte Original und die moderne Bearbeitung desselben durch Tegnér; jenes in einfachem, volkstüm-
lichem, episch-kurzem, oft fast chronikenartigem Tone gehalten,
oft nur andeutend ohne eingehende Schilderungen oder lyrische
Stimmungsbilder, diese ein episch-lyrisches Gedicht, wie es der

modernen Leserwelt zusagt,. welches die kurzen und knappen
Striche und Linien der alten Sage überall zu prächtigen Schilderungen der Natur und des Lebens, zu hochpoetischen lyrischen Ergüssen und feiner, eingehender psychologischer Entwickelung und Schilderung der Charaktere erweitert. Gerade
das romantische, das stimmungsvolle, prächtige Kolorit, der
bald weiche und zarte, bald energische und kräftige lyrische
Ton, der Hauch der Stimmung, in welchen die moderne
Frithjofssage eingetaucht ist, die epische Ausführlichkeit in
Schilderungen und Erzählungen, die Schönheit der Sprache
und Darstellung, besonders der Bilder und Vergleichungen sind
es, welche Tegnérs Gedicht seit 60 Jahren die Gunst aller für
echte Poesie empfänglichen Herzen erworben und ihm einen
Weltruf verschafft haben. Ist es doch durch zahlreiche Übersetzungen jetzt so sehr in das moderne Leben eingedrungen,
daſs auch die Schwesterkünste der Poesie, die Musik und
Malerei, gewetteifert haben, es auf ihre Weise dem Verständnis
des modernen Lesers näher zu bringen; besitzen wir doch nicht
nur zahlreiche bildliche Darstellungen der Landschaften und
Scenen der Frithjofssage, sondern auch eine Menge musikalischer Werke, welche ihre Anregung dem Tegnérschen Gedicht verdanken, nämlich auſser vielen Kompositionen schwe-
discher und österreichischer Künstler zu einzelnen Gesängen
desselben die bekannten Frithjofswerke talentvoller Musiker,
wie Max Bruchs (als Kantate), Bernhard Hopfers (als Oper)
und Heinrich Hofmanns (als Symphonie). Es ist eben, wie
schon bemerkt, ein echt modernes Gedicht lyrisch-epischer Art
und verdankt seine Beliebtheit dem groſsen poetischen Takt,
mit welchem Tegnér seine beiden Bestandteile, Lyrik und Epos,
organisch verbindet; es haftet aber ebenso sehr auch in dem
Boden der alten nordischen Sagenwelt, denn die Zustände und
Lebensverhältnisse, die Anschauungs- und Denkweise des so
hochinteressanten und reichen heroischen Zeitalters der skandi-
navischen Germanen, in welchem es spielt, werden darin in
glücklichen und lebenswarmen Schilderungen dem modernen
Leser nahegerückt. Es atmet überall den eigentümlichen
Geist jener denkwürdigen Epoche des germanisch-altnordischen
Altertums, welches unserer modernen Leserwelt viel weniger

bekannt ist als es verdient, und vielen eben nur durch Tegnérs Frithjofssage.

Was den Ton der Bearbeitung der alten Nordlandssage betrifft, welche wir im folgenden unseren Lesern mitteilen, so werden Kenner des altnordischen Originals leicht bemerken, dafs jene nicht sich mit wörtlicher oder buchstäblicher Treue an den Urtext anschliefst, sondern denselben durchweg frei umschreibt, verbindende und erläuternde Mittelglieder und Zusätze einschiebt. Es geschah dies in der Erwägung, dafs die nüchterne, trockene und chronikenartige Darstellung der alten Sage lebendiger und flüssiger gemacht werden müsse, um dem modernen Leser geniefsbar zu werden; denn für den Gelehrten haben wir nicht geschrieben, sondern für das gröfsere gebildete Publikum, dem wir ein Interesse für die alte Nordlandssage einzuflöfsen wünschen, welche die Grundlage zu einer der schönsten Dichtungen der neueren Zeit geworden ist. Unsere Leser aber bitten wir, wenn sie die nachfolgenden Zeilen lesen, immer im Geiste sich die einzelnen Gesänge des Tegnérschen Gedichtes zu vergegenwärtigen; erläuternde Anmerkungen zu den einzelnen Kapiteln der Sage mögen ihnen dabei zu Hilfe kommen. Interessant wird es ihnen auch noch sein, zu erfahren, dafs der starke Frithjof und sein Waffenbruder Biörn, sowie die schöne Ingeborg und ihr alter Gemahl, König Ring, aller Wahrscheinlichkeit nach historische Persönlichkeiten sind; die Ansichten über ihre Lebenszeit gehen allerdings bei den Gelehrten weit auseinander, sie schwanken zwischen dem vierten und dem neunten Jahrhundert nach Christi Geburt.

Erstes Kapitel.
Frithjofs und Ingeborgs Jugend.

In alten Zeiten lag im südwestlichen Norwegen, da, wo sich der Sognemeerbusen lang, schmal und vielfach zerrissen tief in das bergige Küstenland hineinerstreckt, ein Königreich, Sygnafylki (d. h. Sognsland) genannt.

Sein Herrscher, König Beli, war ein tapferer Held, der weithin in den Sagen des Nordens berühmt war, da er in Ge-

meinschaft mit seinem Waffenbruder* und ersten Hofbeamten
(Hersen), dem nicht minder gepriesenen Helden Thorstein,
früher eine Menge gefährlicher Abenteuer und Wagestücke in
fremden Ländern und Meeren bestanden hatte. Als nun die
beiden verbrüderten Helden alt und der Heerfahrten überdrüssig
geworden waren, setzten sie sich im Königreich Sygnafylki zur
Ruhe und bauten sich auf den entgegengesetzten Seiten des
Meerbusens Sogni an, Beli links, Thorstein rechts. Des Königs
Residenz hiefs Syrströnd, Thorsteins Wohnsitz Framnaes;
dieser lag auf einer Landzunge, nordöstlich von der Burg des
Königs Beli, und wurde wegen seiner Gröfse und seines Reich-
tums dem Königssitze gleich geachtet. Framnaes gerade gegenüber, auf der westlichen Seite des Meerbusens, nördlich von
des Königs Residenz, lag ein grofser und prachtvoller Tempel
des Gottes Baldur,** Baldurshaga (Baldurshain) genannt; ein
grofses Gehege umgab den Raum, welcher mit Götterbildern,
hauptsächlich mit denen Baldurs, angefüllt war, für eine Friedensstatt galt und so heilig von den heidnischen Männern
gehalten wurde, dafs ihm, seinen Bewohnern und seiner
Habe nicht der geringste Schaden geschehen durfte, ja, dafs
jeder Verkehr zwischen Männern und Frauen daselbst ver-
boten war.

König Beli und Thorstein Vikingssohn (der Sohn des
Helden Viking) hielten auch in ihrem Alter, wie zu den Zeiten
ihrer Heldenfahrten, treu zusammen und hofften, dafs diese
Freundschaft auch auf ihre Kinder übergehen würde. Beli
hatte deren drei, zwei Söhne, Helgi und Halfdan, und eine
Tochter, Ingeborg (Ingibiörg), Thorstein nur eins, einen Sohn
Namens Frithjof (Frithjofr, wörtlich übersetzt = Friedensdieb).
Frithjof und Ingeborg zeichneten sich schon in früher Jugend

---

* Ganz wie bei den Helden der Griechen (Achilleus und Patroklos!),
finden wir auch in dem heroischen Zeitalter des Nordens die Sitte der
Waffenbrüderschaft. Freunde, die sich durch ein solches Band — welches
mittels Vermischung des beiderseitigen Blutes geknüpft wurde — vereinigten,
mufsten sich im Leben und Tod, in allen Gefahren und Schlachten unver-
brüchlich treu sein und einer den Tod des anderen rächen.

** Er war der nordische Apollo, der Gott des Lichtes und der Schönheit, der beste und mildeste aller Götter, weifs und strahlend von Antlitz.
Er biefs nur Baldur der „Gute“ und „Schöne“.

vor allen anderen Jünglingen und Jungfrauen aus, denn Ingeborg war schön von Antlitz und sehr klug und verständig, sie
war die erste aller Königstöchter und hiefs allgemein Ingeborg
die Schöne; Frithjof aber war aller Männer gröfster und stärk-
ster, der erste in allen männlichen Künsten und Übungen schon
in früher Jugend, dazu so freundlich, dafs ihm Jedermann
Gutes wünschte; bald hiefs er überall Frithjof der Starke.
Er, der Sohn des Helden Thorstein, und die schöne Königstochter wurden zusammen bei einem wackeren Bonden,* Namens
Hilding, sorgfältig und gut erzogen und waren bald die ersten
der ganzen Jugend Norwegens. Ganz anders als sie waren
aber die beiden Brüder der schönen Ingeborg, Helgi und Halfdan, geartet; denn sie waren wenig freundlich, und Helgi, der
ältere, wurde noch dazu frühe ein eifriger Opferer, der das
Blut der Tiere den Göttern zu Ehren vergofs, (blôtmadr =
Blutmann, altnordisch.)

Während nun Frithjof der Starke und Ingeborg die Schöne
als Pflegegeschwister bei dem Bonden Hilding heranwuchsen,
wurden König Beli und Thorstein immer älter und fühlten ihr
Ende herannahen. Beli merkte, wie seine Habe dahinschwand,
und teilte sein Reich mit seinem alten Waffenbruder, der seine
Hauptstütze war, so, dafs dieser ein Drittel desselben zu ver-
walten hatte; beide gaben sich gegenseitig grofse und kostbare
Gastmähler, Thorstein dem König alle drei, dieser jenem alle
zwei Jahre. Als sie nun merkten, dafs es mit ihnen zu Ende
ging, dachten sie darauf, die Freundschaft, die sie verbunden
hatte, auch auf ihre Söhne zu übertragen, und König Beli rief
daher Helgi und Halfdan an sein Sterbebett und redete ihnen
sehr zu, denn er hatte schon gemerkt, dafs die Königssöhne
Groll auf Frithjof geworfen hatten, weil er für den ersten aller
jungen Männer in jener Zeit galt und mehr gelobt wurde als
sie selber. Er sprach zu ihnen: „Meine Krankheit wird tödlich
sein, und darum bitte ich euch, dafs ihr die alten Busenfreunde,

---

* Also hiefsen im alten Norden die freien Männer (Freisassen), die auf
ihrem Hofe oder Gute ohne irgend welches Abhängigkeitsverbältnis von
dem Könige safsen. Ihre Güter waren oft von beträchtlicher Gröfse und
bedeutendem Umfange, besonders diejenigen der sog. Odalbonden, zu denen
Thorstein, Frithjofs Vater, gehörte.

die ich hatte, beibehalten möget, denn sowohl an Tapferkeit
wie an Klugheit steht ihr weit hinter Frithjof und Thorstein
zurück und könnt nichts ohne sie ausrichten." Thorstein aber
sagte zu seinem Sohne Frithjof: „Freund! Beuge, ich bitte
dich, deinen Sinn vor den Königssöhnen, denn so ziemt es
sich um ihrer Würde willen; aber auch aus dir wird, das sehe
ich voraus, noch etwas Großes werden." Bald darauf starb
Thorstein und folgte seinem König im Tode nach; über beide
aber wurde ein großer Grabhügel geworfen, und zwar, wie
Thorstein gebeten hatte, so, daß sich die Hügel auf beiden
Seiten des Meerbusens gerade gegenüber befanden, damit die
beiden Helden auch noch nach dem Tode die Freude hätten,
über vergangene Zeiten zusammen plaudern zu können.

Nun traten die drei Jünglinge das Erbe ihrer Väter an;
Frithjof erhielt von seinem Vater nicht nur reichen Landbesitz
und große Habe, sondern auch zwei Kleinode, die köstlichsten,
die es in Norwegen gab, ein Schiff, „Ellida" geheißen, und
einen Goldring. Dreißig Mannen bewegten die Ruder des
Schiffes, das mit Bogenschnäbeln versehen, festgebaut für das
Meer und an den Kanten mit Eisen beschlagen war; keiner
der Helden aber, die in ihm saßen, kam Frithjof gleich, welcher so stark war, daß er allein im Vorderteil „Ellidas" zwei
Ruder auf einmal bewegte, deren jedes dreizehn Ellen lang war,
während doch jedes einzelne der übrigen Ruder des Schiffes
zwei Mann zu seiner Bedienung erforderte. Zwei unter seinen
Mannen waren ihm die liebsten, seine Pflegebrüder Biörn und
Asmund, die beide ebenfalls große und starke Männer waren.*
Biörn schätzte er am meisten und Asmund diente ihnen beiden.

---

* Aus diesem ersten Kapitel unserer Sage hat Tegnér drei schöne Gesänge herausgesponnen. „Frithjof und Ingeborg", der erste derselben,
schildert die Entwickelung der Liebe zwischen beiden auf Hildings Gut,
„König Beli und Thorsten Vikingsson", der zweite, den Abschied der Väter
von ihren Söhnen, „Frithjof tritt die Erbschaft von seinem Vater an", der
dritte Gesang, beschreibt das große Besitztum Frithjofs, seinen Hof, seine
Felder, Ländereien und Wälder und in ganz besonders schöner Weise die
drei Kleinode (Tegnér fügt als drittes noch ein unwiderstehliches Schwert,
Angurwadel genannt, hinzu), deren Aussehen, wie die Geschichte ihrer Er-
werbung ausführlich und in epischer Breite, wie der Schild des Achilleus
bei Homer, geschildert werden. Die alte nordische Sage von Thorstein,
dem Vater Frithjofs, ist in die Geschichte dieser Kleinodien hinein verwebt,
ähnlich, wie in die Mahnworte der Väter an ihre Söhne die Sprüche des

Zweites Kapitel.

Frithjof wirbt um Ingeborg.

Frithjof wuchs nach dem Tode seines Vaters so sehr an
Ruhm und Ansehen und zeichnete sich in allen männlichen
Wagestücken derart aus, dafs nach dem allgemeinen Urteile
der Leute die Königssöhne nur durch ihre höhere Würde ihn
überragten; das verdrofs die letzteren sehr und sie fingen an,
Frithjof zu hassen, weil er höher geachtet wurde als sie und
weil sie merkten, dafs der Held und ihre schöne Schwester ihre
Herzen aneinander schlossen.* Sie fanden sich in einer langen
traulichen Unterhaltung, als einst die Könige mit Ingeborg auf
Framnaes einkehrten, um sich von Frithjof bewirten zu lassen,
der alles ihnen zu Ehren aufbot; die Königstochter bemerkte,
während sie mit Frithjof sprach, seinen guten Goldring mit
Wohlgefallen und gab ihm dies zu erkennen, Frithjof aber
stimmte ihr bei. Das alles hatten die Brüder bemerkt, und
als sie wieder nach Haus zurückgekehrt waren, wuchs ihr
Groll gegen Frithjof noch mehr. Dieser aber verlor seit jenem
Tage alle seine Heiterkeit, und als ihn sein Pflegebruder Biörn
nach der Ursache fragte, erklärte er demselben, er habe sich
entschlossen, um Ingeborg anzuhalten, denn an Achtung und
Ansehen, wenn auch nicht an Würde, stünde er ihren Brüdern
völlig gleich. Biörn stimmte bei und Frithjof fuhr nun mit
einigen Mannen zu den Königen, welche er auf dem Grabhügel
ihres Vaters sitzend antraf, wie sie gerade Recht sprachen;**
Frithjof grüfste sie, wie es sich ziemte, und brachte seine Werbung um ihre Schwester Ingeborg vor; die Könige aber antworteten: „sehr unklug ist es von dir, dafs du uns zumutest,
wir sollten sie einem Manne ohne Würde geben, wir schlagen

Hawamal, der Sammlung altnordischer Lebensweisheit in Gnomen und Sentenzen. Wie sehr schon hier Tegnér ausmalt, die einfachen Grundzüge
der alten Sage zu schönen Schilderungen und Erzählungen erweitert, psychologisch entwickelt und feine schöne Seelengemälde zeichnet, ist bei einer
Vergleichung der drei Gesänge mit unserem Kapitel leicht zu bemerken.
* Man beachte, welche schöne psychologische Schilderung des Heran-
wachsens der Liebe zwischen beiden Tegnér auf diese einfachen Worte der
alten Sage in seinem ersten Gesange gebaut hat.
** Volksversammlungen (Thinge) wie Gerichtstage leiteten die Könige
damals oft von solchen Gräbern der Helden aus.

sie dir gänzlich ab." Frithjof sprach: „So ist es also schnell
zu Ende gegangen mit meiner Werbung, nie aber will ich euch
von jetzt an Hilfe leisten, möget ihr deren auch noch so sehr
bedürfen." Die Könige antworteten, das kümmere sie wenig;
Frithjof aber fuhr nach Hause und gewann bald seine Heiterkeit wieder.*

Drittes Kapitel.
König Ring bedroht die Brüder und Frithjof ver-
weigert ihnen beim Schachspiel Hilfe.

Bald sollte es sich zeigen, wie thöricht die Brüder gehandelt hatten, als sie den besten Helden nicht nur ihres Landes,
sondern ganz Norwegens so kränkten, denn es nahte sich nun
Kriegsgefahr, weil man sich nicht mehr vor ihnen fürchtete.
Südlich von ihrem Lande lag ein Königreich, Ringreich (Hringa-
riki) genannt, weil es von einem König Ring regiert wurde,
der zwar schon bejahrt, aber ein wackerer und reicher Fürst
war; kaum hatte dieser gehört, daſs die Söhne Belis mit Frithjof,
dem berühmtesten aller Männer, in Zwist geraten waren, so
sandte er Boten zu ihnen und verlangte, sie sollten sich ihm
unterwerfen und Tribut zahlen, wenn sie es nicht auf einen
Krieg mit ihm ankommen lassen wollten; denn er dachte sich,
wie er zu seinen Mannen sagte, ihre Unterwerfung als eine
leichte Sache, da sie ohne Frithjof weder an Heeres- noch an
Verstandeskraft bedeutend seien, und wollte in seinem hohen
Alter sich noch den Ruhm, sie zu bezwingen, erwerben.

Nun gingen also die Boten des Königs Ring zu den Brüdern Helgi und Halfdan und richteten ihnen die Drohung desselben aus, daſs sie ihm entweder Tribut zahlen oder gegen
ihn kämpfen müſsten; die Könige aber gaben ihnen zur Antwort, die Schmach, Ring dienstbar zu sein, möchten sie nicht
einmal in ihrem Alter, geschweige denn in der Jugend, kennen

---

* Diesem Kapitel entspricht der vierte Gesang Tegnérs, „Frithjofs
Brautwerbung", welcher im ganzen treu der alten Erzählung folgt und nur
am Schluſs noch einen sehr schönen poetischen Zug hinzufügt, daſs nämlich Frithjof, als ihm Ingeborg wegen seines geringeren Standes mit Hohn
abgeschlagen wird, sein Schwert Angurwadel zieht und mit diesem den an
einem Aste hängenden Goldschild Helges in zwei Hälften teilt mit dem
Ausruf: „Du Angurwadel, du bist doch wahrlich von altem Adel!"

lernen, und sie würden nun alle Mannschaften sammeln, die sie nur zusammenbringen könnten. Mit Schrecken aber sahen sie alsbald, daſs ihr Heer zu klein sei, um gegen den reichen und mächtigen König Ring zu kämpfen, und daſs Frithjof allein es sei, durch dessen Hilfe sie noch auf Sieg hoffen könnten. Sie überwanden sich in ihrer Not und schickten des Helden alten Pflegevater Hilding zu dem Schwergekränkten, damit er durch seine milden Worte den Zürnenden besänftige, der ja an dem Erzieher seiner Jugend immer noch mit Liebe hing, und ihn bewege, den Königen zu Hilfe zu eilen. Frithjof vertrieb sich gerade mit seinem Waffenbruder Biörn die Zeit mit Schachspielen, als Hilding eintrat und ihm den Gruſs der Könige nebst deren Bitte um Hilfe gegen den übermütigen und ungerechten Angriff des Königs Ring ausrichtete; er antwortete dem Greise kein Wort, sondern spielte ruhig weiter, wie er aber über die Botschaft dachte, das bezeugten die doppelsinnigen Worte, die er an Biörn über den Stand des Spieles richtete: „Du bist ungedeckt und bloſsgestellt, Bruder! Brauchst aber deswegen deinen Zug nicht zu ändern, denn ich will lieber gegen diesen roten Stein (die Königin) ziehen und sehen, ob er geschützt ist." Hilding verstand die Anspielung und fiel betrübt ein: „Bedenke wohl, Sohn Frithjof, was du thust! Denn wenn du unseren Königen nicht zu Hilfe eilst, so drohen sie dir mit schwerem Ungemach, wenn sie aus dem Felde zurückkehren!" „Nun hast du zu wählen, Pflegebruder," sprach da Biörn, „und die Entscheidung zwischen zwei Zügen in deinem Spiele zu treffen." „Da greife ich ohne weiteres zuerst den König an," entgegnete Frithjof, „das ist die leichteste Entscheidung!" Das war die einzige Antwort, welche Frithjof seinem Pflegevater mit auf den Weg gab, aber der Alte hatte den Sinn der Anspielungen wohl verstanden und antwortete daher den Königen, als sie ihn nach seiner Rückkunft fragten, wie er denn die Worte Frithjofs auslege, folgendermaſsen: „Wenn er von der Lücke und Blöſse im Schachspiel sprach, so wollte er damit andeuten, daſs er euch durch sein Fernbleiben von der Heerfahrt bloſsstellen wolle; der rote Stein aber, den er angreifen wollte, bedeutete eure Schwester Ingeborg; hütet sie wohl und bringt sie schnell in Sicherheit! Was Biörn darauf

von der doppelten Wahl sprach, wurde durch meine Drohung
mit Rache von eurer Seite an Frithjof veranlafst, wenn aber
dieser sodann bemerkte, der König müfste zuerst angegriffen
werden, so bezog sich das auf Ring." Als die Könige nun
sahen, dafs ihre Hoffnung auf Frithjofs Hilfe vergeblich war,
rüsteten sie sich zum Kampfe, bevor sie aber auszogen, liefsen
sie Ingeborg mit acht Dienerinnen nach Baldurshain in Sicherheit bringen, denn der Ort, dachten sie, ist so geheiligt, dafs
noch niemand sich erdreistet hat, ihn zu entweihen, und auch
Frithjof wird es nicht wagen, sich daselbst Ingeborg zu nähern.
Darauf zogen sie südwärts zum Kampfe mit König Ring aus,
den sie in Soknarsund trafen, und liefsen ihm sagen, es dünke
ihnen eine Schande, dafs sie sich mit einem Manne schlagen
müfsten, der so alt sei, dafs er nur mittels Krücken zu Pferde
steigen könne — ein Hohn, der den Greis auf das höchste
reizte.*

Viertes Kapitel.

Frithjofs und Ingeborgs Liebesglück und Ver-
lobung in Baldurshain.

Kaum waren die Könige zum Streit ausgezogen, so rüstete
sich Frithjof, die „Königin", wie er im Schachspiel doppel-
sinnig geäufsert hatte, sich zu erjagen; er zog sein bestes Kleid
an, steckte den kostbaren Goldring an den Finger und bestieg
mit Biörn und Asmund sein Schiff „Ellida". „Nach Baldurs-
hagen!" antwortete er Biörn, als dieser ihn fragte, wohin sie
fahren wollten, „ich sehne mich, mit Ingeborg zu kosen."
Biörn schüttelte bedenklich das Haupt und mahnte ihn ab von
der Fahrt, da man den Gott nicht erzürnen dürfe. Frithjof aber

---

* Diesem Kapitel entsprechen der 5. und 6. Gesang Tegnérs („König
Ring und Frithjof beim Schachspiel"). Schön ist in demselben besonders
die Schilderung des milden, gerechten und würdigen Königs Ring und
seines friedlich blühenden Reiches — ein Charakter, der allerdings anders
sich darstellt als in unserer Sage, denn in dieser ist es Eroberungslust, die
Ring zum Kriege mit den Brüdern antreibt, während ihn Tegnér nur wegen
der höhnischen Zurückweisung seiner Werbung um Ingeborg, die er zur
zweiten Gemahlin, als Stütze seines Alters und Pflegerin seiner verwaisten
Kinder begehrt, zu den Waffen greifen läfst. Solchen Abweichungen von
den ursprünglichen Motiven der Sage — die aber immer aus höheren poetischen Rücksichten hervorgehen — werden wir noch öfter begegnen.

entgegnete: „Darauf lasse ich es kühn ankommen; was liegt
mir an Baldurs Zorn, wenn Ingeborg mir hold ist?" Sie fuhren
also über den Meerbusen gerade gegenüber nach Baldurshain
und traten in das mit feiner Leinwand und teurem Gewebe
kostbar ausgeschmückte Frauengemach, in welchem Ingeborg
mit acht Dienerinnen — gerade so vielen, als die Begleiter
Frithjofs — saſs; die Königstochter erschrak nicht wenig, als
sie die Männer sah, und ging Frithjof mit den zürnenden
Worten entgegen: „Wie kannst du so vermessen sein, Frithjof,
ohne Erlaubnis meiner Brüder diese heilige Friedensstätte zu
betreten und den Gott so gegen dich zu erzürnen? Weiſst du
nicht, daſs jeder Verkehr zwischen Männern und Frauen hier
streng untersagt ist?" Frithjof aber entgegnete: „Mag das
sein, wie es will, um deiner Liebe willen trotze ich auch dem
Zorne der Götter!" Nun besänftigte sich der Zorn der schönen
Ingeborg, sie hieſs ihren Helden und seine Mannen willkommen, wies ihm einen Platz an ihrer Seite an, trank ihm den
besten Wein zu und herzte ihn. Während sie nun so zusammen saſsen und sich küſsten, bemerkte die Jungfrau den
schönen Goldring, der ihr neulich schon bei dem Gastmahl in
Frithjofs Hause so gefallen hatte, und fragte ihn, ob ihm das
kostbare Kleinod zu eigen gehöre; als Frithjof das bejahte,
lobte sie den Ring wiederum sehr. Frithjof aber antwortete
ihr nicht mehr so kurz, wie neulich, sondern sprach: „Ich will
dir den Ring schenken, Ingeborg, wenn du mir geloben willst,
ihn niemals einem anderen zu lassen, sondern ihn mir zurück-
zusenden, wenn du ihn nicht mehr haben willst; und hiermit
wollen wir einander Treue geloben!" — Nun tauschten sie
unter gegenseitigem Gelöbnis der Liebe und Treue ihre Ringe
aus und Frithjof fuhr von jetzt an jeden Tag zu seiner Ingeborg nach Baldurshain.*

---

* Bei keinem Teile unserer Sage zeigt sich der Unterschied zwischen
der Darstellungsweise der alten Volkssage und derjenigen Tegnérs deutlicher als in diesem Kapitel, welchem der siebente Gesang Tegnérs (Frithjofs Glück) entspricht. Der Dichter hat die einfache, schmucklose, aber
kräftige Darstellung der alten Sage (deren realistischer Zug an einer Stelle
sich nicht wiedergeben lieſs) in einen hochpoetischen, ebenso zart und innig,
wie schwärmerisch-leidenschaftlich gehaltenen lyrischen Herzenserguſs Frithjofs umgewandelt, in einen Monolog desselben während seiner Fahrt zu
Ingeborg, der allerdings von der Kürze und Knappheit, mit welcher sich

Fünftes Kapitel.

Frithjof und Ingeborg getrennt; der Könige Rache an Frithjof.

Aber nur kurze Zeit sollte das Glück der Liebenden in Baldurshain dauern; bald nahte die Stunde, dafs sie sich trennen mufsten und Gefahr zog sich über Frithjofs Haupte zusammen. Die Brüder hatten nämlich während Frithjofs täglicher Liebesfahrten nach Baldurshain sich dem König Ring gegenüber gelagert, sahen aber bald, dafs er zu übermächtig sei, als dafs sie den Kampf mit ihm wagen könnten; sie machten daher Versuche zu einem friedlichen Ausgleiche, den jedoch Ring nur unter der Bedingung bewilligen wollte, dafs sie sich ihm unterwürfen und ihre Schwester, die schöne Ingeborg, ihm zur Gemahlin, nebst einem Drittel ihrer eigenen Habe gäben. Da ein Kampf gegen das allzusehr überlegene Heer Rings aussichtslos war, so gestanden die Könige die Forderungen desselben zu, worauf die Sühne mit Eiden bekräftigt und ausgemacht wurde, dafs Ring nach Sogni kommen sollte, um daselbst mit seiner Verlobten Vermählung zu feiern. Nach Abschlufs dieses Vertrages zogen die Brüder mit ihrer Mannschaft in sehr übler Stimmung zurück; als aber Frithjof diese Nachricht hörte, da ahnte er wohl, dafs es jetzt mit seinen Liebesfahrten nach Baldurshain zu Ende gegangen sei, und er sprach daher zu der Königstochter: „Wohl und stattlich habt ihr uns aufgenommen und auch der Bonde* Baldur hat uns nicht gegrollt ob unserer Liebe, doch dürfen wir uns wohl jetzt nicht mehr sehen, und sobald ihr daher erfahren habt, dafs eure Könige zurückgekehrt sind, so breitet eure Linnen auf dem Disarsaal** als Zeichen für mich aus, denn er ist der höchste

---

überall in den nordischen Sagen die Empfindung — bei aller ihrer Stärke, Tiefe und Gewalt — ausspricht, nicht das geringste enthält, vielmehr durch das allzulange Ausspinnen des lyrischen Gefühls — zuletzt im Wechselgespräch mit Ingeborg — am Ende fast ermüdet. Die moderne Darstellungsweise mit ihrer detaillierten Seelenmalerei und ihrem psychologischen Raffinement tritt hier in ihrem Unterschiede von der alten recht schlagend hervor. Tegnérs Frithjof ist eben ein sentimentaler Held, wovon sich bei dem altnordischen keine Spur findet.

* Der Ausdruck ist natürlich hier ironisch gemeint.

** Derjenige Teil des Baldurtempels, der den Göttinnen geweiht war und in welchem sich das Gemach Ingeborgs befand.

Teil des Gebäudes und wir können ihn von meinem Hofe aus auf der anderen Seite der Meeresbucht sehen." Ingeborg antwortete: „Kein anderer Mann hätte sich das erlauben dürfen, was ihr gethan habt, doch müssen wir ja in Wahrheit euch als unsere Freunde empfangen, wenn ihr kommt." Als aber Frithjof am anderen Morgen früh vor sein Haus trat, sah er, daſs auf dem Dache des Disarsaales jenseits des Meeresarmes das verabredete Zeichen erglänzte; nun wuſste er, daſs er nicht mehr, wie früher, nach Baldurshain in Ingeborgs Arme fahren durfte und rief daher:*

> Sagen muſs ich euch, Mannen mein,
> Daſs völlig vorbei ist die Liebesfahrt;
> Nicht sollet auf See noch ferner ihr segeln,
> Denn Linnen leuchtet von drüben mir her.

Wirklich sahen seine Mannen, als sie herauskamen, daſs der ganze Disarsaal mit gebleichter Leinewand bedeckt war. Da erkannte auch Biörn, was das bedeute, und sprach zu Frithjof: „Nun werden die Könige heimgekommen sein und wir dürfen nicht mehr lange ruhig zu Hause sitzen; das beste wird sein, wir sammeln jetzt unsere Mannschaft." Frithjof stimmte bei und hatte bald ein ansehnliches Gefolge um sich versammelt. In der That waren die Könige voll Zorn und Rachedurst gegen Frithjof, dessen Ausbleiben schuld an ihrem Miſserfolg gegen Ring war, zurückgekehrt und dachten darauf, wie sie ihn bestrafen könnten. Sie forschten daher seinen Plänen und der Stärke seiner Mannschaft nach, als sie aber erfuhren, wie stark dieselbe sei, sprach König Helgi: „Wir sind nicht kräftig genug, mit ihm zu kämpfen und müssen daher ihn auf andere Weise los zu werden suchen. Soll er denn umsonst dem Gotte Baldur die Schmach angethan haben, daſs er unsere Schwester Ingeborg in seinem Tempel jede Nacht besucht hat? Dafür muſs er uns entweder Sühne und Buſse

---

* An vielen bedeutenden Stellen unserer Sage werden noch solche Strophen in allitterierender Form wiederkehren, die wahrscheinlich die ursprüngliche Gestalt derselben (als poetisches Volksepos) darstellen und gleichsam als Überbleibsel derselben sich in der späteren Abfassung in Prosa erhalten haben.

bieten, oder aus dem Lande verbannt werden." Wiederum
ging Hilding als Bote der Könige zu seinem Pflegesohne und
brachte ihm in Gemeinschaft mit den Freunden Frithjofs folgende Nachricht: „Die Könige verlangen als Buſse für deinen
Frevel von dir, Frithjof, daſs du nach den Orkneyaden-Inseln
(an der Nordküste von Schottland) fahrest, um von dem Be-
herrscher derselben den Tribut einzutreiben, der seit dem Tode
des Königs Beli nicht bezahlt worden ist, denn sie brauchen
jetzt viel Geld, um ihre Schwester Ingeborg zu ihrer Vermählung mit Ring geziemend auszustatten." Frithjof antwortete
auf dieses Verlangen: „Nur mit Rücksicht auf die frühere
Freundschaft unserer Väter vertrage ich mich in Frieden mit
den Königen und füge mich ihrem Verlangen; aber ich kenne
die Brüder zu gut, als daſs ich Treue von ihnen erwarten
sollte, solange ich in der Ferne bin, und mache es daher zur
ausdrücklichen Bedingung meiner Abreise, daſs meine sämtliche Habe während meiner Abwesenheit nicht angetastet werden darf." Die Könige fügten sich mit argen Hintergedanken
dieser Bedingung und verbürgten sie mit Eiden. Im Vertrauen
hierauf rüstete sich nun Frithjof zur Fahrt und wählte sich
unter seinen Mannen 18 der tapfersten und tüchtigsten als
sein Gefolge aus; sie baten ihn, ehe er abfuhr, möge er sich
noch zu König Helgi begeben, sich mit ihm versöhnen und
den Gott Baldur um Verzeihung bitten, damit ihnen nichts
Übles auf der Reise geschehe; Frithjof aber schlug dies entschieden ab, setzte sein Schiff „Ellida" in stand und fuhr bald
darauf den Sognimeerbusen entlang nach dem offenen Meere zu.

So war also der arglose Held mit Arglist von seinem
väterlichen Erbteil weggelockt worden und sogleich reifte der
Racheplan der Könige, welche die soeben geschworenen Eide
nicht im mindesten achteten. Kaum war er abgefahren, so
sprach Halfdan zu seinem Bruder Helgi: „Nun wollen wir den
Frithjof recht unsere Macht als Könige spüren und ihn das
Unrecht, das er uns angethan hat, entgelten lassen! Auf, laſs
uns seinen Besitz verbrennen und ihm wie seinen Mannen
einen solchen Sturm nachsenden, daſs sie nicht lebend davon
kommen!" Helgi stimmte dem verräterischen Anschlag bei
und nun brannten die Brüder den ganzen Hof Framnaes nieder

und raubten Frithjofs sämtliche grofse Besitzungen aus; um
ihn aber gänzlich zu verderben, liefsen sie zwei Zauberweiber
Namens Heidi und Hamglöm kommen und gaben ihnen viel
Geld, damit sie Frithjof und seinen Mannen ein so greuliches
Unwetter auf der See erregten, dafs alle darin umkommen
müfsten; sofort begannen die Unholdinnen ihr böses Werk und
bestiegen den Zauberschemel mit Gesängen, Beschwörungen
und magischen Künsten. *

Sechstes Kapitel.
Frithjof kämpft mit dem Seesturm.

Kaum war Frithjof aus dem Sognibusen herausgelangt, so
begannen die bösen Künste der Zauberweiber schon ihre Früchte

---

* Der Glaube an Hexerei und Zauberei war im alten Norden sehr weit
verbreitet; auch Stürme und ähnliche Gefahren glaubte man durch magische
Künste Feinden erregen zu können. Von dem Inhalt dieses Kapitels hat
Tegnér übrigens nur die unfreiwillige Fahrt Frithjofs nach den Orkneyaden
aufgenommen; die Berufung der Hexen erwähnt er erst später, die Niederbrennung des Hofes Framnaes erst bei der Rückkehr des Helden. Die Erzählung von der Leinewand hat er nicht benutzt und statt derselben ein
rührendes und ergreifendes letztes Zwiegespräch zwischen Ingeborg und
Frithjof in dramatischem Dialog („Abschied") gedichtet, in welchem Frithjof, aus der Volksversammlung (dem Thing) heimkehrend, der Königstochter,
die ihn zum erstenmal vergeblich erwartet hat, voll Zorn und Entrüstung
erzählt, wie er ihren Brüdern in Gegenwart aller Männer des Things zum
letztenmal Versöbnung und Hilfe im Kriege gegen Ring (den Tegnér damals ebensowenig schon beendigt, wie Ingeborgs Verlobung mit Ring ab-
geschlossen sein läfst) anbietet, wenn sie ihm ihre Schwester verloben; wie
ihm aber diese darauf vor allem Volke seine nächtlichen Besuche im Baldurstempel als unerhörten Frevel vorwerfen und ihm, da das ganze Volk
nun voll Entsetzen den vorher so geliebten Helden verläfst, auftragen, zur
Sühne der Tempelschändung nach den Orkneyaden zu fahren und den Tribut einzutreiben. Nach Tegnér beschwört nun der Held mit rührenden
Bitten Ingeborg, mit ihm zu entfliehen und nach dem schönen Griechen-
land im fernen Süden, von dem ihm sein Vater Thorstein so viel erzählt
habe, zu ziehen, aber vergeblich; die Jungfrau will ihren geliebten heimi-
schen Norden und ihre Brüder, die nun Vaterstelle für sie vertraten, nicht
verlassen. Voll Schmerz, aber ohne Hoffnung des Wiedersehens scheidet
sie von dem Geliebten, der ihr als Erinnerung seinen köstlichen Armring
zurückgelassen hat, und singt ihm dann, als er schon lange in der Ferne
weilt, in dem schönen neunten Gesang („Ingeborgs Klage") ihren Gram
und ihre Sehnsucht über die Wogen zu. Von allen diesen rührenden und
ergreifenden Gemälden, Schilderungen und Scenen weifs die alte Sage mit
ihrer körnigen, knappen Ausdrucksweise nichts; sie waren aber nötig, um
den schönen alten Stoff zu einem modernen Gedichte umzugestalten, was
Tegnér meisterhaft gelungen ist — denn an der Darstellung, der psychologischen Entwickelung und Motiviernng ganz besonders erkennt man den
wahren Dichter.

zu treiben, denn es machte sich sofort ein scharfes Wetter und
ein gewaltiger Sturm mit mächtigem Wogenschwall an sie; das
Schiff aber hielt sich wacker, denn es segelte leicht und war
das beste Meerschiff, das es damals gab. Jemehr aber der
Andrang der Wogen wuchs und sein Leben bedrohte, desto
lebhafter stiegen in Frithjofs Seele die Bilder vergangenen
Glücks, die Erinnerung an die Stunden, die er bei Ingeborg
in Baldurshain zugebracht hatte, empor, und er konnte es während des ganzen, viele Tage und Nächte lang andauernden
Kampfes, den er jetzt mit dem höllischen Wetter zu bestehen
hatte, nicht unterlassen, seiner fernen Braut über die tosenden
Meereswogen hinüber zuzusingen. So sprach er jetzt, als das
Unwetter sich erhob:

> Segeln liefs ich aus Sogni, wo Jungfraun des Metes genossen
> Mitten in Baldurshain, bepichten Rappen des Seewinds;*
> Regen nun fafst im Rücken mich, doch send ich, Braut, dir Grüfse,
> Sinkt auch „Ellida" schon, denn liebend denkst ja mein du.

„Das wäre schon ganz schön, was du da singst," bemerkte
darauf Biörn, „doch hast du eigentlich andere Dinge zu thun,
als Lieder auf Baldurshains Jungfrauen zu dichten!" — „Immerhin," bemerkte Frithjof, „ich lasse nicht davon ab!" Jetzt
aber wuchs·das Wetter gewaltig an und verschlug sie nördlich
in die Sunde nach den Solundarinseln** zu. Da sang Frithjof:

> Sehr beginnt die See zu schwellen, Wolken segeln auf ihr hin;
> Lang schon herrschet Zauber hier, häuft die Wogen auf;
> Mit dem Meer nicht messen will ich mich im wilden Sturme;
> Dort Solundars eisumrahmte Inseln soll'n uns sichern.

Nun legten sie an der Küste der Solundarinseln bei und
dachten da zu warten, bis das Unwetter vorbei sei, und in der
That fiel dieses alsbald, worauf sie weiter segelten und die
Inseln im Rücken liefsen; eine Zeit lang hatten sie auch guten
Fahrwind und fingen schon an, Hoffnung zu schöpfen, aber
plötzlich begann die See wieder rauh zu werden. Da· sang
Frithjof in den Sturm hinaus:

---

* Poetische Umschreibung für Schiff.
** Sie liegen vor dem Ausgang des Sognibusens, der norwegischen
Küste gegenüber.

> Früher fuhr aus Framnaes ich,
> Rudernd in Ruh, zu Ingeborg;
> Segeln nun soll ich in brandender See
> Leicht auf dem laufenden Langschiff dahin.

Jemehr sie jetzt in das offene Meer hinauskamen, um so heftiger wogte die See wiederum und der Sturm mit Schneegestöber wuchs so mächtig, daſs man keinen von beiden Schiffssteven erkennen konnte und die Mannen immerfort im Schöpfraum arbeiten muſsten, um das Schiff gegen den Andrang der Wogen zu verteidigen. Da sang Frithjof wiederum in die brausenden Wogen hinaus:

> Rings verschwunden ist die Welt vor dem Zauberwetter;
> Weit verschlagen in das Meer sind wir, werte Mannen;
> Weit weg sind Solundars Inseln, doch im Schöpfraum stehen
> Achtzehn meiner Mannen da, „Ellida" zu schützen.

„Wer Miſsgeschick begegnen will, muſs weit zur See reisen," bemerkte ihm Biörn; Frithjof aber entgegnete: „Ganz gewiſs, Pflegebruder," und sang:

> Helgi wirkt, daſs die Wogen reifbehaart rings wachsen;
> Schöner war es, zu küssen die Braut im Haine Baldurs;
> Wohl sehr ungleich lieben mich Ingibiörg und ihr Bruder;
> Glücklich, gewönn' ich einst die leuchtende Maid als Gattin!

„Das glaube ich gerne," erwiederte Biörn, daſs sie dir bessere Dinge zudenkt als diese hier, aber doch ist es gar nicht übel, wenn man mit den gegenwärtigen umzugehen weiſs." „Allerdings," entgegnete Frithjof, „ist jetzt die beste Gelegenheit, zu erproben, was die Mannen meines Gefolges vermögen, aber in Baldurshain war es doch viel schöner und sanfter." Seine Mannen strengten sich jetzt heldenmäſsig an, denn sie waren lauter tapfere und entschlossene Leute und das Schiff das beste, das es in den Nordlanden gab. Frithjof aber sang in die Wogen hinaus:

> Rings verschwunden ist die Welt, westlich ins Meer sind wir kommen;
> Wie in einen einzigen Sumpf schauen ins Meer wir jetzo;
> Wogen wälzen Hügeln gleich, weiſs wie Schwän', einher sich;
> Und „Ellida" wird geworfen von dem wilden Schwalle.

Da kamen so mächtige Anfälle, daſs sie alle in den Schöpfraum muſsten, Frithjof aber sang:

> Viel trinkt mir zu das trübe Meer;
> Die Maid, die mich minnt, wird klagen vor Schmerz,
> Im Osten, wo Linnen zur Bleiche sie legte,
> Wenn sinken ich soll in die weiſse Woge.

„Glaubst du wirklich, daſs die Sognischen Mädchen dir
viel nachweinen würden?" fragte ihn da Björn. „Ganz gewiſs,
daran denke ich eben," antwortete Frithjof. Da stürzte sich
ein wahrer Wasserfall von dem Steven her in das Schiff hinein, aber das hielt den Anprall aus, weil es so vortrefflich war
und die tapfersten Leute als Bemannung hatte. Als dies Biörn
sah, ergriff auch ihn die Lust, in die grollende See hinaus zu
singen:

> Nicht ist's, wie wenn winken dir Weiber zum Trinken,
> Im Glanz der Geschmeide dich rufen zur Freude;
> Voll Salz giebt's hier Augen, wir sinken in Laugen,
> Die beiſsen die Lider, ermüden die Glieder.

Nun mischte sich auch Asmund, der dritte der Pflegebrüder, in die Unterhaltung und sagte: „Das schadet euch gar
nichts, wenn ihr einmal tüchtig eure Arme brauchen müſst,
denn ihr hattet mit uns auch kein Mitleid, wenn wir uns
schläfrig die Augen rieben, als ihr so früh in Baldurshain auf-
standet, damit niemand euch herauskommen sähe!"

„Willst du denn nicht auch einmal singen, Asmund?"
fragte Frithjof seinen Gefährten, dieser aber antwortete: „Daran
soll es nicht fehlen!" und sang:

> Mächtig drängt das Meer uns, kalt ward's um den Mastbaum,
> Schöpfen muſs mit acht ich in dem Schiff nun tüchtig;
> Süſser war es früher, Frauen Frühstück bringen,
> Als „Ellida" schöpfen in dem Wogensturme.

„Du hast uns allerdings recht tüchtig geholfen," sagte
Frithjof mit Lachen, „doch zeigtest du soeben, daſs du von
Knechten abstammst, da du am liebsten in der Küche beschäf-
tigt sein wolltest." Nun aber wuchs das Unwetter so mächtig,
wie es nie zuvor gewesen war, so daſs Frithjof und seinen
Mannen der Wasserschwall, der von allen Seiten her auf das

Schiff zurauschte, nicht wie Wogen, sondern wie Felsabhänge und Berge vorkam. Da aber dachte Frithjof mit höchster Leidenschaft an Ingeborg und sang den Wogen entgegen:

> Auf dem Polster safs ich in Baldurshain,
> Sang der Königstochter manch Lied der Liebe;
> Nun soll das Bett ich besteigen der Ran,*
> Ein andrer wird lieben Ingibiörg.

Solche Todesgedanken gefielen aber dem wackeren Biörn nicht und er schalt daher seinen Waffenbruder: „Du verrätst da eine starke Furcht in deinen Worten, Pflegebruder! Das ist doch wirklich schade, wenn ein so tapferer Held Schrecken zeigt!" Frithjof aber entgegnete: „Wenn ich gerne mich unserer Liebesfahrten erinnere, so zeigt das weder von Furcht noch von Schrecken, und so mag ich immerhin derselben mehr gedenken, als es vielleicht nötig ist; die meisten Männer aber würden, wenn sie in unserer Lage wären, dem Tode näher als dem Leben zu sein glauben, und darum sollst du noch einiges von mir hören" — und darauf sang er:

> Nicht vergessen kann ich's; Euch nicht war's vergönnt ja,
> Unter acht der Mägde Ingeborg zu sprechen.
> Rote Ringe tauschten wir im Haine Baldurs,
> Vor dem Gott, dem güt'gen, welcher Halfdans Gut schützt.

Biörn antwortete: „Es ist nun vorbei, Waffenbruder, und du mufst dich zufriedengeben mit dem, wie es jetzt geworden ist." Kaum hatte er das gesprochen, so kam ein mächtiger Anfall der See, welcher die Schutzwehr und beide Buge des Schiffes wegrifs und vier Mann über Bord spülte, die alle ertranken. Frithjof aber sang da:

> Beide Buge barsten im mächt'gen Schwall des Meeres,
> Vier verschlang der Mannen des Meers grundlose Tiefe.

Darauf rief er seine Mannen zu sich und sagte zu ihnen: „Es scheint, dafs manche von uns heute zur Ran fahren sollen, und da wäre es nicht anständig, zu ihr zu gehen, wenn wir uns nicht vorher ordentlich schmücken; jeder von euch soll

---

* Der Meeresgöttin.

daher etwas Gold bei sich haben, wenn er zur Meeresgöttin
kommt" — mit diesen Worten hieb er den Ring entzwei, den
er von Ingeborg empfangen hatte (denn wozu, dachte er, soll
er mir noch nützen, da Ingeborg ja dem alten König Ring ver-
lobt ist?), verteilte ihn unter seine Mannen und sang dabei:

> Den Goldring jetzt zerhau ich, den Halfdan ihr gegeben,
> Eh Ögirs* Schlund uns schlinget, des Herrn der reichen Schätze;
> Gold muſs man sehn an Gästen, wenn wir zur Gastung kommen.
> So ziemt sich's rechten Männern in Ranas reichem Saale.

Biörn antwortete: „Das ist ja noch keineswegs ausgemacht,
daſs wir zur Ran fahren werden, noch ist unsere Sache nicht
hoffnungslos" — und wirklich zeigte sich auch alsbald die Ursache des ganzen schrecklichen Unwetters, mit dem sie bisher
zu kämpfen gehabt hatten; denn sie spürten plötzlich einen
mächtigen Druck um das Schiff, als würde es ringsum zusam-
mengepreſst, während man doch nicht erkennen konnte, woher
derselbe käme, denn Dunkelheit lagerte sich von allen Seiten
her um das Schiff und die Helden, so daſs man keinen von
beiden Steven sehen konnte vor dem Wogenschwall, dem Schneegestöber, dem Frost und der entsetzlichen Kälte. Darum fuhr
Frithjof in den Mastbaum hinauf, und als er so bessere Aussicht gewonnen hatte, rief er mit lauter Stimme zu seinen
Mannen herunter: „Jetzt weiſs ich, woher das ganze Unheil
kommt! Da sehe ich einen wunderlichen Anblick: ein mächtiger Walfisch liegt in einem Ring um das Schiff und will
uns, wie es scheint, abhalten, an das Land zu steigen, dem
wir nahe gekommen sind; das ist wahrscheinlich eine Freund-
schaftsbescherung des Königs Helgi, die er uns auf unserer
Reise nachgeschickt hat, denn ich sehe noch zwei Hexenweiber
auf dem Rücken des Wales reiten und die werden uns mit
ihrem schändlichen Zauber und ihren magischen Künsten dieses
Unwetter erregen; jetzt aber wollen wir sehen, was mehr vermag, unser Glück oder dieser Zauberspuk; darum steuert jetzt
tüchtig darauf los, ich aber will diesen Unholden mit dem
Prügel einen Denkzettel geben."

„Das ist ein prächtiges Brüderpaar!" entgegnete Biörn,

---

* Der Gott des Meeres.

indem er ans Steuerruder eilte; „da kann man so recht ihre Gesinnung gegen uns erkennen!" Frithjof aber sang, während er sich zum Angriff auf die Unholde rüstete, mit lauter Stimme:

Zwei Hexen hoch auf den Wogen ich seh,
Die Helgi hierher hat gesandt;
Die soll zerschneiden mitten entzwei
„Ellidas" Rücken, eh weiter sie fährt.

Heil „Ellida", lauf auf den Wogen,
Zerbrich dem Zaubervolk Zähne und Stirn,
Kinn und Kinnlade der garstigen Brut,
Einen Fufs oder zwei dem Hexengezücht!

Mit diesen Worten schofs er seine Keule auf die eine Gestaltwechslerin ab — das Schiff „Ellida" aber verstand seines Gebieters Stimme* und wurde von seiner Anrede so befeuert, dafs es mit dem scharfen Schnabel der andern auf den Rücken fuhr, so dafs den beiden Unholdinnen das Rückgrat zerbrochen wurde; da fuhr auch der Zauberwal plötzlich in die Tiefe, dafs man ihn nicht mehr sah, und das Wetter ward nach Vernichtung des Hexenspuks auf einmal wieder ruhig und hell. Das Schiff aber ging nach dem harten Sturme schwer und tief, und Frithjof rief daher seine Mannen heran und befahl ihnen, „Ellida" auszuschöpfen; Biörn sagte: „Die Arbeit nützt jetzt doch nichts mehr." Frithjof aber schalt ihn darum und sprach: „Hüte nun du dich vor Furcht, Waffenbruder! Das ist von jeher Heldensitte gewesen, Hilfe zu leisten, solange man kann, mag nachher kommen, was da will!" und um Biörn und seine ermüdeten und erschöpften Mannen wieder anzufeuern, sang er:

Nicht dürft ihr, Degen, den Tod jetzt fürchten,
Raffet euch auf, ihr Recken mein!
Träume thaten es jüngst mir kund:
Ingibiörg, einst wird sie noch mein!

Nun wurden seine Mannen wieder munter und schöpften nach seinem Befehle das Schiff aus; auch waren sie jetzt dem Lande nahe gekommen, mufsten sich aber noch durch einen tüchtigen Platzregen, der sich ihnen entgegenwarf, durchkämpfen. Um dem Schiffe Flügel zu machen, ergriff da Frithjof

---

* Wie die göttlichen Rosse des Helden Achilleus.

die zwei Ruder im Vorderteil, die niemand anders bewegen
konnte als er selbst, und ruderte mit seiner gewaltigen Kraft,
so daſs sie, da auch das Wetter sich wieder aufhellte, bald an
dem Strand von Effjasund (einer der Orkneyaden, zu denen
Frithjof gesandt war, um den Tribut einzutreiben) landen
konnten. Aber Frithjofs Mannen waren von den ungeheuren
Anstrengungen, die sie während des achtzehntägigen Sturmes
auszustehen gehabt hatten, so erschöpft und todmüde geworden,
daſs sie nicht mehr die Kraft hatten, auszusteigen; da nahm
sie der Held, dessen Stärke so wenig wie sein Frohsinn und
Mut durch den entsetzlichen Sturm hatte gebrochen werden
können, auf seine Schultern und trug acht Mann durch die
Brandung hindurch ans Land, wo er sie hinlegte, Biörn aber
zwei und Asmund einen; darauf sang er zum Schluſs seines
Liederspiels und Gesangskampfes mit dem wilden Meer:

> Aufwärts trug ich zur Feuerstatt
> Müde Mannen im Meeresschwall;
> Endlich rastet das Segel am Strand,
> Wenig Wonne giebt Kampf mit dem Meer!*

Siebentes Kapitel.

Frithjof weilt auf den Orkneyaden bei dem Jarl** Angantyr.

So war also Frithjof mit seinen Mannen glücklich dem
furchtbaren Sturme entronnen, welchen ihm König Helgi durch

---

* Die Schilderung des Seesturmes ist in der alten Sage, wie in der
Tegnérschen Bearbeitung der Höhepunkt der ganzen Erzählung. Tegnér
hat sich hier am treuesten an den Urtext angeschlossen, den Gang der
Handlung gänzlich beibehalten und denselben nur, wie überall, poetisch
belebt und vertieft; daſs aber auch der alten Sage viele poetische Schön-
heiten innewohnen, werden unsere Leser wohl empfinden. Ist es doch ein
echt poetischer Gedanke, den Helden mitten im gräſslichsten Unwetter, in
drohender Lebensgefahr, mit heiterer Laune in die brüllenden Wogen hin-
aussingen und der fernen Geliebten poetische Grüſse zusenden zu lassen:
Immer steigen im tosenden Aufruhr der Elemente die Bilder vergangenen
Liebesglückes vor seiner Seele auf und er besingt diese Erinnerungen in
der einfach-kräftigen und tiefen Weise, welche der altnordischen Dichtkunst
für die Empfindungen des Herzens eigen ist, die von moderner Sentimentali-
tät und Weitschweifigkeit im Ausdruck der Gefühle noch nichts weiſs. Was
plastisch-malerische Kraft der Schilderung betrifft, so ist dieser zehnte Gesang
der Tegnérschen Bearbeitung wohl der vollendetste des schönen Gedichtes.
** Also hieſsen die Fürsten, welche unter dem Könige, oft von diesem
so gut wie unabhängig, standen — um in der Sprache des späteren Mittel-

die von ihm bestochenen Zauberweiber hatte bereiten lassen. Müde und abgemattet von dem achtzehntägigen heldenhaften Kampfe mit dem höllischen Zauberwetter lagerte er nun an dem Strande der Insel Effia, der gröfsten unter der Inselgruppe der Orkneyaden, und dachte an der Feuerstätte, an welcher er mit seinen Gefährten die erstarrten Glieder wärmte, darüber nach, wie er den Auftrag, mit welchem ihn König Helgi zu dem Jarl der Inseln gesandt hatte, vollführen könne; durfte er doch nicht eher in seine Heimat und zu seiner Ingeborg zurück- kehren, als bis er die Schuld, die er durch die nächtliche Ent- weihung des Baldurstempels auf sich geladen hatte, durch die ihm auferlegte Bufse, nämlich die Eintreibung des rückstän- digen Tributes von dem Jarl der Inseln, gesühnt hatte! Es war dies keine leichte Sache, denn der Jarl Angantyr, welcher damals von der Insel Effia aus über die Orkneyaden herrschte, war ein tapferer und mächtiger Fürst, während Frithjof nur achtzehn Mannen bei sich hatte; aber der Held wufste, dafs der Jarl ein Freund seines Vaters Thorstein war und dachte darum, dafs er wohl ohne Anwendung von Waffengewalt den Tribut von Angantyr werde erhalten können. Während er nun so nachsann, war schon die Kunde von seiner Ankunft in die stattliche Burg des Jarls, welche in der Nähe des Meeres- strandes lag, gedrungen; denn Angantyr, welcher ein ebenso tapferer Zecher als Kämpe war, pflegte, wenn in seinem Trink- saale das Methorn umherging, einen seiner Mannen an das Fenster desselben zu setzen, der nach dem Wetter und den ankommenden Seefahrern ausschauen und Wache halten, aber ebenfalls wacker mitzechen mufste; das Tierhorn, aus dem dieser Wächter trank, mufste stets sofort mit einem frisch- gefüllten vertauscht werden, wenn das eine leer war, und nie- mals durfte bei dem Wächter sowohl wie bei dem Jarl und seinen Mannen eine Pause im Zechen eintreten. Als nun Frithjof mit seinen Mannen auf die Insel zufuhr, safs gerade ein Mann, Namens Hallward, als Wächter am Fenster der Burg; der sah noch die letzten Anstrengungen der Helden und sang:

---

alters zu reden — die grofsen Lehnsvasallen (ohne dafs dieser Begriff direkt in die altnordische Welt zu übertragen wäre) oder die Herzöge, während die Hersen etwa den Gaugrafen entsprechen.

> Männer seh sechs ich in mächtigem Wetter
> Schöpfen „Ellida" und sieben rudern;
> · Dem kampffrohen Frithjof gleicht der Geselle,
> Der vornen im Steven mit Rudern sich regt.

Dann trank er das Horn aus lauter Freude, dafs der
mächtige Held Frithjof da sei, bis auf den Boden leer, warf es
durch das Fenster hindurch einer der schönen Jungfrauen,
welche den zechenden Kämpen die Methörner zu füllen pfleg-
ten, zu und sang:

> Schnell von dem Boden, schönfüfsiges Weib,
> Hole das Horn, ich hab es geleert;
> Männer im Meer seh ich, müde des Regens,
> Hilfe zum Hafen bedürfen sie sehr.

Die letzten Verse des alten Zechers Hallward aber hatte
der Jarl Angantyr gehört und fragte ihn nun, was es für
Neuigkeiten gäbe. Hallward antwortete: „Es sind todmüde
Männer ans Land gestiegen, aber sie sehen wie wackere Helden aus und einer darunter ist so stark, dafs er die andern
ans Land trägt." — Da sprach der Jarl: „Das ist sicherlich
Frithjof, der Sohn meines alten Freundes, des Hersen Thorstein, welcher ausgezeichnet ist in allen Heldenkämpfen; gehet
darum den Männern entgegen und empfanget sie artig." —
Kaum aber hatte der Jarl den Namen Frithjof genannt, da
sprang einer von seinem Hofgesinde, ein gewaltiger Wikinger
und Berserker,* Namens Atli, der mit neun seiner Genossen,
lauter bösen und wilden Männern, die oft den Berserkerpfad
gingen, an der Tafel des Jarls safs und zechte, heftig empor
und rief laut: „Nun will ich erproben, ob es wahr ist, was
man sich erzählt, Frithjof habe ein Gelübde gethan, dafs er
niemals einen Menschen in der Welt um Frieden bitten wolle"

---

* Die Berserker waren rasende Kämpfer, welche das Kriegerhandwerk
als Gewerbe betrieben. Sie gehörten ebensogut wie die Skalden oder
Dichter zum Hofstaate eines Nordlandsfürsten der damaligen Zeit und
waren von so unbändiger kriegerischer Leidenschaft erfüllt, dafs sie in einen
förmlichen Zustand von Raserei gerieten, wenn der Kampf begann; oft
stachelten sie ihre Wut noch durch berauschende Getränke. Ihren Namen
hatten sie davon, dafs sie in ihrer kriegerischen Leidenschaft den Panzer
verschmähten (bar = blofs, serkr = Panzer). Die alten Sagen des Nordens sind voll drastischer Schilderungen dieser Kampfmonomanie und der
Ausdruck „Berserker" ist aus ihnen in unsere Sprache übergegangen.

(Frithjof bedeutet wörtlich: „Friedensdieb"); und sofort ergriff
er mit seinen Genossen die Waffen, stürmte hinaus und rief
Frithjof, der noch an dem Feuer lagerte, zu: „Nun rate ich
dir, Frithjof, dich uns zu stellen, denn Adler, die sich begegnen,
müssen die Krallen gebrauchen; nun zeige, ob du dein Wort
halten kannst, dafs du niemals jemanden um Frieden bitten
wollest!" Auf diese trotzige Herausforderung sprang der Held
auf, wie müde er auch noch war, rüstete sich zum Kampfe
gegen die wilden Gesellen und sang:

> Nicht sollt ihr zur Furcht uns zwingen,
> Angsterfüllte Inselbewohner!
> Lieber fecht ich, als Frieden erbitten,
> Bin ich auch einer nur gegen euch zehn!

Gerade in diesem Augenblicke, als sich die beiden Helden
zum Zweikampfe rüsteten und alle Umstehenden voll Erwartung auf sie sahen, kam der alte Hallward als Bote des Jarls
an und rief: „Der Jarl heifst euch alle willkommen und sein
Wille ist, dafs euch niemand etwas zu leide thun soll!" —
Frithjof antwortete, die Einladung nehme er gerne an, sei aber
auch ebenso zum Kampfe bereit. Nun traten sie alle in die
Burg des Jarls ein, welcher Frithjof und seine Mannen wohl
aufnahm; sie mufsten den ganzen Winter über bei ihm bleiben
und wurden wohl von ihm bewirtet. Oft mufsten sie ihm die
Winternacht mit der Erzählung ihrer Reiseabenteuer und aus-
gestandenen Gefahren verkürzen, und Biörn sang dann, wenn
Frithjof dem Jarl von dem fürchterlichen Zauberwetter erzählte,
das ihnen beinahe den Untergang gebracht hätte:

> Wir schöpften, als der Schwall hereindrang,
> An beiden Borden, heitere Helden,
> Zehn der Tage und acht dazu!

Den Jarl erzürnte da die Unthat Helgis sehr und er
sprach zu Frithjof: „Der König Helgi ist euch tüchtig auf den
Leib gerückt; das sind doch wahrlich schlechte Könige, die zu
nichts anderem taugen, als Männern mit Hexerei beizukommen;
er hat dich durch die Zauberweiber auf der Reise verderben
lassen wollen, damit du deinen Auftrag, den Tribut von mir
zu holen, nicht vollführen könntest, denn sonst wärest du ja

entsühnt und dürftest wieder in deine Heimat zurückkehren.
Du wunderst dich, daſs ich weiſs, weswegen du zu mir gesandt bist? Wohl kenne ich deinen Auftrag, aber ich erkläre
dir gleich von vornherein, daſs König Helgi niemals irgend-
welchen Tribut von mir empfangen wird, dir aber, als dem
Sohne meines alten Freundes Thorstein, gebe ich gern so viel
Geld und Gut als Gast- und Freundschaftsgeschenk, als du
nur willst; das kannst du dann Tribut nennen, wenn es dir so
behagt, oder auch nicht, wenn es dir so besser gefällt." —
Frithjof erklärte sich gerne mit diesem Vorschlage einverstanden,
da ja die schwierige Sache hierdurch in gütlicher Weise erledigt wurde, und der kluge Jarl hatte sich durch diesen Vergleich geschickt und ohne sich zu demütigen mit dem ihm
werten Helden vertragen.*

Achtes Kapitel.
Wie Frithjof Ingeborg verlor.

So war endlich der Zweck der mühseligen und gefahrvollen
Fahrt erreicht und Frithjof durfte nun hoffen, im Frühjahr als
Entsühnter nach Hause zurückzukehren und durch die Erlegung
des Tributs aus den ihm von dem Jarl überwiesenen reichlichen
Geldspenden die Bedingung zu erfüllen, unter welcher ihm das
Vaterland wieder erschlossen werden sollte. Er ahnte nicht,
wie viel Trauriges sich begeben hatte, während er heiter und
zufrieden den Winter über an dem Hofe des gastfreien Jarls
lebte. Zwar waren die beiden Hexen, welche ihm das Unwetter erregt hatten, für ihre Übelthat bestraft worden; denn
in demselben Augenblicke, in welchem Frithjof den Meerhexen
auf dem Rücken des Walfisches mit dem Prügel und dem
Schnabel „Ellidas" den Rücken zerbrach, fielen die Zauber-

---

* Auch in diesem Teile der Erzählung hat sich Tegnér (im 12. Gesange „Frithjof bei Angantyr") ziemlich treu an die alte Sage gehalten; er
weicht nur darin von derselben ab, daſs er den Kampf zwischen dem Berserker Atli und Frithjof wirklich zu stande kommen und diesen als Sieger
hervorgehen läſst; die Schilderung des wilden Zweikampfes ist sehr anschaulich und lebendig und entspricht ganz ähnlichen Beschreibungen in den
alten Sagen des Nordens. Das Zechen des alten Hallward beschreibt
Tegnér mit vielem Humor; die Schilderungen der Pracht und des Glanzes
des Jarls und seines Hofes sind wohlgelungene Ergänzungen und weitere
Ausführungen der alten Sage.

weiber in Sogni, mitten in ihrem bösen Treiben, vom Zauberschemel herab und brachen beide ebenfalls das Rückgrat; König
Helgis Rachedurst aber war durch den schrecklichen Sturm
noch nicht gestillt; um Frithjof recht empfindlich zu kränken,
wenn er aus demselben entkommen sollte, brannte er, wie wir
schon wissen, in Gemeinschaft mit seinem Bruder Halfdan
Frithjofs stattliches Gut Framnaes bis auf den Boden ab, der
bei der Abfahrt des Helden beschworenen feierlichen Eide nicht
achtend. Das Schmerzlichste aber für den edlen Helden geschah im Herbste, denn da kam der alte König Ring aus
Ringareich nördlich nach Sogni, um sich mit Ingeborg zu vermählen; die Brüder mußten ihm Wort halten und rüsteten ein
stattliches Gastmahl aus, auf welchem Ring den Hochzeitstrunk
mit Ingeborg that. Hierbei bemerkte er den schönen Goldring
Frithjofs an Ingeborgs Hand und fragte sie, woher sie denselben hätte? Die Arme antwortete, ihr Vater habe ihn ihr
geschenkt. Ring aber entgegnete unfreundlich: „Das ist nicht
wahr! Der Ring stammt von Frithjof, zieh ihn sogleich von
der Hand, denn an Gold wird es dir nicht fehlen, wenn du
nach meiner Residenz Alfheim kommst." Traurig gehorchte
die verratene Ingeborg dem alternden Gemahle und gab den
teuren Ring dem Weibe Helgis, damit sie ihn Frithjof wieder
zurückgebe, wenn er von der Fahrt heimkehre. Nun nahm der
König Ring sein Weib mit nach Hause und liebte es sehr.*

Neuntes Kapitel.
Frithjof kehrt zurück, rächt sich an den Königen und verbrennt Baldurs Tempel.

Als es wieder Frühling geworden war, ergriff Frithjof die
Sehnsucht, in seine Heimat zurückzukehren, und er nahm von

---

* Die in diesem Kapitel erwähnten Vorfälle erzählt Tegnér erst später,
nach der Rückkehr Frithjofs, als der Held voll Bestürzung auf den Ruinen
seines eingeäscherten Besitzes steht. Hilding, sein alter Pflegevater, tritt
zu ihm und erzählt ihm die treulose und meineidige That der Könige und
den Verlust Ingeborgs, indem er den darüber verzweifelnden und Ingeborg
der Untreue anklagenden Helden mit einer rührenden Schilderung des
stillen Leidens und Duldens und der unveränderten Liebe der von ihren
Brüdern dem alten Ring geopferten Geliebten tröstet, so daß er Ingeborg
nicht mehr zürnt. Während die alte Sage dieser inneren Herzens- und

dem gastfreien Jarl Abschied, der ihn in Liebe und Freundschaft entliefs; den alten Zechbruder und Kämpen Hallward,
der ihn zuerst bemerkt hatte, nahm Frithjof mit sich. Der
Held — der ja noch nicht wufste, was unterdessen geschehen
war — hoffte, nachdem er den ihm erteilten Auftrag so wohl
ausgeführt hatte, nun sein väterliches Erbteil wieder in Besitz
nehmen und als Entsühnter ruhig auf demselben leben zu
können, wenn er auch vielleicht Ingeborg werde betrauern
müssen; ahnungslos und freudevoll, endlich die lange entbehrten
heimatlichen Gestade wiederzusehen, landete er also an der
norwegischen Küste; hier aber erfuhr er die Schreckensbotschaft, dafs sein sämtliches Besitztum verbrannt und aus-
geraubt war, und als er Framnaes erreicht hatte und die gräfs-
liche Verwüstung daselbst sah, rief er aus: „Schwarz ist meine
ruhige Heimat geworden und Freunde haben hier nicht ge-
hauset:"

>Früher tranken in Framnaes wir,
>Heldenmänner, mit meinem Vater;
>Die Flamme nun frafs mein väterlich Gut,
>Doch lohn ich den Frevel den Fürsten noch!

Darauf rief er seine Mannen zusammen und hielt mit ihnen
Rat, was nun zu thun sei; sie überliefsen ihm die Entscheidung und er bestimmte daher, dafs sie zu den Königen fahren
und ihnen den Tribut ausliefern wollten. Sie ruderten also
über den Meerbusen gerade gegenüber nach Syrströnd, der
Residènz des Königs Helgi, zu, und erfuhren daselbst, dafs
dieser mit seinem Bruder sich gerade in Baldurshain befände,
um den Göttinnen (Disen) ein Opfer darzubringen. Nun fuhr
also Frithjof mit Biörn, Rachegedanken im Herzen, nach dem
Tempel des Baldur, befahl aber, ehe er denselben betrat, dem
Hallward und Asmund samt ihren Gefährten, alle Schiffe der
Könige, die in der Nähe waren, grofse und kleine, während er
im Tempel sei, anzubohren, und so geschah es. Nur schritt

Seelenkämpfe der armen Königstochter mit keinem Worte erwähnt, [hat
Tegnér diese Gelegenheit zu einem der schönsten Seelengemälde in seinem
Gedichte benutzt — eines von den vielen charakteristischen Beispielen, wie
sich die Darstellung der alten Sage von derjenigen der modernen Bearbeitung unterscheidet.

er mit seinem treuen Biörn auf die Thür des Tempels zu und
wollte eintreten; Biörn, dem er auftrug, unterdessen Wache an
der Thür zu halten, damit keiner von dem Gefolge der Könige
eindringen könne, ermahnte ihn zur Vorsicht, da er ja ganz
allein sei, Frithjof aber verliefs sich auf seinen Mut, seine
Heldenkraft und seine gerechte Sache, und sang:

> Einer allein betret ich den Tempel,
> Keines bedarf ich, die Kön'ge zu finden:
> Feuer werft in der Fürsten Haus,
> Kehr Abends ich zu euch nicht zurück!

Biörn antwortete: „Da hast du recht, so wollen wir es
halten!" Als nun Frithjof eintrat, sah er, dafs in dem Saale
der Göttinnen sich nur wenige Leute der Könige befanden,
diese selbst aber mit dem Disenopfer beschäftigt waren und
gerade beim Trunk safsen, während ihre Weiber neben einem
auf dem Fufsboden brennenden Feuer kauerten und das Bild
des Gottes Baldur über den Flammen bähten, salbten und mit
Tüchern abtrockneten. Festen Schrittes und flammenden Auges
trat nun Frithjof vor den König Helgi und sprach mit grollen-
der Stimme: „Nun will ich dir den Tribut, der dir gebührt,
bezahlen!" — schwang den Beutel, welcher das Silber enthielt,
und schleuderte ihn Helgi mit solcher Wucht an die Nase, dafs
diesem sofort zwei Zähne aus dem Munde stürzten und er auf
seinem Hochsitz in Ohnmacht fiel; hätte ihn nicht Halfdan gehalten, so wäre er in das Feuer gestürzt. Frithjof aber sang
nun höhnisch:

> Nimm den Tribut, du Herr der Tapfern,
> Vorn mit den Zähnen, verlangst du noch mehr?
> Silber liegt auf dem Boden des Beutels,
> Biörn und ich, wir holten es beide!

Keiner von den wenigen Mannen, die in dem Gemache
waren — denn der übrige Teil des Gefolges trank an einer
anderen Stelle des Tempels — wagte den Königen beizustehen
und dem zornigen Helden entgegenzutreten. Froh und stolz
über die ausgeübte Rache wollte nun Frithjof der Thür wieder
zuschreiten — da aber erblickte er den kostbaren Goldring,
welchen er einst Ingeborg bei ihrem Verlöbnis in Baldurshain

geschenkt hatte, an der Hand des Weibes Helgis, während sie
gerade das Bild des Gottes über dem Feuer wärmte. Mit
Schmerz erkannte er nun, dafs Ingeborg ihm entrissen und das
Weib des alten Ring geworden sei, denn er hatte ihr ja früher
gesagt, wenn sie ihm nicht angehören könne, solle sie ihm den
Ring wieder zurückschicken; aber des bösen Helgi Weib durfte
das teure Kleinod unter keinen Umständen behalten, und da
sie den Ring nicht gutwillig hergeben wollte, so zog er an ihm
mit Gewalt; der Ring aber safs fest an der Hand und Frithjof
rifs daher die widerstrebende Königin den Boden entlang nach
der Thür zu, so dafs sie das Bild Baldurs ins Feuer fallen
lassen mufste; Halfdans Weib griff hastig nach ihr, um sie
gegen Frithjof festzuhalten, aber nun fiel auch ihr Baldurbild,
das sie gewärmt hatte, ins Feuer, und sofort schlug aus beiden
Götterbildern, da sie vorher mit Öl gesalbt worden waren, die
helle Lohe auf und in die Dachsparren hinein, so dafs bald
das Haus in Flammen stand.   Frithjof aber entrifs Helgis Weib
den Ring, ehe er den Tempel verliefs, und als ihn draufsen
vor der Thür sein Waffenbruder Biörn fragte, was sich denn
unterdessen da drinnen zugetragen habe, hielt er das Kleinod
empor und sang:

> Helgi bekam den Hieb, der Beutel schofs dem Schurken
> An die Nas', vom Hochsitz stürzte Halfdans Bruder.
> Baldur mufste da brennen, den Ring doch entrifs ich zuvor noch,
> Eh aus dem Feuer mich der flüchtige Fufs davontrug!

Um das Werk der Rache zu vollenden, warf Frithjof einen
Feuerbrand in die Dachsparren, so dafs bald der ganze Saal
brannte, und rief dann seinen Mannen zu:

> Stracks nun hin zum Strande, Grofses mufs geschehn jetzt,
> Blaue Loh brennt knisternd aus Baldurshaines Mitte!

Zehntes Kapitel.

Frithjof wird als Tempelschänder geächtet.

Frithjof wufste wohl, was nach der Niederbrennung des
für hochheilig gehaltenen Baldurstempels seiner wartete, und war
daher, während noch die Flammen glühendrot gen Himmel

loderten und die Sognibucht mit feurigem Glanze übergossen, raschen Fußes an das Meeresgestade geeilt, um mit seiner „Ellida" in See zu stechen und die Heimat wiederum zu verlassen — aber diesmal nicht mit der Hoffnung auf Rückkehr, sondern für immer, denn er war jetzt ein „vargr i vêum" (wörtlich übersetzt = Wolf im Tempel), d. h. ein Tempelschänder, den nach dem Gesetze die Strafe der Verbannung durch das Volksthing traf. Er bestieg also „Ellida", warf der geliebten Heimat, den Trümmern seines väterlichen Gutes Framnaes und allen den teuren Stellen, welche ihm durch Ingeborg geheiligt waren, einen wehmütigen Abschiedsblick zu und grüßte sie zum letztenmal; da kam, gerade als er abstoßen wollte, König Helgi mit seiner Mannschaft in rasender Wut herangesprengt, denn er hatte sich unterdessen von dem Schlag mit dem Beutel erholt und sofort seinen Leuten zugeschrieen, sie sollten Frithjof mit der größten Eile nachfahren und ihn samt seinen Mannen erschlagen, da er als Schänder der heiligen Friedensstatt das Leben verwirkt habe. Als nun das Gefolge zusammengeblasen worden war, hatten sich die Könige in dasselbe geteilt; Halfdan war zurückgeblieben, um den Brand zu löschen, Helgi aber hatte mit dem übrigen Teil voll Ingrimm Frithjof nachgesetzt, der gerade sein Schiff zum Abschied auf den Wogen schaukeln ließ, als der König ankam. Hastig und rachedürstig stürzte dieser mit seinen Leuten in seine Schiffe, um Frithjof einzuholen, aber kaum waren sie eine Strecke weit von der Küste entfernt, da begann der listige Befehl Frithjofs an Biörn seine Wirkung zu zeigen: sämtliche Schiffe waren durchbohrt, Helgi mußte mit seinen Leuten — deren außerdem noch einige ertranken — in aller Eile an das Land zurückkehren und entging mit Mühe dem Tode des Ertrinkens. Nun stieg seine Wut so sehr, daß er förmlich aufschwoll; er ergriff seinen Bogen und wollte nach Frithjof schießen, aber in seinem Zorne spannte er die Sehne so stark, daß beide Bogenhalsen klirrend sprangen. Frithjof hatte das wohl bemerkt, und um Helgis ohnmächtige Wut recht zu verhöhnen, ergriff er nun seine beiden gewaltigen, sechzehn Ellen langen Ruder, peitschte mit denselben das Meer so mächtig, daß beide wie Stecken sprangen und sang spöttisch nach dem Gestade

zu, wo König Helgi voll Staunen und Furcht die Wirkung der
riesigen Kraft des Gehafsten beobachtete:

> Ich küfste die junge Ingibiörg,
> Die Belistochter, in Baldurshain;
> Bersten sollen die Ruder beide,
> Die „Ellida" hat, wie Helgis Bogen!

Das war sein Abschiedsgrufs an den unwürdigen König
und er rüstete sich nun zur Fahrt in die Verbannung. Ein
günstiger Wind vom Lande her kam ihm zu Hilfe, er zog nun
mit seinen Mannen die Segel auf und befahl diesen, so rasch
wie möglich aus dem Sognimeerbusen hinauszusegeln, da sie
sich ja doch nicht länger in der Heimat aufhalten dürften. Als
er die Küsten derselben schwinden sah, sang er ihr folgenden
letzten Grufs zu:

> Segelnd verliefsen Sogni wir neulich,
> Da flammte Feuer in meinem Besitz;
> Zur Sühn' leckt nun Lohe an Baldurshain,
> Doch Tempelschänder nun tauft mich das Volk!

Sein treuer Biörn, der ihn in die Verbannung begleitete,
hatte während dieser Worte neben ihm gestanden und fragte
ihn nun, was sie jetzt anfangen wollten? Frithjof aber erklärte,
er wolle sich in Norwegen, wo ja doch Heimat und Braut für
ihn verloren seien, nicht mehr aufhalten, sondern es machen,
wie andere flüchtige Helden, auf Heerfahrten ausziehen und ein
Wikingerleben führen. Also geschah es, und Frithjof fuhr nun
als Seekönig auf seinem unvergleichlichen Schiffe „Ellida" um-
her, durchstöberte die Inseln und Skären (Klippen) im Sommer
und erwarb sich auf seinen Zügen Gold und Ruhm; im Herbste
aber fuhr er nach den Orkneyaden zu seinem Freunde Angantyr,
der ihn stets wohl aufnahm, und blieb den Winter über daselbst.
Kaum aber war er davongefahren, so geschah, was er erwartet hatte. Die Könige hielten ein Thing (Volksversammlung), verbannten Frithjof in demselben aus allen ihren Ländern als Tempelschänder und belegten seine sämtlichen Besitz-
tümer mit Beschlag. König Halfdan nahm Frithjofs nieder-
gebranntes Gut Framnaes in Besitz und baute den Hof wieder
auf, während sich Helgi wieder in Syrströnd niederliefs. Es

verdrofs den letzteren, der ja ein grofser Priesterfreund und Opfermann war, nicht wenig, dafs alle Götterbilder im Baldurstempel verbrannt waren, und er scheute daher mit Halfdan keine Kosten, um Baldurshain ganz in seinem früheren Glanze wieder aufzubauen; das Feuer, welches Frithjof in den Tempel geworfen hatte, war nur mit gröfster Mühe gelöscht worden.*

Elftes Kapitel.

Frithjof besucht, als Salzbrenner verkleidet, Ring und Ingeborg.

So war also Frithjof durch die übereilte That, mit welcher er die Könige für ihren schändlichen Treubruch bestrafen wollte, ein landesflüchtiger Verbrecher geworden und mufste als geächteter „Vargr î vêum" auf der See als Abenteurer umherfahren. Aber er war keiner von den grimmigen und frevelhaften Wikingern, wie es deren damals so viele gab, sondern zeigte seine angeborene edlere Heldennatur dadurch, dafs er

---

* Diesem Kapitel entsprechen der 14. und der 15. Gesang Tegnérs: „Frithjof wird landflüchtig" und „Wikingerbalk". Am Gang der Handlung hat Tegnér hierbei nichts geändert, vielmehr den alten Stoff wiederum durch ergänzende Schilderungen und psychologische Darstellungen poetisch verschönert, lyrisch gefärbt und modernisiert. Besonders gut gelungen sind in dieser Beziehung das Selbstgespräch des nach dem Brande traurig, ja verzweifelt auf „Ellida" die Nacht über wachenden Helden, der nun, da er alles verloren sieht, den Entschlufs fafst, ein Seekönig zu werden und sich dem freien Meere anzuvertrauen, das „keine Königstücken und Herrschernücken" kenne, ferner die letzten schmerzlichen Grufse, die er der schwindenden Heimat zusingt, und dann die Schilderung seines Wikingerlebens selbst, auf welchem ihn Tegnér bis zu den, ihm schon von seinem Vater Thorstein so oft gepriesenen, schönen Gestaden Griechenlands gelangen, hier aber von unwiderstehlicher Sehnsucht zu seiner fernen nordischen Heimat und zu Ingeborg ergriffen werden läfst. Ein Prachtstück in seiner Art ist der „Wikingerbalk", d. h. die Gesetze, welche Frithjof seinen Genossen für das Seeleben giebt; der Gesang atmet in jeder Zeile den trotzigen, unbändigen Kampfgeist, die überschäumende Lust an der Gefahr, die heldenhafte Verachtung der Wunden und des Todes, welche jenen grimmigen Seehelden, den normannischen Wikingern, eigen waren, die vom 9. bis 11. Jahrhundert alle Gestade Europas so furchtbar heimsuchten, jenen Geist des Heroismus, der auch in den altnordischen Sagen so oft wiederkehrt und hier in markigen und originellen Tönen sich äufsert; um so schöner kontrastiert nachher hiermit die Stimmung des einsam am Ruder dasitzenden Helden, welcher soeben erst seinen Mannen diese heroischen Gesetze gegeben hat, nun aber, in schmerzliches Sinnen und Träumen verloren, in das tiefe Meer hinunterschaut, wo allein ihm Friede und Ruhe zu wohnen scheinen.

alle übeln und grimmigen Wikinger, die wirklichen Seeraub
trieben, totschlug, dagegen die Kaufleute und Bonden in Frieden ziehen liefs und schützte; da diese ihm dafür reichlich
lohnten, so gewann er immer mehr Geld und Ansehen und hiefs
nun aufs neue im ganzen Norden Frithjof der Starke; durch
seinen Ruhm angezogen, sammelte sich ein grofses streitbares
Gefolge um ihn, so dafs er bald ein sehr reicher Mann geworden war. Aber aller Ruhm und alles Geld konnten sein
Herz nicht befriedigen, noch ihm das umherschweifende Wikingerleben angenehm machen; denn seine Heimat und Ingeborg
konnte er nicht vergessen, und in allen Gefahren und Auf-
regungen seines Berufes schwebten ihm ihre Bilder vor Augen,
so dafs er zuletzt die Sehnsucht nicht mehr bändigen konnte,
sie wiederzusehen; als daher das dritte Jahr seines Wikingerlebens zu Ende ging, fuhr er östlich nach Norwegen zu und
legte sich in der Vikinabucht (im südlichen Norwegen, zwischen
diesem Lande und Schweden) vor Anker; seinem Waffenbruder
Biörn teilte er mit, er sei des Heermannslebens nun müde geworden und wolle ans Land steigen, um nach Uppland zu
König Ring zu gehen; Biörn und seine Gefährten sollten den
Winter über weiter Heerfahrt treiben, wenn aber der Sommer
herannahe, so sollten sie ihn erwarten, denn er werde am ersten
Sommertage zurückkehren. Biörn schalt ihn ob dieses thörich-
ten Entschlusses, obgleich allerdings Frithjof zu befehlen habe;
viel lieber wolle er (Biörn) nördlich nach Sogni fahren und die
Könige Helgi und Halfdan totschlagen; Frithjof aber entgegnete: „Das taugt zu nichts; ich mufs Ring und Ingeborg
sehen." Biörn riet ihm noch immer ab und stellte ihm vor,
dafs er sich ganz allein in die Gewalt des Königs begebe, der
zwar gebrechlich vor Alter, aber klug und von mächtigem Geschlecht sei. Frithjof aber liefs sich nicht abschrecken, denn
Ingeborgs Bild zog ihn mit aller Macht; er erklärte Biörn, er
werde sich schon zu helfen wissen, Biörn aber solle unterdessen
über sein Gefolge herrschen.

Es geschah nun nach seinem Befehl, Frithjof aber wanderte
im Herbst nach Uppland (Oberland), wo König Ring damals
Hof hielt, denn er sehnte sich sehr, Rings und Ingeborgs Liebe
zu beobachten und zu prüfen, ob sie mit dem greisen Gemahle

wirklich zufrieden lebe; um sich aber unkenntlich zu machen,
zog er eine grofse zottige Kutte über sein Gewand an, so dafs
er ganz rauhhaarig aussah, und eine Maske vor das Antlitz,
nahm zwei Stäbe in die Hand und gebärdete sich wie ein vom
Alter gebeugter Mann. Während nun der Held so kümmerlich
und auffällig einherschritt, traf er einige Hirtenknaben, die er
ganz schüchtern fragte: „Woher seid ihr?" — Sie antworteten:
„Wir wohnen in Streituland nahe bei des Königs Burg." —
Der Rauhhaarige fragte wieder: „Ist er ein reicher und mächtiger König?" — Die Knaben aber antworteten spöttisch: „Du
scheinst uns bereits so alt geworden zu sein, dafs du eigentlich wissen müfstest, wie es mit dem König Ring in allen
Dingen steht." Der Mann antwortete, er habe sich bisher
mehr um das Salzbrennen, als um der Könige Treiben geküm-
mert, und schritt dann auf des Königs Halle zu, als gerade
die Sonne sank; er sah ganz kümmerlich aus und nahm aufsen
an der Thür Platz, stülpte die Kapuze über das Haupt und
wartete geduldig, was da kommen sollte. Er sah da Ingeborg
und Ring beim Mahle in des Königs Halle sitzen — sah so
die Jugendgeliebte wieder, flüchtig, geächtet, verbannt, in dürf-
tiger Tracht, sie aber als die Gattin eines ungeliebten, gealter-
ten Gemahls! Aber lange konnte er sich seinen Betrachtungen
nicht überlassen, denn Ring hatte ihn schon bemerkt und sprach
zu Ingeborg: „Da trat soeben ein Mann in die Halle herein,
der viel gröfser ist als andere Männer!" Die Königin aber
entgegnete geringschätzig: „Was ist denn das Wichtiges?"
Da rief der König einem Diener, der an der Tafel stand, zu:
„Gehe und frage den Kuttenmann, wer er ist, woher er kommt
und wo seine Familie wohnt!" Der Knabe lief zu dem Ankömmling und sprach: „Wie heifsest du Mann, wo warst die
Nacht über und wo wohnt deine Familie?" Der Kuttenmann
sagte: „Viel fragst du auf einmal, Jüngling, aber es ist nicht
so leicht zu verstehen, was ich dir sagen werde, kannst du es
auch gehörig auffassen?" Als der Knabe dies bejahte, antwortete der Kuttenmann: „Thiof (Dieb) heifse ich, in Ulfs (Wolf-
heim, Anspielung auf Frithjofs Flüchtlingschaft) war ich über
Nacht, und in Angri (Kummerheim) bin ich auferzogen worden." Der Knabe lief zum Könige zurück und sagte ihm die

seltsame Antwort des Ankömmlings; Ring aber erwiederte:
„Du hast es ganz richtig gefaſst, Knabe! Ich kenne wohl
einen Bezirk, der. Kummerheim heiſst, und da mag es wohl
dem Manne nicht behaglich zu Mute sein, übrigens scheint
mir das ein verständiger und nicht wertloser Mann zu sein."
Die Königin aber antwortete verdrieſslich: „Was soll an diesem
Burschen da gutes sein? Das ist eine ganz eigentümliche Sitte
von Euch, daſs Ihr solche Begierde habt, mit jedem Kerl, der
hier hereintritt, zu sprechen!" Der König aber erwiederte
lächelnd: „Willst du es besser wissen als ich? Der Mann da
denkt, wie ich sehe, mehr als er spricht, der hat einen weiten
Blick!" Darauf sandte er einen Diener zu dem Kuttenmann,
der nun ganz gebückt vor den König trat und ihn mit demü-
tiger Stimme begrüſste. Der König fragte: „Wie heiſsest du,
groſser Mann?" Der Kuttenmann aber sang zur Antwort:

> Frithiof (Friedensdieb) hieſs ich auf Wikingerfahrt;
> Herthiof (Heerdieb), als ich die Witwen härmte;
> Geirthiof (Speerdieb), als ich Speere schwang;
> Gunnthiof (Kampfdieb), als das Gefolge ich führte;
> Eythiof (Inseldieb), als ich die Skären beraubte;
> Helthiof (Todesdieb), als kleine Kinder ich hochwarf;*
> Walthiof (Wahldieb), als mir die Männer wichen;
> Seitdem mit Salzbrennern schweift' ich umher,
> Schon hilfebedürftig, eh hierher ich kam!

Der kluge König erwiederte lächelnd: „Gar viele Gründe
führst du da für deine Diebsnamen an; aber sage mir nun, wo
warst du zur Nachtzeit und wo liegt deine Heimat?" Der
Kuttenmann antwortete: „In Kummerheim ward ich auferzogen,
in Wolfsheim war ich über Nacht, mein eigner Sinn hat mich
hierher gebracht und eine Heimat habe ich nirgends." Der
König antwortete: „Das mag schon sein, daſs du eine Zeit lang
in Kummerheim auferzogen worden bist, vielleicht auch in
Friedheim; wenn du aber sagst, du wärest in Wolfsheim über
Nacht gewesen, so wirst du damit wohl den Wald gemeint
haben, denn ich kenne keinen Bonden hier in der Nähe, der
Wolf heiſst; daſs du aber keine Heimat hast, mag wohl daher

---

* Eine grausame Sitte der damaligen Wikinger.

kommen, dafs sie dir wenig wert dünkt wegen deiner Begierde, hierher zu kommen!" Nun mischte sich wieder Ingeborg unwillig in die Unterhaltung und rief dem Fremden zu: „Suche dir, Thiof, eine andere Herberge, oder gehe wenigstens in die Gesindestube!" Der König aber antwortete ihr mit gemessener Würde: „Ich bin nun so alt geworden, dafs ich es wohl verstehe, Gästen ihren Platz anzuweisen; ziehe nun deine Kutte aus, Ankömmling, und setze dich neben mich!" Die Königin aber wurde über die immer weiter gehende Vertraulichkeit ihres Gemahls mit dem armseligen Fremden jetzt ganz zornig und rief ihm verächtlich zu: „Da sieht man, wie thöricht dich das Alter gemacht hat, dafs du Kerle mit Krücken neben dich sich setzen lässest!" Thiof antwortete: „Das schickt sich allerdings nicht, Herr, es ist besser so, wie es die Königin vorschlägt, denn ich kann besser Salz brennen, als mit Königen umgehen." Der König aber liefs sich nicht irre machen, sondern antwortete: „Thue, wie ich will, denn ich habe jetzt noch zu regieren." Da konnte sich Thiof nicht länger mehr weigern, zog die Kapuze aus und stand nun da, angethan mit einem dunkelblauen Kittel, den guten Goldring an der Hand und einen dicken Silbergurt um die Lenden, an welchem ein grofser Beutel mit Silbermünzen erklang, während ihm das Schwert zur Seite hing; aber die grofse Pelzhaube behielt er noch auf dem Kopf und sah ganz haarig und triefäugig im Gesichte aus. „Nun soll es dir besser gehen!" antwortete da der König, „gieb ihm nun, Königin, einen guten Mantel und sei höflich gegen ihn!" Die Königin antwortete: „Du hast zu befehlen, Herr, aber an dem Thiof da liegt mir sehr wenig!" Doch gab sie dem Thiof den guten Mantel und nun setzte er sich auf den Hochsitz neben das Königspaar. Da glänzte wieder, wie damals, als er in Framnaes und in Baldurs Hain neben Ingeborg safs, der Königin der kostbare Goldring entgegen — was sie dabei dachte, wissen wir nicht, aber sie ward blutrot vor Bewegung, wollte jedoch auch jetzt noch kein Wort an den Fremdling richten — denn sie safs ja an des alternden Gemahles Seite; durfte da das Herz sprechen? Darum änderte sie ihr Wesen gegen den Fremden nicht, wie sehr auch ihr Herz sich dabei grämen mochte; der König aber sprach ganz leutselig zu Thiof:

„Du hast da einen guten Ring an der Hand, du mußt lange
Salz gebrannt haben, um den zu verdienen!" Thiof antwortete:
„Es ist das ganze Erbe meiner Väter!" „Du kannst es wohl
noch zu mehr bringen," antwortete der König, „denn es giebt
nur wenige Salzbrenner, die dir gleichen, wenn mich nicht die
Kurzsichtigkeit des Alters täuscht!" Nun blieb Thiof, wie ihn
der König eingeladen hatte, den Winter über da, ward wohl
verpflegt, und alle Männer achteten ihn sehr, denn er war frei-
gebig und freundlich gegen alle; der König war stets gütig
gegen ihn, die arme, gequälte Königin aber — sprach nach
wie vor wenig mit ihm.*

---

* Die bedeutungsvolle Situation, von welcher uns die alte Sage hier in
ihrer schlichten, treuherzigen und doch für den verständnisvollen Leser so
vieles sagenden Weise berichtet, hat Tegnér mit seinem feinsinnigen Kunst-
verstande in dem 16. und 17. Gesange („Frithjof und Biörn" und „Frithjof
bei König Ring") poetisch behandelt. Aus dem kurzen Wechselgespräch
der alten Sage zwischen Frithjof und Biörn hat er einen längeren Dialog
der beiden Helden entwickelt, in welchem Frithjof dem ihn eindringlich
warnenden Waffenbruder seine unbezwingliche Sehnsucht, Ring zu besuchen,
um Ingeborg wiederzusehen, kundgiebt; bei Behandlung der Scenen zwischen
Frithjof, Ring und Ingeborg im Königspalast hat er die Wechselreden zwischen Frithjof und dem Knaben, die vielen Wortspiele mit dem Namen
„Thiof" in der Antwort Frithjofs und das abstoßende Benehmen der Königin
(dessen wahre und tiefere Gründe unsere Leser ohne Zweifel erraten)
als poetische Motive nicht verwertet, schildert dagegen in schönen bilder-
reichen Worten die tiefe Erregung der Königin, als der Fremdling auf des
Königs Befehl sich enthüllt und nun in seiner strahlenden Heldenschönheit,
Baldur, dem schönen, und Thor, dem starken Gotte, vergleichbar dasteht
(die alte Sage läßt Ingeborg den Jugendgeliebten erst an dem Ringe erkennen, wenn sie auch ohne Zweifel schon vorher eine Ahnung hatte, daß
er es sei), — schildert, sagen wir, ihre tiefinnerliche Bewegung, als sie auf
des Königs Befehl dem Jugendgeliebten, der ihr doch jetzt so ferne stehen
muß, das mächtige Trinkhorn mit Wein kredenzt, das der Starke mit einem
einzigen gewaltigen Zuge leert; die arme Ingeborg zittert, als sie es ihm
mit gesenktem Blicke darreicht, so sehr, daß die dunkeln Weinestropfen
auf ihre weiße Hand niederrinnen, die sie malen „wie Abendröteglut den
Kelch der Lilie"! Betreffs des gütigen, freundlichen, von Humor gewürzten
Benehmens des alten, klugen, würdigen Königs Ring gegen Frithjof stimmt
Tegnér mit der alten Sage überein. Ob Ingeborgs Gemahl wohl ebenfalls
eine Ahnung hatte, welch gewaltiger und ruhmvoller Gast unter unschein-
barer Hülle in seine Burg gekommen war? Und wie läßt sich wohl sein
Benehmen — wenn dies der Fall sein sollte — psychologisch erklären? —
Der Fortgang der Erzählung wird unseren Lesern Aufschluß darüber geben.
Einen sinnreichen Zug hat Tegnér noch eingeflochten, insofern er den ehrwürdigen Ring, als der dem Gotte Freyr geweihte Eberbraten aufgetragen
wird (womit nach damaliger Sitte die „Gelubdestunde" für die Helden, d. h.
die Zeit zum Geloben künftiger Heldenthaten gekommen ist), die Hände
auf denselben legen und ihn geloben läßt (im Ernst oder bloß aus Humor?)
— er wolle den starken Frithjof gefangen nehmen, worauf der Fremde im

Zwölftes Kapitel.

Frithjof rettet Ring und Ingeborg vom Ertrinken.

Einen ganzen Winter fast hatten Frithjof und Ingeborg in der Königsburg Rings so nebeneinander hingelebt, still und stumm; denn der edle Held war ja nur gekommen, um zu sehen, wie es der Geliebten ginge, sie aber durfte nicht verraten, was ihr das Herz aus früheren glücklicheren Zeiten bewegte. Als aber der Winter zu Ende ging, da bot sich ihm Gelegenheit, durch die That ihr das zu zeigen, was der Mund nicht verraten durfte. Eines Tages nämlich wollte der König mit der Königin und großem Gefolge über den gefrorenen See zu einem Gastmahl fahren, zu welchem er geladen war, und fragte den Thiof, ob er ihn begleiten oder lieber daheim bleiben wolle? Thiof sagte, er wolle mit ihm fahren, und dem König war das ganz angenehm; als aber die Fahrt über das Eis begonnen hatte, warnte Thiof den König, da ihm das Eis unzuverlässig und die Fahrt bedenklich erscheine; der König antwortete: „Schon oft hat es sich gezeigt, daß du um unser Wohl besorgt bist" — kaum aber war er eine kurze Strecke weiter gefahren, so barst das Eis, und der Schlitten, in welchem Ingeborg und Ring saßen, fing an zu sinken — da stürmte Thiof herbei und riß mit seiner gewaltigen Kraft den Wagen und alles, was darin und daran war, den König und die Königin samt dem Hengste, zu sich auf das Feste. König Ring war hocherfreut über das Heldenstück und sprach: „Da hast du einen prächtigen Zug gethan, Thiof, selbst Frithjof der Starke, wenn er hier gewesen wäre, hätte nicht stärker ziehen können, Leute deiner Art sind in der That die rüstigsten Begleiter." Frithjof erwiederte nichts, glücklich, daß er die Geliebte hatte retten können, und fuhr mit Ring und Ingeborg zu dem Gastmahl, aber da begab sich weiter nichts Merkwürdiges,

---

Heldenunmute aufspringt und dagegen schwört, er wolle Frithjof, den er so gut kenne, wie sich selbst, gegen alle Welt schützen. Ohne Zweifel gehört der in unserem Kapitel erzählte Teil der Handlung in der alten Sage sowohl, wie bei Tegnér zu den bedeutungsvollsten, poetisch am höchsten stehenden Situationen der ganzen Frithjofssage, und nur der Seesturm, sowie die später folgende „Versuchung Frithjofs im Walde" können ihm an die Seite gestellt werden.

und der König fuhr bald, mit stattlichen Gaben beschenkt, zurück; nun schwand auch der Winter dahin, der Frühling kam heran, das Wetter begann freundlicher zu werden, der Wald zu blühen und das Gras zu grünen, und die Schiffe fuhren wieder zwischen den Ländern hin und her.*

Dreizehntes Kapitel.
Wie Frithjof im Walde versucht ward, aber die Versuchung überwand.

Die Geliebte und deren Gemahl hatte Frithjof gerettet — aber ein noch viel gewaltigeres Heldenstück vollbrachte er bald darauf, als überall der Frühling ins Land gekommen war. Eines Tages nämlich wandelte den König die Lust an, den heitern Frühlingstag zur Ergötzung und zum Betrachten der schönen Landschaft zu benutzen, und er rief seine Mannen zusammen, damit sie ihn in den Wald begleiten sollten; sie kamen in Menge herbei und zogen mit ihm aus. Zufällig nun traf es sich da, dafs der König und Frithjof von dem Gefolge abgetrennt wurden und allein zusammen sich im Walde verloren; der König klagte über Müdigkeit und verlangte zu schlafen; Thiof aber riet ihm ab und ermahnte ihn, heimzukehren, um dort zu schlafen, weil das sich für einen Mann von seiner Würde besser schicke, als hier aufsen im Walde zu liegen; Ring aber hörte nicht auf ihn, sondern legte sich nieder und war bald unter lautem Schnarchen fest eingeschlafen. Frithjof safs neben dem Greise, dessen Weib seine Ingeborg war — kein Wesen rührte sich ringsum in der Waldeinsamkeit — ganz allein waren die beiden — Ring in seine Macht gegeben — warum hob und senkte sich da die Brust des edlen Helden so stürmisch, als er den ruhig neben ihm liegenden König sinnend betrachtete? Warum zog es bald wie düstere Gedan-

---

* Tegnér besingt dieses Heldenstück Frithjofs im 18. Gesange unter dem Titel „die Eisfahrt". Im Gang der Handlung sich ganz genau an die alte Sage haltend, fügt er doch manche feine poetische Züge hinzu, wie z. B. dafs Frithjof, auf Schlittschuhen neben dem Königspaare einherfahrend, Ingeborgs Namen in das Eis ritzt, so dafs sie den eigenen Namen befahren kann, und dafs das Brechen des Eises der Tücke der falschen Ran zugeschrieben wird.

ken über sein Antlitz, flammte bald sein Auge in edlem Feuer
auf? — Warum entblöfste er sein Schwert halb — warf es
aber sofort mit Abscheu weit von sich weg in den Wald
hinein? —

Da wachte der alte König von seinem Schlummer auf,
erhob sich und sagte zu Frithjof, ihn ernstfreundlich anblickend:
„War es nicht so, Frithjof, dafs dir mancherlei in den Sinn
kam, während ich schlief? Wohl habe ich bemerkt, wie es
dir zu Mute war, denn ich wollte dich nur auf die Probe stellen
— aber du hast das beste Teil erwählt und dich wacker gehalten, darum sollst du auch rechte Würde und Ehre von mir
empfangen; ich erkannte dich sogleich am ersten Abend, als
du in unsere Halle tratest, jetzt aber sollst du nicht sobald
wieder von uns scheiden, denn ich will etwas Grofses aus dir
machen, weil du so heldenhaft dich selbst überwunden hast!“
Der Held aber antwortete: „Ihr habt mich wohl und freundlich
bewirtet, Herr, aber ich kann Euer Anerbieten nicht annehmen,
denn ich mufs bald wieder von dannen, weil ich zu meinem
Gefolge stofsen mufs, wie ich mit ihm verabredet habe.“ Nun
ritten sie zusammen aus dem Walde, und bald stiefs das Gefolge Rings wieder zu ihnen, mit welchem sie zur Königshalle
zurückkehrten und tüchtig zechten; Ring aber kündigte es jetzt
allem Volke an, dafs Frithjof der Starke den Winter über bei
ihm zu Gaste gewesen war. *

---

* Diesem Kapitel der alten Sage entspricht der 19. Gesang Tegnérs:
„Frithjofs Versuchung.“ Der schon öfters hervorgehobene Unterschied
zwischen der einfachen, kurzen, naiven und treuherzigen Darstellung der
alten Sage und der poetisch-belebten detaillierten, psychologisch vertieften
Darstellung des modernen lyrisch-epischen, romantischen Gedichtes, welches
Tegnér mit so vieler Kunst und feinem poetischem Takt aus der alten Sage
herausgebildet hat, zeigt sich an wenigen Stellen schlagender als an dieser.
Alle Kunst psychologischer Motivierung hat hier der schwedische Dichter
aufgeboten, um den Anreiz zu der Frevelthat sowohl, als den inneren Kampf
zwischen der dämonischen Macht (die den Helden zur Ermordung des ehrwürdigen alten Königs, als des einzigen Hindernisses der Vereinigung mit
Ingeborg, bestimmen möchte), und den angeborenen edleren Regungen
seiner Natur, sowie den endlichen Sieg des Guten in seiner Brust zu schildern. Als mächtigen Anreiz zur Frevelthat führt er gleich im Anfange des
Gesanges Ingeborg selbst ein, die er an der Jagd teilnehmen läfst und in
all ihrer entzückenden und verführerischen Anmut und Holdseligkeit beschreibt, so dafs alle alten seligen Gefühle in Frithjof aufs neue stürmisch
erwachen und er trübe und in sich gekehrt an des alten Königs Seite da-
hinreitet, mit sich selbst zerfallen, dafs er sein Wogenreich verlassen habe,

Vierzehntes Kapitel.

Frithjof mit Ingeborg vereinigt.

So hatte also der wackere Held jede Versuchung, durch Unrecht den Besitz der Geliebten zu erlangen, überwunden; aber er konnte es auch nicht länger ertragen, in unbefriedigter, verzehrender Sehnsucht in ihrer Nähe zu weilen, und aufserdem nahte jetzt die Zeit heran, um welche er seinem Gefolge seine Rückkehr versprochen hatte. Eines Tages also geschah in der Morgenfrühe ein mächtiger Schlag an die Thür der Halle, in welcher der König, die Königin und die Mannen des Gefolges schliefen, und als der König fragte, wer sich denn da so bemerklich mache, antwortete der draufsen Stehende: „Ich bin es, Frithjof; ich bin nun zur Abreise gerüstet!" Sogleich schlofs Ring die Thür auf und nun trat Frithjof reisefertig herein, trat auf den König zu und sang:

> Nun will ich sehr dir danken, du hast mich wohl bewirtet,
> Mich, der ich nähr die Adler,* zu gehen bin bereit ich,
> Doch Ingeborg werd ich lieben, so lang wir leben beide;
> Leb wohl jetzt; statt des Kusses nimm hier ein köstlich Kleinod!

Mit diesen Worten warf er ihr seinen kostbaren Ring zu und bat sie, ihn als Andenken zu behalten. Der gute König

---

um hier diese Qualen unbefriedigter Sehnsucht zu erdulden. So ist die Stimmung zu der Frevelthat wohlvorbereitet, als sich ihm der alte König — nicht um wirklich zu schlafen, sondern nur um ihn zu prüfen, wie er nachher selbst sagt — vertrauensvoll auf das Knie legt und anscheinend einschlummert; den nun folgenden stürmischen Kampf zwischen Gut und Bös in Frithjofs Brust hat Tegnér in trefflicher Weise und ganz im Anschlufs an die alte Sagenwelt — man denke an die Vögel, welche Siegfried, nachdem er den Lindwurm erschlagen hat, zusingen! — anschaulich und gleichsam konkret, in der Weise dargestellt, dafs er zwei Vögel, einen schwarzen, aus Nâstrand (der Unterwelt), und einen weifsen, aus Odins Lichtwelt, dem staunenden Frithjof von links und von rechts her zusingen läfst, in der Art, dafs der eine ihn zur Ermordung Rings (da ja kein Mensch von der That wissen könne) anspornt, der andere aber ihn von der Frevelthat abmahnt, da dabei kein Heldenruhm zu gewinnen sei. Wie in der alten Sage, zieht nun der Held sein Schlachtschwert und wirft es weit von sich. Das nun folgende Zwiegespräch mit Ring ist ebenfalls weiter ausgesponnen. — Frithjof erklärt Ring, der ihm Vorwürfe macht, als habe er die Braut aus seinem Arm stehlen wollen, er habe Ingeborg nur zum letztenmal sehen wollen, jetzt aber treibe es ihn unwiderstehlich zu Schlacht und Kampf auf der See zurück, als dem einzigen Mittel, seinen Schmerz zu vergessen. Der ganze Gesang gehört zu den feinsten und poesievollsten der Tegnérschen Bearbeitung.

* Poetische Umschreibung für „Kämpfer, Held".

Ring lächelte bei diesem Anblick und sprach: „Es ist doch ganz eigen, dafs sie mehr Dank für deinen Winteraufenthalt bei uns erhält als ich, Frithjof, obgleich sie doch keineswegs freundlicher gegen dich gewesen ist, als ich es war. Übrigens lassen wir einen so ruhmvollen Gast, wie du, nicht ohne Wegzehrung von dannen gehen und du sollst jetzt noch erst tüchtig essen und trinken, ehe du auf die Reise gehst!" Darauf liefs er ein stattliches Mahl besorgen und ermahnte die betrübt dareinschauende Ingeborg, sie solle jetzt sich erheben und heiter werden. Die Arme aber erwiederte, sie könne es nicht über sich bringen, schon so früh zu essen und vergnügt zu sein; König Ring liefs sich dadurch nicht abhalten, sondern rief nun alle seine Mannen zum Abschiedsmahl für den scheidenden Wintergast zusammen. Als sie nun einige Zeit getrunken hatten, sprach der König: „Du solltest eigentlich hier bei mir bleiben, Frithjof, denn meine Söhne sind noch Knaben und ich bin alt und nicht mehr geschickt zur Landesverteidigung, wenn etwa jemand mein Reich mit Heerfahrt heimsuchen sollte." Frithjof aber sagte: „Ich kann nicht bei euch bleiben, Herr, ich mufs von dannen!" — und sang:

> Wohn', König Ring, du erster der Fürsten,
> Lange und heil im Schofse der Heimat;
> Wohl hüte, Fürst, du Weib dir und Lande —
> Ing'borg und ich wir sehn uns nicht mehr! —

Ring aber sang ihm entgegen:

> Fahre du so nicht, Frithjof, von dannen,
> Teuerster Held, in trübem Trotze!
> Lohnen werd ich dein Kleinod dir noch,
> Besser wahrlich, als selber du denkst!

und sogleich fügte er hinzu:

> Dem starken Frithjof geb meine Frau ich
> Und alle meine Habe dazu!

Frithjof aber nahm den Wechselgesang auf und sang:

> Niemals nehm deine Gaben ich an,
> Wackerer Fürst, wenn nicht todkrank du bist!

Der König antwortete: „Ich würde dir Weib und Lande nicht anbieten, wenn ich nicht fühlte, dafs es so ist, wie du

sagst, denn ich bin wirklich sehr krank, dir aber gönne ich
meine Herrschaft vor allen anderen, weil du alle Männer in
Norwegen übertriffst; darum will ich dir auch den Königs-
namen beilegen, denn Ingeborgs Brüder werden dir doch keine
Würden gönnen und dir nicht diejenige zur Braut geben,
welche ich dir verloben möchte." . Frithjof antwortete bescheiden:
den: „Habet grofsen Dank, Herr, für Euer Wohlwollen, das
gröfser ist, als ich dachte, aber ich bin schon mit dem Jarls-
namen als Standeserhöhung zufrieden." König Ring erklärte
sich mit diesem Vorschlage einverstanden und verlieh Frithjof
durch Vertrag den Jarlstitel nebst der Herrschaft über das
Reich, das er bisher regiert hatte; er sollte die Regentschaft
im Namen der Söhne Rings so lange führen, bis diese alt genug
geworden wären, um selbst zu regieren. Bald darauf legte
König Ring sich kurze Zeit nieder und starb; grofse Trauer
herrschte im Reiche um seinen Tod, da er ein gerechter, milder
und wohlgesinnter Fürst gewesen war, und nach alter Väter
Sitte ward ein grofser Grabhügel über ihm aufgeworfen, in
welchen, wie er verlangt hatte, ihm eine Menge seiner Habe
nach Walhalla (wohin die gestorbenen Helden als Gäste des
Göttervaters Odin fuhren) mitgegeben wurde. Frithjof veran-
staltete als der neue Herrscher des Reiches ein grofses Gastmahl, zu welchem er seine Mannen einlud, und man trank da
beim festlichen Schmaus auf beides zugleich: auf das Begräbnis
Rings und die Vermählung Frithjofs mit Ingeborg, die also
endlich nach jahrelangen Leiden und Kämpfen gerade da, als
Frithjof die Geliebte für immer aufgeben und wieder auf
Wikingerfahrten ausziehen wollte, vereinigt wurden; so empfing
jetzt der Held den Lohn dafür, dafs er die Versuchung im
Walde so wacker überwunden hatte. Nun führte er kräftig die
Regierung und ward ein hochangesehener Fürst; Ingeborg liebte
er sehr und sie schenkte ihm viele Kinder.

Fünfzehntes Kapitel.

Schlufs der Sage: Die Könige Helgi und Halfdan
werden von Frithjof überwunden und bestraft.

So hatte also Frithjof, der edle Held, nach so vielen Gefahren, Mühseligkeiten und Leiden endlich die Belohnung für

seine Treue, Standhaftigkeit und Tapferkeit: den Besitz Ingeborgs, die Herrschaft über ein blühendes Reich und hohen
Ruhm errungen; aber auch die bösen Könige in Sogni, Ingeborgs Brüder, die ihm das alles mifsgönnt und ihn von seiner
Jugend an verfolgt und gequält hatten, entgingen nicht der
gerechten Strafe. Kaum hatten sie nämlich die Nachricht gehört, dafs Frithjof, der Gehafste, mit Königsgewalt über Ringareich herrschte und sich mit Ingeborg, ihrer Schwester, vermählt habe, so sprach Helgi zu seinem Bruder Halfdan: „Das
wäre doch ein grofses Wunder und eine Verwegenheit, wenn
der Sohn eines Hersen* Ingeborg besitzen sollte," und nun
sammelten sie ein grofses Gefolge und drangen damit in Ringareich ein in der Absicht, Frithjof zu schlagen und sich sein
ganzes Reich zu unterwerfen.

Als aber der Held die Nachricht von dieser Fehde erfuhr,
sammelte er ebenfalls sein Gefolge, zu welchem Biörn von
Osten her mit Hilfsmannschaft stiefs, und sprach znr Königin:
„Eine ganz neue Fehde ist plötzlich über unser Reich gekommen; wie sie aber auch ausgehen möge, so will ich doch an
Euch keine Feindschaft und keinen Groll bemerken, selbst wenn
ich Eure Brüder besiege!" — Sie aber antwortete: „Du bist
nun einmal, wie die Dinge jetzt liegen, der Höchste, und so
müssen wir dich gewähren lassen!" Nun zog Frithjof zum
Streit aus und war, wie immer, der Erste und Vorderste in
der Gefahr; den König Helgi aber suchte er im Schlachten-
getümmel auf und tötete ihn im Zweikampf. Nachdem er so
den schlimmsten der Brüder, der ihn am meisten verfolgte, ge-
bührend bestraft hatte, dachte er mit Halfdan glimpflicher zu
verfahren und ihn mit dem Verlust seiner Selbständigkeit als
König davonkommen zu lassen; er liefs daher mitten in der
Schlacht den weifsen Friedensschild an einer Lanze empor-
halten, so dafs sofort der Kampf aufhörte, und sprach zu dem
König Halfdan: „Du hast nun zwischen zwei bedeutungsvollen
Dingen zu wählen: entweder unterwirfst du dich mit deinem
ganzen Reiche meiner Gewalt, oder du empfängst den Todes-

* Herse bedeutet — wie schon früher erwähnt — die ersten Hofbeamten
des Königs und Bezirksvorsteher.

streich, wie dein Bruder; denn es. scheint, dafs die Götter meine
Sache mehr begünstigen als die Eurige!" — Halfdan konnte
dem gewaltigen Helden gegenüber nicht lange schwanken, was
er zu wählen habe; er unterwarf sich und sein ganzes Reich
Frithjof. Nun regierte also Frithjof zwei Reiche, Ringareich
und Sygnafylki, Halfdan aber mufste sein Herse in Sogni werden und ihm Tribut bezahlen, solange Frithjof als Reichsregent
für Rings unmündige Söhne über Ringareich herrschte. Als
aber die jungen Könige herangewachsen waren und Frithjof
ihnen, getreu dem Vertrage mit ihrem Vater, die Herrschaft
über Ringareich übergab, regierte er nun als König Frithjof
über Sygnafylki und gewann noch die Herrschaft über das be-
nachbarte Hördaland dazu. So war also aus dem geächteten,
flüchtigen und verbannten Tempelschänder, der um seiner Ingeborg willen und wegen des Hasses ihrer bösen Brüder in seiner
Jugend so viele Gefahren und Drangsale hatte bestehen müssen,
ein mächtiger und berühmter Nordlandsfürst geworden; er
herrschte in Ruhe und Frieden mit seiner schönen Gemahlin,
weithin gepriesen und besungen in den Liedern und Heldensagen des Nordens, als Frithjof der Starke und erlebte noch in
seinem Alter die Freude, dafs seine Stärke und sein Helden-
mut sich auf zwei seiner Söhne, Namens Gunthiof und Hunthiof,
forterbten, die ebenfalls grofse und wackere Männer wurden.

Und hiermit endet nun die Sage von Frithjof dem Starken.*

---

* Die beiden Schlufskapitel unserer Sage — welchen bei Tegnér die
Gesänge 20, 21, 22, 23 und 24 („König Rings Tod", „Rings Drapa", „Die
Königswahl", „Frithjof auf seines Vaters Hügel" und „Die Versöhnung")
entsprechen, hat Tegnér sehr frei behandelt und im Gange der Handlung
wie in der poetischen Motivierung nicht unwesentlich umgestaltet. Am
meisten noch lehnt sich an die alte Sage an der 20. Gesang („Rings Tod");
der Wechselgesang zwischen Ring und Frithjof beim Abschiede des letzteren, in welchem der König den Helden bittet, zu bleiben, und ihm Weib
und Lande verleiht, ist beibehalten worden, natürlich poetisch ausgeschmückt
und verschönert; dagegen hat Tegnér einen feinen poetischen Zug hinzugefügt, indem er den alten König — ganz den Erzählungen der alten Nord-
landssagen und dem Geiste jener heroischen Zeit getreu — nach Beendigung
des Gesanges sich „Geirsodd schneiden", d. h. mit der Speerspitze (geirs-
oddr) sich in Arm und Brust tiefe Todesrunen (d. h. Wunden) ritzen läfst,
an denen er verblutet. (Man nannte das auch „sich für Odin, den obersten
Kriegsgott, ritzen", denn es war allgemeiner Glaube bei jenen Helden des
alten Nordens, dafs nur derjenige als „Einherier", d. h. seliger Held, nach
dem Tode zu Odin und den Freuden Walhallas, der Götterburg, eingehen
könne, welcher auf dem Schlachtfelde oder wenigstens an Wunden gestor-

ben war, während alle, welche dem „Strohtod" erlegen, d. h. auf dem
Krankenbette gestorben waren, in die Unterwelt zur bösen Göttin Hel
fahren mufsten; darum schnitt sich jeder König und Held, dem nicht Gelegenheit gegeben war, im Kampfe zu fallen, vor dem Ende mit dem Speere
selbst solche Todeswunden, ja die Wikinger oder Seekönige fuhren, wenn
der letzte Augenblick kam, mit ihrem Schiffe hinaus auf die See und steckten
dasselbe in Brand.) Ring kann also jetzt als „Einherier" in die strahlende
Walhalla einziehen; Tegnér hat in dem 21. Gesange (Rings Drapa) viele
poetische Kunst aufgeboten, um in einer glänzenden Schilderung den Ein-
ritt des alten Helden, der über die Götterbrücke Bifrost stattfindet, und
den festlichen Empfang, welcher ihm von den Göttern und Göttinnen zu
teil wird, zu verherrlichen. Der Gesang giebt im Titel wie in der Ausdrucksweise ganz den Geist jener alten „Drapas" (drâpur), d. h. Loblieder
auf Könige, wieder, deren in jener gesangreichen, poetisch belebten Zeit
des alten Nordens vom 9. Jahrhundert an so viele von den Skalden oder
Hofdichtern der Nordlandsfürsten gedichtet wurden und deren uns noch
eine ziemliche Anzahl erhalten ist. Die nun folgenden Gesänge („Die
Königswahl", „Frithjof auf seines Vaters Hügel" und „Die Versöhnung")
sind ebenso wie „Rings Drapa" ganz freie Erfindungen Tegnérs. In dem
ersten wird erzählt, wie nach dem Tode Rings sich das Volk zum Thing
versammelt, um den neuen König zu wählen, den ihm Frithjof, als Reichs-
verweser, in der Person des kleinen Sohnes Rings auf dem Schilde ent-
gegenhält, wie darauf die versammelten freien Männer dem Helden, da
Rings Sohn noch ganz unmündig sei, die Regentschaft unter dem Titel
„Jarl" und Ingeborg als Gemahlin anbieten, Frithjof aber beides zurück-
weist, da er noch nicht von dem an Baldurs Tempel begangenen Frevel
entsühnt sei. Wie nun diese Entsühnung, die Versöhnung mit dem grollen-
den Baldur und die Vereinigung mit Ingeborg zu stande kommt, wird in
hochpoetischer Weise im 23. und 24. Gesange erzählt. Der Held geht von
dem Thing weg zu den Stätten der Kindheit und zu seines Vaters Grabhügel, lafst in einem lebhaft-bewegten Selbstgespräch noch einmal alle heiteren und traurigen Erinnerungen der früheren Zeit an sich vorüberziehen
und wirft sich endlich in inbrünstigem Gebete an des Vaters Grabhügel
nieder, ihn anflehend, dafs er ihm ein Zeichen geben möge, wie er den
Zorn des Gottes versöhnen könne. Schon will er, da nichts sich regt,
traurig von dannen gehen: da sendet ihm der Geist Thorsteins eine herrliche Erscheinung vom Himmel hernieder. Von Abendwolken getragen
schwebt langsam ein Abbild der himmlischen Burg Baldurs, Breidablicks
aus den Lüften hernieder und erfüllt vor den staunenden und bewundernden
Blicken Frithjofs das ganze Thal. Freudig versteht dieser den Wink, den
ihm sein Vater von oben gesendet hat: dafs er, um Baldur und der anderen
Himmlischen Zorn zu versöhnen, den abgebrannten Tempel des Gottes in
seinem alten Glanze wieder herstellen müsse, und macht sich nun sogleich
an das Werk der Sühne. Prächtig und in höherem Glanze, als je zuvor,
ersteht Baldurshain wieder aus dem Schutte und in dem neuen Tempel
findet Frithjof endlich Versöhnung, den Abschlufs seiner Leiden und die
Vereinigung mit Ingeborg. Als er in das herrliche Gebäude — das Tegnér
ausführlich beschreibt — eintritt und voll Sinnen und Andacht dem Gesange der zwölf dem Gotte dienenden Jungfrauen lauscht, tritt Baldurs ehr-
würdiger Priester an den Altar und ermahnt den Helden in einer langen
— fast zu lang ausgesponnenen — eindringlichen Rede, welche voll Anspielungen aus der altnordischen Mythologie ist, er möge nun jeden Groll
und Hafs gegen die Könige fahren lassen, denn er könne nicht eher mit
den Göttern versöhnt werden, als bis er selbst sich mit seinen Feinden versöhnt habe; die Wiederherstellung des Tempels allein genüge nicht, und
Kraft ohne Frömmigkeit habe so wenig Wert, als Frömmigkeit ohne Kraft.
Tief ergriffen von des Greises Predigt, wendet Frithjof sein Herz zum

Frieden und zur Versöhnung, besonders als er hört, dafs Helgi unterdessen im Streite mit den Finnen gefallen sei, und bietet dem gerade in diesem Augenblicke schüchtern eintretenden Halfdan freundschaftlich die Hand. Nun nimmt der Greis den Bannfluch von ihm hinweg, Ingeborg tritt, bräutlich geschmückt, mit ihren Dienerinnen herein (ihre, wie Halfdans plötzliche Erscheinung ist wohl als ein Werk des ehrwürdigen Priesters zu denken) und wird von dem Bruder dem Helden zugeführt.

Mit den Worten:

> Mit Thränen in den schönen Augen sank sie hin
> Ans Herz des Bruders; dieser legte nun gerührt
> Die Teure hin an Frithjofs treue Heldenbrust.
> Und über Baldurs Altar reichte sie die Hand
> Dem Jugendfreund, dem Heifsgeliebten, freudig dar —

schliefst Tegnér sein schönes Gedicht. Wie und mit welchen Mitteln sein feinsinniger Künstlergeist dasselbe aus der einfachen, naiven und doch so viele poetische Keime in sich bergenden alten Nordlandssage von Frithjof dem Starken herausgebildet habe, das im einzelnen zu verfolgen und darzulegen, war der Zweck unserer Arbeit; des schwedischen Dichters Frithjofssage ist uns im Verlauf derselben, gerade durch die eingehende Vergleichung mit dem Original, nur noch werter und teurer geworden, aber auch die alte schlichte Nordlandssage wird, wie wir glauben, trotz des herrlichen Gemäldes, das aus ihren einfachen Linien und Konturen erwachsen ist, nicht an Interesse verlieren — ist es doch stets eine anziehende Beschäftigung, dem Ursprunge des Grofsen und Edlen nachzugehen — und somit empfiehlt sich unsere alte Sage der Gunst des geneigten Lesers.

Shakespeare's Lustspiele
des charakteristischen Stiles von 1598—1601.

Von

Dr. B. T. Sträter.

(Schluſs.)

IV. Der Dreikönigsabend oder Was Ihr wollt.

Wenn die bisher besprochenen Lustspiele noch einzelne Züge enthielten, welche einer schärferen Kritik gegenüber den groſsen Dichter noch mit manchen Resten seiner jugendlichen Entwickelung behaftet zeigen, so kommen wir jetzt zu einem Stücke, in welchem die reine Freude an einer vollkommenen Schöpfung des Genies der einzige Eindruck ist, den das Ganze hervorruft. In „Ende gut, alles gut" hat Shakespeare offenbar erst ganz allmählich den Charakter der Helena so herausgearbeitet, daſs dadurch der Inhalt oder die Fabel des seltsamen Stückes überhaupt begreiflich und erträglich erscheint; die eigentlich komischen Partien aber, namentlich die Scenen, in welchen der militärische Trommelhans Parolles gehänselt wird, stehen mit der Haupthandlung so wenig in nothwendiger Verbindung und enthalten überhaupt neben einzelnen prächtigen Witzen noch so viel „Chaff", daſs wir fortwährend an die Zeit von Love's Labour's Lost erinnert werden und uns in die erste oder zweite Periode seiner Kunst zurückversetzt fühlen. In dem zweiten Stücke — „Wie es Euch gefällt" — ist das Ganze allerdings schon mehr aus einem Gusse; aber auch hier

ist die Komposition mehr eine Novelle und Wald-Idylle, als ein
eigentliches Drama, und der ganz mährchenhafte Schluſs erinnert auffallend an die Art und Weise, wie in den beiden Vero-
nesern die Räubergeschichte mit einer raschen Wendung den
Abschluſs der komischen Verwickelungen beeilt. Ein weiblicher Charakter, Rosalinde, ist auch hier der Mittelpunkt
des Interesses: „Où est la femme?" ist ja die Hauptfrage bei
jeder Intrigue. Das dritte Stück, ganz in Italien spielend und
zwar auf Sicilien, in Messina, ist schon ein wahrhaft Tiziani-
sches Gemälde voll südlicher Lebensfülle, alle Farben wie in
Gluth und Pracht eingetaucht und zu den feinsten Tönen ver-
kocht und abgedämpft; aber das Hauptinteresse heftet sich hier
an die Charaktere, welche nicht die Träger der Intrigue und
der Mittelpunkt der Handlung sind: Beatrice und Benedict
sind feiner, voller und energischer herausgearbeitet, als die stille
Hero und der doch gar zu leichtgläubige Claudio, so daſs die
episodischen Gespräche jenes sich immerfort neckenden Liebes-
paares amüsanter sind, als die ganze sonstige Verwickelung
des Stückes. Das ist ein Kompositionsfehler, den ein groſser
Dichter einmal durchmachen muſs, um daran selbst zu erproben, worauf es bei einem schlechthin vollkommen zu nennenden
Drama eigentlich ankommt: auf die vollkommene Identificirung
nämlich der Hauptpersonen mit der Haupthandlung, so daſs
eben die Entfaltung und Selbstdarstellung der Hauptcharaktere
die ganze Verwickelung des Stückes bis zur schlieſslichen
Lösung, d. h. bis zur tragischen oder humoristischen Katastrophe herbeiführt. In dieser Form schafft unser groſser
Dichter die Tragödien seiner reifsten Zeit, Othello, Macbeth,
King Lear und Coriolan. Und in solch einer vollendeten Gestalt steht auch das schönste seiner geistreichen Lustspiele —
„Was Ihr wollt" — entzückend vor unserem inneren Auge.
Der Herzog Orsino in Illyrien liebt die schöne Gräfin Olivia
— diese findet Gefallen an seinem Pagen und Boten Cesario —
dieser Page aber, der ein verkleidetes Mädchen aus edlem Geschlechte ist (Viola), liebt selbst den Herzog: und ihr Bruder
Sebastian, wie sie aus dem Schiffbruch gerettet und seiner
Schwester so ähnlich sehend, daſs die Gräfin sich mit ihm,
statt mit Cesario vermählt, löst endlich diese dreifache Irrung

einer Liebe ohne Gegenliebe. Das Ende des Stückes zeigt wieder, nach einer reichen und äufserst fein durchgeführten Verwickelung, lauter glückliche Liebespaare: die erwiederte Liebe bringt alle auf den rechten Weg, Herzog Orsino und Viola, Olivia und Sebastian vermählen sich. Selbst der gehänselte Puritaner Malvolio wird schliefslich von seiner eingebildeten Leidenschaft kurirt, und der lustige Junker Tobias bekommt in der schelmischen Kammerzofe Maria eine Frau, die eigentlich noch viel zu gut ist für den Trunkenbold. Nur der Tölpel Andres geht verdientermafsen leer aus, obwohl auch er einmal angebetet wurde.

Dies ist der allgemeine Inhalt des reizenden Stückes. Aber welche Feinheit und welch ein Reichthum der Sprache, welch köstlicher Witz in den Situationen, wie in einzelnen Wortspielen, welch ein üppig übersprudelnder Humor in der Ausführung alles Einzelnen! Und welche Zartheit der Empfindung zugleich in den Liebesscenen!

Der Beginn des ersten Aktes zeigt uns zuerst den in seine eigene Leidenschaft zur Olivia verliebten Herzog Orsino — eine Künstlernatur von reichem Phantasieleben —, wie er sich durch Musik über seine unerwiederte Liebe zu trösten sucht:

> Die Weise noch einmal — sie starb so hin!
> O sie beschlich mein Ohr, dem Südwind gleich,
> Der auf ein Veilchenbette lieblich haucht
> Und Düfte stiehlt und giebt! — —
> O Geist der Lieb', wie bist du reg und frisch!
> Nimmt schon dein Umfang alles in sich auf,
> Gleich wie die See, nichts kommt in ihn hinein,
> Wie stark, wie überschwänglich es auch sei,
> Das nicht herabgesetzt im Preise fiele
> Im Augenblick! So voll von Phantasien
> Ist Liebe, dafs nur sie phantastisch ist.*

---

* Der englische Text bietet hier zwei höchst interessante Varianten dar, die eine genauere Berücksichtigung verdienen, als ihnen bisher scheint zu Theil geworden zu sein. Delius hat die alte Lesart der Folio sound statt south wiederhergestellt, nicht zum Vortheil des Sinnes, wie mir scheint. Die ersten Editoren Rowe und Pope haben hier gewifs die richtige Empfindung gehabt, dafs es kein Bild giebt, wenn ich die Musik mit einem Tone vergleiche, da die Musik selbst nur aus Tönen (sounds) besteht. Rowe setzte daher wind statt sound, und Pope las zuerst:

> O, it came o'er my ear like the sweet south.

Also so sehr hat die Liebe als solche (Fancy, spirit of love) diese reiche und schöne Natur, den Herzog von Illyrien, durchdrungen, dafs sie, wie ein Meer, stets neuen Zuflufs erhält, aber alles in sich selber verwandelt und so jede bestimmte Gestalt auflöst und versinken läfst in ihre eigene unendliche Strömung: so ist sie unendlich gestaltenreich und höchst phantastisch — die Kunst selbst ist eine Offenbarung dieses ihres reichen inneren Lebens, wie dies unser Drama ganz besonders deutlich zeigen soll.

Jedenfalls übersetzte Schlegel dem Sinne gemäfs:

> O, sie beschlich mein Ohr dem Weste gleich,
> Der auf ein Veilchenbette lieblich haucht,
> Und Düfte stiehlt und giebt!

An dem Südwind (south) haben die späteren Editoren und Erklärer deshalb Anstofs genommen, weil dieser bei Shakespeare gewöhnlich als Sturm und Regen und Nebeldünste bringend dargestellt wird. Auch Alexander Schmidt benutzt die entsprechenden Stellen in As you like it, Heinrich IV. und Coriolan, um die Konjektur Pope's zu verwerfen. Ich möchte dem gegenüber doch auf die rauhe Gebirgsnatur der illyrischen Küste aufmerksam machen, wo der warme Südwind, von der Adria und dem Apennin her wehend, durchaus nicht solch bösartigen Charakter haben kann, wie in England, im südlichen Frankreich, auf Sicilien und in der römischen Campagna: vielmehr hat er hier die angenehm warme und erfrischende Natur des Seewindes, etwa wie er in Nizza und Genua dem Reisenden so bezaubernd entgegenströmt, wenn dieser, im Winter von Norden herkommend, dort zu seiner grofsen Überraschung noch bluhende Rosen am Ufer findet. In diesem Sinne pafst also der warme Hauch des Südwindes sehr wohl zu dem Lokal der Erzählung und des Dramas. Schlegel hat den Westwind gewählt, weil dieser hier im Nordosten unserer Empfindung entspricht; jedenfalls hat der Dichter aber die Musik mit einem Luftbauche verglichen, so dafs das ursprüngliche „sound" durchaus zu verwerfen als ein Versehen des Setzers. Sehr leicht war das Wort im Manuskript mit wind oder south zu verwechseln.

Dagegen ist die zweite Variante, von Warburton herrührend und von Theobald gebilligt, durchaus unnöthig, ja ganz unmöglich. Warburton wollte also lesen:

> So full of shapes in fancy,
> That it alone is high-fantastical. —

Delius hat die ältere Lesart wieder hergestellt:

> So full of shapes is fancy

und richtig dazu bemerkt, dafs fancy hier für phantastische Liebe steht, launige, seltsame, wunderliche Liebe. Das Pron. „it" bezieht sich auf fancy und kann nur, auf dies neue Subjekt bezogen, mit it gegeben werden, während der spirit of love vorher in der zweiten Person mit thou angeredet wurde. Dieser kann also nicht mehr Subjekt des neuen Satzes bleiben, also ist das Verbum des neuen Satzes „is" auch nicht in „in" zu korrigiren.

Wollt Ihr nicht jagen, gnädiger Herr?

fragt Curio, einer der Kavaliere des Herzogs. Aber dieser
kommt sich selbst wie ein gejagtes Wild vor, in seiner Liebe
zu Olivia, die ihn unaufhörlich ziellos und zwecklos in Bewegung erhält:

> O als mein Aug' zuerst Olivia sah,
> Da schien es mir, als würde licht der Himmel
> Und rein die Luft. Da ward ich selbst zum Wilde,
> Und Leidenschaft, der wilden Meute gleich,
> Hetzt mich seitdem!

Als nun die Antwort von der strengen Olivia kommt, dafs
sie wie eine Klosterfrau sieben Jahre lang wolle verschleiert
gehen und täglich weinen um den ihr gestorbenen Bruder, da
erkennt der Herzog den ganzen Werth dieser edlen Frau, und
seine Klage über verschmähte Liebe wird zum Preisgesange
ihrer Schönheit und Tugend:

> Sie, deren Herz so fein geformt erscheint,
> Dafs solche Liebe sie dem Bruder weiht,
> Wie wird sie lieben, wenn der goldne Pfeil
> Die ganze Schaar von Neigungen erlegt,
> Die in ihr lebt! Wenn dann ihr ganzes Innre,
> Wenn Hirn und Herz, der souveräne Thron
> Vollkommnen Wesens, erst erfüllt sich zeigt
> Von Einem Herrscher, der er selbst ein König!
> Eilt mir voran zu zarten Blumenmatten:
> Süfs träumt die Lieb', wenn Lauben sie umschatten!

Mit dieser Vertröstung auf eine glückliche Zukunft schliefst
die erste Scene: der Herzog träumt und schwärmt nur von der
holden Vollkommenheit seiner geliebten Olivia („Her sweet per-
fections"). Und so erhebt uns der Anfang des Stückes sogleich in eine hoch ideale Stimmung, in eine in der That höhere
und feinere Region des poetischen Geistes, als irgend eines der
früheren Lustspiele; aber wir haben dabei zugleich die Empfindung, dafs eine leise humoristische Ironie des das Ganze
schon im Voraus überschauenden Dichtergeistes mitspielt, da
solch eine unerwiederte Schwärmerei voll musikalischer Phan-
tastik unmöglich schon die rechte Liebe sein kann. Es ist
vielmehr die Stimmung eines Romeo, bevor er seine Julia gesehen: solche Naturen leben nur in der Liebe; der Gegen-

stand ist ihnen weniger wichtig, als ihre eigene Leidenschaft, die immer wenigstens einen Gegenstand der Liebe haben mufs, bis die rechte Liebe gefunden ist.

V i o l a landet in der zweiten Scene an der rauhen See-küste von Illyrien, Venedig gegenüber oder Ravenna — wir können uns denken etwa bei Triest oder Fiume. Sie erfährt vom Schiffskapitän, wo sie sich befindet, wer Olivia, wer Or-sino sei: und sie beschliefst, verkleidet als Page und ganz ihrem Bruder Sebastian gleichend, den sie im Seesturm und Schiffbruch verloren hat, in des Herzogs Dienste zu treten. Und dann wird in der dritten Scene der Haushalt der Gräfin vorgeführt. Um die reine Tugend der edlen Olivia im rechten Lichte erscheinen zu lassen, hat der Dichter ihr die nichts-nutzige geniale Kammerzofe M a r i a, den trinklustigen Junker T o b i a s R ü l p s und den Tölpel A n d r e s B l e i c h w a n g e als hebende Folien zur Seite gestellt — eine Kontrastwirkung durchaus humoristischer Art. Die beiden Junker, von denen der erste den zweiten ausnutzt unter dem Vorwande, für ihn um seine Cousine zu werben, machen der Gräfin Palast zum Weinhause und zur Zechstube und stellen dann gemeinsam mit dem Schelm von Kammerzofe so verteufelte Geschichten mit dem puritanischen Haushofmeister Malvolio an, dafs es scheint, als solle alles genau umgekehrt so gehen, als die weltentsagende Dame es wünscht. Es wird eben alles ironisirt in der voll-endeten Komödie. Das erste Auftreten dieser hochberühmten kostbaren Lustspiel-Figuren ist sogleich unnachahmlich treffend gezeichnet:

Scene 3.

T o b i a s. Aber zum Teufel, was fällt denn meiner Nichte ein, den Tod ihres Bruders so ernsthaft zu nehmen? Es ist doch gewifs, dafs Trauer ein Feind des Lebens ist.

M a r i a. Meiner Treu, Junker Tobias, Ihr müfst des Nachts früher schlafen gehen: meine gnädige Frau, Eure Cousine, nimmt Euch diese späten Stunden sehr übel.

T o b i a s. Lafst sie doch übel nehmen, wenn es nur mir selbst nicht übel bekommt.*

---

* Es soll das keine Übersetzung sein von dem für uns weniger treffen-den: „Let her exept before excepted!" (Siehe Del. Note 1.)

Maria. Es würde Euch aber doch besser kleiden, einen ordent-lichen Lebenswandel zu führen.

Tobias. Besser kleiden? — Ich brauche mich nicht besser zu kleiden, als ich es bin. Dieser Rock ist gut genug, um darin zu trinken, und diese Stiefeln auch; wenn sie's nicht sind, so mögen sie sich in ihren eigenen Riemen aufhängen lassen.

Maria. Dies ewige Zechen und Trinken wird Euch noch ganz zu Grunde richten. Noch gestern hörte ich meine gnädige Frau davon sprechen, und auch von einem närrischen Ritter, einem ganz albernen Junker, den Ihr eines schönen Abends einmal ihr mitgebracht habt, als einen Freier für sie.

Tobias. Wen meint Ihr? Junker Andres von Bleichenwang?

Maria. Ja, eben den.

Tobias. Das ist ein so langer Kerl wie irgend einer in ganz Illyrien.

Maria. Was thut das zur Sache? Was nutzt ihm denn das hier?

Tobias. Nun, er bringt es im Jahr auf 3000 Dukaten.

Maria. Ja wohl, im Ausgeben: er ist ein wahrer Narr und Verschwender.

Tobias. Pfui, dafs Ihr so reden könnt! Er spielt auf dem Violoncell und spricht drei oder vier Sprachen, Wort für Wort, aus dem Kopfe, und hat überhaupt alle schönsten Gaben der Natur in seinem Besitz.

Wir erfahren dann gleich darauf, wie es mit diesen schön-sten Gaben der Natur und mit all den Sprachkenntnissen bei ihm eigentlich steht. Sein Haar ist wie Flachs an einem Spinnrocken, und Junker Tobias hofft, dafs seine Hausfrau ihn einst ganz ebenso wie einen solchen Spinnrocken zwischen die Knie nehmen und langsam abspinnen wird.* Das Rind-fleisch-Essen hat diesen flachshaarigen Landjunker um seinen Witz gebracht. Dem Narren, wie dem Tobias und der Viola sucht er ihre Redensarten abzulauschen und spricht sie ihnen nach wie ein Echo. Das französische „Pourquoi?" kennt er nicht, das englische „Accost!" versteht er nicht: in seiner Dummheit hält er es für den Hausnamen der Maria.** Der

---

* „It will not curl by nature" = „Es will sich nun einmal nicht von selber kräuseln!" So lautet Theobald's hübsche Emendation statt des sinnlosen: „It will not cool my nature." Die Konjektur hat allgemeinen Beifall gefunden.

** Schlegel: „Gute Jungfer Maria Hakein!"

Junker Tobias hat ihn nur deswegen als Bewerber um seine
Cousine aufgestellt, um ihn unterdessen gehörig ausbeuten zu
können: sein Pferd, seine Börse, alles weiſs er ihm höflich ab-
zunehmen. An einen Erfolg seiner Bewerbung glaubt er selbst
ebenso wenig, wie der arme Freier, der immer auf dem Sprunge
steht, abzureisen, weil er gar nicht vorwärts kommt. Wenn er
versichert: „Ich bin auch einmal angebetet worden!" — so
sieht man auch ohne Schauspieler schon das dumme Gesicht,
das er dazu macht. Tobias verhöhnt ihn auf die plumpste
Weise, ohne daſs er es merkt: „Ist dies eine Welt, Tugenden
zu verbergen?" fragt er den armseligen Burschen, der jeder
Tugend bar ist: „Zeige mir doch einmal deine Künste!" fordert
er ihn auf. Und indem derselbe nun den gröſsten Bocksprung
macht, der ihm nur möglich, glaubt er ein groſser Tänzer zu
sein: „Higher! Ha, ha! Excellent!" ruft Tobias ihm lachend
zu. Und damit schlieſst diese drollige Scene, die bei gutem
Spiel immer von groſser komischer Wirkung ist: die Rolle des
Andres muſs nur mit jener wichtig thuenden, schwerfällig vornehmen Miene gespielt werden, wie so ein richtiger Landjunker
sich zu bewegen pflegt. Die vornehme Manier, mit der er auf
Maria zeigend, gleich beim Eintreten sagt: „What's that?"
kann dies sofort deutlich hervortreten lassen. Gervinus, der
die Einzelzüge ganz richtig zusammengestellt hat, scheint ihn
im Ganzen so aufzufassen, als ob er selbst gering von sich
dächte, und er tadelt dann sehr ernstlich seine moralische Er-
bärmlichkeit: das darf in der Darstellung dieses Charakters
aber keineswegs hervortreten, vielmehr muſs er die Eitelkeit
und Selbstüberschätzung selbst sein, wenn die komische Wirkung seiner Niederlage durch schlauere Köpfe soll erhalten
bleiben. So wenigstens haben wir ihn auf der hiesigen königlichen Bühne (Berlin) spielen sehen, und die Wirkung dieser
Scene war stets eine unwiderstehlich komische.

Im Gegensatze zu ihm ist Junker Tobias ein derber Rea-
list, ein Trunkenbold, der unverschämt genug ist, das Haus zur
Zechstube zu machen, in welchem er sich als Gast befindet,
und den auszuplündern, den er eingeladen hat. Die untergeordneten Geister sind ihm, wie Falstaff, eine ebenso natürliche
Beute, wie die kleineren Fische es dem Hecht sind: das ist

das Naturrecht solcher Egoisten — Anderen Streiche spielen
und sich selbst betrinken, wenn es sie nichts kostet, ist ihr
einziges Vergnügen.   Dies verbindet denn auch den Junker
Tobias mit der schlauen Kammerzofe Maria, die zuletzt aber
ihn selbst ebenfalls als gute Beute davontragen soll.

So ist in diesen drei ersten Scenen bereits eine vortreffliche Exposition der ganzen Sachlage gegeben, wie sie der nun
sich entwickelnden Komödie zu Grunde liegt.   Die vierte
Scene zeigt die Viola bereits als Lieblingspagen Cäsario in
des Herzogs Diensten.   Dieser benutzt sie schon als Boten an
Olivia, indem er glaubt, daſs seine Jugend sich besser dazu
eigne, solchen Liebesboten zu spielen, als wenn er Männer von
ernsterem Ansehen schicken würde.

„Ich denke nicht so!" sagt Viola mit dem feinen Takte
echter Weiblichkeit: sie weiſs sehr wohl, daſs ernste Männer
den tüchtigen Frauen weit lieber sind, als unreife Knaben.
Sie scheint damit zugleich einen Zweifel an dem Ernste und
der männlichen Wahrheit seiner Liebe bereits hier andeuten zu
wollen.

Der Herzog aber sieht den hübschen Knaben auch schon
mit den Augen der Liebe an:

> Glaub' mir, mein lieber Junge!
> Denn die da sagen, daſs ein Mann du seiest,
> Die täuschen sich in deinen jungen Jahren:
> Diana's Lippe ist nicht holder ja,
> Rubinenartig schimmert noch ihr Purpur.
> Und deine zarte Kehl' ist mädchenhaft,
> Die Stimme hell, ganz ungebrochen — Alles
> Erscheint mir fast, als wärest du ein Weib:
> So passest du mir grad zu dieser Botschaft,
> Vier oder fünf — begleitet ihn! Ja, Alle,
> Wenn Ihr es wollt! Denn ich befinde mich
> Allein am wohlsten!

Diese reizende kleine Scene, welche damit schlieſst, daſs
Viola sich selbst schon leise gesteht, sie möchte sein Weib
sein, dient nur zur Vorbereitung der folgenden groſsen Scene
(5.), in der die Liebesbotschaft ausgeführt wird.   Auch der
Hausnarr, der Clown, der sich seiner Narrheit als einzig richtiger Weisheit sehr wohl bewuſst ist, wird hier nun eingeführt,

in Gesellschaft der Maria, die ihn scheltend fragt, wo er so lange gewesen sei. Dann aber tritt endlich Olivia auf, die strenge, schöne, trauernde junge Gebieterin des Hauses. „Weg mit dem Narren!" ist ihr erstes Wort. Aber der schlaue Bursche wendet das gleich auf sie selbst zurück und ruft ebenso befehlend: „Weg mit der Lady!"

> Olivia. Geht doch, Ihr seid mir ein zu trockner Narr — ich will nichts mehr von Euch wissen. Ihr seid aufserdem unehrerbietig!
>
> Clown. Zwei Fehler, Madonna, welche fleifsiges Trinken und guter Rath allmählich zu bessern vermöchten. Denn wenn du dem trockenen Narren guten Wein reichst, so wird er nicht ferner mehr trocken sein; und wenn du dem Unanständigen sich zu bessern befiehlst, so wird er nicht länger unanständig sein. Kann er sich aber nicht mehr bessern, nun — dann schick' ihn zum Flickschneider zum Ausbessern!

In dieser Weise schwatzt er noch lange weiter, bittet dann die Dame um Erlaubnis, ihr zu beweisen, dafs sie der Narr sei und führt dies in der Weise aus, dafs er sein „gutes Tugendmäuschen" bittet, ihm nur einige wenige Fragen zu beantworten:

> Clown. Warum trauerst du, gute Madonna?
> Olivia. Guter Narr, wegen meines Bruders Tod.
> Clown. Ich glaube, seine Seele ist in der Hölle, Madonna.
> Olivia. Ich weifs, seine Seele ist im Himmel, Narr.
> Clown. Dann seid Ihr um so mehr der Narr, dafs Ihr über Eures Bruders Seligkeit im Himmel trauert, also schafft die Närrin fort, Ihr Herren!

So also kommt er auf sein erstes „Take away the Lady!" zurück und zeigt, dafs er eigentlich Recht hatte. Und bei dieser Gelegenheit macht er denn auch geltend, dafs das Kleid nicht den Mönch mache, was so viel sagen will als: „Mein Gehirn ist durchaus nicht so ein buntes närrisches Ding, wie seine Bedeckung, meine Narrenkappe!" Er ist klüger, als er nach seinem Kleide zu sein scheint: in seiner Narrheit steckt viel verborgene Weisheit — jede der anderen Rollen wird mit den treffendsten Worten scharf von ihm charakterisirt.

Im vollsten Gegensatze zu ihm erscheint nun der weise, bedächtige, sittenstrenge und ordnungsliebende Malvolio, der Haushofmeister (Steward) der Gräfin Olivia. Wer diese Rolle

von unserm trefflichen D ö r i n g noch hat spielen sehen, der
weifs, was aus ihr alles zu machen ist. Zuerst durchaus ernst,
streng und würdig auftretend, aber eben deshalb den andern
Hausgenossen verhafst als pedantischer Puritaner — dann in
seiner Verliebtheit lächerlich' werdend — endlich als närrisch
eingesperrt — nach seiner Befreiung aber zu seinem früheren
Zustande zurückkehrend, indem er dem ganzen Pack Rache
schwört, das ihm solche Streiche gespielt hat — so entwickelt
sich dieser interessante Komödiencharakter in drei oder vier
ganz verschiedenen Stufen, die ein guter Schauspieler fein ab-
getönt mufs hervortreten lassen. Die Rache freilich fällt nicht
mehr in das Lustspiel — die übernahm später in einer sehr
tragischen Weise die Geschichte der englischen Revolution.

Hier in der fünften Scene des ersten Aktes sehen wir ihn
noch ganz auf der ersten Stufe: er spielt den strengen Sitten-
richter, er verachtet den klugen Narren, droht ihm mit den
Schrecken des Todes und begreift nicht, wie verständige Leute
an ihm Gefallen finden können.

O, you are sick of self-love, Malvolio, and taste with a distem-
perate appetite!

So lautet das Urtheil der hochherzigen Gräfin über ihn.
Malvolio ist damit genau charakterisirt: krank an Selbstliebe,
Dünkel und Eitelkeit, sieht er alles Andere mit einer sauer-
töpfischen Miene und einem verstimmten Gemüthe an, den
Farben der Dinge seine eigene Galle und Verbitterung unter-
legend und deshalb ganz unempfänglich für das lustige Leben
und die heiteren Scherze rings um ihn her.

Wie ganz anders betrachtet die edle Gräfin diese Dinge!
Obwohl sie durch ihren Stand nicht nur, sondern durch ihr
ganzes wahrhaft vornehmes Wesen viel höher über ihrer ganzen
Umgebung steht, als Malvolio, so duldet sie doch all das nichts-
nutzige Treiben um sie her mit jener liebenswürdigen alles
gehen lassenden Genialität, die auch untergeordneten Geschöpfen
das Recht gewährt, sich ein wenig ihres Lebens zu freuen:

Wenn man hochherzig und edelmüthig, schuldlos und von heiterer
Gemüthsart ist, so mufs man solche Kleinigkeiten nur als Vogelbolzen
ansehen, die Ihr für Kanonenkugeln haltet. So ein privilegirter Narr
mag ja immerhin lästern und verläumden — er spottet ja nur!

„Du sprichst gut!" erwiedert der Clown darauf — „selbst von
den Narren sprichst du gut: Mercur, der Gott der Diebe, der Kaufleute und der Lügner, möge dich dafür segnen!"

So ist Olivia „eine hohe Frau von freiem und ernstem
Geiste, nicht in der Stimmung, die Scherze eines Boten zu ertragen, aber wohl fähig, die bedeutsamen Sticheleien ihres
klugen Narren nachsinnend hinzunehmen — nicht männlich
genug geschaffen, dem wüsten Verwandten Tobias, der ihr
Haus belagert, mit mehr als Worten die Thür zu weisen, aber
doch sorgsam bedacht, die Ordnung aufrecht zu erhalten durch
ihren puritanischen Hausmeister und selbst in verständigem und
gesetztem Wesen dem Haushalte vorzustehen. In ihrem Siegel
führt sie die keusche Lucretia. Nur um seines tugendhaften
Diensteifers willen hält sie einen Malvolio in Ehren. „My
mouse of virtue" ist das sinnige Liebkosungswort, mit dem ihr
kluger Narr sie belegt. Den sittenstrengen Charakter, den
diese Eigenheiten andeuten, behauptet sie in verschiedenen
Zügen. Sie ist eine Feindin aller modischen Trachten, aller
äufseren und inneren Schminke. Als Viola sie bittet, sich zu
entschleiern, und von ihrer Schönheit überrascht ausruft:* „Ein
herrliches Bild, wenn Gott allein es gemacht hat!" — da antwortet sie mit ruhigem, selbstbewufstem Lächeln: „Es ist echter
Art, Herr, es wird Wind und Wetter aushalten!" — —

In diese feine Zeichnung eines hochidealen Charakters sind
nun einige ganz prächtige humoristische Züge eingemischt.
Viola's Besuch wird nämlich angekündigt durch den am frühen
Morgen schon betrunkenen Junker Tobias: „Die verdammten
Häringe!" ruft er rülpsend aus — ein äufserst komisches Bild
aus dem Leben solcher Trunkenbolde. Er hat nämlich offenbar
den Rest eines gründlichen Katzenjammers vom vorigen Abend
her durch einen Pickelhäring vertreiben wollen, diesen aber
wieder mit neuem Sekt derartig angefeuchtet, dafs der eigentliche Zweck des Manövers gründlich verfehlt wurde, dafs er
wieder betrunken geworden ist, und nun vor lauter Rülpsen
und Aufstofsen nicht einmal die Meldung ordentlich anbringen
kann, dafs da ein Gentleman an der Thüre sei, der Ihre Hoheit

---

* Gervinus I, pag. 550.

die Gräfin zu sprechen wünsche. Der Narr tritt dabei dicht
an ihn heran, und besieht sich lachend den Flegel von oben
bis unten: so ist das kurze „How now, sot?" des Tobias und
die Antwort des Narren: „O du lieber Herr Tobias!" zu verstehen — bei der Aufführung stets unendliche Heiterkeit her-
vorrufend. Und als Olivia genauer fragt, wer denn am Thore
sei, antwortet er: „Meinetwegen kann's der Teufel sein, wenn
er es will — was geht's mich an!" Und damit macht er, dafs
er wieder fort kommt: sein Magen befindet sich doch in gar zu
unsicherem Zustande. Diese köstliche kleine Zwischenscene
versetzt uns sofort in die heiterste Laune: die Stimmung ist
dá, die der Lustspieldichter überhaupt bezweckt.

Und nun kommt Viola, im Namen des Herzogs nochmals
werbend und in ihrer Bewunderung der Schönheit der Olivia
sogleich ihr Herz für sich selber gewinnend. Denn sie spricht
allerdings in Tönen, die eine andere Liebe kund geben, als die
Phantasie-Liebesschwärmerei des Herzogs:

Die zarte und geschickte Hand der Natur hat diese rothen und
weifsen Farben so fein gemischt zum Bilde wahrer Schönheit. O,
theure Dame, Ihr seid das grausamste Wesen, das da lebt, wenn Ihr
so viel Grazie wollt zu Grabe gehen lassen, ohne der Welt ein Abbild eines so holden Wesens zurückzulassen!* — Wenn ich Euch
liebte, so fände ich keinen Sinn in Eurer Weigerung, ich verstände
sie gar nicht!

„Nun wohl, was würdet Ihr denn thun?" fragt die Gräfin.
Und Viola antwortet:

> Ich baut' an Eurer Thür ein Weidenhüttchen
> Und riefe meiner Seel' im Hause zu,
> Schrieb' fromme Lieder der verschmähten Liebe
> Und sänge laut sie durch die stille Nacht,
> Liefs' Euren Namen an die Hügel schallen,
> Dafs die vertraute Schwätzerin der Luft
> Olivia riefe! Keine Ruhe liefs' ich
> Euch zwischen Erd' und Himmel, bis Ihr Euch
> Erbarmet hättet meiner!**

---

* Auch in Venus und Adonis und in den ersten Sonetten ist uns
diese Idee Shakespeare's wiederholt begegnet. Seine Phantasie scheint
besonders gern auf solcher Mahnung an die Pflicht der Schönheit verweilt
zu haben.
** „Halloo your name to the reverberate hills = an die wiederhal-
lenden Hügel. Theobald's Konjektur „reverberant" ist wohl unnöthig, da

Olivia sieht ihn schon verwundert und sinnend an und meint: „Ihr könntet wirklich viel thun!" Dann fragt sie nach seinem Stande und seiner Familie und überlegt nachher bei sich, was er damit habe sagen wollen, wenn er erwiedert: „Höher als mein Glück, von edlem Stamme bin ich!" — „Ruhig, still, Vorsicht!" so beschwichtigt sie ihr stürmendes Herz, das gleich den schönen Knaben lieb gewonnen hat. Diese ganze Scene ist von einem Reiz und einer Anmuth umflossen, daſs eine Steigerung fast unmöglich erscheint. Und so schlieſst denn der ganze Akt, indem Olivia durch Malvolio dem Cesario ihren Ring nachschicken läſst und ihn bittet, morgen wiederzukommen.

So reich und so groſsartig ist schon dieser erste Akt des schönen Lustspiels komponirt. Die drei Hauptgruppen, der Herzog, Viola und Olivia treten jede mit ihrer Umgebung der Reihe nach zuerst getrennt auf und in die Scene ein und vereinigen sich dann — zuerst Viola mit dem Herzog in der vierten Scene — dann alle in der fünften Scene, und zwar indem Viola im Namen des Herzogs dessen Werbung im Hause der Olivia anbringt: es bildet sich so e i n e S y m p h o n i e der Stimmen, die an echt künstlerischem Reize alles übertrifft, was die früheren Lustspiele Ähnliches dargeboten hatten.

Und mit derselben Meisterschaft wird dieses reizende Spiel nun weiter geführt. Im z w e i t e n Akt tritt zuerst Viola's Bruder Sébastian auf, ebenfalls aus dem Sturme gerettet, zusammen mit dem Schiffskapitän Antonio.* Sebastian ist eine Viola ins Männliche übersetzt, ebenso eigenthümlich begabt wie diese, sogleich Liebe zu erregen, wo er nur erscheint. Der Schiffskapitän hat offenbar, wie man sagt „den Narren gefressen" an dem prächtigen Jungen: dieser eine Zug erklärt schon das spätere Benehmen der Olivia gegen ihn. So wird durch den Beginn des zweiten Aktes auf den Schluſs des ersten zurück-

---

die auch von Delius bevorzugte alte Lesart des Adjektiv reverberate dieselbe Bedeutung hat: Reverberate echoes, reverberate sound werden als verwandte Beispiele von Del. citirt.

    * Ich erinnere hier nur an Collier's kühne Emendation: „though I could not with s e l f - e s t i m a t i o n w a n d e r s o f a r t o b e l i e v e t h a t, yet thus far I will boldly publish her — she bore a mind that envy could not but call fair."

gewiesen: Sebastian ist das eigentliche Ziel, welches Olivia suchte und in Viola zu finden hoffte. Die gleich darauf (zweite Scene) folgende Begegnung des Malvolio und der Viola auf der Strafse soll wohl die Ähnlichkeit der Geschwister deutlich vor Augen stellen, und so das Folgende vorbereiten.*

Und dann folgt die köstliche Kneipscene in Olivia's Hause; Tobias, Andres und der Clown zusammen — „Did you never see the picture of we three?" — Dann das rührende Liebeslied des Narren — das tollste Zechgelage — endlich die berühmte Aufforderung des Tobias: „Lafst uns die Nachteule mit einem Kanon aufstören, der einem alten Leinweber drei Seelen aus dem Leibe haspeln könnte!" — Und nun ein Katzengeheul, dafs Maria und Malvolio entsetzt hereinstürzen und die Ritter beschwören, ihre Tollheiten aufzugeben. „O the twelfth day of December!" intonirt der Junker Tobias zuletzt ein neues Lied, wie es pafst zu der überlustigen Stimmung des Drei-Königs-Abends. Und den Malvolio fährt er an, nachdem er all sein Schelten und Schimpfen immerfort mit lustigen Kneipliedern unterbrochen hat: „Meinst du denn, weil du tugendhaft geworden bist, so soll es keine Kuchen und kein Bier mehr geben?" Und der Clown fügt hinzu: „Ja, bei der heiligen Anna, und der Ingwer soll auch noch auf der Zunge brennen!" — weshalb man seitdem wohl sagte: „The ginger was hot in his mouth" in dem Sinne: „Er war ein lustiger Lebemann, er liebte pikante Genüsse, er war kein Puritaner!" Und so geht diese prächtige Scene weiter, bis nach dem Abgange Malvolio's der Plan ausgeheckt wird von Maria, den alten Haushofmeister in die junge Gräfin verliebt zu machen.

Damit ist eine neue Intrigue eingeleitet, die, in der fünften Scene des zweiten Aktes ausgeführt, den Malvolio uns auf einer zweiten Stufe seiner komischen Entwickelung zeigt. Der Plan gelingt über Erwarten: Maria verliert einen Brief mit verstellter Handschrift, als ob die Gräfin selbst ihn geschrieben

---

* Delius behält hier (Zeile 11) mit Recht die alte Lesart bei: „She took the ring of me!" — doch möchten wir mit Malone dies Wort als Ausruf der Verwunderung fassen. Erst gleich darauf sagt sie allein für sich: „I left no ring with her." Collier will dieses no auch in den ersten Satz einschieben, was durchaus unnöthig.

hätte — Malvolio findet denselben und beifst auf den derben
Köder gleich so gründlich an, dafs die Mitspieler alle entzückt
sind von dem Streiche der Maria. Der Diener Fabian will
seinen Antheil an diesem Spafs nicht hergeben für eine Pension
von Tausenden, zu bezahlen vom Schah von Persien; Sir
Tobias könnte das Mädel heirathen für diesen Einfall und kein
anderes Heirathsgut fordern, als noch so einen Spafs: „Willst
du deinen Fufs auf meinen Nacken setzen und soll ich dein
Sklave werden?" fragt er sie. „Oder auf meinen?" setzt das
getreue Echo, Sir Andres, hinzu. Bis zu den Pforten des Tar-
tarus wollen sie von jetzt an ihr folgen — „Du excellenter
Witzteufel!" — um die Wirkungen des Liebesbriefes an Malvolio zu beobachten.

Damit schliefst der zweite Akt. Aber vor dieser letzten
(fünften) Scene ist noch eine andere eingefügt, die zu den
schönsten gehört, welche Shakespeare je geschrieben. Das
Verhältnis des Herzogs zu Olivia hat keinen Erfolg; vielmehr
hat sich die Gräfin in Viola-Cesario verliebt, wie am Schlufs
des ersten Aktes sich zeigte. Nun wird das andere Verhältnis
zunächst (in II., 4.) weiter entwickelt: Viola und der
Herzog Orsino. Während der Befehl des Herzogs, den
Clown zu suchen, um ihm ein Lied zu singen, ausgeführt wird,
unterhält er sich mit seinem hübschen Knaben und fragt ihn,
ob er auch schon geliebt habe:

> Viola. Ein wenig, mit Vergunst.
> Herzog. Welch eine Art von Frau denn?
> Viola. Von Eurer Art.
> Herzog. Dann ist sie dein nicht werth.
>   In welchen Jahren?
> Viola. In den Euren, Herr!
>   Herzog.
> Zu alt! beim Himmel! Wählte doch das Weib
> Sich stets den älteren Geliebten: so
> Schmiegt sie sich an ihn, so nur herrscht sie dauernd
> In ihres Gatten Brust! Denn, lieber Knabe,
> Wie wir auch preisen mögen unsern Werth,
> So wechselt unser Sinn doch leichter, als
> Der Frauen Neigung, die sich nicht so bald
> Verliert und abnutzt, nicht so lüstern schwankt
> Von der zu jener Form!

Viola. Ich glaub' es wohl,
   Mein theurer Herr! — — —

Herzog.
Drum wähl' dir eine jüngere Geliebte!
Sonst hält unmöglich deine Liebe Stand.
Denn Mädchen sind wie Rosen: kaum entfaltet
Ist ihre holde Blüthe schon veraltet.

Viola.
Ach, dafs es ist so! Dafs sie welken müssen,
Wenn eben sie gereift an ersten Küssen!

Wir sehen, Viola ist durch Orsino's Reden über das flüchtige Verblühen der Frauen bis in die innerste Seele gerührt
und getroffen; dann singt der Clown ein tief bewegliches Lied
voll Todessehnsucht:

Come away, come away, death,
And in sad cypress let me be laid!
Fly away, fly away, breath,
I am slain by a fair cruel maid!

Und als er dann entlassen wird, giebt er dem Herzog noch ein
scharf treffendes Urtheil über seine Gemüthsart:

Der Gott der Melancholie beschütze dich, und der Schneider
mache dein Wamms von schillerndem Taffet; denn dein Gemüth ist ja
ein wahrer Opal! Leute von solcher Beständigkeit würde ich auf die
See schicken, dafs ihr Geschäft alles und ihre Neigung überall wäre;
denn das ist es, was immer aus einem Nichts eine gute Reise macht.
Lebt wohl, mein Herzog! —

Aber noch ist die reiche Scene nicht zu Ende. Der Herzog
giebt dem Pagen neue Aufträge von Olivia in überschwenglichen Ausdrücken über seine Liebe. Und als er nun behauptet,
dafs Weiber nicht so zu lieben vermöchten, wie Männer, nicht
so stark und gewaltig wenigstens in ihrer Leidenschaft sein
könnten, da erzählt sie in tiefer Bewegung in der Geschichte
von einer vorgegebenen Schwester ihre eigene hoffnungslose
Leidenschaft für ihn:

Viola.
Ich weifs zu wohl, mit welcher Liebe Frauen
Dem Manne ihrer Wahl sind hingegeben:

Sie sind fürwahr so treu und wahr wie wir!
Mein Vater hatte eine Tochter, liebend
Den Mann, den sie gewählt, wie ich wohl Euch,
Mein theurer Herr, könnt' lieben, wär' ich anders
Ein Mädchen nur!

Herzog.
Und wie verlief ihr Leben?

Viola.
Ein leeres Blatt! Sie barg die tiefe Liebe
Und ließ Verheimlichung, wie in der Knospe
Den Wurm, an ihrer Rosenwange nagen.
In tiefer Sehnsucht sich verzehrend, saß sie
Wie die Geduld auf einem Grabmal, welkend
In bleicher Schwermuth, doch in ihrem Grame
Noch lächelnd — war das keine Liebe, Herr?

Von Thränen überwältigt, weiß sie nichts weiter zu sagen, als der Herzog weiter forschen will. Und so geht sie fort, ferner den Liebesboten zu machen an eine andere, von dem, der sie selbst so tief verwundet hat.

Solch eine Scene ist allein schon fähig, den Ausgang des Verhältnisses zu rechtfertigen. Shakespeare hat sich in dieser Vorbereitung des Erfolges wieder als ein Meister von unübertrefflicher Kunst gezeigt: das Bild der Viola erscheint darin mit so reinen und so zarten Farben gemalt, daß nur die größten Künstlerinnen in ihrem stummen Spiele die ganze Intention des großen Dichters in dieser Rolle zu erreichen fähig sind. Wo hat der Dichter nur die Originale zu solchen rein schönen Frauen-Charakteren gefunden, wie Olivia und Viola es sind? Er muß in diesen Jahren seines höchsten Ruhmes bereits in eine ganz andere Sphäre der Gesellschaft hineingekommen sein, als diejenige war, in welcher er sich im Anfange der neunziger Jahre bewegte, wo fast alle seine Dramen es mit höchst bösartigen und leidenschaftlichen Weibern zu thun haben. Diese Viola ist das erste Bild solcher Typen höchster und feinster Weiblichkeit,* wie Ophelia, Desdemona, Cordelia, Imogen, Perdita und Miranda.

---

* Vgl. die vortreffliche Exposition dieses Charakters bei Mrs. Jameson (1810) und Gervinus (1849).

Neckende Scherzreden zwischen dem Clown und Viola in Olivia's Garten beginnen den dritten Akt. Viola bringt dann aufs Neue ihre Werbung an: Olivia dagegen erklärt dem Pagen, dafs sie nur ihn lieben könne (1.). Die anderen merken etwas von dieser Neigung der Gräfin zu dem schönen Pagen: Sir Andres (2.) nimmt daraus in der zweiten Scene Veranlassung, abreisen zu wollen. Vergebens sucht ihm der Diener Fabian zu beweisen, dafs die Gräfin durch ihr Benehmen gegen Cesario nur ihn selbst habe zu gröfserer Kühnheit in seiner Bewerbung stacheln wollen. Sie bereden ihn dann zu einer Herausforderung an den zarten Pagen, beiden keine grofse Tapferkeit zutrauend. Maria hat unterdessen den Malvolio bemerkt und ladet die übrigen ein, ihr zu folgen und zuzusehen, wie er in gelben Strümpfen und mit kreuzweis gebundenen Strumpfbändern einherstolzirt — gerade solch ein Anzug, wie ihn die Gräfin nicht leiden kann. Sein süfsliches Lächeln, meint sie, würde die Olivia noch veranlassen, ihn zu prügeln, eigenhändig: und er würde das noch für ein besonderes Zeichen ihrer Gunst halten.

Die kurze Zwischenscene dann (3.) zwischen Sebastian und Antonio auf der Strafse dient dazu, die Verwechselung seiner Person mit Viola in der folgenden Scene vorzubereiten: Antonio übergiebt ihm seine Börse und gesteht ihm, dafs er früher gegen den Herzog gekämpft habe, also jetzt vorsichtig sich verbergen müsse. Im Wirthshaus zum Elefanten wollen sie sich treffen.

Die vierte Scene zeigt dann Olivia einerseits, Malvolio andererseits in ihrer unsinnigen Verliebtheit — dann die Herausforderung, die Sir Andres an Cesario geschrieben und die komische Verhöhnung der Tapferkeit der beiden durch Fabian und Tobias, indem beiden Angst vor ihrem furchtbaren Gegner eingeflöfst wird — es kommt trotzdem endlich zum Gefechte zwischen beiden: Junker Tobias schwindelt dem Andres bei dieser Gelegenheit sein Pferd ab — da aber erscheint Antonio; und indem er Viola für Sebastian hält, mischt er sich ein in den Kampf, wird darauf von der Wache gefangen genommen, fordert nun von Viola-Cesario die Börse zurück, die er ihm geliehen, und zeigt sich so empört, als Viola davon nichts zu wissen behauptet, dafs die Offiziere der Wache ihn mit Gewalt

wegschleppen müssen. Da kommt denn Viola der erste Gedanke an ihren vielleicht geretteten Bruder, dessen Namen
„Sebastian" Antonio ausgesprochen hat:

> O zeige wahr dich, holde Phantasie,
> Dafs er für dich mich hielt, du theurer Bruder!
> Er nannte seinen Namen: und ich kenne
> Solch einen Bruder, mir im Spiegel lebend —
> An Farbe, Kleidung, Haltung ganz wie ich,
> Auch so in Gunst —.ihm ahm' ich nach in allem!
> O, wenn es Wahrheit, dann sind Stürme gütig
> Und salz'ge Wogen spenden neue Liebe!

Mit diesen Worten geht Cesario ab, und nun gewinnt Sir
Andres wieder Muth ihm zu folgen, um ihn zu prügeln; aber
Junker Tobias weifs schon, dafs auch jetzt nichts aus dem
Kampfe werden wird.

Der Akt ist nicht leicht zu geben: Die Schauspieler müssen
alle Gewandtheit aufbieten, um die Scenen rasch, lebhaft,
munter einander folgen zu lassen, namentlich der Kampf zwischen den beiden gegenseitig sich fürchtenden Hasenherzen darf
nicht zu lang hingezogen werden; auch wird es guten Eindruck
machen, wenn Viola-Cesario sich noch als die muthigere erweist. Der Dichter hat mit grofsem Geschick alle Hauptpersonen aufser dem Herzog in dem Garten der Olivia zusammen-
geführt, so dafs nicht weniger als zehn Personen fortwährend
lebhaft mit- und nacheinander im Gespräch sind. Auf Malvolio's Erscheinen vor der Gräfin — von Theodor Döring mit
unnachahmlicher Virtuosität gegeben — ist der Hauptaccent
zu legen, demnächst auf das gegenseitige Bangemachen der
beiden Kämpfer und den durch Antonio unterbrochenen Kampf.
Viola's freudiges Erstaunen, wie sie den Namen des verlorenen
Bruders zum ersten Male wieder hört, ist der höchste Licht-
und Glanzpunkt dann, nach welchem der Akt rasch schliefsen
mufs. So gespielt, wird er bei einigermafsen guter Besetzung
seine Wirkung nicht verfehlen. — —

Der vierte Akt beginnt daher auch gleich mit dem Wieder-
erscheinen des Sebastian, dessen Ähnlichkeit mit seiner Schwester
nun zu der entscheidenden Verwechselung durch Olivia selbst
Veranlassung giebt (1. Scene). Die Junker, die ihn statt den

Cesario (Viola) prügeln wollen, kommen schlecht an bei ihm
und werden zuletzt mit blutigen Köpfen heimgeschickt. Als
Olivia ihn mit in ihr Haus nehmen will, geht er mit raschem
Entschlufs auf die Täuschung ein:

> Soll ich so träumen, gern erwach' ich nie!

Und Olivia ist so glücklich darüber, dafs der vermeintliche
Cesario seinen anfänglichen Widerstand aufgegeben, dafs sie
sofort den Priester kommen läfst, um sich wenigstens durch
heimliche Vermählung dieses neue und unverhoffte Glück zu
sichern (3. Scene). Hier zeigt sich also, welch tiefer Leidenschaft diese hohe Frau fähig ist — ein neuer Reiz in ihrem
Wesen, der freilich nur in der Komödie eine so rasche und
kurze Darstellung gestattet. Dem Sebastian ist es immer noch
wie im Traume, dafs solche Überfülle des höchsten Glückes
plötzlich auf ihn niederströmt; aber er hütet sich wohl, den
Zauber zu stören oder seine volle Hingebung an so eine unverhoffte Wendung seines Schicksals zurückzuhalten. Auch
läfst Olivia in ihrer ungeduldigen Liebeshast ihn ja kaum zu
Worte kommen. Nur als er selbst zum ersten Male allein,
aber im Grunde schon als Herr des reichen Hauses, im Garten
der Olivia auftritt (3.), da bricht sein tiefes Erstaunen
über solche märchenhafte Wendung seines Geschickes in die
Worte aus:

> Dies ist die Luft, dies ist die lichte Sonne!
> Dies Kleinod gab sie mir, ich fühl', ich seh' es!
> Und ob mich schon Bezauberung umstrickt,
> Ist's doch kein Wahnsinn! . . .
> . . . . Sollt' es Irrthum sein,
> So übersteigt doch diese Fluth von Glück
> In solchem Grade Beispiel und Begriff,
> Ich hätte Lust, den Augen zu mifstrauen
> Und die Vernunft zu schelten, die ein Anderes
> Mich glauben machen will, als ich sei toll, —
> Wo nicht, das Fräulein toll: doch wäre dies,
> Sie könnte Haus und Diener nicht regieren,
> Bestellungen besorgen und empfangen
> Mit solchem stillen, weisen, festen Gang,
> Wie ich doch merke, dafs sie thut. — — Hier steckt
> Ein Trug verborgen! — Doch da kommt das Fräulein.

Und zwischen diese beiden Scenen (1. und 3.), in welchen dem Erwählten der Olivia das höchste Glück zu Theil wird, hat der Dichter nun in absolut meisterhafter Komposition die entsetzliche Verhöhnung des verschmähten Malvolio eingeschoben. Sie haben ihn in eine dunkle Kammer gesperrt, gebunden in die äufserste Finsternis geworfen. Und nun spricht der Narr als Pfarrer von draufsen mit ihm und prüft seinen Geisteszustand mit folgender Frage:

„Was ist des Pythagoras Lehre, wildes Geflügel betreffend?" Und Malvolio antwortet: „Dafs die Seele unserer Grofsmutter vielleicht in einem Piepvogel wohnen kann."

Narr. Und was hältst du von seiner Lehre?
Malvolio. Ich denke würdiger von der Seele und billige diese Lehre keineswegs.
Narr. Dann gehab' dich wohl! Verharre du immer in der Finsternis. Ehe ich dir deinen gesunden Verstand zugestehe, sollst du die Lehre des Pythagoras bekennen und dich fürchten, eine Schnepfe umzubringen, auf dafs du nicht etwa die Seele deiner Grofsmutter beleidigen mögest. Gehab' dich wohl!

Dann spricht der Narr in seiner eigenen Sprache mit ihm — „Hey Robin, jolly Robin, Tell me how thy lady does" — und läfst sich nur auf vieles Bitten herbei, ihm ein bischen Licht und Dinte und Feder und Papier zu bringen, damit er einen Brief an sein Fräulein schreiben kann.

Man ersieht deutlich, was für eine Stimmung das lustige Alt-England gegen den damals erst ganz allmählich emporkommenden Puritanismus beseelte. Der Humor ist vernichtend; aber die Lacher sind freilich nicht auf Seiten der Puritaner. —

Eine einzige grofse Scene vereinigt dann im fünften Akte alle Personen allmählich zu der so meisterhaft vorbereiteten Lösung aller komischen Verwickelungen. Der Narr bringt den Brief des Malvolio an die Gräfin. Der Herzog erscheint mit Viola und Gefolge und wechselt mit dem Narren witzige Redensarten über gute Freunde und bessere Feinde. Dann kommt Antonio mit dem Gerichtsdiener und glaubt wieder in Viola seinen Sebastian zu finden — und ebenso beansprucht die nun eintretende Gräfin den Cesario-Viola als ihren Gemahl, was des Herzogs höchsten Unwillen gegen diesen erregt —

auch die beiden Junker erscheinen mehrmals mit blutigen
Köpfen und überschütten den Cesario mit Vorwürfen — kurz,
alles stürmt auf das arme verkleidete Mädchen ein — bis endlich Sebastian auftritt und die Lösung herbeiführt.   Hier muſs
nun das stumme Spiel aller Anwesenden die feinste Wirkung
thun: die Gräfin tritt befremdet und erschrocken vor dem
Doppelbilde ihrer Liebe zurück — der Herzog sieht verwundert, hin- und hergehend vielleicht, von einem auf den andern
— Viola möchte im ersten freudigen Erstaunen gleich den
wiedergefundenen Bruder umarmen — und Sebastian reibt sich
Augen und Stirn, als wolle er aus einem Traume erwachen. —
Unterdessen spricht Sebastian zur Gräfin:

> Es thut mir leid um Eures Vetters Wunde —
> Doch wär's der Bruder meines Bluts gewesen,
> Ich konnte nicht mit Sicherheit umhin.
> Ihr blicket fremd mich an, mein Fräulein, und
> Daran bemerk' ich, daſs es Euch beleidigt:
> Verzeiht mir, Holde, jener Schwüre wegen,
> Die wir einander eben nur gethan!

Herzog.

> Gesicht, Ton, Kleidung eins — doch zwei Personen!
> Ein wahrer Gaukelschein, der ist und nicht ist,
> Ein optischer Betrug!

Sebastian.

> Antonio! O mein theuerster Antonio!
> Wie haben mich die Stunden nicht gefoltert,
> Seitdem ich Euch verlor!

Antonio.

> Seid Ihr Sebastian?

Sebastian.

> Wie? zweifelst du daran, Antonio?

Antonio.

> Wie habt Ihr denn Euch von Euch selbst getrennt?
> Ein Ei ist ja dem andern nicht so gleich,
> Als diese zwei Geschöpfe. Wer von beiden
> Ist nun Sebastian?

Olivia.

> Höchst wunderbar!

Sebastian.

Steh ich auch dort? — — Nie hatt' ich einen Bruder,
Noch trag' ich solche Göttlichkeit in mir,
Dafs von mir gölte: Hier und überall!
Ich hatte eine Schwester, doch sie ist
Von blinden Wellen auf der See verschlungen.

Nun tritt er zweifelnd, zögernd, fragend an die Schwester
heran — es erfolgt die Wiedererkennung der Verloren-Geglaubten
— und freudig nimmt auch der Herzog nun seinen Antheil
an der Strandbeute:

Du hast mir, Junge, tausendmal gesagt,
Du würd'st ein Weib nie lieben so wie mich?

Viola.

Und all die Worte will ich gern beschwören
Und all die Schwüre treu im Herzen halten,
Wie die gewölbte Feste dort das Licht,
Das Tag und Nacht uns scheidet.

Herzog.

Gieb mir deine Hand!
Und lafs mich dich in Mädchenkleidern sehen!

Während nun der Schiffspatron herbeigeholt, Malvolio's
Brief gelesen, dieser selbst dann befreit und hereingeführt wird,
um von Fabio und dem Narren die Aufklärung über den ihm
gespielten Streich zu erfahren, könnte Olivia vielleicht mit der
Viola einen Augenblick hinausgehen, und diese dann in eines
von ihren reichen Gewändern gekleidet als feine Dame wieder
erscheinen. Es würde das den Schlufs-Eindruck des Ganzen
bedeutend erhöhen. Der Herzog könnte dann das Ganze mit
den Worten beschliefsen:

Die goldene Zeit ist wieder jetzt erschienen,
Und feierlich soll unsrer Seelen Bund
Geschlossen sein. — Indessen, werthes Fräulein,
Verlassen wir Euch nicht. — Cesário-Víola,
Komm jetzt mit mir! Ein Mann warst du bis jetzt:
Doch da man dich in andern Kleidern schaut,
Orsino's Herrin, seiner Liebe Braut! — —

Das lustige Schlufsliedchen des Clown mit dem Refrain:

Denn der Regen, der regnet jeglichen Tag!

ist auf unserer Bühne jetzt kaum noch zu verwerthen; aber zu Shakespeare's Zeiten mag es den phantastisch-launigen Charakter des reizenden Stückes ganz hübsch zum Abschluſs gebracht haben.*

Der englische Text des in der angegebenen Weise uns völlig klar und durchsichtig gewordenen Lustspieles „What you will" steht auf der vollen Sonnenhöhe der Entwickelung unseres Dichters. Er ist bereits durch die vortreffliche Edition unseres Delius aus der einzigen Ausgabe (der Folio von 1623) in einer Korrektheit hergestellt, daſs selbst dem difficilsten und subtilsten Textkritiker nur hie und da Gelegenheit zu einer zweifelnden Bemerkung oder einem leisen Bedenken übrig bleibt. Auſser dem bereits Angegebenen wollen wir nur noch hervorheben, daſs (in III, 1.) Viola doch wohl besser sagt, wie J o h n s o n zuerst vorschlug:

> This fellow's wise enough to play the fool,
> And to do that well craves a kind of wit:
> He must observe their mood on whom he jests,
> The quality of persons and the time,
> N o t like the haggard check at every feather
> That comes before his eye. . . .

---

* G e r v i n u s sagt vortrefflich darüber: „Wir lesen am Schlusse von ‚Was Ihr wollt' das Lied des Narren, das er tanzend mit Trommel und Pfeife abzusingen hatte, ohne zu wissen, was wir damit anfangen sollen. Aber mit solchen einfachen metrischen Kompositionen, recitirten Schwänken und Possen mit komischen Refrains, mit solchen Solo-Partien also ohne Dialog entzückte T a r l t o n, der Hofnarr der Elisabeth, das feinste Publikum in London noch in Zeiten, wo die Bühne schon ihrer Vollendung entgegenging. Denn diese leichten Schnurren wurden mit jenem Ernst der trockenen Laune ausgeführt, der auch den Schwersinnigsten erschüttert und aus dunkleh Herakliten lachende Demokrite macht."
Und für die Aufführung des Stückes auf deutschen Bühnen fügt er hinzu:
„Bei der Darstellung Shakespeare'scher Lustspiele ist auch heute noch auf der englischen Bühne alles in der lebendigsten Beweglichkeit und jeder Schauspieler wie in seiner häuslichen behaglichen Natur. Schon daſs dort kein Souffleur einflüstert, zwingt die Spieler zu einem Besitze ihrer Rollen, der es ihnen erleichtert, das, was sie darzustellen haben, gleichsam mehr zu leben, als zu spielen. Das Verschleppen der Antworten, das schwerfällige Dehnen leichter Scenen, die nur vorüberfliegen sollen, fällt weg: in des Redenden Endwort fällt die Antwort des Erwiedernden schon ein; der Abgang von der Bühne ist so, daſs die Sprecher mit der letzten Silbe hinaus sind. Mit dem Weggange wechselt die Scene und beginnt die neue. Die Zwischenakte ganz wenige Minuten: so rauscht ein solches Stück rasch an uns vorbei und reiſst uns mit; die scharfe Zeichnung jeder einzelnen Situation prägt es uns gleichwohl tief in die Seele."

So sind die Worte auch in der uns vorliegenden Übersetzung verstanden worden:

> Der Bursch ist klug genug, den Narr'n zu spielen,
> Und das geschickt thun, fordert ein'gen Witz.
> Die Laune derer, über die er scherzt,
> Die Zeiten und Personen muſs er kennen,
> Nicht, wie der Falk, auf jede Feder schieſsen,
> Die ihm vor's Auge kommt! — Das ist ein Handwerk,
> So voll von Arbeit als des Weisen Kunst! etc.

Und in der letzten Scene, am Schluſs des fünften Aktes, ist die Emendation Theobalds wenigstens gleichwerthig der alten Lesart preserved:

> Viola. . . . . by whose gentle help
> I was preferred to serve this noble count.

d. h. „durch Hülfe des Schiffskapitäns gelang es mir und so wurde ich bevorzugt, dem Herzog zu dienen." — —

Wichtiger als diese kleinen Differenzen, über welche eine Verständigung leicht würde zu erzielen sein, erscheint uns eine allgemeine Charakteristik des Textes nach derjenigen Stufe, die er eben in Shakespeare's technischer Entwickelung bezeichnet: denn dieses herrliche Lustspiel steht so bestimmt an der Grenze des Jahrhunderts, daſs wir an seiner Sprache förmlich die sämmtlichen Stücke des Dichters abmessen und im Vergleich mit ihm viel früher oder viel später ansetzen können. Nach Herzberg enthalten die Blankverse desselben 19—20 % Hendeka-syllaben, während Romeo und Julia und der Sommernachts-traum 6—7 %, Richard II. schon 11 %, Heinrich V. aber 18 % darbietet: wir sehen deutlich, wie nahe das letzte englisch-historische Stück der zweiten Tetralogie mit dem besten der Lustspiele in der freieren Behandlung des Verses zusammen-rückt. Dagegen haben die späteren Stücke weit mehr elfsilbige Verse: Hamlet schon 25 % — Othello 26 % — Lear 27 % — Coriolan 28 % — Sturm, Cymbeline, Wintermärchen 32 % — endlich Heinrich VIII. sogar 45 % Hendekasyllaben, also fast die Hälfte aller Verse, während unser Lustspiel nur $\frac{1}{5}$.

Und umgekehrt bietet nach Furnivall „Was Ihr wollt" an Enjambements oder Run-on-Lines bereits den Procentsatz von

1 : 6 oder etwa 17 %, dar, während Two Gentlemen 1 : 10 (oder 10 %), Cymbeline aber 1 : 2½ oder 40 % enthält.

In ähnlicher Weise verhält es sich nach den Untersuchungen der Engländer mit dem Reime und dem erst in allerneuester Zeit von Ingram angeregten „Speech-ending Test“. Unser Lustspiel steht in der pronouzirtesten Weise am Ende der gesammten Jugendentwickelung unseres Dichters, unmittelbar vor dem Beginn der größten männlichen Reife, welche durch Hamlet, Julius Cäsar, Othello und Macbeth bestimmt markirt wird (1600—1601 also).

Denn ganz abgesehen von all diesen Äußerlichkeiten, die sich zählen, messen und wägen lassen, muß es jedem feinfühligen Ohre auffallen, sogar in der Übersetzung schon, wie glänzend des Dichters Sprache gerade in diesem schönsten Lustspiele aufzublühen, zu reifen, zu süßester Frucht — schwellend wie reife Weinbeeren im Süden — sich zu entfalten beginnt. Schon in Heinrich IV. und Heinrich V. klang uns die humoristische Verve aus der Prosa, die stolze Pracht großartiger Kriegs- und Seebilder andererseits aus dem mächtiger und mächtiger anschwellenden Blankverse entgegen. Diese komische Verve hat hier noch nichts von ihrer zündenden und packenden Kraft verloren: aber dem anderen Thema entsprechend, hat sich die stolze Pracht kriegerischer Seefahrt und das wilde Sturmeswehen großer geschichtlicher Aktionen jetzt ermäßigt zu dem leisesten und zartesten Geflüster der Liebe, zum Seufzer holdester Sehnsucht, zu einem Lächeln durch Thränen, das selbst noch kaum glauben kann an all das reizende Glück, das ihm so unverhofft zu Theil geworden. Wir haben die äußerst zart empfundenen Gespräche zwischen dem Herzog und Cesario-Viola, in welchen dieser hochpoetische Charakter des Stückes hinreißend schön zu Tage tritt, bereits besonders hervorgehoben. In ähnlicher Weise möchten wir hier noch einmal auf die Reden der Olivia aufmerksam machen. Von dem rasch erwachenden Interesse an dem hübschen Liebesboten des Herzogs (im ersten Akt, 5. Scene) geht sie bald zu heftig heischender Leidenschaft über (III, 1.), um gleich darauf nach der kühlen Zurückweisung des Pagen ihre Würde in ein schmerzliches Lächeln zurückziehend zu bergen, ohne doch dem schönen Knaben ihr gegenüber ihre fortdauernde Bewunderung verhehlen zu können. Ich finde diese Stelle im englischen Texte unnachahmlich schön:

Olivia.

Have you not set mine honour at the stake
And baited it with all the unmuzzled thoughts
That tyrannous heart can think? To one of your receiving
Enough is shown: a cyprus, not a bosom,
Hides my poor heart! — So let me hear you speak!

Viola.

I pity you.

Olivia.

That's a degree to love.

Viola.

No, not a grise! For 'tis a vulgar proof,
That very oft we pity enemies.

Olivia.

Why then — methinks — 'tis time to smile again.
O world, how apt the poor are to be proud!
If one should be a prey, how much the better
To fall before the lion than the wolf! (Clock strikes.)
The clock upbraids me with the waste of time.
Be not afraid, good youth, I will not have you:
And yet when wit and youth is come to harvest,
Your wife is like to reap a proper man.
Their lies your way — due west!

Viola.

Then westward-ho! . . .

Und noch einmal bricht ihre Leidenschaft in einem feurigen Ergusse hervor, so dafs dieser Schlufs der ersten Scene des dritten Aktes sich wieder zu einer grofsen Wirkung auf der Bühne steigern kann. Doch wir überlassen das reizende Stück nun dem sinnigen Leser zu eigenem Genusse und schliefsen hiemit unsere Gesammtdarstellung der Periode des charakteristischen Stiles in Shakespeare's dichterischer Entwickelung.

Zu Shakespeares Julius Cäsar IV, 3, 143 ff.

Keinem aufmerksamen Leser des Julius Cäsar wird wohl die Inkonvenienz entgehen, welche in der dritten Scene des vierten Aktes die zweimalige Erwähnung des Todes der Portia und die so ganz verschiedene Aufnahme der Thatsache von Seite des Brutus in sich schliefst.

Bekanntlich teilt Brutus dem Cassius den Tod der Portia zuerst selbst mit (V. 147 ff.) wie zur Entschuldigung und Erklärung seiner Reizbarkeit, und zwar mit allen Einzelheiten. Die schmerzliche Erregung spricht dabei aus jedem Worte, wenn er sich auch zu beherrschen sucht. Gleich darauf erscheinen Titinius und Messala, und man setzt sich zur Besprechung der notwendigen Mafsregeln, die Cassius noch unterbricht durch den Ausruf (V. 166): Portia, art thou gone? so dafs ihn Brutus ablenken mufs von dem Gegenstande durch die Worte: No more, I pray you. Es werden nun die Nachrichten aus Rom besprochen über Octavius, Marcus Antonius, über die Proskription der Senatoren und speciell über den Tod Ciceros. An die letztere Nachricht knüpft nun Messala (V. 181) die Frage, ob Portia an Brutus geschrieben habe, und als das Brutus verneint, fragt Messala (V. 183), ob Brutus in seinen Briefen nichts über sie gehört habe. Brutus verneint auch das. Und, da nun Messala ausruft: That, methinks, is strange, fordert Brutus, wie einer, dem Böses ahnt, und der sich auf eine noch ungekannte Schreckensbotschaft gefafst macht, den Messala auf, ihm alles zu sagen (V. 187): Now as you are a Roman, tell me true. Und nun teilt ihm Messala das mit, was Brutus nach dem kurz vorhergehenden besser weifs als er.

Und Brutus nimmt die Nachricht mit unerschütterlichem Gemüt
auf (V. 190 ff.):

> Why, farewell, Portia. — We must die, Messala,
> With meditating that she must die once,
> I have the patience to endure it now.

Diese Fassung wird von den andern bewundert, auch von Cassius!

Schon aus dieser Darlegung sowie noch besser aus der
Lektüre der fraglichen Scene ersieht man, daſs die doppelte
Mitteilung jedenfalls überflüssig ist, überflüssig für die han-
delnden Personen und überflüssig für den Zuschauer. Die
zweite Mitteilung ist aber geradezu widersinnig nach dem Ausruf des Cassius (V. 166): Portia, art thou gone? Und wenn
man das allenfalls noch so erklären wollte, daſs diese Worte
beiseite gesprochen sind, so daſs sie nur von Brutus gehört
werden, so bleibt doch noch ein schweres Bedenken in Bezug
auf den Charakter des Brutus. Wenn man die schmerzliche
Erregung des Brutus bei seiner eigenen Mitteilung von dem
Tode der Portia mit empfunden hat und dann damit die vor-
gebliche Unwissenheit und die erheuchelte Fassung bei der
zweiten Mitteilung vergleicht, so muſs einem das als eine klein-
liche Komödie erscheinen, die sich mit dem sonstigen Charakter
des Brutus in dem Shakespeareschen Stück nicht vereinigen
läſst. Und wie soll ferner Cassius zu dem bewundernden Ausruf (V. 194 f.):

> I have as much of this in art as you,
> But yet my nature could not bear it so,

kommen, da er weiſs, daſs die Nachricht dem Brutus nichts
Neues ist, und daſs er unter dem Eindrucke derselben tief leidet.
Es wäre ja doch dann seine ganze Fassung auch nur *art*.

Diese Ungereimtheit wird sich nur so beseitigen lassen,
daſs man annimmt, daſs das Bühnenmanuskript, nach welchem
die Folio druckte, zwei Varianten für die Nachricht über den
Tod der Portia enthält, und daſs diese unverständigerweise
beide nebeneinander in den Text kamen.

Bei dem gänzlichen Fehlen von Ausgaben des Cäsar aus
den Lebzeiten des Dichters wird sich diese Annahme allerdings
nicht bis zur Evidenz erweisen lassen, aber immerhin dürfte sie
einen hohen Grad von Wahrscheinlichkeit in Anspruch nehmen.

Der Vorgang ist erstens einmal nicht ohne Analogie. Es

ist jetzt allgemein anerkannt, dafs in Love's Labour's Lost in
Akt IV, 3, 299 ff. und V, 2, 827 ff. je zwei Fassungen nebeneinander gedruckt sind. Vergl. Dowden, Shakspere (Priner)
p. 65. Hertzberg, Vorrede zu Liebes Leid und Lust (VII, 257).
Zweitens läfst sich die Ausscheidung sowohl der einen wie der
andern Mitteilung ohne Schwierigkeit bewerkstelligen. Wenn
man die erste Erwähnung beseitigen wollte, so müfste von den
Worten des Cassius V. 143:

> I did not think you could have been so angry

gleich gesprungen werden bis (V. 158):

Brutus. Speak no more of it (statt her). Give me a bowl of wine.

Ebenso müfste darin der Ausruf des Cassius (V. 166) entfallen:
Portia, art thou gone? und des Brutus Erwiderung: No more,
I pray you. Dann wäre die Mitteilung des Messala natürlich,
die Haltung des Brutus wenigstens denkbar und die Bewunderung des Cassius und der andern begreiflich.

Nimmt man aber die zweite Möglichkeit an, so hätte also
dies vorher Ausgeschiedene zu bleiben, und es wäre in der Besprechung der römischen Nachrichten von den Worten des
Messala (V. 179 ff.):

> Cicero is dead,
> And by that order of proscription, —

gleich überzugehen auf V. 196:

Brutus. Well, to our work alive. — What do you think
Of marching to Philippi presently?

Möglich sind also beide Ausscheidungen, und sie müssen es
sein, wenn nach dem Belieben des Theaterdirektors die eine
oder die andere Variation sollte genommen werden können.

Wohl ohne Analogie bei Shakespeare wäre eine solche Inkonsequenz in der Charakterzeichnung, wie sie die Beibehaltung
des vorliegenden Textes involviert.

Es wäre nun noch die Frage zu erörtern, welche von
beiden Variationen die ursprüngliche ist. Bei dem gänzlichen
Mangel eines kritischen Apparates ist das nun noch weniger
sicher festzustellen als die vorige Frage. Man wird sich wohl
darauf beschränken müssen zu erörtern, welche Variation die
angemessenere und schönere ist, und da glaube ich, dafs die
letztere, d. h. Brutus weifs bereits von Portias Tod und die

448 Zu Shakespeares Julius Cäsar.

Mitteilung des Messala entfällt, unbedingt den Vorzug verdient und zwar aus folgenden Gründen:

Die Mitteilung des Brutus an Cassius ist erstens organisch in das Ganze eingefügt, sie bildet ein Motiv, sie erklärt die Reizbarkeit des Brutus. Die Mitteilung des Messala ist zwar auch geschickt angebracht, aber sie erfüllt keinen besonderen Zweck, sie dient höchstens zur prahlerischen Schaustellung des unerschütterlichen Gleichmutes des Brutus. Die Mitteilung des Brutus ist aber auch fester eingefügt, denn um sie auszulösen, müssen wir „Speak no more of her" in „Speak no more of it" ändern, und wir müssen noch den späteren Ausruf des Cassius in Gegenwart des Messala und Titinius eliminieren, während die Mitteilung des Messala durch einen Schnitt beseitigt ist. Ja, der Zusammenhang gewinnt an dieser Stelle eher noch dadurch, indem die Antithese zwischen „Cicero is dead" und „Now to our work alive" fühlbarer wird. Endlich scheint mir die Art, wie Brutus den Tod seiner Gattin in dem Gespräche mit Cassius trägt, mit seinem sonstigen Charakter besser über-einstimmend als die, wie er sich vor Messala giebt. Denn in allen Dingen, wo nicht seine Ehre und seine Grundsätze en-gagiert sind, ist Brutus milde und weich. Man vergleiche nur ein kleines Stück später die Art, wie er seinen Untergebenen, dem Lucius, Varo und Claudius begegnet.

Inwieweit nun der Schluß berechtigt ist, daß die bessere Variation auch die ursprüngliche sei, mag dahingestellt bleiben. Die Gründe sub 1 (organische Verbindung) und 2 (festeres Gefüge) sprechen allerdings auch hierfür. Dagegen kann man aber mit Recht fragen, wieso der Dichter dazu gekommen sei, eine schwächere Variation anzubringen, nachdem die bessere fertig da war. Darauf läßt sich nun freilich nichts Bestimmtes antworten. Vielleicht hat einem der Freunde, auf deren Urteil der Dichter zu hören pflegte, der rasche Übergang aus der hocherregten Stimmung in die weiche nicht gefallen, oder es schien ihm vielleicht die erstere Auffassung des Brutus zu wenig Römersinn zu enthalten. Wie dem auch sei, jedenfalls thut die vorgeschlagene Änderung im Texte der Dichtung weniger Gewalt an als alle Versuche, denselben mit dem Charakter des Brutus in Übereinstimmung zu bringen.

Leitmeritz. _____ J. Resch.

Beurteilungen und kurze Anzeigen.

Cristoforo Pasqualigo, Raccolta di proverbi veneti. Terza edizione accresciuta dei proverbi delle Alpi Carniche, del Trentino e dei tedeschi dei Sette Comuni vicentini. Treviso 1882, VIII u. 372 pp.

Cr. Pasqualigos Sammlung venezianischer Sprichwörter erschien zuerst 1858. Obgleich der Verf. erst vor einigen ·Jahren sich entschlofs eine zweite Ausgabe (Venezia 1879, VIII u. 330 pp.) zu veranstalten, war ihm doch der Gegenstand so lieb geworden, dafs er schon seit jener Zeit der ersten Ausgabe fortwährend an der Vervollständigung seines Werkes gearbeitet hat. Jetzt nun, Anfang Dezember des Jahres 1881, haben wir schon die Freude einer dritten, wie schon der Titel lehrt, erheblich und um kostbares vermehrten Ausgabe. Bei dem Genufs eines so trefflichen Buches weifs man nicht, worüber man sich am meisten freuen soll, über die Unermüdlichkeit und Genauigkeit des Verfassers, über die rüstige herzliche Teilnahme zahlreicher Helfer und Beisteuerer, oder über. die freudige Zustimmung der Leser und Käufer, welche den Ausbau und die Durchbildung des Ganzen kräftig fördern. So ist es in der gegenwärtigen Gestalt ein wahrer Juwel, eine Zierde der mundartlichen und Volkslitteratur Italiens, der Sprichwörterlitteratur Italiens und Europas. Und doch können wir nicht unterlassen dem Buche noch weiteren glücklichen Fortgang zu wünschen, wenn wir die jetzige mit der zweiten Ausgabe vergleichen und sehen, wie nach so kurzer Zeit, ohne die deutschen zu rechnen, etwa 2500 Sprüche den früheren Bestand vermehren, wenn wir teils nach dem Texte teils nach den Vorreden uns ein Bild von des Verfassers eigener Beobachtung und Werbethätigkeit machen. Man beachte z. B. folgende Kleinigkeit. 'Capodistria,' heifst es in der zweiten und dritten Auflage in einer Bemerkung zu einem Triest und ihm nahe liegende Orte beurteilenden Spruche, è ora una città molto pulita; in der dritten folgt aber noch: ma dalla quale chi aspetta proverbi, ha da aspettare un bel pezzo. Dürfen· wir da nicht wünschen und hoffen, dafs nach der hübschen Weile, welche die Freunde in Capodistria warten lassen, ihr Beitrag samt anderem Neuen doch noch in einer neuen Ausgabe erscheine?

Die kritische Genauigkeit und Zuverlässigkeit des Buches beruht wesentlich in folgendem. Der Verfasser, ein Venezianer und in Venedig lebend, sieht sich auf dem ganzen Gebiete, welchem diese Sprichwörter entstammen, besonders auf Reisen in den Herbstmonaten, gründlich um, kennt die Mundart und die Mundarten gut und giebt alles wie es lebt und ist. Die

gesamte einschlagende Litteratur, u. a. die „Dieci tavole" des sechzehnten
Jahrh. (150 Sprichwörter und Redensarten, meist in venezianischer Sprache)
hat er gründlich durchforscht und ausgebeutet, aber Aufnahme doch nur
solchen Sprichwörtern gegönnt, welche der Volksmund heute als echt und
richtig und ihm bekannt anerkennt. Wie vor Feuer hat er sich gehütet,
seinem Volke nicht angehöriges, etwa aus anderen Mundarten oder aus
Büchern geschöpftes in eine dieser Mundarten übersetzt hier einzulassen.
Eben in diesem letzten Punkte trifft nach des Verfs. jetziger Bemerkung
zu seiner Vorrede der ersten Auflage die toskanische Sammlung, weniger,
vielleicht gar nicht, G. Giusti als die Vervollständiger G. Capponi und
A. Gotti nach ihrem eigenen Geständnis der schwere Vorwurf, aus italienischen und fremden Büchern, aus Sprichwörtersammlungen anderer italienischer Dialekte geschöpftes und benutztes eingemischt zu haben. Was bei
solchem Verfahren herauskommt, zeigt deutlich ein in dieser neuen Ausgabe zuerst auftretendes Sprichwort nebst seiner Anmerkung. Chi xe in
mar, navega; chi sta in tera, rádega. Radega, erra nel giudicare del fatto
altrui, trovandovisi fuori. — Nella Raccolta Toscana fu tradotto così: Chi
è in mare navica, chi è in terra radica. — Radica? ... E che vuol dire?
Vuol dire che non bisogna tradurre i proverbi degli altri, ignorando i loro
linguaggi e non avendo nè buon senso, nè coscienza (p. 141). Giusti, Prov.
1853, hat zu dem erwähnten gleichsam als Auslegung noch das Sprichwort:
Barca, perdita cavalca, etwa Barke reitender Verlust, so daſs die Gefahren
des Meeres, die Sicherheit des Landes angedeutet scheinen, wie ja radicare
= appigliarsi, metter radice in italienischen Wörterbüchern zu finden ist.
Schade, daſs man über radegà, falsch urteilen, nicht etwas mehr erfährt;
mail. radicà scheint streiten zu sein. Man vgl. noch p. 93 Chi xe in mare
naveghe; chi xe in terra giudeche. Ein ähnliches bietet p. 47 (zweite Ausgabe 44): L'amor el se sconde anca de drio a un pòmolo de ago (capoc-
chia di spillo). Il prov. fu falscificato nella Racc. Tosc. così: L'amore si
nasconde dietro una cruna d'ago, wenn hier nicht vielmehr ein verwandtes
vorliegt. Anderwärts sieht man wiederum, wie die toskanischen Sprichwörter und Giustis Erklärungen derselben wohl gewürdigt und benutzt werden. So z. B.: Litiga, che l'acordo no te manca mai. In Toscana: Muovi
lite, acconcio non ti falla. Ed il Giusti notava: Detto di chi muove lite,
per istrapparne, in via d'accordo, qualcosa. Überhaupt ist der Verf. sehr
thätig, durch Erklärung und Heranziehung ähnlicher Aussprüche das Gegebene deutlich, fruchtbar und schmackhaft zu machen; lateinische und griechische Klassiker, Shakespeare, italienische, besonders vicentinische Volkslieder trifft man nicht selten. Aber auch das Leben selbst und die Gegenwart treten hier hilfreich ein, z. B.: Cani rabiosi no fa mai s-ciapo. Si
dividono presto; come avvenne di certe maggioranze parlamentari. Nella
seconda ediz. avevo scritto 'avviene'; oggi, 16 Maggio 81, correggo, con la
dolce speranza u. s. w.
    In hohem Grade aber ist das Buch anziehend und zu empfehlen für
die, welche sich Stoff und Aufklärung wünschen bei sprachlichen Schwierigkeiten in den italienischen Mundarten und in der italienischen Schriftsprache. Hier nur ganz wenige Proben. Zu Caval rabican, caval da zarla-
tan beiſst es: Rabican, di mantello bianco con macchie scure, so daſs wir
·uns nun ein Bild machen können, wie der nicht mit Heu und Hafer, sondern mit reiner Luft genährte Rabican im Furioso (XV, 40) aussah. Dasselbe gilt von dem Baiardo: Baiardo da tre, caval da re; baiardo da quatro,
caval da mato (X Tav.). De' cavalli bianchi che abbiano alcune gambe
color baio (braun). Auch von dem balze in der Cassaria (II, 2) des Ariosto
bekommen wir hier die Aufklärung, daſs es venezianisch, Schuhriemen,
Strümpfe, sei und balzano im Sprichwort ein Pferd mit weiſsen Füſsen,
während im übrigen die Farbe eine andere ist: Balzan da un, caval per
nessun; balzan da do, caval per mi no (o tien lo se te po); balzan da tre,

caval da re; balzan da quatro, caval da mato. Sollte übrigens nicht dieses
balza, Strumpf, eins sein mit calza, ven. calsa Strumpf? Denn die Eigenheit des Sardischen, b für den Gaumenlaut zu setzen, ist dem Veneziani-
schen auch sonst nicht fremd, vgl. Amor no fa boger (cuocere) la pignata
(p. 50). Auch sonst findet sich hier mancher Anklang an das Sardische,
wie Chi la vol, la cata (findet, sard. agatat); Chi scalda e grata, rogna cata;
Dio no sera (serra) 'na porta che nol averza (lat. aperiat, so z häufig im
Sard.) un porton. El vuom = l'uomo erinnert sehr an das logod. fomines
(spr. vom.) = homines, welches Spano erwähnt, und scheint noch verschieden zu. sein von der Gewohnheit Veronas u zwischen Vokalen zu v zu
machen (Cafè Baver d. i. Bauer in Verona; p. 182 I vovi xe boni anca dopo
Pasqua — obgleich der Verf. hier nichts von veronesischer Herkunft bemerkt). Auf veronesische Herkunft denke ich auch (p. 101, zweite Ausg.
p. 97) bei diesem: Xe megio lascar int' i prezzi che far credenza. Lasçar,
largheggiare; wenigstens hörte ich bei Verona das Wort lasciare lasziare
gesprochen; die zweite Ausgabe hat beidemale lascar, die dritte lascar
und lasçar. Freude macht es, die schiavina, den Pilgermantel der 100
novelle (21) und des Fr. Sacchetti hier noch am Leben zu finden: Cuor
contento e sciavina in spala. Poveri sì, ma in pace con se stessi e con
gli altri; vielleicht bringt eine zukünftige Ausgabe noch ein gutes Wort
über dieses Kleid. Schmeller (Cimbr. Wb. 211) hat: schiavina, tschavi,
tschevi, Bettdecke von Wollentuch. Von Schwierigkeiten erwähne ich nur
(p. 95, zweite Ausg. p. 91): nome o nomè, se non, solamente che: La
piaga no mostrar, nome al cirurgo che la pol sonar; sollte es „non magis"
sein? Das bolognesische sipa hat in Vicenza ein ihm entsprechendes sipia.
Chi vol veder un bel racolto, bisogna che l'inverno sipia morto. Sipia
morto, sia morto, cruciato dal freddo.
    Ist nun in dieser dritten Auflage der Sprichwörtersammlung von Vene-
tien, Friaul und Istrien noch (p. 349—368) eine Sammlung deutscher Sprichwörter aus den Sette Comuni beigegeben, veranstaltet vom Avvocato Giulio
Dr. Vescovi, vom Parroco di Canove Frigo Don Giuseppe, vom Arciprete
di Rotzo Zecchinati Don Francesco, vom Parroco di Roana Sartori Don
Gio. Batta, so ist dies eine wunderschöne jedem Deutschen äufserst angenehme, aber dem Ganzen auch notwendige, in Zukunft hoffentlich noch
weiter auszubildende Beigabe. Denn nur in dem Zusammenhange mit
diesem ganzen Buche ist es möglich, diese Sprichwörter richtig zu würdigen,
altes von neuem zu scheiden; die italienischen Sprichwörter dieser Sammlung zeigen hier und dort manches deutsche und diese deutschen manches
italienische. Jedem Sprichworte ist eine italienische Übersetzung beigefügt,
so dafs jeder leicht zum Verständnis und zum Genusse kommt, wer auch
nur etwas von österreichischen und süddeutschen Mundarten weifs, vollends
aber wem Schmellers sogenanntes cimbrisches Wörterbuch (1855) bekannt
ist. Die Aufzeichnung dieser Sprichwörter ist übrigens doppelt wertvoll,
da das Deutsche jener Gebiete im schnellen Verschwinden ist, meist nur
im Munde der Alten noch lebt.
    Das Fürwort bear = wer in partitiver Verwendung zeigt dieses: Bear
hat bezze un bear hat gelt, un bear hat ladenge at disa belt, Chi ha da-
nari e chi ha oro, e chi ha sofferenze a questo mondo; der eine hat Pfen-
nige (auch = Geld überhaupt), der andere Gold, und noch ein anderer
hat Leiden (laiden) auf dieser Welt. Recht nach italienischem Einflufs
sieht es aber aus, wenn das Fürwort „sich" nicht nur häufig um das Passiv
und man zu ersetzen gebraucht wird, wie man schon bei Schmeller sieht,
sondern auch dem Zeitwort sich hinten anhängt. Müzsich halten berm 'z
aisen, Convien [devesi, si deve] mantenere caldo il ferro. Man sich in-
halten 'z bazzer ba de rinnet? Si può trattenere l'acqua che scorre? Bo-
hütedich voname trunken baibe un voname rosse ane pridel, Guardati da
donna ubbriaca e da cavallo senza briglia. Spaisensich mit anema leren

29*

löffel, Cibarsi con cucchiaio vuoto. Manchmal wie bei pulte = polenta scheint die deutsche Form der lateinischen näher als die italienische. So ist vielleicht auch in öba Schaf das lat. ovis erhalten, welches auch die Rumänier in oæ noch haben. Auffällig ist, daſs h zu Anfang der Wörter meist wegfällt, aber steht wo es fehlen sollte, über welchen Punkt schon Schmeller (Cimbr. Wb. 48) nicht ins klare kam.

Wir wenden auf das Buch an, was sich p. 366 findet: Bear tüdet bool, vinnet bool, Chi fa bene trova bene: es wird sich noch viele Freunde erwerben.

Berlin.   H. Buchholtz.

Paul Förster, Spanische Sprachlehre. Berlin, Weidmann, 1880. XVI u. 447 S. gr. 8⁰.

Eine wissenschaftliche Darstellung der spanischen Sprache gab es bisher nicht. Diez hatte allerdings in seiner Romanischen Grammatik die grundlegende Arbeit unternommen. Aber auch wenn man sich die Mühe geben wollte, das spanische Material daraus auszuscheiden und für sich anzuordnen, so würde man doch von einer vollständigen Zusammenstellung noch weit entfernt gewesen sein. Einiges war zu berichtigen, sehr vieles hinzuzufügen, das Ganze zu einer umfassenden, methodischen Darstellung zusammenzufassen. Dem Mangel an einer solchen umfassenden Bearbeitung des spanischen oder genauer gesagt des kastellanischen Sprachmaterials, ein Mangel, welchen sicherlich jeder, der sich ernsthaft damit abgegeben, unangenehm empfunden hat, hat nun Förster mit seiner Sprachlehre abzuhelfen unternommen; und ein jeder wird sich ihm dafür zu Danke verpflichtet fühlen, auch wenn der erste Versuch sich nicht in allem und jedem als gelungen herausstellen sollte. Denn das Verdienst kann sich der Verf. in der That mit Recht vindizieren, „den spanischen Studien mit seiner Arbeit zum erstenmal eine feste und geräumige wissenschaftliche Basis gegeben zu haben." In sehr eingehender, streng-wissenschaftlicher, lichtvoller Weise behandelt der Verf. seinen umfangreichen Stoff in sieben Hauptabschnitten. Der erste enthält die Untersuchungen und Regeln über die Aussprache, die Orthographie, den Lautwert der Konsonanten, Vokale, Diphthonge, sodann über die Prosodie und Accentuation. Mit besonderem Fleiſse und groſser Genauigkeit ist das schwierige Kapitel über die Diphthonge behandelt worden, welches sprachphysiologisch interessant und zugleich für die richtige Aussprache und für das Lesen der Dichter von groſser Bedeutung ist. Die Darstellung der Aussprache verfolgt die Entwickelung der Laute von den Anfängen der Sprache her; von besonderer Bedeutung sind hier die ganz vortrefflichen Kapitel über span. z, c (ç) und j, g. Auch werden die letzten Konsequenzen gezogen, wenn man auf dem einmal verfolgten Wege zu einer ganz rationellen phonetischen Schreibweise durchdringen wollte. Sehr ausführlich endlich ist das Kapitel über die Tonverschiebung behandelt worden. Vollständige Auskunft über die Setzung des Accentzeichens giebt der letzte Abschnitt; doch ist zu bemerken, daſs es hier, wie bei der Orthographie, nicht immer leicht ist aus einer nicht ganz konstanten Praxis eine feste Theorie zu abstrahieren, ein Fall, in welchem der Grammatiker die erstere nach den einmal fixierten Grundsätzen der letzteren zu regeln versuchen muſs.

Der zweite Hauptteil enthält die allgemeinen Gesetze der Behandlung der Laute mit vielfachem Hinweis auf die Bildungsgesetze der alten Sprachen: Behandlung der tonlosen Vokale; Elision und Apokope; Prothese von Vokalen und Silben; Epenthese und Epithese; Behandlung der Vokale im Hiatus; Behandlung der Konsonanten und Konsonantverbindungen;

Metathesis; Assimilation und Dissimilation; Attraktion tonloser Vokale; Einfluſs der Betonung und Position auf Vokale; Analogie und Anbildung; Volks-
etymologie, Homonyme.

In dem dritten Teile wird nun auf Grund des ersten und zweiten die
Herkunft der spanischen Laute•im einzelnen und mit möglichster Vollständigkeit nachgewiesen. Da wird der reiche Wandel, die beständige und weit-
gehende Flüssigkeit der sprachlichen Laute recht anschaulich und klar. Man
sehe z. B. die reiche Fülle der Möglichkeiten, wie sich sp. j, z (ç), ch gebildet haben können.

Der vierte Teil enthält die Entwickelung der Sprache und ihres Wort-
schatzes und die Wortbildung.

Der fünfte Teil behandelt die Deklination: Substantivum, Adjektivum,
Numerale, Pronomen. Wir verweisen hier namentlich auf die Darstellung
der Bildung des spanischen Nomens, welche auf Diezens und Franc. d'Ovi-
dios Schriften beruht, doch selbständig und vollständiger durchgeführt ist;
ferner auf die ausführliche Behandlung der spanischen Substantiva auf -a,
welche auf lateinische Pluralformen zurückzuführen sind; endlich auf die
sehr genaue und umfängliche Behandlung des Pronomens.

Der sechste Teil enthält die Konjugation; auch diese ist mit groſser
Genauigkeit behandelt worden.

Im siebenten endlich sind die Adverbien, Präpositionen, Konjunktionen
und Interjektionen nach Herkunft, Form, Bedeutung und Anwendung zusammengestellt worden.

Durchweg wird die Sprache von der Zeit der ältesten Denkmäler an behandelt, so daſs man nichts Wesentliches vermissen dürfte, und der Zusammenhang mit dem Lateinischen und den anderen Ursprachen nachgewiesen.
Dagegen sind Dialekte nur gelegentlich herangezogen worden; es fehlte
da noch zu sehr an allen Vorarbeiten und auch an der nötigen Litteratur.
Das Katalanische aber würde eine besondere Behandlung verlangen und verdienen, ebenso wie das Portugiesische. Beispiele sind überall möglichst viele
beigebracht worden; manchem wird damit gedient sein, niemand wird sich
darüber beklagen können. Das Syntaktische zu behandeln lag dem Verf.
diesmal noch fern; jedoch hat er einiges davon mit hereingezogen lediglich
aus praktischen Gründen, um denjenigen, welcher rasch in das Verständnis
der Sprache eindringen möchte, besonders den Autodidakten, zu unterstützen.
Es findet sich in dieser Beziehung namentlich in den Kapiteln über die Pronomina, die Konjunktionen und den Gebrauch der Tempora und Modi manche
dankenswerte Erklärung und Zusammenstellung. Förster hat recht, wenn
er im wesentlichen als Vorgänger nur Diez und Carolina Michaelis
de Vasconcellos anfuhrt, deren Studien zur romanischen Wortschöpfung
ihm ein ergiebiges Material geliefert haben, auf welches vielfach verwiesen
worden ist. Von den Schulgrammatiken ist ihm nur Wiggers eine ergiebi-
gere Quelle für Beispiele gewesen. Das Werk verdient die wärmste Empfehlung.   H.

Bemerkungen zum Gebrauche der Inversion nach „aussi, en vain etc." und des ce explétif.

In der Besprechung des „Übungsbuch zur französischen Grammatik von
A. Bechtel" (Archiv f. d. Studium der neueren Sprachen u. Litteraturen,
LXVII. Band, 1. Heft, p. 103) sagt der Herr Recensent: „S. 47, 2 muſs
es heiſsen: aussi tout le monde l'abandonne-t-il." Der Satz: Il en use mal
avec tout le monde, aussi tout le monde l'abandonne — ist wörtlich dem
Dictionnaire de l'Académie (VIIe éd., p. 128, article „aussi") entnommen.
Littré (Grand Dictionnaire, Art. aussi, 5. Conj.) sagt: Il secourut toujours
l'infortune; aussi a-t-il trouvé à son tour des amis, ou bien, aussi il a

trouvé à son tour des amis.   Hieraus ist ersichtlich, daſs beide Autoritäten die gerade Wortfolge als gleichberechtigt mit der Inversion ansehen. Matzner, Franz. Grammatik (1856), S. 347 sagt: „Die nachfolgende Wiederholung (des Subjekts) ist in behauptenden Sätzen, namentlich dann, obgleich nicht mit Notwendigkeit, üblich, wenn an die Spitze des Satzes eine adverbiale Bestimmung, wie à peine, au moins, aussi etc. tritt.“ Wie verhält sich nun der Sprachgebrauch zu der von jenen Autoritäten aufgestellten Regel?   Ein flüchtiges Durchlesen mehrerer verschiedenen Zeitaltern angehörigen Werke lieferte dem Unterzeichneten ein Material, welches beweist, daſs die Inversion bei einigen Autoren, wie Thiers, sehr häufig ist, daſs indes auch die gerade Wortfolge — wenn auch nicht so häufig, oft auf der nämlichen Seite erscheint.

Voltaire: En vain on donna le signal de l'assaut (Charles XII, livre VI). — En vain le roi, autorisé par les lois de l'État, ordonne à tous les gentilshommes de le suivre (Ib. livre II).   A peine le cardinal avait juré à son roi de ne rien entreprendre contre lui (Ib. livre II).

Montesquieu: Les anciens n'ayant pas la boussole ne pouvaient guère naviguer sur les côtes; aussi ils ne se servaient que de bâtiments à rames, petits et plats (Grandeur et déc.).

Buffon: Ses jambes de devant sont une fois plus longues que celles de derrière; aussi sa démarche est incertaine (La girafe).   La girafe ne peut ni fuir ses ennemis dans l'état de liberté, ni servir ses maitres dans celui de domesticité: aussi l'espèce en est peu nombreuse. — On dompte le singe plutôt qu'on ne le prive.   Aussi l'espèce n'a jamais été domestique nulle part. — Le lion doit avoir assez de docilité pour s'apprivoiser jusqu'à un certain point: aussi l'histoire nous parle de lions attachés à des chars de triomphe. — Le hérisson se défend par l'effet même de la peur.   Aussi la plupart des chiens se contentent de l'aboyer. — Toutes les plumes de l'autruche sont inutiles pour voler ou pour diriger le vol. Aussi l'autruche est attachée à la terre comme par une double chaine.

Bossuet: Aussi vers les premiers jours de son règne, à l'âge de 22 ans, le duc conçut un dessein. — Aussi sa conversation était un charme (Oraison fun. du prince de Condé).

Bernardin de Saint-Pierre: In Paul et Virginie stehen: aussi einmal ohne Inversion: Aussi aucun livre ne lui fit autant de plaisir que le Télémaque; à peine 16 mal — 11 mal mit gerader Wortfolge, 5 mal mit Inversion; en vain 2 mal mit gerader Wortfolge an der Spitze des Satzes. — Au moins on est certain de l'existence de ces êtres (Études de la nature).   A plus forte raison, si j'eusse écrit l'histoire de mon fraisier, il eût fallu en tenir compte (Ib.).   A peine il y eut frappé (Chaumière ind.).

Chateaubriand: Aussi, tout voyageur que je suis, je ne suis point le fils d'Ulysse (Itinéraire). — A peine quelques cris échappés à une populace esclave sortaient par intervalles de ces murs. — Du moins j'ai conservé toutes mes illusions. — En vain les cavaliers les plus légers voudraient les devancer à la course (Les Martyrs). — En vain, dans nos champs cultivés, l'imagination cherche à s'étendre. — En vain, les légers escadrons se sauvent. — Du moins le roi de France ne remit son épée qu'à un Français.

Villemain: Aussi les Anglais approuvèrent le refus et la révolte de l'Écosse (Histoire de Cromwell). — Ou du moins l'éloquence que Buffon conçoit lui paraît bien différente de cette faculté naturelle de parler (Tableau de la litt. au XVIIIe siècle).

Guizot: A peine la chambre était assemblée ... A peine six mois s'étaient écoulés qu'un second parlement fut jugé nécessaire (Hist. de la révolution d'Angleterre).

Augustin Thierry: Vainement des hommes plus éclairés qu'eux élevaient la voix.

É. Souvestre: Pour connaître la vie, il faut habiter le Midi. Ah! quelle contrée des dieux! Aussi nous avons à Marseille un antiquaire qui prouva (La Fileuse).

Hégésippe Moreau: Aussi l'enfant rêveur passait le temps à regarder le beau ciel de la Touraine (La Souris blanche). — Aussi, lorsqu'un jour de revue il passait au galop devant le front de son armée, il y avait encore, à une fenêtre près de là, une bonne vieille femme (Le Neveu de la fruitière).

Le général Hoche au général Le Veneur: Je dois vaincre ou mourir. Aussi, mon général, si cette lettre n'est que l'annonce trop présomptueuse d'un succès, elle doit vous porter mes derniers adieux.

J.-B. Payen: Les botanistes modernes commencent, dans leurs leçons ou dans leurs livres, par l'anatomie végétale. Cette marche a toujours paru aux professeurs sensés extrêmement défectueuse. Aussi ces professeurs ont renoncé complètement à cette marche.

Lamartine: En vain l'historien Benjamin de Tudèle fait mention des Druses.

Zum *ce explétif*. .

Der Herr Recensent erklärt: „Wegen der Inversion von Subjekt und Prädikat muſs es heiſsen: Le plus grand fleuve de la France c'est la Loire."

Mätzner (Franz. Gramm.) sagt S. 346: „Ein vorangehendes Subjekt wird durch ce wieder aufgenommen. Namentlich geschieht dies nach einem Subjekts-Infinitiv." Littré (Grand Dict. p. 515, article ce) sagt: „Le ce explétif peut être supprimé: Ce que je crains est d'être surpris. Faire un service est ajouter au bienfait. — La répétition de ce est indispensable dans le cas où le verbe être est suivi d'un substantif au pluriel ou d'un pronom personnel."

Daſs mustergültige Schriftsteller dieses ce auch auslassen, beweisen folgende Beispiele: Le premier livre de génie qu'on vit en prose fut le recueil des Lettres provinciales (Voltaire, Siècle de Louis XIV). Un des premiers qui étala dans la chaire une raison toujours éloquente fut le P. Bourdaloue (Ib.). Le premier livre qu'on lui fit lire fut l'ouvrage de Samuel Puffendorf (Charles XII). Le premier monument digne du regard est le temple de Jupiter Olympien (Lamartine, Voyage en Orient). Le premier de ces siècles est celui des Philippe et des Alexandre; le second âge est celui des César et des Auguste; le troisième est celui ... Souffrir et patienter est souvent leur seule ressource (Buffon, Le héron). Le plus grand bonheur de mes frères et leur œuvre capitale était de faire et d'habiller l'homme de paille (Mme Michelet). Un régal que notre mère nous donnait avec le plus sensible joie était le réveillon de la nuit de Noël (Marmontel).

Zu dem Satze „Ein italienischer Seefahrer, Cabot, war im Jahre 1487 auf einem Punkte Labradors gelandet" bemerkt der Herr Recensent: „Cabot war ein Engländer."

Über die Nationalität Cabots folgendes: „Giovanno Caboto stammt aus Venedig, entdeckte mit seinen drei Söhnen Ludovico, Sebastiano und Sanzio 1497 Neufundland. Der zweite Sohn, Sebastiano, war ebenfalls ein Venetianer" (Brockhaus, Konversationslexikon). „Jean Cabot, navigateur d'origine vénitienne, s'établit à Bristol, découvrit la Terre-Neuve" (Dezobry et Bachelet, Dictionnaire de géographie, d'hist. etc. Paris, Delalain, 1876).

Wien. A. Bechtel.

Programmenschau.

Über den deutschen Unterricht auf Gymnasien. Von Gymnasiallehrer Locker. Programm des Gymnasiums zu Dillenburg
1881. 23 S. 4.

„Abhandlungen über den deutschen Unterricht auf höheren Schulen sind
so zahlreich, dafs man sie kaum alle verfolgen kann." So sagt mit Recht
der Verfasser. Er hätte hinzufügen mögen: dafs darum, um die Leser von
vornherein doch zu orientieren, der Verfasser einer neuen Abhandlung über den
deutschen Unterricht sein enger begrenztes Thema in der Überschrift zu
benennen gut thäte. Aus der allgemeinen Bezeichnung z. B. vorliegender
Abhandlung errät niemand ihren Inhalt. Derselbe ist aber schwer zu fassen,
alles Mögliche ist aneinander gehängt, eine Disposition nicht herauszufinden,
und hat sich der Leser hindurchgefunden, so mufs er sich sagen, dafs sich
das alles von selbst verstehe oder dafs es schon hundertmal gesagt sei.
Endlich werden ein paar Lesebücher miteinander verglichen und gezeigt,
wie sie die ursprüngliche Darstellung einer deutschen Sage bei Grimm mehrfach im Ausdruck verändert haben.

Plan und Gliederung des deutschen Unterrichts. Von Oberlehrer Deufsen. Programm der Realschule zu Essen 1881.
10 S. 4.

Die Abhandlung stellt die Gliederung des deutschen Unterrichts an der
Anstalt, als deren Programm sie erscheint, dar; diese Anstalt ist eine Dop-
pelanstalt, eine Realschule und eine Bürgerschule, also der Plan der beiden
Anstalten wird mitgeteilt, und zwar nach den Kategorien: Grammatik, Lektüre, Litteraturgeschichte, Aufsatz, mündlicher Ausdruck. Etwas Eigentümliches findet sich in dem Plane nicht vor. Nur dies: Es wird auch für
Realschulen die Beschäftigung mit dem Mittelhochdeutschen empfohlen, und
zwar in der Prima, nicht in Sekunda, weil bei den lokalen Verhältnissen,
die dem sprachlichen Unterricht grofse Schwierigkeiten bereiten, die volle
Zeit dem Neuhochdeutschen bis zu der Klasse eingeräumt werden müsse, in
der eine freiere Bewegung auf dem Gebiete des Deutschen möglich sei, das
ist bis Prima.

Abrifs der deutschen Metrik für Schulen. Von A. Koch.
Programm der Friedrich-Wilhelms-Schule zu Stettin 1881.
16 S. 4.

Dieser Abrifs verdient warme Empfehlung. Die deutsche Metrik ist
hier von den römischen Banden befreit, es ist eine wirklich deutsche Metrik;

die bekannteste Litteratur über dieselbe hat der Verfasser benutzt und seine Arbeit dadurch besonders wertvoll gemacht, dafs er zu allen hier behandelten Versfüfsen und Versmafsen, und er ist darin sehr ausführlich und eingehend, zahlreiche Beispiele aus der poetischen Litteratur gegeben hat. Auch das ist lobenswert, dafs hier und da auf den französischen Versbau Rücksicht genommen und dazu Toblers neueste Schrift benutzt ist. Es erhebt sich für den Schulgebrauch nur ein Bedenken. Die Abhandlung soll den Schülern der Tertia als Grundlage für den Unterricht in deutscher Metrik dienen. Sollten die Schüler in diesem Alter das nötige Verständnis gewinnen können? Der erste Paragraph sogleich möchte ihre Fassungskraft übersteigen. Der Verfasser setzt beim Gebrauch die Erklärung und Ergänzung durch den Lehrer voraus und will deshalb nur das Notwendigste gegeben und nach möglichst knappem Ausdruck gestrebt haben. Der Ausdruck ist allerdings so knapp als möglich und doch nie unklar, aber die Abhandlung hat den reichsten Inhalt, und dazu noch Nachträge zu liefern, möchte über den Standpunkt der Schule und die eingeräumte Zeit hinausgehen.

Die lyrisch-epische Dichtung in der deutschen Litteratur. Von Professor A. Dimter. Programm der Staats-Realschule zu Teschen 1881. 15 S. gr. 8.

Der Verfasser versteht unter der lyrisch-epischen Dichtung die Ballade und die Romanze. Von der Romanze giebt er diese Begriffsbestimmung: „Sie ist eine nicht sangbare poetische Erzählung, welche einen idealen, oft ernsten, aber nie Schauder erregenden historischen Stoff in glänzender und ausführlicher Schilderung mit dem Zwecke behandelt, dafs dem Leser eine sittliche Idee vorgeführt wird, doch so, dafs die epische Handlung der lyrischen Stimmung vorsteht." Die Ballade aber ist „ein Lied, welches einen selten heiteren, meist ernsten, tragisch-düsteren, historischen Stoff in gedrängter Form bei rasch fortschreitender Handlung, wofür der dialogisch-dramatische Charakter sich besonders eignet, zur Anschauung bringt, wobei die lyrische Stimmung die epische überragt. Als die passendste äufsere Form erscheint eine kurze Strophe, bestehend aus jambischen oder jambisch-anapästischen Versen." Diese Definitionen bringen, abgesehen von der etwas ungeschickten Fassung, nichts Neues, wie überhaupt die Abhandlung nicht. Neu ist nur der Gedanke, dafs unter allen Dichtungsgattungen allein die Ballade und Romanze frei von fremdem Einflusse aus dem deutschen Volksgeiste sich herausgebildet habe, dafs aber der Ursprung der Romanze bei den romanischen Völkern Spaniens zu suchen sei u. s. w.

Zum Vokalismus der schlesischen Mundart. Ein Beitrag zur deutschen Dialektforschung von G. Wanick. Programm des Gymnasiums zu Bielitz 1880. 52 S. gr. 8.

Auf der deutschen Philologen-Versammlung zu Trier 1879 sind eine Reihe Thesen über Dialektforschung aufgestellt; in deren Sinne ist, wenn auch schon früher vollendet, vorliegende Abhandlung gehalten. Sie behandelt nur den Vokalismus des Dialekts, aber auf das sorgfaltigste in musterhafter Weise. Schlesien ist ein Kolonialland, das slavische Land ist seit dem 12. Jahrhundert aus allen Gauen Mittel- und Nörddeutschlands bevölkert, daher hat sich, wenn man auch überbaupt schon von einer schlesischen Mundart reden kann, doch allerwärts viel Eigentümliches erhalten Das hier untersuchte Gebiet ist der östlichste Teil von Österreichisch-Schlesien und der westlichste von Galizien, Mittelpunkt sind die beiden Städte Bielitz und Biela, die nur durch die Biela geschieden sind. Dies Land war schon im 13. Jahrhundert kolonisiert; die Geschichte sagt nicht, woher die Einwanderer kamen. Aber aus den dialektischen Erscheinungen darf man den

Schlufs ziehen, dafs der kolonisierende Völkerzug ein ethnographisch zusammen-
hängender war, dafs aber später ein Nachzug in die Städte und deren
nächste Umgebung kam, der die bestehende Mundart im Vokalismus modi-
fizierte. Es kam diese zweite Einwanderung aus Schlesien infolge der religiösen Bedrückung im 17. Jahrhundert; die städtische Mundart ergiebt, dafs
sie aus der Grafschaft Glatz kam. Die erste Einwanderung aber erfolgte
wahrscheinlich aus den bereits im 12. Jahrhundert kolonisierten thüringisch-
meifsnisch-sächsischen Landen im 13. Jahrhundert. Das Schlesische ist nun
besonders unter dem Einflufs der fränkischen Mundart entstanden, und zwar
ist die Verwandtschaft mit dem Mittelfränkischen, welches von der Mosel
und Lahn bis Düsseldorf und bis zur Maas herrscht, noch zu erkennen, so
dafs also der Hauptbestandteil der zur Sprache kommenden Kolonien aus
ihren neuen Sitzen in den Elblanden eingewanderte Rheinländer sind. Die
einzige Grundlage nun für die nachfolgende sprachliche Untersuchung ist
dem Verfasser die eigene Beobachtung gewesen. Diese ist nach den Grundsätzen der Lautphysiologie mit einer solchen Akribie angestellt, wie sie wohl
noch keiner deutschen Mundart zu teil geworden ist.

Über niederösterreichische Dialektlitteratur, mit besonderer Be-
rücksichtigung der Dichtungen Missons und Strobls, von
Karl Landsteiner. Programm des Gymnasiums im 8.
Bezirke Wiens. Wien 1880. 43 S. gr. 8.

Der für sein österreichisches Vaterland begeisterte Verfasser ist nicht
blofs der Ansicht, dafs im Mittelalter die Dichtung die meiste Pflege in
Österreich gefunden habe, sondern dafs auch in der Neuzeit die Poesie dort
nicht weniger würdige Vertreter aufweise als anderswo draufsen im Reiche,
dafs endlich aber, wenn nicht alle Zeichen trügen, die dritte Blütezeit deutschen Geisteslebens von österreichischem Boden ausgehen werde. In seinem
in frischer Ursprünglichkeit sich entwickelnden Volksleben, in seinem Kampfe
selbst mit emporstrebenden nichtdeutschen Nationalitäten, in seinen mannigfaltigen Dialekten läge die Gewähr einer grofsen Zukunft. Ein ganz bedeu-
tender Dichter sei nun der verstorbene J. Misson in seinem leider unvoll-
endeten Naz. Dies ist ein Epos, dessen Held Naz ist, ein naiver Bauern-
bursch, der in die Fremde zieht und nun allerlei Schicksale durchmacht;
acht Gesänge hat der Dichter vollendet; die mitgeteilten Proben rechtfertigen
auch für den Nichtwiener das ihm zuerkannte Lob. Den siebenten Gesang
als den gefeiertsten teilt der Verfasser „in seiner Gänze" mit. Der allgemeine Wunsch nach Vollendung des Naz veranlafste den Ordensbruder
Missons, Professor K. Strobl (geb. 2. April 1844), zur Fortsetzung; aber
der Naz hatte das Schicksal des Tristan, Strobl starb 30. August 1879 vor
der Vollendung. Von seiner Fortsetzung liegen 20 zusammenhängende
Gesänge vor, noch nicht gedruckt; von diesen giebt der Verfasser den Inhalt
und einige Proben, die ein Talent für beschreibende Poesie zeigen, obschon
das Lob des Verfassers manchem etwas übertrieben scheinen mag. Die
Landsleute des verstorbenen Dichters sollten aber den Druck des Ganzen
möglich zu machen suchen.

Etymologien der wichtigsten deutschen Fremdwörter französischen
Ursprungs. Von J. Andenmatten. Programm der Studien-
Anstalt Amberg 1880. 47 S. gr. 8.

Eine recht beachtenswerte Abhandlung. Sie macht nicht auf neue wissenschaftliche Ansichten Anspruch, sie will dem unmittelbaren praktischen Nutzen
dienen. In den gewöhnlichen Wörterbüchern finden wir meist bei den Fremdwörtern den Ursprung nicht angegeben, wir müssen andere gelehrte Bücher

zu Rate ziehen, und diese divergieren so oft. Aus den mannigfachsten gelehrten Werken der Art hat der Verfasser sich die verschiedenen Erklärungen ausgezogen, auch aus seltenen Einzeluntersuchungen, und ohne selbst immer Partei zu nehmen, giebt er sie alle. Leider hat der Raum verhindert, dafs er seine Kollektaneen ganz abdrucken lassen konnte; aber es ist das doch schon umfangreich, was er giebt; natürlich sind nur die etymologisch schwierigen Wörter berücksichtigt, und wir erfahren bei manchem zu unserer Verwunderung, wie sehr schwankend noch immer die Erklärung ist. Die Vollendung der lesenswerten kleinen Schrift ist wünschenswert.

Über den Ausgang des stumpf reimenden Verses bei Wolfram von Eschenbach. Von Gymnasiallehrer Karl Moldaenke. Programm des Gymnasiums zu Hohenstein 1880. 27 S. 4.

Lachmanns Regeln über den vorletzten Takt des stumpf reimenden Verses der mittelhochdeutschen Dichter sind viel angefochten. Um die Sache zu entscheiden, ist es passend, den Gebrauch eines bestimmten Dichters zu untersuchen. Die vorliegende Abhandlung ist nun eine mit gröfster Akribie durchgeführte Untersuchung über den Grundsatz Wolframs, und der Verfasser hat nicht zu befürchten, dafs man in derselben nur „einen leeren Wust von Citaten“ erblicke. Er teilt so: 1) die letzte Hebung lautet konsonantisch an. Die zahlreichen Fälle, in denen die letzte Senkung eine Kürzung erfahren mufs, um einsilbig zu werden, lassen sich in zwei Hauptgruppen sondern, deren eine durch die Apokope eines farblosen e, die andere durch Synkope oder Elision gekennzeichnet wird. So wird zunächst (S. 4—12) bewiesen, dafs die Apokope nach kurzer Silbe ungemein häufig, in der Apokope nach langer Silbe Wolfram aber sehr vorsichtig ist. Sodann werden bei der (S. 13—23) Untersuchung über Synkope und Elision wieder zwei Fälle unterschieden: a) zwei durch Konsonanz getrennte Silben eines Wortes werden durch Kürzung einsilbig; b) die beiden Silben, in denen die Kürzung vorzunehmen ist, gehören zwei Worten an, wieder mit den Unterschieden, dafs vokalischer Auslaut und vokalischer Anlaut, vokalischer Auslaut und konsonantischer Anlaut, konsonantischer Auslaut und vokalischer Anlaut, konsonantischer Auslaut und konsonantischer Anlaut zusammentreffen. Von allen Fällen sind zahlreiche Beispiele beigebracht. — Nun folgt 2) (S. 23 fgg.) die letzte Hebung lautet vokalisch an. Diese Übersicht zeigt hinlänglich, welchen gründlichen Beitrag zur Metrik die Abhandlung enthält.

Das Drama vom verlorenen Sohn. Ein Beitrag zur Geschichte des Drama. Von Rektor Prof. Dr. Holstein. Programm des Progymnasiums zu Geestemünde 1880. 54 S. 4.

In der Volks- und Schulkomödie ist vielleicht kein Stoff so viel behandelt worden als die Geschichte vom verlorenen Sohn. Dies Gleichnis wurde in den ersten Jahren der Reformation als ein Mittel in der Hand der Protestanten betrachtet, um den katholischen Gegnern den Nachweis zu liefern, dafs die Rechtfertigung vor Gott nicht durch die Werke, sondern durch den Glauben erfolge. Den ihm zugänglichen Stoff hat der Verfasser mit der gröfsten bibliographischen Genauigkeit in vorliegender Abhandlung vorgelegt. Er erwähnt zuerst die lateinischen Dramen: I. 1) Wilhelm Gnapheus, eigentlich Willem de Voldersgraft oder de Volder geheifsen, Acolastus de filio prodigo, zuerst Haag 1529; der Verfasser berichtet kurz über Gnapheus' Leben und Schriften, ausführlich über dies Stück mit Auszügen. 2) Georg Maccopedius, Asotus evangelicus, zuerst Herzogenbusch 1537; die Auszüge sind hier umfangreicher. II. Deutsche Dramen mit biblischer Unterlage. 1) Burkart Waldis: De parabell vom verlorn Szohn, Riga 1527, eines der bedeutendsten Werke der dramatischen Litteratur im 16. Jahrhundert, hochwichtig für die Geschichte der niederdeutschen Sprache, mit der Tendenz, die Abgötterei des römischen Fastalabends zu beseitigen und in einen geistlichen Fastalabend zu verwandeln; erst durch Gödeke bekannt geworden. Kein früheres Drama zeigt eine so geschickte Scenerie. Eine ausführliche Inhaltsangabe mit Auszügen läfst den Wert des Dramas erkennen. 2) Görg Binder, Acolastus, Zürich 1535; Binder, dessen Leben erzählt wird, schlofs sich an Gnapheus an, seine freien Übersetzungen sind vortrefflich. 3) Johann Ackermann in Zwickau, von Rebhuhn angeregt und beeinflufst. Ein schönes geistliches und fast nützliches Spiel vom verlorenen Sohn, Zwickau 1536; auch hier Inhaltsangabe und Auszüge. 4) Jörg Wickram: Ein schönes und evangelisch Spiel von dem verlorenen Sun, Kolmar 1540, von der Bürgerschaft in Kolmar aufgeführt, 31 Personen, ohne Akt- und Sceneneinteilung; Wickram ist abhängig von Binder; auch hier Inhaltsangabe mit Auszügen. 5) Andreas Scharpfeneuer: Ein kurzer Auszug der teutschen Comedien des Acolasti, Nürnberg 1544; 9 Personen; wertloser Auszug aus Ackermann. 6) Wolfgang Schmeltzl, Wien 1545. Schmeltzl, Kantor zu Amberg, trat in Wien zum Katholicismus über. Abkürzung des Acolastus Binders. 7) Hans Sachs, 1556. 9 Personen. Inhaltsangabe und Auszüge. 8) Hans Wilhelm Kirchhoff, 1570. Unbekannt. 9) Nikolaus Risleben: Asotus, Comödia vom verloren Son, Magdeburg 1586. Risleben, aus Salzwedel, Rektor daselbst, 1595 Bürgermeister daselbst, starb 1624. Aus der Magdeburger Stadtbibliothek hier zuerst bekannt gemacht. Grundlagen Ackermann und Macropedius; reich an Sentenzen. 10) Christian Schön: Asotus pœnitens, Wittenberg 1590, nur dem Titel nach bekannt. 11) Ludwig Holle: Freimut, das ist vom verlorn Sohn. Stettin 1603. Holle, Pastor zu Politz in Pommern. 26 Personen. Metrische Härten; Sentenzen. 12) Johannes Schrader: Dominicus oder Comödia vom verlorenen Sohn. Magdeburg 1605. Schrader, Pfarrer zu Remkersleben bei Magdeburg. 13) Johann Nendorf: Asotus, d. i. Comödie vom verloren Sohn. Goslar 1608. Nendorf aus Verden, Rektor zu Goslar († 1647). 5 Akte, 43 Personen; der Diener des Hauses spricht plattdeutsch. Inhaltsangabe. 14) Martin Böhme: Acolastus, eine lustige Comödia vom verlorenen Sohne. Wittemberg 1618. Böhme, geb. 1557 zu Lauban, starb da 1622 als Pastor primarius, Dichter von Kirchenliedern und Dramen. Vorbilder Gnapheus und Ackermann. 37 Personen, lebendige und volkstümliche Scenerie, gewandte Form. 15) Nikolaus Locke: Schauspiel der freyen und unbendigen Jugend oder Comödia vom ungerathenen und verlorenen Sohn. Lüneburg 1619. Locke aus Lüneburg, Subkonrektor, dann Pastor zu Lüneburg, starb 1633. 43 Personen, viele allegorische Personen und viele Interscenia; ein buntes Zeitgemälde; einzelnes plattdeutsch. 16) Die englischen Komödianten 1620. Das zweite Stück der englischen Komödien und Tragödien. Im ganzen roh. 6 Akte in Prosa; 9 Personen; nicht ungeschickte Anlage. Ein älteres Vorbild ist benutzt, aus der unbeholfenen Übersetzung klingt das Englische durch. — Von unbekannten Verfassern. Die Abhandlung führt 8 Stücke auf. — III. Dramen ohne biblische Unterlage. Es sind 3 aufgezählt, von Hans Sachs (der verlorne Sohn, den man richten wolt. 1557, von dem kurz vor seiner Hinrichtung wiedererkannten Sohne), von Herzog Heinrich Julius von Braunschweig (von einem ungerathenen Sohn, der nach vielen Mordthaten ein schreckliches Ende genommen. 1594, eine entsetzliche Greuelgeschichte, 18 Personen), von Jakob Ayrer (1597, Erweiterung des Stückes von Hans Sachs). — IV. Aufführungen unbekannter Verfasser (in Leipzig 1540, in Solothurn 1543, in Frankfurt 1549, in Schaffhausen 1554, St. Gallen 1556, in Rheinfelden 1602, Osnabrück 1720). — V. Verwandte Dramen, 1) Von Johannes Heros, Nürnberg 1562; abschreckendes Beispiel des Müfsiggangs. 2) Die Dramen vom Knabenspiegel: a) Von Jörg Wickram der jungen Knaben Spiegel; von einem gut erzogenen, aber verführten Knaben; reich an pädagogischen Ratschlägen; sprachlich wichtig. — b) Jos. Murer: Der jungen Mannen Spiegel. Zürich 1560.

Josias Murer starb zu Zürich 1580. 5 Akte, Wirtshausscenen. — c) Jakob Schurtweg: Tragödie von einem verlorenen Sohn. Basel 1579. 33 Personen. — d) Georg Pondo: Speculum puerorum, eine neue Comödie, 1596. Pondo aus Eisleben, Domküster zu Berlin. 29 Personen, verschiedene ländliche Dialekte. Von Wickram abhängig. — e) Jakob Ayrer: Knaben Spigl. Nurnberg 1598. 22 Personen, Nachbildung Wickrams; pädagogische Tendenz. — 3) Die Dramen vom Schul- und Studentenleben. a) Christoph Stymannlius, Magister zu Frankfurt a. O., dann Superintendent zu Stettin: Studentes, comedia de vita studiosorum. Frankfurt a. O. 1549. Durch Gnapheus veranlafst. Studenten von verschiedenem Charakter; falsche Rhetorik. — b) Martin Gaynoccius 1544—1611, Almansor, lateinische Komödie 1578; deutsch als Almansor der Kinder Schulspiegel 1582 und: Schulteufel, eine christliche Comödie 1603. Schilderung des mangelhaften Schullebens. — c) Albert Wichgraw aus Hamburg: Cornelius relegatus sive comœdia etc. 1600, ein lebendiges treues Bild des damaligen Studentenlebens. — d) Georg Mauricius, Rektor zu Nürnberg: Comödie von dem Schulwesen, 1606. — e) Joh. Georg Schoch, Jurist zu Naumburg: Comödia vom Studentenleben. Leipzig 1657, kunstloses Bild des Studentenlebens. VI. Das Drama anderer Litteraturen: Proben aus Frankreich, Italien, Spanien, England, Schweden, Niederlande. — Es ist eine sehr dankenswerte Zugabe, dafs bei den deutschen Stücken der Verfasser jedesmal bemerkt hat, in welchen Bibliotheken dieselben zu finden sind.

Bûchelîn der heiligen Margarêta. Ein Beitrag zur Geschichte der geistlichen Litteratur des 14. Jahrhunderts. Von Dr. Karl Stejskal. Programm des Gymnasiums zu Znaim 1880. 33 S. gr. 8.

Die Margaretenlegende war in Deutschland, England und Frankreich weit verbreitet. Sie erscheint in verschiedenen Dialekten, am häufigsten in der Form, in der nach Vergleichung der Handschriften und alten Drucke sie hier zum erstenmal gedruckt erscheint, in mitteldeutscher oder thüringischer Bearbeitung; die Haupthandschrift ist noch in Erfurt. Das Gedicht enthält 776 Verse; der poetische Wert ist gering. Trotzdem ist es lange und viel gelesen, vielleicht wegen der hohen Geltung, in der die heilige Margarete als christliche Lucina stand. Die wichtigeren Varianten sind unter dem Texte beigefügt.

Über die Sprache des Johannes von Frankenstein. Von Dr. Ferdinand Khull. Programm des II. Staats-Gymnasiums zu Graz 1880. 23 S. gr. 8.

Aus dem Gedichte des Johannes von Frankenstein, der um das Jahr 1300 in Wien als Priester des Johanniterordens lebte, sind bisher nur einige Verse abgedruckt, die Schlufsverse 11402 bis 11475 teilt hier zuerst in rekonstruierter Gestalt der Verfasser der Abhandlung mit. Die einzige Handschrift des Gedichtes befindet sich in der k. Hofbibliothek zu Wien. Der Dichter hat demselben selbst die Bezeichnung „des crucigêre" gegeben. Die Handschrift ist von zwei Schreibern geschrieben, die zweite Hälfte ist weniger sorfaltig als die erste. Beide Schreiber sind Österreicher, bei beiden macht sich je später desto stärker der Einflufs des österreichischen Dialekts in der Schreibung geltend. Der Charakter der Handschrift ist also der hochdeutsche mit österreichischer Färbung. Diese österreichische Lautgebung untersucht nun der Verfasser auf das genaueste, erst den Vokalismus, dann den Konsonantismus, woraus der Schlufs gezogen wird, dafs die beiden Schreiber entschieden zum Ausdruck brachten und eine Vorlage benutzten, welche nicht österreichische Färbung besafs, ferner, dafs ihnen die Lautgebung der Vorlage ganz ungeläufig war. Da die Veränderungen in den

Reimen weit weniger durchgreifend sein können, so können über den Dialekt der ursprünglichen Dichtung nur die Reime sichere Auskunft geben. Es ergiebt sich alsbald, dafs des Dichters Heimatsdialekt ein mitteldeutscher Dialekt war, und durch weiter ins einzelste eingehende Untersuchungen, dafs es ein schlesiescher war, und das stimmt zu den Angaben, welche der Dichter über seine Herkunft selbst am Schlusse macht. Danach stammt er aus Frankenstein, ist also von Geburt ein Schlesier und schrieb im Johanniskloster seinen crucigêre, die Übersetzung einer passio Christi. Somit ist dies Gedicht das älteste nach Heimat und Alter genau datierte Denkmal des schlesischen Dialekts.

Deutschlands Dichterinnen und Schriftstellerinnen. Eine litterarhistorische Skizze, zusammengestellt von Professor Heinrich Grofs. Progr. des Gymnasiums in Triest 1880. 71 S. gr. 8.

Je nachdem, man erhebt sich oder man erschrickt über die aufserordentlich grofse Zahl von Schriftstellerinnen, die der Verfasser hier vereinigt hat, und es ist erst die Hälfte, der Schlufs soll nachfolgen. Aber dies Verdienst ist der Abhandlung nicht abzusprechen, dafs sie mit gröfstem Fleifs und mit Genauigkeit die kurzen biographischen Notizen und die Charakteristiken giebt. Möglich, dafs in der Fülle des Stoffes sich kleine Irrtümer finden, aber wo Referent verglichen hat, ist der Verfasser genau; einigemale vermifste Referent eine Hinweisung auf die, soweit sie geht, doch wohl genaueste Quelle, die Allgemeine deutsche Biographie. Der Stoff ist in zwei Perioden geschieden: 1) von Frau Ava bis auf die Neuberin, ca. 1100—1700. 2) die litterarischen Frauen des 18. Jahrhunderts, und dieser Teil gespalten nach den Hauptgattungen der Poesie, und anhangsweise die Prosaschriftstellerinnen beigefügt; in diesem Rahmen ist die fast unübersehbare Reihe der Frauen nach dem Geburtsjahre geordnet.

Kleine Beiträge zur Litteratur Fischarts. Von Oberlehrer Rückbeil. Programm der Realschule zu Sondershausen 1880. 31 S. 4.

a) Eine von Vilmar nicht gekannte Ausgabe des Bienenkorbs. Der Verfasser ist im Besitz einer undatierten Ausgabe, welche keiner der von Vilmar bezeichneten, aber am meisten der in Bremen aufbewahrten gleicht. b) Ein Fischart zugeschriebenes Werk, ebenfalls im Besitz des Verfassers. Dies ist das „Bildnufs des Ehrwürdigen Herrn M. Cyriaci Spangenbergs, seines Alters im 55. Jahr. Anno 1582. fol. Holzschnitt" (angeblich von T. Stinner, darunter ein hier mitgeteiltes Gedicht von Fischart). Das Werkchen kann nicht vor 1582 erschienen sein. Es ist aber Fischart nicht der Verfasser, weil 1582 Fischart nicht mehr der darin ausgesprochenen streng lutherischen Ansicht huldigte, sondern nach der genauen Bekanntschaft mit Sturm der calvinistischen mehr zugethan war. Um aber das zu beweisen, erzählt der Verfasser c) S. 10—31 das Leben Fischarts von seiner Jugend bis zu seinem Tode, nach den gangbarsten Litteraturgeschichten, teilweise zweifelhaften Wertes, mit mancherlei Digressionen; wozu das alles? ist nicht ersichtlich.

Die Sage vom Kaiser Friedrich im Kiffhäuser, nach ihrer mythischen, historischen und poetisch-nationalen Bedeutung. Von Professor Dr. Ernst Koch. Programm der Fürstenschule zu Grimma 1880. 40 S. 4.

Es interessiert uns hier besonders die dritte der Beziehungen, nach denen der Verfasser die Sage erklärt hat, und im voraus sei da auf die Sorgfalt hingewiesen, die der Verfasser in der Herbeischaffung des reichen Stoffes

zeigt. In Bezug auf die anderen Punkte möge nur das Wichtigste hervorgehoben werden. — Der Sage liegt eine mythische Anschauung zu Grunde,
von dem Kampfe des Lichtes gegen die Finsternis. Donar, der Gott des
Frühlingsgewitters, schüttelt zornig seinen roten Bart und zerschmettert mit
seinem Hammer die Riesen. In dem Kiffhäuser, dem Wohnort der Wasser-
frau, sitzt nun neben dieser eine ehrwürdige, männliche Gestalt, der alte
Kaiser Friedrich oder der alte Rotbart oder Kaiser Otto genannt. Mit
dieser mythischen Gestalt wurde nun der historische Kaiser Friedrich II.
identifiziert. Die Ansichten des Kaisers von der Verderbnis der Kirche
wurden von vielen Geistlichen geteilt. Die Anhänger des Franziskaners
Joachim von Floris glaubten, der Kaiser sei gar nicht gestorben, halte sich
nur für einige Zeit verborgen, werde zur Züchtigung der Kirche wieder-
kommen. Es lebte eine alte Prophezeiung, einer der Frankenkönige werde
einst das römische Kaisertum wieder aufrichten, werde der gröfste und letzte
aller Könige sein, werde nach einer langen und gesegneten Regierung zuletzt
nach Jerusalem fahren und auf dem Ölberge Scepter und Krone nieder-
legen; das werde das Ende des römischen Reiches sein, dann der Antichrist
erscheinen und das Ende aller irdischen Dinge eintreten. Nach dem Untergange der Staufen wurde derselbe Friedrich, den italienische Mönche für
den Antichrist gehalten hatten, im Bewufstsein des deutschen Volkes der
Gegner des Antichrists. Die erste Aufzeichnung, dafs man gerade im Kiffhäuser den Kaiser Friedrich vermutet, findet sich 1426. Friedrich biefs er um
des Friedens willen, den er machen sollte. Aber dafs gerade der zweite Friedrich Veranlassung zu dem Glauben gegeben, vergafs man mit der Zeit. Im
Anfang des 16. Jahrhunderts war in der Phantasie des Volkes der erste und
zweite Friedrich zu einer Sagengestalt zusammengeschmolzen. Seitdem
herrscht der Glaube, dafs nur ein Mann wie Barbarossa uns helfen könne,
und so wie der erste Friedrich hervortritt, gewinnt die Sage neues Leben.
Im Jahre 1807 bezeichnete Görns in der Vorrede zu den deutschen Volks-
büchern den Barbarossa als denjenigen, der ihm erschienen und ihn angeregt
habe. 1814 erschienen Fr. Rückerts deutsche Gedichte; in demselben Jahre
Gottlob Wetzels Gedicht der Spielmann, der den Barbarossa im Kiffhäuser
feiert, Max von Schenkendorf gab der begeisterten Hoffnung in seiner Anrede an den Rotbart Ausdruck. 1817 erschien Rückerts Kranz der Zeit,
darin sein Lied vom Barbarossa, nicht 1813, wie mehrfach angenommen ist;
vorgelegen haben ihm höchst wahrscheinlich J. G. Büschings Volkssagen
(1812). — Nach längerer politischer Pause erschien 1831 Pfizers Briefwechsel
zweier Deutscher und in den angehängten Gedichten eine Anrede an Barbarossa. 1837 dichtete Emanuel Geibel seinen Friedrich Rotbart, 1840 wies
Hoffmann von Fallersleben in seinen unpolitischen Liedern auf die Sage hin;
1845 tönt sie wieder in den neuen Gedichten Geibels und Otto Webers.
Wiederum erklang sie wehmütig 1849 in dem Kaiser Rotbart von Gustav
von Meyern und von Julius Sturm, lauter in dem Liede vom Kaiser von
Julius Rodenberg 1866, in dem Grufs Geibels 1868 an König Wilhelm, bis
sie siegesvoll 1871 Karl Gerok in die Welt hinaussang. In gleicher
Stimmung ist das Lied vom neuen deutschen Reich von Oskar von Redwitz gehalten. — Der Abhandlung hat der Verfasser aufser Nachträgen vier litterar-
historische Anhänge angefügt, eine Vergleichung des Rückertschen Barbarossa-
liedes mit den Sagen bei Büsching und Grimm, den betreffenden Abschnitt
aus Behrens Hercynia sacra, Mitteilungen aus Fouqués Frauentaschenbuch
für 1818 und aus Wetzels Gedicht, die Melodien zu Rückerts Barbarossa.

Einiges über Wolfgang Schmelzl. Von Prof. W. Saliger. Programm des Gymnasiums zu Olmütz 1880.

Wolfgang Schmelzl gehört zu den deutschen Schauspieldichtern des 16.
Jahrhunderts in Österreich. Gödeke wufste nichts Näheres von ihm. Diese

Lücke hat der Verfasser obiger Abhandlung auszufüllen gesucht, bemerkt
aber, dafs sich wahrscheinlich noch mehr Kunde über ihn werde finden
lassen. Schmelzls Geburtsort ist Kemnat in der Oberpfalz; von 1540 bis
in die erste Hälfte der fünfziger Jahre liefs er als Schulmeister bei den
Schotten in Wien jährlich eine seiner Komödien aufführen; wenigstens seit
1555 war er Pfarrer zu St. Lorenzen bei Wiener-Neustadt. Es ist anzunehmen, dafs er um 1510 geboren wurde. Auf seinen Wanderungen kam
er nach Wien, wo es ihm so gut gefiel, dafs er bei den Schotten Schulmeister wurde. Von da an dichtete er biblische Dramen. Als Feldkaplan
machte er den Zug des Erzherzogs Ferdinand gegen die Türken mit und
beschrieb als Pfarrer denselben 1556. Aufser diesem epischen Gedichte ist
noch ein zweites: Lobspruch der Stadt Wien 1547 erhalten. Seine Komödien
biblischen Inhalts sind Bearbeitungen anderer Spiele, von Joachim Graff,
Paul Rebhun u. a, und zwar eigentliche Moralitaten, der biblische Inhalt
tritt mehr als bei den protestantischen Dichtern zurück. Seine eigenen Verse
sind unbeholfen, dafür entschädigt er durch Humor, der den meisten seiner
Zeitgenossen abgeht.

Über die Sage von König Lear. Von Christian Eidam. Pro-gramm der Studien-Anstalt Würzburg 1880. 40 S. 8.

Die Abhandlung verfolgt die Bearbeitung der Sage von König Lear
und seinen drei Töchtern von der ältesten nachweisbaren Quelle bis auf
Shakespeare. Sie berücksichtigt aus diesem Zeitraume alle bekannten
Bearbeitungen und verzeichnet genau alle Abweichungen des Dichters von
seinen Quellen; sie trägt aber auch wesentlich bei zu einer gründlichen Würdigung der Tragödie Shakespeares, die vielfach mifsverstanden ist.
Die früheste bekannte Quelle ist die 1132 bis 1135 verfafste Historia
Britanniæ des Geoffrey of Monmouth; die wichtigste Bearbeitung derselben
in welscher Sprache ist der sog. Brut Tysylio, nach der Historia geschrieben,
wie gegen San Marte nachgewiesen wird. Die Historia Regum Britanniæ
verbreitete sich rasch in England und Frankreich. Wace legte sie seinem
Werke zu Grunde. Der erste, welcher die englischen Königssagen in
englischer Sprache bearbeitet, ist Layamon, im Anfang des 13. Jahrhunderts.
Für die Geschichte Lears ist von besonderer Bedeutung des Polydorus Ver-
gilius Angliæ Historiæ libri 26, aus der ersten Halfte des 16. Jahrhunderts.
Wichtig ist noch die von Percy mitgeteilte und seitdem öfters gedruckte
Ballade. Nach ausführlicher Untersuchung kommt der Verfasser zu dem
Ergebnis, dafs sie nicht viele Jahre, aber doch etwas älter ist als Shakespeare. Welche Quellen Shakespeare benutzt hat, ist eine schwierige Frage;
des Dichters Verdienst nicht sowohl in der Erfindung, als in der be-
wunderungswürdigen Durchführung des Gedankens. Die Hauptquelle war
ihm wahrscheinlich Holinsheds Chronicle. Auch das alte 1605 gedruckte
Drama war ihm bekannt und stellenweise benutzt. Aber wo auch äufserlich
der Dichter mit seinen Vorgängern übereinstimmt, weicht er doch im
Grunde wesentlich von ihnen ab, so besonders im Charakter des Königs
und in dem tragischen Schlufs; die Schilderung des Wahnsinns, die Figur
des Narren, die Episode Glocesters sind freies Erzeugnis. Die Verschiedenheit der Bearbeitungen der Learsage wird hierauf im einzelnen nach drei
Seiten dargelegt: 1) Befragung der Töchter, Teilung des Reichs, Lears
Charakter; bei diesem letzteren Stück werden genau die irrigen Urteile
der Ästhetiker widerlegt. 2) Cordelias Antwort, ihr Charakter; es ist bekannt, welche Schuld man in Cordelia hat finden wollen, um beliebte ästhetische Vorurteile festhalten zu können. 3) Weitere Folgen der Teilung des
Reiches, der tragische Schlufs. Der Verfasser bemerkt mit Recht, dafs die
Erscheinung der Cordelia am Schlufs etwas unbeschreiblich Hehres und
Ergreifendes für uns hat, weil sie nach Shakespeares Darstellung den Opfer-

tod für ihren Vater erleidet, weil sie im Gegensatz zu den selbstsüchtigen
Schwestern das wahre Wesen der selbstlosen Liebe zur Anschauung bringt,
indem sie alles, auch ihr Leben für ihn hingiebt; ihr Tod ist kein Unglück
für sie, denn in Wahrheit triumphiert sie über die Schlechtigkeit und Bos-
heit, sie stirbt mit dem beseligenden Gefühl, Böses mit Gutem vergolten
und dem Vater, der sie aus Verblendung verstofsen, durch die That die
Tiefe ihrer Liebe bewiesen, dem zerrütteten Gemüte des alten mifshandelten
Mannes den Frieden gegeben zu haben.

**Klopstocks patriotische Lyrik. Von Gymnasiallehrer Joh.
Schumacher. Programm des Gymnasiums zu Hamm 1880.
S. 29—47.**

Der Gegenstand ist in der allgemeinen deutschen Litteraturgeschichte
nicht blofs, sondern auch in zahlreichen Specialarbeiten behandelt worden.
Es ist schwer, darüber etwas Neues vorzubringen. Die vorliegende Abhandlung nimmt auf keine der besonderen früher erschienenen Rücksicht, liefert
auch kein neues Ergebnis. Da sie einen Teil der zur Einweihung des neuen
Gymnasialgebäudes erschienenen Festschrift bildet, so hätte man wohl neue
Gesichtspunkte erwarten dürfen.

**Friedrich der Grofse und Lessing. Von W. Schütte. Progr.
des Gymnasiums zu Braunschweig 1881. 36 S. 4.**

Die Abhandlung ist aus einem zur Feier des 150. Geburtstages Lessings
in Braunschweig gehaltenen Vortrage hervorgegangen. Mit sorgfältiger Benutzung der gesamten vorhandenen Litteratur verbreitet sie sich über die
Beziehungen, in die Lessing unmittelbar und mittelbar zu dem Könige getreten ist, und so weist sie nach, wie trotz des letzteren feindseliger Stellung
zur deutschen Litteratur seiner Zeit sich sein Einflufs auf Lessing bewiesen
habe. Da tritt uns nun das bedeutend entgegen, dafs der König seinem
Wahlspruch: veritati et justitiæ getreu sein Regiment führte, er damit die
Schranken entfernte, welche der freien geistigen Bewegung gesetzt waren.
Dadurch gab er seiner Zeit ihre Signatur und rifs auch die Widerstrebenden
in die gleiche Bahn. Als aber Lessing nach Berlin kam, sah er dort überall die übermächtige Stellung des Franzosentums. Sein Widerspruch erwachte, er richtete litterarische Angriffe gegen die frivole Lebensanschauung
der fremden Gäste, gegen das frivole Buch ,de la Mettries. Bald begann
seine reformatorische Thätigkeit, sein Kampf gegen Gottsched, seine scharfe
Kritik über Klopstocks Messias, es erschien seine Mifs Sara Sampson. Die
Siege Friedrichs im siebenjährigen Kriege regten ihn gewaltig an, in Sachsen
wurde ihm der preufsische Patriotismus übel vermerkt. Seine Briefe an
Gleim bezeugen, wie lebhaft ihn das neu erwachende Nationalgefühl durch-
drang. Besonders begeisterte ihn der Sieg von Rofsbach, durch den der
Bewunderer des französischen Geistes die Ehre des deutschen Namens
wiederherstellte. Und auch die Kritik Lessings nahm in den Litteratur-
briefen einen ungewöhnlichen Aufschwung; jetzt erhielt die Autorität Gott-
scheds und seiner sächsischen Freunde den Todesstofs. Die Ruhmesthaten
des grofsen Königs haben den Kampf gegen die französische Renaissance-
poesie gezeigt. Aber als ihn der Umschlag des deutschen Patriotismus
in preufsischen Partikularismus erreichte, da fühlte er sich in seiner Seele
in Berlin beengt und begab sich ins volle Leben nach Breslau. Die Aus-
geburt seines dortigen Aufenthalts, die Minna von Barnhelm, ist ein Beweis,
dafs das tiefste Verständnis für die Bedürfnisse seiner Zeit ihn leitete. Sie
war die schönste Huldigung, die dem grofsen Könige dargebracht werden
konnte. Aber der König gab ihm den würdigen Lohn nicht. Für die er-
ledigte Bibliothekarstelle in Berlin war niemand geeigneter als der Verfasser

des eben erschienenen Laokoon. Der Vertraute des Königs, Quintus Icilinus empfahl Lessing, aber dem Könige blieb der Laokoon unbekannt, und die Erinnerung an den Streit Voltaires mit Lessing liefs ihm Lessing in verdächtigem Lichte erscheinen, er wählte einen unfähigen Franzosen. Seitdem setzte sich bei Lessing die Bitterkeit fest, die sich in seinen Briefen in Bezug auf Preufsen und den König so oft ausspricht, sein Urteil über das preufsische Regierungssystem ist nicht ganz gerecht. Aber schwerlich hätte es zu einem engen Verhältnis zwischen den beiden selbstbewufsten Männern je kommen können. Lessing ist seitdem nur vorübergehend in Berlin gewesen. Ein Jahr aber nach dem Erscheinen des Nathan erschien Friedrichs berüchtigte Schrift über den Zustand der deutschen Litteratur; als schon das gröfste kritische Genie des Jahrhunderts den deutschen Geist von dem Einflusse des Auslandes befreit hatte, sprach der König den Deutschen alle Befähigung zur Kritik ab. Aber trotzdem hat er durch seine Person und seine Thaten unserer Litteratur weit mehr genützt, als wenn er ihr der Mäcenas geworden wäre.

Herder und die Realschule unserer Zeit. Von Oberlehrer Rich. Lindermann. Programm der Realschule zu Löbau. 30 S. 4.

Der Verfasser hat sehr sorgfältig die Frage besprochen, wie sich die von Herder ausgesprochenen pädagogischen Grundsätze zu der heutigen Realschule verhalten. Was über Herder als Pädagogen bisher geschrieben, ist alles vom Verfasser beachtet; es ist sehr viel, aber weniges davon von Bedeutung. Gründlicher als seine Vorgänger hat der Verfasser sein eng begrenztes Thema behandelt. Er ist nicht mit dem Vorurteil an seine Arbeit herangegangen, Herder zum Träger einer bestimmten pädagogischen Richtung zu machen. Aber das ist das Resultat seiner Untersuchung, dafs dem Ideal Herders von der Schule die heutige Realschule zwar auch nicht ganz entspreche, aber, indem sie die Naturwissenschaften und die neueren Sprachen zu ihrer Grundlage mache, mit Herders Ansichten, der namentlich den pädagogischen Wert jener nicht hoch genug erheben könne, mehr übereinstimme als das heutige Gymnasium. Da aber Herder zugleich der begeisterte Lobredner der alten Litteratur sei, so sei der scheinbare Konflikt also zu lösen, dafs auf dem Bildungsstoff der Realschule die Gymnasialbildung sich aufbaue. Ob diese Kombination bei dem gegenwärtigen Schulorganismus möglich sei, diese Frage bejaht der Verfasser, unter der Voraussetzung, dafs die gymnasiale Lehrmethode eine bedeutende Modifikation erhalte. Diejenigen würden aber sehr stark irren, welche etwa den Verfasser für einen Verächter des klassischen Altertums halten möchten. Von welcher Bedeutung für die richtige Erkenntnis Herders die beiden bahnbrechenden Werke, das Buch von Haym und die Ausgabe von Suphan, sind, tritt uns in dieser neuen Arbeit über Herder entgegen.

Die Medea des Euripides verglichen mit der von Grillparzer und Klinger. Von Prof. Dr. Hermann Purtschers. Programm des Gymnasiums zu Feldkirch 1880. 59 S. gr. 8.

Die Vergleichung der Handlung in den drei Gedichten und der Charaktere ist eine sorgfältige. Gegen die Beurteilung wird sich nichts Wesentliches erinnern lassen. Der Verfasser kommt zu folgendem Resultat: „Dem vollendeten Meisterwerke der antiken tragischen Kunst, das Euripides in seiner Medea geschaffen, müssen wir die ebenso vollendete Schöpfung Grillparzers, das antike Drama verklärt im Spiegel des modernen, ebenbürtig zur Seite stellen. Euripides entrollt uns ein abgerundetes Gemälde mafsloser Leidenschaft, welche das in seiner Liebe und den heiligsten Rechten der Ehe tief

gekränkte Weib unaufhaltsam fortreifst auf frevler Bahn, bis sie das furchtbare Rachewerk vollendet, am Blut der eigenen Kinder sich im Triumph
sättigend. Grillparzer haucht dem antiken Stoff neues Leben, eine neue
Seele ein; festhaltend an den Grundzügen des Mythus mildert er den Charakter der wilden Barbarin, er räumt dem Menschlichen auch seine Rechte
ein — zwar übt auch sie, aufs äufserste getrieben, entsetzliche Rache, doch
hat sie damit sich selbst vernichtet, es vollzieht sich in ihrem Innern ein
sittlicher Läuterungsprozefs, wie es das moderne Bewufstsein erfordert. So
mufs denn jede dieser beiden Tragödien, grofsartig in ihrer Erfindung, vollendet in Form und Ausdruck, die eine vom antiken, die andere vom modernen Standpunkt betrachtet, als ein Kunstwerk in des Wortes eigentlichster
Bedeutung bezeichnet werden. In der Mitte zwischen beiden steht Klingers
Medea; zum Teil dem antiken, zum Teil dem modernen Element Rechnung
tragend, mufs sie, mit den unverkennbaren Spuren der Sturm- und Drang-
periode, uns wohl weniger ansprechen als die in Form und Inhalt gleich
vollendeten Schöpfungen des Euripides und Grillparzers, deren Namen, dadurch allein unsterblich geworden, für alle Zeiten strahlen werden am dichterischen Kunsthimmel in unvergänglichem Glanze." Der Verfasser ist trotz
dieses emphatischen Lobes keineswegs blind gewesen gegen einzelne Schwä-
chen des griechischen Dramas. Er hat auch keineswegs übersehen, dafs hier
und da Grillparzer Euripides gegenüber zurücksteht. Aber er hat uns nicht
überzeugt, dafs Grillparzer die schwierigste Aufgabe gelungen sei, die Medea
als einen einheitlichen Charakter vorzuführen; dort die schroff antike, hier
die modern weiche, teilweise sentimentale Medea, es ist immer ein Doppel-
bild, Göthe hat den antiken Stoff doch anders zu modernisieren gewufst.
Klinger vollends, wie atmet uns aus seinem Gedichte die Sturm- und Drang-
periode trotz aller stellenweisen Weichheit entgegen; man glaubt sich mitunter in die Dichtung des 17. Jahrhunderts versetzt. Und am Schlufs,
welch ein Übergang, ohne genügende Motivierung, von der hinschmelzenden
Medea zu der grausigen Tochter der Hekate; die Gestalten des Erebos sind
doch reine dei ex machina, die das moderne Bewufstsein nicht vertragen kann.

Orests Entführung im antiken Drama und bei Göthe. Von Oberlehrer Hermann Stier. Programm des Gymnasiums zu
  Wernigerode 1881. 26 S. 4.

  Es läfst sich über die Auffassung Göthes wohl kaum noch etwas Neues
sagen. Das wesentliche Verdienst der vorliegenden Arbeit liegt nicht in der
Vergleichung der Euripideischen und der Göthischen Iphigenie, sondern darin,
dafs von der ersten Behandlung der Fabel durch Äschylos ausgehend der
Verfasser zeigt, wie die Fabel von Äschylos, dann von Sophokles, endlich
von Euripides gefafst, welche Umgestaltung mit dem Begriff der Schuld und
der Sühne durch die alten Tragiker vorgenommen ist, wie dann endlich der
deutsche Dichter für das moderne Bewufstsein sich gezwungen sah, sich auf
einen anderen Standpunkt zu stellen.

Berichtigungen zu Schillers Geschichte des dreifsigjährigen
  Krieges. I. Teil. Von Dr. Kirsch. Programm des kathol.
  Gymnasiums zu Meifsen 1881. 20 S. 4.

  Schillers Geschichte des dreifsigjährigen Krieges bleibt eines der ge-
lesensten Werke der deutschen Litteratur. Doch enthält sie bekanntlich
manche Angaben, die vor der Kritik nicht mehr bestehen können. Dafs
diese sich nicht in den Köpfen der Jugend festsetzen, dazu hat der Verfasser diese Abhandlung geschrieben, und hat seine Bekanntschaft mit den
neuesten geschichtlichen Forschungen darin wohl bewährt. Auch ist anzuerkennen, dafs er ohne konfessionelles Vorurteil die Angaben des Dichters

geprüft hat, wenn auch der konfessionelle Standpunkt nicht verleugnet werden konnte, wie sich dies in der Beurteilung des Kaisers Ferdinand II.
zeigt. Dafs die Fortsetzung der sorgfältigen Arbeit nicht sich verzögere,
ist zu wünschen.

Über die Kriegslieder aus der Zeit der Befreiungskriege 1813 bis 1815 und des deutsch-französischen Krieges 1870—1871. II. Teil. Vom ord. Lehrer Eberhardt. Programm der höheren Bürgerschule zu Strafsburg 1881. 21 S. 4.

In der Fortsetzung seiner Arbeit (I. Teil 1879) bespricht der Verfasser
zuerst Arndt, Körner, Schenkendorf und Rückert, d. h. ihre auf den Frei-
heitskrieg bezüglichen Gedichte, dann Stägemann u. a., weiterhin Nikolaus
Becker, endlich die bedeutendsten Kriegslieder von 1870. Der Zweck ist
ein pädagogischer, nämlich bei der Jugend das Interesse für diese Lyrik
anzuregen, und dafür ist die Auswahl passend. Für die Dichter der Freiheitskriege und für die grofse heilige Zeit will der Verfasser begeistern.
Da möge denn hier bezüglich Körners, der wie einer der Jugend als Ideal
vorleuchten mag, auf die seinen Namen tragende Schöpfung der Neuzeit
auch die Jugend hingewiesen werden, nämlich auf Dr. Peschels Körner-
Museum in Dresden; der deutsche Jüngling, welcher nach diesem deutschen
Mekka pilgert, wird sich in den stillen Räumen wunderbar erhoben fühlen.
Zu der sonst besonnenen Beurteilung des Verfassers pafst schlecht das
Urteil über Rückert, „dafs dessen tiefe Entrüstung oft nur gemacht scheine."
Diese Kritik ist nicht nur unpädagogisch, sondern auch unrichtig.

Herford.   Hölscher.

H. Bieling, Zu den Sagen von Gog und Magog. Programm der Sophien-Realschule in Berlin 1882.

Den Mittelpunkt der vorliegenden Abhandlung über die weitverzweigten
Sagen von Gog und Magog bilden die hölzernen Riesen in der Guildhall
zu London, welche wohl in jedem Beschauer einen merkwürdigen Eindruck
hervorrufen und an den Lord-Mayors-Aufzug oder an das ehemalige nunmehr beseitigte Stadtthor Temple Bar am Eingange der City und an London Bridge erinnern. Die Lokalgeschichte von London ist eng mit den
beiden Riesengestalten verknüpft, auf welche hervorragende englische Schriftsteller vielfach mehr oder weniger deutlich anspielen. Um so mehr zu verwundern ist es, wenn, wie B. nachweist, Lucas' Lexikon und auch Hoppes
Supplement-Lexikon im Gegensatz zu Webster über Gog und Magog keine
Auskunft erteilen. Badeker in seinem Reise-Handbuche London and its
Environs, Leipzig 1878, p. 90, auf guten englischen Quellen fufsend, spricht
bei Schilderung der Guildhall über die Riesen nur kurz: „The two colossal
and fanciful wooden figures on the W. side, carved by Saunders in 1708,
are called Gog and Magog, and were formerly carried at the head of the
Lord Mayor's procession." Nächst den alten Chronisten der Stadt bot dem
Verfasser Hones Buch: Ancient Mysteries described, London 1823, für die
Geschichte der Riesen reiche Ausbeute; ebenso die Berichte über den all-
jährlichen Lord Mayor's Show aus der Zeit der Königin Elisabeth bis auf
die Gegenwart. Von besonderem Interesse ist die erste gedruckte Beschreibung eines Lord Mayor's Pageant von 1585, wo London genannt wird New
Troy und so an die Trojasage angeknüpft wird. Dafs Gottfried von Monmouth in seiner Hist. reg. Brit. bei dem Namen des von Corineus ins Meer
gestürzten Riesenkönigs Goemagot an die biblischen Gog und Magog ge-

dacht, ist nicht sicher zu erweisen; aber soviel ist sicher, dafs die Stelle
der Bibel Genesis X 2 für die Auffassung von Gog und Magog in der Sage
des Mittelalters mafsgebend war; vgl. Fr. Lenormant über Magog: Fragments
d'une étude sur l'ethnographie du chap. X de la Genèse in Nr. 1 des ersten
Bandes der neuen internationalen Zeitschrift (1882) Le Muséon p. 9—48.
Zuletzt weist B. kurz auf die Gog und Magog in der Bibel, in der Alexan-
dersage, in der Apokryphenlitteratur, in den mittelalterlichen Sagen und Legenden vom Antichrist und der Sibylle hin und macht es wahrscheinlich,
dafs Gottfried von Monmouth den britannischen Riesenkönig nach den volks-
tümlichen Gestalten Gog und Magog benannt hat: auch glaubt er annehmen
zu dürfen, dafs die Scheidung des Namens Gogmagog in Gog und Magog
zur Bezeichnung der Riesen in der Guildhall unter morgenländischem Einflufs erfolgt. Leider gestattete es dem Verfasser der ihm zugewiesene Raum
einer Programmabhandlung nicht, näher auf die Sage von Gog und Magog
im Mittelalter einzugehen. Es würde eine verdienstvolle Arbeit sein, wenn
Verfasser sich der Mühe unterziehen wollte, der Gestaltung der Sage weiter
nachzuspüren und die Auffassung von Gog und Magog durch die lateinische,
deutsche, englische und französische oder romanische Litteratur mit Berücksichtigung der orientalischen Gestaltung zu verfolgen.

Dafs die verlorenen 10 Stämme Israels mit Gog und Magog in Verbindung gebracht werden, ist ebenfalls nur kurz berührt.* Ebenso lassen sich
die Stellen vermehren, in welchen die Fabel von den am jüngsten Tage mit
Henoch und Elias auftretenden roten Juden statt der Gog und Magog erscheint. Endlich bricht die Abhandlung mit einer Schlufsbemerkung über
eine Londoner Tagesfrage, die City Reform ab.

Die Sage von Gog und Magog in der französischen Litteratur zu verfolgen, würde eine besondere Arbeit erfordern; hier mögen deshalb nur
wenige Andeutungen noch folgen. In dem von P. Tarbé herausgegebenen
Buche Le Tournoiement de l'Antechrist par Huon de Mery, Reims 1851,
p. 106 fgd. begegnen die Namensformen Got und Magot: vor der „Stadt"
Got ist ein Baum gepflanzt, der immer grünt und blüht und Früchte trägt,
bis Christus gekreuzigt wird; dies ist der arbre devéé, von dem kein Mensch
einen Zweig brechen kann; bemerkenswert ist auch die Fabel über den Hirsch
in Magot. Nach Tarbé ist das Königreich Gog angegeben auf den katala-
nischen Karten in der Bibl. Nationale zu Paris. Vgl. das ohne Jahr und
Ort erschienene Werk: „Vie du mauvais Antichrist selon les opinions des
saints docteurs, en latin et en vers françois." Merkwürdig ist ein Abschnitt
in Gilleberts von Cambray poetischer Bearbeitung des Elucidarius von Hono-
rius von Autun: in diesem heifst es, dafs der Antichrist erscheinen wird,
sobald die Herrschaft Roms geteilt sein wird, dafs jedoch die Franzosen,
Deutschen und Engländer noch zu diesem römischen Reiche gehören; alten
Büchern zufolge werde gegen den jüngsten Tag in Frankreich ein König
Namens Costans als letzter König über Frankreich, das Römerland, Kon-

---

* Im Jahre 1879 fand in London ein von vielen tausend Personen besuchtes
Meeting statt, in welchem die Frage erörtert wurde, ob die nach der Offenbarung
Joh. auf Inseln zerstreuten 10 Stämme Israels mit den Engländern zu identifizieren
seien. Das Resultat der Disputation war negativ. Treffend bemerkt Ed. Reuss in
Ersch und Grubers Encyklopädie II. Sect. 25 T. p. 109 zu der Frage, was denn
aus den 10 Stämmen geworden sei, als sie von Salmanassar weggeführt wurden,
dafs dieselbe auf dem sonderbaren Irrtume beruht, dafs das Land rein ausgefischt
worden sei wie ein abgelassener Teich, und ganz neu mit lauter fremden heidnischen
Kolonisten bevölkert; wirklich unsinnige Antworten seien auf obige Frage gegeben
worden, indem die verlorenen Stämme in allen Ecken der Welt von der grofsen
Tatarei bis Amerika wiedergefunden worden, und wie in früheren Jahrhunderten sei
es noch jetzt die fixe Idee besonders vieler Engländer und Franzosen, sie aufzusuchen.

stantinopel und Persien herrschen; nach langer Regierung wird dieser nach
Jerusalem gehen, um auf dem Ölberge seine Krone niederzulegen; 112 Jahre
wird er König sein. Friede und Freude wird herrschen, bis die Schrift ihm
zurufen wird: König der Römer, räche den König der Christen! Dies Gebot
wird er ausführen und alle Städte und Länder den Christen unterwerfen
und bekehren. „So wird die alte Prophezeiung in Erfüllung gehen, daſs die
von Ägypten, Äthiopien, Libyen und Canopus sich Gott zuwenden werden,
und so wird die ganze Welt durch das Evangelium bekehrt werden. Wenn
er 125 Jahr alt ist, werden die Juden der ganzen Welt sich zu Gott bekehren. Da wird Juda gerettet und Israel erleuchtet werden: sie werden
sicher in ihrem Lande wohnen und Gott dienen. Nun wird ein Volk auftreten, das Gott nicht liebt, welches vom König Alexander in dem wilden
Sice (Frise?) eingeschlossen wurde und Got und Magot heiſst. Aus dem
Norden, dem Lande des Teufels, stammt es, und bildet 22 groſse Reiche,
bestehend aus schrecklichen und bösen Menschen, die unzählbar sind wie
die Wellen des Meeres und die ganze Erde bedecken werden. Sobald der
König dies vernehmen wird, wird er wütender als ein Löwe sein Heer gegen
sie aufbieten und sie in die Flucht schlagen. Nach der Schlacht wird der
König, sobald er nach Jerusalem zurückgekehrt ist, auf den Ölberg steigen,
sein Königsgewand ablegen und seine Herrschaft Gott übergeben. So wird
das römische Reich ein Ende nehmen, der Antichrist wird erscheinen, dessen
Ankunft durch die Propheten Henoch und Elias $3^{1}/_{2}$ Jahr lang der Welt
verkündigt werden wird; die Juden, welche bei ihren Prophezeiungen sich
bekehren, werden in Christo getauft werden, und die Schrift wird in Erfüllung gehen, daſs die Kinder Israel, wenn sie auch unzählig wie Sand am
Meere wären, dann zum Heile gelangen werden. Es kann hier nicht untersucht werden, wie Gog und Magog mit dem Weltende in Verbindung gebracht ist. Der Artikel über Gog von Haarbrücker, welcher auf die Legenden der Muselmänner hinweist, in Ersch und Grubers Encyklopädie der
Wissenschaften, I. Sect. 73. Teil, p. 50, ist zu kurz, als daſs er neues ent-
hielte. Vgl. auch G. von Zezschwitz, Vom römischen Kaisertum deutscher
Nation. Ein mittelalterliches Drama. Leipzig 1877. p. 52. Hoffentlich läſst
eine Specialuntersuchnng, welche die verschiedenen Verzweigungen der Gog-
und Magogsage zum Gegenstand hat, als Ergänzung zu der vorliegenden
Arbeit über ein Kapitel der englischen Kulturgeschichte nicht lange auf sich
warten.

Miscellen.

Das Pariser Theater im Frühling 1881.

Paris ist die Stadt der Theater. Mehr als 60 von dem Théâtre français bis zu den Theatern der Faubourgs kommen dem Geschmack jeder
Bevölkerungsklasse, ja man könnte sagen, jeder Nüance dieses vieltausend-
zungigen Geschmackes entgegen, und doch, wenn man zuletzt alle dramatischen Genüsse von Paris zusammenfaſst, so findet sich bei ihnen im
ganzen dasselbe Rezept, nur daſs dieses in verschieden starkem Grade mit
den schärfsten Gewürzen durchsetzt ist.

In den sechs Wochen meines Aufenthalts wurde auf allen Pariser
Bühnen kein Stück einer fremden Nation gegeben. Danach zu urteilen,
muſs den Franzosen das Anregende, das in diesem Schöpfen aus dem reichen
Born der Litteraturen anderer Völker besteht, weit fremder sein als uns,
die wir neben unseren eigenen Dichtern doch Shakespeare und Molière
samt seinen Landsleuten die deutsche Bühne beherrschen sehen. Es will
mir scheinen, als ob die Franzosen sich ausschrieben; eine rechte Fortbil-
dung, eine ursprüngliche Neuheit in den Ideen läſst sich kaum entdecken.
Die alten Sujets, die Molière behandelt oder angedeutet hat, werden nur
weiter ausgeführt, umgearbeitet, übertrieben, zu Tode gehetzt. Das Ur-
gesunde, was bei dem Meister vorwaltet, wird zu einem krankhaft über-
reizten Ding unter der Feder der Epigonen.

In der ganzen Zeit wurde auch kein groſses ernstes Stück von Corneille oder Racine gegeben; das einzige Drama ernster Gattung war eine
Novität im Odéon, Coppées Madame de Maintenon.

Die meisten dramatischen Erzeugnisse, die wie in einem Kaleidoskop
auf den verschiedenen Bühnen an mir vorüber zogen, entbehrten der Poesie,
die aus begeistertem, warmfühlendem Herzen quillt; sind es doch auch beinahe immer zwei, ja drei Autoren, die den Trank für das Publikum zu-
sammenbrauen. Ein solches Compagniegeschäft mag für die so hochgerühmte
Mache vorteilhaft sein, für den inneren ewigen Gehalt eines Geisteswerkes
gewiſs nicht. Es ist ein Opfern in dem Tempel des goldenen Kalbs, es ist
für die Macher ein Geschäft, und einer unter ihnen kann immer der Finan-
zier genannt werden. Auch für die Zuschauer wäre es gut, wenn sie einen
Kursus bei einem Bankier durchmachten, um die Geldmanipulationen, die
in den Stücken vorkommen, ohne groſse Mühe zu verstehen.

Damit hängt es auch wohl zusammen, daſs die k ä u f l i c h e Person, die
Dame der Demi-monde, zu einer stehenden Figur auf der Pariser Bühne

geworden ist. Den Franzosen ist es gelungen, ihr einen förmlichen Kultus
zu bereiten. Wir werden gezwungen, an den Freuden und Leiden dieser
Geschöpfe teilzunehmen, womöglich für die etwaigen besseren Wallungen,
die in ihnen zuweilen auftauchen, unser Herz in Unkosten zu versetzen;
denn bei ihnen ist die höhere Dirne nicht allein mit äußerer Schönheit
oder doch wenigstens mit dem, was der Pariser Chic nennt, ausgestattet,
sondern auch mit Esprit und einigen edlen Regungen.

Aber das genügt in der neuesten Zeit nicht mehr. Wie matt, den
Dirnencharakter an einer Dirne selbst darzustellen! Wie viel prickelnder
ist es, eine honnête femme in diesem Gewande auftreten zu lassen!

Die Stücke, welche die Demi-monde an sich auf der Bühne behandelten,
waren Nana und Zoë Chien-Chien. Sicherlich verdient das erstere eine
gewisse Beachtung. Mehr als 100 mal war es schon im Ambigu bei vollem
Hause aufgeführt, die ganze Pariser Presse hatte sich mehrfach, besonders
bei seiner Centième, lebhaft damit beschäftigt, und dabei schließt es sich
an ein in seiner Art eigentümliches und bedeutsames Werk an.

Nana ist das Erzeugnis des Pariser Egout, das Mädchen an sich ohne
alles Ideale, ein furchtbares Geschöpf oder eher eine Elementargewalt,
welche die Gesellschaft untergräbt, verdirbt, vernichtet, in Schande, Ver-
zweiflung und Tod stürzt. Emile Zola hat in seinem Roman dieses Wesen
in aller Brutalität dargestellt; an eine Dramatisierung des Stoffes mochte
niemand glauben; aber Busnach hatte die unerhörte Frechheit und auch
die nicht verkennbare Geschicklichkeit, Nana vor das Licht der Lampen zu
stellen.

Nana ist zuerst etwas amüsant, nachher furchtbar trostlos, niederschla-
gend, die menschliche Natur demütigend; erst ein unschönes Lachen, dann
Schluchzen und — Ekel.

Nana hat einen Erfolg in einer Pièce à costumes davongetragen. Die
Anbeter strömen in ihren Salon. Ihr, die einst von dem Marquis de
Chouard verführt worden ist, verfällt rettungslos der Schwiegersohn desselben, der Comte de Muffat. Während sich dieser um ihretwillen ruiniert,
treibt sie ein weit aufrichtigeres Liebesspiel mit einem jungen Collégien,
dessen Bruder, ein Offizier, der in gerechter Entrüstung Nana und ihres-
gleichen die Pestbeule Frankreichs genannt hat, ebenfalls trotz seiner mora-
lischen Reden mit unentrinnbarer Magnetengewalt in ihre Netze gezogen
wird. Der Collégien erstickt sich voll Eifersucht, der Offizier bestiehlt die
Corpskasse und muß fliehen, der Comte de Muffat, der sich betrogen, aus-
geraubt und vernichtet sieht, will zu seiner Frau zurück und findet, daß
sie sich einem Geliebten ergeben hat. Nana selbst stirbt in Ausübung der
edelsten Pflicht, in Ausübung der Pflege ihres an den Blattern erkrankten
Kindes; sie stirbt allein und verlassen unter gräßlichen Qualen in dem
Zimmer eines Gasthauses.

Die Franzosen nennen das ein moralisches Stück, weil ja das Laster
bestraft werde. Auf der Bühne wird auch das Ganze mit einer gewissen
Decenz gegeben, aber wie faul ist der Untergrund! Das Gemeinste wird
ruhig als Voraussetzung angenommen, und darauf baut sich dann das andere
äußerlich ganz anständig auf. Das Stück ist durchaus auf den Sinnen-
kitzel berechnet, auf diese Neugier, hinter die Coulissen einer gewissen
Welt zu sehen, und niemand kann dabei im Ernste an eine Lehre der
Moral denken.

Die Kunst soll nur ihre eigenen Zwecke verfolgen, und die Moral muß
sich ihr auch fügen, wo es die wirklichen Ansprüche der Kunst verlangen;
aber deshalb ist es noch nicht nötig, wie das in Paris wohl geschieht, die
Behauptung aufzustellen, daß ein rein moralisches Stück unwiderruflich
langweilig sein müsse, daß aber alles, was nicht moralisch, künstlerisch
sehr verwertbar sei. Nach dieser Ansicht jedoch arbeiten die Pariser
Dramenfabrikanten, auch der Tugendredner Sardou. In dem hochge-

feierten Divorçons wurde eigentlich nur gekichert: ein Kichern deutet aber alles andere, nur nicht einen ästhetisch oder künstlerisch schönen Genuſs an.

Durch furchtbare Kontraste, durch verwirrende Effekte sucht Busnach zu wirken; da ist nichts Wohlthuendes, nichts, was das Herz befriedigt. Und welch öde Lebensanschauung, wenn jeder, auch die respektabelsten Menschen ohne den geringsten Kampf der Verderbtheit anheimfallen! Wie mancher unter den Zuschauern wird sich vorkommenden Falls nach solchen Vorbildern mit Balzacs Maxime, mit der Unabwendbarkeit der Leidenschaft und ihren Folgen entschuldigen bloſs, weil er den Kampf gegen die Versuchung nicht aufnehmen und durchführen will.

In Zoë Chien-Chien, das im Théâtre des Nations gegeben wurde, ist es ähnlich wie in Nana, nur noch eine Nüance mehr ins Grelle. Ein Mann tötet seine Frau, die er nach jahrelanger Trennung wiederfindet, weil er sich zum zweitenmal verheiratet hat und nun für seine gegenwärtige gesellschaftliche Stellung fürchtet. Seine beiden Kinder aus erster Ehe kommen in den Verdacht, die Mutter getötet zu haben. Er als hoher Beamter sieht seine Tochter unter den traurigen Geschöpfen von St. Lazare. Aus Rache wird diese zur Kokotte. Die Kinder entdecken im Vater den Mörder ihrer Mutter. Dieser erschieſst sich und die Tochter vergiftet sich, um nicht des Bruders Glück zu vernichten.

Alles trostlos, nirgends eine Versöhnung.

Alexander Dumas fils war, wie auch heute noch, der Mann der Situation. Man spielte ihn im Vaudeville, man spielte ihn im Théâtre français. La Visite des Noces und La Princesse Georges füllten allabendlich das Vaudeville.

Das Raffinement in diesen Stücken grenzt ans Ekelhafte. In der Visite des Noces kommt ein junger Ehemann mit seiner jungen hübschen und rechtschaffenen Frau und seinem kleinen Bébé in das Haus eines seiner alten Freunde. Er trifft dort eine Dame, die er früher geliebt hat. Der Freund, um die alte Neigung in ihm zu ersticken, erzählt ihm, wie leichtfertig diese — in Wahrheit anständige — Dame geworden sei. Das entflammt den Ehemann; er ist bereit mit ihr zu fliehen und Frau und Kind in Stich zu lassen. Als er nun aber hört, daſs sie rechtschaffen ist, da findet der Gourmand, daſs ihm dann auch seine Frau schon genügen könne. Diese Umkehrung alles Vernünftigen heiſst Esprit.

In der Princesse Georges entwirft Dumas das Bild der pflichtgetreuen Frau, eine Erscheinung, deren Bekanntschaft er erst sehr spät gemacht hat. Als Jüngling schrieb er seine Marguerite Gautier, die zum Unglück für Frankreichs Frauen bei den fremden Völkern als typisch gilt. Das deutsche Gretchen und die französische Marguerite leisten ihren Landsmänninnen sehr verschiedene Dienste. Dem deutschen Mädchen kommt man mit einer weit besseren Meinung entgegen als dem französischen, und doch lebt in Frankreich die Vierge in ihrer ganzen holdseligen Lieblichkeit und Seelenreinheit ebenso gut als in Deutschland? Nicht allein die Geschichte, auch das tägliche Leben straft diese durch Dumas hervorgerufene Anschauung Lügen.

Dumas kann sich die Frau nur in zwei Stellungen denken, entweder als die schöne Sünderin, die kein Gesetz kennt auſser ihren Neigungen, die des Lebens Freudenschaum mit gierigen Lippen schlürft, deren Leben allen beneidenswert wie ein Feentraum erscheint, welche die Männer aussaugt und wegwirft wie die Früchte Granadas und alles besitzt, nur kein Gewissen, nur kein Herz; oder als die tugendhafte Frau, die auf alles verzichtet, um nur ihrem Manne treu zu sein, die mit ansehen muſs, wie derselbe zu seiner früheren Geliebten zurückkehrt, wie er sie vergiſst über jene, wie er ihre ganze Hingabe nichts achtet, um seiner Lust zu folgen, und die nichts besitzt, kein Glück, keinen Stern, nur — ihr gutes Gewissen.

Die Princesse Georges ist diese letztere; ihr Los ist bedauernswert, aber sie ist doch nicht verächtlich wie ihr elender Gatte, wie fast alle diese Männer der Pariser Muse. Der dumpfen Gewalt tierischen Gefühllebens hingegeben ist diese ganze Männerwelt ohne irgend einen sittlichen Wert trotz ihres hohlen phrasenhaften Pochens auf ihre Ehre, die nur zu oft darin besteht, daſs sie ein verbotenes Stelldichein — die Ungetreuen — getreu, auch mit Gefahr ihres Lebens innehalten wollen. Überall zeigt sich, daſs in Paris der peuple femme herrscht und daſs die Männer nichts weiter als Kreaturen ihres Idols sind.

Auffallend war es, daſs das Théâtre français einem dieser Dumasschen Stücke seine Pforten geöffnet hatte. Gewiſs ist es, daſs die Princesse de Bagdad ihren Triumph besonders auch ihrer Vertreterin Mademoiselle Croizette verdankt.

Auf dem Theater Molières bekommt alles einen edleren anständigeren Anstrich, auch ein Stück von Alexandre Dumas fils. Ein junges Ehepaar adligen Standes ist am Rande des Bankerotts angelangt. Sie war genuſs-süchtig, verschwenderisch; er nicht minder und dabei willenloser Sklave ihrer Wünsche. Ein Millionär hat diesen Augenblick erwartet. Er kauft und bezahlt alle ihre Schulden und bietet der Princesse ein Hotel in den Champs Elysées und Millionen in Gold an. Der junge Ehemann hört, daſs die Schulden bezahlt sind; eifersüchtig glaubt er, daſs seine Frau ihn verraten habe. Sie verachtet ihn um dieses Verdachts willen, sie geht in das Hotel der Champs Elysées und verlangt von ihrem Verfolger die Wiederherstellung ihrer durch das Bezahlen der Schulden angegriffenen Ehre; aber ihr Gatte ist ihr gefolgt; mit einem Polizeikommissär dringt er ein, um ihre Untreue feststellen zu lassen. Da wird sie von einem förmlichen Taumel ergriffen, sie will nun sein, wozu diese beiden Männer sie machen wollen; eine zweite Danae streut sie einen Goldregen über ihre schönen nackten Schultern. Sie gesteht Dinge ein, an die sie nie gedacht hat; sie hat ja doch kein Herz, wie sie glaubt; zuletzt will sie mit ihrem Verfolger Mann und Kind verlassen. Da kommt ihr Knabe, um Abschied zu nehmen. Er klammert sich an sie an, das macht den Entführer ungeduldig, und er schleudert das Kind auf den Boden. Mit einem Schrei springt sie da dem Elenden an die Kehle, das Muttergefühl ist in ihr erwacht, sie ist ihrem Manne, ihrer Pflicht wiedergegeben.

Damit ist dem Præceptor Galliæ wieder eines seiner psychologischen Experimente gelungen. Es ist nicht zu leugnen, daſs Dumas poetische Leidenschaft, poetische sinnenfesselnde Kraft besitzt. Seine Sprache, seine Bilder, die Situationen, die er uns vorführt, haben etwas so Bestrickendes, daſs man immer glaubt, die wollüstige Luft eines orientalischen Zauberlandes zu atmen. Es rieselt alles von Farbenglanz, es strahlt alles in magischem Lichte, aber seine Frauen, besonders die Princesse de Bagdad sind auch mehr den geschmeidigen, farbenprächtigen, wildleidenschaftlichen Tigern Bengalens zu vergleichen als unsern Idealen von Weiblichkeit mit blondem Haar und blauen Augen und Unschuld und Herzensgüte und aufopfernder Hingabe. Dumas kennt im Grunde doch nur das Weib, das zum Genieſsen und zum Genossenwerden ist.

Wenn ich vorher sagte, daſs man mit Vorliebe die honnête femme als Dirne frisiere, so dachte ich dabei namentlich an Divorçons, die bei uns so hoch gefeierte Cyprienne. Im Ambigu wurde Cyprienne als Kokotte dargestellt, die ganze Rolle wurde in dem läppischen chronisch heiseren Ton dieser Damenwelt gesprochen.

In einem andern Stück, Miſs Fanfare, von einem Lehrer aus der Provinz, nimmt auch eine junge Frau ganz die Manieren einer ener Dirnen an, weil sie weiſs, daſs ihr Mann gelebt hat, und weil sie deshalb denkt, daſs sie ihn dadurch an sich fesseln könne. Was der Gatte aber bei andern geschätzt hat, stöſst ihn ab bei seiner Frau. Sie treibt es scheinbar — natürlich nur in der Absicht ihn an sich zu ketten — so weit, dafs ein Duell die Folge ist, in welchem der Gatte, grausam genug, erschossen wird.

Immer derselbe Untergrund! Ohne einen beabsichtigten, vermuteten oder ausgeführten Ehebruch thut es der französische Dramatiker kaum mehr. Der Ehebruch ist bei ihnen wie eine fixe Idee; wenn sie ihn nicht begehen, so müssen sie wenigstens mit ihm spielen. Er geht auf den Bühnen um wie ein Geist, der um Mitternacht eine Bevölkerung von zwei Millionen ängstigt und quält.

Die Raffiniertheit im Theater hat ihren Höhepunkt erreicht, es ist kaum noch ein Schritt weiter auf diesem Wege zu denken. Eine Umkehr mufs stattfinden, schon um des Princips der Abwechselung willen. Die Muse, die einer Cancantänzerin des Jardin Bullier ähnlich sieht, mufs wieder zu einer keuschen Vierge und zu einer honnête femme werden. Und es giebt auch schon, obgleich sehr vereinzelt, Stücke, die einer solchen Muse ihre Entstehung verdanken.

Von keinem, auch nicht von einem Molièreschen Stück, habe ich mich so wohlthuend berührt gefühlt wie von Erckmann-Chatrians Ami Fritz. Zwar mufs einen Deutschen auch vieles darin anheimeln. Die Namen der Auftretenden sind deutsch, es sind lothringische Bauern; das Bauernhaus, das weifse reinliche Linnen, die blanken zinnernen Teller, die idyllischen Bilder und — der Hauptgedanke sind deutsch. Der alte Reb Pichel will nicht, dafs Fritz im Wohlleben aufgeht: er soll heiraten. Die Ehe ist notwendig, ist heilsam, ist — und das bildet nun die französische Seite — das sichere Rettungsmittel, um Frankreich wieder hochzubringen und ihm eine Revanche zu verschaffen. Il faut des hommes à la patrie. Aus dem Revanchegedanken ist das Drama hervorgegangen, aber doch habe ich geklatscht und das Publikum, nicht die Claque allein, hat mitgeklatscht; und da habe ich gemerkt, dafs diese Gedanken über die Ehe allgemein menschliche, auch französische und nicht von uns allein gepachtete sind. Ob die Pariser die Kraft der Selbstverleugnung haben, sie auszuführen, ist etwas anderes, aber in der Theorie sind wir einig. Wenn erst die Franzosen, besonders die Pariser, anfangen sollten, darauf loszuheiraten und Familien zu gründen, dann würden sie auch die Brandfackel der Revolution und des Krieges nicht mehr so gedankenlos in die Welt schleudern.

Von allem Göttlichen, was das Menschenherz bewegt, ist, wie mich dünkt, auf der Pariser Bühne nur noch eins heilig und unentweiht zurückgeblieben, und das ist die Liebe zur Mutter. Bei diesem Namen verstummt der alles antastende Spott der schriftstellernden Gamins, vor ihm verschwindet von ihren lüsternen Gesichtern das ewig faunische Lächeln.

Das Theater übt in Paris einen gewaltigen, ganz unberechenbaren Einflufs, es übt ihn ohne Nachdenken, nur auf äufserlichen Erfolg bedacht. Aus Liebe zur Moral wird es sich gewifs nie ändern, möglich aber ist es, dafs es infolge einer natürlichen Reaktion schon um der Neuheit des Stoffes willen einen sittlicheren Ton anschlägt, möglich auch, dafs durch Annahme des Gesetzes über die Ehescheidung der Ehebruch und damit auch seine Darstellungen an Reiz und Zugkraft verlieren.

Hannover.   Ad. Ey.

Six fables inédites de La Fontaine.

Über die bisher unbekannten sechs Fabeln von La Fontaine, welche Louis Menard in der Nouvelle Revue veröffentlicht hat, bringt le Temps vom 16. Mai d. J. folgenden beachtenswerten Artikel:

Les œuvres inédites des grands hommes qui se présentent sans preuves absolues de leur authenticité inspirent toujours une certaine défiance; c'est

encore le cas cette fois, et M. Pauliat, qui présente au public de la *Revue*
la découverte de M. Menard, ne se dissimule pas qu'elle rencontrera des
préventions. La seule preuve matérielle sur laquelle s'appuie l'attribution
de ces fables à La Fontaine réside dans l'écriture des quelques corrections
qui ont été faites au manuscrit; ces corrections sont fort peu de chose,
cinq mots entiers et une dizaine de mots auxquels une lettre ou une syllabe
a été ajoutée. Mais dans ces cinq mots et dans ces quelques lettres, M.
Menard croit reconnaître d'une façon indubitable l'écriture très caractéris-
tique de La Fontaine. A cette preuve matérielle s'ajoute la preuve morale
tirée de la valeur littéraire de ces six fables. Il est de fait que, sans aller,
comme le fait l'inventeur, jusqu'à les placer à côté des chefs-d'œuvre du
fabuliste, on peut reconnaître qu'elles n'en dépareront point les œuvres.
Si elles ne sont point de La Fontaine, elles sont d'un écrivain qui a imité
singulièrement ses qualités: sa grâce, sa malicieuse bonhomie, la concision
et l'aisance savante de son style.

Ces fables sont contenues dans un manuscrit qui provient de la bibliothèque du cabinet du roi. Elles forment un total de quatre cent cinquante-
sept vers et paraissent avoir composé une espèce d'envoi du jour de l'an.
Le manuscrit porte le titre: *Fables ou histoires allégoriques dediées au roy.*
Il semble que ce sont des anecdotes galantes de la cour dont les acteurs
ont été déguisés en animaux; ce qui a produit des compositions qui tiennent à la fois du conte et de la fable, et formeraient un chapitre à part
dans l'œuvre de La Fontaine. Quelques-uns des animaux mis en scène, le
hanneton, le coucou, l'oiseau de paradis, le frelon, la chenille, ne sont point
des bêtes les plus familières du Bonhomme.

Voici l'une des plus jolies de ces fables, avec l'orthographe et la ponc-
tuation du manuscrit. Cette dernière, qui est souvent en désaccord avec
la logique, paraît avoir été conçue en vue de la lecture du vers:

La Tourterelle et le Ramier.

„Qu'on ne me parle plus d'amour ny de plaisirs,
  Disoit, un jour, la triste tourterelle,
„Consacrez vous, mon âme, à d'éternels soupirs,
   „J'ai perdu mon amant fidelle.
  „Arbres, ruisseaux, gazons délitieux,
 „Vous n'avez plus de charmes pour mes yeux,
  „Mon amant a cessé de vivre,
„Qu'attendons-nous, mon cœur? Hastons-nous de le suivre.“
 Comme on l'eust dit, autrefois on l'eust fait.
Quand nos pères vouloient, peindre un amour parfait,
 · La Tourterelle, en estoit le simbole:
 Elle suivoit toujours, son amant au trépas,
  Mais la mode change icy-bas.
  De cette constance frivole,
  Le désespoir a perdu son crédit,
  Et tourterelle se console,
S'il faut tenir pour vray, ce que ma fable en dit.
  Elle prétend que cette désolée,
  Sa juste douleur, voulant estre immolée,
Choisit un vieux palais, vray séjour des hyboux,
 Où, sans chercher, aucune nourriture,
Un prompt trépas estoit, son espoir le plus doux.
  Mais qui ne scait qu'en toute conjoncture,
  La Providence est plus sage que nous.
   Dans cette demeure sauvage
   Habitoit un jeune ramier

Houpé, pattu, de beau plumage,
Et quoyque jeune, grand routtier
Dans l'art de soulager, les douleurs du veuvage.
Pour nostre tourterelle, il mit courtoisement,
Ses plus beaux secrets, en usage.
La pauvrette au commencement,
Loin de vouloir prester, l'oreille à son langage
Ne vouloit pas, se montrer seulement.
Mais le ramier parlant de deffunt son amant,
Insensiblement il l'engage
A recevoir son compliment.
Ce compliment, fut d'une grande force,
Il disoit du deffunt, toute sorte de bien,
Ne blâmoit la veuve de rien,
Bref, c'estoit une douce amorce,
Pour attirer, un plus long entretien.
Voilà donc la belle affligée,
En tendres propos engagée.
Elle tombe sur le discours
De l'histoire de ses amours,
Dépeint, non sans cris, et sans larmes,
Du pauvre trépassé, les vertus et les charmes,
Et ne croyant par là, qu'irriter sa douleur,
Elle apprend au ramier, le chemin de son cœur.
Par, ce, que le deffunt, avait fait pour luy plaire,
Il comprit ce qu'il fallait faire.
Il estoit copiste entendu,
Il sceut si dextrement, imiter son modelle,
Que dans peu, nostre tourterelle,
Crut retrouver en luy, ce qu'elle avoit perdu.

Berichtigungen zu dem Aufsatze „Laut- und Formenlehre des poitevinischen Katharinenlebens" von Fritz Tendering. Archiv 67. Bd., 2. u. 3. Heft:

S. 270 Z. 9 v. u. füge hinzu: „vergl. § 12. —
S. 270 Z. 2 v. u. l. *ancïans* für *ancians.*
S. 271 Z. 8 v. o. l. (paganam) für (paina.)
S. 271 Z. 18 v. o. l. „ferner in der Endung".
S. 272 Z. 1 v. u. l. § 162 für § 161.
S. 273 Z. 2 v. o. l. (*vadi* + *um*) für (*vadi*).
S. 273 Z. 4 v. o. l. *istabla* für istabla.
S. 273 Z. 7 v. o. l. § 113 für § 112.
S. 273 Z. 9—11 v. o. l. „In *soveiren* 1684 reimend mit *ren* ist *ai* durch den Einfluſs des Nasals zu ẹ geworden" für „nachtoniges — wurde".
S. 273 Z. 8 v. u. l. *chosa* für chosa.
S. 274 Z. 11 u. 12 v. o l. § 145 und § 146 für § 144 und § 145.
S. 275 Z. 10 v. u. streiche (nie *nei*).
S. 275 Z. 6 v. u. l. *nasquet* für nasquet.
S. 276 Z. 6 v. u. l. (*veire* 48) für (*veire*) 48.
S. 277 Z. 3 v. o. l. § 138 für § 137.
S. 278 Z. 16 v. u. hinter *mes* füge hinzu (*mensem*).
S. 278 Z. 8 v. u. l. „lat. ĭ" für ẹ.
S. 279 Z. 1 v. o. l. *emperere*).

S. 280 Z. 6—7 v. o. l. „Sodann" für „Diesem entspricht".

S. 282 Z. 18 v. o. l. *fehu* für *ehu*.

S. 282 Z. 20 v. o. l. § 141 für § 140.

S. 283 Z. 3 v. u. l. „Entwicklung in" für „Schreibung mit".

S. 283 Z. 2 v. u. l. „in" für „mit".

S. 285 Z. 18 v. o. l. *cl* für *ol*.

S. 285 Z. 11 v. u. l. p für pr.

S. 285 Z. 4 v. u. l. (*deorsum) für (*deursum).

S. 286 Z. 1 v. u. l. „Erhaltung" für „Fall".

S. 287 Z. 6 v. o. streiche: in einer sonst unsprechbaren Gruppe.

S. 287 Z. 7 v. u. l. „zu" für *zu*.

S. 288 Z. 18 v. o. l. *set* für *et*.

S. 289 Z. 12 v. o. hinter (*singularem*) schiebe ein (vergl. it. *cinghiale*.

S. 289 Z. 8 v. u. l. „prov. Schreibung" für „wohl Schreibfehler".

S. 292 Z. 2 v. o. l. *clericum* + *ía* für *clericatum*.

S. 292 Z. 9 v. o. l. *nascevit für *nascuit.

S. 302 Z. 16 v. u. hinter (§ 164) schiebe ein: was bei dem gleichen
　　　　 Ursprunge wohl nur auf Zufall beruhen kann.

S. 310 Z. 2 v. o. hinter *creirem* schiebe ein (vergl. § 151).

S. 310 Z. 8 v. o. l. (*tardicare*) für (*tarzare*).

S. 311 Z. 2 v. u. l. *stare* für *estare*.

S. 313 Z. 1 v. u. l. *deussant* für *deussaut*.

S. 314 Z. 20 v. o. l. *fei* für *feï*.

Anzeige.

Die 36. Versammlung deutscher Philologen und Schulmänner soll am
27. bis 30. September laufenden Jahres in Karlsruhe abgehalten werden.
Das Präsidium (Direktor Wendt in Karlsruhe und Geh. Hofrat Professor
Wachsmuth in Heidelberg) ersucht die Herren Fachgenossen, welche Vor-
träge zu halten oder Thesen zu stellen gedenken, um baldige Anmeldung
derselben.

Bibliographischer Anzeiger.

Allgemeines.

Romanische Forschungen, hrsg. v. K. Vollmöller. 1. Bd. 1. Heft. (Erlangen, Deichert.) 1 Mk. 60 Pf.
Gallia, Kritische Monatsschrift für frz. Sprache und Litteratur hrsg. v. A. Krefsner. (Leipzig, Ehrlich.)

Grammatik.

F. Bech, Beispiele v. d. Abschleifung des deutschen Participium præsentis und von seinem Ersatz durch den Infinitiv. (Zeitz, Huch.) 80 Pf.
H. Stickelberger, Mifsbräuche in der heutigen Schriftsprache. (Burgdorf, Langlois.) 55 Pf.
Die Neuerungen der deutschen Rechtschreibung. Eine Kritik derselben und ein Protest gegen dieselbe. (Celle, Litterar. Anstalt.) 2 Mk. 50 Pf.
O. Breitkreuz, Ein Beitrag zur Geschichte des Possessivpronomen in der englischen Sprache. (Göttingen, Akadem. Buchhandlung.) 1 Mk. 20 Pf.

Lexikographie.

H. Frischbier, Preufsisches Wörterbuch. Ost- und westpreufsische Provinzialismen in alphab. Folge. 2. u. 3. Lfrg. (Berlin, Enslin.) à 2 Mk.
J. Windekilde, Neues Handwörterbuch der deutschen Sprache in 5 Lfrgn. (Neuwied, Heuser.) à Lfrg. 80 Pf.
H. Berghaus, Sprachschatz der Sachsen. Wörterbuch der plattdeutschen Sprache in den hauptsächlichsten ihrer Mundarten. 16. u. 17. Heft. (Berlin, Eisenschmidt.) à 1 Mk. 50 Pf.
J. ten Doornkaat Koolman, Wörterbuch der ostfriesischen Sprache. 14. u. 15. Lfrg. (Norden, Braams.) à 2 Mk.
A. Tolhausen, Technologisches Wörterbuch in franz., deutscher u. engl. Sprache. (Leipzig, Tauchnitz.) 8 Mk.
L. Hierthes, Wörterbuch des schottischen Dialektes in den Werken von W. Scott. (Augsburg, Rieger.) 3 Mk.

Litteratur.

Deutsche Dichter des 16. Jahrh. hrsg. v. K. Gödeke u. Tittmann. 16 u. 17 Esopus v. Burchard Waldis hrsg. v. Tittmann. 2 Theile. (Leipzig, Brockhaus.) 7 Mk.

W Wilmanns, Leben und Dichten Walthers v. d. Vogelw de. (Bonn, Weber.)   9 Mk.

U. Zernial, Das Lied von Byrhtnoths Fall. Ein Beitrag ʑ altgerman. Poesie. (Berlin, Weidmann.)   1 Mk.

H. Bieling, Zu den Sagen von Gog und Magog. (Berlin, Weidr n.) 1 Mk.

Göthe in Hauptzügen seines Lebens und Wirkens, von A. Sc ll. (Berlin, Hertz.)   11 lk. 50 Pf.

R. Wegener, Aufsätze zur Litteratur. (Berlin, Wallroth.) ᵓ lk. 50 Pf.

A. Vogt, La farce de l'Avocat Pathelin. Ein Beitrag zur ınz. Metrik. (Dorpat, Karow.)   1 Mk.

Molière und seine Bühne, hrsg. v. H. Schweitzer. 4. H . (Leipzig, Thomas.)   3 Mk.

Chaucer, The Book of the tales of Canterbury. Prolog m. ʼ ianten hrsg. v. J. Zupitza. (Berlin, Weidmann.)   60 Pf.

Jahrbuch der deutschen Shakespeare-Gesellschaft. Hrsg. voı F. A. Leo. 17. Jahrg. (Weimar, Huschke.)   9 Mk.

Fr. Kraufs, Shakespeares Selbstbekenntnisse, nach zum ʼ il noch unbenutzten Quellen. (Weimar, Huschke.)   7 Mk.

H. W. Longfellow, Evangeline, ins Deutsche übersetzt vor rank Stiller. (München, Finsterlin.)   4 Mk.

Pietro Metastasio, Discorso, Ad. Mussafia. (Wien, Gero) 1 Mk.

Hilfsbücher.

H. Klein, Aufsatz-Aufgaben mit Dispositionen und ausgefüh: n Beispielen. Für Mittelschulen. (Mannheim, Nemnich.)   4 Mk.

O. Böhm, Deutsche Grammatik für Unter- und Mittelklasseı ler höheren Schulen. (Wismar, Hinstorff)   1 .k. 80 Pf.

O. Böhm, Übungsbuch zur deutschen Grammatik. 1. u. 2. I ᵗt. (Wismar, Hinstorff.)   1 lk. 10 Pf.

W. Hahn, Metrik der deutschen Sprache, Lehrb. f. d. mitt ⁼en Klassen. (Berlin, Hertz.)   80 Pf.

Aus deutschen Lesebüchern. Dichtungen in Poesie und Prosɛ ʼrläutert von Dietlein, Gosche und Polack. 8 u. 9. Lfrg. (Ber , Hofmann.)   à 60 Pf.

Gerlings Deutsche Litteraturgeschichte, Materialien und ɜitfaden für mittlere und höhere Lehranstalten. (Wiesbaden, Gestewitz.) Mk. 70 Pf.

H. Breitinger, Elementarbuch der franz. Sprache für littelschulen. (Zürich, Schulthefs.)   1 lk. 20 Pf.

Voltaires ausgewahlte Dramen. Erklärt von E. v. Sallw k. (Berlin, Weidmann.)   1 lk. 20 Pf.

X. de Maistre, Voyage autour de ma chambre. Mit Erklärı ʑ u. Wörterbuch v. C. Th. Lion. (Leipzig, Baumgärtner.)   1 lk. 50 Pf.

M. Weifs, Recueil d'historiettes et de poésies pour l'enfa e. (Breslau, Morgenstern.)   1 lk. 20 Pf.

Th. Campbell, The pleasures of hope and other poems, toᵹ her with an essay on Chatterton erklärt von C. Balzer. (Berlin, Weidm. n.) 60 Pf.

H. Breitinger, Italienische Briefe. Zum Rückübersetzen ⸲ dem Deutschen ins Italienische. (Zürich, Schulthefs.)   2 Mk.

S. Heim, Elementarbuch der italienischen Sprache. (Züric Schulthefs.)   ᵌ lk. 60 Pf.

WWilmanns, Leben und Dichten Walthers v. d. Vogelweide. (Bonn, Weber.) 9 Mk.

U. Zernial, Das Lied von Byrhtnoths Fall. Ein Beitrag zur altgerman. Poesie. (Berlin, Weidmann.) 1 Mk.

H. Bieling, Zu den Sagen von Gog und Magog. (Berlin, Weidmann.) 1 Mk.

Göthe in Hauptzügen seines Lebens und Wirkens, von A. Schöll. (Berlin, Hertz.) 11 Mk. 50 Pf.

R. Wegener, Aufsätze zur Litteratur. (Berlin, Wallroth.) 2 Mk. 50 Pf.

A. Vogt, La farce de l'Avocat Pathelin. Ein Beitrag zur franz. Metrik. (Dorpat, Karow.) 1 Mk.

Molière und seine Bühne, hrsg. v. H. Schweitzer. 4. Heft. (Leipzig, Thomas.) 3 Mk.

Chaucer, The Book of the tales of Canterbury. Prolog m. Varianten hrsg. v. J. Zupitza. (Berlin, Weidmann.) 60 Pf.

Jahrbuch der deutschen Shakespeare-Gesellschaft. Hrsg. von F. A. Leo. 17. Jahrg. (Weimar, Huschke.) 9 Mk.

Fr. Kraufs, Shakespeares Selbstbekenntnisse, nach zum Teil noch un- benutzten Quellen. (Weimar, Huschke.) 7 Mk.

H. W. Longfellow, Evangeline, ins Deutsche übersetzt von Frank Stiller. (München, Finsterlin.) 4 Mk.

Pietro Metastasio, Discorso, Ad. Mussafia. (Wien, Gerold.) 1 Mk.

Hilfsbücher.

H. Klein, Aufsatz-Aufgaben mit Dispositionen und ausgeführten Beispielen. Für Mittelschulen. (Mannheim, Nemnich.) 4 Mk.

O. Böhm, Deutsche Grammatik für Unter- und Mittelklassen der höheren Schulen. (Wismar, Hinstorff.) 1 Mk. 80 Pf.

O. Böhm, Übungsbuch zur deutschen Grammatik. 1. u. 2. Heft. (Wismar, Hinstorff.) 1 Mk. 10 Pf.

W. Hahn, Metrik der deutschen Sprache, Lehrb. f. d. mittleren Klassen. (Berlin, Hertz.) 80 Pf.

Aus deutschen Lesebüchern. Dichtungen in Poesie und Prosa erläutert von Dietlein, Gosche und Polack. 8 u. 9. Lfrg. (Berlin, Hofmann.) à 60 Pf.

Gerlings Deutsche Litteraturgeschichte, Materialien und Leitfaden für mittlere und höhere Lehranstalten. (Wiesbaden, Gestewitz.) 2 Mk. 70 Pf.

H. Breitinger, Elementarbuch der franz. Sprache für Mittelschulen. (Zürich, Schulthefs.) 1 Mk. 20 Pf.

Voltaires ausgewählte Dramen. Erklärt von E. v Sallwürk. (Berlin, Weidmann.) 1 Mk. 20 Pf.

X. de Maistre, Voyage autour de ma chambre. Mit Erklärung u. Wörter- buch v. C. Th. Lion. (Leipzig, Baumgärtner.) 1 Mk. 50 Pf.

M. Weifs, Recueil d'historiettes et de poésies pour l'enfance. (Breslau, Morgenstern.) 1 Mk. 20 Pf.

Th. Campbell, The pleasures of hope and other poems, together with an essay on Chatterton erklärt von C. Balzer. (Berlin, Weidmann.) 60 Pf.

H. Breitinger, Italienische Briefe. Zum Rückübersetzen aus dem Deut- schen ins Italienische. (Zürich, Schulthefs.) 2 Mk.

S. Heim, Elementarbuch der italienischen Sprache. (Zürich, Schulthefs.) 3 Mk. 60 Pf.